세상이 변해도
배움의 즐거움은
변함없도록

시대는 빠르게 변해도
배움의 즐거움은
변함없어야 하기에

어제의 비상은
남다른 교재부터
결이 다른 콘텐츠
전에 없던 교육 플랫폼까지

변함없는 혁신으로
교육 문화 환경의 새로운 전형을
실현해왔습니다.

비상은 오늘, 다시 한번
새로운 교육 문화 환경을 실현하기 위한
또 하나의 혁신을 시작합니다.

오늘의 내가 어제의 나를 초월하고
오늘의 교육이 어제의 교육을 초월하여
배움의 즐거움을 지속하는 혁신,

바로, 메타인지 기반 완전 학습을.

상상을 실현하는 교육 문화 기업 비상

메타인지 기반 완전 학습

초월을 뜻하는 meta와 생각을 뜻하는 인지가 결합한 메타인지는
자신이 알고 모르는 것을 스스로 구분하고 학습계획을 세우도록 하는
궁극의 학습 능력입니다. 비상의 메타인지 기반 완전 학습 시스템은
잠들어 있는 메타인지를 깨워 공부를 100% 내 것으로 만들도록 합니다.

ω
완자

자율학습시
비상구
완자로 53

중등 과학 3

구성과 특징

"내용이 너무 간략해서 이해가 잘 안 돼요."

"내용이 너무 많아서 뭐가 중요한지 모르겠어요~"

과학이 어려운 학생들은 완자 과학으로 공부해요!

완자 과학은 복잡한 내용을 개념 카드로 세분화하고, 풍부한 시각 자료와 함께 구성했어요.

짧은 시간에 개념을 이해하고, 오래 기억할 수 있어요.

선생님 강의처럼 상세한 설명이 주석으로 달려 있어서 선생님이 옆에 계신 듯 혼자서도 쉽게 공부할 수 있어요.

완자 과학은 '내 옆의 선생님'이에요.

내 옆의 선생님 완자

· 교과 내용을 세분화한 개념 카드

· '개념 카드 + 확인 문제' 세트 구성

· 자세한 문제 해설

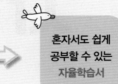

혼자서도 쉽게
공부할 수 있는
자율학습서

1 '개념 카드 + 확인 문제' 세트 구성

개념 이해는 공부의 첫걸음! 개념 카드를 공부하고, 문제로 바로 확인하면 한 번에 빠르게 이해할 수 있습니다.

◆ 복잡한 내용을 개념 카드로 세분화

◆ 그림과 도표로 시각화

◆ 한눈에 보이는 핵심과 친절한 설명

◆ 개념을 바로바로 확인하는 시스템

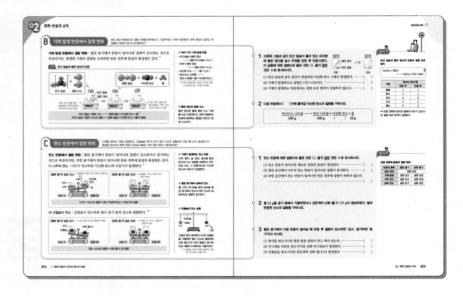

2 실력 향상을 위한 다양한 문제 풀이

문제로 실력 점검! 기출 문제를 분석하여 뽑아낸 다양한 유형의 문제를 풀어 보면서 시험에 대비할 수 있습니다.

- 실력 탄탄 핵심 문제
- 서술형 문제
- 시험 적중 마무리 문제

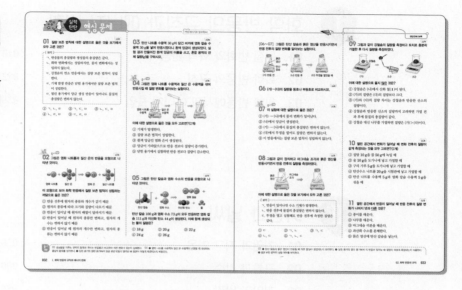

3 또 한권의 책 '정답친해'

더 이상 모르는 문제는 없다! 가려운 곳을 콕 짚어 자세하게 설명했으므로 문제를 완벽하게 이해할 수 있습니다.

- 정확한 답과 친절한 해설
- 중요한 자료는 그림으로 해설
- 상세한 오답 풀이

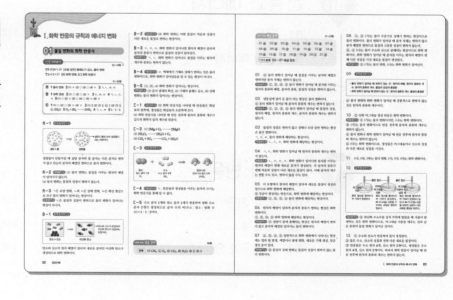

차례

I

화학 반응의 규칙과 에너지 변화

01 물질 변화와 화학 반응식

만화 완성하기 다음 만화를 보고 발포정의 말풍선을 완성해 보자.

화학 변화 동창회

내가 물에 녹으면 화학 변화가 일어나서 기체가 생성되지. 넌 왜 왔어?

나도 마개를 열면 기포가 올라온다구. 그러니 참석해야지.

마개를 열었을 때 기포가 올라오는 건 _____ 하기 때문이야. 그건 _____ 라구.

≫ 이 단원을 학습한 후 내가 쓴 대사를 수정해 보자.

A 물리 변화

물이 끓으면 수증기가 되고, 물이 얼면 얼음이 됩니다. 이러한 물질의 변화가 일어날 때 물질의 모양이나 성질은 어떻게 되는지 알아볼까요?

1. 물리 변화 : 물질의 고유한 성질은 변하지 않으면서 모양이나 상태 등이 변하는 현상
➡ 물리 변화가 일어날 때 물질의 성질이 변하지 않는 까닭 : 물질을 이루는 분자의 배열은 변하지만, 분자 자체는 변하지 않기 때문

2. 물리 변화가 일어날 때 변하는 것과 변하지 않는 것

변하는 것	분자의 배열
변하지 않는 것	원자의 배열, 원자의 종류와 개수, 분자의 종류와 개수, 물질의 성질과 총질량

📖 **물리 변화가 일어날 때 분자 배열의 변화 (예 물의 기화)**

물 / 물 분자 / 물 분자 / 수증기

물을 끓이면 수증기로 상태가 변하는데, 이때 물 분자는 배열이 불규칙해지지만 다른 분자로 변하지 않는다.

변화 전과 후에 ●는 4개로 분자의 종류와 개수는 같다. 또한 ○는 8개, ●는 4개로 원자의 종류와 개수도 같다.

3. 물리 변화가 일어나는 예 → 물질의 모양, 상태 등이 변해도 성질은 변하지 않는다.

모양 변화	상태 변화
• 컵이 깨진다. • 빈 음료수 캔을 찌그러뜨린다.	• 아이스크림이 녹는다. • 유리창에 김이 서린다.

깨진 컵 　　 찌그러진 캔 　　 녹은 아이스크림 　　 김서림

◆ 물리 변화의 여러 가지 예

[모양 변화]
• 오이를 썬다.
• 종이를 접거나 자른다.

[상태 변화]
• 빨래가 마른다.
• 빵에 바른 버터가 녹는다.
• 드라이아이스의 크기가 작아진다.
• 촛불 주위의 양초가 녹아 촛농이 된다.

[확산]
• 향기가 퍼진다.
• 물에 잉크가 퍼진다.

[설탕의 용해]
• 설탕이 물에 녹는다.

한눈에 보기

이 단원의 개념이 어떻게 구성되어 있는지 살펴보고 빈칸을 완성해 보자.

물질 변화와 화학 반응식 ┄┄┄ A 물리 변화

┄┄┄ B ┄┄┄ C

 단어 체크하기

이 단원을 공부하기 전에 미리 알고 있는 단어를 체크해 보자.

☐ 물리 변화 ☐ 화학 변화 ☐ 연소 ☐ 앙금 ☐ 화학 반응
☐ 화학 반응식 ☐ 화학식 ☐ 반응물 ☐ 생성물 ☐ 계수

1 오른쪽 그림은 물질의 변화를 모형으로 나타낸 것이다. 이 변화는 물리 변화와 화학 변화 중 무엇인지 쓰시오.

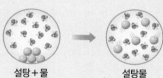

설탕+물 　　　　 설탕물

암기 TIP

물리 변화가 일어날 때 변하는 것

물을 분배하자!
리 　 자 열
변 　 의
화

물을 분배하자!

2 물리 변화에 대한 설명으로 옳은 것은 ○, 옳지 않은 것은 ×로 표시하시오.

(1) 물질을 이루는 원자의 배열이 달라진다. ┄┄┄┄┄┄┄┄┄┄┄┄ (　　)
(2) 물질을 이루는 분자의 배열이 달라진다. ┄┄┄┄┄┄┄┄┄┄┄┄ (　　)
(3) 물질을 이루는 원자의 종류와 개수는 변하지 않는다. ┄┄┄┄┄ (　　)
(4) 어떤 물질이 성질이 다른 새로운 물질로 변하는 현상이다. ┄┄┄ (　　)

3 물리 변화가 일어나는 현상을 보기에서 모두 고르시오.

┌─ 보기 ─
ㄱ. 유리창이 깨진다.
ㄴ. 용광로에서 철이 녹는다.
ㄷ. 김치가 시어 맛이 변한다.
ㄹ. 물이 끓어 수증기가 된다.
ㅁ. 향수병의 마개를 열어 놓으면 향수 냄새가 퍼진다.

B 화학 변화 빵 반죽을 오븐에 넣고 구우면 맛있는 빵이 되고, 초록색을 띠던 사과가 햇빛을 받아 익으면 빨갛게 변합니다. 이러한 물질의 변화가 일어날 때 물질의 모양이나 성질은 어떻게 되는지 알아볼까요?

1. 화학 변화 : 어떤 물질이 처음과 성질이 다른 새로운 물질로 변하는 현상

➡ 화학 변화가 일어날 때 물질의 성질이 변하는 까닭 : 물질을 이루는 원자의 배열이 달라져 분자의 종류가 변하기 때문

2. 화학 변화가 일어날 때 변하는 것과 변하지 않는 것

변하는 것	원자의 배열, 분자의 종류, 물질의 성질
변하지 않는 것	원자의 종류와 개수, 물질의 총질량

📖 **화학 변화가 일어날 때 원자 배열의 변화 (예 물의 전기 분해)**

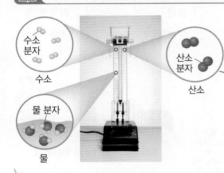

수소 분자 / 수소 / 산소 분자 / 산소 / 물 분자 / 물

물에 수산화 나트륨을 조금 넣고 전기 분해하면 수소와 산소로 나누어지는데, 이때 물 분자를 이루는 수소 원자와 산소 원자의 배열이 변해 수소 분자와 산소 분자가 생성된다. ─ 순수한 물은 전류가 흐르지 않으므로 수산화 나트륨을 조금 녹인다.

변화 전 ⬤⬤는 4개, 변화 후 ⬤⬤는 4개, ⬤⬤는 2개로 분자의 종류와 개수가 다르다. 그러나 변화 전과 후에 ⬤는 8개, ⬤는 4개로 원자의 종류와 개수는 같다.

3. 화학 변화가 일어나는 예+++

열과 빛 발생	앙금 생성
• 양초가 타며 열과 빛이 발생한다. • 메테인이 연소하여 열과 빛이 발생한다. • 나무, 숯 등이 연소하여 열과 빛이 발생한다.	• 아이오딘화 칼륨 수용액과 질산 납 수용액이 반응하면 노란색 앙금이 생성된다. ─ 아이오딘화 납 • 염화 나트륨 수용액과 질산 은 수용액이 반응하면 흰색 앙금이 생성된다. ─ 염화 은
양초의 연소  메테인의 연소	 아이오딘화 납 염화 은
기체 생성	**색깔, 냄새, 맛 등의 변화**
• 달걀 껍데기와 묽은 염산(또는 식초)이 반응하면 이산화 탄소 기체가 발생한다. • 발포정을 물에 넣으면 기포가 발생한다. • 과산화 수소수를 상처 부위에 바르면 기체가 발생한다.	• 철이 녹슨다. • 과일이 익는다. • 김치가 시어진다. • 깎아 놓은 사과의 색이 변한다. • 가을이 되면 단풍잎이 붉은색으로 변한다.
 달걀 껍데기 / 묽은 염산 발포정	 녹슨 철  과일

1 오른쪽 그림은 물질의 변화를 모형으로 나타
낸 것이다. 이 변화는 물리 변화와 화학 변화
중 무엇인지 쓰시오.

탄소＋산소   이산화 탄소

암기 TIP

화학 변화가 일어날 때 변하는 것
화원 배분 종료!
화 원 배 분 종료!
학 자 열 자 류
변 의   의
화

화원 배분 종료!

비밀 정원   다육이

2 화학 변화에 대한 설명으로 옳은 것은 ○, 옳지 <u>않은</u> 것은 ×로 표시하시오.

(1) 물질을 이루는 원자의 종류와 개수는 변하지 않는다. ··················· (   )

(2) 물질을 이루는 원자의 배열이 달라져 분자의 종류가 변한다. ··········· (   )

(3) 물질의 고유한 성질은 변하지 않으면서 모양이나 상태 등이 변하는 현상이다.
·· (   )

3 화학 변화가 일어날 때 변하는 것을 보기에서 모두 고르시오.

〔 보기 〕

ㄱ. 원자의 개수   ㄴ. 원자의 종류   ㄷ. 원자의 배열

ㄹ. 분자의 종류   ㅁ. 물질의 성질

4 화학 변화가 일어났음을 알 수 있는 현상을 보기에서 모두 고르시오.

〔 보기 〕

ㄱ. 앙금이 생성된다.   ㄴ. 열과 빛이 발생한다.

ㄷ. 새로운 기체가 생성된다.   ㄹ. 액체에서 기체로 상태가 변한다.

ㅁ. 색깔, 냄새, 맛 등이 변한다.

5 화학 변화가 일어나는 현상은 ○, 화학 변화가 일어나는 현상이 <u>아닌</u> 것은 ×로 표시
하시오.

(1) 나무가 타서 재가 된다. ·· (   )

(2) 음식 냄새가 퍼져 나간다. ·· (   )

(3) 발포정을 물에 넣으면 기포가 발생한다. ·································· (   )

(4) 쓰레기통 속 과일 껍질이 썩어 냄새가 난다. ···························· (   )

(5) 탄산음료의 마개를 열었더니 기포가 올라온다. ························· (   )

(6) 옷장에 넣어 둔 고체 방충제의 크기가 점점 작아진다. ················ (   )

만화
확인하기

10쪽으로 돌아가서
내가 쓴 대사를 점검해 보자.

화학 반응은 글이나 입자 모형 등을 이용하여 나타낼 수도 있지만, 화학식을 이용하면 보다 간단하게 나타낼 수 있습니다. 지금부터 화학 반응을 화학 반응식으로 나타내는 방법을 알아볼까요?

1. 화학 반응 : 화학 변화가 일어나는 과정 ➡ 화학 반응이 일어날 때 원자의 종류와 개수는 변하지 않고, 원자의 배열이 달라져 반응 전의 물질과는 다른 새로운 물질이 생성된다. +

2. 화학 반응식 : 화학식을 이용하여 화학 반응을 나타낸 식+

(1) 화학 반응식을 나타내는 방법

구분	방법	예 물 생성 반응
1단계	• 화살표의 왼쪽에는 반응물을, 화살표의 오른쪽에는 생성물을 쓴다. • 반응물이나 생성물이 두 가지 이상이면 각 물질을 '+'로 연결한다.	수소 + 산소 ⟶ 물 └반응물┘ 생성물
2단계	반응물과 생성물을 화학식으로 나타낸다.	H_2 + O_2 ⟶ H_2O 수소 산소 물
3단계	• 화학 반응 전후에 원자의 종류와 개수가 같도록 계수를 맞춘다. • 계수는 가장 간단한 정수비로 나타내며, 1은 생략한다.	① 산소 원자의 개수 맞추기 H_2 + O_2 ⟶ $2H_2O$ 2개 2×1개 ② 수소 원자의 개수 맞추기 $2H_2$ + O_2 ⟶ $2H_2O$ 2×2개 2×2개

(2) 여러 가지 반응의 화학 반응식+

① 암모니아 생성 반응 : $N_2 + 3H_2 \longrightarrow 2NH_3$

② 마그네슘 연소 반응 : $2Mg + O_2 \longrightarrow 2MgO$

③ 메테인 연소 반응 : $CH_4 + 2O_2 \longrightarrow CO_2 + 2H_2O$

④ 과산화 수소 분해 반응 : $2H_2O_2 \longrightarrow 2H_2O + O_2$

⑤ 탄산수소 나트륨 분해 반응 : $2NaHCO_3 \longrightarrow Na_2CO_3 + CO_2 + H_2O$

⑥ 탄산 나트륨과 염화 칼슘의 반응 : $Na_2CO_3 + CaCl_2 \longrightarrow 2NaCl + CaCO_3$

3. 화학 반응식으로 알 수 있는 것 : 반응물과 생성물의 종류, 반응물과 생성물을 이루는 원자의 종류와 개수, 입자 수의 비 등

모형	수소	+	산소	⟶	물	
화학 반응식	$2H_2$	+	O_2	⟶	$2H_2O$	
반응물과 생성물의 종류	반응물				생성물	
	수소		산소		물	
분자의 종류와 개수	수소 분자 2개		산소 분자 1개		물 분자 2개	
원자의 종류와 개수	수소 원자 4개		산소 원자 2개		수소 원자 4개 산소 원자 2개	
계수비	2	:	1	:	2	
분자 수의 비+	2	:	1	:	2	

─ 계수비=분자 수의 비≠질량비

+ 화학 반응의 종류
• 화합 : 두 가지 이상의 물질이 반응하여 하나의 새로운 물질이 생성되는 반응
  예 수소+산소 ⟶ 물
• 분해 : 한 물질이 두 가지 이상의 다른 물질로 나누어지는 반응
  예 물 ⟶ 수소+산소
• 치환 : 화합물을 이루는 성분의 일부가 다른 성분과 자리를 바꾸는 반응
  예 질산 은+구리
    ⟶ 질산 구리(Ⅱ)+은

+ 화학식
• 분자로 존재하는 물질 : 분자를 이루는 원자의 종류와 개수를 이용하여 나타낸다.
  예 산소 : O_2, 물 : H_2O
• 분자로 존재하지 않는 물질 : 물질을 이루는 원자의 종류와 개수비를 이용하여 나타낸다.
  예 구리 : Cu, 염화 나트륨 : NaCl

+ 그 외의 화학 반응식
• 구리의 연소 반응
  ➡ $2Cu + O_2 \longrightarrow 2CuO$
• 염화 수소 생성 반응
  ➡ $H_2 + Cl_2 \longrightarrow 2HCl$
• 아연과 묽은 염산의 반응
  ➡ $Zn + 2HCl \longrightarrow ZnCl_2 + H_2$
• 이산화 탄소 생성 반응
  ➡ $C + O_2 \longrightarrow CO_2$
• 염화 나트륨 생성 반응
  ➡ $2Na + Cl_2 \longrightarrow 2NaCl$
• 아이오딘화 납 생성 반응
  ➡ $2KI + Pb(NO_3)_2$
    $\longrightarrow 2KNO_3 + PbI_2$

+ 화학 반응식에서 분자 수의 비
반응물이나 생성물이 분자로 이루어진 물질일 때는 화학 반응식의 계수비가 분자 수의 비와 같다.

| 용어 |
• 계수(係 묶다, 數 셈하다) 화학 반응식에서 화학식 앞에 쓰는 숫자

1 화학 반응과 화학 반응식에 대한 설명으로 옳은 것은 ○, 옳지 <u>않은</u> 것은 ×로 표시하시오.

(1) 화학 반응이 일어날 때 원자의 종류와 개수는 변하지 않는다. ························· (   )
(2) 화학 반응식은 화학식을 이용하여 화학 반응을 나타낸 식이다. ·············· (   )
(3) 화학 반응식을 나타낼 때 반응물은 화살표의 오른쪽에, 생성물은 화살표의 왼쪽에 쓴다. ·· (   )
(4) 화학 반응식을 나타낼 때 반응 전후에 분자의 종류와 개수가 같도록 화학식 앞의 계수를 맞춘다. ·· (   )

화학 반응이 일어날 때 변하지 않는 것

변함없는 NO.1 종수씨!
원류
자
의
개
종수

2 다음 화학 반응식을 완성하시오.(단, 계수가 1인 경우에도 생략하지 않고 쓴다.)

(1) $2Mg + O_2 \longrightarrow ($ $)MgO$
(2) $2H_2O_2 \longrightarrow ㉠($ $)H_2O + ㉡($ $)O_2$
(3) $CH_4 + ㉠($ $)O_2 \longrightarrow CO_2 + ㉡($ $)$

3 그림은 암모니아 생성 반응을 모형으로 나타낸 것이다.

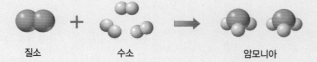

질소   수소   암모니아

이 반응을 화학 반응식으로 나타내시오.

4 수소와 산소가 반응하여 물이 생성되는 반응의 화학 반응식에서 알 수 있는 것을 보기에서 모두 고르시오.

{ 보기 }
ㄱ. 반응물과 생성물의 종류
ㄴ. 반응물과 생성물의 분자 수의 비
ㄷ. 반응물과 생성물을 이루는 분자의 크기
ㄹ. 반응물과 생성물을 이루는 원자의 종류와 개수

5 다음은 염화 수소 생성 반응을 화학 반응식으로 나타낸 것이다.

$$H_2 + Cl_2 \longrightarrow 2HCl$$

반응물과 생성물의 분자 수의 비(수소 : 염소 : 염화 수소)를 쓰시오.

이 단원에서 물리 변화와 화학 변화 실험, 화학 반응식을 나타내는 방법은 매우 중요해요. 마그네슘의 물리 변화와 화학 변화를 실험으로 확인하고, 화학 반응식을 나타내는 방법에 대해 살펴볼까요?

탐구 자료 마그네슘의 물리 변화와 화학 변화

관련 개념 | 10쪽 Ⓐ 물리 변화, 12쪽 Ⓑ 화학 변화

목표 마그네슘 리본을 구부렸을 때와 태웠을 때의 성질을 비교하여 물리 변화, 화학 변화를 구분한다.

과정
① 마그네슘 리본을 페트리 접시에 놓는다.
② 구부린 마그네슘 리본을 페트리 접시에 놓는다.
③ 마그네슘 리본을 증발 접시 위에서 태우고, 타고 남은 재를 페트리 접시에 놓는다.
④ 과정 ①~③에 묽은 염산을 떨어뜨리고 변화를 관찰한다.

마그네슘 리본

구부린 마그네슘 리본

마그네슘 리본이 타고 남은 재

결과

구분	마그네슘 리본	구부린 마그네슘 리본	마그네슘 리본이 타고 남은 재
묽은 염산과의 반응	기체 발생	기체 발생	기체가 발생하지 않음

결론
· 마그네슘 리본을 구부려도 마그네슘의 성질은 변하지 않으므로 이는 ⊙( ) 변화이다.
· 마그네슘 리본을 태우면 마그네슘의 성질이 달라지므로 이는 ⓒ( ) 변화이다.

답 ⊙ 물리 ⓒ 화학

핵심 자료 화학 반응식을 나타내는 방법

관련 개념 | 14쪽 Ⓒ 화학 반응식

질소와 수소가 반응하여 암모니아가 생성되는 반응

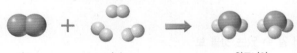

질소 + 수소 → 암모니아

1. 반응물과 생성물을 쓰고, 각 물질을 화학식으로 나타낸다.
· 반응물 : 질소 − N_2, 수소 − H_2 · 생성물 : 암모니아 − NH_3

$$N_2 + H_2 \longrightarrow NH_3$$

2. 반응 전후에 원자의 종류와 개수가 같도록 화학식 앞의 계수를 맞춘다.
① 질소 원자의 개수를 같게 맞춘다.

$$\underset{2개}{N_2} + \underset{1개}{H_2} \longrightarrow \underset{2개}{NH_3} \Rightarrow \underset{2개}{N_2} + H_2 \longrightarrow \underset{2개}{2NH_3}$$

② 수소 원자의 개수를 같게 맞춘다.

$$N_2 + \underset{2개}{H_2} \longrightarrow \underset{2\times3개}{2NH_3} \Rightarrow N_2 + \underset{3\times2개}{3H_2} \longrightarrow \underset{2\times3개}{2NH_3}$$

유제 메테인이 연소하여 이산화 탄소와 물이 생성되는 반응을 화학 반응식으로 나타내시오.

메테인 + 산소 ⟶ 이산화 탄소 + 물

1. 반응물과 생성물을 화학식으로 나타낸다.
· 반응물 : 메테인 − ⊙( ), 산소 − ⓒ( )
· 생성물 : 이산화 탄소 − ⓒ( ), 물 − ⓔ( )

⊙( ) + ⓒ( ) ⟶ ⓒ( ) + ⓔ( )

2. 반응 전후에 원자의 종류와 개수가 같도록 계수를 맞춘다.
① 수소 원자의 개수를 같게 맞춘다.

$$\underset{4개}{CH_4} + O_2 \longrightarrow CO_2 + \underset{2\times2개}{ⓜ(\quad)H_2O}$$

② 산소 원자의 개수를 같게 맞춘다.

$$CH_4 + \underset{2\times2개}{ⓗ(\quad)O_2} \longrightarrow \underset{2개}{CO_2} + \underset{2개}{2H_2O}$$

01 물리 변화가 일어날 때 변하는 것은? [10쪽]

① 원자의 종류
② 원자의 배열
③ 분자의 종류
④ 분자의 배열
⑤ 물질의 성질

02 다음 현상에 대한 설명으로 옳은 것은? [10쪽]

> 냉동실에 넣어 둔 물이 언다.

① 물질의 고유한 성질이 달라진다.
② 원자의 배열이 달라진다.
③ 원자의 종류와 개수가 달라진다.
④ 분자의 종류와 개수는 변하지 않는다.
⑤ 분자의 개수는 변하지 않지만, 분자의 종류가 달라진다.

03 물질의 성질은 변하지 않고 상태나 모양 등만 변하는 현상을 보기에서 모두 고른 것은? [10쪽]

[보기]
ㄱ. 물에 잉크가 퍼진다.
ㄴ. 쇠못이 붉게 녹슨다.
ㄷ. 김치가 익어 맛이 시어진다.
ㄹ. 빈 음료수 캔을 찌그러뜨린다.
ㅁ. 고기를 굽기 위해 숯을 태운다.
ㅂ. 탄산음료의 마개를 열면 기포가 올라온다.

① ㄱ, ㄴ, ㅁ
② ㄱ, ㄹ, ㅂ
③ ㄴ, ㄷ, ㅁ
④ ㄴ, ㄹ, ㅂ
⑤ ㄷ, ㅁ, ㅂ

04 화학 변화가 일어날 때 항상 변하지 <u>않는</u> 것을 보기에서 모두 고른 것은? [12쪽]

[보기]
ㄱ. 원자의 종류
ㄴ. 분자의 종류
ㄷ. 원자의 개수
ㄹ. 분자의 개수
ㅁ. 원자의 배열
ㅂ. 물질의 성질

① ㄱ, ㄷ
② ㄴ, ㄹ
③ ㅁ, ㅂ
④ ㄱ, ㄷ, ㅁ
⑤ ㄴ, ㄹ, ㅂ

05 그림은 어떤 물질의 변화를 모형으로 나타낸 것이다. [12쪽]

이와 같은 변화가 일어나는 경우는?

① 컵이 깨진다.
② 아이스크림이 녹는다.
③ 종이를 자르거나 접는다.
④ 비닐봉지 속 드라이아이스의 크기가 작아진다.
⑤ 아이오딘화 칼륨 수용액과 질산 납 수용액이 반응하면 노란색 앙금이 생성된다.

06 물질의 변화가 일어날 때 원자의 배열이 달라져 분자의 종류가 변하는 현상이 <u>아닌</u> 것은? [12쪽]

① 프라이팬 위의 달걀이 익는다.
② 공기 중에 놓아 둔 음식물이 썩는다.
③ 깎아 놓은 사과의 색깔이 갈색으로 변한다.
④ 물에 각설탕을 넣으면 설탕이 녹아 사라진다.
⑤ 오래된 우유가 상해 덩어리가 생기거나 기체가 발생한다.

 풀이 TIP
02 ❶ 물리 변화와 화학 변화의 정의를 생각한다. ❷ 물이 어는 현상은 물질의 상태 변화임을 파악한다. ❸ 물질의 상태 변화는 물리 변화인지 화학 변화인지 떠올린다. ❹ 물리 변화와 화학 변화가 일어날 때 변하는 것과 변하지 않는 것을 각각 정리한다.

07 일반적으로 화학 변화에서 나타나는 현상으로 볼 수 없는 것은? [12쪽]

① 열과 빛이 발생한다.
② 물질의 상태가 변한다.
③ 색깔이나 냄새가 변한다.
④ 새로운 기체가 생성된다.
⑤ 앙금이 생성되어 가라앉는다.

08 그림은 물의 두 가지 변화를 모형으로 나타낸 것이다. [12쪽]

풀이 TIP

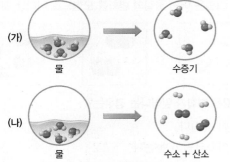

(가) 물 → 수증기
(나) 물 → 수소 + 산소

(가)와 (나)에 대한 설명으로 옳지 <u>않은</u> 것은?

① (가)에서 물 분자의 배열이 변한다.
② (가)에서 물의 성질은 변하지 않는다.
③ (나)에서 물을 이루는 원자의 배열이 변한다.
④ (나)에서는 물과 성질이 다른 새로운 물질이 생성된다.
⑤ (가)와 (나)에서 모두 물리 변화가 일어난다.

09 물리 변화와 화학 변화가 일어날 때 공통적으로 변하지 <u>않는</u> 것은? [12쪽]

① 분자의 배열   ② 원자의 배열
③ 분자의 종류와 개수   ④ 원자의 종류와 개수
⑤ 물질의 성질과 총질량

10 다음은 여러 가지 물질의 반응을 나타낸 것이다. [12쪽]

(가) 물＋설탕 ──→ 설탕물
(나) 질소＋수소 ──→ 암모니아
(다) 마그네슘＋산소 ──→ 산화 마그네슘

(가)~(다)에 대한 설명으로 옳은 것은?

① (가)와 (나)에서는 물리 변화가 일어난다.
② (다)에서는 화학 변화가 일어난다.
③ (가)에서 반응 전후에 분자의 종류와 개수가 다르다.
④ (나)에서 반응 전후에 원자의 종류와 개수가 다르다.
⑤ (다)에서 생성물은 마그네슘이나 산소의 성질을 그대로 가지고 있다.

11 다음은 물질의 변화가 일어나는 여러 가지 현상을 나타낸 것이다. [12쪽]

(가) 밀가루 반죽을 오븐에 넣어 굽는다.
(나) 나무나 돌을 깎아서 조각상을 만든다.
(다) 발포정을 물에 넣으면 기포가 발생한다.
(라) 고체 상태의 설탕을 약한 불로 가열하면 설탕이 액체 상태가 된다.
(마) 액체 상태의 설탕을 오래 가열하면 설탕이 타서 검게 변한다.
(바) 옷장에 넣어 둔 고체 방충제(나프탈렌)의 크기가 점점 작아진다.

물리 변화와 화학 변화가 일어나는 현상을 옳게 짝 지은 것은?

	물리 변화	화학 변화
①	(가), (나), (다)	(라), (마), (바)
②	(가), (다), (마)	(나), (라), (바)
③	(나), (다), (라)	(가), (마), (바)
④	(나), (라), (바)	(가), (다), (마)
⑤	(다), (라), (바)	(가), (나), (마)

 풀이 TIP 08 ❶ (가)와 (나)에서 각각 원자와 분자의 배열 변화를 파악한다. ❷ 원자와 분자의 배열 변화를 통해 (가)와 (나)를 물리 변화와 화학 변화로 구분한다. ❸ 물리 변화와 화학 변화에서 물질의 성질 변화를 떠올린다.

018   I. 화학 반응의 규칙과 에너지 변화

12 그림과 같이 마그네슘 리본 3개를 준비하여 (가)는 그대로, (나)는 구부려서, (다)는 타고 남은 재를 담고 묽은 염산을 각각 떨어뜨렸다.

이에 대한 설명으로 옳지 <u>않은</u> 것은?

① (가), (나)에서 묽은 염산을 떨어뜨리면 기체가 발생한다.

② (다)에서 묽은 염산을 떨어뜨리면 기체가 발생하지 않는다.

③ 마그네슘 리본을 구부려도 성질은 변하지 않는다.

④ 마그네슘 리본을 태우면 성질이 다른 새로운 물질로 변한다.

⑤ 과산화 수소수를 상처 부위에 발랐을 때 거품이 발생하는 것은 마그네슘 리본을 구부리는 것과 같은 종류의 물질 변화가 일어난 것이다.

 풀이 **TIP**

13 다음은 수소와 산소가 반응하여 물이 생성되는 반응을 화학 반응식으로 나타낸 것이다.

$$2H_2 + O_2 \longrightarrow 2H_2O$$

이에 대한 설명으로 옳지 <u>않은</u> 것은?

① 반응물은 수소와 산소, 생성물은 물이다.

② 반응물과 생성물의 성질은 전혀 다르다.

③ 반응 전후에 원자의 종류와 개수는 변하지 않는다.

④ 수소 분자 30개와 산소 분자 15개가 반응하면 물 분자 30개가 생성된다.

⑤ 반응하거나 생성되는 물질의 원자 수의 비는 수소 : 산소 : 물=2 : 1 : 2이다.

14 화학 반응식에 대한 설명으로 옳지 <u>않은</u> 것은?

① 화학식을 이용하여 화학 반응을 나타낸 식이다.

② 화학 반응이 일어나기 전의 물질은 반응물, 화학 반응 결과 만들어진 물질은 생성물이다.

③ 반응물은 화살표(→)의 왼쪽에, 생성물은 화살표의 오른쪽에 쓴다.

④ 반응 전후에 분자의 종류와 개수가 같도록 계수를 맞춘다.

⑤ 화학 반응식을 통해 반응물과 생성물의 종류, 입자 수의 비 등을 알 수 있다.

15 다음은 과산화 수소의 분해 반응을 화학 반응식으로 나타낸 것이다.

$$㉠(\quad)H_2O_2 \longrightarrow ㉡(\quad)H_2O + ㉢(\quad)O_2$$

㉠~㉢에 알맞은 계수를 순서대로 옳게 짝 지은 것은?

① 1, 1, 1　　② 1, 2, 1　　③ 1, 2, 2

④ 2, 1, 2　　⑤ 2, 2, 1

16 그림은 어떤 화학 반응을 모형으로 나타낸 것이다.

이 모형으로 나타낼 수 있는 화학 반응식은?

① $C + O_2 \longrightarrow CO_2$

② $H_2 + Cl_2 \longrightarrow 2HCl$

③ $N_2 + 2O_2 \longrightarrow 2NO_2$

④ $N_2 + 3H_2 \longrightarrow 2NH_3$

⑤ $2Mg + O_2 \longrightarrow 2MgO$

13 ❶ 화학 반응식에서 반응물과 생성물을 구분한다. ❷ 화학 반응식에서 반응물과 생성물의 계수비를 통해 분자 수의 비를 안다. ❸ 반응 전후에 원자의 종류와 개수를 확인한다.

17 화학 반응식을 옳게 나타낸 것을 보기에서 모두 고른 것은? [14쪽]

{ 보기 }
ㄱ. $Cu + O_2 \longrightarrow CuO$
ㄴ. $2H_2 + O_2 \longrightarrow 2H_2O$
ㄷ. $Zn + 2HCl \longrightarrow ZnCl_2 + H_2$
ㄹ. $Na_2CO_3 + CaCl_2 \longrightarrow NaCl + CaCO_3$

① ㄱ, ㄴ   ② ㄴ, ㄷ   ③ ㄷ, ㄹ
④ ㄱ, ㄴ, ㄷ   ⑤ ㄴ, ㄷ, ㄹ

18 탄산수소 나트륨($NaHCO_3$)을 가열할 때 일어나는 반응을 화학 반응식으로 옳게 나타낸 것은? [14쪽]

① $NaHCO_3 \longrightarrow Na_2CO_3 + CO_2 + H_2O$
② $NaHCO_3 \longrightarrow Na_2CO_3 + 2CO_2 + H_2O$
③ $2NaHCO_3 \longrightarrow Na_2CO_3 + CO_2 + H_2O$
④ $2NaHCO_3 \longrightarrow Na_2CO_3 + CO_2 + 2H_2O$
⑤ $2NaHCO_3 \longrightarrow 2Na_2CO_3 + CO_2 + H_2O$

19 화학 반응식을 통해 알 수 있는 사실이 <u>아닌</u> 것은? [14쪽]

① 반응물과 생성물의 종류
② 반응물을 이루는 원자의 개수
③ 생성물을 이루는 입자의 질량
④ 반응물과 생성물을 이루는 원자의 종류
⑤ 반응물과 생성물을 이루는 입자 수의 비

20 그림은 질소와 수소가 반응하여 암모니아가 생성되는 반응을 모형으로 나타낸 것이다. [14쪽]

질소   수소   암모니아

이에 대한 설명으로 옳지 <u>않은</u> 것은?

① 반응 전후에 분자의 개수는 변하지 않는다.
② 반응물은 질소와 수소이고, 생성물은 암모니아이다.
③ 질소 : 수소 : 암모니아의 분자 수의 비는 1 : 3 : 2 이다.
④ 질소 분자 10개와 수소 분자 30개가 반응하면 암모니아 분자 20개가 생성된다.
⑤ 이 반응을 화학 반응식으로 나타내면 $N_2 + 3H_2 \longrightarrow 2NH_3$이다.

21 풀이TIP 다음은 메테인의 연소 반응을 화학 반응식으로 나타낸 것이다. [14쪽]

$$CH_4 + ㉠(\quad)O_2 \longrightarrow ㉡(\quad)CO_2 + ㉢(\quad)H_2O$$

이에 대한 설명으로 옳은 것을 보기에서 모두 고른 것은?

{ 보기 }
ㄱ. ㉠=㉢이고, ㉡=1이다.
ㄴ. 반응 후에 분자의 개수가 증가한다.
ㄷ. 메테인 분자 2개가 연소하면 물 분자 4개가 생성된다.
ㄹ. 메테인 분자 10개를 연소시키려면 산소 분자는 최소 20개가 필요하다.

① ㄱ, ㄴ, ㄷ   ② ㄱ, ㄴ, ㄹ   ③ ㄱ, ㄷ, ㄹ
④ ㄴ, ㄷ, ㄹ   ⑤ ㄱ, ㄴ, ㄷ, ㄹ

---

 21 ❶ 반응물을 이루는 탄소 원자의 개수가 1개이므로 생성물의 탄소 원자도 1개가 되어야 한다. ❷ 반응물을 이루는 수소 원자의 개수가 4개이므로 생성물의 수소 원자도 4개가 되어야 한다. ❸ 반응물과 생성물의 산소 원자의 개수를 맞춘다. ❹ 화학 반응식에서 반응물과 생성물의 계수비를 통해 분자 수의 비를 안다.

020   I. 화학 반응의 규칙과 에너지 변화

22 그림은 물질의 변화를 모형으로 나타낸 것이다. [12쪽]

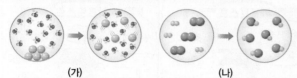

(가)   (나)

(가)와 (나)를 물리 변화와 화학 변화로 구분하고, 그 까닭을 입자의 변화와 관련지어 서술하시오.

---

23 풀이 **TIP** 다음은 설탕을 가열할 때의 변화를 나타낸 것이다. [12쪽]

> (가) 설탕을 약한 불로 가열하여 녹인다.
> (나) 액체 설탕을 더 오래 가열하면 설탕이 타면서 검게 변한다.

(가)와 (나)를 물리 변화와 화학 변화로 구분하고, 그 까닭을 물질의 성질과 관련지어 서술하시오.

---

24 표는 길게 자른 마그네슘 리본, (가) 구부린 마그네슘 리본, (나) 마그네슘 리본이 타고 남은 재를 이용한 실험 결과이다. [12쪽]

구분	마그네슘 리본	(가) 구부린 마그네슘 리본	(나) 마그네슘 리본이 타고 남은 재
색깔	은백색	은백색	흰색
묽은 염산과의 반응	기체 발생	기체 발생	기체가 발생하지 않음

(가)와 (나) 중 화학 변화가 일어난 것을 고르고, 그 까닭을 실험 결과와 관련지어 서술하시오.

---

25 그림은 물 생성 반응을 모형으로 나타낸 것이다. [14쪽]

수소   산소   물

(1) 반응물과 생성물을 화학식으로 나타내시오.

(2) 이 반응을 화학 반응식으로 나타내시오.

---

26 화학 반응식에서 화학 반응식 앞에 계수를 맞추는 까닭을 서술하시오. [14쪽]

---

27 풀이 **TIP** 그림은 메테인(CH_4)과 산소가 반응하여 이산화 탄소와 물이 생성되는 반응의 일부를 모형으로 나타낸 것이다. [14쪽]

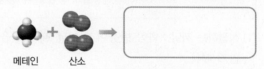

메테인   산소

(1) 생성물의 분자 모형을 그림으로 나타내시오.(단, 각 물질의 개수까지 나타낸다.)

(2) 메테인 분자 3개가 연소할 때 생성되는 이산화 탄소 분자의 개수를 풀이 과정과 함께 서술하시오.

학습 평가하기

정답친해 03쪽으로 가서 문제를 채점한 후 학습 결과를 스스로 평가해 보세요.

맞춘 개수	23~27개	18~22개	0~17개
평가	잘함	보통	부족

➜ 정답친해에서 그 문제를 왜 틀렸는지 꼭 확인하세요!
➜ 본책에서 해당 쪽으로 돌아가서 부족한 부분을 다시 공부하세요!

---

23 물질의 상태가 변할 때와 물질의 색깔, 맛 등이 변할 때 물질의 성질은 어떻게 되는지 생각한다.   27 (1) ❶ 화학 반응이 일어날 때 원자의 종류와 개수가 변하지 않음을 떠올린다. ❷ 반응물을 이루는 원자의 종류와 개수는 탄소 원자 1개, 수소 원자 4개, 산소 원자 4개임을 확인한다.

02. 화학 반응의 규칙

만화 완성하기 다음 만화를 보고 점원의 말풍선을 완성해 보자.

>> 이 단원을 학습한 후 내가 쓴 대사를 수정해 보자.

A **질량 보존 법칙,
앙금 생성 반응에서 질량 변화**

물이 얼어 얼음이 되거나, 물이 끓어 수증기가 되는 물리 변화가 일어날 때 질량은 변하지 않습니다. 그렇다면 앙금이 생성되는 화학 반응이 일어날 때 질량은 어떻게 될까요?

1. 질량 보존 법칙(1772년, 라부아지에) : 화학 반응이 일어날 때 반응물의 총질량과 생성물의 총질량은 같다.

> 반응물의 총질량 = 생성물의 총질량

(1) 성립하는 까닭 : 화학 반응이 일어날 때 물질을 이루는 원자의 종류와 개수가 변하지 않기 때문
(2) 질량 보존 법칙은 물리 변화와 화학 변화에서 모두 성립한다.＋

2. 앙금 생성 반응에서 질량 변화 : 앙금이 생성되는 반응이 일어나도 반응 전후에 물질의 총질량은 같다.＋●용기의 밀폐 여부와 관계없이 반응 전후에 물질의 총질량이 같다.

📖 **염화 나트륨 수용액과 질산 은 수용액의 반응**

염화 나트륨 수용액과 질산 은 수용액이 반응하면 흰색 앙금인 염화 은이 생성되어 용액이 뿌옇게 흐려지지만, 반응 전후에 물질의 총질량은 같다.

> 염화 나트륨＋질산 은 ⟶ 염화 은＋질산 나트륨
> (염화 나트륨＋질산 은)의 질량 ＝ (염화 은＋질산 나트륨)의 질량

＋ 물리 변화와 질량 보존 법칙
물리 변화가 일어날 때 물질의 상태나 모양이 변하지만 원자의 종류나 개수는 변하지 않으므로 질량 보존 법칙이 성립한다.
예 ・설탕 50 g과 물 50 g을 섞으면 설탕물 100 g이 된다.
・얼음 10 g이 녹으면 물 10 g이 된다.

＋ 여러 가지 앙금 생성 반응
・탄산 나트륨＋염화 칼슘
 ⟶ 탄산 칼슘↓＋염화 나트륨
・아이오딘화 칼륨＋질산 납
 ⟶ 아이오딘화 납↓＋질산 칼륨
・황산 나트륨＋염화 바륨
 ⟶ 황산 바륨↓＋염화 나트륨
 └●화학 반응식을 나타낼 때 아래로 향하는 화살표(↓)는 앙금을 의미한다.

한눈에 보기

이 단원의 개념이 어떻게 구성되어 있는지 살펴보고 빈칸을 완성해 보자.

화학 반응의 규칙

A 질량 보존 법칙, 앙금 생성 반응에서 질량 변화

B 기체 발생 반응에서 질량 변화

C 연소 반응에서 질량 변화

D

E 산화 구리(Ⅱ) 생성 반응에서 질량비

F

G 화학 반응식과 기체의 부피 관계

단어 체크하기

이 단원을 공부하기 전에 미리 알고 있는 단어를 체크해 보자.

☐ 질량 보존 법칙   ☐ 앙금   ☐ 연소   ☐ 일정 성분비 법칙   ☐ 화합물

☐ 질량비   ☐ 기체 반응 법칙   ☐ 계수비   ☐ 부피비

1 질량 보존 법칙에 대한 설명으로 옳은 것은 ○, 옳지 <u>않은</u> 것은 ×로 표시하시오.

(1) 반응물의 총질량과 생성물의 총질량은 같다. ·················· (   )

(2) 물리 변화에서는 질량 보존 법칙이 성립하지 않는다. ·········· (   )

(3) 앙금 생성 반응에서는 질량 보존 법칙이 성립한다. ············ (   )

암기 TIP

질량 보존 법칙

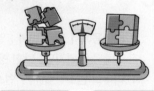

| 반응물의 총질량 | = | 생성물의 총질량 |

2 다음 (   ) 안에 알맞은 말을 쓰시오.

화학 반응이 일어날 때 질량 보존 법칙이 성립하는 까닭은 반응 전후에 물질을 이루는 (   )의 종류와 개수가 변하지 않기 때문이다.

3 그림은 염화 나트륨 수용액과 질산 은 수용액의 반응을 모형으로 나타낸 것이다.

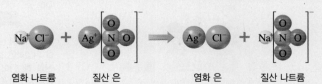

염화 나트륨   질산 은   염화 은   질산 나트륨

두 수용액을 섞기 전과 섞은 후의 질량을 비교하시오.

B 기체 발생 반응에서 질량 변화

앙금 생성 반응에서의 질량 변화를 확인했으니, 지금부터는 기체가 발생하는 화학 반응이 일어날 때 질량은 어떻게 되는지 알아볼까요?

기체 발생 반응에서 질량 변화 : 열린 용기에서 반응이 일어나면 질량이 감소하는 것으로 측정되지만, 발생한 기체의 질량을 고려하면 반응 전후에 물질의 총질량은 같다. [+]

탄산 칼슘과 묽은 염산의 반응

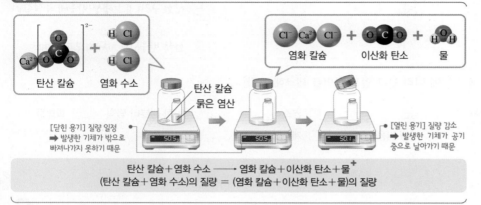

탄산 칼슘+염화 수소 ⟶ 염화 칼슘+이산화 탄소+물 [+]
(탄산 칼슘+염화 수소)의 질량 = (염화 칼슘+이산화 탄소+물)의 질량

[닫힌 용기] 질량 일정
➡ 발생한 기체가 밖으로 빠져나가지 못하기 때문

[열린 용기] 질량 감소
➡ 발생한 기체가 공기 중으로 날아가기 때문

✦ 여러 가지 기체 발생 반응
· 마그네슘+묽은 염산
  ⟶ 염화 마그네슘+수소↑
· 아연+묽은 염산
  ⟶ 염화 아연+수소↑
· 과산화 수소 ⟶ 물+산소↑
· 탄산수소 나트륨 ⟶
  탄산 나트륨+물+이산화 탄소↑
  └● 화학 반응식을 나타낼 때 위로 향하는 화살표(↑)는 기체를 의미한다.

✦ 묽은 염산과 염화 수소
묽은 염산은 물에 염화 수소 기체를 녹인 수용액이고, 화학 반응에서 반응에 참여하는 물질은 HCl인 염화 수소이다.

C 연소 반응에서 질량 변화

나무를 태우면 기체가 발생하고, 강철솜을 태우면 공기 중의 산소와 결합하여 산화 철(Ⅱ)이 생성됩니다. 물질을 연소하는 화학 반응이 일어날 때에는 어떤 질량 변화가 일어날까요?

연소 반응에서 질량 변화 : 열린 용기에서 반응이 일어나면 질량이 감소하거나 증가하는 것으로 측정되지만, 닫힌 용기에서 반응이 일어나면 반응 전후에 물질의 총질량은 같다.
(1) **나무의 연소** : 나무가 연소하면 이산화 탄소와 수증기가 발생한다. [+]

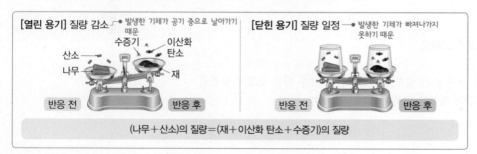

[열린 용기] 질량 감소 ● 발생한 기체가 공기 중으로 날아가기 때문
산소 / 나무 / 수증기 / 이산화 탄소 / 재
반응 전   반응 후

[닫힌 용기] 질량 일정 ● 발생한 기체가 빠져나가지 못하기 때문
반응 전   반응 후

(나무+산소)의 질량=(재+이산화 탄소+수증기)의 질량

(2) **강철솜의 연소** : 강철솜이 연소하면 철이 공기 중의 산소와 결합한다. [++]

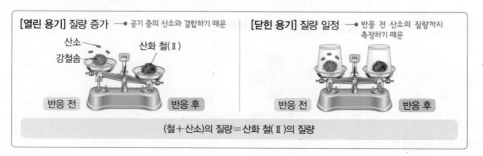

[열린 용기] 질량 증가 ● 공기 중의 산소와 결합하기 때문
산소 / 강철솜 / 산화 철(Ⅱ)
반응 전   반응 후

[닫힌 용기] 질량 일정 ● 반응 전 산소의 질량까지 측정하기 때문
반응 전   반응 후

(철+산소)의 질량=산화 철(Ⅱ)의 질량

✦ 기체가 발생하는 연소 반응
나무, 종이, 숯, 양초, 알코올 등은 탄소와 수소 성분을 포함하고 있으므로 연소 시 공통적으로 이산화 탄소와 수증기가 발생한다.

✦ 열린 용기에서 금속의 연소
철, 구리, 마그네슘 등의 금속을 열린 용기에서 연소시키면 산소와 결합하므로 질량이 증가한다.

✦ 강철솜의 연소 실험

막대저울
강철솜
(가) (나)
가열

그림과 같이 장치하고 (나)의 강철솜을 가열하면 철이 산소와 결합하여 산화 철(Ⅱ)이 되어 질량이 증가하므로 저울이 (나)쪽으로 기울어진다.
└● 강철솜 대신 종이를 사용하면 저울은 (가)쪽으로 기울어진다.

1 오른쪽 그림과 같이 탄산 칼슘이 들어 있는 유리병에 묽은 염산을 넣고 뚜껑을 닫은 후 반응시켰다. 이 실험에 대한 설명으로 옳은 것은 ○, 옳지 <u>않은</u> 것은 ×로 표시하시오.

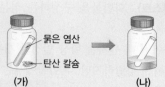
묽은 염산
탄산 칼슘
(가) → (나)

(1) 탄산 칼슘과 묽은 염산이 반응하면 이산화 탄소 기체가 발생한다. ············· ( )

(2) 기체가 발생하므로 질량은 (가)＞(나)이다. ···································· ( )

(3) 기체가 발생하는 반응에서는 질량 보존 법칙이 성립하지 않는다. ············· ( )

2 다음 반응에서 ( ) 안에 들어갈 이산화 탄소의 질량을 구하시오.

탄산수소 나트륨	→	탄산 나트륨 +	이산화 탄소 +	물
168 g		106 g	( )	18 g

암기꾹

탄산 칼슘과 묽은 염산의 반응과 질량 보존 법칙

$$CaCO_3 + 2HCl \longrightarrow CaCl_2 + CO_2 + H_2O$$

구분	원자의 개수(개)	
	반응 전	반응 후
칼슘	1	1
탄소	1	1
산소	3	3
수소	2	2
염소	2	2

➡ 반응 전후에 원자의 종류와 개수가 같으므로 질량 보존 법칙이 성립한다.

---

1 연소 반응에 대한 설명으로 옳은 것은 ○, 옳지 <u>않은</u> 것은 ×로 표시하시오.

(1) 연소 반응이 일어나면 새로운 성질의 물질이 생성된다. ······················ ( )

(2) 열린 공간에서 나무의 연소 반응이 일어나면 질량이 증가한다. ············· ( )

(3) 닫힌 공간에서 연소 반응이 일어나면 반응 전후에 질량이 변하지 않는다.

·· ( )

암기꾹

반응 전후에 물질의 질량 변화

반응의 종류	열린 용기	닫힌 용기
앙금 생성	질량 일정	
기체 발생	질량 감소	질량 일정
나무 연소	질량 감소	질량 일정
금속 연소	질량 증가	질량 일정

2 철 21 g을 공기 중에서 가열하였더니 검은색의 산화 철(Ⅱ) 27 g이 생성되었다. 철과 반응한 산소의 질량을 구하시오.

3 열린 용기에서 다음 반응이 일어날 때 반응 후 질량이 감소하면 '감소', 증가하면 '증가'라고 쓰시오.

(1) 종이를 연소시키면 열과 빛을 내면서 타고 재가 남는다. ··············· ( )

(2) 마그네슘 리본을 연소시키면 산화 마그네슘이 생성된다. ················· ( )

(3) 강철솜을 연소시키면 검은색의 산화 철(Ⅱ)이 생성된다. ················· ( )

D 일정 성분비 법칙

자동차 1대를 구성하기 위해서는 몸체 1개와 바퀴 4개가 필요합니다. 몸체가 1개인데 바퀴가 5개 있어도 1대 이상의 자동차를 만들 수 없고, 바퀴 1개가 남죠. 그럼 화합물을 이룰 때도 이와 같은 규칙이 존재하는지 알아볼까요?

1. 일정 성분비 법칙(1799년, 프루스트) : 화합물을 구성하는 성분 원소 사이에는 일정한 질량비가 성립한다.

(1) 성립하는 까닭 : 화합물이 만들어질 때 원자는 항상 일정한 개수비로 결합하기 때문[+]

(2) 일정 성분비 법칙은 화합물에서는 성립하지만, 혼합물에서는 성립하지 않는다.[+]
└─● 성분 원소의 혼합 비율에 따라 성분 원소의 질량비가 다르다.

+ 개수비와 질량비의 관계
원자는 종류가 같으면 질량이 같고, 종류가 다르면 질량이 다르다. 따라서 원자의 개수비가 일정하면 질량비도 일정하다.

2. 화합물을 구성하는 성분 원소의 질량비

구분	물	암모니아	과산화 수소	이산화 탄소
모형				
성분 원소	수소 : 산소	질소 : 수소	수소 : 산소	탄소 : 산소
원자의 개수비	2 : 1	1 : 3	2 : 2	1 : 2
원자의 질량비	1 : 16	14 : 1	1 : 16	12 : 16
성분 원소의 질량비	$2 \times 1 : 1 \times 16$ $= 1 : 8$	$1 \times 14 : 3 \times 1$ $= 14 : 3$	$2 \times 1 : 2 \times 16$ $= 1 : 16$	$1 \times 12 : 2 \times 16$ $= 3 : 8$

📖 볼트(B)와 너트(N) 모형에서 화합물 모형의 개수 구하기

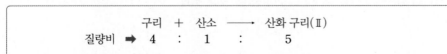

B와 N이 1:2의 개수비로 결합하여 BN_2를 생성한다.

B(개)	N(개)	최대로 만들 수 있는 BN_2(개)	남은 모형(개)
10	16	8	B, 2
15	40	15	N, 10

+ 혼합물과 일정 성분비 법칙
혼합물은 성분 물질이 섞이는 비율이 일정하지 않으므로 일정 성분비 법칙이 성립하지 않는다.
예 설탕물은 설탕과 물의 양에 따라 여러 가지 농도로 만들 수 있다.

E 산화 구리(Ⅱ) 생성 반응에서 질량비

일정 성분비 법칙을 배웠으니, 지금부터 금속의 연소 반응에서 성분 원소의 질량비에 대해 알아볼까요?

산화 구리(Ⅱ) 생성 반응에서 질량비 : 구리 가루를 가열하면 구리와 산소가 4 : 1의 질량비로 반응하여 산화 구리(Ⅱ)가 생성된다.[+]

구리 + 산소 ⟶ 산화 구리(Ⅱ)
질량비 ➡ 4 : 1 : 5

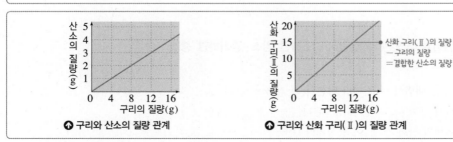

⬆ 구리와 산소의 질량 관계

⬆ 구리와 산화 구리(Ⅱ)의 질량 관계

+ 산화 마그네슘 생성 반응에서 질량비
마그네슘을 가열하면 마그네슘과 산소가 3 : 2의 질량비로 반응하여 산화 마그네슘이 생성된다.

마그네슘 + 산소 ⟶ 산화 마그네슘
3 : 2 : 5

1 일정 성분비 법칙에 대한 설명으로 옳은 것은 ○, 옳지 <u>않은</u> 것은 ×로 표시하시오.

(1) 일정 성분비 법칙은 혼합물과 화합물에서 모두 성립한다. ········· (　　)

(2) 같은 종류의 화합물은 성분 원소의 질량비가 항상 일정하다. ········ (　　)

(3) 탄소와 산소가 반응하여 이산화 탄소가 생성될 때에는 일정 성분비 법칙이 성립
한다. ··· (　　)

암기구

화합물을 구성하는 성분 원소의 질량비
· 물을 구성하는 성분 원소의 질량비
➡ 수소 : 산소=1 : 8
· 암모니아를 구성하는 성분 원소의 질량비
➡ 질소 : 수소=14 : 3
· 과산화 수소를 구성하는 성분 원소의 질량비
➡ 수소 : 산소=1 : 16
· 이산화 탄소를 구성하는 성분 원소의 질량비
➡ 탄소 : 산소=3 : 8

2 오른쪽 그림은 물의 분자 모형을 나타낸 것이다. 물을 구성하는 수소와
산소의 질량비(수소 : 산소)를 구하시오.(단, 원자 1개의 상대적 질량은
수소 1, 산소 16이다.)

3 볼트(B) 2개와 너트(N) 7개로 오른쪽 그림과 같은 BN_3 모형을 최
대 몇 개 만들 수 있는지 쓰시오.

BN_3

만화 확인하기 22쪽으로 돌아가서
내가 쓴 대사를 점검해 보자.

[1~3] 오른쪽 그림은 구리 가루를 공기 중에서 연소시킬 때
반응하는 구리와 산소의 질량 관계를 나타낸 것이다.

암기 TIP

산화 구리(Ⅱ) 생성 반응에서 질량비
구리 4. 1 산소
구사일생(산)

1 산화 구리(Ⅱ)가 생성될 때 반응하는 구리와 산소의 질량비
(구리 : 산소)를 구하시오.

2 구리 20 g을 완전히 반응시키기 위해 필요한 산소의 최소 질량은 몇 g인지 구하시오.

3 구리 24 g이 완전히 반응하였을 때 생성되는 산화 구리(Ⅱ)의 질량은 몇 g인지 구하
시오.

F 기체 반응 법칙

수소 기체와 산소 기체가 반응하여 수증기를 생성할 때 수소 기체와 산소 기체는 항상 일정한 질량비로 반응합니다. 수소 기체와 산소 기체의 반응에서 질량비 외에 또 다른 규칙성은 없는지 살펴볼까요?

기체 반응 법칙(1808년, 게이뤼삭) : 일정한 온도와 압력에서 기체가 반응하여 새로운 기체를 생성할 때 각 기체의 부피 사이에는 간단한 정수비가 성립한다.[+]

└─ 부피비

예 수증기 생성 반응에서 부피비는 수소 : 산소 : 수증기＝2 : 1 : 2로 일정하다.[+]

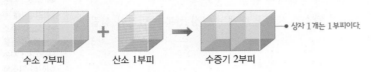

수소 2부피 ＋ 산소 1부피 → 수증기 2부피

└→ 상자 1개는 1부피이다.

📖 **수증기 생성 반응에서 수소 기체와 산소 기체 사이의 부피 관계**

과량으로 혼합된 기체는 반응하지 않고 남는다. 따라서 남은 기체의 부피를 통해 반응한 기체의 부피를 알아내어 부피비를 계산한다.

실험	혼합한 기체(mL)		남은 기체 (mL)	반응한 기체(mL)		반응한 수소 : 산소 부피비
	수소	산소		수소	산소	
Ⅰ	2	2	산소, 1	2	1	2 : 1
Ⅱ	4	5	산소, 3	4	2	2 : 1
Ⅲ	5	2	수소, 1	4	2	2 : 1

✦ 기체 반응 법칙

기체 반응 법칙은 반응물과 생성물이 기체인 경우에만 성립한다.
예 탄소＋산소 ⟶ 이산화 탄소
➡ 탄소는 고체 상태이므로 기체 반응 법칙이 성립하지 않는다.

✦ 기체 사이의 반응에서 부피비

• 암모니아 기체 생성 반응에서 부피비는 질소 : 수소 : 암모니아＝1 : 3 : 2로 일정하다.

질소 ＋ 수소 → 암모니아
1부피   3부피   2부피

• 염화 수소 기체 생성 반응에서 부피비는 수소 : 염소 : 염화 수소＝1 : 1 : 2로 일정하다.

수소 ＋ 염소 → 염화 수소
1부피   1부피   2부피

G 화학 반응식과 기체의 부피 관계

기체 사이의 반응을 화학 반응식으로 나타낼 때 계수비는 무엇과 같을까요? 지금부터 확인해 보아요.

1. 화학 반응식과 기체의 부피 관계 : 반응물과 생성물이 기체인 반응에서 각 기체 사이의 부피비는 분자 수의 비, 화학 반응식의 계수비와 같다.(단, 온도와 압력은 반응 전후 같다.)[+]

➡ 기체 사이의 반응에서 부피비와 분자 수의 비가 같은 까닭 : 온도와 압력이 같을 때 모든 기체는 같은 부피 속에 같은 수의 분자가 들어 있기 때문

2. 여러 가지 화학 반응에서 기체 반응 법칙[+]

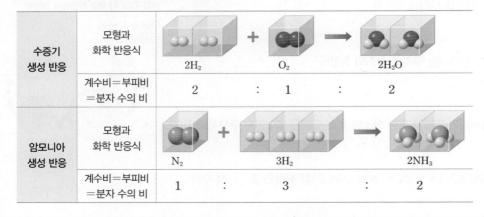

수증기 생성 반응	모형과 화학 반응식	$2H_2$ ＋ O_2 → $2H_2O$
	계수비＝부피비 ＝분자 수의 비	2 : 1 : 2
암모니아 생성 반응	모형과 화학 반응식	N_2 ＋ $3H_2$ → $2NH_3$
	계수비＝부피비 ＝분자 수의 비	1 : 3 : 2

✦ 기체 반응 법칙과 분자의 등장 배경

• 원자 모형으로 기체 반응 법칙을 설명하면 원자가 쪼개진다. 이는 '모든 물질은 더 이상 쪼개지지 않는 입자인 원자로 이루어져 있다.'는 돌턴의 원자설에 어긋난다.

수소 ＋ 산소 → 수증기

• 아보가드로는 분자 개념을 도입하여 돌턴의 원자설에 어긋나지 않게 기체 반응 법칙을 설명하였다.

✦ 염화 수소 생성 반응

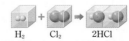

H_2 ＋ Cl_2 → $2HCl$

계수비＝부피비＝분자 수의 비
＝1 : 1 : 2

[1~2] 그림은 수소 기체와 산소 기체가 반응하여 수증기가 생성될 때 각 기체의 부피 관계를 나타낸 것이다.(단, 온도와 압력은 반응 전후 같다.)

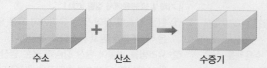

수소   산소   수증기

1 이 반응에서 각 기체의 부피 관계를 설명할 수 있는 화학 법칙을 쓰시오.

2 이 반응에서 각 기체의 부피비(수소 : 산소 : 수증기)를 구하시오.

3 질소 기체와 수소 기체는 1 : 3의 부피비로 반응하여 암모니아 기체 2부피를 생성한다. 질소 기체 30 mL를 충분한 양의 수소 기체와 완전히 반응시킬 때 (가) 반응하는 수소 기체의 부피와 (나) 생성되는 암모니아 기체의 부피를 각각 구하시오.(단, 온도와 압력은 반응 전후 같다.)

기체 사이의 반응에서 부피비
• 수증기 생성 반응에서 부피비
  ➡ 수소 : 산소 : 수증기＝2 : 1 : 2
• 암모니아 생성 반응에서 부피비
  ➡ 질소 : 수소 : 암모니아＝1 : 3 : 2
• 염화 수소 생성 반응에서 부피비
  ➡ 수소 : 염소 : 염화 수소＝1 : 1 : 2

1 다음 ( ) 안에 공통으로 들어갈 알맞은 말을 쓰시오.

온도와 압력이 같을 때 모든 기체는 같은 부피 속에 같은 수의 (   )가 들어 있으므로 기체 사이의 반응에서 각 기체의 부피비는 (   ) 수의 비와 같다.

2 수소 기체 400 mL와 산소 기체 100 mL가 완전히 반응하여 수증기가 생성될 때 남는 기체의 종류와 부피(mL)를 구하시오.(단, 온도와 압력은 반응 전후 같다.)

3 다음은 암모니아 기체 생성 반응을 화학 반응식으로 나타낸 것이다.

$$N_2 + 3H_2 \longrightarrow 2NH_3$$

반응물과 생성물의 분자 수의 비(질소 : 수소 : 암모니아)를 구하시오.(단, 온도와 압력은 반응 전후 같다.)

화학 반응식의 계수비

계산하고 분석해도 부/질(없다)

계수비＝분자 수의 비＝부피비(기체 반응)
≠질량비(질량비는 같지 않다.)

이 단원에서 질량 보존 법칙, 일정 성분비 법칙을 확인하는 실험은 매우 중요해요. 집중 강의를 통해 실험 과정과 결과를 확인해 볼까요?

탐구 자료 ❶ 화학 반응에서 질량 변화   관련 개념 Ι 22쪽 ⒜ 앙금 생성 반응에서 질량 변화, 24쪽 ⒝ 기체 발생 반응에서 질량 변화

목표   앙금 생성 반응과 기체 발생 반응에서 질량이 보존됨을 알아본다.

과정 및 결과

| 앙금 생성 반응에서 질량 변화 |

① 염화 나트륨 수용액과 질산 은 수용액이 각각 담긴 유리병 2개의 총질량을 측정한다.

② 한 유리병 속 수용액을 다른 유리병에 부어 두 수용액을 섞은 후, 반응이 끝나면 유리병 2개의 총질량을 측정한다.

➡ 염화 은의 흰색 앙금이 생성된다.

➡ 앙금이 생성되기 전의 총질량과 앙금이 생성된 후의 총질량은 같다.

| 기체 발생 반응에서 질량 변화 |

① 탄산 칼슘이 들어 있는 유리병에 묽은 염산이 담긴 용기를 넣은 후, 뚜껑을 닫고 총질량을 측정한다.

② 유리병을 기울여 탄산 칼슘과 묽은 염산이 반응하게 한 후, 반응이 끝나면 유리병의 총질량을 측정한다.

➡ 이산화 탄소 기체가 발생한다.

➡ 기체가 발생하기 전의 총질량과 기체가 발생한 후의 총질량은 같다.

결론   앙금 생성 반응과 기체 발생 반응에서 반응 전후에 총질량은 ⊙(   )하다.
➡ ⓒ(   ) 법칙 성립

정답 ⊙ 일정 ⓒ 질량 보존

탐구 자료 ❷ 산화 구리(Ⅱ) 생성 반응에서 질량비   관련 개념 Ι 26쪽 ⒠ 산화 구리(Ⅱ) 생성 반응에서 질량비

목표   구리와 산소가 일정한 질량비로 반응하여 산화 구리(Ⅱ)가 생성됨을 알아본다.

과정

① 도가니 5개의 질량을 측정한 후 각 도가니에 구리 가루를 0.4 g, 0.8 g, 1.2 g, 1.6 g, 2.0 g씩 넣는다.

② 구리 가루의 색깔이 검은색으로 변할 때까지 가열한다.

③ 각 도가니의 전체 질량을 측정하여 산화 구리(Ⅱ)의 질량을 구한다.

도가니   구리 가루   산화 구리(Ⅱ)

결과 및 해석

구리 질량(g)	0.4	0.8	1.2	1.6	2.0
산화 구리(Ⅱ) 질량(g)	0.5	1.0	1.5	2.0	2.5
산소 질량(g)	0.1	0.2	0.3	0.4	0.5
구리 : 산소 질량비	4 : 1	4 : 1	4 : 1	4 : 1	4 : 1

● 산소의 질량=산화 구리(Ⅱ)의 질량－구리의 질량

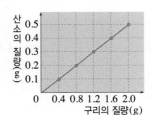

결론   산화 구리(Ⅱ)가 생성될 때 반응하는 구리와 산소의 질량비는 ⊙(   )로 일정하다.
➡ ⓒ(   ) 법칙 성립

정답 ⊙ 4 : 1 ⓒ 일정 성분비

일정 성분비 법칙은 화합물에서만 성립한다는 것을 기억하고 있죠? 일정 성분비 법칙이 성립하는 반응을 집중 강의를 통해 조금 더 살펴볼까요?

핵심 자료 ❶ 물 합성 반응에서 질량비

❶ 수소와 산소를 혼합한 기체에 전기 불꽃을 가하면 수소와 산소가 1 : 8의 질량비로 반응하여 물이 생성된다.

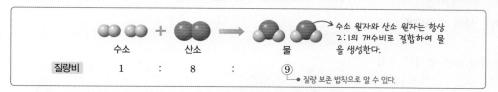

수소 원자와 산소 원자는 항상 2 : 1의 개수비로 결합하여 물을 생성한다.

| 질량비 | 1 | : | 8 | : | (9) |

질량 보존 법칙으로 알 수 있다.

❷ 물 합성 반응에서 과량의 기체는 반응하지 않고 남으므로, 남은 기체의 질량을 통해 질량비를 계산한다.

실험	혼합한 기체(g)		남은 기체(g)	반응한 기체(g)		반응한 수소 : 산소 질량비
	수소	산소		수소	산소	
Ⅰ	1	10	산소, 2	1	8	1 : 8
Ⅱ	2	16	없음	2	16	1 : 8
Ⅲ	3	16	수소, 1	2	16	1 : 8

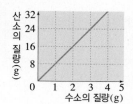

핵심 자료 ❷ 아이오딘화 납 생성 반응에서 질량비

❶ 아이오딘화 칼륨 수용액과 질산 납 수용액이 반응하면 아이오딘화 이온과 납 이온이 일정한 질량비로 반응하여 아이오딘화 납이 생성된다.

아이오딘화 이온과 납 이온은 항상 2 : 1의 개수비로 결합한다.

아이오딘화 이온 + 납 이온 → 아이오딘화 납

❷ 아이오딘화 납 생성 반응에서 질량 관계

| 과정 | ① 크기가 같은 6개의 시험관 A~F에 10 % 아이오딘화 칼륨 수용액을 6 mL씩 넣는다. ② 시험관 B~F에 10 % 질산 납 수용액을 2, 4, 6, 8, 10 mL씩 순서대로 넣어 생성되는 앙금의 높이를 측정한다. |

＋ 시험관에서 앙금 생성 모형

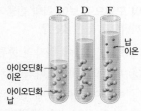

결과 및 해석	시험관	A	B	C	D	E	F
	아이오딘화 칼륨 수용액(mL)	6	6	6	6	6	6
	질산 납 수용액(mL)	0	2	4	6	8	10
	앙금의 높이(mm)	0	1.4	2.6	3.8	3.8	3.8

❶ 시험관 B~F에 질산 납 수용액을 넣으면 노란색 앙금이 생성된다.
➡ 아이오딘화 칼륨＋질산 납 ── 아이오딘화 납(앙금)＋질산 칼륨
❷ 앙금의 높이가 점점 증가하다가 시험관 D~F에서는 일정하게 유지된다.
➡ 시험관 D 이후에는 더 이상 반응할 수 있는 아이오딘화 이온이 없기 때문
❸ 아이오딘화 칼륨 수용액 6 mL와 완전히 반응하는 질산 납 수용액의 부피는 6 mL이다.
➡ 같은 농도의 아이오딘화 칼륨 수용액과 질산 납 수용액은 1 : 1의 부피비로 반응한다.

• 시험관 B : 넣어 주는 납 이온은 모두 반응하여 앙금을 생성한다.
➡ 아이오딘화 이온이 남는다.
• 시험관 D : 두 이온이 모두 반응하여 앙금을 생성한다.
➡ 남은 아이오딘화 이온, 납 이온이 없다.
• 시험관 F : 더 이상 반응할 수 있는 아이오딘화 이온이 없다.
➡ 납 이온이 남는다.

개념 페이지로 점프해요!

01 질량 보존 법칙에 대한 설명으로 옳은 것을 보기에서 모두 고른 것은?

〔22쪽〕

〔 보기 〕
ㄱ. 반응물의 총질량과 생성물의 총질량은 같다.
ㄴ. 화학 변화에서는 성립하지만, 물리 변화에서는 성립하지 않는다.
ㄷ. 강철솜의 연소 반응에서는 질량 보존 법칙이 성립한다.
ㄹ. 기체 발생 반응은 닫힌 용기에서만 질량 보존 법칙이 성립한다.
ㅁ. 열린 용기에서 앙금 생성 반응이 일어나도 물질의 총질량은 변하지 않는다.

① ㄱ, ㄴ, ㄹ ② ㄱ, ㄷ, ㅁ ③ ㄴ, ㄷ, ㄹ
④ ㄴ, ㄹ, ㅁ ⑤ ㄷ, ㄹ, ㅁ

중요
풀이 TIP
02 그림은 염화 나트륨과 질산 은의 반응을 모형으로 나타낸 것이다.

〔22쪽〕

이 모형으로 보아 화학 반응에서 질량 보존 법칙이 성립하는 까닭으로 옳은 것은?

① 반응 전후에 원자의 종류와 개수가 같기 때문
② 원자의 종류에 따라 크기와 질량이 다르기 때문
③ 반응이 일어날 때 원자의 배열이 달라지기 때문
④ 반응이 일어날 때 원자의 종류만 변하고, 원자의 개수는 변하지 않기 때문
⑤ 반응이 일어날 때 원자의 개수만 변하고, 원자의 종류는 변하지 않기 때문

03 탄산 나트륨 수용액 30 g이 담긴 비커에 염화 칼슘 수용액 30 g을 넣어 반응시켰더니 흰색 앙금이 생성되었다. 실험 결과 만들어진 흰색 앙금의 이름을 쓰고, 혼합 용액의 전체 질량(g)을 구하시오.

〔22쪽〕

중요
풀이 TIP
04 그림은 염화 나트륨 수용액과 질산 은 수용액을 섞어 반응시킬 때 질량 변화를 알아보는 실험이다.

〔22쪽〕

염화 나트륨 수용액　질산 은 수용액

이에 대한 설명으로 옳은 것을 모두 고르면?(2개)

① 기체가 발생한다.
② 질량 보존 법칙이 성립한다.
③ 흰색 앙금인 염화 은이 생성된다.
④ 앙금이 가라앉으므로 반응 전보다 질량이 증가한다.
⑤ 닫힌 용기에서 실험하면 반응 전보다 질량이 감소한다.

05 그림은 탄산 칼슘과 염화 수소의 반응을 모형으로 나타낸 것이다.

〔24쪽〕

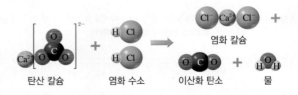

탄산 칼슘　염화 수소　　이산화 탄소　물　염화 칼슘

탄산 칼슘 100 g과 염화 수소 73 g이 모두 반응하면 염화 칼슘 111 g과 이산화 탄소 44 g이 생성된다. 이때 함께 생성되는 물의 질량은?

① 18 g ② 20 g ③ 22 g
④ 24 g ⑤ 26 g

풀이 TIP **02** 생성물을 이루는 원자의 종류와 개수는 반응물과 비교하여 어떤 변화가 있는지 살펴본다. **04 ❶** 염화 나트륨 수용액과 질산 은 수용액이 반응할 때 생성되는 물질의 종류를 생각한다. ❷ 닫힌 용기와 열린 용기에서 앙금 생성 반응이 일어날 때 질량이 어떻게 측정되는지 떠올린다.

[06~07] 그림은 탄산 칼슘과 묽은 염산을 반응시키면서 반응 전후의 질량 변화를 알아보는 실험이다.

묽은 염산
탄산 칼슘

(가) 반응 전   (나) 반응 후   (다) 뚜껑을 열었을 때

06 (가)~(다)의 질량을 등호나 부등호로 비교하시오. [24쪽]

중요 풀이 TIP

07 이 실험에 대한 설명으로 옳은 것은? [24쪽]

① (가) → (나)에서 물리 변화가 일어난다.
② (나)에서 앙금이 생성된다.
③ (가) → (나)에서 물질의 총질량은 변하지 않는다.
④ (다)에서 뚜껑을 열어도 질량은 변하지 않는다.
⑤ 이 반응에서는 질량 보존 법칙이 성립하지 않는다.

08 그림과 같이 장치하고 마그네슘 조각과 묽은 염산을 반응시키면서 반응 전후의 질량을 측정하였다. [24쪽]

묽은 염산
마그네슘 조각

이에 대한 설명으로 옳은 것을 보기에서 모두 고른 것은?

┌ 보기 ┐
ㄱ. 반응이 일어나면 수소 기체가 발생한다.
ㄴ. 반응 전후에 물질의 총질량은 변하지 않는다.
ㄷ. 뚜껑을 열고 실험해도 반응 전후에 측정한 질량은 같다.
└────┘

① ㄷ   ② ㄱ, ㄴ   ③ ㄱ, ㄷ
④ ㄴ, ㄷ   ⑤ ㄱ, ㄴ, ㄷ

09 그림과 같이 강철솜의 질량을 측정하고 토치로 충분히 가열한 후 다시 질량을 측정하였다. [24쪽]

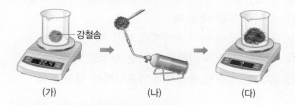

강철솜

(가)   (나)   (다)

이에 대한 설명으로 옳지 않은 것은?

① 강철솜은 (나)에서 산화 철(Ⅱ)이 된다.
② (가)의 질량은 (다)의 질량보다 크다.
③ (가)와 (다)의 질량 차이는 강철솜과 반응한 산소의 질량이다.
④ 강철솜과 반응한 산소의 질량까지 고려하면 가열 전과 후에 물질의 총질량이 같다.
⑤ 강철솜 대신 나무를 가열하면 질량은 (가) > (다)이다.

10 열린 공간에서 변화가 일어날 때 변화 전후의 질량이 같게 측정되는 것을 모두 고르면?(2개) [24쪽]

① 설탕 10 g을 물 50 g에 녹일 때
② 숯 10 g을 도가니에 넣고 가열할 때
③ 구리 가루 5 g을 도가니에 넣고 가열할 때
④ 탄산수소 나트륨 20 g을 시험관에 넣고 가열할 때
⑤ 탄산 나트륨 수용액 5 g과 염화 칼슘 수용액 5 g을 섞을 때

11 열린 공간에서 반응이 일어날 때 반응 전후의 질량 변화가 나머지 넷과 다른 것은? [24쪽]

① 종이를 태운다.
② 나무를 태운다.
③ 마그네슘 리본을 태운다.
④ 과산화 수소를 분해한다.
⑤ 묽은 염산에 탄산 칼슘을 넣는다.

07 ❶ 탄산 칼슘과 묽은 염산이 반응할 때 어떤 물질이 생성되는지 생각한다. ❷ 닫힌 용기와 열린 용기에서 이 반응이 일어날 때 질량이 어떻게 측정되는지 떠올린다. ❸ 질량 보존 법칙의 성립 여부를 파악한다.

12 일정 성분비 법칙이 성립하지 <u>않는</u> 경우는? [26쪽]

① 강철솜을 가열할 때
② 구리 가루를 태울 때
③ 설탕을 물에 녹여 설탕물을 만들 때
④ 수소와 산소가 반응하여 물을 생성할 때
⑤ 수소와 질소가 반응하여 암모니아를 생성할 때

13 그림은 물질 (가)와 (나)의 분자 모형이다. [26쪽]

(가)   (나)

이에 대한 설명으로 옳은 것을 보기에서 모두 고른 것은?(단, 원자 1개의 상대적 질량은 수소 1, 산소 16이다.)

┌ 보기 ┐
ㄱ. (가)를 구성하는 수소와 산소의 질량비는 1 : 8이다.
ㄴ. (나)를 구성하는 수소 원자와 산소 원자의 개수비는 1 : 2이다.
ㄷ. (가)와 (나)는 성분 원소의 종류가 같으므로 같은 물질이다.
ㄹ. (가)와 (나)는 성분 원소의 질량비가 다르므로 다른 물질이다.
└─────┘

① ㄱ, ㄴ   ② ㄱ, ㄷ   ③ ㄱ, ㄹ
④ ㄴ, ㄷ   ⑤ ㄴ, ㄹ

14 오른쪽 그림은 이산화 탄소의 분자 모형이다. 이산화 탄소를 구성하는 탄소와 산소의 질량비를 구하시오.(단, 원자 1개의 상대적 질량은 탄소 12, 산소 16이다.) [26쪽]

15 오른쪽 그림은 암모니아의 분자 모형이다. 질소 28 g을 충분한 양의 수소와 반응시킬 때 생성되는 암모니아의 질량은?(단, 원자 1개의 상대적 질량은 수소 1, 질소 14이다.) [26쪽]

① 31 g   ② 34 g   ③ 37 g
④ 40 g   ⑤ 42 g

[16~17] 그림은 볼트(B)와 너트(N)로 BN_2 모형을 만드는 과정을 나타낸 것이다.

B   +   2N   ⟶ BN_2

16 볼트(B) 20개와 너트(N) 36개로 최대한 만들 수 있는 BN_2 모형의 개수와 남은 모형의 개수를 옳게 짝 지은 것은? [26쪽]

	BN_2 모형	남은 모형		BN_2 모형	남은 모형
①	10개	N, 6개	②	18개	N, 6개
③	18개	B, 2개	④	20개	B, 2개
⑤	20개	N, 4개			

17 볼트(B)와 너트(N)를 각각 10개씩 사용하여 BN_2 모형을 최대로 만들었다. 볼트 10개의 질량은 20 g이고, 너트 10개의 질량은 15 g이라고 할 때 BN_2 모형을 이루는 볼트와 너트의 질량비(B : N)를 구하시오. [26쪽]

18 원자 모형 A 25개와 B 40개를 사용하여 AB_2를 최대로 만들었다. B 40개의 질량은 20 g이고, 만들어진 AB_2 전체의 질량은 30 g일 때 AB_2를 이루는 A와 B의 질량비(A : B)는? [26쪽]

① 1 : 2   ② 1 : 3   ③ 2 : 3
④ 3 : 1   ⑤ 3 : 2

---

12 일정 성분비 법칙은 화합물에서는 성립하지만 혼합물에서는 성립하지 않음을 떠올린다.   **13 ❶** (가)와 (나)가 어떤 물질의 분자 모형인지 파악한다. **❷** 각 분자를 구성하는 원자의 개수비와 질량비를 계산한다.

034   I. 화학 반응의 규칙과 에너지 변화

[19~20] 표는 구리와 산소가 반응하여 산화 구리(Ⅱ)를 생성할 때 반응하는 구리와 생성되는 산화 구리(Ⅱ)의 질량을 나타낸 것이다.

구리의 질량(g)	2.0	4.0	6.0	8.0
산화 구리(Ⅱ)의 질량(g)	2.5	5.0	7.5	10.0

19 산화 구리(Ⅱ) 20 g을 얻기 위해 필요한 산소의 최소 질량은? [26쪽]

① 4 g   ② 10 g   ③ 15 g
④ 16 g   ⑤ 20 g

20 이 반응에서 구리의 질량이 변해도 변하지 <u>않는</u> 것을 보기에서 모두 고른 것은? [26쪽]

[보기]
ㄱ. 구리와 반응하는 산소의 질량
ㄴ. 반응하는 구리와 산소의 질량비
ㄷ. 구리와 산화 구리(Ⅱ)의 질량비
ㄹ. 산화 구리(Ⅱ)에 포함된 산소의 질량

① ㄱ   ② ㄹ   ③ ㄴ, ㄷ
④ ㄷ, ㄹ   ⑤ ㄱ, ㄴ, ㄹ

21 그림은 마그네슘과 산소가 반응하여 산화 마그네슘이 생성될 때의 질량 관계를 나타낸 것이다. [26쪽]

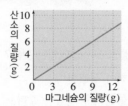

마그네슘 24 g을 완전히 연소시킬 때 생성되는 산화 마그네슘의 질량은?

① 28 g   ② 30 g   ③ 35 g
④ 40 g   ⑤ 42 g

[22~23] 표는 물 합성 실험에서 질량 관계를 나타낸 것이다.

실험	혼합한 기체(g)		반응 후 남은 기체(g)
	수소	산소	
Ⅰ	0.2	0.8	수소, 0.1
Ⅱ	0.4	3.4	㉠( )
Ⅲ	0.6	㉡( )	산소, 0.2

22 물을 합성할 때 반응하는 (가) 수소와 산소의 질량비를 구하고, 이 실험으로 설명할 수 있는 (나) 화학 법칙을 쓰시오. [26쪽]

23 ㉠과 ㉡에 알맞은 내용을 옳게 짝 지은 것은? [26쪽]

	㉠	㉡		㉠	㉡
①	산소, 0.1	4.8	②	산소, 0.2	5.0
③	산소, 0.3	4.8	④	수소, 0.2	4.8
⑤	수소, 0.3	5.0			

24 풀이 TIP 표는 일정량의 아이오딘화 칼륨 수용액에 같은 농도의 질산 납 수용액의 부피를 달리하여 가할 때 생성되는 앙금의 높이를 나타낸 것이다. [26쪽]

시험관	A	B	C	D	E	F
아이오딘화 칼륨 수용액(mL)	6	6	6	6	6	6
질산 납 수용액(mL)	0	2	4	6	8	10
앙금의 높이(mm)	0	1.4	2.6	3.8	3.8	3.8

이에 대한 설명으로 옳지 <u>않은</u> 것은?

① 생성되는 앙금은 아이오딘화 납이다.
② 시험관 C에 같은 농도의 아이오딘화 칼륨 수용액을 더 넣으면 앙금의 높이가 증가한다.
③ 시험관 D에서 두 수용액은 모두 반응한다.
④ 시험관 E와 F에서 앙금의 높이가 증가하지 않는 것은 더 이상 반응할 아이오딘화 이온이 없기 때문이다.
⑤ 일정 성분비 법칙이 성립한다.

24 ❶ 아이오딘화 칼륨 수용액과 질산 납 수용액을 반응시킬 때 생성되는 앙금의 종류와 색깔을 생각한다. ❷ 각 시험관에서 앙금을 생성하고 남은 이온의 종류를 파악하고, 시험관 D 이후에 앙금의 높이가 더 이상 증가하지 않는 까닭을 연관지어 생각한다. ❸ 앙금을 생성하는 이온의 개수비와 질량비를 연관지어 생각한다.

25 기체 반응 법칙이 성립하는 반응을 보기에서 모두 고른 것은?

〔 보기 〕
ㄱ. 수소＋질소 ⟶ 암모니아
ㄴ. 염소＋수소 ⟶ 염화 수소
ㄷ. 탄소＋산소 ⟶ 이산화 탄소
ㄹ. 구리＋산소 ⟶ 산화 구리(Ⅱ)

① ㄱ   ② ㄷ   ③ ㄱ, ㄴ
④ ㄷ, ㄹ   ⑤ ㄱ, ㄴ, ㄷ, ㄹ

26 표는 수소 기체와 산소 기체가 반응하여 수증기가 생성될 때 각 기체의 부피 관계를 나타낸 것이다.

실험	혼합한 기체(mL)		남은 기체 (mL)	생성된 수증기(mL)
	수소	산소		
Ⅰ	30	10	㉠( )	20
Ⅱ	30	20	산소, 5	30
Ⅲ	40	30	산소, 10	㉡( )

㉠, ㉡에 알맞은 물질의 종류나 부피를 쓰시오.(단, 온도와 압력은 반응 전후 같다.)

27 그림은 질소 기체와 수소 기체가 반응하여 암모니아 기체가 생성될 때 각 기체의 부피 관계를 나타낸 것이다.

질소 기체 30 mL와 수소 기체 30 mL를 완전히 반응시킬 때 반응한 질소 기체의 부피와 이때 생성되는 암모니아 기체의 부피를 옳게 짝 지은 것은?(단, 온도와 압력은 반응 전후 같다.)

	질소	암모니아		질소	암모니아
①	10 mL	10 mL	②	10 mL	20 mL
③	20 mL	10 mL	④	20 mL	20 mL
⑤	30 mL	20 mL			

28 그림은 수소 기체와 산소 기체가 반응하여 수증기가 생성되는 반응을 모형으로 나타낸 것이다.

이에 대한 설명으로 옳지 <u>않은</u> 것은?(단, 온도와 압력은 반응 전후 같다.)

① 반응 전후에 원자의 종류와 개수가 같다.
② 수소 : 산소 : 수증기의 분자 수의 비는 2 : 1 : 2이다.
③ 각 기체 1부피에 들어 있는 분자의 개수는 모두 같다.
④ 수소 분자 40개는 산소 분자 20개와 완전히 반응한다.
⑤ 수소 기체 10 L와 산소 기체 5 L가 완전히 반응하면 수증기 20 L가 생성된다.

[29~30] 그림은 질소 기체와 수소 기체가 반응하여 암모니아 기체가 생성되는 반응을 모형으로 나타낸 것이다.(단, 온도와 압력은 반응 전후 같다.)

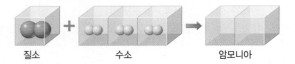

29 생성된 암모니아 분자 1개의 모형으로 옳은 것은?

①   ②   ③
④   ⑤

30 이에 대한 설명으로 옳지 <u>않은</u> 것은?

① 기체 반응 법칙이 성립한다.
② 반응 전후에 물질의 총질량은 같다.
③ 질소와 수소는 1 : 3의 부피비로 반응한다.
④ 질소 분자 50개를 완전히 반응시킬 때 생성되는 암모니아 분자의 개수는 150개이다.
⑤ 이 반응의 화학 반응식은 $N_2 + 3H_2 \longrightarrow 2NH_3$이다.

---

26 ❶ 실험 Ⅱ를 통해 수증기 생성 반응에서 각 기체의 부피비를 안다. ❷ 부피비를 이용하여 반응하고 남은 기체의 종류와 부피, 생성된 수증기의 부피를 구한다. **28** ❶ 수증기 생성 반응의 모형을 통해 각 기체의 부피비를 안다. ❷ 기체 사이의 반응에서 부피비와 분자 수의 비의 관계를 떠올린다.

036   Ⅰ. 화학 반응의 규칙과 에너지 변화

서술형 문제

22쪽

31 화학 반응 전후에 질량이 보존되는 까닭을 서술하시오.

---

32 오른쪽 그림과 같이 탄산 칼슘과 묽은 염산을 반응시키면서 질량을 측정하였다. 이 실험에서 반응 전후의 질량 변화를 쓰고, 그 까닭을 서술하시오.

24쪽

묽은 염산
탄산 칼슘

---

33 그림과 같이 막대저울의 양쪽에 같은 질량의 강철솜을 매달아 수평이 되게 한 다음 B의 강철솜을 가열하였다.

24쪽

막대저울
강철솜
A
B
가열

가열 후 저울의 변화를 쓰고, 그 까닭을 서술하시오.

---

34 그림은 마그네슘과 산소가 반응하여 산화 마그네슘을 생성하는 반응을 모형으로 나타낸 것이다.

26쪽

마그네슘   산소   산화 마그네슘

이 모형을 참고하여 화합물에서 일정 성분비 법칙이 성립하는 까닭을 서술하시오.

---

35 오른쪽 그림은 물 분자를 모형으로 나타낸 것이다. 수소 4 g과 산소 24 g이 완전히 반응하여 물이 생성되었을 때 생성된 물의 질량은 몇 g인지 풀이 과정과 함께 서술하시오.(단, 원자 1개의 상대적 질량은 수소 1, 산소 16이다.)

26쪽

H O H

---

36 오른쪽 그림은 구리와 산소가 반응하여 산화 구리(Ⅱ)가 생성될 때의 질량 관계를 나타낸 것이다. 산화 구리(Ⅱ) 35 g을 얻기 위해 필요한 산소의 최소 질량을 풀이 과정과 함께 서술하시오.

26쪽

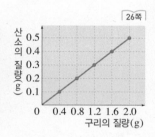

산소의 질량(g)
0.5
0.4
0.3
0.2
0.1
0   0.4 0.8 1.2 1.6 2.0
구리의 질량(g)

---

37 그림은 수소 기체와 산소 기체가 반응하여 수증기가 생성되는 반응을 모형으로 나타낸 것이다.

28쪽

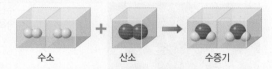

수소   산소   수증기

수증기 100 mL를 얻기 위해 필요한 수소 기체와 산소 기체의 최소 부피는 몇 mL인지 풀이 과정과 함께 서술하시오.(단, 온도와 압력은 반응 전후 같다.)

학습 평가 하기

정답친해 06쪽으로 가서 문제를 채점한 후 학습 결과를 스스로 평가해 보세요.

맞춘 개수	33~37개	28~32개	0~27개
평가	잘함	보통	부족

→ 정답친해에서 그 문제를 왜 틀렸는지 꼭 확인하세요!
→ 본책에서 해당 쪽으로 돌아가서 부족한 부분을 다시 공부하세요!

---

32 ❶ 탄산 칼슘과 묽은 염산이 반응할 때 생성되는 물질이 무엇인지 떠올린다. ❷ 열린 용기에서 반응이 일어났을 때 생성된 물질이 어떻게 되는지 생각한다. **37** 모형을 통해 각 기체의 부피비를 파악하여 수소 기체와 산소 기체의 부피를 계산한다.

03 화학 반응에서의 에너지 출입

 만화 완성하기

다음 만화를 보고 직원의 말풍선을 완성해 보자.

>> 이 단원을 학습한 후 내가 쓴 대사를 수정해 보자.

A 발열 반응

우리는 연료가 탈 때 방출하는 에너지를 이용하여 음식물을 익히거나 유용한 물건을 만들고 있습니다. 물질이 타는 반응처럼 에너지를 방출하는 화학 반응이 일어날 때 어떤 변화가 생기는지 알아볼까요?

1. 발열 반응 : 화학 반응이 일어날 때 에너지를 방출하는 반응+

➡ 발열 반응이 일어날 때는 주변으로 에너지를 방출하므로 주변의 온도가 높아진다.

2. 발열 반응의 예

연소 반응	산과 염기의 반응+	산화 칼슘과 물의 반응+
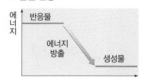	수산화 나트륨 수용액 / 염산	물 / 산화 칼슘
메테인이 연소할 때 열에너지와 빛에너지를 방출한다.	염산과 수산화 나트륨 수용액이 반응할 때 열에너지를 방출한다.	산화 칼슘과 물이 반응할 때 열에너지를 방출한다.
호흡	금속이 녹스는 반응	금속과 산의 반응
		묽은 염산 / 마그네슘
호흡에서 포도당과 산소가 반응할 때 방출하는 에너지는 생명 활동에 쓰인다.	금속이 공기 중의 산소와 반응할 때 열에너지를 방출한다.	마그네슘과 묽은 염산이 반응할 때 열에너지를 방출한다.

+ 발열 반응

에너지 / 반응물 / 에너지 방출 / 생성물
반응의 진행

반응물의 에너지 합이 생성물의 에너지 합보다 크다. ➡ 반응이 일어날 때 에너지를 방출한다.

+ 산과 염기
• 산 : 푸른색 리트머스 종이를 붉게 만드는 물질
  예 염산, 황산 등
• 염기 : 붉은색 리트머스 종이를 푸르게 만드는 물질
  예 수산화 나트륨, 수산화 칼륨 등

+ 구제역 바이러스 제거
산화 칼슘과 물이 반응할 때 방출하는 열에너지를 이용하여 열에 약한 구제역 바이러스를 제거한다.

한눈에 보기 이 단원의 개념이 어떻게 구성되어 있는지 살펴보고 빈칸을 완성해 보자.

화학 반응에서의 에너지 출입

A

B

C 화학 반응에서 출입하는 에너지의 활용

단어 체크하기 이 단원을 공부하기 전에 미리 알고 있는 단어를 체크해 보자.

- ☐ 발열 반응
- ☐ 에너지 방출
- ☐ 산
- ☐ 염기
- ☐ 산화 칼슘
- ☐ 흡열 반응
- ☐ 에너지 흡수
- ☐ 수산화 바륨
- ☐ 염화 암모늄
- ☐ 질산 암모늄

1 화학 반응이 일어날 때 에너지를 방출하는 반응을 (　　　)이라고 한다.

2 에너지를 방출하는 반응은 ○, 에너지를 방출하는 반응이 <u>아닌</u> 것은 ×로 표시하시오.

(1) 나무가 연소한다. ······ (　　)
(2) 사람이 호흡을 한다. ······ (　　)
(3) 식물이 광합성을 한다. ······ (　　)
(4) 마그네슘 리본을 묽은 염산에 넣는다. ······ (　　)
(5) 염산과 수산화 나트륨 수용액이 반응한다. ······ (　　)

3 다음 (　　) 안에 알맞은 말을 고르시오.

산화 칼슘과 물이 반응하면 에너지를 ㉠(방출, 흡수)하므로 주변의 온도가 ㉡(높, 낮)아진다.

암기 TIP

발열 반응과 주변의 온도 변화
발연(열)기를 보니 열받네!
반응　　　　(주변의 온도가 높아져서)

B 흡열 반응

화학 반응이 일어날 때는 에너지를 방출하거나 흡수합니다. 에너지를 방출하는 반응은 앞에서 배웠으니, 지금부터 에너지를 흡수하는 화학 반응이 일어날 때 어떤 변화가 생기는지 알아볼까요?

1. 흡열 반응 : 화학 반응이 일어날 때 에너지를 흡수하는 반응[+]

➡ 흡열 반응이 일어날 때는 주변에서 에너지를 흡수하므로 주변의 온도가 낮아진다.

2. 흡열 반응의 예

소금과 물의 반응	수산화 바륨과 염화 암모늄의 반응[+]	광합성
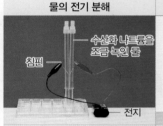	 수산화 바륨 + 염화 암모늄	
소금 / 얼음 / 물		
소금과 물이 반응할 때 열에너지를 흡수한다.	수산화 바륨과 염화 암모늄이 반응할 때 열에너지를 흡수한다.	식물이 광합성을 할 때 빛에너지를 흡수한다.
물의 전기 분해	**질산 암모늄과 물의 반응**	**탄산수소 나트륨의 열분해[+]**
수산화 나트륨을 조금 녹인 물 / 침핀 / 전지	질산 암모늄 / 물	탄산수소 나트륨
물이 전기 에너지를 흡수하여 수소와 산소로 분해된다.	질산 암모늄과 물이 반응할 때 열에너지를 흡수한다.	탄산수소 나트륨이 열에너지를 흡수하여 탄산 나트륨, 이산화 탄소, 물로 분해된다.

+ 흡열 반응

반응물의 에너지 합이 생성물의 에너지 합보다 작다. ➡ 반응이 일어날 때 에너지를 흡수한다.

+ 수산화 바륨과 염화 암모늄의 반응에서 온도 변화

물이 묻은 나무판 위에 비커를 올려놓고 수산화 바륨과 염화 암모늄을 넣어 섞으면, 두 물질이 반응하여 나무판 위의 물이 언다.

+ 탄산수소 나트륨의 열분해

빵을 만들 때 사용하는 베이킹파우더의 주성분인 탄산수소 나트륨을 가열하면 에너지를 흡수하여 분해되면서 이산화 탄소 기체를 생성하므로 빵이 부풀어 오른다.

C 화학 반응에서 출입하는 에너지의 활용

우리는 일상생활에서 화학 반응이 일어날 때 출입하는 에너지를 유용하게 활용하고 있습니다. 화학 반응에서 출입하는 에너지를 어떻게 활용하는지 알아볼까요?

1. 화학 반응에서 방출하는 에너지의 활용

(1) 난방 및 음식 조리 : 연료가 연소할 때 방출하는 에너지를 이용하여 난방을 하거나 음식을 조리한다.

(2) 손난로 : 철 가루와 산소가 반응할 때 방출하는 에너지로 손을 따뜻하게 한다.

(3) 발열 컵 : 산화 칼슘과 물이 반응할 때 방출하는 에너지로 용기 안의 음료를 데운다.

(4) 염화 칼슘 제설제 : 염화 칼슘과 물이 반응할 때 방출하는 에너지로 눈을 녹인다.

2. 화학 반응에서 흡수하는 에너지의 활용 : 질산 암모늄과 물이 반응할 때 에너지를 흡수하여 주변의 온도가 낮아지므로, 이를 이용하여 냉찜질 팩을 만든다.

⬆ 발열 컵

+ 다양한 변화가 일어날 때 출입하는 에너지의 이용

일상생활에서는 화학 반응뿐만 아니라 상태 변화 같은 다양한 변화가 일어날 때 출입하는 에너지를 이용하고 있다.

예 냉장고, 에어컨 : 액체 냉매가 기화하는 과정에서 흡수하는 에너지를 이용한다.

1 화학 반응이 일어날 때 에너지를 흡수하는 반응을 (   )이라고 한다.

흡열 반응과 주변의 온도 변화

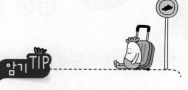

흡열 반응과 주변의 온도 변화
흡혈(열)귀를 보니 오싹해!
반응   (주변의 온도가 낮아져서)

2 에너지를 흡수하는 반응은 ○, 에너지를 흡수하는 반응이 <u>아닌</u> 것은 ×로 표시하시오.

(1) 소금과 물이 반응한다. ··· (   )
(2) 산화 칼슘과 물이 반응한다. ··· (   )
(3) 질산 암모늄과 물이 반응한다. ··· (   )
(4) 수산화 바륨과 염화 암모늄이 반응한다. ······························ (   )
(5) 물에 전류를 흘려 주어 수소와 산소로 분해한다. ····················· (   )

3 다음 (   ) 안에 알맞은 말을 고르시오.

> 탄산수소 나트륨을 가열하면 에너지를 ㉠(방출, 흡수)하므로 주변의 온도가 ㉡(높, 낮)아진다.

만화
확인하기
38쪽으로 돌아가서
내가 쓴 대사를 점검해 보자.

1 다음 (   ) 안에 공통으로 들어갈 알맞은 말을 쓰시오.

> • 휴대용 손난로를 흔들면 철 가루와 산소가 반응할 때 에너지를 (   )하여 주변의 온도가 높아지므로 손을 따뜻하게 한다.
> • 눈이 온 뒤에 염화 칼슘 제설제를 뿌리면 제설제가 물과 반응하여 에너지를 (   )하므로 눈이 빨리 녹는다.

화학 반응에서 출입하는 에너지의 활용

발열 반응	연료의 연소, 손난로, 발열 컵, 염화 칼슘 제설제 등
흡열 반응	냉찜질 팩 등

2 열이 나거나 통증이 있을 때 사용하는 냉찜질 팩은 질산 암모늄과 물이 반응할 때 에너지를 흡수하여 주변의 온도가 (   )아지는 원리를 이용한 것이다.

화학 반응에서의 에너지 출입을 확인하기 위해 온열 장치와 냉각 장치를 만들어 볼 거예요. 집중 강의를 통해 실험 과정과 결과를 확인해 볼까요?

탐구 자료 손난로, 손 냉장고 만들기　　　　　　　　　　관련 개념 l 38쪽 **A** 발열 반응, 40쪽 **B** 흡열 반응

목표　에너지를 방출하거나 흡수하는 화학 반응에 대해 알아본다.

과정 및 결과

| 손난로 만들기 |

① 부직포 주머니에 철 가루, 숯가루, 소금, 질석을 한 숟가락씩 넣은 다음 물을 한 숟가락 넣는다.
　　● 부직포를 사용하는 까닭: 부직포 봉투에는 미세한 구멍이 있어서 철 가루 혼합물을 넣고 흔들면 철 가루가 공기 중의 산소와 반응하기 때문
② 열 봉합기로 과정 ①의 주머니 입구를 밀봉한다.
③ 주머니를 흔들거나 주무른 다음 변화를 확인한다.

➡ 부직포 주머니가 따뜻해진다.

결론　손난로에 들어 있는 철 가루와 공기 중의 산소가 반응할 때 에너지를 ⓐ(　　　　)하므로 주변의 온도가 ⓑ(　　　　)아져 손난로가 따뜻해진다.

| 손 냉장고 만들기 |

① 투명 봉지에 질산 암모늄 30 g을 넣은 다음, 작은 지퍼 백에 물 20 mL를 넣고 입구를 닫아서 질산 암모늄이 담긴 투명 봉지에 넣는다.
② 과정 ①의 투명 봉지를 열 봉합기로 밀봉한 다음, 작은 지퍼 백을 손으로 눌러 물과 질산 암모늄이 섞이게 한다.
③ 투명 봉지를 손이나 팔에 대어 보면서 변화를 확인한다.

➡ 투명 봉지가 차가워진다.

결론　손 냉장고에 들어 있는 질산 암모늄과 물이 반응할 때 에너지를 ⓒ(　　　　)하므로 주변의 온도가 ⓓ(　　　　)아져 손 냉장고가 차가워진다.

답 ⓐ 방출 ⓑ 높 ⓒ 흡수 ⓓ 낮

핵심 자료 화학 반응에서의 에너지 출입 확인　　　　　관련 개념 l 38쪽 **A** 발열 반응, 40쪽 **B** 흡열 반응

다음 탐구는 화학 반응에서 에너지가 출입할 때 주변의 온도 변화를 직접 확인할 수 있는 실험입니다. 교과서에 수록된 내용은 아니므로 참고 자료로 활용하세요.

과정 및 결과

① 비커에 묽은 염산 100 mL를 넣은 후 아연 조각을 넣고 용액의 온도 변화를 측정한다.
　➡ 온도가 높아진다.
② 삼각 플라스크에 수산화 바륨 10 g과 염화 암모늄 10 g을 넣고 잘 섞은 후 온도 변화를 측정한다.
　➡ 온도가 낮아진다.

①　묽은 염산 / 아연
②　수산화 바륨 + 염화 암모늄

결론
• 아연과 묽은 염산이 반응할 때 에너지를 방출하므로 주변의 온도가 높아진다.
$$Zn + 2HCl \longrightarrow ZnCl_2 + H_2$$
• 수산화 바륨과 염화 암모늄이 반응할 때 에너지를 흡수하므로 주변의 온도가 낮아진다.
$$Ba(OH)_2 + 2NH_4Cl \longrightarrow BaCl_2 + 2NH_4OH$$

 중요

01 화학 반응에서의 에너지 출입에 대한 설명으로 옳지 <u>않은</u> 것은? [38쪽]

① 화학 반응이 일어날 때에는 에너지가 출입한다.

② 발열 반응이 일어날 때 에너지를 방출하므로 주변의 온도가 높아진다.

③ 흡열 반응이 일어날 때 에너지를 흡수하므로 주변의 온도가 낮아진다.

④ 나무가 연소할 때 열에너지와 빛에너지를 방출한다.

⑤ 산화 칼슘과 물의 반응은 에너지를 흡수하는 반응이다.

02 물을 적신 석고 붕대를 다친 다리에 감으면 붕대가 굳으면서 발 주변이 따뜻해진다. 이 반응에 대한 설명으로 옳은 것을 보기에서 모두 고른 것은? [38쪽]

┌ 보기 ┐

ㄱ. 에너지를 흡수하는 반응이다.

ㄴ. 반응이 일어나면 주변의 온도가 높아진다.

ㄷ. 사람의 호흡은 이 반응과 에너지의 출입이 같다.

① ㄴ   ② ㄱ, ㄴ   ③ ㄱ, ㄷ

④ ㄴ, ㄷ   ⑤ ㄱ, ㄴ, ㄷ

중요

03 다음은 여러 가지 화학 반응을 나타낸 것이다. [38쪽]

(가) 철이 녹스는 반응

(나) 소금과 물의 반응

(다) 질산 암모늄과 물의 반응

(라) 마그네슘과 묽은 염산의 반응

(마) 염산과 수산화 나트륨의 반응

(바) 수산화 바륨과 염화 암모늄의 반응

에너지를 방출하는 반응을 옳게 짝 지은 것은?

① (가), (나), (다)   ② (가), (라), (마)

③ (나), (다), (바)   ④ (다), (라), (마)

⑤ (라), (마), (바)

풀이 **TIP**

04 다음은 메테인의 연소 반응을 화학 반응식으로 나타낸 것이다. [38쪽]

$$CH_4 + 2O_2 \longrightarrow CO_2 + 2H_2O$$

이에 대한 설명으로 옳은 것을 보기에서 모두 고른 것은?

┌ 보기 ┐

ㄱ. 메테인의 연소는 발열 반응이다.

ㄴ. 반응물의 에너지 합이 생성물의 에너지 합보다 크다.

ㄷ. 산과 염기의 반응은 이 반응과 에너지의 출입이 같다.

① ㄴ   ② ㄱ, ㄴ   ③ ㄱ, ㄷ

④ ㄴ, ㄷ   ⑤ ㄱ, ㄴ, ㄷ

05 오른쪽 그림과 같이 묽은 염산이 들어 있는 시험관에 마그네슘 리본을 넣었다. 이에 대한 설명으로 옳지 <u>않은</u> 것은? [38쪽]

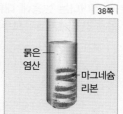

묽은 염산

마그네슘 리본

① 화학 반응이 일어난다.

② 에너지를 방출하는 반응이다.

③ 주변의 온도가 높아진다.

④ 연소 반응에서 일어나는 에너지의 출입과 같다.

⑤ 생성물의 에너지 합이 반응물의 에너지 합보다 크다.

중요

06 부직포 주머니에 철 가루, 숯가루, 소금, 질석을 각각 한 숟가락씩 넣고 섞은 다음 물을 조금 넣고 밀봉하여 흔들었더니 주머니가 따뜻해졌다. 이에 대한 설명으로 옳은 것을 보기에서 모두 고른 것은? [38쪽]

┌ 보기 ┐

ㄱ. 철 가루와 산소의 화학 반응이 일어난다.

ㄴ. 주변의 에너지를 흡수하는 반응이 일어난다.

ㄷ. 주머니가 따뜻해지는 것은 발열 반응이 일어나기 때문이다.

① ㄴ   ② ㄱ, ㄴ   ③ ㄱ, ㄷ

④ ㄴ, ㄷ   ⑤ ㄱ, ㄴ, ㄷ

 풀이 TIP

04 ❶ 메테인이 연소할 때는 열에너지와 빛에너지를 방출함을 떠올린다. ❷ 반응물의 에너지 합이 생성물의 에너지 합보다 크면 반응이 일어날 때 에너지를 방출함을 안다.

07 흡열 반응에 해당하는 것을 보기에서 모두 고른 것은? [40쪽]

{ 보기 }

ㄱ. 식물이 광합성을 하여 양분을 만든다.
ㄴ. LPG 가스가 열과 빛을 내며 연소한다.
ㄷ. 사람이 달리기를 하면 호흡이 빨라진다.

① ㄱ   ② ㄴ   ③ ㄷ
④ ㄱ, ㄷ   ⑤ ㄴ, ㄷ

08 오른쪽 그림과 같이 물이 묻은 나무판 위에 수산화 바륨과 염화 암모늄을 넣은 삼각 플라스크를 올려 놓고 두 물질을 섞었다. 플라스크에서 일어나는 반응에 대한 설명으로 옳은 것을 보기에서 모두 고른 것은? [40쪽]

풀이 TIP

수산화 바륨 + 염화 암모늄
물
나무판

{ 보기 }

ㄱ. 흡열 반응이 일어난다.
ㄴ. 주변의 온도가 높아진다.
ㄷ. 소금과 물의 반응은 이 반응과 에너지의 출입이 같다.

① ㄴ   ② ㄱ, ㄴ   ③ ㄱ, ㄷ
④ ㄴ, ㄷ   ⑤ ㄱ, ㄴ, ㄷ

09 다음은 빵을 만들 때 사용하는 베이킹파우더의 주성분인 탄산수소 나트륨의 분해 반응을 나타낸 것이다. [40쪽]

풀이 TIP

탄산수소 나트륨 ⟶ 탄산 나트륨 + 이산화 탄소 + 물

이에 대한 설명으로 옳은 것을 보기에서 모두 고른 것은?

{ 보기 }

ㄱ. 반응이 일어날 때 주변에서 에너지를 흡수한다.
ㄴ. 반응이 일어날 때 주변의 온도가 낮아진다.
ㄷ. 반응물의 에너지 합이 생성물의 에너지 합보다 크다.

① ㄱ   ② ㄱ, ㄴ   ③ ㄱ, ㄷ
④ ㄴ, ㄷ   ⑤ ㄱ, ㄴ, ㄷ

10 오른쪽 그림은 질산 암모늄이 들어 있는 투명 봉지에 물이 들어 있는 지퍼 백을 넣고 투명 봉지를 밀봉한 모습이다. 물이 들어 있는 지퍼 백을 눌러 질산 암모늄과 반응시킬 때의 설명으로 옳은 것을 보기에서 모두 고른 것은? [40쪽]

투명 봉지
지퍼 백
물
질산 암모늄

{ 보기 }

ㄱ. 이 반응이 일어날 때는 에너지를 흡수한다.
ㄴ. 반응이 일어날 때 주변의 온도가 낮아지므로 투명 봉지가 차가워진다.
ㄷ. 이 반응을 활용하여 냉찜질 팩을 만들 수 있다.

① ㄴ   ② ㄱ, ㄴ   ③ ㄱ, ㄷ
④ ㄴ, ㄷ   ⑤ ㄱ, ㄴ, ㄷ

11 (가) 발열 반응과 (나) 흡열 반응의 예를 보기에서 골라 옳게 짝 지은 것은? [40쪽]

{ 보기 }

ㄱ. 눈이 내린 도로에 염화 칼슘을 뿌린다.
ㄴ. 철 가루와 산소의 반응을 이용하여 온열 장치를 만든다.
ㄷ. 질산 암모늄과 물의 반응을 이용하여 손 냉장고를 만든다.
ㄹ. 산화 칼슘과 물의 반응을 이용하여 구제역 바이러스를 없앤다.

	(가)	(나)		(가)	(나)
①	ㄱ, ㄹ	ㄴ, ㄷ	②	ㄴ, ㄷ	ㄱ, ㄹ
③	ㄱ, ㄴ, ㄹ	ㄷ	④	ㄷ	ㄱ, ㄴ, ㄹ
⑤	ㄷ, ㄹ	ㄱ, ㄴ			

12 에너지 출입이 나머지 넷과 다른 것은? [40쪽]

풀이 TIP

① 손난로   ② 냉찜질 팩
③ 가스레인지   ④ 발열 도시락
⑤ 염화 칼슘 제설제

풀이 TIP **08** 수산화 바륨과 염화 암모늄의 반응은 에너지를 흡수하는 반응임을 기억한다. **09** 탄산수소 나트륨을 분해하기 위해서는 열에너지를 가해 주어야 함을 안다. **12** 물질이 에너지를 방출하면 주변의 온도가 높아지고, 에너지를 흡수하면 주변의 온도가 낮아짐을 떠올린다.

044   I. 화학 반응의 규칙과 에너지 변화

서술형 문제

38쪽

13 그림 (가)와 같이 메테인 연료를 연소시키면 음식을 조리할 수 있고, 그림 (나)와 같이 철 가루가 들어 있는 손난로를 흔들면 따뜻해진다.

(가)   (나)

(가)와 (나)에서 온도가 높아지는 까닭을 반응물의 종류, 에너지 출입과 관련지어 서술하시오.

_____

_____

풀이 **TIP**

38쪽

14 오른쪽 그림과 같이 간이 열량계에 온도가 25 °C인 염산을 넣은 후 같은 온도의 수산화 나트륨 수용액을 넣고 온도 변화를 관찰하였다. 이 반응이 발열 반응인지 흡열 반응인지 쓰고, 그 까닭을 실험 결과를 이용하여 서술하시오.

온도계

젓개

염산 + 수산화 나트륨 수용액

스타이로폼 컵

_____

_____

38쪽

15 오른쪽 그림과 같이 묽은 염산이 들어 있는 비커에 아연 조각을 넣었더니 온도가 높아졌다. 이 반응과 에너지 출입이 같은 화학 반응의 예를 <u>두 가지만</u> 서술하시오.

묽은 염산

아연

_____

_____

40쪽

16 다음은 에너지 출입을 알아보기 위한 실험이다.

(가) 나무판 위를 물로 적신 다음 수산화 바륨과 염화 암모늄을 넣은 삼각 플라스크를 올려놓는다.

(나) 유리 막대로 두 물질을 잘 섞으면 나무판 위의 물이 얼어 나무판이 삼각 플라스크에 달라붙는다.

수산화 바륨 + 염화 암모늄

물

나무판

나무판이 삼각 플라스크에 달라붙는 까닭을 화학 반응에서의 에너지 출입, 온도 변화와 관련지어 서술하시오.

_____

_____

_____

40쪽

17 다음은 몇 가지 반응을 나타낸 것이다.

(가) 산화 칼슘과 물이 반응하면 주변의 온도가 높아진다.

(나) 질산 암모늄과 물이 반응하면 주변의 온도가 낮아진다.

(다) 탄산수소 나트륨을 가열하면 분해되어 기체가 발생한다.

(1) (가)~(다)를 발열 반응과 흡열 반응으로 구분하시오.

_____

(2) (가)~(다)의 반응이 실생활에 활용되는 예를 <u>한 가지</u>씩 서술하시오.

_____

_____

학습 평가 하기

정답친해 11쪽으로 가서 문제를 채점한 후 학습 결과를 스스로 평가해 보세요.

맞춘 개수	15~17개	12~14개	0~11개
평가	잘함	보통	부족

➜ 정답친해에서 그 문제를 왜 틀렸는지 꼭 확인하세요!

➜ 본책에서 해당 쪽으로 돌아가서 부족한 부분을 다시 공부하세요!

14 ❶ 열량계는 화학 반응이 일어날 때 출입하는 열량을 측정하는 장치임을 안다. ❷ 열량계 안에서 에너지를 방출하는 반응이 일어나면 온도계의 온도가 높아지고, 에너지를 흡수하는 반응이 일어나면 온도계의 온도가 낮아짐을 떠올린다.

01 물질 변화와 화학 반응식

1. 물리 변화 : 물질의 고유한 성질은 변하지 않으면서 모양이나 상태 등이 변하는 현상

(1) 물리 변화가 일어날 때 변하는 것과 변하지 않는 것

변하는 것	분자의 배열
변하지 않는 것	원자의 배열, 원자의 종류와 개수, 분자의 종류와 개수, 물질의 성질과 총질량

(2) 물리 변화가 일어나는 현상

모양 변화	• 컵이 깨진다. • 종이를 접거나 자른다. • 빈 음료수 캔을 찌그러뜨린다.
상태 변화	• 아이스크림이 녹는다. • 유리창에 김이 서린다. • 물을 끓이면 수증기가 된다.

2. 화학 변화 : 어떤 물질이 처음과 성질이 다른 새로운 물질로 변하는 현상

(1) 화학 변화가 일어날 때 변하는 것과 변하지 않는 것

변하는 것	원자의 배열, 분자의 종류, 물질의 성질
변하지 않는 것	원자의 종류와 개수, 물질의 총질량

(2) 화학 변화가 일어나는 현상

열과 빛 발생	• 양초가 탄다. • 종이를 태운다. • 메테인 가스가 연소하여 열과 빛이 발생한다.
앙금 생성	• 아이오딘화 칼륨 수용액과 질산 납 수용액이 반응하면 노란색 앙금이 생성된다.
기체 생성	• 과산화 수소수를 상처 부위에 바르면 기포가 발생한다. • 마그네슘 리본에 묽은 염산을 떨어뜨리면 수소 기체가 발생한다. • 달걀 껍데기와 묽은 염산(또는 식초)이 반응하면 이산화 탄소 기체가 발생한다.
색깔, 냄새, 맛 등의 변화	• 철이 녹슨다. • 과일이 익는다. • 김치가 시어진다. • 깎아 놓은 사과의 색이 변한다. • 가을이 되면 단풍잎이 붉은색으로 변한다.

3. 화학 반응과 화학 반응식

(1) 화학 반응 : 화학 변화가 일어나는 과정

① 화학 반응이 일어날 때 원자의 종류와 개수는 변하지 않는다.

② 화학 반응이 일어날 때 원자의 배열이 달라져 반응 전 물질과 다른 새로운 물질이 생성된다.

(2) 화학 반응식 : 화학식을 이용하여 화학 반응을 나타낸 식

(3) 화학 반응식을 나타내는 방법(예 물 생성 반응)

① 반응물과 생성물을 이름으로 나타낸다.

➡ 수소 + 산소 ⟶ 물

② 반응물과 생성물을 화학식으로 나타낸다.

➡ $H_2 + O_2 \longrightarrow H_2O$

③ 반응 전후에 원자의 종류와 개수가 같도록 계수를 맞춘다.(단, 1은 생략)

➡ $2H_2 + O_2 \longrightarrow 2H_2O$

(4) 화학 반응식으로 알 수 있는 것 : 반응물과 생성물의 종류, 반응물과 생성물을 이루는 원자의 종류와 개수, 입자 수의 비 등

02 화학 반응의 규칙

1. 질량 보존 법칙 : 화학 반응이 일어날 때 반응물의 총질량과 생성물의 총질량은 같다.

> 반응물의 총질량 = 생성물의 총질량

➡ 화학 반응이 일어날 때 물질을 이루는 원자의 종류와 개수가 변하지 않기 때문

앙금 생성 반응	앙금이 생성되어도 반응 전후에 물질의 총질량은 같다. 예 • 염화 나트륨 수용액과 질산 은 수용액의 반응 • 탄산 나트륨 수용액과 염화 칼슘 수용액의 반응
기체 발생 반응	열린 공간에서 반응하면 반응 전보다 질량이 감소하는 것으로 측정되지만, 발생한 기체의 질량을 고려하면 반응 전후에 물질의 총질량은 같다. 예 • 탄산 칼슘과 묽은 염산의 반응 • 마그네슘과 묽은 염산의 반응
나무, 종이의 연소	열린 공간에서 반응하면 반응 전보다 질량이 감소하는 것으로 측정되지만, 발생한 기체의 질량을 고려하면 반응 전후에 물질의 총질량은 같다.
금속의 연소	열린 공간에서 반응하면 반응 전보다 질량이 증가하는 것으로 측정되지만, 결합한 기체의 질량을 고려하면 반응 전후에 물질의 총질량은 같다. 예 강철솜의 연소

2. 일정 성분비 법칙 : 화합물을 구성하는 성분 원소 사이에는 일정한 질량비가 성립한다. ➡ 화합물이 만들어질 때 원자는 항상 일정한 개수비로 결합하기 때문

(1) 화합물을 구성하는 성분 원소의 질량비

화합물	물	암모니아	과산화 수소	이산화 탄소
질량비	수소 : 산소 =1 : 8	질소 : 수소 =14 : 3	수소 : 산소 =1 : 16	탄소 : 산소 =3 : 8

(2) 금속과 산소의 반응에서 질량비

① 구리와 산소가 4 : 1의 질량비로 반응하여 산화 구리(Ⅱ)가 생성된다.

```
        구리  +  산소 ──→ 산화 구리(Ⅱ)
질량비 ➡  4   :  1   :      5
```

② 마그네슘과 산소가 3 : 2의 질량비로 반응하여 산화 마그네슘이 생성된다.

```
        마그네슘  +  산소 ──→ 산화 마그네슘
질량비 ➡   3    :   2    :      5
```

3. 기체 반응 법칙 : 일정한 온도와 압력에서 기체가 반응하여 새로운 기체를 생성할 때 각 기체의 부피 사이에는 간단한 정수비가 성립한다.

(1) 화학 반응식과 기체의 부피 관계 : 반응물과 생성물이 기체인 반응에서 기체 사이의 부피비는 분자 수의 비, 화학 반응식의 계수비와 같다.

```
화학 반응식의 계수비=부피비=분자 수의 비
```

➡ 기체 사이의 반응에서 부피비와 분자 수의 비가 같은 까닭 : 온도와 압력이 같을 때 모든 기체는 같은 부피 속에 같은 수의 분자가 들어 있기 때문

(2) 여러 가지 화학 반응에서 기체 반응 법칙

	화학 반응식	$2H_2 + O_2 \longrightarrow 2H_2O$		
수증기 생성 반응	계수비	2 : 1 : 2		
	부피비	2 : 1 : 2		
	분자 수의 비	2 : 1 : 2		
	화학 반응식	$N_2 + 3H_2 \longrightarrow 2NH_3$		
암모니아 생성 반응	계수비	1 : 3 : 2		
	부피비	1 : 3 : 2		
	분자 수의 비	1 : 3 : 2		

03 화학 반응에서의 에너지 출입

1. 발열 반응 : 화학 반응이 일어날 때 에너지를 방출하는 반응

(1) 발열 반응이 일어날 때는 주변으로 에너지를 방출한다. ➡ 주변의 온도가 높아진다.

(2) 발열 반응의 예 : 연소 반응, 산과 염기의 반응, 산화 칼슘과 물의 반응, 호흡, 금속이 녹스는 반응, 금속과 산의 반응, 철 가루와 산소의 반응 등

⬆ 메테인의 연소　　⬆ 산과 염기의 반응　　⬆ 산화 칼슘과 물의 반응

2. 흡열 반응 : 화학 반응이 일어날 때 에너지를 흡수하는 반응

(1) 흡열 반응이 일어날 때는 주변에서 에너지를 흡수한다. ➡ 주변의 온도가 낮아진다.

(2) 흡열 반응의 예 : 소금과 물의 반응, 수산화 바륨과 염화 암모늄의 반응, 광합성, 탄산수소 나트륨의 열분해, 물의 전기 분해, 질산 암모늄과 물의 반응 등

⬆ 소금과 물의 반응　⬆ 수산화 바륨과 염화 암모늄의 반응　⬆ 광합성

3 화학 반응에서 출입하는 에너지의 활용

난방 및 음식 조리	연료가 연소할 때 방출하는 에너지를 이용하여 난방을 하거나 음식을 조리한다.
손난로	철 가루와 산소가 반응할 때 방출하는 에너지로 손을 따뜻하게 한다.
발열 컵	산화 칼슘과 물이 반응할 때 방출하는 에너지로 용기 안의 음료를 데운다.
염화 칼슘 제설제	염화 칼슘과 물이 반응할 때 방출하는 에너지로 눈을 녹인다.
냉찜질 팩	질산 암모늄과 물이 반응할 때 에너지를 흡수하여 주변의 온도가 낮아지므로 열을 내리거나 통증을 완화시킨다.

01 물질 변화와 화학 반응식

1. 물리 변화, 화학 변화와 입자 모형

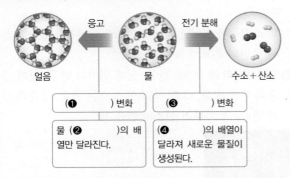

응고 ← 물 → 전기 분해 → 수소+산소
얼음

(❶) 변화   (❸) 변화
물 (❷)의 배열만 달라진다.   (❹)의 배열이 달라져 새로운 물질이 생성된다.

2. 화학 반응식으로 알 수 있는 것

화학 반응식	$2H_2$	+	O_2 $\longrightarrow$	$2H_2O$
물질의 종류	수소		산소	물
(❶)의 종류	수소 분자		산소 분자	물 분자
계수비	2	:	1	: 2
(❷) 수의 비	2	:	1	: 2
(❸)의 종류와 개수	수소 원자 4개		산소 원자 2개	수소 원자 4개 산소 원자 2개

02 화학 반응의 규칙

1. 질량 보존 법칙이 성립하는 까닭

$Na^+Cl^- + Ag^+\begin{bmatrix}N\\O\\O\\O\end{bmatrix}^- \longrightarrow Ag^+Cl^- + Na^+\begin{bmatrix}N\\O\\O\\O\end{bmatrix}^-$

염화 나트륨   질산 은   염화 은   질산 나트륨

• 반응 전후에 원자의 종류와 개수

구분	나트륨	염소	은	질소	산소
반응 전(개)	1	❶	❷	❸	❹
반응 후(개)	1	❺	❻	❼	❽

• 화학 반응이 일어날 때 물질을 이루는 원자의 (❾)와 (❿)가 변하지 않으므로 질량이 변하지 않는다.

2. 화합물을 구성하는 성분 원소의 질량비

구분	물	암모니아	이산화 탄소
모형	H O H	H N H H	O C O
성분 원소	수소 : 산소	질소 : 수소	탄소 : 산소
원자의 개수비	❶	❷	❸
원자의 질량비	1 : 16	14 : 1	12 : 16
성분 원소의 질량비	❹	❺	❻

3. 기체 사이의 반응에서 부피비와 분자 수의 비

• 암모니아 생성 반응

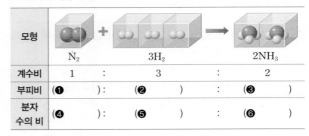

모형	N_2	+	$3H_2$		$2NH_3$
계수비	1	:	3	:	2
부피비	(❶)	:	(❷)	:	(❸)
분자 수의 비	(❹)	:	(❺)	:	(❻)

• 염화 수소 생성 반응

모형	H_2	+	Cl_2		$2HCl$
계수비	1	:	1	:	2
부피비	(❼)	:	(❽)	:	(❾)
분자 수의 비	(❿)	:	(⓫)	:	(⓬)

03 화학 반응에서의 에너지 출입

1. 발열 반응과 흡열 반응

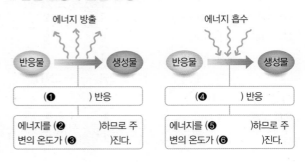

에너지 방출   에너지 흡수
반응물 → 생성물   반응물 → 생성물

(❶) 반응   (❹) 반응
에너지를 (❷)하므로 주변의 온도가 (❸)진다.   에너지를 (❺)하므로 주변의 온도가 (❻)진다.

정답친해 12쪽

01 물질 변화와 화학 반응식

01 물리 변화와 화학 변화가 일어날 때 변하는 것을 옳게 짝 지은 것은?

	물리 변화	화학 변화
①	물질의 성질	분자의 종류
②	분자의 종류	원자의 종류
③	물질의 성질	원자의 종류
④	분자의 배열	원자의 배열
⑤	분자의 종류	원자의 개수

02 그림은 암모니아가 생성되는 반응을 모형으로 나타낸 것이다.

질소 　　　수소 　　　　　암모니아

이 모형에서 반응 전후에 변하지 <u>않는</u> 것을 모두 고르면?(2개)

① 원자의 개수　　② 원자의 배열
③ 원자의 종류　　④ 분자의 종류
⑤ 물질의 성질

03 다음은 우리 주변에서 경험할 수 있는 여러 가지 현상을 나타낸 것이다.

> (가) 물에 젖은 낙엽이 썩는다.
> (나) 깍두기를 담그려고 칼로 무를 자른다.
> (다) 발포정을 물에 넣으면 기포가 발생한다.
> (라) 탄산음료의 마개를 열면 기포가 올라온다.

물질의 성질이 변하는 현상을 모두 고르시오.

04 다음은 여러 가지 물질의 반응을 나타낸 것이다.

> (가) 질소＋수소 ──→ 암모니아
> (나) 과산화 수소 ──→ 물＋산소
> (다) 암모니아＋물 ──→ 암모니아수

(가)～(다)에 대한 설명으로 옳은 것을 보기에서 모두 고른 것은?

[보기]
ㄱ. (가)와 (나)에서는 화학 변화, (다)에서는 물리 변화가 일어난다.
ㄴ. (가)에서는 반응 전후에 분자의 종류와 개수가 같다.
ㄷ. (나)에서는 반응 전후에 원자의 종류와 개수가 다르다.
ㄹ. (다)에서 암모니아수는 반응물의 성질을 그대로 가지고 있다.

① ㄱ, ㄴ　　② ㄱ, ㄷ　　③ ㄱ, ㄹ
④ ㄴ, ㄷ　　⑤ ㄴ, ㄹ

05 물질 변화의 종류가 나머지 넷과 <u>다른</u> 것은?

① 종이를 태우면 재가 남는다.
② 양초가 열과 빛을 내며 탄다.
③ 물을 가열하면 수증기가 된다.
④ 깎아 놓은 사과의 색깔이 변한다.
⑤ 달걀 껍데기에 묽은 염산을 떨어뜨리면 거품이 발생한다.

06 메테인(CH_4)의 연소 반응을 화학 반응식으로 나타내는 방법에 대한 설명으로 옳지 <u>않은</u> 것은?

① 반응물과 생성물을 화학식으로 나타낸다.
② 반응물은 화살표의 왼쪽에, 생성물은 화살표의 오른쪽에 쓴다.
③ 반응 전후에 원자의 종류와 개수가 같도록 화학식 앞의 계수를 맞춘다.
④ 계수가 1일 때는 생략한다.
⑤ 메테인의 연소 반응을 화학 반응식으로 나타내면 $CH_4 + 2O_2 \longrightarrow 2CO_2 + 2H_2O$이다.

07 다음 화학 반응을 화학 반응식으로 옳게 나타낸 것은?

> 과산화 수소 ─────→ 물＋산소

① $H_2O_2 \longrightarrow H_2O + O_2$
② $H_2O_2 \longrightarrow H_2O + 2O_2$
③ $H_2O_2 \longrightarrow 2H_2O + O_2$
④ $2H_2O_2 \longrightarrow 2H_2O + O_2$
⑤ $2H_2O_2 \longrightarrow H_2O + 2O_2$

08 다음은 마그네슘과 산소의 반응을 화학 반응식으로 나타낸 것이다.

> ㉠(   )Mg＋㉡(   )O_2 ─────→ ㉢(   )MgO

㉠~㉢에 알맞은 계수를 옳게 짝 지은 것은?

	㉠	㉡	㉢		㉠	㉡	㉢
①	1	1	1	②	1	2	2
③	2	1	1	④	2	1	2
⑤	2	2	1				

09 화학 반응식을 옳게 나타낸 것은?

① $2C + O_2 \longrightarrow 2CO_2$
② $H_2 + Cl_2 \longrightarrow HCl_2$
③ $N_2 + 2H_2 \longrightarrow 2NH_3$
④ $Zn + HCl \longrightarrow ZnCl_2 + H_2$
⑤ $Na_2CO_3 + CaCl_2 \longrightarrow 2NaCl + CaCO_3$

---

02 화학 반응의 규칙

10 질량 보존 법칙에 대한 설명으로 옳은 것은?

① 앙금 생성 반응에서는 성립하지 않는다.
② 금속의 연소 반응에서는 성립하지 않는다.
③ 기체 발생 반응은 닫힌 용기 안에서만 성립한다.
④ 물리 변화와 화학 변화에서 모두 성립한다.
⑤ 화합물이 만들어질 때는 성립하지만, 혼합물이 만들어질 때는 성립하지 않는다.

11 염화 나트륨 수용액 20 g과 질산 은 수용액 20 g을 섞어 반응시켰더니 흰색 앙금이 생성되었다. 이 앙금의 이름과 반응 후의 전체 질량을 옳게 짝 지은 것은?

① 염화 은, 20 g
② 질산 나트륨, 20 g
③ 염화 은, 40 g
④ 질산 나트륨, 40 g
⑤ 염화 은, 45 g

12 그림은 탄산 나트륨 수용액과 염화 칼슘 수용액의 반응 전후에 질량을 측정하는 실험 과정이다.

이에 대한 설명으로 옳은 것을 보기에서 모두 고른 것은?

{ 보기 }
ㄱ. 두 수용액을 반응시키면 흰색의 염화 나트륨 앙금이 생성된다.
ㄴ. 앙금이 생성되므로 질량은 (나)가 (가)보다 크다.
ㄷ. 이 실험에서는 질량 보존 법칙이 성립한다.

① ㄱ
② ㄴ
③ ㄷ
④ ㄱ, ㄴ
⑤ ㄴ, ㄷ

13 그림과 같이 닫힌 용기에서 달걀 껍데기와 묽은 염산을 반응시킨 후 변화를 관찰하였다.

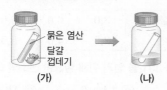

이에 대한 설명으로 옳지 **않은** 것은?

① 유리병 속에서 화학 반응이 일어난다.
② 이산화 탄소 기체가 발생한다.
③ 질량은 (나)가 (가)보다 크다.
④ 질량 보존 법칙이 성립한다.
⑤ (나)에서 뚜껑을 열면 질량이 감소한다.

14 그림과 같이 질량이 같은 강철솜 A와 B를 막대저울의 양쪽에 매달아 저울이 수평을 이루게 한 후, B를 토치로 가열하여 충분히 연소시켰다.

이에 대한 설명으로 옳은 것을 보기에서 모두 고른 것은?

┌ 보기 ┐
ㄱ. 연소가 끝난 후 A쪽이 아래로 기울어진다.
ㄴ. 연소가 끝난 후 질량을 비교하면 A<B이다.
ㄷ. B는 공기 중의 산소와 결합하여 산화 철(Ⅱ)이 된다.
ㄹ. 강철솜 대신 나무를 사용해도 저울의 변화는 같다.
└────────────────────────────┘

① ㄱ ② ㄷ ③ ㄱ, ㄹ
④ ㄴ, ㄷ ⑤ ㄱ, ㄴ, ㄹ

15 과산화 수소 34 g에 이산화 망가니즈 2 g을 넣고 완전히 분해시켰더니 물 18 g과 산소가 발생하였다. 이때 발생한 산소의 질량은?(단, 이산화 망가니즈는 반응이 일어나도록 도와주는 물질이며, 반응에 참여하지 않는다.)

① 14 g ② 16 g ③ 18 g
④ 19 g ⑤ 21 g

16 열린 용기에서 물질의 변화가 일어날 때 반응 후 질량이 감소하는 것을 모두 고르면?(2개)

① 종이를 태운다.
② 구리를 가열한다.
③ 강철솜을 가열한다.
④ 묽은 염산에 마그네슘 조각을 넣는다.
⑤ 염화 나트륨 수용액과 질산 은 수용액을 섞는다.

17 다음 물질이 생성될 때 일정 성분비 법칙이 성립하지 **않는** 것은?

① 설탕물 ② 암모니아 ③ 아이오딘화 납
④ 이산화 탄소 ⑤ 염화 나트륨

18 그림은 수소와 산소가 반응하여 물이 생성되는 과정을 모형으로 나타낸 것이다.

산소 48 g을 충분한 양의 수소와 완전히 반응시킬 때 생성되는 물의 질량은?(단, 원자 1개의 상대적 질량은 수소 1, 산소 16이다.)

① 40 g ② 50 g ③ 54 g
④ 60 g ⑤ 64 g

19 오른쪽 그림은 암모니아 분자를 모형으로 나타낸 것이다. 암모니아를 구성하는 질소와 수소의 질량비(질소 : 수소)를 구하시오.(단, 원자 1개의 상대적 질량은 수소 1, 질소 14이다.)

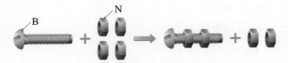
20 그림은 볼트(B)와 너트(N)를 이용하여 화합물 모형을 만드는 과정을 나타낸 것이다.

이에 대한 설명으로 옳은 것을 보기에서 모두 고른 것은?(단, 볼트 1개의 질량은 5 g, 너트 1개의 질량은 2 g이다.)

┤ 보기 ├
ㄱ. 이 반응을 화학 반응식으로 나타내면 B+2N ⟶ BN_2이다.
ㄴ. 생성된 화합물에서 B : N의 질량비는 1 : 2이다.
ㄷ. 이 반응을 이용하면 일정 성분비 법칙을 설명할 수 있다.
ㄹ. 볼트와 너트는 일정한 개수비로 반응하므로 반응이 끝난 후 너트 2개가 남는다.

① ㄱ, ㄴ ② ㄴ, ㄷ ③ ㄷ, ㄹ
④ ㄱ, ㄷ, ㄹ ⑤ ㄴ, ㄷ, ㄹ

21 오른쪽 그림은 구리를 가열하여 산화 구리(Ⅱ)가 생성될 때 반응하는 구리와 생성되는 산화 구리(Ⅱ)의 질량 관계를 나타낸 것이다. 이에 대한 설명으로 옳은 것은?

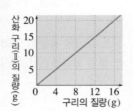

① 반응하는 구리와 산소의 질량비는 4 : 5이다.
② 구리 20 g을 가열할 때 생성되는 산화 구리(Ⅱ)는 30 g이다.
③ 구리 24 g을 가열하여 모두 산화 구리(Ⅱ)로 만들 때 필요한 산소의 최소 질량은 7 g이다.
④ 산화 구리(Ⅱ) 20 g을 생성하기 위해 필요한 산소의 최소 질량은 5 g이다.
⑤ 구리의 질량이 증가하면 반응하는 산소의 질량도 일정하게 증가한다.

22 표는 마그네슘과 산소가 반응하여 산화 마그네슘이 생성될 때의 질량 관계를 나타낸 것이다.

마그네슘의 질량(g)	3.0	6.0	9.0	12.0
산소의 질량(g)	2.0	4.0	6.0	8.0

산화 마그네슘 30 g을 얻기 위해 필요한 산소의 최소 질량은?

① 12 g ② 14 g ③ 16 g
④ 18 g ⑤ 20 g

23 표는 물의 합성 실험에서 질량 관계를 나타낸 것이다.

실험	반응 전 기체의 질량(g)		반응 후 남은 기체의 종류와 질량(g)
	수소	산소	
Ⅰ	4	16	수소, 2
Ⅱ	6	( )	수소, 3

( ) 안에 알맞은 산소의 질량(g)을 쓰시오.

24 오른쪽 그림은 6개의 시험관 A~F에 10 % 아이오딘화 칼륨 수용액을 6 mL씩 넣은 후 시험관 B~F에 10 % 질산 납 수용액을 각각 2, 4, 6, 8, 10 mL씩 넣어 반응시키는 모습이다. 이때 생성되는 앙금의 높이를 옳게 나타낸 그래프는?

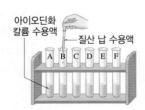

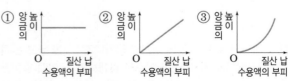

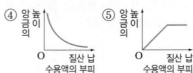

25 그림은 질소 기체와 수소 기체가 반응하여 암모니아 기체가 생성될 때 각 기체의 부피 관계를 나타낸 것이다.

이 모형처럼 기체 반응에서 각 기체의 부피 사이에 간단한 정수비가 성립하는 것을 설명한 법칙은?

① 보일 법칙
② 샤를 법칙
③ 질량 보존 법칙
④ 일정 성분비 법칙
⑤ 기체 반응 법칙

[26~27] 그림은 메테인과 산소가 반응하여 이산화 탄소와 수증기가 생성되는 반응을 모형으로 나타낸 것이다.(단, 반응물과 생성물은 모두 기체이며, 온도와 압력은 반응 전후 같다.)

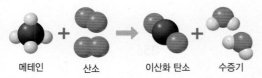

26 이 반응에서 메테인 4 g과 산소 16 g을 집기병 속에 넣고 연소시켰더니 두 기체가 남지 않고 모두 반응하였다. 이때 이산화 탄소 11 g이 생성되었다면 함께 생성된 수증기의 질량(g)을 구하시오.

27 이 반응에서 메테인 10 mL가 완전히 연소되기 위해 필요한 산소의 최소 부피와 이때 생성되는 이산화 탄소와 수증기의 부피를 옳게 나타낸 것은?

	산소(mL)	이산화 탄소(mL)	수증기(mL)
①	10	10	20
②	10	20	10
③	20	10	20
④	20	20	10
⑤	20	20	20

03 화학 반응에서의 에너지 출입

28 염화 칼슘과 물의 반응에서와 같은 에너지 출입이 나타나는 반응을 보기에서 모두 고르시오.

┌ 보기 ┐
ㄱ. 소금과 물의 반응
ㄴ. 철이 녹스는 반응
ㄷ. 염산과 수산화 나트륨의 반응
ㄹ. 수산화 바륨과 염화 암모늄의 반응

29 다음은 두 가지 화학 반응을 나타낸 것이다.

(가) 물 ⟶ 수소+산소
(나) 아연+묽은 염산 ⟶ 염화 아연+수소

이에 대한 설명으로 옳지 않은 것은?

① (가)는 흡열 반응이다.
② (나)는 발열 반응이다.
③ (가) 반응이 일어날 때 주변의 온도가 낮아진다.
④ (나) 반응이 일어날 때 주변의 온도가 높아진다.
⑤ (가)는 반응물의 에너지 합이 생성물의 에너지 합보다 크고, (나)는 생성물의 에너지 합이 반응물의 에너지 합보다 크다.

30 다음은 에너지 출입을 이용한 제품을 만드는 과정이다.

질산 암모늄이 들어 있는 투명 봉지에 물이 들어 있는 지퍼 백을 넣은 후 투명 봉지를 밀봉하고, 물이 들어 있는 지퍼 백을 눌러 물과 질산 암모늄을 섞이게 하였다.

이에 대한 설명으로 옳은 것을 보기에서 모두 고르시오.

┌ 보기 ┐
ㄱ. 투명 봉지의 온도가 낮아진다.
ㄴ. 질산 암모늄과 물의 반응은 흡열 반응이다.
ㄷ. 이 반응을 이용하여 손난로를 만들 수 있다.

기권과 날씨

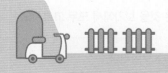

01 기권과 지구 기온

만화
완성하기

다음 만화를 보고 비행기의 말풍선을 완성해 보자.

≫ 이 단원을 학습한 후 내가 쓴 대사를 수정해 보자.

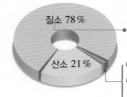

A 기권의 층상 구조

대기는 생명체가 호흡할 수 있는 산소를 공급하는 등 지구에서 생명체가 번성하는 데 중요한 역할을 하고 있어요. 대기는 어떤 기체들로 이루어져 있는지, 높이에 따라 대기의 기온이 어떻게 변하는지 알아볼까요?

1. 대기 : 지구를 둘러싸고 있는 기체(공기)

2. 기권(대기권) : 지구 표면을 둘러싸고 있는 대기

(1) 대기의 분포 : 지표~높이 약 1000 km로, 높이 올라갈수록 공기가 희박해진다.

(2) 대기의 조성 : 대기는 여러 기체들로 이루어져 있다. ➡ 질소(78 %)와 산소(21 %)가 대부분을 차지한다.[+]

질소 78 %
• 지구 대기 중 가장 많은 부피비를 차지한다.
산소 21 %
아르곤 0.93 %
이산화 탄소 0.03 %
기타 0.04 %

⬆ 대기의 조성(부피비)

3. 기권의 층상 구조 : 높이에 따른 기온 변화를 기준으로 4개 층으로 구분한다.

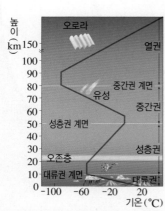

⬆ 높이에 따른 기온 변화

열권(높이 약 80~1000 km)	높이 올라갈수록 기온이 높아진다. ➡ 태양 에너지에 의해 직접 가열되기 때문
중간권 계면 : 중간권과 열권 사이의 경계면	
중간권(높이 약 50~80 km)	높이 올라갈수록 기온이 낮아진다. ➡ 높이 올라갈수록 지표에서 방출되는 에너지가 적게 도달하기 때문
성층권 계면 : 성층권과 중간권 사이의 경계면	
성층권(높이 약 11~50 km)	높이 올라갈수록 기온이 높아진다. ➡ 오존층에서 자외선을 흡수하기 때문[+]
대류권 계면 : 대류권과 성층권 사이의 경계면	
대류권(지표~높이 약 11 km)	높이 올라갈수록 기온이 낮아진다. ➡ 높이 올라갈수록 지표에서 방출되는 에너지가 적게 도달하기 때문

➕ 대기 중의 수증기
• 대기에서 수증기가 차지하는 비율은 매우 적고 시간과 장소에 따라 대기 중의 수증기량이 변한다.
• 비, 눈 등의 기상 현상을 일으킨다.

➕ 성층권에 높은 농도로 오존이 존재하지 않을 경우
오존은 태양의 자외선을 흡수하여 성층권의 기온을 높이는 역할을 한다. 따라서 성층권에 높은 농도로 오존이 존재하지 않는다면 기권은 높이 올라갈수록 기온이 낮아지는 층과 높아지는 층인 2개 층으로 구분될 것이다.

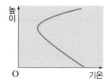

| 용어 |
• 중간권 계면(界 경계, 面 면) 중간권과 열권 사이의 경계면으로, 각 층의 경계면은 아래층의 이름을 따서 붙인다.
• 오존층(ozone layer) 성층권에 오존이 집중적으로 모여 있는 구간으로, 태양의 자외선을 흡수하여 지상의 생명체를 보호한다.

이 단원의 개념이 어떻게 구성되어 있는지 살펴보고 빈칸을 완성해 보자.

기권과 지구 기온

| A | ────── | B 기권 각 층의 특징 |

| C 지구의 복사 평형 | ────── | D |

이 단원을 공부하기 전에 미리 알고 있는 단어를 체크해 보자.

☐ 기권 ☐ 복사 에너지 ☐ 복사 평형 ☐ 온실 효과 ☐ 온실 기체
☐ 지구 온난화

1 오른쪽 그림은 수증기를 제외한 대기의 부피비를 나타낸 것이다. A와 B에 해당하는 기체의 이름을 쓰시오.

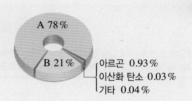

A 78 %
B 21 %
아르곤 0.93 %
이산화 탄소 0.03 %
기타 0.04 %

암기 TIP

기권의 층상 구조
대성하려면 **중**학생 때부터 **열**심히!
류 층   간   권
권 권   권

2 기권은 높이에 따른 (   ) 변화를 기준으로 지표에서부터 대류권, 성층권, 중간권, 열권으로 구분한다.

3 기권의 층상 구조에 대한 설명으로 옳은 것은 ○, 옳지 **않은** 것은 ×로 표시하시오.

(1) 오존층은 태양에서 오는 자외선을 흡수하며, 대류권에 분포한다. ·············· (   )

(2) 성층권과 중간권 사이의 경계면을 중간권 계면이라고 한다. ·················· (   )

(3) 열권은 태양 에너지에 의해 직접 가열되므로 높이 올라갈수록 기온이 높아진다.

·················· (   )

만화 확인하기
56쪽으로 돌아가서
내가 쓴 대사를 점검해 보자.

B 기권 각 층의 특징

높은 곳은 바람이 아주 강하게 부는데, 왜 비행기를 타고 멀리 갈 때는 흔들리지 않고 편안하게 갈 수 있을까요? 앞에서 공부한 기권의 층상 구조를 떠올리며 각 층의 특징을 자세히 알아보아요.

기권	특징	
열권	• 공기가 매우 희박하고, 낮과 밤의 기온 차가 크다. • 고위도 지방에서는 •오로라가 나타나기도 한다. • 인공위성의 궤도로 이용된다. ┗• 대기와의 마찰력을 피하기 위해 약 500 km 이상의 높이를 이용한다.	오로라
중간권	• 대기가 불안정하여 대류가 일어난다. • 수증기가 거의 없어서 기상 현상은 나타나지 않는다. • 중간권 계면 부근에서 최저 기온이 나타난다. • 상부에서 •유성이 관측되기도 한다.	유성
성층권	• 대기가 안정하여 대류가 일어나지 않는다. ┗• 찬 공기가 아래에, 따뜻한 공기가 위에 있으므로 • 성층권의 하부는 장거리 비행기의 항로로 이용된다. • 높이 20~30 km 구간에 오존층이 존재하여 자외선을 흡수한다.	장거리 비행기 항로
대류권	• 공기의 대부분이 대류권에 모여 있다. • 대기가 불안정하여 대류가 활발하게 일어난다. ┗• 찬 공기가 위에, 따뜻한 공기가 아래에 있으므로 찬 공기는 아래로, 따뜻한 공기는 위로 이동 • 수증기가 있어 구름이 만들어지고 눈, 비 등 기상 현상이 나타난다.	구름

| 용어 |
• **오로라(aurora)** 태양에서 방출된 전기를 띤 입자들이 극지방의 상층 대기 입자와 충돌하여 빛을 내는 현상
• **유성(流 흐르다, 星 별)** 외권에서 지구로 들어오는 행성간 물질이 대기와의 마찰로 빛을 내는 것

C 지구의 복사 평형

햇살이 뜨거운 낮에 길을 걸으면 머리가 따끈따끈해지는 것을 느낄 수 있지요? 이는 태양이 우리에게 에너지를 보내고 있다는 증거랍니다. 그런데 오랫동안 태양 에너지를 받아 온 지구는 왜 점점 더 뜨거워지지 않는 것일까요?

1. 지구의 복사 평형

(1) 복사 에너지 : 물체가 •복사의 형태로 방출하는 에너지[+]

(2) 복사 평형 : 어떤 물체가 흡수하는 복사 에너지양과 방출하는 복사 에너지양이 같아서 온도가 일정하게 유지되는 상태

(3) 지구의 복사 평형 : 지구는 태양 복사 에너지를 흡수한 양만큼 지구 복사 에너지를 방출하여 복사 평형을 이루고 있다. ➡ 지구의 평균 기온이 거의 일정하게 유지된다.

[+] **복사 에너지**
• 모든 물체는 복사 에너지를 방출한다. 예 태양 복사 에너지(태양이 방출하는 복사 에너지), 지구 복사 에너지(지구가 방출하는 복사 에너지)
• 물체의 온도가 높을수록 복사 에너지를 많이 방출한다.

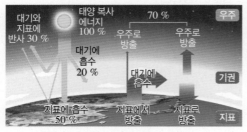

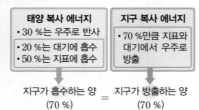

태양 복사 에너지	지구 복사 에너지
• 30 %는 우주로 반사 • 20 %는 대기에 흡수 • 50 %는 지표에 흡수	• 70 %만큼 지표와 대기에서 우주로 방출

지구가 흡수하는 양 (70 %) = 지구가 방출하는 양 (70 %)

2. 온실 효과 : 지표에서 방출하는 지구 복사 에너지의 일부를 대기가 흡수했다가 지표로 방출하여 지구의 평균 기온이 높게 유지되는 현상 ➡ 지구는 온실 효과가 있어 대기가 없는 경우보다 높은 온도에서 복사 평형을 이룬다.

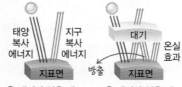

❶ 대기가 없을 때 　❶ 대기가 있을 때

| 용어 |
• **복사(輻 바퀴살, 射 쏘다)** 에너지가 물질의 도움을 받지 않고 직접 전달되는 방법

1 기권에서 공기의 양은 높이 올라갈수록 ㉠(많아지며, 적어지며), 대부분의 공기는
㉡(대류권, 성층권, 중간권, 열권)에 모여 있다.

기권 각 층의 대류와 기상 현상 비교

구분	대류	기상 현상
열권	×	×
중간권	○	×
성층권	×	×
대류권	○	○

2 기권 중 높이 올라갈수록 기온이 점점 낮아지는 층을 모두 쓰시오.

3 기권의 각 층에서 나타나는 현상을 옳게 연결하시오.

(1) 대류권 •   • ㉠ 대류는 일어나지만 기상 현상은 나타나지 않는다.

(2) 성층권 •   • ㉡ 공기가 희박하고, 낮과 밤의 기온 차이가 크다.

(3) 중간권 •   • ㉢ 대기가 안정하여 장거리 비행기의 항로로 이용된다.

(4) 열권 •   • ㉣ 눈, 비 등의 기상 현상이 나타난다.

1 물체가 흡수하는 복사 에너지양과 방출하는 복사 에너지양이 같아서 온도가 일정하게
유지되는 상태를 (   )이라고 한다.

지구의 복사 평형

지구가 흡수하는 태양 복사 에너지양	=	지구가 방출하는 지구 복사 에너지양

2 그림은 지구에 도달하는 태양 복사 에너지(100 %)와 지구가 방출하는 복사 에너지를
비교하여 나타낸 것이다.

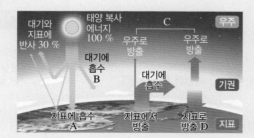

(1) 지구가 흡수하는 태양 복사 에너지양과 방출하는 지구 복사 에너지양을 순서대
로 쓰시오.

(2) A~D 중 온실 효과를 일으키는 것을 고르시오.

01 기권과 지구 기온

D 지구 온난화

최근에 극지방의 빙하가 빠르게 녹고 있어 북극곰과 같은 극지방 생물의 서식지가 사라질 위기에 처해 있다고 해요. 이처럼 빙하가 급격히 녹고 있는 까닭은 무엇일까요?

1. 온실 기체 : 지구 대기를 이루는 기체 중에서 지구 복사 에너지를 흡수하여 온실 효과를 일으키는 것 예 수증기, 이산화 탄소, 메테인 등[+]

2. 지구 온난화 : 대기 중으로 방출되는 온실 기체의 양이 증가하면서 온실 효과가 강화되어 지구의 평균 기온이 높아지는 현상

(1) 지구 온난화에 가장 큰 영향을 미치는 온실 기체 : 이산화 탄소

탐구 대기 중 이산화 탄소의 농도와 지구의 평균 기온 변화

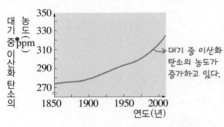
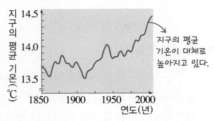

대기 중 이산화 탄소의 농도가 증가하고 있다.

지구의 평균 기온이 대체로 높아지고 있다.

• 대기 중 이산화 탄소의 농도가 증가하는 주요 원인 : 화석 연료의 사용 증가 → 화석 연료의 사용이 증가하면서 대기 중으로 배출되는 이산화 탄소의 농도가 증가하였다.
• 대기 중 이산화 탄소의 농도와 지구의 평균 기온은 대체로 비례 관계에 있다.

(2) 지구 온난화의 영향 : 빙하 면적 감소, 해수면 상승으로 육지 면적 감소, 폭염, 홍수 등 기상 이변 증가, 생태계 변화, 농작물 생산량 감소로 인한 식량 부족 현상 발생 등

⬆ 빙하 면적 감소   ⬆ 육지 면적 감소   ⬆ 홍수

(3) 지구 온난화의 방지 대책 : 온실 기체의 배출량 줄이기, 삼림의 보존과 확대, 에너지 절약, 친환경 에너지 개발 등

✚ **온실 기체**
• 온실 효과에 가장 큰 영향을 미치는 기체는 수증기이지만, 그 양이 계절과 장소에 따라 변하고 인간에 의한 영향이 크지 않으므로 지구 온난화의 주요 원인으로 다루지 않는다.
• 메테인은 이산화 탄소에 비해 온실 효과율이 약 23배 더 높지만, 대기 중에 차지하는 양이 매우 적으므로 온실 효과에 미치는 영향이 이산화 탄소보다 적다.

| 용어 |
• **ppm(parts per million)** 100만분의 1을 나타내는 농도 단위로, 10000 ppm은 1 %이다.

---

1 온실 효과가 강화되어 지구의 평균 기온이 높아지는 현상을 무엇이라고 하는지 쓰시오.

2 지구 온난화에 가장 큰 영향을 미치는 온실 기체는 (수증기, 이산화 탄소)이다.

3 지구 온난화에 대한 설명으로 옳은 것은 ○, 옳지 않은 것은 ✕로 표시하시오.
(1) 대기 중 이산화 탄소의 농도가 증가하면 지구의 평균 기온이 대체로 낮아진다. (   )
(2) 지구 온난화의 영향으로 해수면의 높이가 하강할 것이다. ················· (   )
(3) 지구 온난화를 방지하기 위해서는 온실 기체의 배출량을 줄여야 한다. ········ (   )

암기 ✓

지구 온난화
온실 기체의 양 증가 → 지구의 기온 상승(지구 온난화) → 해수면 상승 → 육지 면적 감소

이 단원에서 복사 평형 실험과 대기가 없을 때와 있을 때의 복사 평형을 비교하는 내용은 매우 중요해요. 집중 강의에서 확실히 이해하고 넘어가도록 해요.

탐구 자료 복사 평형

관련 개념 | 58쪽 🄲 지구의 복사 평형

목표 물체가 복사 평형에 도달하는 과정을 이해할 수 있다.

과정
① 검은색 알루미늄 컵에 디지털 온도계를 꽂은 뚜껑을 덮는다.
② 적외선등에서 30 cm 정도 떨어진 곳에 알루미늄 컵을 놓는다.
③ 적외선등을 켜고, 2분 간격으로 알루미늄 컵 안의 온도를 측정한다.

결과

시간(분)	0	2	4	6	8	10	12
온도(℃)	25.4	29.8	36.1	40.9	44.0	46.8	48.1
시간(분)	14	16	18	20	22	24	26
온도(℃)	48.9	49.3	49.6	49.7	50.0	50.0	50.0

➡ 컵 속 온도는 계속 올라가다가 22분 후 50.0 ℃가 되면 온도가 더 이상 올라가지 않는다.

해석
❶ 처음에는 컵 안의 온도가 올라간다. ➡ 알루미늄 컵이 흡수하는 에너지양이 방출하는 에너지양보다 많기 때문
❷ 22분 이후에는 온도가 일정하게 유지된다.(복사 평형)
➡ 알루미늄 컵이 흡수하는 에너지양과 방출하는 에너지양이 같기 때문

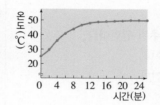

결론 지구가 태양 복사 에너지를 계속 받고 있으면서도 일정한 기온을 유지하는 까닭은 흡수하는 ㉠(　　　)양과 방출하는 ㉡(　　　)양이 같아서 ㉢(　　　)을 이루고 있기 때문이다.

답 ㉠ 태양 복사 에너지 ㉡ 지구 복사 에너지 ㉢ 복사 평형

핵심 자료 대기가 없을 때와 있을 때의 복사 평형

관련 개념 | 58쪽 🄲 지구의 복사 평형

대기가 없는 달의 복사 평형	대기가 있는 지구의 복사 평형
태양 복사 에너지를 달 표면에서 모두 흡수하고 이를 다시 복사 에너지로 방출한다. ➡ 평균 온도 : 약 −18 ℃	대기가 지구 표면에서 방출하는 복사 에너지의 일부를 흡수하였다가 다시 우주와 지표로 방출한다. ➡ 평균 온도 : 약 15 ℃

➡ 지구와 달은 태양으로부터의 거리가 거의 같지만, 지구는 대기가 있어서 온실 효과가 일어나 높은 온도에서 복사 평형이 일어나므로 달에 비해 평균 온도가 높다.

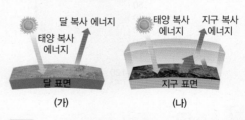

(가)　　　(나)

유제 1 (가)와 (나) 중 온실 효과가 일어나는 것을 고르시오.

유제 2 (가)와 (나)의 평균 온도를 등호 또는 부등호를 이용하여 비교하시오.

01 지구의 대기에 대한 설명으로 옳지 <u>않은</u> 것은? [56쪽]

① 여러 가지 기체들이 섞여 있다.

② 질소와 산소가 대부분을 차지한다.

③ 높이 올라갈수록 공기가 희박해진다.

④ 수증기는 시간과 장소에 따라 대기 중의 양이 달라진다.

⑤ 대기는 지표에서 높이 약 100 km까지 분포한다.

02 풀이 TIP 오른쪽 그림은 지구 대기를 구성하는 기체의 부피비를 나타낸 것이다. 이에 대한 설명으로 옳은 것은? [56쪽]

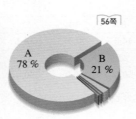

① A는 이산화 탄소이다.

② B는 산소이다.

③ A는 기상 현상을 일으키는 주된 원인이다.

④ B는 태양의 자외선을 막아준다.

⑤ A와 B는 온실 효과를 일으킨다.

[03~05] 그림은 기권의 층상 구조를 나타낸 것이다.

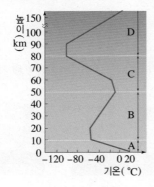

03 중요 풀이 TIP 그림과 같이 기권을 A~D 4개의 층으로 구분한 기준을 쓰시오. [56쪽]

04 A~D 중 대류가 일어나는 층을 모두 고른 것은? [58쪽]

① A, C ② A, D ③ B, C

④ B, D ⑤ C, D

05 중요 풀이 TIP A~D층에 대한 설명으로 옳은 것은? [58쪽]

① A층은 대기가 안정하다.

② B층은 높이 올라갈수록 기온이 낮아진다.

③ C층에서는 기상 현상이 나타난다.

④ D층은 낮과 밤의 기온 차가 가장 크다.

⑤ 오존층이 존재하여 자외선을 흡수하는 곳은 A층이다.

06 대류권의 특징에 대한 설명으로 옳지 <u>않은</u> 것은? [58쪽]

① 오로라가 관측된다.

② 대류가 활발하게 일어난다.

③ 높이 올라갈수록 기온이 낮아진다.

④ 눈, 비 등의 기상 현상이 나타난다.

⑤ 대부분의 공기가 모여 있다.

07 다음에서 설명하는 층의 이름은? [58쪽]

• 기상 현상이 나타나지 않는다.

• 높이 올라갈수록 기온이 낮아진다.

• 권계면 부근에서 기권 중 최저 기온이 나타난다.

① 대류권 ② 성층권 ③ 중간권

④ 열권 ⑤ 오존층

 풀이 TIP **02** ❶ 지구 대기를 구성하는 성분 중 가장 많은 부피비를 차지하는 두 기체 A, B를 파악한다. ❷ A와 B의 특징을 생각해 본다. **03~05** ❶ 그림을 보고 A~D 층의 이름을 파악한다. ❷ A~D 각 층의 특징을 생각해 본다.

08 다음은 지구 대기에서 볼 수 있는 현상을 나타낸 것이다. `58쪽`

[보기]

ㄱ. 오로라　　　　ㄴ. 유성

ㄷ. 장거리 비행기 항로　　ㄹ. 구름

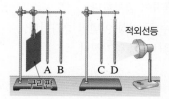

지표면에서 가까운 층에서 나타나는 것부터 순서대로 옳게 나열한 것은?

① ㄱ - ㄴ - ㄷ - ㄹ　　② ㄷ - ㄴ - ㄹ - ㄱ
③ ㄷ - ㄹ - ㄴ - ㄱ　　④ ㄹ - ㄴ - ㄱ - ㄷ
⑤ ㄹ - ㄷ - ㄴ - ㄱ

09 풀이 TIP `58쪽`

기권의 기온 분포를 알아보기 위해 다음 그림과 같이 적외선등과 검게 칠한 구리판 사이에 온도계 A~D를 설치하고 빛을 비추었다.

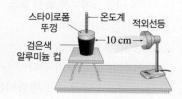

이에 대한 설명으로 옳지 <u>않은</u> 것은?

① 구리판은 지표면에 해당한다.
② 온도계 A의 온도가 B보다 더 높다.
③ 온도계 C의 온도가 D보다 더 낮다.
④ 온도계 D는 B보다 적외선등에서 나오는 열의 영향을 더 받는다.
⑤ A와 B는 대류권, C와 D는 중간권의 온도 분포를 알아보기 위한 실험이다.

10 복사 에너지에 대한 설명으로 옳지 <u>않은</u> 것은? `58쪽`

① 지구가 방출하는 복사 에너지를 지구 복사 에너지라고 한다.
② 중간 물질의 도움 없이 에너지가 직접 전달된다.
③ 얼음과 같은 물체는 복사 에너지를 방출하지 않는다.
④ 온도가 높은 물체일수록 복사 에너지를 많이 방출한다.
⑤ 지구는 끊임없이 태양 복사 에너지를 받고 있다.

[11~12] 오른쪽 그림과 같이 장치한 후, 적외선등을 켜고 2분 간격으로 검은색 알루미늄 컵 속 공기의 온도를 측정하는 실험을 하였다.

11 이에 대한 설명으로 옳지 <u>않은</u> 것은? `58쪽`

① 물체의 복사 평형을 알아보는 실험이다.
② 컵 속의 온도는 시간이 지날수록 계속 높아진다.
③ 컵과 적외선등 사이의 거리를 가까이 하면 온도는 더 올라갈 것이다.
④ 컵을 지구, 적외선등을 태양에 비유하면 지구의 복사 평형을 설명할 수 있다.
⑤ 어느 정도 시간이 지나면 컵이 흡수하는 에너지양과 방출하는 에너지양이 같아진다.

12 풀이 TIP `58쪽`

실험 결과 나타나는 시간에 따른 온도 변화로 옳은 것은?

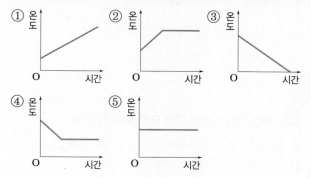

09 ❶ 구리판과 적외선등은 각각 무엇에 해당하는지 파악한다. ❷ 적외선등과 구리판의 영향으로 A~D의 온도 분포 변화를 생각해 본다.　**12** ❶ 초반에 컵이 흡수하는 에너지양과 방출하는 에너지양을 비교한다. ❷ 일정한 시간이 지난 후 컵이 흡수하는 에너지양과 방출하는 에너지양을 비교한다.

13 그림은 지구에 도달하는 태양 복사 에너지와 지구가 방출하는 복사 에너지를 나타낸 것이다.

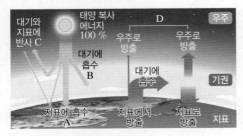

A~D에 대한 설명으로 옳지 <u>않은</u> 것은?

① A+B는 70 %이다.
② C는 30 %이다.
③ D의 양은 C의 양과 같다.
④ D는 지구에서 우주로 방출되는 에너지이다.
⑤ 전체적으로 보면 지구의 평균 기온이 거의 일정하게 유지된다.

14 온실 효과에 대한 설명으로 옳은 것을 보기에서 모두 고른 것은?

{ 보기 }

ㄱ. 대기가 지구 복사 에너지를 흡수한 후 지표로 방출하여 지구의 평균 기온이 높아지는 현상이다.
ㄴ. 온실 효과가 강화될수록 높은 온도에서 복사 평형이 일어난다.
ㄷ. 지구에 대기가 없다면 현재보다 평균 기온이 더 높을 것이다.

① ㄱ   ② ㄷ   ③ ㄱ, ㄴ
④ ㄴ, ㄷ   ⑤ ㄱ, ㄴ, ㄷ

15 온실 기체가 <u>아닌</u> 것을 모두 고르면?(2개)

① 산소   ② 질소   ③ 메테인
④ 수증기   ⑤ 이산화 탄소

[16~17] 그림 (가)는 1850년 이후 대기 중 기체 A의 농도 변화를, (나)는 지구의 평균 기온 변화를 나타낸 것이다.

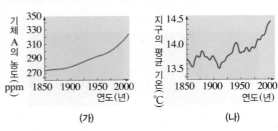

(가)   (나)

16 이에 대한 설명으로 옳지 <u>않은</u> 것은?

① 기체 A는 이산화 탄소이다.
② 지구의 평균 기온은 대체로 상승하고 있다.
③ 기체 A의 농도가 증가하면 지구의 평균 기온은 대체로 상승한다.
④ 이 기간 동안 화석 연료의 사용이 증가하였을 것이다.
⑤ 대기에 의한 온실 효과가 약화되었을 것이다.

17 (나)로 인해 나타나는 현상으로 옳은 것은?

① 극지방의 빙하 면적이 증가한다.
② 해수면이 하강한다.
③ 육지의 면적이 증가한다.
④ 폭염, 홍수 등 기상 이변이 증가한다.
⑤ 농작물 생산량이 증가한다.

18 지구 온난화를 억제하기 위한 대책으로 옳은 것을 보기에서 모두 고르시오.

{ 보기 }

ㄱ. 삼림의 면적을 넓힌다.
ㄴ. 석탄을 석유로 대체한다.
ㄷ. 무공해 대체 에너지를 개발한다.
ㄹ. 에너지의 소비량을 줄인다.

풀이 TIP **13** ❶ 지구는 복사 평형을 이룬다는 것을 생각한다. ❷ 지구에 들어오는 태양 복사 에너지양 100 %를 기준으로 A~D의 에너지양을 파악한다. **16~17** ❶ 기체 A를 파악한다. ❷ 기체 A의 농도와 지구의 평균 기온 변화의 관계를 생각해 본다.

서술형 문제

19 기권을 대류권, 성층권, 중간권, 열권의 4개 층으로 구분하는 기준을 서술하시오. (56쪽)

---

20 그림은 기권의 층상 구조를 나타낸 것이다. (풀이 TIP) (58쪽)

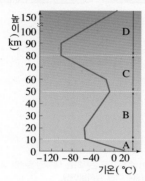

(1) 오존층이 존재하여 태양의 자외선을 흡수하는 층의 기호와 이름을 쓰시오.

---

(2) A층과 C층의 공통점과 차이점을 서술하시오.

· 공통점 :

· 차이점 :

---

21 오른쪽 그림은 어떤 물체가 복사 평형에 도달하는 과정을 나타낸 것이다. (가)와 (나) 중 복사 평형이 이루어지는 구간을 쓰고, 그 구간에서 에너지 흡수량과 방출량의 관계를 서술하시오. (58쪽)

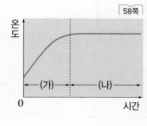

---

22 지구는 태양 복사 에너지를 끊임없이 흡수하고 있지만, 지구의 평균 기온은 계속 상승하지 않고 거의 일정하게 유지된다. 그 까닭을 서술하시오. (풀이 TIP) (58쪽)

---

23 그림은 1880년 이후 대기 중 이산화 탄소 농도와 지구의 평균 기온 변화를 나타낸 것이다. (60쪽)

(1) 대기 중 이산화 탄소 농도 변화와 지구의 평균 기온 변화의 관계를 서술하시오.

---

(2) 이와 같은 기온 변화가 지속될 때 나타날 수 있는 현상을 세 가지 서술하시오.

---

20 ❶ 기권의 구분 기준을 생각하며 A~D층의 이름을 파악한다. ❷ A~D층의 특징을 생각해 본다.　22 ❶ 지구가 흡수하는 태양 복사 에너지양과 방출하는 지구 복사 에너지양을 파악한다. ❷ 두 에너지양을 비교한다.

02 구름과 강수

만화 완성하기

다음 만화를 보고 이슬의 말풍선을 완성해 보자.

>> 이 단원을 학습한 후 내가 쓴 대사를 수정해 보자.

A 물의 증발과 포화 상태

여러 가지 기상 현상은 기권의 층상 구조 중 대기 중에 수증기가 존재하는 대류권에서만 나타나요. 대기 중의 수증기는 물이 증발하여 생긴답니다. 물의 증발과 포화 상태에 대해 알아보아요.

1. 증발 : 물의 표면에서 물(액체)이 수증기(기체)로 변하는 현상[+]

예 젖은 빨래가 마른다, 물걸레로 청소한 바닥이 마른다, 컵에 담아 둔 물이 줄어든다.

2. 불포화 상태와 포화 상태

불포화 상태	포화 상태
어떤 공기가 수증기를 더 포함할 수 있는 상태	어떤 공기가 수증기를 최대로 포함하고 있는 상태
 물에서 공기 중으로 나가는 물 분자(A) 수>공기에서 물속으로 들어가는 물 분자(B) 수 ➡ 물의 양이 점점 줄어든다.	 물에서 공기 중으로 나가는 물 분자(A) 수=공기에서 물속으로 들어가는 물 분자(B) 수 ➡ 물의 양이 줄어들지 않는다.

📖 **물의 증발과 포화**

· (가) : 물이 계속 증발하여 물의 높이가 점점 낮아진다.
· (나) : 물의 높이가 낮아지다가 어느 정도 시간이 지나면 더 이상 변하지 않는다. ➡ 포화 상태에 도달
· 며칠 뒤 남아 있는 물의 양 : (가)<(나) ➡ (나)에서 수조 안의 공기가 증발하는 수증기를 더 이상 포함할 수 없기 때문 ➡ 일정한 양의 공기가 포함할 수 있는 수증기의 양에 한계가 있음을 알 수 있다.

(가)　　(나)

✚ 증발과 끓음

증발은 액체 표면에서 물 분자가 수증기로 변하는 현상이고, 끓음은 액체의 온도가 높아져 액체 표면뿐만 아니라 내부에서도 물 분자가 수증기로 변하는 현상이다.

⬆ 증발　　⬆ 끓음

| 용어 |

· 불포화(不 아니다, 飽 가득 차다, 和 화하다) 가득 차지 않은 상태
· 포화(飽 가득 차다, 和 화하다) 가득 차 있는 상태

한눈에 보기 이 단원의 개념이 어떻게 구성되어 있는지 살펴보고 빈칸을 완성해 보자.

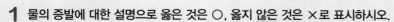

| 구름과 강수 |

- A 물의 증발과 포화 상태 ---- B
- C 물의 응결과 이슬점 ---- D
- E ---- F 강수

단어 체크하기 이 단원을 공부하기 전에 미리 알고 있는 단어를 체크해 보자.

- ☐ 증발
- ☐ 포화 수증기량
- ☐ 응결
- ☐ 이슬점
- ☐ 응결량
- ☐ 상대 습도
- ☐ 병합설
- ☐ 빙정설

암기구

1 물의 증발에 대한 설명으로 옳은 것은 ○, 옳지 않은 것은 ×로 표시하시오.

(1) 증발은 액체 내부에서 물 분자가 수증기로 변하는 현상이다. ·············· (   )

(2) 젖은 빨래가 마르는 것은 증발 현상의 예이다. ·············· (   )

포화 상태

| 물에서 공기 중으로 나가는 물 분자 수 | = | 공기에서 물속으로 들어가는 물 분자 수 |

2 그림과 같이 (가), (나) 두 개의 비커에 같은 양의 물을 담고 (나)에만 수조를 덮은 후, 며칠 뒤 남은 물의 양을 비교하였다.

(가)

(나)

(1) (가)와 (나) 중 남아 있는 물의 양이 더 많은 것은?

(2) (가)와 (나) 중 비커 속의 공기가 포화 상태에 도달한 것은?

B 포화 수증기량

장마철에는 빨래가 잘 마르지 않지요? 그 까닭은 젖은 빨래가 마르려면 빨래에 있는 물 분자들이 공기 속으로 들어가야 하는데, 장마철에는 공기 중에 물 분자들이 이미 많이 있기 때문이에요. 공기가 물 분자를 얼마나 포함할 수 있는지 알아볼까요?

1. 포화 수증기량 : 포화 상태의 공기 1 kg에 들어 있는 수증기의 양을 g으로 나타낸 것

2. 기온과 포화 수증기량의 관계 : 기온이 높을수록 포화 수증기량이 많아진다.

📖 포화 수증기량 곡선의 해석

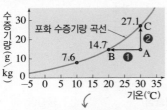

공기	A	B	C
포화 수증기량(g/kg)	27.1	14.7	27.1
실제 수증기량(g/kg)	14.7	14.7	27.1

- A : 실제 수증기량＜포화 수증기량 ➡ 불포화 상태
- B, C : 실제 수증기량＝포화 수증기량 ➡ 포화 상태 → 포화 수증기량 곡선 상에 있는 공기
- 불포화 상태인 A 공기를 포화 상태로 만드는 방법
  ❶ 기온을 20 ℃로 낮춘다.(A → B)
  ❷ 수증기 12.4 g/kg을 공급한다.(A → C)
    ＝27.1 g/kg－14.7 g/kg

- 실제 수증기량 읽기 : 점이 찍힌 지점의 수증기량을 읽는다.
- 포화 수증기량 읽기 : 현재 기온과 포화 수증기량 곡선이 만나는 곳의 수증기량을 읽는다.

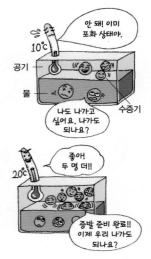

C 물의 응결과 이슬점

겨울철에 밖에서 따뜻한 버스 안으로 들어오면 안경이 뿌옇게 흐려지지요? 이는 버스 안의 수증기가 차가운 안경 표면에 물방울로 맺히는 응결 현상 때문이랍니다. 어떤 경우에 응결이 일어나는지 알아볼까요?

1. 응결 : 공기 중의 수증기(기체)가 물방울(액체)로 변하는 현상

　예 찬 음료수 캔 표면에 물방울이 맺힌다, 이른 새벽 풀잎에 이슬이 맺히거나 지표면 부근에 안개가 생긴다, 겨울철 창문이나 안경에 김이 서린다.[+]

2. 이슬점 : 공기 중의 수증기가 응결하기 시작할 때의 온도[+]

(1) 수증기량과 이슬점의 관계 : 실제 수증기량이 많을수록 이슬점이 높아진다.

(2) 실제 수증기량은 이슬점에서의 포화 수증기량과 같다.

3. 응결량 : 공기가 냉각되어 이슬점보다 더 낮은 온도가 될 때 응결되는 물의 양

➡ 실제 수증기량(g/kg)－냉각된 온도에서의 포화 수증기량(g/kg)

✚ 응결 현상의 예

⬆ 컵 표면 물방울　⬆ 이슬

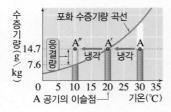

A의 이슬점	A를 10 ℃로 냉각시킬 때의 응결량
불포화 상태의 A가 냉각되어 포화 상태가 될 때(A′)의 온도(이슬점)는 20 ℃이다.	A 공기를 10 ℃로 냉각(A″)시킬 때 응결량은 7.1 g/kg이다. ＝ 실제 수증기량(14.7 g/kg)－10 ℃에서의 포화 수증기량(7.6 g/kg)

📖 이슬점 측정하기

[과정]
① 알루미늄 컵에 물을 반 정도 넣은 후 얼음 조각이 담긴 시험관으로 컵 안의 물을 젓는다.
② 알루미늄 컵의 바깥쪽 표면이 흐려지기 시작할 때의 온도(이슬점)를 측정한다.

[결과] 15 ℃에서 알루미늄 컵의 바깥쪽 표면이 뿌옇게 흐려지기 시작하였다.
　알루미늄 컵 표면의 온도가 하강하여 수증기가 물로 응결되었기 때문 ●

얼음

✚ 이슬점 판단

이슬점
＝ 냉각으로 응결이 시작되는 온도
＝ 불포화 공기가 냉각되어 포화 상태가 될 때의 온도
＝ 냉각될 때 포화 수증기량 곡선과 만나는 점의 온도

1 다음은 포화 수증기량에 대한 설명이다. ( ) 안에 알맞은 값 또는 말을 쓰시오.

> 포화 수증기량은 포화 상태의 공기 ㉠( ) kg에 들어 있는 수증기의 양을 g으로 나타낸 것으로, 기온이 ㉡( )을수록 포화 수증기량이 많아진다.

2 오른쪽 그림은 포화 수증기량 곡선을 나타낸 것이다.

(1) A~C 중 포화 상태인 공기는?
(2) B 공기의 실제 수증기량은?
(3) C 공기의 포화 수증기량은?

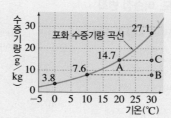

1 물의 증발 현상과 관련된 것은 '증', 응결 현상과 관련된 것은 '응'이라고 쓰시오.

(1) 젖은 빨래가 마른다. ⋯⋯⋯⋯⋯⋯⋯⋯⋯⋯⋯⋯⋯⋯⋯⋯⋯⋯ ( )
(2) 차가운 병 표면에 물방울이 맺힌다. ⋯⋯⋯⋯⋯⋯⋯⋯⋯⋯⋯⋯ ( )
(3) 여름철 마당에 뿌린 물이 금세 마른다. ⋯⋯⋯⋯⋯⋯⋯⋯⋯⋯ ( )
(4) 맑은 날 새벽 강가에 안개가 생긴다. ⋯⋯⋯⋯⋯⋯⋯⋯⋯⋯⋯⋯ ( )
(5) 뚜껑을 덮지 않은 어항의 물이 점점 줄어든다. ⋯⋯⋯⋯⋯⋯ ( )

2 공기가 냉각되어 수증기가 물로 변하기 시작하는 온도를 ㉠(녹는점, 어는점, 이슬점)이라고 하며, 이 온도는 현재 공기 중의 수증기량이 많을수록 ㉡(높, 낮)아진다.

3 오른쪽 그림은 포화 수증기량 곡선을 나타낸 것이다.

(1) A~D 중 이슬점이 가장 낮은 공기는?

(2) D 공기 1 kg의 온도를 10 °C로 냉각시킬 때의 응결량(g)은?

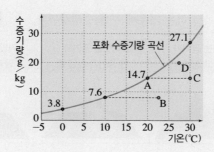

D 상대 습도

겨울철에는 건조해서 입술이 잘 트고, 산불이 잘 일어나지요? 반대로 장마철에는 습해서 땀도 잘 안 식고, 빨래도 잘 마르지 않아요. 이렇게 공기가 건조하고 습한 정도를 습도라고 하는데, 습도를 어떻게 구하는지 알아볼까요?

1. 습도(상대 습도) : 공기의 건조하고 습한 정도로, 일반적으로 상대 습도를 말한다.

$$상대\ 습도(\%)=\frac{현재\ 공기\ 중의\ 실제\ 수증기량(g/kg)}{현재\ 기온의\ 포화\ 수증기량(g/kg)}\times100$$

➡ 포화 수증기량 곡선 상에 있는 모든 공기의 상대 습도는 100 %이다.[+]

2. 상대 습도의 변화 : 수증기량이 많을수록, 기온이 낮을수록 상대 습도가 높다.[+]

3. 맑은 날 하루 동안 기온, 상대 습도, 이슬점 변화

일변화	하루 중 가장 낮을 때	하루 중 가장 높을 때
기온	오전 2~4시경	오후 3시경
상대 습도	오후 3시경	오전 2~4시경
기온과 상대 습도의 변화는 대체로 반대로 나타난다.		
이슬점	거의 일정하다. ➡ 하루 동안 공기 중에 포함된 수증기량이 거의 변하지 않기 때문	

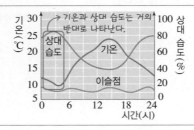

+ 상대 습도가 100 %인 공기
= 포화 상태
= 현재의 기온이 이슬점인 상태
= 실제 수증기량과 포화 수증기량이 같은 상태

+ 상대 습도의 변화
• 기온이 일정할 때 : 실제 수증기량이 많을수록 상대 습도가 높다.

• 수증기량이 일정할 때 : 기온이 낮을수록 상대 습도가 높다.

E 구름의 생성

파란 하늘에 떠 있는 솜사탕 같은 구름은 모양이 참 다양하죠? 이런 구름들은 어떻게 만들어질까요? 구름이 어떻게 생성되고, 어떤 경우에 생성되는지 알아봅시다.

1. 구름 : 공기 중의 수증기가 응결하여 생긴 물방울이나 얼음 알갱이가 하늘에 떠 있는 것

2. 구름의 생성 과정 : 공기 덩어리가 상승하면서 단열 팽창하여 생성된다.[++]

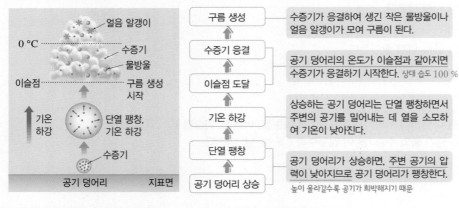

구름 생성	수증기가 응결하여 생긴 작은 물방울이나 얼음 알갱이가 모여 구름이 된다.
수증기 응결	공기 덩어리의 온도가 이슬점과 같아지면 수증기가 응결하기 시작한다. 상대 습도 100 %
이슬점 도달	
기온 하강	상승하는 공기 덩어리는 단열 팽창하면서 주변의 공기를 밀어내는 데 열을 소모하여 기온이 낮아진다.
단열 팽창	공기 덩어리가 상승하면, 주변 공기의 압력이 낮아지므로 공기 덩어리가 팽창한다.
공기 덩어리 상승	높이 올라갈수록 공기가 희박해지기 때문

3. 구름이 생성되는 경우 : 공기가 상승하는 경우에 구름이 생성된다.

지표의 일부분이 강하게 가열될 때	이동하는 공기가 산을 타고 오를 때	따뜻한 공기와 찬 공기가 만날 때	기압이 낮은 곳으로 공기가 모여들 때

+ 단열 변화
공기가 외부와 열을 교환하지 않고 부피가 변하는 것으로, 이때 기온이 변한다.

단열 팽창	단열 압축
부피 증가	부피 감소
기온 하강	기온 상승

⬆ 단열 팽창   ⬆ 단열 압축

+ 구름의 분류
• 적운형 구름 : 위로 솟는 모양, 공기가 강하게 상승할 때 생성
• 층운형 구름 : 옆으로 퍼지는 모양, 공기가 약하게 상승할 때 생성

적운형 구름   층운형 구름

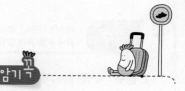

1 현재 기온의 포화 수증기량이 30 g/kg이고 이슬점에서의 포화 수증기량이 15 g/kg 일 때, 이 공기의 상대 습도를 구하는 식을 쓰시오.

상대 습도(%)

$$\frac{\text{현재 공기 중의 실제 수증기량(g/kg)}}{\text{현재 기온의 포화 수증기량(g/kg)}} \times 100$$

2 상대 습도에 대한 설명으로 옳은 것은 ○, 옳지 않은 것은 ×로 표시하시오.

(1) 포화 상태의 공기는 상대 습도가 100 %이다. ·············· (   )

(2) 공기 1 kg 속에 들어 있는 수증기량이 같으면 상대 습도도 같다. ··············· (   )

3 오른쪽 그림은 어느 맑은 날 하루 동안 기온, 이슬점, 상대 습도의 변화를 나타낸 것이다. A~C는 각각 무엇을 나타내는지 쓰시오.

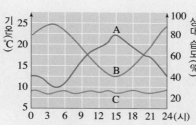

1 다음은 구름이 생성되는 과정을 나타낸 것이다. (   ) 안에 알맞은 말을 쓰시오.

> 공기 상승 → 부피 ㉠(   ) → 기온 하강 → 이슬점 도달 → ㉡(   ) →
> 구름 생성

구름의 생성 과정
공기 덩어리 상승 → 부피 팽창(단열 팽창) → 기온 하강 → 이슬점 도달 → 수증기 응결 → 구름 생성

2 공기가 상승하여 구름이 생성되는 경우는 ○, 구름이 생성되지 않는 경우는 ×로 표시하시오.

(1) 찬 공기와 따뜻한 공기가 만날 때 ·············· (   )

(2) 지표면의 일부분이 강하게 가열될 때 ·············· (   )

(3) 공기가 산의 경사면을 타고 내려올 때 ·············· (   )

66쪽으로 돌아가서
내가 쓴 대사를 점검해 보자.

02 구름과 강수

F 강수

하늘에 구름이 있어도 비가 내리지 않을 때가 있지요? 이는 구름 알갱이가 바로 빗방울로 되지 않기 때문이에요. 그럼 비나 눈이 되기 위해 구름 속의 알갱이들이 어떻게 빗방울 크기로 성장하는지 알아볼까요?

1. 강수 : 구름에서 지표로 떨어지는 비나 눈
(1) 구름 입자가 빗방울로 성장해야 비나 눈이 내린다.
(2) 구름 입자와 빗방울의 크기 : 약 100만 개 이상의 구름 입자가 모여 1개의 빗방울이 된다.

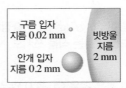

구름 입자 지름 0.02 mm
안개 입자 지름 0.2 mm
빗방울 지름 2 mm

↑ 구름 입자와 빗방울 크기

2. 강수 이론

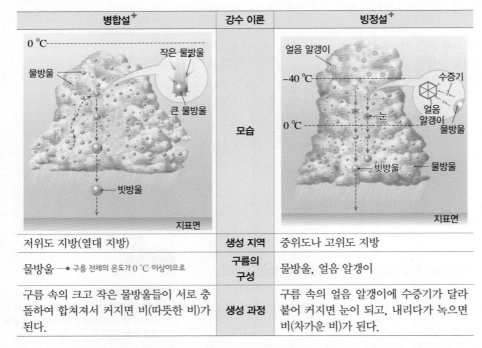

병합설⁺	강수 이론	빙정설⁺
(0 °C, 물방울, 작은 물방울, 큰 물방울, 빗방울, 지표면)	모습	(얼음 알갱이, -40 °C, 수증기, 0 °C, 눈, 얼음 알갱이, 물방울, 빗방울, 물방울, 지표면)
저위도 지방(열대 지방)	생성 지역	중위도나 고위도 지방
물방울 ─ 구름 전체의 온도가 0 °C 이상이므로	구름의 구성	물방울, 얼음 알갱이
구름 속의 크고 작은 물방울들이 서로 충돌하여 합쳐져서 커지면 비(따뜻한 비)가 된다.	생성 과정	구름 속의 얼음 알갱이에 수증기가 달라붙어 커지면 눈이 되고, 내리다가 녹으면 비(차가운 비)가 된다.

+ 병합설

+ 빙정설

---

1 그림 (가)와 (나)는 서로 다른 강수 이론을 나타낸 것이다.

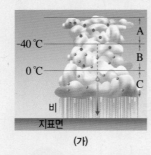

(가)

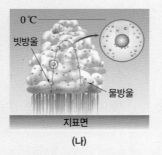

(나)

(1) (가), (나) 중 중위도나 고위도 지방에서 내리는 비의 생성 과정을 나타낸 것은?
(2) (가)의 A~C 중 물방울과 얼음 알갱이가 함께 있는 층은?

강수 이론
• 병합설은 저위도 지방에서,
• 빙정설은 중위도나 고위도 지방에서

이 단원에서 기온과 포화 수증기량의 관계를 나타내는 실험과 구름의 발생 원리 실험은 매우 중요해요. 집중 강의를 통해 실험 과정과 결과를 확인해 볼까요?

탐구 자료 ① 기온과 포화 수증기량의 관계

관련 개념 | 68쪽 ⓑ 포화 수증기량

목표
기온에 따른 포화 수증기량의 변화를 설명할 수 있다.

과정
① 둥근바닥 플라스크에 따뜻한 물을 조금 넣고 고무마개로 입구를 막은 후, 헤어드라이어로 플라스크를 가열하면서 플라스크 내부를 관찰한다.
② 찬물이 담긴 수조에 가열한 플라스크를 넣고 식히면서 플라스크 내부를 관찰한다.

 따뜻한 물
 찬물

결과 및 해석
❶ 가열하였을 때 : 물이 증발하여 수증기가 되면서 맑아진다. ➡ 기온이 높아져 포화 수증기량이 증가했기 때문
❷ 찬물로 식혔을 때 : 수증기가 ㉠(   )하여 플라스크 안쪽에 물방울이 맺힌다. ➡ 기온이 낮아져 포화 수증기량이 감소했기 때문

결론
기온이 높아질수록 포화 수증기량이 ㉡(   )한다.

답 ㉠ 응결 ㉡ 증가

탐구 자료 ② 구름의 발생 원리

관련 개념 | 70쪽 ⓔ 구름의 생성

목표
공기가 팽창할 때의 변화를 통해 구름의 발생 원리를 알 수 있다.

과정
① 플라스틱 병에 약간의 물과 액정 온도계를 넣은 후 뚜껑을 닫는다.
② 뚜껑에 달린 간이 가압 장치를 여러 번 누른 후 플라스틱 병 내부의 변화를 관찰하고, 온도를 측정한다.
③ 뚜껑을 여는 순간 플라스틱 병 내부를 관찰하고, 온도를 측정한다.
④ 플라스틱 병에 향 연기를 조금 넣은 후 과정 ②, ③을 반복한다.

플라스틱 병에 물을 약간 넣는 까닭
플라스틱 병에 물을 약간 넣으면 내부에 수증기가 충분히 공급되어 뚜껑을 열었을 때 응결이 잘 일어난다.

간이 가압 장치
액정 온도계

결과 및 해석
❶ 간이 가압 장치를 눌렀을 때와 뚜껑을 열었을 때 나타나는 변화

구분	온도 변화	압력 변화	나타나는 현상	실제 현상
간이 가압 장치를 눌렀을 때	상승	증가	변화 없음	구름 소멸
뚜껑을 열었을 때	하강	감소	뿌옇게 흐려짐	구름 생성

└● 수증기 응결

❷ 향 연기를 넣으면 뚜껑을 열었을 때 뿌옇게 흐려지는 현상이 더 잘 관찰된다.
➡ 향 연기의 역할 : 수증기의 응결을 돕는 응결핵 역할을 한다.

결론
구름의 생성 과정 : 공기 덩어리가 상승하면 부피가 ㉠(   )하여 기온이 이슬점 이하로 내려가고, 수증기가 ㉡(   )하여 구름이 생성된다.

답 ㉠ 팽창 ㉡ 응결

포화 수증기량 곡선은 시험에 자주 출제되므로 어떤 문제가 나와도 잘 풀 수 있도록 그래프에서 나타내는 정보를 확실히 파악해 두어야 해요. 지금부터 집중 강의를 통해 공부해 볼까요?

● 포화 수증기량 곡선 해석하기

유형 ❶ 기온, 수증기량, 이슬점, 응결량, 상대 습도 구하기

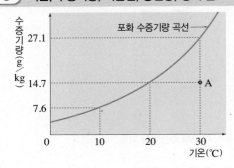

● A 공기의 기온 : 30 ℃
　　└→ A점을 지나는 세로 점선이 기온 축과 만나는 점
tip 가로축을 읽어!

● A 공기의 포화 수증기량 : 27.1 g/kg
　　　└→ A점을 지나는 세로 점선이 포화 수증기량 곡선과 만날 때의 수증기량
tip 현재 기온에서 포화 수증기량 곡선과 만나는 점의 수증기량을 읽어!

● A 공기의 실제 수증기량 : 14.7 g/kg
　　　　└→ A점을 지나는 가로 점선이 수증기량 축과 만나는 점
tip 세로축을 읽어!

● A 공기의 이슬점 : 20 ℃
　　　└→ A점을 지나는 가로 점선이 포화 수증기량 곡선과 만날 때의 기온
tip 실제 수증기량에서 포화 수증기량 곡선과 만나는 점의 기온을 읽어!

● A 공기를 10 ℃로 낮출 때의 응결량
tip 실제 수증기량(g/kg)−냉각된 기온에서의 포화 수증기량(g/kg)
　• A 공기의 실제 수증기량 : 14.7 g/kg
　• 10 ℃에서의 포화 수증기량 : 7.6 g/kg
　➡ 응결량 : ___㉠___ g/kg

● A 공기의 상대 습도
tip 상대 습도(%)= 실제 수증기량 / 포화 수증기량 ×100
　• A 공기의 포화 수증기량 : 27.1 g/kg
　• A 공기의 실제 수증기량 : 14.7 g/kg
　➡ 상대 습도= $\frac{14.7\ g/kg}{27.1\ g/kg}$ ×100≒54.2 %

유형 ❷ 기온, 수증기량, 이슬점, 응결량, 상대 습도 비교하기

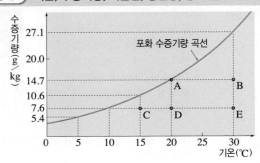

● 기온 : C<A=D<B=E tip 가로축을 비교해! 왼쪽<오른쪽
　• C : 15 ℃　• A, D : ___㉡___ ℃　• B, E : ___㉢___ ℃

● 포화 수증기량 : C<A=D<B=E tip 기온을 비교한 것과 같아!
　• C : 10.6 g/kg　• A, D : ___㉣___ g/kg　• B, E : ___㉤___ g/kg

● 실제 수증기량 : C=D=E<A=B tip 세로축을 비교해! 아래쪽<위쪽
　• C, D, E : 7.6 g/kg　• A, B : ___㉥___ g/kg

● 이슬점 : C=D=E<A=B tip 실제 수증기량을 비교한 것과 같아!
　• C, D, E : 10 ℃　• A, B : ___㉦___ ℃

● 응결량
　❶ 1 kg의 공기를 15 ℃로 냉각시킬 때 응결량
　　• C, D, E : 포화되지 못해 응결이 일어나지 않는다. → 10 ℃가 되어야 응결이 일어나기 시작한다.
　　• A, B : 14.7 g−10.6 g=4.1 g
　❷ 1 kg의 공기를 5 ℃로 냉각시킬 때 응결량
　　• C, D, E : 7.6 g−5.4 g=2.2 g
　　• A, B : ___㉧___ g
　❸ 5 kg의 공기를 5 ℃로 냉각시킬 때 응결량
　　• C, D, E : (7.6−5.4)×5=11 g
　　• A, B : ___㉨___ g

● 상대 습도 : E<D<B<C<A
　• A : $\frac{14.7\ g/kg}{14.7\ g/kg}$ ×100=100 %
　• B : $\frac{14.7\ g/kg}{27.1\ g/kg}$ ×100≒54.2 %
　• C : $\frac{7.6\ g/kg}{10.6\ g/kg}$ ×100≒71.7 %
　• D : 약 ___㉩___ %
　• E : $\frac{7.6\ g/kg}{27.1\ g/kg}$ ×100≒28.0 %

tip 실제 수증기량이 같은 공기끼리 비교하거나 기온이 같은 공기끼리 비교할 때는 포화 수증기량 곡선에 가까울수록 상대 습도가 높다.

01 증발에 의한 현상인 것을 보기에서 모두 고르시오. 66쪽

[보기]
ㄱ. 젖은 빨래가 마른다.
ㄴ. 여름철 마당에 뿌린 물이 마른다.
ㄷ. 새벽에 나뭇잎 위에 이슬이 맺힌다.

02 오른쪽 그림과 같이 두 개의 페트리 접시에 물을 담고, 한쪽만 수조로 덮은 채 나란히 며칠 동안 놓아 두었다. 이에 대한 설명으로 옳지 <u>않은</u> 것은? 66쪽

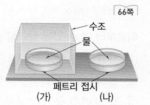

수조
물
페트리 접시
(가)   (나)

① 공기가 포함할 수 있는 수증기의 양은 한계가 있다.
② (가)는 물의 양이 더 이상 줄어들지 않는다.
③ (가)는 어느 정도 시간이 지나면 물속으로 들어가는 물 분자 수와 나가는 물 분자 수가 같아진다.
④ (나)에서 증발한 물 분자는 공기 중으로 흩어진다.
⑤ (나)는 (가)보다 기온이 높아서 증발이 잘 일어난다.

[03~04] 그림은 기온과 포화 수증기량의 관계를 나타낸 것이다.

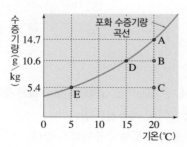

03 이에 대한 설명으로 옳지 <u>않은</u> 것은? 68쪽

① A, D, E 공기는 포화 상태이다.
② 젖은 빨래는 B 공기보다 C 공기에서 더 잘 마른다.
③ D 공기를 20 ℃까지 가열하면 A 상태가 된다.
④ E 공기에 놓아 둔 컵의 물은 줄어들지 않는다.
⑤ 기온이 높아질수록 포화 수증기량은 증가한다.

04 다음은 B 공기 1 kg을 포화 상태로 만드는 방법을 나타낸 것이다. 68쪽

• 기온을 ㉠(   ) ℃로 낮춘다.
• 수증기를 ㉡(   ) g 더 공급한다.

㉠, ㉡에 알맞은 값을 옳게 짝 지은 것은?

	㉠	㉡		㉠	㉡
①	10	4.1	②	10	5.2
③	15	4.1	④	15	5.2
⑤	15	9.3			

05 그림과 같이 둥근바닥 플라스크에 따뜻한 물을 조금 넣고 가열한 후 플라스크를 찬물에 넣었다. 68쪽

따뜻한 물
(가)

찬물
(나)

이에 대한 설명으로 옳은 것은?

① (가)에서 응결이 일어난다.
② (가)에서 플라스크 안이 뿌옇게 흐려진다.
③ (나)에서 증발이 일어나 맑아진다.
④ (나)에서 플라스크 내부의 수증기량은 감소한다.
⑤ (가)와 (나)의 포화 수증기량은 같다.

06 냉장고에서 차가운 음료수를 꺼내 컵에 따라 두었더니 컵 표면에 물방울이 맺혔다. 이 물방울의 생성 원인으로 옳은 것은? 68쪽

① 음료수 속의 물이 증발한 것이다.
② 음료수 속의 물이 응결한 것이다.
③ 공기 중의 수증기가 증발한 것이다.
④ 공기 중의 수증기가 응결한 것이다.
⑤ 공기 중의 수증기가 승화한 것이다.

풀이 TIP **02** ❶ (가)는 수조를 덮은 상태이므로 공기의 양이 일정하다는 것을 생각한다. ❷ (나)는 수조를 덮지 않은 상태이므로 공기의 출입이 자유롭다는 것을 생각한다. **03** ❶ A~E 공기의 포화 또는 불포화 상태, 수증기량을 파악한다. ❷ 기온과 포화 수증기량의 관계를 생각해 본다.

07 이슬점에 대한 설명으로 옳지 <u>않은</u> 것은? 68쪽

① 수증기가 응결하기 시작하는 온도이다.
② 포화 수증기량이 증가하면 이슬점은 낮아진다.
③ 공기가 포화 상태에 도달하였을 때의 온도이다.
④ 공기 중의 수증기량이 많아지면 이슬점이 높아진다.
⑤ 이슬점에서의 포화 수증기량은 실제 수증기량과 같다.

08 그림은 기온과 포화 수증기량의 관계를 나타낸 것이다. 68쪽

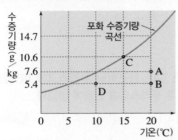

A~D 공기의 이슬점을 옳게 비교한 것은?

① A=B>C>D
② A>B>C>D
③ B>A>D>C
④ C>A>B=D
⑤ D>C>A=B

[09~10] 다음은 기온에 따른 포화 수증기량을 나타낸 것이다.

기온(°C)	5	10	15	20	25	30
포화 수증기량(g/kg)	5.4	7.6	10.6	14.7	20.0	27.1

09 어느 날 저녁에 기온이 30 °C인 공기 5 kg 속에 53 g의 수증기가 포함되어 있었다. 다음 날 새벽에 이슬이 맺혔다면 밤 사이에 기온은 몇 °C 이하로 내려갔는지 쓰시오. (단, 공기 중의 수증기량은 일정하다.) 68쪽

10 기온이 25 °C, 이슬점이 15 °C인 공기 2 kg의 온도를 10 °C까지 낮추었을 때 응결되는 수증기의 양(g)을 구하시오. 68쪽 풀이 TIP

11 현재 기온이 25 °C인 실험실에서 오른쪽 그림과 같이 알루미늄 컵에 작은 얼음 조각이 담긴 시험관을 넣고 잘 저었다. 이때 컵 속 물의 온도가 15 °C가 될 때 컵의 표면이 뿌옇게 흐려졌다. 68쪽

기온(°C)	5	10	15	20	25
포화 수증기량(g/kg)	5.4	7.6	10.6	14.7	20.0

이로부터 알 수 있는 실험실 공기에 대한 설명으로 옳은 것은?

① 실험실 공기의 이슬점은 25 °C이다.
② 컵의 표면에서는 증발 현상이 일어난다.
③ 컵 표면의 공기는 불포화 상태이다.
④ 현재 공기 1 kg 속에는 20 g의 수증기가 포함되어 있다.
⑤ 현재 공기 1 kg의 온도를 5 °C로 낮추면 5.2 g의 물방울이 생길 것이다.

[12~13] 오른쪽 그림은 포화 수증기량 곡선을 나타낸 것이다.

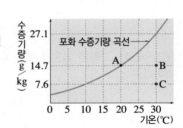

12 A~C 공기에 대한 설명으로 옳지 <u>않은</u> 것은? 70쪽

① A와 B 공기의 이슬점은 같다.
② B와 C 공기의 실제 수증기량은 같다.
③ 10 °C로 냉각시킬 때 응결량은 C가 가장 적다.
④ A 공기는 포화 상태이다.
⑤ 상대 습도는 C 공기가 가장 낮다.

13 어떤 실험실의 기온은 20 °C이고, 상대 습도는 40 %이다. 이 실험실의 공기 1 kg 속에 포함된 수증기의 양(g)을 구하시오. 70쪽 풀이 TIP

풀이 TIP   **10 ❶** 이슬점을 이용하여 현재 공기 중의 실제 수증기량을 찾는다. **❷** 공기의 양이 2 kg인 것을 인식하면서 응결량을 구한다.   **13 ❶** 현재 기온에서의 포화 수증기량을 파악한다. **❷** 상대 습도를 구하는 식을 떠올린다.

14 다음은 기온에 따른 포화 수증기량을 나타낸 것이다. 70쪽

기온(°C)	5	10	15	20	25	30
포화 수증기량(g/kg)	5.4	7.6	10.6	14.7	20.0	27.1

현재 기온은 25 °C이고, 공기의 이슬점이 20 °C일 때, 이 공기의 상대 습도는 몇 %인가?

① 38 %   ② 41 %   ③ 53 %
④ 73.5 %   ⑤ 95 %

15 풀이 TIP 겨울철에 밀폐된 방 안에 난로를 피웠을 때의 변화로 옳은 것을 보기에서 모두 고르시오. 70쪽

┌ 보기 ┐
ㄱ. 상대 습도가 낮아진다.
ㄴ. 이슬점이 높아진다.
ㄷ. 포화 수증기량이 증가한다.
ㄹ. 실내의 수증기량은 감소한다.
└────────────────────┘

16 중요 그림은 맑은 날 하루 동안 기온, 이슬점, 상대 습도의 변화를 나타낸 것이다. 70쪽

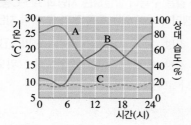

이에 대한 설명으로 옳은 것은?

① A는 기온, B는 상대 습도, C는 이슬점이다.
② 기온은 낮 12시경에 가장 높게 나타난다.
③ 기온이 높아지면 상대 습도도 높아진다.
④ A가 밤에 증가하는 까닭은 증발이 활발하게 일어나기 때문이다.
⑤ C가 거의 일정한 까닭은 수증기량의 변화가 거의 없기 때문이다.

17 공기가 상승한 후 구름이 생성되는 과정을 순서대로 옳게 나열한 것은? 70쪽

① 기온 하강 → 부피 팽창 → 수증기 응결 → 구름 생성
② 기온 하강 → 수증기 응결 → 부피 팽창 → 구름 생성
③ 부피 팽창 → 기온 하강 → 수증기 응결 → 구름 생성
④ 부피 팽창 → 수증기 응결 → 기온 하강 → 구름 생성
⑤ 수증기 응결 → 부피 팽창 → 기온 하강 → 구름 생성

18 풀이 TIP 그림은 구름의 생성 과정을 나타낸 것이다. 70쪽

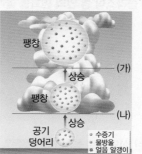

이에 대한 설명으로 옳지 않은 것은?

① 높이 올라갈수록 공기가 팽창한다.
② 공기가 상승하면 기온이 높아진다.
③ (나) 지점의 공기는 포화 상태이다.
④ (나) 지점에서 구름이 생기기 시작한다.
⑤ (가) 지점 이상의 높이에서는 물방울과 얼음 알갱이가 함께 존재한다.

19 중요 구름이 생성되는 경우로 옳지 않은 것은? 70쪽

① 주변으로 공기가 빠져나갈 때
② 지표의 일부분이 강하게 가열될 때
③ 산의 경사면을 타고 공기가 올라갈 때
④ 찬 공기가 따뜻한 공기를 밀어 올릴 때
⑤ 따뜻한 공기가 찬 공기를 타고 올라갈 때

풀이 TIP **15** ❶ 밀폐된 방에서의 수증기량 변화를 생각해 본다. ❷ 난로를 피울 때의 온도 변화를 생각해 본다. **18** ❶ 높이 올라갈수록 주변 공기의 압력 변화를 파악한다. ❷ 주변 공기의 압력 변화에 따른 공기 덩어리의 부피 변화를 떠올린다.

02. 구름과 강수   **077**

[20~21] 그림 (가)는 플라스틱 병에 간이 가압 장치가 달린 뚜껑으로 닫은 후 간이 가압 장치를 여러 번 누르고 있는 모습이고, (나)는 뚜껑을 열었을 때를 나타낸 것이다.

(가)   (나)

[70쪽]

20 (나)에서 플라스틱 병 안의 변화를 옳게 짝 지은 것은?

	부피	온도		부피	온도
①	수축	상승	②	수축	하강
③	팽창	상승	④	팽창	하강
⑤	일정	하강			

⭐중요
[70쪽]

21 이에 대한 설명으로 옳지 않은 것은?

① (가)에서 플라스틱 병 안이 뿌옇게 흐려진다.
② (가)에서 플라스틱 병 안의 포화 수증기량이 많아진다.
③ (나)에서 플라스틱 병 안의 온도가 하강한다.
④ (나)에서는 공기가 상승할 때와 같은 변화가 나타난다.
⑤ 플라스틱 병 안에 향 연기를 넣으면 뿌옇게 흐려지는 현상이 더 잘 관측된다.

풀이 TIP
[70쪽]

22 다음은 어느 지역에서 높이에 따른 기온과 이슬점의 변화를 측정한 것이다.

높이(km)	지표면	h_1	h_2	h_3	h_4	h_5
기온(℃)	20	14	7	1	−7	−9
이슬점(℃)	9	8	2	0	−5	−7

이 지역에서 구름이 생기기 시작할 것으로 예상되는 높이는?

① 지표면~h_1 사이   ② h_1~h_2 사이
③ h_2~h_3 사이   ④ h_3~h_4 사이
⑤ h_4~h_5 사이

⭐중요
[72쪽]

23 오른쪽 그림은 저위도 지방(열대 지방)에서 발달한 구름의 모습이다. 이를 통해 알 수 있는 비의 생성 과정으로 옳은 것은?

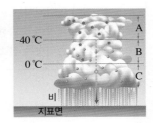

① 구름 속의 얼음 알갱이가 녹아서 비가 된다.
② 구름 속의 물방울들이 서로 합쳐져 비가 된다.
③ 구름 속의 물방울에 얼음 알갱이가 달라붙어 비가 된다.
④ 구름 속의 얼음 알갱이에 수증기가 달라붙어 비가 된다.
⑤ 구름 속의 물방울에 수증기가 달라붙어 비가 된다.

[24~25] 오른쪽 그림은 수직으로 발달한 구름에서 비와 눈의 생성 과정을 나타낸 것이다.

풀이 TIP
[72쪽]

24 이와 같은 구름이 발달하는 지방과 A~C층 중 물방울과 얼음 알갱이가 섞여 있는 층을 골라 옳게 짝 지은 것은?

① 저위도 지방, A   ② 저위도 지방, B
③ 저위도 지방, C   ④ 중위도나 고위도 지방, A
⑤ 중위도나 고위도 지방, B

⭐중요
[72쪽]

25 B 구간에서 일어나는 현상으로 옳은 것은?

① 수증기가 물방울로 변한다.
② 얼음 알갱이가 녹아서 물방울로 변한다.
③ 작은 물방울들끼리 서로 충돌하여 성장한다.
④ 얼음 알갱이가 좀 더 작은 알갱이로 쪼개진다.
⑤ 얼음 알갱이에 수증기가 얼어붙으면서 성장한다.

풀이 TIP
 22 ❶ 공기 덩어리가 상승할 때 기온의 변화를 파악한다. ❷ 구름이 생성될 때 기온과 이슬점을 비교한다.   **24** ❶ A~C층을 구성하는 입자를 파악한다. ❷ 구름의 구성 입자를 통해 구름이 발달하는 지방을 찾는다.

26 풀이TIP   68쪽

그림은 포화 수증기량 곡선을 나타낸 것이다.

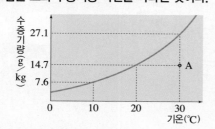

(1) A 공기를 포화 상태로 만들 수 있는 방법 두 가지를 구체적으로 서술하시오.

(2) A 공기의 상대 습도를 구하는 식을 쓰고, 값을 구하시오. (단, 소수 둘째 자리에서 반올림한다.)

27 증발과 응결 현상의 예를 각각 한 가지씩 서술하시오.   68쪽

• 증발 :

• 응결 :

28 오른쪽 그림은 맑은 날 하루 동안의 기온, 상대 습도, 이슬점 변화를 나타낸 것이다. 기온과 상대 습도의 변화가 대체로 반대로 나타나는 까닭을 서술하시오.   70쪽

29 구름의 생성 과정을 다음 단어를 모두 이용하여 서술하시오.   70쪽

> 공기 덩어리, 부피, 기온, 이슬점, 응결

30 그림은 구름의 생성 원리를 실험하는 장치이다.   70쪽

간이 가압 장치를 누를 때   뚜껑을 열 때

(1) 간이 가압 장치로 플라스틱 병 안의 공기를 압축시켰다가 뚜껑을 열 때 플라스틱 병 안에서 생기는 변화와 그 까닭을 서술하시오.

(2) 향 연기를 넣고 같은 실험을 할 때, 플라스틱 병 안에서 생기는 변화와 향 연기의 역할을 서술하시오.

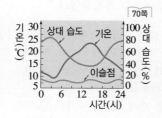

학습 평가하기

정답친해 20쪽으로 가서 문제를 채점한 후 학습 결과를 스스로 평가해 보세요.

맞춘 개수	26~30개	18~25개	0~17개
평가	잘함	보통	부족

➡ 정답친해에서 그 문제를 왜 틀렸는지 꼭 확인하세요!

➡ 본책에서 해당 쪽으로 돌아가서 부족한 부분을 다시 공부하세요!

26 ❶ A 공기가 포화 수증기량 곡선 상에 있도록 하는 방법을 고민한다. ❷ 상대 습도를 구하는 식을 생각해 본다. 29 ❶ 구름이 생성되기 위해서는 공기 덩어리가 상승해야 한다는 것을 생각한다. ❷ 공기 덩어리가 상승할 때의 변화를 떠올린다.

03 기압과 바람

만화 완성하기

다음 만화를 보고 바람의 말풍선을 완성해 보자.

바다에서 바람이 불고 있네.

바람 방향이 왜 바뀐거야

≫ 이 단원을 학습한 후 내가 쓴 대사를 수정해 보자.

A 기압

눈에 보이지는 않지만, 어마어마한 두께의 공기가 우리 몸을 누르고 있어요. 그런데 왜 공기의 무게가 느껴지지 않는 걸까요? 공기가 누르는 힘에 대해 알아보아요.

1. 기압(대기압) : 공기가 단위 넓이에 작용하는 힘[+]

(1) 기압이 작용하는 방향 : 모든 방향으로 동일하게 작용한다.

기압이 모든 방향으로 작용하기 때문에 나타나는 현상		

유리컵에 물을 담고 종이를 덮은 후 거꾸로 뒤집어도 물이 쏟아지지 않는다.	따뜻한 물을 조금 넣고 뚜껑을 닫은 플라스틱 병을 얼음물에 넣으면 사방으로 찌그러진다.	신문지를 펼쳐 자로 빠르게 들어 올리면 신문지가 잘 올라오지 않는다.

(2) 우리 몸이 기압을 거의 느끼지 못하는 까닭 : 기압과 같은 크기의 압력이 몸속에서 외부로 작용하고 있기 때문

2. 기압의 측정 : 토리첼리가 수은을 이용하여 기압의 크기를 최초로 측정하였다.[+]

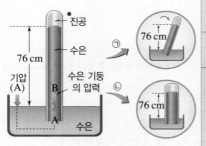

실험 과정	한쪽 끝이 막힌 유리관에 수은을 가득 채운 후 수은이 담긴 그릇에 거꾸로 세운다.
실험 결과	유리관 속의 수은이 내려오다가 수은 면으로부터 76 cm 높이에서 멈춘다.
수은 기둥이 더 이상 내려오지 않는 까닭	그릇의 수은 면에 작용하는 기압(A)과 유리관 속의 수은 기둥이 누르는 압력(B)이 같아졌기 때문 ➡ ㉠과 같이 유리관을 기울이거나 ㉡과 같이 유리관의 굵기가 굵어져도 수은 기둥의 높이는 변하지 않는다.

[기압이 변할 때 수은 기둥의 높이 변화]
기압이 높아지면 수은 기둥의 높이도 높아지고, 기압이 낮아지면 수은 기둥의 높이도 낮아진다.

➕ 마그데부르크의 반구

독일 마그데부르크의 시장이자 과학자였던 게리케는 1654년에 반구 2개를 붙인 후 반구 내부의 공기를 빼내어 반구를 분리시키는 실험을 하였다. 이때 양쪽에서 각각 말 8마리가 끌어 당겼을 때 반구가 겨우 분리되었다.

반구 내부의 공기를 뺀 경우	내부의 공기를 빼지 않은 경우
반구 밖 공기의 압력 > 반구 안 공기의 압력 ➡ 잘 분리되지 않는다.	반구 밖 공기의 압력 = 반구 안 공기의 압력 ➡ 쉽게 분리된다.

➕ 물을 이용한 기압 측정

수은의 밀도는 약 13.6 g/cm^3로, 물의 밀도보다 약 13.6배 크므로 수은 기둥 76 cm의 압력은 물기둥 약 10 m(=76 cm × 13.6)의 압력과 같다.

| 용어 |

• 진공(眞 참, 空 비다) 공기가 없이 완전히 비어 있는 상태

한눈에 보기

이 단원의 개념이 어떻게 구성되어 있는지 살펴보고 빈칸을 완성해 보자.

기압과 바람

| A | | B 기압의 크기와 변화 |
| C | | D 해륙풍과 계절풍 |

단어 체크하기

이 단원을 공부하기 전에 미리 알고 있는 단어를 체크해 보자.

☐ 기압　　　　　☐ hPa　　　　　☐ 바람　　　　　☐ 해륙풍　　　　　☐ 계절풍

1 기압에 대한 설명으로 옳은 것은 ○, 옳지 않은 것은 ×로 표시하시오.

(1) 공기가 단위 넓이에 작용하는 힘을 기압 또는 대기압이라고 한다. ·········· (　　)

(2) 기압은 위에서 아래 방향으로만 작용한다. ·········· (　　)

(3) 우리가 기압을 거의 느끼지 못하는 까닭은 몸속에서 외부로 작용하는 압력이 기압보다 더 작기 때문이다. ·········· (　　)

암기구

기압이 작용하는 방향
모든 방향으로 작용한다.

2 어느 지역에서 길이 약 1 m의 유리관에 수은을 가득 채우고 수은이 담긴 그릇에 거꾸로 세웠더니, 그림과 같이 76 cm 되는 곳까지 수은 기둥이 내려갔다.

76 cm　진공
수은
수은

(1) 이 지역의 기압은 몇 기압인가?

(2) 수은 기둥이 현재보다 높아진다면, 기압이 (낮아진, 높아진) 것이다.

(3) 유리관을 기울이면 수은 기둥의 높이는 (낮아진다, 높아진다, 일정하다).

(4) 유리관의 굵기를 굵게 하면 수은 기둥의 높이는 (낮아진다, 높아진다, 일정하다).

B 기압의 크기와 변화

높은 산에 올라가거나 비행기를 타고 높이 올라가면 귀가 먹먹해지는 것을 느낄 수 있어요. 이는 기압이 몸속에서 외부로 작용하는 압력과 차이가 생기기 때문이랍니다. 높이에 따라 기압은 어떻게 변화하는지 알아볼까요?

1. 기압의 단위와 크기
(1) 기압의 단위 : hPa(헥토파스칼), 기압, cmHg
(2) 1기압의 크기 : 수은 기둥의 높이 76 cm에 해당하는 공기의 압력

$$1기압＝76 \text{ cmHg} ≒ 1013 \text{ hPa} ≒ 약 10 \text{ m 물기둥의 압력}$$

2. 기압의 변화
(1) 장소와 시간에 따른 변화 : 공기가 계속 움직여 측정 장소와 시간에 따라 기압이 변한다.
(2) 높이에 따른 변화 : 높이 올라갈수록 공기의 양이 감소하므로 기압이 낮아진다. ++

📖 높이에 따른 기압의 변화

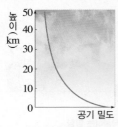

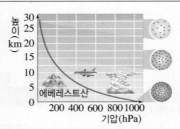

높이 올라갈수록 공기의 양이 적어진다. → 단위 넓이당 공기가 누르는 힘이 작아진다. → 기압이 낮아진다.

높이 올라갈수록 높이 차이에 해당하는 공기의 무게만큼 기압이 낮아진다. → 수은 기둥의 높이도 낮아진다.

➕ 높은 산을 오를 때 산소마스크를 착용하는 까닭
높이 올라갈수록 공기의 양이 감소하기 때문에 숨쉬기가 어려워진다.

➕ 높이 올라갈수록 기압이 낮아지기 때문에 나타나는 현상
• 풍선이 점점 커진다.
• 하늘을 나는 비행기 안의 과자 봉지가 부풀어 오른다.
• 높이 올라가면 귀가 먹먹해진다.

| 용어 |
• **hPa** 1 hPa은 1 m²의 넓이에 100 N의 힘이 작용할 때의 압력으로, 100 Pa(파스칼)과 같다. 1 Pa은 1 m²의 넓이에 1 N의 힘이 작용할 때의 압력이다.
• **cmHg** 수은을 이용하여 기압을 측정할 때 사용하는 단위로, 높이를 표시하는 cm와 수은의 원소 기호인 Hg를 붙여 사용한다.

C 바람

바람이 불면 옷이 펄럭거리고 머리카락도 흩날리죠? 바람은 두 지점 사이의 기압 차이가 생겨 공기가 움직이면서 부는데요. 기압 차이는 어떻게 생기는 것인지, 바람은 어떤 방향으로 부는지 알아볼까요?

1. 바람 : 기압이 높은 곳에서 낮은 곳으로 수평 방향으로 이동하는 공기의 흐름 +

2. 바람이 부는 원인 : 두 지점의 기압 차이 ➡ 지표면의 가열과 냉각에 의해 기온 차이가 생겨 기압 차이가 발생한다.

📖 바람이 부는 원리

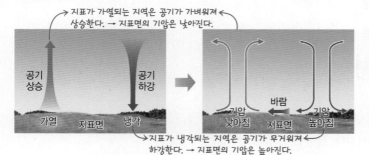

• 바람의 방향 :
기압이 높은 곳
→ 기압이 낮은 곳

➕ 풍향과 풍속
• 풍향 : 바람이 불어오는 방향
예 동풍 : 동쪽에서 불어오는 바람
• 풍속 : 바람의 세기 ➡ 기압 차이가 클수록 풍속이 빨라진다.

1 다음은 1기압을 여러 가지 단위로 나타낸 것이다. ( ) 안에 알맞은 값을 쓰시오.

1기압=㉠( ) cmHg≒㉡( ) hPa≒약 ㉢( ) m 물기둥의 압력

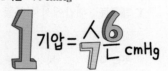

1기압=76 cmHg

1기압=숙6 cmHg

2 그림은 높은 산 정상에 있는 사람 A와 지표에 있는 사람 B를 나타낸 것이다.

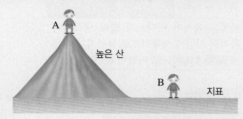

A

높은 산

B

지표

A와 B가 있는 곳에서의 공기의 양, 기압, 수은 기둥의 높이를 등호 또는 부등호를 이용하여 비교하시오.

(1) 공기의 양 : A ☐ B
(2) 기압 : A ☐ B
(3) 수은 기둥의 높이 : A ☐ B

1 바람에 대한 설명으로 옳은 것은 ○, 옳지 않은 것은 ×로 표시하시오.

(1) 바람은 기압이 낮은 곳에서 높은 곳으로 분다. ⋯⋯⋯⋯⋯⋯⋯ ( )
(2) 두 지점의 기압 차이가 클수록 풍속이 빨라진다. ⋯⋯⋯⋯⋯⋯ ( )

암기꿀

바람의 이동 방향
기압이 높은 곳 → 기압이 낮은 곳

2 오른쪽 그림은 A, B 지역에서 지표면의 기온 차이에 따른 공기의 상승과 하강을 나타낸 것이다. 다음 물음에 답하시오.

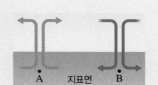

A 지표면 B

(1) A와 B 중 지표가 냉각된 곳 : ( )
(2) A와 B 중 지표면의 기압이 낮은 곳 : ( )
(3) 바람이 부는 방향 : ㉠ ( ) → ㉡ ( )

D 해륙풍과 계절풍   해안에서 바람은 하루를 주기로, 대륙과 해양 사이에서 바람은 1년을 주기로 방향이 바뀌어요. 언제, 왜 풍향이 바뀌는지 알아볼까요?

육지는 바다보다 빨리 가열되고 빨리 냉각되기 때문에 육지와 바다 사이에 기압 차이가 발생하여 바람이 분다.⁺

1. 해륙풍 : 해안에서 하루를 주기로 풍향이 바뀌는 바람

구분	해풍		육풍	
부는 때	낮		밤	
기온	육지 > 바다		육지 < 바다	
기압	육지 < 바다		육지 > 바다	
부는 방향	육지 ← 바다		육지 → 바다	
원리	낮에는 육지가 바다보다 빨리 가열되어 육지의 기압이 상대적으로 낮아지기 때문에 바다에서 육지로 바람이 분다.		밤에는 육지가 바다보다 빨리 냉각되어 육지의 기압이 상대적으로 높아지기 때문에 육지에서 바다로 바람이 분다.	

2. 계절풍 : 대륙과 해양 사이에서 1년을 주기로 풍향이 바뀌는 바람⁺
└ 계절풍은 해풍에 비해 규모가 크다.

구분	남동 계절풍(우리나라)		북서 계절풍(우리나라)	
부는 때	여름		겨울	
기온	대륙 > 해양		대륙 < 해양	
기압	대륙 < 해양		대륙 > 해양	
부는 방향	대륙 ← 해양		대륙 → 해양	
원리	여름에는 대륙이 해양보다 빨리 가열되어 대륙의 기압이 상대적으로 낮아지기 때문에 해양에서 대륙으로 바람이 분다.		겨울에는 대륙이 해양보다 빨리 냉각되어 대륙의 기압이 상대적으로 높아지기 때문에 대륙에서 해양으로 바람이 분다.	

✚ 바다와 육지의 온도가 차이 나는 까닭

육지는 바다에 비해 열용량이 작기 때문에 같은 양의 열이 공급될 경우 바다보다 빨리 가열된다. 이때 열용량이란 어떤 물질의 온도를 1 °C 높이는 데 필요한 열에너지의 양을 말한다.

✚ 해륙풍과 계절풍 비교

구분	해륙풍	계절풍
주기	하루	1년
발생 원인	육지와 바다의 가열 정도 차이	

---

1 오른쪽 그림은 해안 지역에서 하루를 주기로 풍향이 바뀌는 바람을 나타낸 것이다. 이 바람에 대한 설명으로 (   ) 안에 알맞은 것을 고르시오.

육지   바다

(1) 바람의 방향 : 육지 (→, ←) 바다

(2) 바람의 이름 : (해풍, 육풍)

(3) 바람이 부는 때 : (낮, 밤)

(4) 기온 : 육지 (>, <) 바다

(5) 기압 : 육지 (>, <) 바다

암기 TIP

해풍과 남동 계절풍
· 해풍은 해가 뜨는 낮에 부는 바람
· 남동 계절풍은 해가 오래 떠 있는 여름에 부는 바람

2 우리나라의 여름철에는 ㉠(대륙, 해양)의 온도가 더 높아서 바람이 ㉡(대륙에서 해양으로, 해양에서 대륙으로) 분다.

만화 확인하기   80쪽으로 돌아가서 내가 쓴 대사를 점검해 보자.

이 단원에서 바람의 발생 원인 실험과 해륙풍과 계절풍을 판단하는 내용은 매우 중요해요. 집중 강의에서 확실히 이해하고 넘어가도록 해요.

탐구 자료 | 바람의 발생 원인

관련 개념 | 82쪽 **C** 바람, 84쪽 **D** 해륙풍과 계절풍

목표
수조 바닥의 온도 차이를 통해 공기의 이동 방향을 알고, 바람이 발생하는 원리를 이해할 수 있다.

과정
① 수조 가운데에 향을 세우고 칸막이를 설치한다.
② 칸막이의 양쪽 칸에 따뜻한 물이 담긴 지퍼 백과 얼음물이 담긴 지퍼 백을 각각 넣는다.
③ 5분 정도 시간이 지난 후 향에 불을 붙이고, 칸막이를 들어 올린다.

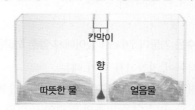
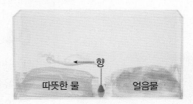

결과 및 해석
❶ 온도 비교 : 따뜻한 물 > 얼음물
❷ 기압 비교 : 얼음물이 있는 쪽 > 따뜻한 물이 있는 쪽
❸ 향 연기의 이동 방향 : ⊙ (   )이 있는 쪽 → ⓒ (   )이 있는 쪽

결론
따뜻한 물과 얼음물의 온도 차이로 인해 ⓒ (   ) 차이가 발생하여 바람이 분다.

같은 내용 다른 실험
① 2개의 사각 접시에 각각 모래와 물을 담고, 온도계를 각각 놓는다.
② 접시 주위에 두꺼운 판지로 만든 바람막이를 세운다.
③ 적외선등을 켜고 10분 동안 가열하면서 온도를 측정한다.
④ 접시 사이에 향을 피우고 향 연기의 이동 방향을 관찰한다.

온도가 높아진 모래 쪽의 공기는 가벼워져 상승한다. ➡ 모래 쪽의 기압이 물 쪽보다 낮다.
➡ 물 쪽에서 모래 쪽으로 향 연기가 이동한다.

⊙ 얼음물 ⓒ 따뜻한 물 ⓒ 기압

핵심 자료 | 해륙풍과 계절풍 판단하기

관련 개념 | 84쪽 **D** 해륙풍과 계절풍

바람의 방향으로 낮과 밤 판단하기

❶ 지표면 부근에서 바람이 불기 시작한 방향에 '높(기압이 높음)', 바람이 향하는 방향에 '낮(기압이 낮음)'을 쓴다.
➡ 기압 : 육지 < 바다
❷ 기압으로 기온을 판단한다.
➡ 기온 : 육지 > 바다

육지가 바다보다 더 빨리 가열되었으므로 낮에 부는 바람이다. ➡ 해풍

❶ 지표면 부근에서 바람이 불기 시작한 방향에 '높(기압이 높음)', 바람이 향하는 방향에 '낮(기압이 낮음)'을 쓴다.
➡ 기압 : 육지 > 바다
❷ 기압으로 기온을 판단한다.
➡ 기온 : 육지 < 바다

육지가 바다보다 더 빨리 냉각되었으므로 밤에 부는 바람이다. ➡ 육풍

바람의 방향으로 계절 판단하기(우리나라)

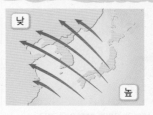
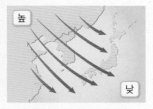

❶ 바람이 불기 시작한 방향에 '높(기압이 높음)', 바람이 향하는 방향에 '낮(기압이 낮음)'을 쓴다.
➡ 기압 : 대륙 < 해양
❷ 기압으로 기온을 판단한다.
➡ 기온 : 대륙 > 해양

대륙이 해양보다 더 빨리 가열되었으므로 여름에 부는 바람이다. ➡ 남동 계절풍

❶ 바람이 불기 시작한 방향에 '높(기압이 높음)', 바람이 향하는 방향에 '낮(기압이 낮음)'을 쓴다.
➡ 기압 : 대륙 > 해양
❷ 기압으로 기온을 판단한다.
➡ 기온 : 대륙 < 해양

대륙이 해양보다 더 빨리 냉각되었으므로 겨울에 부는 바람이다. ➡ 북서 계절풍

개념 페이지로 점프해요!

80쪽

중요
01 기압에 대한 설명으로 옳지 <u>않은</u> 것은?

① 공기의 무게에 의해 나타난다.
② 기압은 모든 방향으로 작용한다.
③ 지표면에서 높이 올라갈수록 기압이 낮아진다.
④ 기압은 측정 장소나 시간에 관계없이 일정하다.
⑤ 기압은 공기가 단위 넓이에 작용하는 힘이다.

80쪽

02 플라스틱 병에 따뜻한 물을 넣은 후 뚜껑을 닫고 찬 물에 담갔더니 오른쪽 그림과 같이 찌그러졌다. 플라스틱 병이 찌그러진 까닭과 기압이 작용한 방향을 옳게 짝 지은 것은?

	찌그러진 까닭	기압의 작용 방향
①	플라스틱 병 내부 압력의 감소	모든 방향
②	플라스틱 병 내부 압력의 증가	아래
③	플라스틱 병 외부 압력의 감소	아래
④	플라스틱 병 외부 압력의 증가	모든 방향
⑤	플라스틱 병 내부 공기의 팽창	아래

풀이 TIP
80쪽

03 1654년, 게리케는 반구 2개를 붙인 후 그림과 같이 내부의 공기를 뺀 경우와 빼지 않은 경우에 반구를 양쪽에서 잡아 당겨 분리시키는 실험을 하였다.

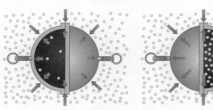

(가) 내부의 공기를 뺀 경우   (나) 내부의 공기를 빼지 않은 경우

이 실험에 대한 설명으로 옳은 것을 보기에서 모두 고르시오.

─(보기)─
ㄱ. (가)는 반구 내부의 압력이 외부의 압력보다 크다.
ㄴ. (나)는 반구 내부의 압력과 외부의 압력이 같다.
ㄷ. (가)는 (나)보다 더 쉽게 분리된다.

[04~05] 오른쪽 그림과 같이 길이가 약 1 m인 유리관에 수은을 가득 채우고, 수은이 담긴 그릇에 거꾸로 세웠더니 76 cm 높이에서 수은 기둥이 멈추었다.

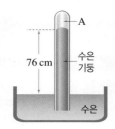

80쪽

04 수은 기둥이 76 cm 높이에서 멈춘 까닭은 무엇인가?

① 유리관이 정전기를 띠기 때문
② 유리관 내부에는 중력이 작용하지 않기 때문
③ 유리관 속의 수은 기둥의 압력이 중력과 같기 때문
④ 유리관 속의 수은 기둥의 압력이 기압과 같기 때문
⑤ 유리관 윗부분의 공기가 수은 기둥을 끌어당기기 때문

중요
풀이 TIP
80쪽

05 이에 대한 설명으로 옳지 <u>않은</u> 것을 모두 고르면?(2개)

① A는 진공 상태이다.
② 현재 이 지역의 기압은 1기압이다.
③ 유리관의 굵기를 2배로 하면 수은 기둥의 높이는 38 cm가 된다.
④ 수은 기둥을 기울이더라도 높이는 변하지 않는다.
⑤ 지구 어디에서나 수은 기둥의 높이는 같다.

중요
80쪽

06 그림은 같은 장소에서 유리관의 기울기와 굵기를 다르게 하여 실시한 토리첼리의 실험을 나타낸 것이다.

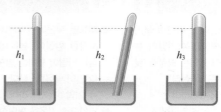

각 수은 기둥의 높이 h_1, h_2, h_3의 크기를 등호 또는 부등호를 사용하여 비교하시오.

풀이 TIP **03** (가)와 (나)에서 각각 반구 내부의 공기 압력과 외부의 공기 압력을 비교한다. **05 ❶** 수은 기둥의 높이로 현재 기압을 파악한다. **❷** 수은 기둥의 기울기나 굵기 변화에 따른 수은 기둥의 높이 변화를 생각해 본다.

07 토리첼리의 실험을 높은 산에서 했을 때, 수은 기둥의 변화와 그 까닭을 옳게 짝 지은 것은?

80쪽

	변화	까닭
①	낮아진다.	기압이 낮아지므로
②	낮아진다.	기압이 높아지므로
③	높아진다.	기압이 낮아지므로
④	높아진다.	기압이 높아지므로
⑤	변함 없다.	기압이 같으므로

08 어떤 지역에서 기압을 측정하는 실험을 하였더니 그림과 같은 결과를 얻었다.

80쪽

수은 대신 물을 이용해 실험을 한다면, 물기둥의 높이는 몇 cm가 되겠는가?(단, 수은의 밀도는 13.6 g/cm³, 물의 밀도는 1 g/cm³이며, 소수점 이하는 반올림한다.)

① 77 cm   ② 770 cm   ③ 1013 cm
④ 1034 cm   ⑤ 1047 cm

09 기압의 크기가 나머지와 다른 하나는?

82쪽

① 1기압
② 76 cmHg
③ 1000 hPa
④ 물기둥 약 10 m의 압력
⑤ 수은 기둥 76 cm에 해당하는 공기의 압력

10 지표면에서부터 높이에 따른 기압의 변화를 옳게 나타낸 그래프는?

82쪽

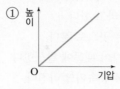
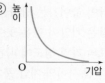
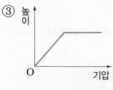
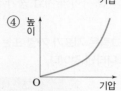

11 고도가 높아지면서 나타나는 현상이 아닌 것은?

82쪽

① 귀가 먹먹해진다.
② 풍선이 점점 커진다.
③ 수은 기둥이 높아진다.
④ 산소마스크가 필요해진다.
⑤ 과자 봉지가 부풀어 오른다.

12 지표면에서 바람이 부는 직접적인 원인은?

82쪽

① 기압 차이
② 습도 차이
③ 중력 차이
④ 수증기량 차이
⑤ 대기의 조성 차이

---

08 ❶ 같은 기압에서 실험하는 경우, 수은 기둥의 압력과 물기둥의 압력은 같다. ❷ 수은의 밀도와 물의 밀도를 이용하여 비례식을 세운다.   10 ❶ 높이 올라갈수록 공기의 양이 어떻게 변화하는지 생각한다. ❷ 공기의 양 변화에 따른 기압의 변화를 생각해 본다.

13 바람에 대한 설명으로 옳지 <u>않은</u> 것은? ^{82쪽}

① 수평 방향으로 이동하는 공기의 흐름이다.

② 바람이 불어가는 방향을 풍향이라고 한다.

③ 바람은 기압이 높은 곳에서 낮은 곳으로 분다.

④ 지표의 가열 정도에 따른 기압 차이 때문에 발생한다.

⑤ 두 지점 사이의 기압 차가 클수록 풍속이 빨라진다.

14 그림은 지표가 가열 또는 냉각되는 지역에서의 공기의 흐름을 나타낸 것이다. ^{82쪽}

이에 대한 설명으로 옳지 <u>않은</u> 것은?

① A 지역은 지표면이 냉각되는 곳이다.

② B 지역에서는 공기가 주변보다 가벼워져 상승한다.

③ A 지역은 기압이 낮아지고 B 지역은 기압이 높아진다.

④ 바람은 A에서 B 방향으로 분다.

⑤ 지표면이 상대적으로 가열되거나 냉각되면 기압 차가 발생한다.

15 그림은 어느 해안 지역에서 하루를 주기로 방향이 바뀌는 바람을 나타낸 것이다. ^{84쪽}

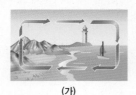 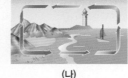

(가)와 (나)에서 부는 바람을 비교한 것 중 옳지 <u>않은</u> 것은?

	구분	(가)	(나)
①	바람	육풍	해풍
②	부는 때	낮	밤
③	기온	육지 > 바다	육지 < 바다
④	기압	육지 < 바다	육지 > 바다
⑤	부는 방향	육지 ← 바다	육지 → 바다

16 오른쪽 그림은 우리나라 부근의 대륙과 해양 사이에서 부는 바람을 나타낸 것이다. 이에 대한 설명으로 옳은 것은? ^{84쪽} 풀이 TIP

① 겨울철에 부는 바람이다.

② 북서 계절풍이라고 한다.

③ 하루를 주기로 풍향이 바뀐다.

④ 대륙의 기압이 해양의 기압보다 높다.

⑤ 대륙의 기온이 해양의 기온보다 높다.

[17~18] 그림과 같이 사각 접시에 모래와 물을 각각 담고 온도계를 설치한 다음, 적외선등을 켜고 가열한 후 온도 변화를 측정하였다.

17 이에 대한 설명으로 옳은 것을 모두 고르면?(2개) ^{84쪽} 풀이 TIP

① 모래는 물보다 적외선등이 내보내는 에너지를 더 많이 흡수한다.

② 적외선등을 켜고 가열시키면 물 쪽의 공기는 상대적으로 가벼워져 상승한다.

③ 적외선등을 켜고 가열시키면 물보다 모래 쪽의 기압이 더 높다.

④ 모래와 물의 가열 정도 차이에 의해 바람이 분다.

⑤ 해안 지방에서 낮에 바다에서 육지로 부는 바람의 원리를 설명할 수 있다.

18 ㉠과 ㉡ 중 향 연기가 이동하는 방향을 쓰시오. ^{84쪽}

 16 ❶ 풍향으로 대륙과 해양의 기압을 비교하고, 바람의 이름을 파악한다. ❷ 기압을 통해 대륙과 해양의 기온을 비교한다.　17 ❶ 적외선등에 의한 모래와 물 쪽의 공기의 변화를 파악한다. ❷ 향 연기는 바람의 방향을 따라 이동한다는 것을 생각한다.

088　Ⅱ. 기권과 날씨

서술형 문제

19 오른쪽 그림은 플라스틱 병에 따뜻한 물을 조금 넣고 뚜껑을 닫아 얼음물에 담긴 수조에 넣은 모습을 나타낸 것이다. 이때 플라스틱 병은 어떠한 변화가 나타날지 예상하고, 그렇게 생각한 까닭을 서술하시오. [80쪽]

중요
20 풀이 TIP 그림은 토리첼리의 실험을 나타낸 것이다. [80쪽]

진공
수은 기둥
$h = 76$ cm
수은

(1) 현재 기압을 쓰시오.

----

(2) 지름이 3배인 유리관으로 같은 지점에서 기압을 측정한다면, 수은 기둥의 높이는 몇 cm가 되겠는지 쓰고, 그 까닭을 서술하시오.

중요
21 높이 올라갈수록 기압이 낮아지는 까닭을 서술하시오. [82쪽]

중요
22 그림과 같이 칸막이 양쪽 칸에 따뜻한 물과 얼음물이 담긴 지퍼 백을 각각 넣고, 시간이 5분 정도 지난 후 향에 불을 붙이고 칸막이를 들어 올렸다. [82쪽]

칸막이
향
따뜻한 물   얼음물

향 연기의 이동 방향을 쓰고, 그렇게 생각한 까닭을 온도와 기압 변화와 관련하여 서술하시오.

중요
23 풀이 TIP 그림은 해안에서 하루를 주기로 풍향이 바뀌는 바람을 나타낸 것이다. [84쪽]

(1) 바람의 이름을 쓰고, 낮인지 밤인지 구분하시오.

----

(2) 육지와 바다의 기압을 비교하여 서술하시오.

학습 평가하기

정답친해 24쪽으로 가서 문제를 채점한 후 학습 결과를 스스로 평가해 보세요.

맞춘 개수	20~23개	14~19개	0~13개
평가	잘함	보통	부족

➜ 정답친해에서 그 문제를 왜 틀렸는지 꼭 확인하세요!
➜ 본책에서 해당 쪽으로 돌아가서 부족한 부분을 다시 공부하세요!

20 ❶ 수은 기둥의 높이를 파악하고 현재 기압을 떠올린다. **❷** 수은 기둥의 굵기 변화에 따른 수은 기둥의 높이 변화를 생각해 본다.　**23 ❶** 바람의 방향으로 육지와 바다의 기압을 비교하고, 바람의 이름을 파악한다. **❷** 기압을 통해 기온을 비교하고 낮인지 밤인지 파악한다.

04 날씨의 변화

만화 완성하기 다음 만화를 보고 폐색 선수의 말풍선을 완성해 보자.

한랭이 녀석, 제법 빠르네.

온난이, 거의 다 따라 잡았다

온난, 한랭 선수는 어디로 가고 폐색 선수가 일등으로 들어왔네요!

>> 이 단원을 학습한 후 내가 쓴 대사를 수정해 보자.

A 기단과 날씨

날씨를 예보할 때 '북쪽에서 발달한 시베리아 기단의 영향으로 오늘도 날씨가 춥고 건조하겠습니다.'라는 말을 들어본 적이 있지요? 기단이란 무엇이며, 우리나라 주변의 기단이 날씨에 어떤 영향을 주는지 알아볼까요?

1. 기단 : 넓은 장소에 오래 머물러 성질이 지표와 비슷해진 큰 공기 덩어리⁺

2. 기단의 성질

(1) 기단은 발생지의 성질(기온, 습도 등)에 따라 결정된다.

발생지	고위도	저위도	대륙	해양
기단의 성질	기온 낮음	기온 높음	건조	습함

(2) 기단의 세력이 강해지거나 약해지면서 주변 지역의 날씨에 영향을 준다.

3. 기단의 변질 : 기단은 발생지와 성질이 다른 곳으로 이동해가면 기온과 습도가 변해 기단의 성질이 변한다.
예 차고 건조한 기단이 따뜻한 바다 위를 지나게 되면 기단 아래쪽의 기온이 높아지고 바다에서 수증기를 공급받아 습해지면서 구름이 발달하여 비나 눈이 내린다.

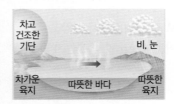
차고 건조한 기단 / 비, 눈 / 차가운 육지 / 따뜻한 바다 / 따뜻한 육지
⬆ 기단의 변질

4. 우리나라 주변의 기단과 날씨

우리나라 주변의 기단		기단	성질	계절	날씨
		양쯔강 기단	온난 건조	봄, 가을	따뜻하고 건조한 날씨
		오호츠크해 기단	한랭 다습	초여름	동해안의 서늘하고 습한 날씨(저온 현상)
		북태평양 기단	고온 다습	여름	무덥고 습한 날씨, *폭염, *열대야
		시베리아 기단	한랭 건조	겨울	춥고 건조한 날씨, 한파

대륙(건조) ← → 해양(다습)
고위도(한랭) ↑ 시베리아 기단(한랭 건조) / 오호츠크해 기단(한랭 다습)
↓ 저위도(온난) 양쯔강 기단(온난 건조) / 북태평양 기단(고온 다습)

✚ 기단의 발생 장소 조건
기온과 습도가 거의 균일한 공기 덩어리인 기단이 생성되는 장소는 넓은 범위에 걸쳐 일정한 성질을 가진 평탄한 지역이어야 한다.

| 용어 |
- 폭염(暴 쬐다, 炎 불타다) 하루 최고 기온이 33 ℃를 넘는 매우 심한 더위
- 열대야(熱 덥다, 帶 띠, 夜 밤) 최저 기온이 25 ℃ 이하로 내려가지 않는 밤

이 단원의 개념이 어떻게 구성되어 있는지 살펴보고 빈칸을 완성해 보자.

날씨의 변화

A	기단과 날씨
B	
C	

| D | 우리나라의 계절별 일기도 |

이 단원을 공부하기 전에 미리 알고 있는 단어를 체크해 보자.

☐ 기단　　　☐ 전선면　　　☐ 전선　　　☐ 고기압　　　☐ 저기압
☐ 온대 저기압　　　☐ 일기도

1 기단에 대한 설명으로 옳은 것은 ○, 옳지 <u>않은</u> 것은 ✕로 표시하시오.

(1) 대륙에서 발생한 기단은 습도가 높다. ··································· (　　)

(2) 고위도에서 발생한 기단은 기온이 낮다. ··································· (　　)

(3) 기단이 발생지와 성질이 다른 곳으로 이동해도 기단의 성질은 변하지 않는다.
·· (　　)

우리나라 주변의 기단과 기단의 성질
• 양쯔강 기단 : 온난 건조
• 오호츠크해 기단 : 한랭 다습
• 북태평양 기단 : 고온 다습
• 시베리아 기단 : 한랭 건조

2 오른쪽 그림은 우리나라의 계절별 날씨에 영향을 주는 기단을 나타낸 것이다. A~D 기단의 이름을 각각 쓰시오.

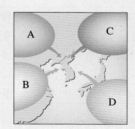

3 우리나라의 각 계절별로 영향을 주는 기단과 그 성질을 옳게 연결하시오.

(1) 봄, 가을 •　　• (가) 북태평양 기단 •　　• ㉠ 고온 다습

(2) 초여름 •　　• (나) 양쯔강 기단 •　　• ㉡ 온난 건조

(3) 여름 •　　• (다) 시베리아 기단 •　　• ㉢ 한랭 다습

(4) 겨울 •　　• (라) 오호츠크해 기단 •　　• ㉣ 한랭 건조

B 전선과 날씨

사람들끼리도 성격이 다르면 자주 싸우고 어울리지 못하듯이, 공기도 성질이 다르면 잘 섞이지 않아요. 이로 인해 만들어지는 전선과 그 종류에 대해 알아볼까요?

1. 전선면과 전선

(1) 전선면 : 성질이 다른 두 기단이 만나서 생긴 경계면[+]
  └● 따뜻한 공기와 찬 공기가 만나면 따뜻한 공기가 가벼워 위로 상승한다.

(2) 전선 : 전선면이 지표면과 만나는 경계선 ➡ 전선을 경계로 기온, 습도, 바람 등이 크게 달라져 날씨 변화가 심하다.

[+] 전선면

전선면은 지표면에 대해 1° 이하의 각도로 비스듬히 나타난다. 따뜻한 공기가 상대적으로 가벼워 찬 공기를 타고 올라가기 때문에 전선면은 찬 공기 쪽으로 기운다.

📖 전선의 형성 원리

[과정] 칸막이가 있는 수조에 파란색 색소를 탄 찬물과 빨간색 색소를 탄 따뜻한 물을 넣고, 수조의 칸막이를 천천히 들어 올리면서 찬물과 따뜻한 물이 만나는 모습을 관찰한다.

● 찬 공기와 따뜻한 공기가 만나면 찬 공기가 따뜻한 공기보다 밀도가 크므로 이와 비슷한 현상이 나타날 것이다.

[결과] 찬물과 따뜻한 물은 바로 섞이지 않고 밀도가 큰 찬물이 밀도가 작은 따뜻한 물 아래로 이동하면서 경계면을 형성한다. ➡ 경계면은 전선면에, 경계면과 바닥이 닿는 부분은 전선에 비유된다.

---

2. 전선의 종류[+]

(1) 한랭 전선과 온난 전선

[+] 전선의 기호

한랭 전선	▲▲▲▲
온난 전선	●●●●
폐색 전선	▲●▲●
정체 전선	▲▼▲▼

구분	한랭 전선	온난 전선
모습	찬 공기가 따뜻한 공기 아래를 파고들 때 생기는 전선	따뜻한 공기가 찬 공기를 타고 오를 때 생기는 전선
전선면의 기울기	급하다. ➡ 강한 상승 운동	완만하다. ➡ 약한 상승 운동
구름의 종류	적운형 구름	층운형 구름
강수	좁은 지역에 소나기성 비	넓은 지역에 지속적인 비
이동 속도	빠르다.	느리다.
전선 통과 후 기온	하강 ← 찬 공기의 영향을 받으므로	상승 ← 따뜻한 공기의 영향을 받으므로

(2) **폐색 전선** : 한랭 전선이 온난 전선보다 이동 속도가 빨라 두 전선이 겹쳐져 생기는 전선
  └──● 閉 닫다, 塞 막히다

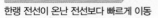

한랭 전선이 온난 전선보다 빠르게 이동 / 두 전선이 만나 폐색 전선 형성 / 찬 기단이 아래에 자리하며 폐색 전선 소멸

⬆ 폐색 전선의 형성 과정
  └● 停 머무르다, 滯 막히다

(3) **정체 전선** : 세력이 비슷한 두 기단이 한곳에 오래 머무르며 생기는 전선
  예 초여름 우리나라 주변에 형성되는 장마 전선[+]

[+] 정체 전선의 형성

우리나라의 장마 전선은 초여름에 북태평양 기단이 우리나라 부근에서 북쪽의 찬 기단과 만나 형성되어 우리나라에 많은 비를 내린다.

1 찬 공기와 따뜻한 공기가 만나면 바로 섞이지 않고 경계면을 이루는데, 이것을 ⊙ ( )이라 하고, 이 경계면이 지표면과 만나 이루는 선을 ⓒ( )이라고 한다.

암기꼭

기호로 보는 전선의 특징
• 한랭 전선

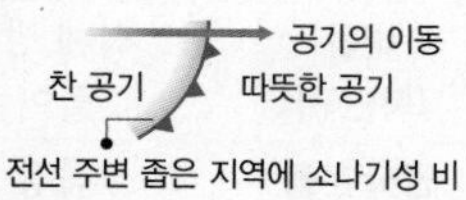

공기의 이동
찬 공기   따뜻한 공기
전선 주변 좁은 지역에 소나기성 비

• 온난 전선

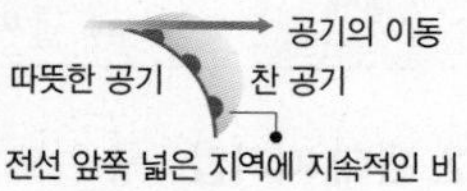

공기의 이동
따뜻한 공기   찬 공기
전선 앞쪽 넓은 지역에 지속적인 비

2 다음은 전선의 특징에 대한 설명이다. 이에 해당하는 전선의 이름을 쓰시오.

(1) 세력이 비슷한 두 기단이 만날 때 생기는 전선 : _____

(2) 한랭 전선과 온난 전선이 겹쳐져서 생기는 전선 : _____

(3) 찬 공기가 따뜻한 공기를 파고들 때 생기는 전선 : _____

(4) 따뜻한 공기가 찬 공기를 타고 오를 때 생기는 전선 : _____

3 다음 중 한랭 전선에 대한 특징이면 '한', 온난 전선에 대한 특징이면 '온'으로 쓰시오.

(1) 전선면의 기울기가 급하다. ⋯⋯⋯⋯⋯⋯⋯⋯⋯⋯⋯⋯⋯⋯⋯⋯⋯⋯⋯ ( )

(2) 전선면 앞쪽으로 층운형 구름이 발달한다. ⋯⋯⋯⋯⋯⋯⋯⋯⋯⋯ ( )

(3) 좁은 지역에 소나기성 비가 내린다. ⋯⋯⋯⋯⋯⋯⋯⋯⋯⋯⋯⋯⋯⋯ ( )

(4) 전선의 이동 속도가 빠르다. ⋯⋯⋯⋯⋯⋯⋯⋯⋯⋯⋯⋯⋯⋯⋯⋯⋯⋯ ( )

(5) 전선이 통과하면 기온이 상승한다. ⋯⋯⋯⋯⋯⋯⋯⋯⋯⋯⋯⋯⋯⋯ ( )

4 그림 (가)~(다)는 폐색 전선의 형성 과정을 순서 없이 나타낸 것이다.

(가)

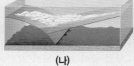
(나)

(다)

(가)~(다)를 순서대로 나열하시오.

만화 확인하기
90쪽으로 돌아가서
내가 쓴 대사를 점검해 보자.

04 날씨의 변화

C 기압과 날씨

우리는 흔히 기분이 안 좋을 때 '나 오늘 저기압이야'라고 하지요? 저기압일 때는 날씨가 흐리고 비가 와서 기분까지 우울해질 때가 많아서 그렇답니다. 고기압과 저기압에서의 날씨, 온대 저기압 주변에서의 날씨에 대해 알아볼까요?

1. 고기압과 저기압

구분	고기압[+]	저기압
정의	주위보다 기압이 높은 곳	주위보다 기압이 낮은 곳
바람 (북반구)	시계 방향으로 불어 나감	시계 반대 방향으로 불어 들어감
연직 운동	하강 기류	상승 기류
날씨	구름 소멸 ➡ 날씨 맑음	구름 생성 ➡ 날씨 흐리고 비나 눈

[고기압과 저기압 지역에서의 공기의 이동(북반구)]

불어 나간 공기를 보충하기 위해 상공에 있는 공기가 하강한다. ➡ 기온이 상승(단열 압축)해 구름이 소멸된다.

주위에서 바람이 불어 들어와 공기가 밀려 중심부의 상공으로 상승한다. ➡ 기온이 하강(단열 팽창)해 구름이 생성된다.

고기압 저기압

2. 온대 저기압 : 중위도 지방에서 북쪽의 찬 기단과 남쪽의 따뜻한 기단이 만나 발생한다.

(1) 구조 : 저기압 중심에서 남동쪽으로는 온난 전선, 남서쪽으로는 한랭 전선이 발달한다.

(2) 이동 : 편서풍에 의해 서쪽에서 동쪽으로 이동한다.[+]
● 온난 전선이 먼저 통과하고, 한랭 전선이 나중에 통과한다.

(3) 온대 저기압에서의 날씨

C 지점 : 한랭 전선 뒤쪽
- 기온 : 낮음 ─ 찬 공기의 영향
- 풍향 : 북서풍
- 구름 : 적운형 구름
- 날씨 : 좁은 지역에 소나기성 비

B 지점 : 온난 전선과 한랭 전선 사이
- 기온 : 높음 ─ 따뜻한 공기의 영향
- 풍향 : 남서풍
- 날씨 : 맑음

A 지점 : 온난 전선 앞쪽
- 기온 : 낮음 ─ 찬 공기의 영향
- 풍향 : 남동풍
- 구름 : 층운형 구름
- 날씨 : 넓은 지역에 지속적인 비

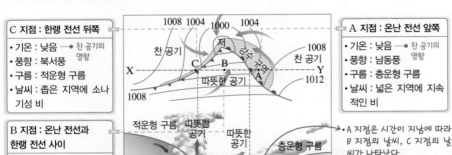

● A 지점은 시간이 지남에 따라 B 지점의 날씨, C 지점의 날씨가 나타난다.
● A 지점의 풍향 변화 : 남동풍 → 남서풍 → 북서풍

✚ 고기압의 종류
- 정체성 고기압 : 중심 위치가 이동하지 않고 한자리에 계속 머물러 있는 고기압 예 시베리아 고기압
- 이동성 고기압 : 한곳에 머무르지 않고 이동하는 비교적 규모가 작은 고기압

✚ 온대 저기압의 이동
중위도 지방에서 서쪽에서 동쪽으로 부는 바람인 편서풍을 따라 온대 저기압은 서쪽에서 동쪽으로 전선과 함께 이동한다.

D 우리나라의 계절별 일기도

주말에 야외로 놀러가려고 계획을 세우려면, 일단 날씨부터 찾아보게 되지요? 우리나라는 계절에 따른 날씨의 특징이 비교적 뚜렷한데요. 우리나라의 계절별 일기도에 대해 알아봅시다.

기온, 기압, 풍향, 풍속, 고기압, 저기압, 등압선, 전선 등 여러 기상 정보를 지도 위에 기호로 표시한 것을 일기도라고 한다.

봄철	여름철	가을철	겨울철
• 이동성 고기압과 이동성 저기압(예 온대 저기압)이 자주 지나면서 날씨 변화가 심함 • 황사, 꽃샘추위	• 남고북저형의 기압 배치 • 남동 계절풍 • 북태평양 기단의 영향 • 장마(초여름), 폭염, 열대야, 태풍	• 이동성 고기압과 저기압의 영향 • 맑은 하늘이 자주 나타남 • 낮과 밤의 기온 차가 커지면서 첫서리가 내림	• 서고동저형의 기압 배치 • 북서 계절풍 • 시베리아 기단의 영향 • 한파, 폭설

1 다음 중 고기압에 대한 설명이면 '고', 저기압에 대한 설명이면 '저'라고 쓰시오.

(1) 북반구에서 바람이 시계 방향으로 불어 나간다. ································ ( )

(2) 상승 기류가 발달해 공기가 상승하여 구름이 생성된다. ··········· ( )

(3) 구름이 소멸되어 날씨가 맑다. ································ ( )

(4) 날씨가 흐리고 비나 눈이 내린다. ································ ( )

북반구의 고기압과 저기압에서 바람의 방향과 기류(오른손 이용)

시계 방향   시계 반대 방향 상승 기류
하강 기류
⬆ 고기압   ⬆ 저기압

2 그림은 온대 저기압을 나타낸 것이다.

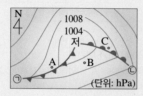

(1) ㉠과 ㉡ 전선을 각각 무엇이라고 하는지 쓰시오.

(2) A~C 중 기온이 가장 높은 곳을 쓰시오.

(3) A~C 중 남동풍이 불고 있는 곳을 쓰시오.

(4) A~C 중 소나기성 비가 내리고 있는 곳을 쓰시오.

1 그림은 여름철과 겨울철의 일기도를 순서 없이 나타낸 것이다. (가)와 (나)에 해당하는 계절을 각각 쓰시오.

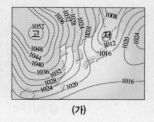

(가)   (나)

여름철과 겨울철 일기도의 기압 배치, 계절풍

• 여름 – 남고북저형, 남동 계절풍
• 겨울 – 서고동저형, 북서 계절풍

온대 저기압의 단면 및 일기도와 위성 사진을 보고 날씨를 해석하는 문제는 시험에 자주 출제되므로 그림을 보고 정보를 확실히 파악해 두어야 해요. 지금부터 집중 강의를 통해 공부해 볼까요?

핵심 자료 ❶ 온대 저기압 주변의 날씨

관련 개념 I 94쪽 **ⓒ** 기압과 날씨

➕ 주어진 그림에서 한랭 전선과 온난 전선을 기준으로 관측 지점의 위치를 정확히 파악한다.

구분	C	B	A
위치	한랭 전선 뒤쪽	한랭 전선과 온난 전선 사이	온난 전선 앞쪽
구름	적운형 구름	없음	층운형 구름
일기 현상	소나기성 비	맑음	지속적인 비
풍향	북서풍	남서풍	남동풍
영향을 주는 공기	찬 공기	따뜻한 공기	찬 공기
기온	낮음	높음	낮음

❶ 강수 구역 : 찬 공기의 영향을 받는 한랭 전선의 뒤쪽(C)과 온난 전선의 앞쪽(A)에서 비가 내린다.

❷ A 지역의 날씨 변화 : 온대 저기압은 편서풍을 따라 서쪽에서 동쪽으로 이동하기 때문에 A 지역에서는 B → C 지역의 날씨가 순서대로 다가와 나타난다.

남동풍, 지속적인 비가 내림	➡	남서풍, 맑은 날씨가 나타남	➡	북서풍, 소나기성 비가 내림

핵심 자료 ❷ 일기도와 위성 사진 해석하기

관련 개념 I 94쪽 **ⓓ** 우리나라의 계절별 일기도

1. 고기압과 저기압의 날씨

⬆ 일기도 　　⬆ 위성 사진

❶ 위성 사진에서 구름이 있는 부분은 하얗게 나타난다.

❷ 고기압 지역에는 구름이 없어 날씨가 맑다. ➡ 하강 기류가 나타나기 때문

❸ 저기압 지역에는 구름이 많다. ➡ 상승 기류가 나타나기 때문

2. 온대 저기압의 날씨

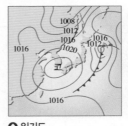
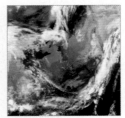

⬆ 일기도 　　⬆ 위성 사진

❶ 고기압 지역에는 구름이 없어 날씨가 맑다.

❷ 저기압 지역에는 구름이 많다.

❸ 전선 부근에는 구름이 많다. ➡ 공기가 상승하여 단열 팽창이 일어나기 때문

정답친해 28쪽
개념 페이지로 점프해요!

01 기단에 대한 설명으로 옳지 않은 것은? [90쪽]

① 발생한 장소에 따라 성질이 다르다.

② 주로 넓은 대륙이나 해양에서 발생한다.

③ 저위도에서 발생한 기단은 한랭하다.

④ 기온과 습도 등이 비슷한 큰 공기 덩어리이다.

⑤ 공기가 한 장소에 오래 머물러 있을 때 형성된다.

02 풀이 TIP 그림과 같이 차고 건조한 기단이 따뜻한 바다 위를 통과할 때 나타나는 기단의 성질(기온, 습도) 변화를 옳게 짝 지은 것은? [90쪽]

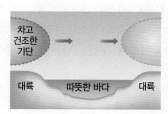

	기온	습도		기온	습도
①	상승	하강	②	하강	상승
③	상승	상승	④	하강	하강
⑤	상승	일정			

[03~05] 그림은 우리나라에 영향을 주는 기단을 나타낸 것이다.

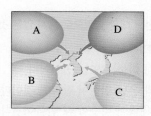

03 풀이 TIP A~D 중 습도가 높은 기단을 모두 고르시오. [90쪽]

04 중요 풀이 TIP 우리나라의 봄과 가을철 날씨에 영향을 주는 기단과 그 기단의 성질을 옳게 짝 지은 것은? [90쪽]

① A – 한랭 건조　　　② B – 온난 건조

③ C – 고온 건조　　　④ C – 한랭 다습

⑤ D – 한랭 건조

05 중요 풀이 TIP A~D 기단에 대한 설명으로 옳은 것은? [90쪽]

① A는 오호츠크해 기단이다.

② A는 다습한 성질을 띤다.

③ 우리나라의 초여름에는 B 기단의 영향으로 동해안에 저온 현상이 나타난다.

④ C는 북태평양 기단으로, 우리나라의 여름철 날씨에 영향을 준다.

⑤ 우리나라의 겨울철에는 D 기단의 영향을 받아 춥고 건조한 날씨가 나타난다.

06 전선에 대한 설명으로 옳지 않은 것은? [92쪽]

① 성질이 다른 두 기단이 만나 생긴 경계면을 전선면이라고 한다.

② 전선면과 지표면이 만나는 경계선을 전선이라고 한다.

③ 전선면은 찬 기단 쪽으로 기울어진다.

④ 찬 기단과 따뜻한 기단이 만나면 찬 기단이 따뜻한 기단 위로 올라간다.

⑤ 전선을 경계로 기온, 습도, 바람 등이 크게 달라져 날씨 변화가 심하다.

풀이 TIP　**02** ❶ 기단은 발생지의 성질에 따라 결정되는 것임을 떠올린다. ❷ 발생지와 성질이 다른 곳으로 기단이 이동하게 되면 기온과 습도가 변한다.　**03~05** ❶ A~D 기단의 발생지에 따른 성질을 파악한다. ❷ 계절에 따라 우리나라에 영향을 주는 기단을 생각해 본다.

[07~08] 그림과 같이 수조의 한쪽에는 빨간색 물감을 섞은 따뜻한 물을 넣고, 다른 한쪽에는 파란색 물감을 섞은 찬물을 넣은 후 칸막이를 들어 올리면서 물의 이동을 관찰하였다.

07 이 실험에서 알아보고자 하는 것은 무엇인가? [92쪽]

① 구름의 생성 원리　② 기단의 생성 원리
③ 바람의 생성 원리　④ 안개의 생성 원리
⑤ 전선의 생성 원리

08 칸막이를 들어 올렸을 때 물의 이동 모습을 옳게 나타낸 것은? [92쪽]

09 한랭 전선에 대한 설명으로 옳지 <u>않은</u> 것은? [92쪽]

① 전선면의 기울기가 급하다.
② 전선의 이동 속도가 빠르다.
③ 적운형 구름이 만들어진다.
④ 넓은 지역에 지속적인 비가 내린다.
⑤ 찬 공기가 따뜻한 공기 아래로 파고들 때 만들어진다.

[10~11] 그림 (가)와 (나)는 한랭 전선과 온난 전선의 단면을 순서 없이 나타낸 것이다.

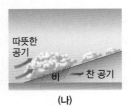

(가)　　　(나)

10 이에 대한 설명으로 옳지 <u>않은</u> 것은? [92쪽]

① (가)는 온난 전선, (나)는 한랭 전선이다.
② (가)는 찬 공기가 따뜻한 공기 쪽으로 이동할 때 만들어진다.
③ (나)는 전선면의 기울기가 완만하다.
④ (가)에서는 좁은 지역에 소나기성 비가 내린다.
⑤ (가)에서는 적운형 구름, (나)에서는 층운형 구름이 발달한다.

11 (가)와 (나) 전선 중 이동 속도가 빠른 것을 고르고, 이 두 전선이 겹쳐질 때 만들어지는 전선의 이름을 쓰시오. [92쪽]

12 정체 전선에 대한 설명으로 옳지 <u>않은</u> 것은? [92쪽]

① 전선의 기호는 ━━▼▼▼━━이다.
② 한곳에 오래 머물러 있는 전선이다.
③ 한랭 전선과 온난 전선이 합쳐진 것이다.
④ 두 기단의 세력이 비슷할 때 만들어진다.
⑤ 초여름 우리나라 주변에 형성되는 장마 전선이 이에 해당한다.

풀이 TIP **08** ❶ 따뜻한 물과 찬물은 바로 섞이지 않는다는 것을 떠올린다. ❷ 따뜻한 물과 찬물의 밀도를 비교해 본다.　**10** ❶ 전선의 단면을 보고 (가)와 (나) 전선을 파악한다. ❷ 한랭 전선과 온난 전선의 특징을 생각해 본다.

13 그림은 북반구 고기압과 저기압에서 공기의 이동을 나타낸 것이다. 풀이 TIP

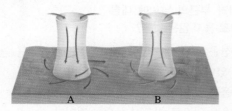

A와 B 지역에서의 공기의 이동과 날씨에 대한 설명으로 옳지 않은 것은?

① A 지역은 고기압, B 지역은 저기압이다.

② A 지역에서는 구름이 소멸되어 날씨가 맑다.

③ B 지역에서는 주변에서 공기가 모여들어 상승 기류가 발달한다.

④ B 지역에서는 공기가 압축되어 기온이 상승한다.

⑤ B 지역에서는 구름이 생성되어 날씨가 흐리고 비가 내린다.

14 저기압 중심에서는 일반적으로 날씨가 흐리다. 그 까닭은 무엇인가?

① 주위보다 기온이 낮기 때문

② 주위보다 습도가 낮기 때문

③ 하강 기류가 생겨 구름이 없어지기 때문

④ 상승 기류가 생겨 구름이 발달하기 때문

⑤ 기압이 높아 중심에서 바람이 불어 나가기 때문

15 온대 저기압에 대한 설명으로 옳지 않은 것은?

① 중위도 지방에서 자주 발생한다.

② 주로 전선을 동반하는 저기압이다.

③ 편서풍에 의해 서쪽에서 동쪽으로 이동한다.

④ 북쪽의 찬 기단과 남쪽의 따뜻한 기단이 만나 발생한다.

⑤ 저기압을 중심으로 남동쪽에는 한랭 전선, 남서쪽에는 온난 전선이 발달한다.

[16~18] 오른쪽 그림은 우리나라 부근에 발달한 온대 저기압을 나타낸 것이다.

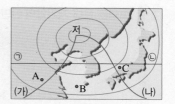

16 (가), (나) 전선의 기호를 옳게 나타낸 것은?

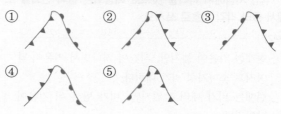

17 위 그림의 온대 저기압을 ㉠-㉡ 방향으로 자른 수직 단면도를 옳게 나타낸 것은?

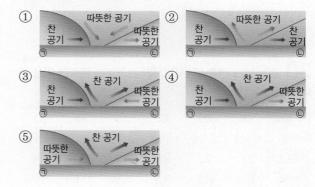

18 A~C 지역의 날씨에 대한 설명으로 옳지 않은 것은? 풀이 TIP

① A 지역은 현재 북서풍이 불고, 소나기성 비가 내린다.

② A 지역은 앞으로 날씨가 흐려지고 기온이 상승할 것이다.

③ B 지역은 현재 남서풍이 불고, 날씨가 맑다.

④ B 지역은 앞으로 날씨가 흐려지고 비가 올 것이다.

⑤ C 지역은 현재 남동풍이 불고, 지속적인 비가 내린다.

---

13 ❶ 공기의 이동 방향으로 A와 B 지역의 중심부 기압을 파악한다. ❷ 고기압과 저기압 지역에서의 특징을 생각해 본다.　18 ❶ 온대 저기압의 구조를 떠올린다. ❷ A~C 지역에서 위치에 따른 날씨를 생각해 본다.

19 그림은 온대 저기압의 단면을 나타낸 것이다.

(가)~(다) 지점에서 나타날 것으로 예상되는 날씨 변화를 보기에서 골라 각각 기호로 쓰시오.

┌ 보기 ┐
ㄱ. 현재는 기온이 높지만, 시간이 지나면서 기온이 낮아지고 소나기성 비가 내린다.
ㄴ. 현재는 비가 내리고 있지만, 비가 멈춘 뒤 기온이 낮아진다.
ㄷ. 현재는 비가 내리고 있지만, 비가 멈춘 뒤 기온이 높아진다.

20 표는 어느 관측소에서 3시간 간격으로 관측한 기상 자료이다.

시각(시)	06	09	12	15	18	21
풍향	남서풍	남서풍	남서풍	남서풍	북서풍	북서풍
기온(℃)	21	22	23	22	15	14
날씨	맑음	맑음	맑음	흐림	소나기	소나기

15~18시 사이에 이 관측소를 통과한 전선의 이름을 쓰시오.

21 우리나라 부근의 고기압, 저기압, 전선 등이 보통 서쪽에서 동쪽으로 이동하는 까닭과 관계 있는 바람은?

① 계절풍   ② 해륙풍   ③ 무역풍
④ 극동풍   ⑤ 편서풍

22 오른쪽 그림은 우리나라 부근의 일기도를 나타낸 것이다. 우리나라 부근의 날씨에 대한 설명으로 옳지 않은 것은?

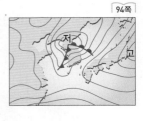

① 부산은 현재 남서풍이 불고 있다.
② 서울은 앞으로 소나기성 비가 내릴 것이다.
③ 서울은 앞으로 기온이 상승할 것이다.
④ 일본은 현재 고기압의 영향으로 날씨가 맑다.
⑤ 북한 지역은 저기압의 중심부와 가까워 날씨가 흐리다.

23 오른쪽 그림은 우리나라 어느 계절의 일기도이다. 이에 대한 설명으로 옳은 것은?

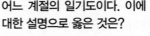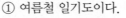

① 여름철 일기도이다.
② 북서 계절풍이 분다.
③ 황사, 꽃샘추위가 나타난다.
④ 양쯔강 기단의 영향을 받는다.
⑤ 서고동저형의 기압 배치가 나타난다.

24 그림 (가)는 우리나라 부근의 일기도를 나타낸 것이고, (나)는 같은 날, 같은 시각에 인공위성에서 찍은 사진을 나타낸 것이다.

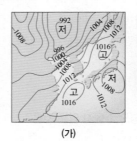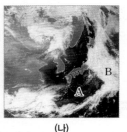

(가)   (나)

이에 대한 설명으로 옳은 것을 보기에서 모두 고르시오.

┌ 보기 ┐
ㄱ. A 지역은 다른 지역보다 기압이 높다.
ㄴ. B 지역에서 상승 기류가 나타난다.
ㄷ. (나)에서 구름이 없는 부분은 하얗게 나타난다.

 20 ❶ 표에서 시간의 흐름에 따른 풍향, 기온, 날씨의 변화를 파악한다. ❷ 한랭 전선과 온난 전선이 통과할 때 풍향, 기온, 날씨를 떠올린다.   **23** ❶ 어느 계절의 일기도인지 파악한다. ❷ 해당 계절의 특징을 떠올린다.

100   Ⅱ. 기권과 날씨

서술형 문제

25 그림은 우리나라에 영향을 주는 기단을 나타낸 것이다. 90쪽

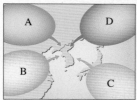

A~D 중 여름철에 영향을 주는 기단의 기호를 쓰고, 그 기단의 성질을 서술하시오.

----

26 풀이 TIP 그림은 중위도 지방의 어느 전선의 단면을 나타낸 것이다. 92쪽

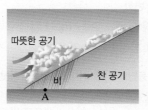

(1) 이 전선의 이름을 쓰시오.

----

(2) 현재 A 지역의 날씨를 구름의 종류와 강수의 특징을 포함하여 서술하시오.

----

27 북반구에서의 고기압 지역과 저기압 지역의 특징을 다음 단어를 모두 이용하여 서술하시오. 94쪽

> 상승 기류, 하강 기류, 시계 방향, 시계 반대 방향

----

28 중요 풀이 TIP 그림은 우리나라 주변에 발달한 온대 저기압을 나타낸 것이다. 94쪽

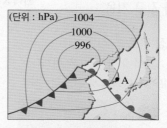

A 지역의 현재 날씨와 온대 저기압이 이동해 감에 따라 A 지역의 날씨 변화에 대해 서술하시오.

----

29 그림은 우리나라 어느 계절의 일기도를 나타낸 것이다. 94쪽

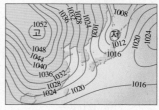

(1) 어느 계절의 일기도인지 쓰고, 이 시기에 주로 영향을 받고 있는 기단의 이름을 쓰시오.

----

(2) 이 계절에 나타나는 날씨의 특징을 <u>두 가지</u> 서술하시오.

학습 평가 하기

정답친해 28쪽으로 가서 문제를 채점한 후 학습 결과를 스스로 평가해 보세요.

맞춘 개수	26~29개	20~25개	0~19개
평가	잘함	보통	부족

➡ 정답친해에서 그 문제를 왜 틀렸는지 꼭 확인하세요!
➡ 본책에서 해당 쪽으로 돌아가서 부족한 부분을 다시 공부하세요!

26 ❶ 그림을 보고 어느 전선의 단면인지 생각한다. ❷ A 지역의 위치를 파악하고 이 전선에서 나타나는 구름의 종류와 강수를 떠올린다. 28 ❶ 현재 A 지역의 날씨를 파악한다. ❷ 우리나라의 위치와 온대 저기압의 이동 방향을 생각해 본다.

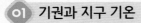

01 기권과 지구 기온

1. 기권의 층상 구조

(1) **구분 기준** : 높이에 따른 기온 변화

(2) **구분** : 지표에서부터 4개 층으로 구분

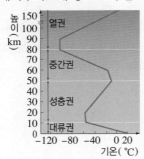

구분	특징
열권	• 대류 ×, 기상 현상 × • 낮과 밤의 기온 차 큼 • 오로라 발생
중간권	• 대류 ○, 기상 현상 × • 유성 관측 • 중간권 계면 부근에서 기온이 가장 낮음
성층권	• 대류 ×, 기상 현상 × • 오존층 존재 • 장거리 비행기의 항로
대류권	• 대류 ○, 기상 현상 ○ • 대부분의 공기 분포

2. 지구의 복사 평형과 온실 효과

(1) **지구의 복사 평형** : 지구가 흡수하는 태양 복사 에너지양 ＝지구가 방출하는 지구 복사 에너지양 ➡ 지구의 평균 기온 일정

(2) **온실 효과** : 지표에서 방출하는 지구 복사 에너지의 일부를 대기가 흡수했다가 지표로 방출하여 지구의 평균 기온이 높게 유지되는 현상

3. 지구 온난화 : 대기 중 온실 기체의 양이 증가하면서 온실 효과가 강화되어 지구의 평균 기온이 높아지는 현상

(1) **주요 원인** : 화석 연료의 사용 증가로 인한 대기 중 이산화 탄소의 농도 증가

(2) **지구 온난화의 영향** : 해수면 상승, 육지 면적 감소, 기상 이변 증가, 생태계 변화 등

02 구름과 강수

1. 포화 수증기량과 이슬점

포화 상태	• 어떤 공기가 수증기를 최대로 포함하고 있는 상태
포화 수증기량	• 포화 상태의 공기 1 kg에 들어 있는 수증기량(g) • 기온이 높을수록 많아진다.
이슬점	• 공기 중의 수증기가 응결하기 시작할 때의 온도 • 실제 수증기량이 많을수록 높아진다. • 실제 수증기량＝이슬점에서의 포화 수증기량

2. 상대 습도

(1) **상대 습도 구하는 식**

$$상대 습도(\%)=\frac{현재 공기 중의 실제 수증기량}{현재 기온의 포화 수증기량}\times 100$$

(2) **상대 습도의 변화**

① 기온이 일정할 때 : 수증기량이 많을수록 높아진다.

② 수증기량이 일정할 때 : 기온이 낮을수록 높아진다.

[맑은 날 하루 동안의 기온, 상대 습도, 이슬점 변화]

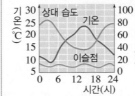

• 기온과 상대 습도 변화는 대체로 반대로 나타난다.
• 이슬점은 거의 일정하다.
➡ 하루 동안 수증기량 변화가 거의 없기 때문

3. 구름의 생성

구름의 생성 과정	공기 덩어리 상승 → 단열 팽창(부피 팽창) → 기온 하강 → 이슬점 도달 → 수증기 응결 → 구름 생성
구름이 생성되는 경우	• 지표면의 일부가 가열될 때 • 공기가 산을 타고 올라갈 때 • 따뜻한 공기와 찬 공기가 만날 때 • 공기가 모여드는 저기압의 중심일 때

4. 구름의 모양에 따른 분류

구분	적운형 구름	층운형 구름
모양	위로 솟는 모양	옆으로 퍼지는 모양
상승 운동	강함	약함

5. 강수 이론

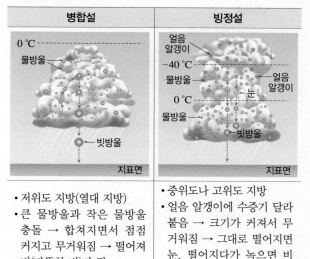

병합설	빙정설
• 저위도 지방(열대 지방) • 큰 물방울과 작은 물방울 충돌 → 합쳐지면서 점점 커지고 무거워짐 → 떨어져 비(따뜻한 비)가 됨	• 중위도나 고위도 지방 • 얼음 알갱이에 수증기 달라 붙음 → 크기가 커져서 무거워짐 → 그대로 떨어지면 눈, 떨어지다가 녹으면 비(차가운 비)

03 기압과 바람

1. 기압(대기압) : 공기가 단위 넓이에 작용하는 힘

측정	• 유리관의 굵기나 기울기에 관계없이 1기압일 때, 수은 기둥의 높이 ➡ 76 cm • 기압이 높아지면 수은 기둥의 높이는 높아지고, 기압이 낮아지면 수은 기둥의 높이는 낮아진다.
크기	1기압＝76 cmHg＝760 mmHg ≒1013 hPa≒약 10 m 물기둥의 압력
변화	• 장소와 시간에 따라 기압이 달라진다. • 높이 올라갈수록 기압이 낮아진다.

2. 바람 : 기압이 높은 곳에서 낮은 곳으로 수평 방향으로 이동하는 공기의 흐름

(1) **바람이 부는 원인** : 두 지점의 기압 차이

(2) **해륙풍과 계절풍**

구분	해륙풍		계절풍(우리나라)	
	해풍	육풍	남동 계절풍	북서 계절풍
부는 때	낮	밤	여름	겨울
기온	육지＞바다	육지＜바다	대륙＞해양	대륙＜해양
기압	육지＜바다	육지＞바다	대륙＜해양	대륙＞해양
바람 방향	바다 → 육지	육지 → 바다	해양 → 대륙	대륙 → 해양

04 날씨의 변화

1. 우리나라 주변의 기단

계절	영향을 주는 기단	날씨
봄, 가을	양쯔강 기단	온난하고 건조한 날씨
초여름	오호츠크해 기단	동해안에 저온 현상
여름	북태평양 기단	무덥고 습한 날씨
겨울	시베리아 기단	춥고 건조한 날씨

2. 한랭 전선과 온난 전선

한랭 전선	온난 전선
전선면의 기울기가 급함	전선면의 기울기가 완만함
이동 속도 빠름	이동 속도 느림
적운형 구름 발달	층운형 구름 발달
좁은 지역에 소나기성 비	넓은 지역에 지속적인 비

3. 고기압과 저기압에서의 바람과 날씨

고기압	• 북반구에서 시계 방향으로 불어 나감 • 중심에서 하강 기류 → 구름 소멸 → 날씨 맑음
저기압	• 북반구에서 시계 반대 방향으로 불어 들어옴 • 중심에서 상승 기류 → 구름 생성 → 날씨 흐리고 비나 눈

4. 온대 저기압에서의 날씨

지점	날씨
A	층운형 구름 발달, 남동풍, 넓은 지역에 지속적인 비
B	날씨 맑음, 남서풍
C	적운형 구름 발달, 북서풍, 좁은 지역에 소나기성 비

01 기권과 지구 기온

1. 기권의 층상 구조

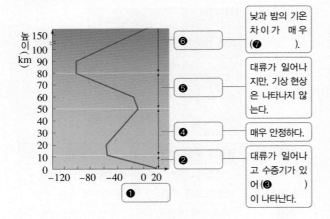

6

낮과 밤의 기온 차이가 매우 (**7**).

5

대류가 일어나지만, 기상 현상은 나타나지 않는다.

4

매우 안정하다.

2

대류가 일어나고 수증기가 있어 (**3**)이 나타난다.

1

2. 지구의 복사 평형

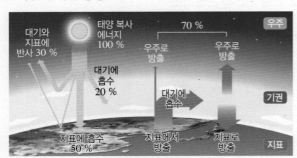

- 지구에 들어오는 태양 복사 에너지 : 100 %
  - 우주로 반사 : (**1**) %
  - 구름, 대기 및 지표에 흡수 : (**2**) %
- 우주로 방출되는 지구 복사 에너지 : (**3**) % → 복사 평형

3. 대기 중 이산화 탄소의 농도와 지구의 평균 기온 관계

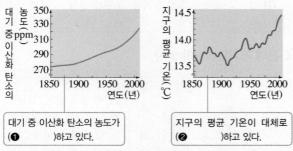

대기 중 이산화 탄소의 농도가 (**1**)하고 있다.

지구의 평균 기온이 대체로 (**2**)하고 있다.

- 대기 중 이산화 탄소의 농도가 증가할수록 지구의 평균 기온이 대체로 (**3**)한다.

02 구름과 강수

1. 포화 수증기량 곡선

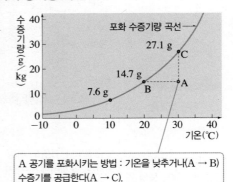

A 공기를 포화시키는 방법 : 기온을 낮추거나(A → B) 수증기를 공급한다(A → C).

- 포화 수증기량 비교 : (**1**)
- 이슬점 비교 : (**2**)
- 상대 습도 비교 : (**3**)
- A 공기 1 kg을 10 ℃까지 냉각할 때 응결량=(**4**) g

2. 맑은 날 하루 동안의 기온, 상대 습도, 이슬점 변화

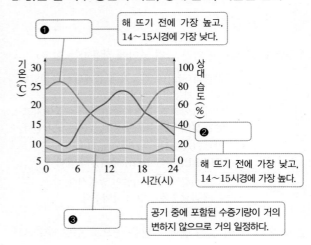

1 해 뜨기 전에 가장 높고, 14~15시경에 가장 낮다.

2

해 뜨기 전에 가장 낮고, 14~15시경에 가장 높다.

3 공기 중에 포함된 수증기량이 거의 변하지 않으므로 거의 일정하다.

3. 강수 이론

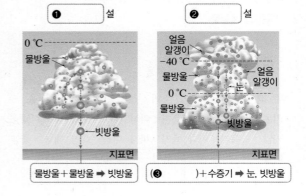

1 설

2 설

물방울+물방울 ➡ 빗방울

(**3**)+수증기 ➡ 눈, 빗방울

03 기압과 바람

1. 토리첼리의 실험

(❶　　　　)기압일 때 수은 기둥은 76 cm 높이에서 멈춘다. ➡ 수은 면에 작용하는 기압(A)과 수은 기둥이 누르는 압력(B)이 같아졌기 때문

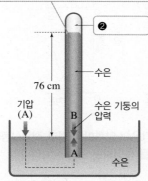

❷　　　　

수은

76 cm

기압 (A)

수은 기둥의 압력

B

A

수은

• 기압이 일정하면 유리관의 굵기나 기울기에 관계없이 수은 기둥의 높이는 (❸　　　　)하다.
• 기압이 높아지면 수은 기둥의 높이는 (❹　　　　)지고, 기압이 낮아지면 수은 기둥의 높이는 (❺　　　　)진다.

2. 바람이 부는 원리

지표가 가열되는 지역은 공기가 가벼워져 상승한다. ➡ 지표면의 기압은 (❶　　　　)진다.

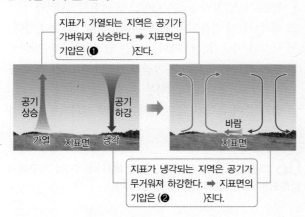

공기 상승

공기 하강

가열 지표면 냉각

바람

지표면

지표가 냉각되는 지역은 공기가 무거워져 하강한다. ➡ 지표면의 기압은 (❷　　　　)진다.

3. 해륙풍

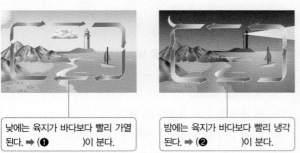

낮에는 육지가 바다보다 빨리 가열된다. ➡ (❶　　　　)이 분다.

밤에는 육지가 바다보다 빨리 냉각된다. ➡ (❷　　　　)이 분다.

4. 계절풍(우리나라)

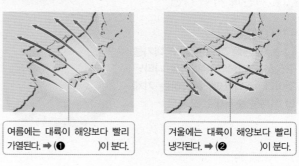

여름에는 대륙이 해양보다 빨리 가열된다. ➡ (❶　　　　)이 분다.

겨울에는 대륙이 해양보다 빨리 냉각된다. ➡ (❷　　　　)이 분다.

04 날씨의 변화

1. 우리나라 주변의 기단

❶　　　　
한랭 건조

❷　　　　
한랭 다습

❸　　　　
온난 건조

고온 다습

❹　　　　

2. 한랭 전선과 온난 전선

(❶　　　　) 구름이 발달한다. ➡ 좁은 지역에 (❷　　　　) 비가 내린다.

(❸　　　　) 구름이 발달한다. ➡ 넓은 지역에 (❹　　　　) 비가 내린다.

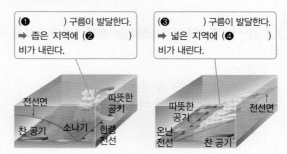

전선면

따뜻한 공기

찬 공기 소나기 한랭 전선

따뜻한 공기

전선면

온난 전선 찬 공기

3. 온대 저기압

기온이 낮고, (❶　　　　)이 분다.

기온이 낮고, (❷　　　　)이 분다.

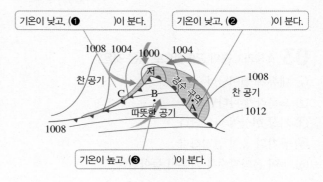

1008 1004 1000 1004

찬 공기

저

C B A

1008 찬 공기

1012

따뜻한 공기

1008

기온이 높고, (❸　　　　)이 분다.

이 기권과 지구 기온

01 오른쪽 그림은 지구 대기를 구성하는 기체의 부피비를 나타낸 것이다. A와 B에 해당하는 기체의 이름을 순서대로 쓰시오.

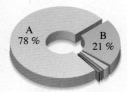

[02~03] 그림은 기권의 층상 구조를 나타낸 것이다.

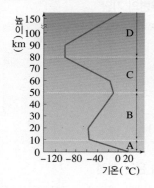

02 A~D 중 다음에서 설명하는 층의 기호와 이름을 쓰시오.

- 오존층이 있어 자외선을 흡수한다.
- 기층이 안정하여 장거리 비행기 항로로 이용된다.

03 A층과 C층의 공통점으로 옳은 것은?

① 대류가 일어난다.
② 오로라가 나타난다.
③ 기상 현상이 나타난다.
④ 공기의 층이 안정하다.
⑤ 높이 올라갈수록 기온이 높아진다.

04 성층권에 높은 농도로 오존이 존재하지 않을 경우, 기권의 기온 분포로 옳은 것은?

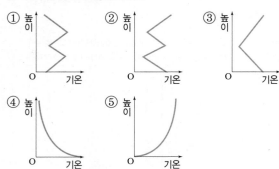

05 그림은 검은색 알루미늄 컵과 적외선등을 이용하여 컵 속의 공기 온도를 측정하는 실험 장치이다.

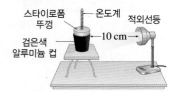

이에 대한 설명으로 옳지 않은 것은?

① 컵은 지구, 적외선등은 태양으로 비유할 수 있다.
② 적외선등이 컵을 수직으로 비추도록 높이를 조절한다.
③ 시간이 지난 후, 컵 속의 온도는 일정하게 유지된다.
④ 컵과 적외선등 사이의 거리가 가까울수록 컵 속의 공기가 복사 평형에 도달하는 온도는 높아진다.
⑤ 컵과 같이 온도가 낮은 물체는 복사 에너지를 방출하지 않는다.

06 그림은 지구에 도달하는 태양 복사 에너지와 지구에서 방출되는 복사 에너지를 나타낸 것이다.

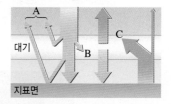

이에 대한 설명으로 옳은 것을 보기에서 모두 고르시오.

{ 보기 }
ㄱ. A는 30 %이다.
ㄴ. B 과정을 온실 효과라고 한다.
ㄷ. C 과정이 활발해지면 지표의 기온은 상승한다.

07 지구 온난화와 이로 인한 영향 및 방지 대책에 대한 설명으로 옳지 <u>않은</u> 것은?

① 대기 중 온실 기체의 양이 증가하여 지구의 평균 기온이 높아지는 현상이다.

② 해수의 부피가 팽창하고 빙하가 녹아 해수면이 상승한다.

③ 해수면 상승으로 해안 저지대가 침수되고 육지 면적이 증가한다.

④ 집중 호우나 폭염, 홍수 등 기상 이변이 증가한다.

⑤ 화석 연료의 사용을 줄이고 삼림을 보존해야 한다.

O2 구름과 강수

08 물의 응결과 관계 있는 현상은?

① 젖은 머리를 헤어드라이어로 말린다.

② 얼음집 안에 물을 뿌리면 따뜻해진다.

③ 더운 여름날 마당에 물을 뿌리면 시원해진다.

④ 그릇에 담긴 아이스크림이 잠시 후 녹기 시작한다.

⑤ 따뜻한 물로 샤워를 하면 목욕탕 안의 거울이 뿌옇게 흐려진다.

09 표는 기온에 따른 포화 수증기량을 나타낸 것이다.

기온(℃)	5	10	15	20	25	30
포화 수증기량(g/kg)	5.4	7.6	10.6	14.7	20.0	27.1

30 ℃의 공기 2 kg 속에 23.2 g의 수증기가 들어 있다면, 이 공기를 15 ℃로 냉각시켰을 때 응결되는 수증기의 양은 몇 g인가?

① 1.0 g   ② 2.0 g   ③ 10.0 g

④ 12.6 g   ⑤ 25.2 g

[10~11] 그림은 기온과 포화 수증기량의 관계를 나타낸 것이다.

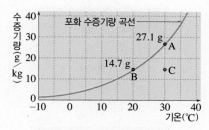

10 이에 대한 설명으로 옳지 <u>않은</u> 것은?

① A 공기는 포화 상태이다.

② B 공기의 상대 습도는 100 %이다.

③ A 공기는 B 공기보다 이슬점이 높다.

④ A 공기와 C 공기는 포화 수증기량이 같다.

⑤ C 공기보다 B 공기에서 물의 증발이 잘 일어난다.

11 다음은 C 공기의 상대 습도를 구하는 식이다. ㉠, ㉡ 안에 알맞은 값을 쓰시오.

$$\text{C 공기의 상대 습도(\%)} = \frac{㉡(\quad)\,\text{g/kg}}{㉠(\quad)\,\text{g/kg}} \times 100$$

12 그림은 어느 맑은 날 하루 동안의 기온, 상대 습도, 이슬점의 변화를 나타낸 것이다.

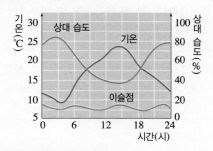

이에 대한 해석으로 옳은 것은?

① 하루 중 이슬점의 변화는 거의 없다.

② 기온이 높아질수록 이슬점은 낮아진다.

③ 기온이 가장 높은 시간은 오전 6시경이다.

④ 새벽에는 상대 습도가 낮아 증발이 활발하게 일어난다.

⑤ 기온이 높아질수록 포화 수증기량이 증가하여 상대 습도도 높아진다.

13 그림과 같이 A 지점에 있던 공기 덩어리가 상승하여 B 지점에서부터 구름이 생성되었다.

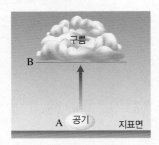

이 과정에서 일어나는 A 공기의 변화에 대한 설명으로 옳지 않은 것은?

① 기압이 낮아진다.
② 부피가 팽창한다.
③ 기온이 낮아진다.
④ 포화 수증기량이 감소한다.
⑤ 상대 습도가 낮아진다.

14 그림과 같이 약간의 물을 넣은 플라스틱 병의 뚜껑을 닫고 흔든 다음 세게 눌렀다가 놓았다.

(가) 누를 때   (나) 놓을 때

(가)에서 (나) 상태가 될 때 플라스틱 병 내부에서 증가하는 물리량을 보기에서 모두 고르시오.

┌─ 보기 ┐
ㄱ. 부피   ㄴ. 온도   ㄷ. 기압   ㄹ. 상대 습도
└─────┘

15 중위도나 고위도 지방의 구름 속에서 눈이 만들어지는 과정을 옳게 설명한 것은?

① 구름 속의 물방울들이 충돌하여 합쳐진다.
② 구름 속의 물방울에 수증기가 달라붙는다.
③ 구름 속의 물방울에 얼음 알갱이가 달라붙는다.
④ 구름 속의 얼음 알갱이에 수증기가 달라붙는다.
⑤ 구름 속의 얼음 알갱이에 물방울들이 얼어붙는다.

03 기압과 바람

16 그림은 기압을 측정하기 위해 수은을 사용하여 토리첼리가 한 실험을 나타낸 것이다.

이에 대한 설명으로 옳은 것은?

① 기압이 높을수록 수은 기둥의 높이가 낮아진다.
② 수은 기둥의 높이 h가 76 cm보다 낮으면 이 지역의 기압은 1기압보다 낮다.
③ 높은 산에 올라가서 실험을 하면 수은 기둥의 높이는 지표면에서보다 높아진다.
④ 유리관을 기울이면 수은 기둥의 높이는 낮아진다.
⑤ 1기압일 때 수은 대신 물을 사용하면 물기둥은 5 m 높이에서 멈춘다.

17 가장 큰 압력을 나타내는 것은?

① 1013 hPa
② 76 cmHg
③ 1기압
④ 물기둥 약 10 m가 누르는 압력
⑤ 수은 기둥 1 m가 누르는 압력

18 바람에 대한 설명으로 옳지 않은 것은?

① 기압이 낮은 곳에서 높은 곳으로 분다.
② 기압 차이가 클수록 풍속이 빨라진다.
③ 지표가 냉각되거나 가열될 때 기압 차이로 발생한다.
④ 지표가 가열되는 곳은 공기가 상승하여 기압이 낮아진다.
⑤ 모래와 물을 가열하면 물 쪽에서 모래 쪽으로 바람이 분다.

19 그림 (가)와 (나)는 해륙풍과 계절풍을 나타낸 것이다.

(가)

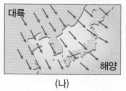
(나)

이에 대한 설명으로 옳은 것은?

① (가)는 해풍이라고 한다.

② (가)는 낮에 부는 바람이다.

③ (나)는 남동 계절풍이라고 한다.

④ (나)에서 대륙이 해양보다 기압이 높다.

⑤ (가)와 (나)는 육지와 바다의 습도 차이로 부는 바람이다.

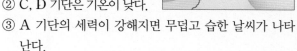

04 날씨의 변화

20 오른쪽 그림은 우리나라의 날씨에 영향을 주는 기단을 나타낸 것이다. 이에 대한 설명으로 옳은 것은?

① A, C 기단은 습하다.

② C, D 기단은 기온이 낮다.

③ A 기단의 세력이 강해지면 무덥고 습한 날씨가 나타난다.

④ 겨울철에는 C 기단이 가장 큰 영향을 준다.

⑤ D 기단이 발달하는 계절에는 남동 계절풍이 분다.

21 오른쪽 그림은 어떤 전선의 수직 단면도이다. 이 전선에 대한 설명으로 옳지 않은 것은?

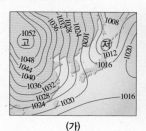

① 이동 속도가 빠르다.

② 층운형 구름이 발달한다.

③ 전선면의 기울기가 완만하다.

④ 넓은 지역에 지속적인 비가 내린다.

⑤ 따뜻한 공기가 찬 공기 쪽으로 이동한다.

22 북반구의 고기압과 저기압에 대한 설명으로 옳지 않은 것은?

① 고기압 중심에서는 바람이 시계 방향으로 불어 나간다.

② 고기압 중심에서는 상승 기류가 발달한다.

③ 저기압 중심에서는 날씨가 흐리다.

④ 저기압 중심에서는 바람이 시계 반대 방향으로 불어 들어온다.

⑤ 저기압 중심에서는 구름이 생성된다.

23 오른쪽 그림은 우리나라 부근에 발달한 온대 저기압을 나타낸 것이다. 이에 대한 설명으로 옳은 것은?

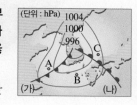

① (가)는 온난 전선, (나)는 한랭 전선이다.

② A 지역에서는 층운형 구름이 형성되어 넓은 지역에 지속적인 비가 내린다.

③ B 지역에서는 적운형 구름이 형성되어 소나기성 비가 내린다.

④ C 지역은 기온이 높고 날씨가 맑다.

⑤ 현재 A 지역은 북서풍, C 지역은 남동풍이 불고 있다.

24 그림은 우리나라의 여름철과 겨울철의 일기도를 순서 없이 나타낸 것이다.

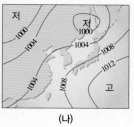
(가)   (나)

이에 대한 설명으로 옳은 것은?

① (가)는 여름철, (나)는 겨울철 일기도이다.

② (가)는 남고북저형의 기압 배치가 나타난다.

③ (가) 시기일 때 북서 계절풍이 분다.

④ (나) 시기일 때 한파가 나타난다.

⑤ (나)는 이동성 고기압과 저기압이 자주 지나간다.

운동과 에너지

01 운동

 다음 만화를 보고 확성기의 말풍선을 완성해 보자.

≫ 이 단원을 학습한 후 내가 쓴 대사를 수정해 보자.

A 운동의 기록

초원을 달리는 표범과 바다에서 유영하는 상어 중에 누가 더 빠를까요? 버스와 자전거 중에서 무엇을 타야 학교에 빨리 갈 수 있을까요? 물체의 속력을 구하면 빠르기를 쉽게 비교할 수 있어요. 운동을 기록하고 속력을 구하는 방법에 대해 알아보아요.

1. 운동 : 시간에 따라 물체의 위치가 변하는 현상
(1) 운동하는 물체의 빠르기 비교
① 같은 거리를 이동할 때 : 걸린 시간이 짧을수록 더 빠르다.
② 같은 시간 동안 이동할 때 : 이동한 거리가 길수록 더 빠르다.
(2) 다중 섬광 사진 : 일정한 시간 간격으로 운동하는 물체를 촬영한 사진

물체의 기록 순서	물체 사이의 간격과 빠르기
먼저 찍힌 물체　운동 방향 →　나중에 찍힌 물체	(가)　운동 방향 →　(나)　운동 방향 →
→ 물체가 오른쪽으로 이동하며 사진에 찍히므로 제일 왼쪽에 있는 물체가 가장 먼저 찍혔다.	(나)가 (가)보다 간격이 넓으므로 더 빠르다.
운동 방향의 반대 쪽 끝부터 찍는다.	촬영한 시간 간격이 같을 때 물체 사이의 간격이 넓을수록 빠르다. ● 같은 시간 동안 이동한 거리가 길기 때문

2. 속력 : 일정한 시간 동안 물체가 이동한 거리 ● 단위 시간 동안 이동한 거리
(1) 단위 : m/s(미터 매 초), km/h(킬로미터 매 시) ● 1 m/s : 1초 동안 1 m를 이동한다. / 1 km/h : 1시간 동안 1 km를 이동한다.

$$속력(m/s) = \frac{이동\ 거리(m)}{걸린\ 시간(s)}$$

(2) 평균 속력 : 물체의 속력이 일정하지 않을 때, 물체가 이동한 전체 거리를 걸린 시간으로 나누어 구한 속력

$$평균\ 속력(m/s) = \frac{전체\ 이동\ 거리(m)}{걸린\ 시간(s)}$$

✚ 단위가 다른 속력 비교하기
단위를 하나로 통일하여 비교한다. 보통 m/s로 통일한다.
㉑ A : 10 m/s, B : 120 m/min, C : 36 km/h의 속력의 크기 비교
· A : 10 m/s
· B : $120\ m/min = \frac{120\ m}{60\ s}$
　$= 2\ m/s$
· C : $36\ km/h = \frac{36000\ m}{3600\ s}$
　$= 10\ m/s$
➡ 속력의 크기 : A=C>B

✚ 이동 거리, 걸린 시간 구하기
속력을 구하는 식을 변형하여 이동 거리와 걸린 시간을 구할 수 있다.
· 이동 거리＝속력×걸린 시간
· 걸린 시간＝$\frac{이동\ 거리}{속력}$

| 용어 |
· **단위 시간** 시간에 따른 어떤 물리량을 계산할 때 기준이 되는 시간으로 초, 분, 시로 표시함
㉑ 1초, 1분, 1시간

한눈에 보기

이 단원의 개념이 어떻게 구성되어 있는지 살펴보고 빈칸을 완성해 보자.

운동 ── A 운동의 기록 ┬─ B ── C 등속 운동 그래프
                        └─ D ── E 질량이 다른 물체의 자유 낙하 운동

단어 체크하기

이 단원을 공부하기 전에 미리 알고 있는 단어를 체크해 보자.

☐ 위치　　　☐ 운동　　　☐ 속력　　　☐ 평균 속력　　　☐ 이동 거리
☐ 자유 낙하　　☐ 중력　　　☐ 질량

암기 TIP

속력을 구하는 공식 외우기

$$속력 = \frac{거리}{시간}$$

1 물체의 운동에 대한 설명으로 옳은 것은 ○, 옳지 않은 것은 ×로 표시하시오.

(1) 같은 시간 동안 이동했을 때 이동한 거리가 길수록 속력이 빠르다. ……… (　　)

(2) 다중 섬광 사진에서 물체 사이의 간격은 이동한 시간을 의미하므로 간격이 넓을수록 시간이 오래 걸린 것이다. ……………………………………… (　　)

(3) 1 m/s와 1 km/h는 속력이 같다. …………………………………… (　　)

2 그림은 두 물체 A, B의 운동을 나타낸 다중 섬광 사진이다. 두 물체 A, B 중 속력이 더 빠른 것을 쓰시오.

A 운동 방향 →　　　B 운동 방향 →

3 다음은 여러 물체의 운동을 나타낸 것이다. 각 물체의 속력은 몇 m/s인지 구하시오.

(1) 50초 동안 400 m를 달리는 축구 선수

(2) 2분 동안 480 m를 이동하는 장난감 자동차

(3) 1시간 동안 36 km를 달리는 자동차

4 어떤 물체가 2 m/s의 속력으로 5초 동안 이동한 후, 4 m/s의 속력으로 5초 동안 이동하였다. 10초 동안 이 물체의 평균 속력은 몇 m/s인지 구하시오.

만화 확인하기

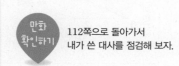

112쪽으로 돌아가서 내가 쓴 대사를 점검해 보자.

B 등속 운동

짐을 나르는 컨베이어나 에스컬레이터는 일정한 속력으로 움직여요. 이렇게 속력이 변하지 않는 운동을 등속 운동이라고 해요. 등속 운동의 특징을 알아볼까요?

1. 등속 운동 : 시간에 따라 속력이 일정한 운동[+]

(1) 시간에 비례하여 이동 거리가 증가한다.

(2) 다중 섬광 사진에서 물체 사이의 간격이 일정하다.

📖 **등속 운동하는 물체의 다중 섬광 사진 분석**

처음 위치 / 운동 방향 ⟶

[단위 : cm]

① 사진 찍힌 간격이 1초일 때, 장난감 자동차의 이동 거리는 1초에 4 cm씩 일정하게 증가한다.

시간(s)	0	1	2	3	4	5	6
이동 거리(cm)	0	4	8	12	16	20	24

② 장난감 자동차의 속력$=\dfrac{4 \text{ cm}}{1 \text{ s}}=4$ cm/s$=0.04$ m/s이다.

2. 등속 운동의 예 : 모노레일, 무빙워크, 스키 리프트, 컨베이어, 에스컬레이터 등[+]

+ 등속 운동의 조건

물체가 운동하고 있을 때 물체와 바닥면 사이에 마찰력이 작용하면 물체의 속력은 점점 느려지다가 정지한다. 에어 테이블이나 에어 트랙 위와 같이 마찰력이 거의 작용하지 않으면 물체가 등속 운동할 수 있다.

+ 등속 운동의 예

↑ 스키 리프트

↑ 컨베이어

C 등속 운동 그래프

물체의 운동은 두 종류의 그래프로 나타낼 수 있어요. 시간에 따른 이동 거리를 나타내는 시간 – 이동 거리 그래프와 시간에 따른 속력을 나타내는 시간 – 속력 그래프에요. 세로축이 이동 거리인지 속력인지 잘 확인하고 문제를 풀어야 해요.

1. 등속 운동 그래프[+]

시간 – 이동 거리 그래프	시간 – 속력 그래프
이동 거리 / 시간 — 시간에 따라 이동 거리가 일정하게 증가하므로 그래프의 기울기가 일정하다.	속력 / 넓이 / 시간 — 속력이 시간에 따라 변하지 않고 일정하므로 그래프가 시간 축에 나란하다.

- 원점을 지나는 기울어진 직선 모양이다.
- 기울기$=\dfrac{\text{이동 거리}}{\text{걸린 시간}}$이므로 속력을 의미한다.
  → 기울기가 일정하므로 속력이 일정하다.

- 시간축에 나란한 직선 모양이다.
- 그래프 아랫부분의 넓이=속력×걸린 시간이므로 이동 거리를 의미한다.
  → 넓이는 시간에 비례하여 증가하므로 이동 거리가 시간에 비례한다.

2. 두 물체의 등속 운동 그래프 비교하기

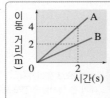

이동 거리(m) / 시간(s)

- 그래프의 기울기가 클수록 속력이 빠르다.
  ➡ 속력 : A>B
  · A의 속력$=\dfrac{4 \text{ m}}{2 \text{ s}}=2$ m/s
  · B의 속력$=\dfrac{2 \text{ m}}{2 \text{ s}}=1$ m/s

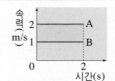

속력(m/s) / 시간(s)

- 속력 : A>B
- 두 물체의 이동 거리 차=그래프 아랫부분의 넓이 차 ➡ 색칠한 부분의 넓이
  $=(2 \text{ m/s}-1 \text{ m/s})×2 \text{ s}=2$ m

+ 등속 운동의 다중 섬광 사진과 그래프

운동 방향 ⟶

등속 운동하는 물체의 다중 섬광 사진에서는 물체 사이의 간격이 일정하다.

다중 섬광 사진을 잘라 붙이면 세로축은 사진이 찍힌 시간 동안 이동한 거리를 나타내므로 속력을 의미한다. 가로축은 시간을 의미하므로 등속 운동의 시간–속력 그래프 모양이 나온다.

1 등속 운동에 대한 설명으로 옳은 것은 ○, 옳지 <u>않은</u> 것은 ×로 표시하시오.

(1) 물체의 속력이 시간에 따라 일정하게 증가하는 운동이다. ·············· (   )

(2) 물체의 이동 거리가 시간에 따라 일정하게 증가하는 운동이다. ·············· (   )

(3) 2 m/s로 등속 운동하는 물체가 10초 동안 이동한 거리는 20 m이다. ···· (   )

2 오른쪽 그림은 수평면 위에서 운동하는 장난감 자동차를 0.1초 간격으로 찍은 다중 섬광 사진이다. 장난감 자동차의 속력은 몇 m/s인지 구하시오.

처음 위치   운동 방향 →

[단위 : cm]

3 속력이 일정한 운동을 하는 물체를 보기에서 모두 고르시오.

{ 보기 }
ㄱ. 무빙워크   ㄴ. 롤러코스터   ㄷ. 에스컬레이터   ㄹ. 낙하하는 공

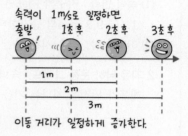

암기 꿀

등속 운동의 특징

속력이 1m/s로 일정하면
출발   1초 후   2초 후   3초 후

1m
2m
3m

이동 거리가 일정하게 증가한다.

1 등속 운동을 나타내는 그래프를 보기에서 모두 고르시오.

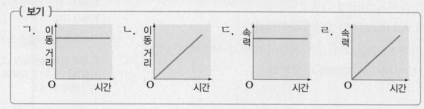

{ 보기 }
ㄱ. 이동 거리 / 시간   ㄴ. 이동 거리 / 시간   ㄷ. 속력 / 시간   ㄹ. 속력 / 시간

암기 꿀

속력, 이동 거리, 걸린 시간은 항상 같이 다니는 삼둥이!
그래서 그래프에서 세 가지 값을 모두 알 수 있다.
➡ x축, y축에 없는 값은 기울기나 넓이로 구할 수 있다.

2 오른쪽 그래프는 어떤 물체의 시간과 이동 거리의 관계를 나타낸 것이다.

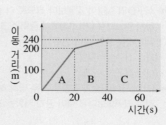

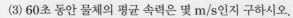

(1) 그래프의 기울기가 의미하는 것을 쓰시오.

(2) A~C 구간을 속력이 빠른 것부터 순서대로 나열하시오.

(3) 60초 동안 물체의 평균 속력은 몇 m/s인지 구하시오.

D **자유 낙하 운동**

물체를 공중에서 가만히 놓으면 아래로 떨어져요. 물체에 중력이 작용했기 때문이에요. 중력을 받아 떨어지는 물체는 어떤 운동을 하는지 그 특징을 알아보아요.

1. 자유 낙하 운동 : 공기 저항이 없을 때 정지해 있던 물체가 중력만 받으면서 아래로 떨어지는 운동

(1) **속력 변화** : 지구의 지표면 근처에서 자유 낙하 하는 물체의 속력은 1초에 9.8 m/s씩 증가한다. **+** └─● 물체의 운동 방향과 물체에 작용하는 힘의 방향이 같으므로 물체의 속력이 증가한다.

(2) **이동 거리** : 같은 시간 동안 물체가 이동하는 거리는 점점 증가한다.
└─● 물체의 위치를 일정한 시간 간격으로 나타내면 물체 사이의 간격이 점점 증가한다.

2. 자유 낙하 운동 그래프 : 속력이 일정하게 증가하므로 시간 – 속력 그래프가 원점을 지나는 기울어진 직선 모양이다. **+**

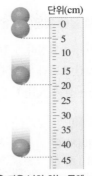
단위(cm)

↥ 자유 낙하 하는 물체

자유 낙하 운동 그래프 분석

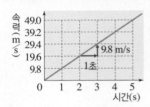

① 물체의 속력은 떨어지는 순간부터 매초마다 9.8 m/s씩 증가한다.
➡ 시간 – 속력 그래프는 원점을 지나는 기울어진 직선 모양이고, 기울기가 9.8이다.
② 시간 – 속력 그래프의 아랫부분의 넓이는 이동 거리이다.
➡ 같은 시간 동안 물체가 이동하는 거리가 증가한다.

✚ 중력 가속도 상수

물체가 자유 낙하 할 때 물체의 속력 변화량 9.8을 지구의 중력 가속도 상수라고 한다. 천체마다 중력의 크기가 다르므로 중력 가속도 상수의 값도 다르다.

✚ 자유 낙하 운동의 다중 섬광 사진과 그래프

자유 낙하 하는 물체의 다중 섬광 사진에서는 물체 사이의 간격이 점점 증가한다.

사진을 찍는 시간 간격 동안 이동한 거리가 증가하므로 다중 섬광 사진을 잘라 붙이면 세로축의 값인 속력이 증가하는 모양이 나온다.

E **질량이 다른 물체의 자유 낙하 운동**

물체의 질량이 다르면 낙하하는 속력도 다를까요? 무거운 물체가 가벼운 물체보다 빠르게 낙하하는지 아닌지 알아보아요.

1. 진공 상태일 때 : 질량이 다른 두 물체를 같은 높이에서 동시에 떨어뜨리면 동시에 바닥에 도착한다. **+** └─● 물체가 자유 낙하 할 때는 질량과 관계없이 속력 변화가 일정하다.

(1) 물체에 작용하는 중력의 크기는 물체의 질량에 비례한다.

(2) 낙하할 때 물체의 속력은 1초에 9.8 m/s씩 일정하게 증가한다.

2. 공기 저항이 있을 때 : 물체의 크기와 모양에 따라 공기 저항이 다르게 작용하므로 같은 높이에서 동시에 떨어뜨려도 동시에 바닥에 도착하지 않는다.

쇠구슬과 깃털의 낙하 운동 비교

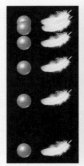

↥ (가) 진공 중   ↥ (나) 공기 중

① 물체에 작용하는 중력의 크기
· (가) : 쇠구슬＞깃털
· (나) : 쇠구슬＞깃털
➡ 쇠구슬의 질량이 깃털보다 크므로 더 큰 중력이 작용한다. 질량은 변하지 않으므로 (가), (나)에서 중력의 크기도 변하지 않는다.
② 낙하하는 동안 속력 변화
· (가) : 쇠구슬＝깃털
· (나) : 쇠구슬＞깃털
➡ (가)에서 쇠구슬과 깃털은 자유 낙하 하므로 속력 변화가 같고, (나)에서는 쇠구슬보다 깃털이 공기 저항을 크게 받아 속력 변화가 작다.

✚ 물체에 작용하는 힘과 속력 변화의 관계

· 물체의 질량이 일정할 때 : 물체에 작용하는 힘의 크기가 클수록 속력 변화가 크다.

속력 변화∝힘의 크기

· 물체에 작용하는 힘의 크기가 일정할 때 : 물체의 질량이 클수록 속력 변화가 작다.

속력 변화∝$\dfrac{1}{질량}$

➡ 따라서 자유 낙하 할 때는 물체의 질량이 커지는 만큼 물체에 작용하는 중력의 크기도 커지므로 속력 변화량은 항상 9.8로 일정하다.

1 다음은 자유 낙하 운동에 대한 설명이다. (　　) 안에 알맞은 말을 고르시오.

> 공기 저항이 ㉠(있을, 없을) 때 정지해 있던 물체가 중력만을 받아 아래로 떨어지는 운동을 자유 낙하 운동이라고 한다. ㉡(지구, 모든 천체)의 중력 가속도 상수는 9.8이므로 지구의 지표면 근처에서 자유 낙하 하는 물체의 속력은 1초에 ㉢(9.8 m/s, 9.8 km/h)씩 증가한다.

2 오른쪽 그림과 같이 높은 곳에서 물체를 가만히 놓아 떨어뜨렸더니 3초 후 물체가 바닥에 도달했다. 바닥에 도달하는 순간 물체의 속력은 몇 m/s인지 구하시오.(단, 공기 저항은 무시한다.)

암기끄

등속 운동과 자유 낙하 운동의 그래프 비교

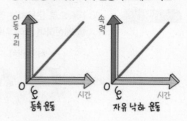

그래프의 모양이 비슷하므로 세로축을 꼭 확인하도록 한다.

1 오른쪽 그림과 같이 매트 위에 서서 질량이 1 kg, 3 kg인 아령 A, B를 같은 높이에서 들고 있다가 동시에 떨어뜨렸다.(단, 공기 저항은 무시한다.)

(1) A와 B에 작용하는 중력의 크기를 각각 구하시오.
(2) A와 B가 낙하할 때 속력 변화의 비(A : B)를 구하시오.

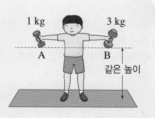

2 오른쪽 그림과 같이 쇠구슬과 깃털을 각각 공기 중과 진공 중의 같은 높이에서 동시에 낙하시켰다.

(1) (가)와 (나) 중 진공 중인 것을 고르시오.
(2) (나)에서 쇠구슬과 깃털 중 중력을 더 크게 받는 물체는 무엇인지 쓰시오.
(3) (나)에서 깃털의 속력은 1초에 몇 m/s씩 증가하는지 구하시오.

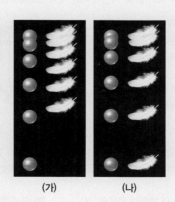

(가)　　　　(나)

암기끄

중력 가속도 상수와 자유 낙하 운동

기억해! 지구의 숫자는 9.8!!

➡ 물체의 질량에 관계없이 자유 낙하 하는 물체의 속력 변화량은 9.8로 일정하다.

등속 운동과 자유 낙하 운동을 분석하는 문제는 시험에 자주 출제돼요. 탐구 자료를 통해 등속 운동과 자유 낙하 운동의 특징을 알아보아요.

탐구 자료 ❶ 등속 운동 분석

관련 개념 | 114쪽 ⓒ 등속 운동 그래프

목표 등속 운동을 하는 물체의 시간 – 이동 거리, 시간 – 속력 관계를 표현할 수 있다.

과정 ① 등속으로 운동하는 장난감 자동차를 1초마다 연속으로 찍은 사진을 보고 이동 거리와 속력을 계산하여 표에 기록한다.

처음 위치　　　　　　　　　　　　　　　운동 방향 →

[단위 : cm]

시간(s)	0	1	2	3	4	5
이동 거리(cm)	0	4	8	12	16	20
속력(cm/s)		4	4	4	4	4	

② 장난감 자동차의 운동을 시간 – 이동 거리, 시간 – 속력의 그래프로 나타낸다.

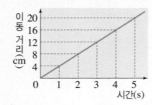 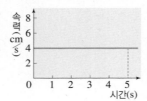

결과 및 해석
· 이동 거리는 시간에 비례하여 일정하게 증가한다.
· 속력은 시간에 따라 변하지 않고 일정하다.

결론
· 등속 운동하는 물체의 이동 거리는 시간에 ⓐ(　　　　)하므로 시간 – 이동 거리 그래프는 원점을 지나는 기울어진 직선 모양이다.
· 등속 운동하는 물체의 속력은 일정하므로 시간 – 속력 그래프는 시간축에 ⓑ(　　　　)한 직선 모양이다.

답 ⓐ 비례 ⓑ 평행

탐구 자료 ❷ 질량이 다른 물체의 자유 낙하 운동

관련 개념 | 116쪽 ⓔ 질량이 다른 물체의 자유 낙하 운동

목표 질량이 다른 두 물체가 자유 낙하 할 때 시간에 따른 속력 변화를 비교할 수 있다.

과정 ① 오른쪽 그림과 같이 공과 깃털이 각각 들어 있는 진공 낙하 실험 장치를 뒤집어 세우면서 공과 깃털이 동시에 낙하하는 장면을 동영상으로 촬영한다.
② 촬영한 영상을 관찰하여 바닥에 도달할 때의 공과 깃털의 모습을 비교한다.

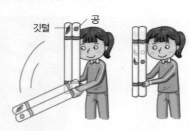

깃털　　공

결과 및 해석
· 진공 낙하 실험 장치를 뒤집어 세우면 공과 깃털을 같은 높이에서 동시에 낙하시킬 수 있다.
➡ 같은 높이에서 동시에 낙하한 공과 깃털이 동시에 바닥에 도착한다.

결론
· 자유 낙하 하는 물체의 속력 변화는 물체의 ⓐ(　　　　)에 관계없이 ⓑ(　　　　)하다.

답 ⓐ 질량 ⓑ 일정

01 속력에 대한 설명으로 옳은 것은? 112쪽

① 물체가 이동하는 데 걸린 시간을 이동 거리로 나눈 값이다.

② 속력의 단위로는 m/s, kg/h 등을 사용한다.

③ 60 km/h는 1분 동안 60 km를 이동한다는 의미이다.

④ 같은 시간 동안 이동한 거리가 길수록 속력이 빠르다.

⑤ 같은 거리를 이동하는 데 걸린 시간이 길수록 속력이 빠르다.

02 속력이 가장 빠른 것은? 112쪽

① 18 km/h로 달리는 기차

② 1분에 180 m를 달리는 사자

③ 5분 동안 600 m를 걸어간 사람

④ 5시간 동안 72 km를 달린 자동차

⑤ 10초 동안 110 m를 달린 달리기 선수

03 그림과 같이 길이가 50 m인 기차가 길이가 400 m인 다리를 5 m/s의 일정한 속력으로 건너갔다. 112쪽

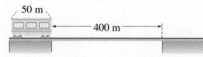

기차가 다리를 완전히 통과하는 데 걸린 시간은?

① 10초　② 40초　③ 50초　④ 80초　⑤ 90초

04 그림과 같이 집에서 출발하여 120 m 떨어져 있는 백화점에 갈 때의 속력이 6 m/s였고, 백화점에서 집으로 다시 돌아올 때의 속력이 4 m/s였다. 112쪽

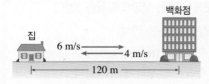

집에서 백화점까지 왕복하는 동안의 평균 속력이 몇 m/s인지 구하시오.

[05~06] 표는 400 km의 거리를 자동차로 달리면서 매 시간마다 출발점으로부터의 이동 거리를 기록한 것이다.

시간(h)	0	1	2	3	4	5
거리(km)	0	80	180	250	340	400

05 이 자동차의 속력이 가장 빠른 구간은? 112쪽

① 0~1시간　② 1~2시간　③ 2~3시간

④ 3~4시간　⑤ 4~5시간

06 5시간 동안 자동차의 평균 속력은? 112쪽

① 60 km/h　② 70 km/h　③ 80 km/h

④ 85 km/h　⑤ 90 km/h

07 그림은 자동차의 과속을 방지하기 위한 구간 단속 장치를 나타낸 것이다. 어떤 자동차가 A 지점을 통과한 시각은 4시, B 지점을 통과한 시각은 4시 12분이었고, A 지점과 B 지점 사이의 거리는 18 km이다. 112쪽

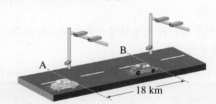

이때 자동차의 평균 속력은 몇 m/s인지 구하시오.

08 그림은 수평면 위에서 운동하고 있는 공을 1초 간격으로 찍은 다중 섬광 사진이다. 112쪽

공의 속력은?

① 0.1 m/s　② 0.2 m/s　③ 1 m/s

④ 2 m/s　⑤ 20 m/s

 03 ❶ 기차가 다리를 완전히 통과하려면 다리 길이에 기차 길이를 더한만큼 이동해야 한다. ❷ 걸린 시간은 이동 거리를 속력으로 나누어 구한다.　**04** ❶ 백화점에 갈 때 걸린 시간과 집으로 돌아올 때 걸린 시간을 각각 구한다. ❷ 전체 이동 거리를 왕복하는 데 걸린 시간으로 나누어 평균 속력을 구한다.

09 그림은 두 물체의 운동을 같은 시간 간격으로 찍은 다 [114쪽]
중 섬광 사진이다.

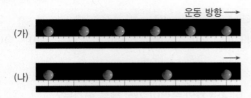

이에 대한 설명으로 옳은 것은?

① (가)는 속력이 점점 느려진다.

② (나)는 속력이 점점 빨라진다.

③ (가)는 속력이 빨라지고, (나)는 일정하다.

④ (가), (나) 모두 속력이 일정하고, (가)가 (나)보다 빠르다.

⑤ (가), (나) 모두 속력이 일정하고, (나)가 (가)보다 빠르다.

10 풀이 TIP [114쪽]
그림은 장난감 자동차의 운동을 0.1초 간격으로 찍은 다중 섬광 사진이다.

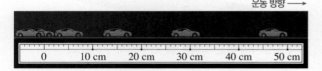

이에 대한 설명으로 옳은 것을 보기에서 모두 고른 것은?

〔 보기 〕

ㄱ. 장난감 자동차의 속력은 점점 느려진다.

ㄴ. 장난감 자동차가 50 cm 이동하는 동안 걸린 시간
은 0.5초이다.

ㄷ. 장난감 자동차가 50 cm 이동하는 동안 평균 속력
은 1 m/s이다.

① ㄱ ② ㄴ ③ ㄷ

④ ㄱ, ㄷ ⑤ ㄴ, ㄷ

11 등속 운동을 하는 물체가 <u>아닌</u> 것을 보기에서 모두 고 [114쪽]
르시오.

〔 보기 〕

ㄱ. 바이킹 ㄴ. 컨베이어

ㄷ. 케이블카 ㄹ. 무빙워크

ㅁ. 에스컬레이터 ㅂ. 위로 던진 물체

중요 풀이 TIP [114쪽]
12 그림은 마찰이 거의 없는 유리판 위에서 운동하는 드
라이아이스 통을 0.1초 간격으로 찍은 다중 섬광 사진이다.

이 공의 운동을 나타낸 그래프로 옳은 것을 모두 고르면?(2개)

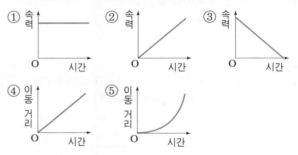

중요 [114쪽]
13 그림은 오른쪽으로 운동하는 공을 0.1초 간격으로 찍
은 다중 섬광 사진이다.

이 공의 운동에 대한 설명으로 옳은 것은?

① 공은 등속 운동을 한다.

② 공의 속력은 3 m/s이다.

③ 공의 속력은 일정하게 증가한다.

④ 공이 0.1초 동안 이동하는 거리는 일정하게 증가한다.

⑤ 공의 시간 – 이동 거리 그래프는 시간축에 나란하다.

풀이
TIP
10 ❶ 속력은 같은 시간 동안 이동한 거리가 길수록 빠르다. ❷ 장난감 자동차를 찍은 시간 간격을 확인하고 걸린 시간과 이동 거리를 구한다. **12** ❶ 다중 섬광 사
진을 보고 물체가 어떤 운동을 하는지 생각한다. ❷ 보기의 세로축이 이동 거리인지 속력인지 확인하고 물체의 운동에 해당하는 그래프를 찾는다.

114쪽

14 오른쪽 그림은 네 물체 A~D 의 이동 거리를 시간에 따라 나타낸 것이다. A~D 중 속력이 가장 빠른 것은?

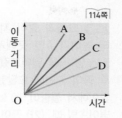

① A ② B
③ C ④ D
⑤ 속력이 모두 같다.

114쪽

15 오른쪽 그림은 어떤 물체 의 운동을 시간과 이동 거리의 관계로 나타낸 것이다. 이에 대한 설명으로 옳지 <u>않은</u> 것은?

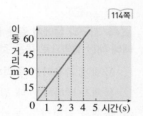

① 물체는 등속 운동을 한다.
② 물체의 속력은 15 m/s이다.
③ 물체가 150 m를 이동하는 데 10초가 걸린다.
④ 물체의 속력은 시간에 따라 일정하게 증가한다.
⑤ 물체의 시간 – 속력 그래프는 시간축에 나란한 모양 이다.

114쪽

16 그림은 수평면에서 운동하는 어떤 물체의 이동 거리를 시간에 따라 나타낸 것이다.

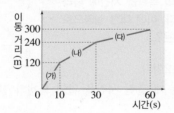

이에 대한 설명으로 옳지 <u>않은</u> 것은?

① 그래프의 기울기는 각 구간의 속력을 나타낸다.
② 속력이 가장 빠른 구간은 (가)이다.
③ 구간 (나)에서 물체의 속력은 6 m/s이다.
④ 60초 동안 물체의 평균 속력은 5 m/s이다.
⑤ 구간 (다)에서 물체의 속력은 5 m/s이다.

114쪽

17 오른쪽 그림은 운동하는 두 물체 A, B의 이동 거리를 시간에 따라 나타낸 것이다. 이에 대한 설명으로 옳은 것은?

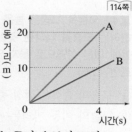

① B가 4초 동안 이동한 거리는 40 m이다.
② 같은 시간 동안 이동한 거리는 B가 A보다 크다.
③ A의 속력은 B의 2배이다.
④ A의 속력은 20 m/s이다.
⑤ A와 B는 속력이 증가하는 운동을 한다.

114쪽

18 오른쪽 그림은 같은 방향으로 운동하는 두 물체 A, B의 속력을 나타낸 것이다. 10초 동안 두 물체가 이동한 거리의 차는?

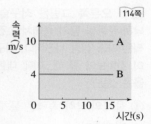

① 20 m ② 40 m
③ 50 m ④ 60 m
⑤ 100 m

114쪽

19 그림은 직선상에서 같은 방향으로 움직이는 어떤 두 물체의 운동을 나타낸 것이다.

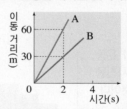 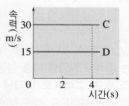

이에 대한 설명으로 옳은 것을 보기에서 모두 고르시오.

{ 보기 }

ㄱ. A와 C는 같은 물체의 운동을 나타낸다.
ㄴ. A의 속력이 B보다 2배 더 빠르다.
ㄷ. 4초일 때 두 물체의 거리 차는 60 m이다.

---

14 ❶ 물체가 등속 운동할 때 이동 거리가 시간에 따라 어떻게 변하는지 생각한다. ❷ 시간 – 이동 거리 그래프에서 물체의 속력을 뜻하는 것이 무엇인지 찾는다.
19 ❶ 시간 – 이동 거리 그래프에서 A와 B의 속력을 구한다. ❷ 시간 – 속력 그래프에서 C, D의 속력을 확인하고 A, B와 비교한다.

20 오른쪽 그림은 높은 곳에서 구슬이 낙하하는 모습을 나타낸 것이다. 이 구슬의 운동에 대한 설명으로 옳지 <u>않은</u> 것을 모두 고르면?(2개)

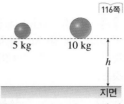
116쪽

① 구슬의 속력은 점점 증가한다.

② 구슬의 이동 거리는 시간에 따라 일정하게 증가한다.

③ 구슬에 작용하는 힘의 크기는 0이다.

④ 구슬에 작용하는 힘의 방향과 구슬의 운동 방향은 같다.

⑤ 자이로드롭과 다이빙 선수는 이와 같은 운동을 한다.

21 오른쪽 그림은 쇠구슬과 깃털의 낙하 운동을 공기 중에서와 진공 중에서 찍은 다중 섬광 사진이다. 쇠구슬의 질량이 깃털보다 클 때, 이에 대한 설명으로 옳은 것은?

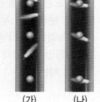
116쪽
(가)　(나)

① 물체의 낙하 속력은 물체의 질량에 비례한다.

② (가)에서 쇠구슬과 깃털에 작용하는 공기 저항은 같다.

③ (가)에서 쇠구슬에 작용하는 중력이 깃털에 작용하는 중력보다 크기 때문에 쇠구슬이 먼저 낙하한다.

④ (나)에서는 공기 저항이 없다.

⑤ (나)에서 쇠구슬과 깃털에 작용하는 중력의 크기는 같다.

22 풀이 **TIP** 오른쪽 그림은 자유 낙하 운동하는 물체를 촬영한 다중 섬광 사진을 잘라 붙여 그래프로 나타낸 것이다. 이에 대한 설명으로 옳은 것은?

116쪽

① 그래프의 기울기는 9.8이다.

② 그래프의 기울기는 속력을 의미한다.

③ 같은 시간 동안 이동 거리가 일정하다.

④ 물체를 찍는 시간 간격이 점점 증가한다.

⑤ 물체에 작용하는 힘의 크기가 일정하게 증가한다.

23 그림과 같이 지면으로부터 높이가 h인 곳에서 질량이 5 kg인 공을 떨어뜨렸더니 2초 후 공이 지면에 도달했다. 같은 높이에서 질량이 10 kg인 공을 떨어뜨릴 때, (가) 공이 지면에 도달하는 데 걸린 시간과 (나) 지면에 도달하는 순간 공의 속력을 구하시오.(단, 공기 저항은 무시한다.)

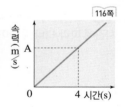
116쪽
5 kg　10 kg
h
지면

24 풀이 **TIP** 지구와 달에서 같은 물체를 같은 높이에서 낙하시켰을 때에 대한 설명으로 옳은 것은?(단, 공기 저항은 무시한다.)
116쪽

① 물체에 작용하는 중력의 크기는 지구와 달에서 같다.

② 물체가 낙하하는 데 걸린 시간은 지구와 달에서 같다.

③ 물체가 낙하하는 동안 속력 변화는 지구보다 달에서 크다.

④ 질량이 더 큰 물체로 실험을 해도 실험 결과는 달라지지 않는다.

⑤ 낙하하는 동안 물체의 속력은 지구와 달에서 모두 점점 느려진다.

25 오른쪽 그림은 자유 낙하 운동하는 물체의 속력을 시간에 따라 나타낸 것이다. 이에 대한 설명으로 옳지 <u>않은</u> 것은?
116쪽
속력(m/s)
A
0　4 시간(s)

① A는 39.2이다.

② 낙하하는 데 걸린 시간을 알면 물체의 질량을 알 수 있다.

③ 낙하하는 데 걸린 시간을 알면 낙하한 높이를 알 수 있다.

④ 낙하하는 데 걸린 시간을 알면 바닥에 도달하는 순간의 속력을 알 수 있다.

⑤ 달에서 동일한 실험을 하면 그래프의 기울기가 달라진다.

풀이 **TIP** **22 ❶** 다중 섬광 사진은 일정한 시간 간격으로 물체를 찍는 사진이다. **❷** 물체 사이의 한 구간은 일정 시간 동안 물체가 이동한 거리를 의미한다. **24 ❶** 달의 중력은 지구의 중력보다 작다. **❷** 천체의 중력의 크기에 따라 중력 가속도 상수가 달라진다.

26 오른쪽 그림은 운동하는 물체 A, B, C를 같은 시간 간격으로 촬영한 다중 섬광 사진이다.

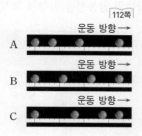

(1) A~C는 각각 속력이 어떻게 변하는 운동을 하는지 서술하시오.

----

(2) A~C의 평균 속력을 비교하고, 그 까닭을 서술하시오.

중요
풀이 TIP
27 버스로 60 km를 이동할 때 처음 20 km를 이동하는 데는 20분이 걸렸고, 나머지 40 km를 이동하는 데는 30분이 걸렸다. 이 버스의 평균 속력은 몇 m/s인지 풀이 과정과 함께 구하시오.

중요
28 표는 에스컬레이터의 이동 거리를 2초 간격으로 나타낸 것이다.

시간(s)	0	2	4	6	8	10
이동 거리(m)	0	4	8	12	16	20

이 에스컬레이터의 시간 − 이동 거리 그래프와 시간 − 속력 그래프를 각각 그리시오.

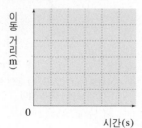 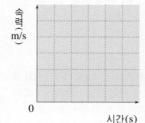

풀이 TIP
29 그림은 운동하는 물체의 이동 거리를 시간에 따라 나타낸 것이다.

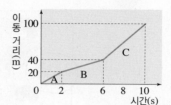

(1) 속력이 가장 느린 구간을 고르고, 그 구간에서의 속력을 풀이 과정과 함께 구하시오.

----

(2) 10초 동안 물체의 평균 속력은 얼마인지 풀이 과정과 함께 구하시오.

중요
30 오른쪽 그림은 진공 중에서 쇠구슬과 깃털을 같은 높이에서 가만히 놓아 떨어뜨렸을 때의 모습을 일정한 시간 간격으로 촬영한 것이다.

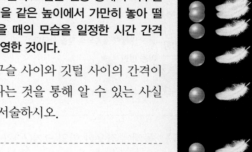

(1) 쇠구슬 사이와 깃털 사이의 간격이 같다는 것을 통해 알 수 있는 사실을 서술하시오.

----

(2) 같은 실험을 지구보다 중력이 강한 천체에서 한다면 어떤 변화가 생기는지 서술하시오.

학습 평가하기

정답친해 35쪽으로 가서 문제를 채점한 후 학습 결과를 스스로 평가해 보세요.

맞춘 개수	26~30개	20~25개	0~19개
평가	잘함	보통	부족

➜ 정답친해에서 그 문제를 왜 틀렸는지 꼭 확인하세요!
➜ 본책에서 해당 쪽으로 돌아가서 부족한 부분을 다시 공부하세요!

27 ❶ 전체 이동 거리와 전체 걸린 시간을 m와 초로 구한다. ❷ 전체 이동한 거리를 전체 걸린 시간으로 나누어 평균 속력을 구한다. 29 ❶ 시간 − 이동 거리 그래프에서 속력은 무엇을 보고 알 수 있는지 생각한다. ❷ 속력이 느린 구간에서 이동한 거리와 걸린 시간을 찾아서 속력을 구한다.

02 일과 에너지

만화 완성하기 다음 만화를 보고 치킨을 먹고 있는 학생의 말풍선을 완성해 보자.

≫ 이 단원을 학습한 후 내가 쓴 대사를 수정해 보자.

A 과학에서의 일

희선이는 오늘 학교에 갔다와서 숙제도 하고, 엄마의 심부름도 하고, 책도 읽었습니다. 하루 동안 많은 일을 했는데 희선이가 한 일은 과학에서 말하는 일을 한 것일까요? 과학에서의 일은 어떤 것인지, 그 양을 구하는 방법을 알아보아요.

1. 과학에서의 일 : 물체에 힘이 작용하여 물체가 힘의 방향으로 이동하는 경우 ⁺

📖 과학에서의 일을 한 경우

| 물체를 밀 때 |

힘의 방향 → 방향이 같으므로 일을 하였다.
이동 방향

| 물체를 들어 올릴 때 |

이동 방향 → 방향이 같으므로 일을 하였다.
힘의 방향

2. 일의 양(W) : 물체에 작용한 힘의 크기(F)와 물체가 힘의 방향으로 이동한 거리(s)의 곱으로 구한다. ⁺

미는 힘(F)

이동 거리(s)

$$일(J) = 힘(N) \times 이동\ 거리(m),\ W = Fs$$

(1) 단위 : J(줄)

(2) 1 J : 물체에 1 N의 힘을 작용하여 물체가 힘의 방향으로 1 m 이동했을 때 한 일의 양 ➡ $1\ J = 1\ N \cdot m$

3. 일의 양이 0인 경우

작용하는 힘이 0일 때	이동한 거리가 0일 때	힘의 방향과 이동 방향이 수직일 때
물체에 가해 준 힘의 크기가 0이면 일의 양이 0이다. 예 얼음 위에서 스케이트를 타고 등속 운동할 때 ─● 물체에 마찰력이나 공기 저항이 작용하지 않는데 등속 운동하는 경우	힘을 작용해도 물체가 이동하지 않으면 일의 양이 0이다. 예 벽을 힘껏 밀었는데 움직이지 않거나, 물체를 든 상태로 가만히 서 있을 때	힘의 방향으로 이동한 거리가 0이므로 일의 양이 0이다. 예 가방을 들고 수평 방향으로 걸어갈 때 ─→ ● 가방에 가해 준 힘의 방향은 위쪽, 이동 방향은 수평 방향이다.

✚ 과학에서의 일이 아닌 경우

• 정신적인 활동은 과학에서의 일에 해당하지 않는다.
　예 책을 읽는다. 음악을 듣는다. 공부를 한다.

• 물질의 상태나 온도가 변하는 경우, 화학 반응이 일어나는 것은 과학에서의 일이 아니다.
　예 물이 끓어 수증기가 된다. 얼음이 녹는다. 메테인이 연소되어 이산화 탄소가 발생한다.

✚ 이동 거리 – 힘 그래프에서 한 일의 양 구하기

한 일은 그래프의 형태에 관계없이 그래프의 아랫부분의 넓이로 구할 수 있다.

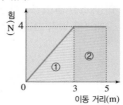

물체를 5 m 이동시키는 동안 한 일
= ①의 넓이 + ②의 넓이
$$= \left(\frac{1}{2} \times 4 \times 3\right) + (4 \times 2)$$
$$= 14(J)$$

한눈에 보기 이 단원의 개념이 어떻게 구성되어 있는지 살펴보고 빈칸을 완성해 보자.

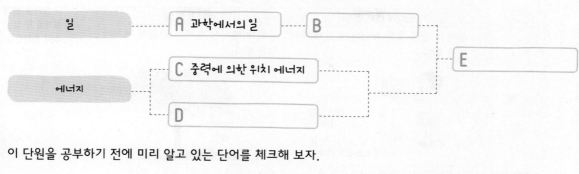

일 ---- A 과학에서의 일 ---- B

에너지 ---- C 중력에 의한 위치 에너지

D

E

단어 체크하기 이 단원을 공부하기 전에 미리 알고 있는 단어를 체크해 보자.

☐ 일　　☐ 힘　　☐ 이동 거리　　☐ 중력　　☐ 에너지
☐ 질량　　☐ 속력　　☐ 운동

1 과학에서의 일을 한 경우를 보기에서 모두 고르시오.

{ 보기 }
ㄱ. 얼음에 열을 가해 물로 만들었다.
ㄴ. 수레를 밀어서 언덕을 올라갔다.
ㄷ. 바닥에 떨어진 지우개를 주워 책상 위에 올려놓았다.
ㄹ. 시험 전날 책상 앞에 앉아 과학 공부를 3시간 동안 했다.
ㅁ. 물을 전기 분해하여 수소 기체와 산소 기체를 얻었다.

암기 ㄱ

일의 양 구하기

이동 거리가 기니까 공이 멀리 날아갈수록 일을 많이 한 거야?

아니야. 힘이 작용하는 동안 이동한 거리만 의미있어.

일의 양 = 힘 × 이동 거리
└ 힘의 방향으로, 힘을 작용하는 동안 이동한 거리를 의미한다.

2 오른쪽 그림과 같이 수평면에서 무게가 200 N인 물체를 일정한 속력으로 5 m 끌어당겼더니 용수철저울의 눈금이 100 N을 가리켰다.

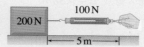

200 N ── 100 N
├── 5 m ──┤

(1) 물체에 작용한 힘의 크기를 구하시오.
(2) 물체에 해 준 일의 양을 구하시오.

3 다음은 과학에서의 일의 양이 0인 경우에 대한 설명이다. ( ) 안에 알맞은 말을 쓰시오.

과학에서의 일의 양이 0인 경우는 물체에 작용한 힘이나 물체가 이동한 거리가 ㉠( )이거나 물체에 작용한 힘의 방향과 물체가 이동한 방향이 ㉡( )인 경우이다.

만화 확인하기 124쪽으로 돌아가서 내가 쓴 대사를 점검해 보자.

02 일과 에너지

B 중력과 일의 양

물체를 들어 올릴 때에는 물체의 무게만큼 힘을 작용해야 해요. 그래서 중력에 대해 일을 했다고 말합니다. 물체가 떨어질 때에는 중력을 받아 떨어지죠. 이때는 중력이 물체에 일을 한 거예요. 중력과 일의 양은 어떤 관계가 있는지 알아보아요.

구분	중력에 대해 한 일[+]	중력이 한 일
예	물체를 들어 올릴 때에는 중력에 대해 일을 한다.	물체가 떨어질 때에는 중력이 물체에 일을 한다.
힘의 크기	중력=물체의 무게=9.8×질량	중력=물체의 무게=9.8×질량
이동 거리	물체를 들어 올린 높이	물체가 떨어진 높이
일의 양	힘×이동 거리 =9.8×질량×들어 올린 높이	힘×이동 거리 =9.8×질량×떨어진 높이

+ 물체를 들고 계단을 올라갈 때 물체에 한 일

수평 방향으로 한 일과 수직 방향으로 한 일로 나누어 생각한다.

예 10 N인 물체를 들고 계단을 오를 때

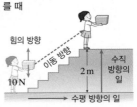

- 수평 방향으로 한 일=0
- 수직 방향으로 한 일=10 N× 2 m=20 J
- 일의 양=0+20 J=20 J

C 중력에 의한 위치 에너지

바닥에 놓여 있던 화분을 들어서 선반 위에 올려놓으면 화분은 에너지를 갖게 돼요. 이렇게 높은 곳에 있는 물체가 가진 에너지를 중력에 의한 위치 에너지라고 합니다. 어떻게 구하는지 알아볼까요?

1. 에너지 : 일을 할 수 있는 능력

(1) 단위 : 일과 같은 단위인 J(줄)을 사용한다.

(2) 일과 에너지 전환 : 일은 에너지로, 에너지는 일로 전환된다. ─●외부에서 물체에 일을 해 주면 물체의 에너지가 증가하고, 물체가 외부에 일을 하면 물체의 에너지가 감소한다.

2. 중력에 의한 위치 에너지 : 높은 곳에 있는 물체가 가지는 에너지

중력에 대해 일을 하면 물체가 위치 에너지를 갖는다. ─●

(1) 크기 : 질량이 m(kg)인 물체를 높이 h(m)만큼 들어 올릴 때 중력에 대해 한 일의 양과 같다.[+] [단위 : J(줄)]

> 위치 에너지=9.8×질량×높이, $E=9.8mh$

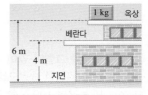

질량 m

$E=9.8mh$

높이 h

$E=0$

기준면

↑ 중력에 의한 위치 에너지

+ 기준면에 따른 중력에 의한 위치 에너지

기준면이 달라지면 물체의 높이가 달라지므로 중력에 의한 위치 에너지도 달라진다.

예 지면으로부터 6 m 높이의 옥상에 질량이 1 kg인 물체가 놓여 있을 때

기준면	중력에 의한 위치 에너지
지면	$(9.8×1)$ N×6 m= 58.8 J
베란다	$(9.8×1)$ N×$(6-4)$ m =19.6 J
옥상	$(9.8×1)$ N×0=0

─●기준면에 있는 물체의 위치 에너지는 0이다.

(2) 중력에 의한 위치 에너지와 질량 및 높이 관계

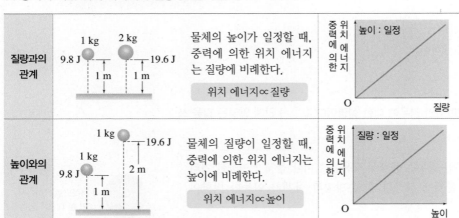

질량과의 관계	물체의 높이가 일정할 때, 중력에 의한 위치 에너지는 질량에 비례한다. 위치 에너지∝질량	높이 : 일정
높이와의 관계	물체의 질량이 일정할 때, 중력에 의한 위치 에너지는 높이에 비례한다. 위치 에너지∝높이	질량 : 일정

1 지원이는 질량이 10 kg인 상자를 일정한 속력으로 50 cm만큼 들어 올렸다. ( ) 안에 알맞은 값을 쓰시오.

(1) 물체를 들어 올리는 힘의 크기는 ( ) N이다.
(2) 물체에 해 준 일의 양은 ㉠( ) N×㉡( ) m=㉢( ) J이다.

2 2 m 높이의 나무에 무게가 5 N인 배가 매달려 있다가 바닥으로 떨어졌다. 이때 배에 중력이 한 일의 양은 몇 J인지 구하시오.

3 바닥에 놓인 물체를 10 m 높이에 올려놓는 데 196 J의 일을 해 주었다. 물체의 질량은 몇 kg인지 구하시오.

암기꼭

중력이 물체에 한 일

---

1 중력에 의한 위치 에너지(E)와 질량(m) 및 높이(h)의 관계 그래프로 옳은 것을 보기에서 모두 고르시오.

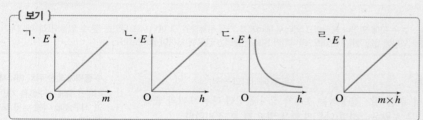

2 질량이 10 kg인 물체가 지면으로부터 3 m 높이에 있을 때, 이 물체가 가지는 중력에 의한 위치 에너지는 몇 J인지 구하시오.

3 오른쪽 그림과 같이 지면에 놓여 있는 질량이 10 kg인 상자를 5 m 높이의 옥상까지 들어 올렸다.

(1) 사람이 상자에 해 준 일은 몇 J인지 구하시오.
(2) 지면을 기준면으로 할 때 이 상자가 5 m 높이에서 갖는 중력에 의한 위치 에너지는 몇 J인지 구하시오.
(3) 옥상을 기준면으로 할 때 이 상자가 갖는 중력에 의한 위치 에너지는 몇 J인지 구하시오.

암기꼭

기준면에 따른 중력에 의한 위치 에너지

➡ 같은 장소에 있는 물체라도 기준면이 어디냐에 따라 중력에 의한 위치 에너지의 크기가 다르다.

D 운동 에너지

장난감 자동차를 밀어주는 일을 하면 장난감 자동차가 움직여요. 이때 장난감 자동차에 해 준 일은 장난감 자동차의 운동 에너지로 전환돼요. 운동하는 물체들이 가지고 있는 에너지는 어떻게 구하는지 알아보아요.

1. 운동 에너지 : 운동하는 물체가 가지는 에너지 ┐
중력이 물체에 일을 하면 물체가 낙하하면서 운동 에너지를 갖는다. ●

(1) 크기 : 질량이 $m(\text{kg})$인 물체가 속력 $v(\text{m/s})$로 운동할 때, 물체는 다음과 같이 운동 에너지를 갖는다. [단위 : J(줄)]

$$\text{운동 에너지} = \frac{1}{2} \times \text{질량} \times (\text{속력})^2, \quad E = \frac{1}{2}mv^2$$

(2) 운동 에너지와 질량 및 속력 관계[+]

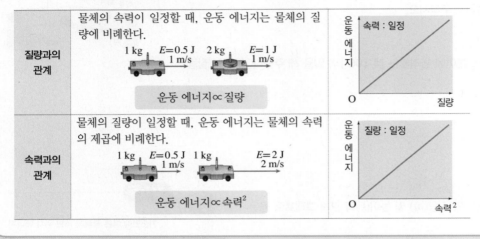

질량과의 관계	물체의 속력이 일정할 때, 운동 에너지는 물체의 질량에 비례한다. 1 kg $E=0.5$ J 1 m/s, 2 kg $E=1$ J 1 m/s ┌ 운동 에너지 ∝ 질량 ┐	속력 : 일정 (운동 에너지 - 질량 그래프)
속력과의 관계	물체의 질량이 일정할 때, 운동 에너지는 물체의 속력의 제곱에 비례한다. 1 kg $E=0.5$ J 1 m/s, 1 kg $E=2$ J 2 m/s ┌ 운동 에너지 ∝ 속력^2 ┐	질량 : 일정 (운동 에너지 - 속력^2 그래프)

✚ 운동 에너지와 질량의 관계 알아보는 실험

질량이 다른 수레를 긴 나무 막대로 동시에 밀어서 나무 도막이 밀려난 거리를 측정한다.

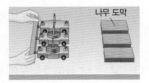

➡ 수레의 출발 속력이 모두 같을 때 질량이 큰 수레일수록 운동 에너지가 크므로 나무 도막이 밀려난 거리가 길다.

E 일로 전환되는 에너지

높은 곳에 있거나 움직이고 있어서 에너지를 가진 물체들은 그 에너지로 무엇을 할 수 있을까요? 에너지가 있으면 외부에 일을 할 수 있어요. 에너지가 일로 전환되는 경우에 대하여 알아보아요.

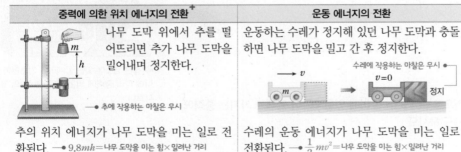

중력에 의한 위치 에너지의 전환[+]	운동 에너지의 전환
나무 도막 위에서 추를 떨어뜨리면 추가 나무 도막을 밀어내며 정지한다. ➡ 추에 작용하는 마찰은 무시	운동하는 수레가 정지해 있던 나무 도막과 충돌하면 나무 도막을 밀고 간 후 정지한다. ➡ 수레에 작용하는 마찰은 무시
추의 위치 에너지가 나무 도막을 미는 일로 전환된다. ➡ $9.8mh$ = 나무 도막을 미는 힘 × 밀려난 거리	수레의 운동 에너지가 나무 도막을 미는 일로 전환된다. ➡ $\frac{1}{2}mv^2$ = 나무 도막을 미는 힘 × 밀려난 거리

📖 자동차의 운동 에너지와 제동 거리

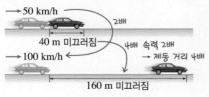

50 km/h, 40 m 미끄러짐, 2배
100 km/h, 160 m 미끄러짐, 4배 속력 2배 → 제동 거리 4배

· 달리던 자동차의 브레이크를 밟으면 바퀴와 지면 사이의 마찰에 의해 자동차가 정지한다.
· 자동차의 운동 에너지$\left(\frac{1}{2}mv^2\right)$는 자동차를 정지시키는 일 (자동차에 작용한 마찰력 × 제동 거리)로 전환된다.
➡ 자동차의 질량과 마찰력의 크기는 일정하므로 제동 거리는 자동차의 (속력)^{2}에 비례한다.

✚ 중력에 의한 위치 에너지의 전환

비탈면 위에 쇠구슬을 가만히 놓으면 쇠구슬에 의해 나무 도막이 밀려난다.

➡ A점에서 쇠구슬의 중력에 의한 위치 에너지($= 9.8mh$) = 쇠구슬이 나무 도막에 한 일($F \times s$)

| 용어 |

· 제동 거리 달리던 자동차에 브레이크가 작동한 순간부터 완전히 정지할 때까지 이동한 거리

1 운동 에너지(E)와 속력(v) 및 질량(m)의 관계 그래프로 옳은 것을 보기에서 모두 고르시오.

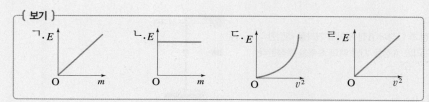

운동 에너지 구하는 식

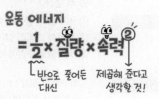

운동 에너지
$= \dfrac{1}{2} \times$ 질량 $\times$ 속력²

반으로 줄어든 대신   제곱해 준다고 생각할 것!

2 20 m/s의 속력으로 달리는 자동차가 있다.

(1) 질량이 자동차의 2배인 트럭이 20 m/s의 속력으로 운동할 때, 트럭의 운동 에너지는 자동차의 운동 에너지의 몇 배인지 구하시오.

(2) 질량이 자동차와 같은 택시가 40 m/s의 속력으로 운동할 때, 택시의 운동 에너지는 자동차의 운동 에너지의 몇 배인지 구하시오.

3 질량이 2 kg인 물체가 4 m/s의 속력으로 운동할 때, 이 물체가 가지는 운동 에너지는 몇 J인지 구하시오.

---

1 에너지와 일의 전환에 대한 설명으로 옳은 것은 ○, 옳지 **않은** 것은 ×로 표시하시오.

(1) 물체가 가진 에너지는 일로 전환될 수 있다. ·························· (   )

(2) 높은 곳에 있던 추가 떨어지면서 말뚝을 박는 일을 할 때 추의 질량이 클수록 말뚝이 깊이 박힌다. ························ (   )

(3) 운동하던 수레가 나무 도막을 밀고 가다가 정지할 때 나무 도막이 밀려나는 거리는 수레의 속력에 비례한다. ···················· (   )

운동 에너지가 일로 전환되는 경우

굴러 온 돌이 박힌 돌을 빼내는 것은 에너지와 일의 전환이야!

2 오른쪽 그림과 같이 질량이 100 g인 추를 나무 도막으로부터 30 cm 높이에서 낙하시켰더니 나무 도막이 0.5 cm 이동하였다. 질량이 200 g인 추를 60 cm 높이에서 낙하시킬 때 나무 도막의 이동 거리는?

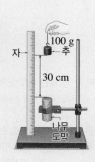

① 0.5 cm   ② 1 cm   ③ 2 cm

④ 3 cm   ⑤ 4 cm

낙하하는 물체에 중력이 한 일은 운동 에너지로 전환되고, 운동하는 물체가 나무 도막을 밀고 가면 운동 에너지가 일로 전화돼요. 일과 에너지의 전환을 이용해서 운동 에너지의 특징을 알아볼까요?

탐구 자료 ❶ 중력이 한 일과 운동 에너지

관련 개념 | 128쪽 ⓓ 운동 에너지

목표
자유 낙하 하는 물체의 운동을 분석하여 중력이 한 일과 운동 에너지의 관계를 알고 이를 설명할 수 있다.

과정
① 쇠구슬의 질량을 측정한다.
② 오른쪽 그림과 같이 설치한 후 O점과 A점 사이의 거리를 측정한다.
③ 쇠구슬을 O점에서 떨어뜨리고 A점을 지날 때의 속력을 측정한다.

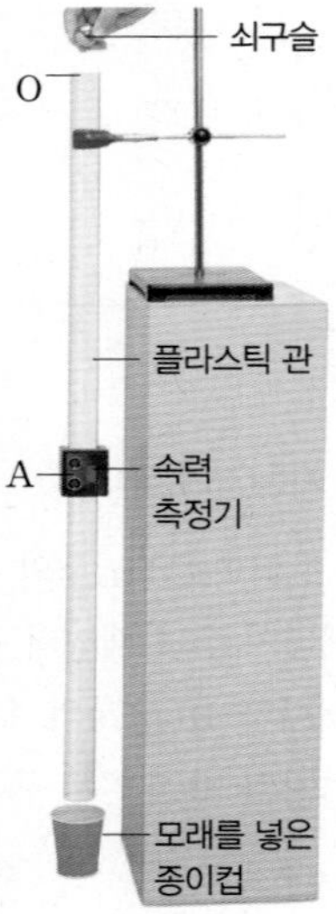

결과 및 해석
- 쇠구슬의 질량 : 0.11 kg
- O점에서 A점까지의 거리 : 0.5 m
- 쇠구슬의 속력

횟수	1회	2회	3회	평균
속력 (m/s)	3.13	3.14	3.12	3.13

- 쇠구슬이 O점에서 A점으로 떨어지는 동안 중력이 쇠구슬에 한 일의 양＝쇠구슬의 무게×이동 거리＝(9.8×0.11) N×0.5 m≒0.54 J
- A점에서 쇠구슬의 운동 에너지＝$\frac{1}{2} \times 0.11$ kg×$(3.13$ m/s$)^2$ ≒0.54 J

➡ 쇠구슬이 O점에서 A점까지 자유 낙하 하는 동안 중력이 쇠구슬에 한 일의 양과 A점에서 쇠구슬의 운동 에너지가 같다.

(그림 설명: 쇠구슬, O, 플라스틱 관, A 속력 측정기, 모래를 넣은 종이컵)

결론
- 물체가 낙하하는 동안 ㉠(　　　　)이 물체에 일을 한다. 이때 ㉠(　　　　)이 한 일은 물체의 ㉡(　　　　) 에너지로 전환된다.

답 ㉠ 중력 ㉡ 운동

탐구 자료 ❷ 운동 에너지와 속력과의 관계

관련 개념 | 128쪽 ⓓ 운동 에너지

목표
속력이 운동 에너지의 크기에 미치는 영향을 설명할 수 있다.

과정
① 오른쪽 그림과 같이 수레가 나무 도막과 충돌 직전에 속력 측정기를 지나가도록 수레, 속력 측정기, 나무 도막을 설치한다.
② 수레의 질량은 일정하게 유지하고 속력을 다르게 하여 나무 도막과 충돌시킨다.
③ 나무 도막이 밀려난 거리를 측정한다.

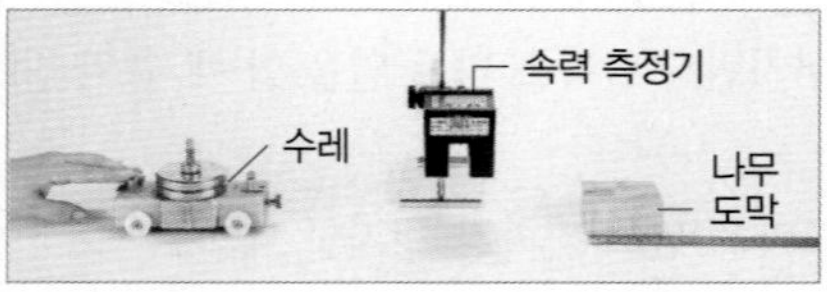

(그림 설명: 수레, 속력 측정기, 나무 도막)

결과 및 해석

수레의 (속력)² [(m/s)²]	0.01	0.04	0.09
나무 도막의 이동 거리(cm)	4	16	36

- 수레의 (속력)²이 2^2배, 3^2배, …가 되면 나무 도막의 이동 거리도 2^2배, 3^2배, …가 된다.
➡ 나무 도막의 이동 거리는 수레의 (속력)²에 비례한다.

결론
- 수레의 ㉠(　　　　)는 나무 도막을 미는 일로 전환된다.
- 수레의 질량이 일정할 때 나무 도막의 이동 거리는 수레의 ㉡(　　　　)에 비례하므로, 수레의 운동 에너지는 수레의 ㉡(　　　　)에 비례한다.

답 ㉠ 운동 에너지 ㉡ (속력)²

01 과학에서의 일을 한 경우는? 124쪽

① 역도 선수가 역기를 들고 가만히 서 있다.

② 기말고사를 대비하여 공부를 열심히 했다.

③ 바닥에 놓인 가방을 들어 책상 위에 올려놓았다.

④ 우주 공간에서 우주선이 직선 방향으로 등속 운동한다.

⑤ 마찰이 없는 얼음판 위에서 스케이트를 탄 사람이 일 정한 속력으로 운동한다.

02 그림과 같이 수평면에 놓여 있는 질량이 10 kg인 물체에 5 N의 힘을 가하였다. 124쪽

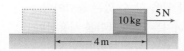

이 물체가 힘의 방향으로 4 m 이동하였을 때, 물체에 한 일의 양은?

① 0   ② 20 J   ③ 40 J

④ 196 J   ⑤ 200 J

03 그림과 같이 질량이 10 kg인 상자를 수평면을 따라 일정한 속력으로 2 m 끌어당겼을 때 한 일의 양이 300 J이었다. 124쪽

풀이 TIP

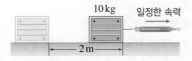

이때 상자를 끌어당긴 힘의 크기는?

① 0   ② 98 N   ③ 120 N

④ 150 N   ⑤ 196 N

04 오른쪽 그림과 같이 질량이 10 kg인 물체를 천천히 들어 2 m 높이의 선반 위에 올려놓았다. 이 물체를 들어 올리는 데 필요한 힘의 크기와 한 일의 양을 옳게 짝 지은 것은? 126쪽

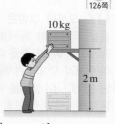

	힘	일		힘	일
①	9.8 N	19.6 J	②	10 N	5 J
③	10 N	20 J	④	98 N	98 J
⑤	98 N	196 J			

05 그림과 같이 지훈이가 수평면에 놓인 질량이 10 kg인 물체를 수평면에서 일정한 속력으로 2 m 밀고 간 후, 이 물체를 1 m 높이의 탁자 위에 올려놓았다. 126쪽

풀이 TIP

물체를 미는 힘의 크기가 10 N일 때, 지훈이가 물체에 한 일의 양은?

① 30 J   ② 98 J   ③ 118 J

④ 294 J   ⑤ 300 J

06 준기는 그림과 같이 바닥에 놓여 있던 무게가 100 N인 상자를 1 m 들어 올린 후 수평 방향으로 3 m를 걸어가서 1 m 높이의 책상 위에 올려놓았다. 124쪽

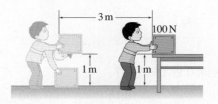

이때 준기가 상자에 한 일의 양은 몇 J인지 구하시오.

풀이 TIP   03 ❶ 일의 양은 물체에 작용한 힘의 크기와 힘의 방향으로 이동한 거리를 곱하여 구한다. ❷ 중력에 대해 일하는 것이 아닐 때에는 물체의 무게와 물체에 작용한 힘의 크기는 다르다.   05 ❶ 물체를 수평 방향으로 이동할 때와 수직 방향으로 이동할 때의 일의 양을 각각 구한다. ❷ 각각 구한 일의 양을 더하여 일의 총량을 구한다.

07 오른쪽 그림은 물체에 힘을 작용하여 물체를 힘의 방향으로 이동시켰을 때 힘과 이동 거리 사이의 관계를 나타낸 것이다. 이 물체를 6 m 이동시키는 동안 한 일의 양은? `124쪽`

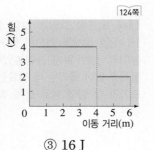

① 8 J   ② 12 J   ③ 16 J
④ 20 J   ⑤ 24 J

08 무게가 500 N인 물체를 그림과 같이 높이와 폭이 각각 20 cm인 계단의 끝까지 들고 올라갔다. `126쪽`

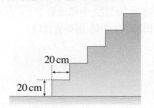

이때 물체에 한 일의 양은?

① 100 J   ② 200 J   ③ 500 J
④ 1000 J   ⑤ 10000 J

09 그림과 같이 민선이가 질량이 5 kg인 가방을 들고 수평 방향으로 20 m 걸어갔다. `124쪽`

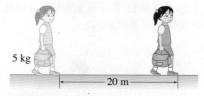

이때 민선이가 한 일의 양은?

① 0   ② 100 J   ③ 200 J
④ 490 J   ⑤ 980 J

10 한 일의 양을 옳게 비교한 것은? `126쪽`

> (가) 무게가 10 N인 물체를 일정한 속력으로 수평면을 따라 30 N의 힘을 가해 3 m 이동시켰다.
> (나) 바닥에 놓여 있는 질량이 3 kg인 물체를 천천히 들어 2 m 높이의 책상 위에 올려놓았다.
> (다) 마찰이 없는 수평면에서 등속 운동하는 무게가 5 N인 물체를 2 m 이동시켰다.

① (가)>(나)>(다)   ② (가)>(나)=(다)
③ (나)>(가)>(다)   ④ (나)>(다)>(가)
⑤ (다)>(가)>(나)

11 일과 에너지에 대한 설명으로 옳지 <u>않은</u> 것은? `126쪽`

① 에너지란 일을 할 수 있는 능력이다.
② 일과 에너지는 같은 단위를 사용한다.
③ 일과 에너지는 서로 전환된다.
④ 물체가 외부에 일을 하면 물체의 에너지는 증가한다.
⑤ 물체가 가진 에너지의 양은 그 에너지를 사용하여 한 일의 양으로 구할 수 있다.

12 100 J의 에너지를 가진 물체가 외부에 50 J의 일을 하고 다시 이 물체에 사람이 100 J의 일을 해 주었다면, 이 물체가 가지고 있는 에너지는? `126쪽`

① 50 J   ② 100 J   ③ 150 J
④ 200 J   ⑤ 250 J

13 오른쪽 그림과 같이 질량이 3 kg인 물체를 마찰이 없는 빗면을 따라 1 m 높이까지 끌어올렸다. 이 물체의 증가한 중력에 의한 위치 에너지는? `126쪽`

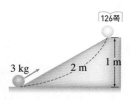

① 9.8 J   ② 19.6 J   ③ 29.4 J
④ 39.2 J   ⑤ 49 J

 풀이 TIP

07 ❶ 한 일의 양은 힘의 크기와 힘의 방향으로 이동한 거리를 곱하여 구한다. ❷ 이동거리 – 힘 그래프에서 그래프 아랫부분의 넓이가 무엇을 의미하는지 찾는다. **08** ❶ 물체를 들고 계단을 올라갈 때 물체에 가한 힘의 방향을 찾는다. ❷ 계단을 오를 때 힘의 방향으로 이동한 거리를 구하고, 일의 양을 계산한다.

132   Ⅲ. 운동과 에너지

⭐중요
14 물체 A~E가 그림과 같은 위치에 놓여 있다.

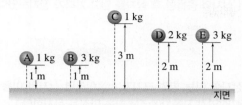
[126쪽]

지면을 기준면으로 할 때 중력에 의한 위치 에너지가 가장 큰 물체와 가장 작은 물체를 차례대로 짝 지은 것은?

① C, A ② C, B ③ D, C
④ E, A ⑤ E, D

풀이TIP
15 두 물체 A, B의 중력에 의한 위치 에너지와 기준면으로부터의 높이 사이의 관계가 오른쪽 그림과 같았다. 물체 A와 B의 질량비(A : B)는?

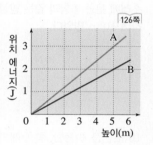
[126쪽]

① 1 : 2 ② 2 : 3 ③ 2 : 1
④ 3 : 1 ⑤ 3 : 2

⭐중요
16 오른쪽 그림과 같이 옥상에 놓여 있는 질량이 1 kg인 물체의 중력에 의한 위치 에너지를 구하려고 한다. 기준면을 각각 (가) 지면, (나) 베란다, (다) 옥상으로 했을 때 물체의 중력에 의한 위치 에너지를 옳게 짝 지은 것은?

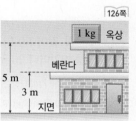
[126쪽]

	(가)	(나)	(다)
①	0	0	0
②	0	19.6 J	49 J
③	19.6 J	19.6 J	19.6 J
④	49 J	19.6 J	0
⑤	49 J	29.4 J	49 J

풀이TIP
17 그림과 같이 무게가 20 N인 쇠구슬을 높이 5 cm인 비탈면에 가만히 놓았더니 쇠구슬이 빗면을 따라 미끄러져 내려가 나무 도막을 10 cm 이동시켰다.

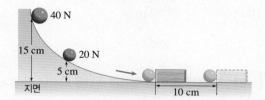
[128쪽]

무게가 40 N인 쇠구슬을 높이가 15 cm인 비탈면에 가만히 놓았을 때, 나무 도막의 이동 거리는 몇 cm인지 구하시오. (단, 나무 도막은 동일하며 쇠구슬에 작용하는 마찰은 무시한다.)

18 오른쪽 그림은 추의 중력에 의한 위치 에너지를 측정하기 위한 장치를 나타낸 것이다. 추의 중력에 의한 위치 에너지와 같은 것을 모두 고르면?(단, 공기 저항은 무시하고, 기준면은 나무 도막의 윗면의 위치와 같다.)(2개)

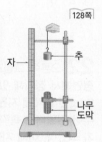
[128쪽]

① 추가 나무 도막을 미는 일의 양
② 나무 도막이 받는 힘의 크기
③ 나무 도막의 이동 거리
④ 추의 질량×추의 높이
⑤ 나무 도막을 미는 힘×나무 도막의 이동 거리

⭐중요
19 오른쪽 그림과 같이 높이가 3 m인 곳에서 질량이 2 kg인 물체를 떨어뜨렸더니 말뚝이 지면 속으로 10 cm 박혔다. 만일 2 m 높이에서 질량이 1.5 kg인 물체를 낙하시키면 말뚝이 박히는 깊이는?

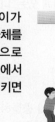 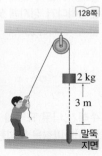
[128쪽]

① 2 cm ② 3 cm
③ 5 cm ④ 10 cm
⑤ 20 cm

15 ❶ 중력에 의한 위치 에너지가 어떤 값에 비례하는지 생각한다. ❷ 두 가지 요인 중 하나는 일정하게 유지했을 때를 그래프에서 찾아 비교한다. 17 ❶ 나무 도막이 밀려나는 거리는 쇠구슬의 무엇에 비례하는지 생각한다. ❷ 나무 도막을 미는 힘의 크기는 쇠구슬의 에너지가 바뀌어도 일정하다.

02. 일과 에너지 **133**

20 질량이 2 kg인 물체가 가진 운동 에너지가 100 J일 때 이 물체의 속력은?

128쪽

① 0.1 m/s　　② 0.5 m/s　　③ 5 m/s
④ 10 m/s　　⑤ 20 m/s

21 표는 두 물체 A, B의 질량과 속력을 나타낸 것이다.

128쪽

물체	질량	속력
A	20 kg	10 m/s
B	40 kg	5 m/s

두 물체 A, B의 운동 에너지 비(A : B)는?

① 1 : 1　　② 1 : 2　　③ 2 : 1
④ 2 : 3　　⑤ 3 : 2

22 오른쪽 그림과 같이 수평면에서 정지해 있는 질량이 2 kg인 물체에 지원이가 힘을 주어 밀었더니 속력이 5 m/s가 되었다. 이때 지원이가 한 일의 양은?(단, 물체와 바닥 사이의 마찰은 무시한다.)

128쪽

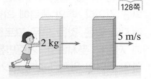

① 5 J　　② 10 J　　③ 20 J
④ 25 J　　⑤ 50 J

23 풀이 TIP 그림과 같이 질량이 4 kg인 수레가 일정한 속력으로 운동하다가 정지해 있는 나무 도막에 충돌하여 50 J의 일을 한 후 정지하였다.

128쪽

정지

수레가 나무 도막에 충돌하는 순간의 속력은?(단, 수레에 작용하는 마찰은 무시한다.)

① 2 m/s　　② 2.5 m/s　　③ 5 m/s
④ 10 m/s　　⑤ 25 m/s

24 그림과 같이 질량이 2 kg, 속력이 4 m/s인 장난감 자동차가 상자와 충돌한 후 상자를 밀고 가다가 정지하였다.

128쪽

이때 상자를 미는 힘의 크기가 4 N이라면 상자의 이동 거리는?(단, 장난감 자동차에 작용하는 마찰은 무시한다.)

① 2 m　　② 4 m　　③ 6 m
④ 8 m　　⑤ 10 m

25 그림과 같이 수평면에서 정지해 있는 질량이 2 kg인 수레에 운동 방향과 같은 방향으로 10 N의 일정한 힘을 작용하여 10 m 밀었다.

128쪽

10 m만큼 이동한 후 수레의 속력은?(단, 수레에 작용하는 마찰은 무시한다.)

① 4 m/s　　② 6 m/s　　③ 8 m/s
④ 10 m/s　　⑤ 15 m/s

26 풀이 TIP 그림과 같이 50 km/h의 속력으로 달리던 자동차가 브레이크를 밟았더니 20 m 이동한 후 정지하였다.

128쪽

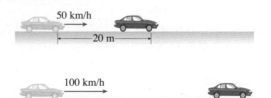

이 자동차가 100 km/h의 속력으로 달리다가 브레이크를 밟았다면 정지할 때까지 이동한 거리는?(단, 자동차와 바닥 사이의 마찰력은 일정하다.)

① 10 m　　② 20 m　　③ 40 m
④ 60 m　　⑤ 80 m

---

23 ❶ 수레의 운동 에너지가 나무 도막을 미는 일로 전환된다. ❷ 나무 도막에 충돌하는 순간의 수레의 운동 에너지는 나무 도막에 해 준 일의 양과 같다.
26 ❶ 자동차의 운동 에너지는 자동차를 멈추는 데 한 일로 전환된다. ❷ 자동차의 제동 거리는 어떤 값에 비례하는지 생각한다.

27 그림과 같이 무게가 10 N인 상자를 100 N의 일정한 힘으로 수평 방향으로 2 m만큼 밀고 간 후, 수직으로 1 m 높이의 탁자 위로 들어 올렸다.

이때 상자에 한 일의 양은 몇 J인지 풀이 과정과 함께 서술하시오.

28 그림 (가)는 벽을 밀었으나 벽이 움직이지 않는 모습이고, 그림 (나)는 물체를 든 상태로 걸어가는 모습이다.

(가)와 (나)에서 각각 물체에 한 일의 양이 얼마인지와 그 까닭을 서술하시오.

29 오른쪽 그림과 같이 바닥으로부터 3 m 높이에 위치한 베란다에 질량이 1 kg인 물체가 놓여 있다. (가) 바닥을 기준으로 할 때 물체가 갖는 위치 에너지와 (나) 물체를 옥상으로 올려 놓을 때 해 주어야 하는 일의 양을 풀이 과정과 함께 구하시오.

30 그림과 같이 빗면 위의 한 지점에 쇠구슬을 가만히 놓았더니 쇠구슬이 빗면을 따라 내려와 나무 도막을 밀고 간 후 정지하였다.

나무 도막이 밀려나는 거리 s를 증가시키는 방법 두 가지를 서술하시오.

31 오른쪽 그림과 같이 플라스틱 관에 속력 측정기를 설치하고, 바닥과 수직으로 세워서 고정한 후 O점에서 질량이 0.2 kg인 쇠구슬을 가만히 놓아 떨어뜨렸다.

(1) 쇠구슬이 낙하할 때 쇠구슬에 작용하는 힘이 무엇인지 쓰고, 이 힘이 쇠구슬에 해 준 일이 무엇으로 전환되는지 서술하시오.

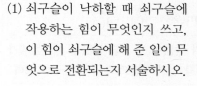

(2) O점과 A점 사이의 거리가 40 cm일 때 A점을 지나는 순간 쇠구슬의 속력을 풀이 과정과 함께 구하시오.

학 습 평 가 하 기

정답친해 40쪽으로 가서 문제를 채점한 후 학습 결과를 스스로 평가해 보세요.

맞춘 개수	27~31개	21~26개	0~20개
평가	잘함	보통	부족

→ 정답친해에서 그 문제를 왜 틀렸는지 꼭 확인하세요!
→ 본책에서 해당 쪽으로 돌아가서 부족한 부분을 다시 공부하세요!

28 ❶ 한 일의 양은 작용한 힘의 크기와 힘의 방향으로 이동한 거리를 곱하여 구한다. ❷ 각각의 경우에 힘의 크기와 이동 거리가 얼마인지 생각한다. **31** ❶ 낙하하는 쇠구슬은 낙하하면서 어떤 값이 증가하는지 생각한다. ❷ 쇠구슬에 해 준 일의 양은 쇠구슬의 무게에 낙하한 거리를 곱하여 구한다.

한눈에 보는 대단원

01 운동

1. 운동 : 시간에 따라 물체의 위치가 변하는 현상

(1) 물체의 빠르기 비교

① 같은 거리를 이동할 때 : 걸린 시간이 짧을수록 빠르다.

② 같은 시간 동안 이동할 때 : 이동한 거리가 길수록 빠르다.

(2) 다중 섬광 사진 : 일정한 시간 간격으로 운동하는 물체를 촬영한 사진 ➡ 물체 사이의 간격이 넓을수록 물체의 속력이 빠르다.

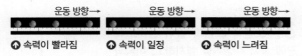

운동 방향→ 운동 방향→ 운동 방향→

⚫ 속력이 빨라짐 ⚫ 속력이 일정 ⚫ 속력이 느려짐

2. 속력 : 일정한 시간 동안 물체가 이동한 거리

(1) 단위 : m/s(미터 매 초), km/h(킬로미터 매 시)

$$속력(m/s) = \frac{이동\ 거리(m)}{걸린\ 시간(s)}$$

(2) 평균 속력 : 물체의 속력이 일정하지 않을 때, 물체가 이동한 전체 거리를 걸린 시간으로 나누어 구한 속력

$$평균\ 속력(m/s) = \frac{전체\ 이동\ 거리(m)}{걸린\ 시간(s)}$$

3. 등속 운동 : 시간에 따라 속력이 일정한 운동

(1) 시간에 따라 이동 거리가 비례하여 증가한다.

(2) 다중 섬광 사진에서 물체 사이의 간격이 일정하다.

(3) 등속 운동 그래프

시간 – 이동 거리 그래프	시간 – 속력 그래프
(이동 거리 vs 시간 그래프)	(속력 vs 시간 그래프, 넓이)
• 원점을 지나는 기울어진 직선 모양 • 기울기 = $\dfrac{이동\ 거리}{걸린\ 시간}$ ➡ 속력을 의미	• 시간축에 나란한 직선 모양 • 그래프 아랫부분의 넓이 = 속력 × 걸린 시간 ➡ 이동한 거리를 의미

(4) 등속 운동의 예 : 모노레일, 무빙워크, 스키 리프트, 컨베이어, 에스컬레이터 등

4. 자유 낙하 운동 : 공기 저항이 없을 때 정지해 있던 물체가 중력만 받으면서 아래로 떨어지는 운동

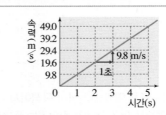
단위(cm)

⚫ 자유 낙하 운동

(1) 속력 변화 : 자유 낙하 하는 물체의 속력은 일정하게 증가한다.

➡ 지구의 지표면 근처에서 낙하하면 속력이 1초에 9.8 m/s씩 증가한다.

(2) 이동 거리 : 같은 시간 동안 물체가 이동하는 거리는 점점 증가한다.

(3) 자유 낙하 운동의 시간 – 속력 그래프

(속력-시간 그래프: 속력(m/s) 축 9.8, 19.6, 29.4, 39.2, 49.0 / 시간(s) 축 0~5, 9.8 m/s, 1초)

① 속력이 시간에 따라 일정하게 증가하므로 기울어진 직선 모양이다.

② 속력이 1초에 9.8 m/s씩 증가하므로 기울기는 9.8이다. ➡ 9.8을 중력 가속도 상수라고 한다.

5. 질량이 다른 물체의 자유 낙하 운동

(1) 진공 상태일 때 : 질량이 다른 두 물체를 같은 높이에서 동시에 떨어뜨리면 동시에 바닥에 도착한다.

➡ 물체의 질량에 관계없이 1초에 9.8 m/s씩 속력이 일정하게 증가한다.

(2) 공기 저항이 있을 때 : 물체의 크기와 모양에 따라 공기 저항이 다르게 작용하므로 같은 높이에서 동시에 떨어뜨려도 낙하하는 속력이 다르다.

02 일과 에너지

1. 과학에서의 일 : 물체에 힘을 작용하여 물체가 힘의 방향으로 이동하는 경우 ➡ 정신적인 활동이나 물질의 상태, 온도가 변하는 경우 등은 과학에서의 일에 해당하지 않는다.

이동 방향
힘의 방향

⚫ 과학에서 일을 하는 경우

2. 일의 양(W) : 물체에 작용한 힘의 크기(F)와 물체가 힘의 방향으로 이동한 거리(s)의 곱으로 구한다.

미는 힘(F)

이동 거리(s)

> 일(J)＝힘(N)×이동 거리(m), $W=Fs$

(1) **일의 단위** : J(줄), N·m 등
(2) **1 J** : 1 N의 힘으로 물체를 1 m 이동시켰을 때 한 일

3. 일의 양이 0인 경우

작용하는 힘이 0일 때	• 물체가 운동하고 있더라도 물체에 작용한 힘의 크기가 0이면 일의 양이 0이다. 예 얼음 위에서 스케이트를 타고 등속 운동할 때
이동한 거리가 0일 때	• 물체에 힘을 작용하여도 물체가 이동하지 않으면 일의 양이 0이다. 예 벽을 힘껏 밀었으나 움직이지 않을 때, 물체를 든 상태로 가만히 서 있을 때
힘의 방향과 이동 방향이 수직일 때	• 힘의 방향으로 이동한 거리가 0이므로 일의 양이 0이다. 예 가방을 들고 수평 방향으로 걸어갈 때

4. 중력과 일의 양

(1) 물체를 들어 올릴 때에는 중력에 대해 일을 한다.

들어 올리는 힘
＝무게＝9.8×질량

중력

들어 올린 높이

중력에 대해 한 일＝물체의 무게×들어 올린 높이
＝9.8×질량×들어 올린 높이

(2) 물체가 떨어질 때에는 중력이 물체에 일을 한다.

중력

떨어진 높이

중력이 한 일＝물체의 무게×떨어진 높이
＝9.8×질량×떨어진 높이

5. 에너지 : 일을 할 수 있는 능력

(1) **단위** : J(줄) ➡ 일의 단위와 같다.
(2) **일과 에너지 전환** : 일은 에너지로, 에너지는 일로 전환된다.
① 물체에 일을 해 주면 물체의 에너지가 증가한다.
② 물체가 외부에 일을 하면 물체의 에너지가 감소한다.

6. 중력에 의한 위치 에너지 : 높은 곳에 있는 물체가 가지는 에너지

(1) 질량이 m(kg)인 물체를 높이 h(m)만큼 들어 올릴 때 중력에 대해 한 일의 양과 같다.

> 위치 에너지＝9.8×질량×높이, $E=9.8\,mh$

(2) 중력에 의한 위치 에너지는 물체의 질량과 높이에 각각 비례한다. ➡ 물체의 높이는 기준면에 따라 달라진다.
(3) **일로 전환되는 중력에 의한 위치 에너지**

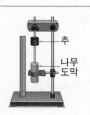

추의 감소한 중력에 의한 위치 에너지
＝ 추가 나무 도막에 한 일
＝ 나무 도막을 미는 힘×나무 도막의 이동 거리

추

나무 도막

> 나무 도막의 이동 거리
> ∝추의 질량×추의 낙하 높이

7. 운동 에너지 : 운동하는 물체가 가지는 에너지

(1) **크기** : 질량이 m(kg)인 물체가 속력 v(m/s)로 운동할 때, 물체는 다음과 같이 운동 에너지를 갖는다.

> 운동 에너지＝$\frac{1}{2}$×질량×(속력)^2, $E=\frac{1}{2}mv^2$

(2) 운동 에너지는 물체의 질량과 속력의 제곱에 각각 비례한다.
(3) **일로 전환되는 운동 에너지**

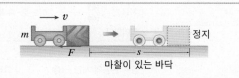

v

m

F

s

정지

마찰이 있는 바닥

수레의 감소한 운동 에너지＝수레가 나무 도막을 미는 일

> 나무 도막의 이동 거리
> ∝수레의 질량×수레의 (속력)^2

01 운동

1. 다중 섬광 사진

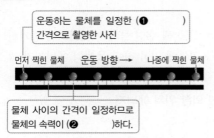

운동하는 물체를 일정한 (❶　　　) 간격으로 촬영한 사진

먼저 찍힌 물체　　운동 방향 →　　나중에 찍힌 물체

물체 사이의 간격이 일정하므로 물체의 속력이 (❷　　　)하다.

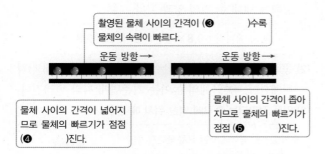

촬영된 물체 사이의 간격이 (❸　　　)수록 물체의 속력이 빠르다.

운동 방향 →　　　운동 방향 →

물체 사이의 간격이 넓어지므로 물체의 빠르기가 점점 (❹　　　)진다.

물체 사이의 간격이 좁아지므로 물체의 빠르기가 점점 (❺　　　)진다.

2. 등속 운동

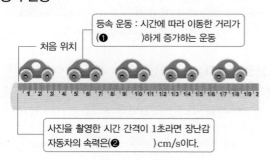

등속 운동 : 시간에 따라 이동한 거리가 (❶　　　)하게 증가하는 운동

처음 위치

사진을 촬영한 시간 간격이 1초라면 장난감 자동차의 속력은(❷　　　)cm/s이다.

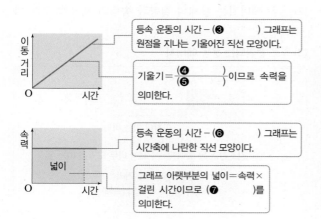

등속 운동의 시간 – (❸　　　) 그래프는 원점을 지나는 기울어진 직선 모양이다.

기울기 = $\dfrac{(❹\quad)}{(❺\quad)}$ 이므로 속력을 의미한다.

등속 운동의 시간 – (❻　　　) 그래프는 시간축에 나란한 직선 모양이다.

그래프 아랫부분의 넓이＝속력×걸린 시간이므로 (❼　　　)를 의미한다.

이동 거리 / 시간

속력 / 넓이 / 시간

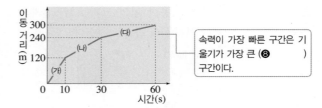

이동 거리(m) / 시간(s)

속력이 가장 빠른 구간은 기울기가 가장 큰 (❽　　　) 구간이다.

구분	(가)	(나)	(다)
이동 거리	120 m	120 m	(⓫　　) m
시간	(❾　　) s	20 s	30 s
속력	12 m/s	(❿　　) m/s	2 m/s

3. 자유 낙하 운동

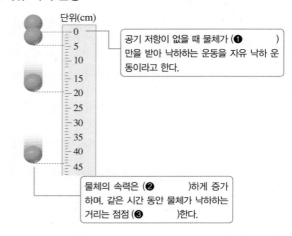

단위(cm)

공기 저항이 없을 때 물체가 (❶　　　)만을 받아 낙하하는 운동을 자유 낙하 운동이라고 한다.

물체의 속력은 (❷　　　)하게 증가하며, 같은 시간 동안 물체가 낙하하는 거리는 점점 (❸　　　)한다.

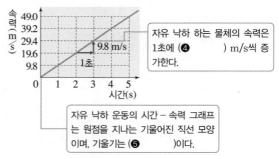

속력(m/s) / 시간(s)

자유 낙하 하는 물체의 속력은 1초에 (❹　　　) m/s씩 증가한다.

자유 낙하 운동의 시간 – 속력 그래프는 원점을 지나는 기울어진 직선 모양이며, 기울기는 (❺　　　)이다.

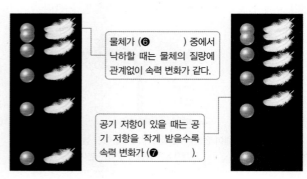

물체가 (❻　　　) 중에서 낙하할 때는 물체의 질량에 관계없이 속력 변화가 같다.

공기 저항이 있을 때는 공기 저항을 작게 받을수록 속력 변화가 (❼　　　).

o2 일과 에너지

1. 과학에서의 일

(❶   )의 양(J)＝힘(N)×힘의 방향으로 이동한 거리(m)

미는 힘(F)

─ 이동 거리(s) ─

이동 거리 – 힘 그래프에서 그래프 아랫부분의 넓이는 (❷   )과 같다.

2. 일의 양이 0인 경우

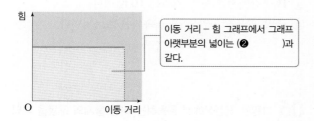

마찰이 없는 얼음 위에서 등속 운동하는 경우 ➡ (❶   )의 크기가 0이므로 한 일이 0이다.

힘을 작용했으나 물체가 이동하지 않은 경우 ➡ (❷   )가 0이므로 한 일이 0이다.

힘의 방향

힘의 방향과 이동 방향이 (❸   )인 경우 ➡ 힘의 방향으로 이동한 거리가 0이므로 한 일이 0이다.

3. 중력과 일의 양

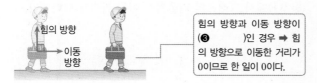

들어 올리는 힘＝무게＝9.8×질량
중력
들어 올린 높이

물체를 들어 올리는 경우 ➡ (❶   )에 대해 일을 한다.

한 일의 양＝물체의 (❷   )×들어 올린 높이

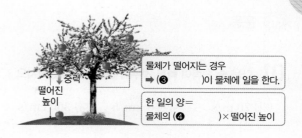

물체가 떨어지는 경우 ➡ (❸   )이 물체에 일을 한다.

한 일의 양＝물체의 (❹   )×떨어진 높이

4. 중력에 의한 위치 에너지와 운동 에너지

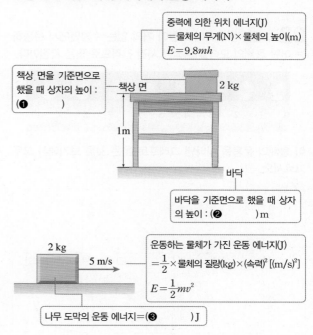

중력에 의한 위치 에너지(J)＝물체의 무게(N)×물체의 높이(m)
$E=9.8mh$

책상 면을 기준면으로 했을 때 상자의 높이 : (❶   )

바닥을 기준면으로 했을 때 상자의 높이 : (❷   )m

운동하는 물체가 가진 운동 에너지(J)＝$\frac{1}{2}$×물체의 질량(kg)×(속력)^2 [(m/s)^2]
$E=\frac{1}{2}mv^2$

나무 도막의 운동 에너지＝(❸   )J

5. 일과 에너지의 전환

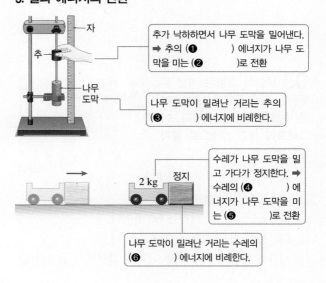

추가 낙하하면서 나무 도막을 밀어낸다. ➡ 추의 (❶   ) 에너지가 나무 도막을 미는 (❷   )로 전환

나무 도막이 밀려난 거리는 추의 (❸   ) 에너지에 비례한다.

수레가 나무 도막을 밀고 가다가 정지한다. ➡ 수레의 (❹   ) 에너지가 나무 도막을 미는 (❺   )로 전환

나무 도막이 밀려난 거리는 수레의 (❻   ) 에너지에 비례한다.

01 운동

01 다음 중 속력이 빠른 것부터 순서대로 나열하시오.

(가) 70 m/s   (나) 18 km/h   (다) 300 cm/s

02 그림은 바닥과의 마찰이 거의 없는 수평면에서 운동하는 어떤 물체의 모습을 일정한 시간 간격으로 찍은 사진이다.

이 물체의 운동을 나타낸 그래프로 옳은 것을 보기에서 모두 고르시오.

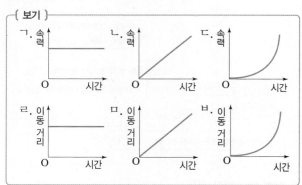

03 오른쪽 그림은 직선 운동하는 어떤 물체의 시간에 따른 속력을 나타낸 것이다. 이 그래프에 대한 설명으로 옳지 않은 것은?

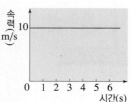

① 속력이 일정하게 증가하였다.
② 매초마다 이동한 거리가 같다.
③ 6초 동안 이동한 거리는 60 m이다.
④ 6초 동안 평균 속력은 10 m/s이다.
⑤ 시간이 지남에 따라 이동 거리가 일정하게 증가한다.

04 오른쪽 그림은 어떤 물체의 이동 거리를 시간에 따라 나타낸 것이다. 이 물체의 운동에 대한 설명으로 옳지 않은 것은?

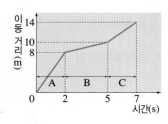

① 그래프의 기울기는 속력을 나타낸다.
② 속력이 가장 빠른 구간은 A 구간이다.
③ A 구간에서 물체의 속력은 4 m/s이다.
④ B 구간에서 이동한 거리는 10 m이다.
⑤ 출발 후 7초 동안의 평균 속력은 2 m/s이다.

05 그림은 직선상에서 운동하는 어떤 물체의 운동을 나타낸 것이다.

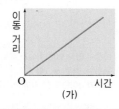
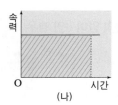

이에 대한 설명으로 옳은 것을 모두 고르면?(2개)

① (가)는 속력이 증가함을 나타낸다.
② (가)에서 그래프의 기울기가 클수록 속력이 크다.
③ (나)에서 물체는 정지해 있다.
④ (나)에서 빗금친 부분은 이동 거리를 나타낸다.
⑤ (나)에서 그래프의 기울기는 이동 거리를 나타낸다.

06 그림 (가)는 두 물체 A와 B의 시간과 이동 거리의 관계를 나타낸 것이다. 두 물체 A와 B의 시간과 속력의 관계를 그림 (나)에 그리시오.

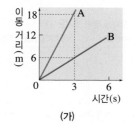
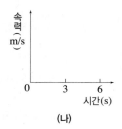

07 오른쪽 그림은 운동하는 두 물체 A, B의 시간에 따른 이동 거리를 나타낸 것이다. 이에 대한 설명으로 옳은 것을 보기에서 모두 고른 것은?

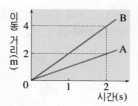

┌─ 보기 ┐
ㄱ. A와 B는 등속 운동을 한다.
ㄴ. A가 B보다 속력이 더 빠르다.
ㄷ. B가 2초 동안 이동한 거리는 8 m이다.
ㄹ. 4초 때 A와 B 사이의 거리는 4 m이다.
└──────┘

① ㄱ, ㄷ   ② ㄱ, ㄹ   ③ ㄴ, ㄷ
④ ㄴ, ㄹ   ⑤ ㄷ, ㄹ

08 오른쪽 그림은 진공 중에서 떨어지는 공의 다중 섬광 사진이다. 이에 대한 설명으로 옳지 않은 것은?

① 공에 일정한 크기의 힘이 작용한다.
② 공이 떨어지는 방향으로 힘이 작용한다.
③ 공의 운동 방향은 지구 중심 방향이다.
④ 공이 떨어지는 동안 공의 속력은 일정하다.
⑤ 공이 떨어지는 동안 공의 속력은 일정하게 증가한다.

09 오른쪽 그림은 자유 낙하 운동하는 물체의 속력을 시간에 따라 나타낸 것이다. 그래프를 보고 알 수 있는 것을 보기에서 모두 고른 것은?

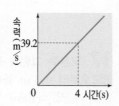

┌─ 보기 ┐
ㄱ. 3초 후 물체의 속력
ㄴ. 물체에 작용하는 중력의 크기
ㄷ. 2~4초 동안 물체가 이동한 거리
└──────┘

① ㄱ   ② ㄴ   ③ ㄷ
④ ㄱ, ㄴ   ⑤ ㄱ, ㄷ

10 그림 (가)는 질량이 3 kg, 2 kg인 상자를 같은 높이에서 동시에 각각 떨어뜨리는 모습이고, 그림 (나)는 두 상자를 묶어서 (가)와 같은 높이에서 떨어뜨리는 모습을 나타낸 것이다.

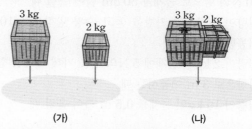

(가)   (나)

이에 대한 설명으로 옳은 것을 보기에서 모두 고른 것은?(단, 공기 저항은 무시한다.)

┌─ 보기 ┐
ㄱ. (가)에서는 3 kg인 상자가 먼저 바닥에 도착한다.
ㄴ. (나)에서 상자의 속력은 1초에 9.8 m/s씩 증가한다.
ㄷ. 상자가 낙하하는 데 걸린 시간을 알면 떨어진 높이를 구할 수 있다.
ㄹ. (나)는 (가)의 3 kg 상자보다 느리게, 2 kg 상자보다 빠르게 떨어진다.
└──────┘

① ㄱ, ㄴ   ② ㄱ, ㄷ   ③ ㄴ, ㄷ
④ ㄴ, ㄹ   ⑤ ㄷ, ㄹ

02 일과 에너지

11 과학에서의 일을 한 경우는?

① 가방을 메고 4층까지 올라갔다.
② 무거운 책을 들고 수평면을 걸어갔다.
③ 시험 전날 밤새도록 책상에 앉아 공부했다.
④ 무거운 역기를 들고 오랫동안 서 있었다.
⑤ 물이 든 물병을 냉동실에 넣어 물을 얼렸다.

12 일을 가장 많이 한 경우는?

① 10 N의 힘으로 물체를 1 m 밀고 갈 때

② 20 N의 힘으로 물체를 50 cm 들어 올릴 때

③ 질량이 10 kg인 가방을 들고 수평 방향으로 10 m 이동할 때

④ 질량이 2 kg인 물체에 5 N의 힘을 가해 물체를 힘의 방향으로 3 m 이동시킬 때

⑤ 질량이 10 kg인 물체를 0.5 m 들어 올릴 때

13 그림은 수평면 위에 놓인 물체에 힘을 주어 물체를 힘의 방향으로 이동시켰을 때 힘과 이동 거리 사이의 관계를 나타낸 것이다.

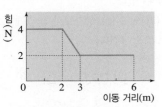

6 m 이동하는 동안 물체에 한 일의 양은?

① 10 J　　② 13 J　　③ 15 J

④ 17 J　　⑤ 20 J

14 그림과 같이 질량이 5 kg인 물체를 A에서 힘을 가해 일정한 속력으로 B까지 5 m 이동시킨 후, 수직 방향으로 C까지 2 m 들어 올렸다.

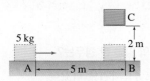

이때 한 일의 양이 100 J이었다면, 물체를 수평면에서 밀고 간 힘의 크기는?

① 0.2 N　　② 0.4 N　　③ 0.6 N

④ 0.8 N　　⑤ 1.0 N

15 그림과 같이 어떤 학생이 질량이 2 kg인 가방을 들고 계단을 걸어 올라갔다.

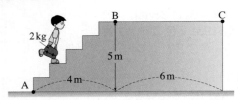

이 학생이 A에서 C까지 가는 동안 가방에 한 일의 양은?

① 19.6 J　　② 39.2 J　　③ 49 J

④ 78.4 J　　⑤ 98 J

16 그림과 같이 영수는 무게가 5 N인 상자를 1 m 높이의 선반 위로, 철수는 무게가 10 N인 상자를 2 m 높이의 선반 위로 들어 올리는 일을 하였다.

이때 철수가 한 일의 양은 영수의 몇 배인가?

① $\frac{1}{4}$배　　② $\frac{1}{2}$배　　③ 2배

④ 4배　　⑤ 8배

17 오른쪽 그림과 같이 책상 면으로부터 0.5 m 높이에 질량이 0.5 kg인 쇠구슬이 있다. 책상 면을 기준면으로 할 때 쇠구슬의 중력에 의한 위치 에너지를 E_1, 지면을 기준면으로 할 때 중력에 의한 위치 에너지를 E_2라고 할 때 $E_1 : E_2$는?(단, 책상 면의 높이는 지면에서 1 m이다.)

① 1 : 1　　② 1 : 2　　③ 1 : 3

④ 2 : 1　　⑤ 3 : 1

[18~19] 오른쪽 그림과 같이 장치하고 추를 낙하시켜 나무 도막을 밀어내는 실험을 하였다.(단, 추에 작용한 마찰은 무시한다.)

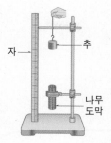

18 추의 낙하 높이를 달리하면서 나무 도막의 이동 거리를 측정하였을 때, 추의 낙하 높이와 나무 도막의 이동 거리 사이의 관계 그래프로 옳은 것은?

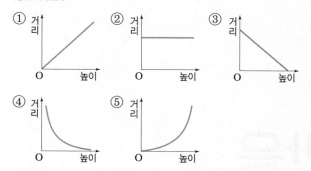

19 위 실험에서 질량이 4 kg인 추를 0.5 m 높이에서 낙하시켰더니 나무 도막이 2 cm 이동하였다. 질량이 8 kg인 추를 1 m 높이에서 낙하시킬 때, 나무 도막의 이동 거리는 몇 cm인지 구하시오.

20 그림과 같이 마찰이 없는 빗면 위에 쇠구슬을 가만히 놓아 미끄러져 내려가게 하면서 나무 도막의 이동 거리를 측정하였다.(단, 쇠구슬에 작용한 마찰은 무시한다.)

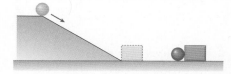

이 실험에서 쇠구슬의 중력에 의한 위치 에너지와 그 값이 같은 것을 보기에서 모두 고르시오.

┌ 보기 ┐
ㄱ. 쇠구슬의 질량 × 쇠구슬의 낙하 높이
ㄴ. 쇠구슬이 나무 도막에 한 일의 양
ㄷ. 나무 도막의 무게 × 나무 도막의 이동 거리
ㄹ. 나무 도막을 미는 힘 × 나무 도막의 이동 거리

21 운동 에너지를 가지고 있지 <u>않은</u> 것은?

① 바람
② 달리는 자동차
③ 댐에 저장된 물
④ 걸어가고 있는 사람
⑤ 날아가는 화살

22 표는 다섯 개의 총에 사용되는 총알 A~E의 질량과 속력을 나타낸 것이다.

총알	A	B	C	D	E
질량(g)	100	200	300	400	500
속력(m/s)	10	20	10	20	10

운동 에너지가 큰 총알부터 순서대로 옳게 나열한 것은?

① B – D – E – C – A
② D – B – E – C – A
③ D – E – B – C – A
④ E – D – B – C – A
⑤ E – D – C – B – A

23 그림과 같이 마찰이 없는 수평면 위에 정지해 있는 질량이 4 kg인 수레에 일정한 크기의 힘을 작용하여 힘의 방향으로 2 m 이동시켰더니 수레의 속력이 4 m/s가 되었다.

이때 수레에 작용한 힘의 크기는?

① 8 N
② 16 N
③ 32 N
④ 64 N
⑤ 100 N

24 그림과 같이 2 m/s의 속력으로 운동하는 질량이 4 kg인 수레의 속력을 4 m/s로 증가시키려고 한다.

이때 수레의 운동 방향으로 해 주어야 하는 일의 양은?

① 24 J
② 32 J
③ 48 J
④ 64 J
⑤ 120 J

자극과 반응

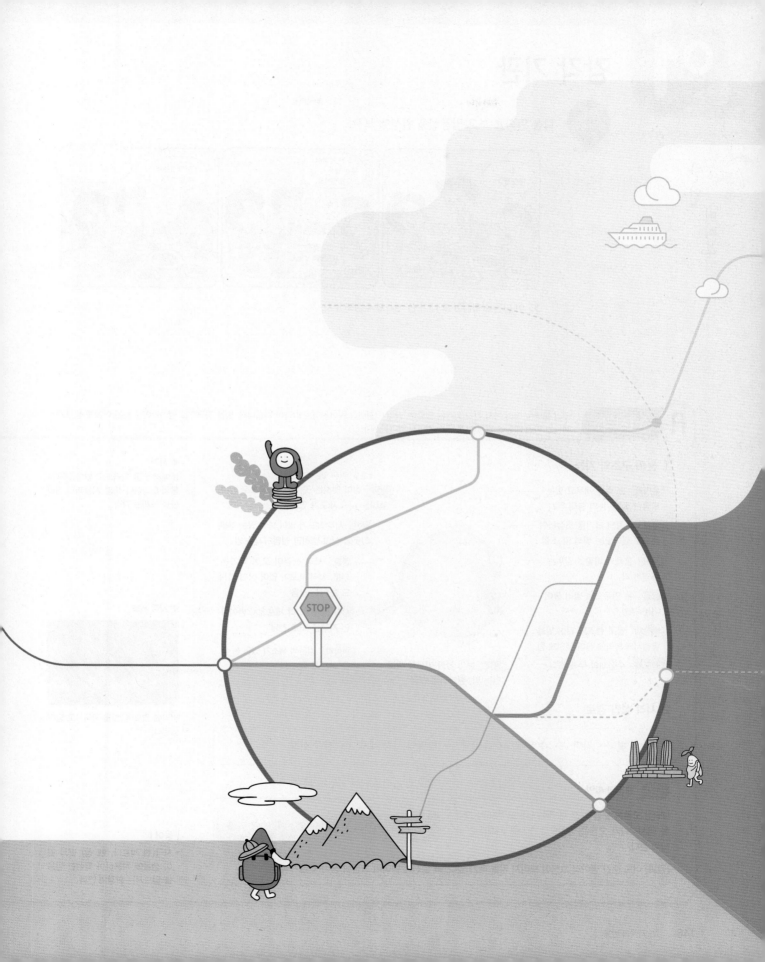

01 감각 기관

단원 미리보기

 다음 만화를 보고 말풍선을 완성해 보자.

>> 이 단원을 학습한 후 내가 쓴 대사를 수정해 보자.

A 눈(시각)

우리 몸에는 여러 가지 감각 기관이 있으며, 감각 기관마다 받아들이는 자극이 다릅니다. 빛을 자극으로 받아들이는 눈은 어떻게 생겼으며, 물체는 어떤 과정을 거쳐 보게 되는 것인지 알아봅시다.

1. 눈의 구조와 기능

유리체 눈 속을 채우고 있는 투명한 물질, 눈의 형태 유지

홍채 동공의 크기를 조절하여 눈으로 들어오는 빛의 양 조절

각막 홍채의 바깥을 감싸는 투명한 막

동공 눈 안쪽으로 빛이 들어가는 구멍

수정체 볼록 렌즈와 같이 빛을 굴절시켜 망막에 상이 맺히게 함

섬모체 수정체의 두께 조절

● 눈을 감싸고 있는 가장 안쪽 층

망막 상이 맺히는 곳, 빛을 자극으로 받아들이는 시각 세포가 있음 ⁺

황반 시각 세포가 많이 모여 있는 부분, 이곳에 상이 맺히면 선명하게 보임

맹점 시각 신경이 모여 나가는 부분, 시각 세포가 없어 상이 맺혀도 보이지 않음

시각 신경 시각 세포에서 받아들인 자극을 뇌로 전달

맥락막 검은색 색소가 있어 눈 속을 어둡게 함

공막 눈의 가장 바깥을 싸고 있는 막, 흰자위에 해당

2. 시각 성립 경로

빛 → 각막 → 수정체 → 유리체 → 망막의 시각 세포 → 시각 신경 → 뇌

📖 맹점의 확인

[과정] 오른쪽 눈을 가린 채 왼쪽 눈으로 병아리 그림을 응시하다가 오른쪽 방향으로 숫자를 차례대로 하나씩 본다.

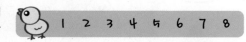

[결과] 어느 순간 병아리 그림이 보이지 않을 때가 있다. ➡ 맹점에 병아리 그림의 상이 맺혔기 때문

⁺ 시각
눈에서 빛을 자극으로 받아들여 사물의 모양이나 색깔, 사물과의 거리 등을 느끼는 감각

⁺ 시각 세포

망막에 있으며, 빛을 자극으로 받아들인다.

| 용어 |
● 자극(刺 찌르다, 戟 창) 빛과 같이 생물에 작용하여 특정한 반응을 일으키는 환경의 변화

이 단원의 개념이 어떻게 구성되어 있는지 살펴보고 빈칸을 완성해 보자.

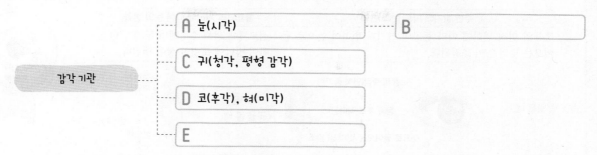

감각 기관

A 눈(시각) ---- B

C 귀(청각, 평형 감각)

D 코(후각), 혀(미각)

E

단어
체크하기 이 단원을 공부하기 전에 미리 알고 있는 단어를 체크해 보자.

☐ 감각 기관　　☐ 자극　　☐ 시각　　☐ 신경　　☐ 청각

☐ 평형 감각　　☐ 후각　　☐ 미각　　☐ 피부 감각

[1~2] 오른쪽 그림은 눈의 구조를 나타낸 것이다.

1 A~F의 이름을 쓰시오.

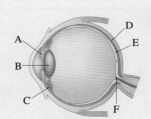

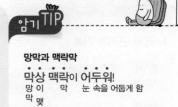

망막과 맥락막
막상 맥락이 어두워!
망 이　　막　　눈 속을 어둡게 함
막　맺
　　힘

2 다음에서 설명하는 부위의 기호를 쓰시오.

(1) 수정체의 두께를 조절한다.

(2) 상이 맺히는 곳으로, 시각 세포가 있다.

(3) 검은색 색소가 있어 눈 속을 어둡게 한다.

(4) 볼록 렌즈와 같이 빛을 굴절시켜 망막에 상이 맺히게 한다.

(5) 동공의 크기를 조절하여 눈으로 들어오는 빛의 양을 조절한다.

(6) 시각 신경이 모여 나가는 부분으로, 상이 맺혀도 보이지 않는다.

3 다음은 시각이 성립하는 경로를 나열한 것이다. (　　) 안에 알맞은 말을 쓰시오.

빛 → 각막 → ㉠(　　　) → 유리체 → 망막의 시각 세포 → ㉡(　　　) → 뇌

01 감각 기관

B 눈의 조절 작용

눈에서는 물체를 잘 볼 수 있도록 하는 조절 작용이 일어납니다. 주변의 밝기가 변할 때, 또 물체와의 거리가 변할 때 눈에서는 어떤 조절 작용이 일어날까요? 지금부터 알아봅시다.

동공이 커지면 빛이 많이 들어와!

주변 밝기에 따른 눈의 변화		물체와의 거리에 따른 눈의 변화	
홍채의 면적 변화에 따라 동공의 크기가 변하여 눈으로 들어오는 빛의 양이 조절된다.		섬모체에 의해 수정체의 두께가 변하여 망막에 또렷한 상이 맺힌다.	
밝을 때	홍채 확장(면적 증가) ↓ 동공 축소(작아짐) ↓ 눈으로 들어오는 빛의 양 감소	가까운 곳을 볼 때	수정체가 두꺼워짐 → 수정체 쪽으로 섬모체 수축
어두울 때	홍채 수축(면적 감소) ↓ 동공 확대(커짐) ↓ 눈으로 들어오는 빛의 양 증가	먼 곳을 볼 때	수정체가 얇아짐 → 수정체에서 먼 쪽으로 섬모체 이완

C 귀(청각, 평형 감각)

세희는 주말에 새소리를 들으면서 등산을 했습니다. 중간에 넘어질 뻔 하다가 자세를 바로잡기도 하고, 산 정상에서는 귀가 먹먹해지기도 했지요. 이런 현상은 모두 귀와 관련이 있습니다. 지금부터 귀에 대해 알아볼까요?

1. 귀의 구조와 기능

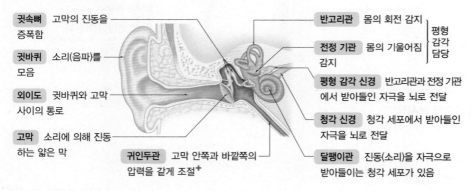

귓속뼈 고막의 진동을 증폭함

귓바퀴 소리(음파)를 모음

외이도 귓바퀴와 고막 사이의 통로

고막 소리에 의해 진동하는 얇은 막

귀인두관 고막 안쪽과 바깥쪽의 압력을 같게 조절 +

반고리관 몸의 회전 감지 ┐ 평형
전정 기관 몸의 기울어짐 감지 ┘ 감각 담당

평형 감각 신경 반고리관과 전정 기관에서 받아들인 자극을 뇌로 전달

청각 신경 청각 세포에서 받아들인 자극을 뇌로 전달

달팽이관 진동(소리)을 자극으로 받아들이는 청각 세포가 있음

+ 청각과 평형 감각
· 청각 : 귀에서 공기 등을 통해 전달된 소리를 자극으로 받아들여 느끼는 감각
· 평형 감각 : 눈으로 보지 않고도 몸이 회전하거나 기울어지는 것 등을 느낄 수 있는 감각

2. 청각 성립 경로

→ 소리는 고막을 진동시키고, 이 진동은 귓속뼈를 지나면서 증폭되어 달팽이관으로 전달된다.

소리 → 귓바퀴 → 외이도 → 고막 → 귓속뼈 → 달팽이관의 청각 세포 → 청각 신경 → 뇌

+ 귀인두관의 작용
자동차를 타고 높이 올라가거나 고속 승강기를 타고 높이 올라가면 기압 차이 때문에 귀가 먹먹해진다. 이때 침을 삼키거나 입을 크게 벌리면 귀인두관의 작용으로 먹먹한 느낌이 사라진다.

3. 평형 감각 : 반고리관과 전정 기관에서 받아들인 자극이 평형 감각 신경을 통해 뇌로 전달되면 몸의 회전과 기울기 등을 감지하여 몸의 균형을 유지할 수 있다.

반고리관의 작용	· 회전하는 놀이 기구를 탔을 때 몸이 회전하는 것을 느낀다. · 눈을 감고 있어도 몸이 회전하는 방향을 느낄 수 있다.
전정 기관의 작용	· 돌부리에 걸려 넘어질 때 몸이 기울어지는 것을 느낀다. · 승강기를 탔을 때 몸이 움직이는 것을 느낀다.

→ 회전 놀이 기구를 타고 내려왔을 때 한동안 어지러운 것도 반고리관의 작용 때문이다.

→ 전정 기관에서의 몸의 움직임 감지는 비상 교과서에만 나온다.

1 다음은 주변 밝기에 따른 눈의 변화이다. ( ) 안에 알맞은 말을 고르시오.

주변이 밝을 때는 홍채가 ㉠(확장, 수축)되어 면적이 늘어나면서 동공의 크기가 ㉡(작아, 커)지고, 주변이 어두울 때는 홍채가 ㉢(확장, 수축)되어 면적이 줄어들면서 동공의 크기가 ㉣(작아, 커)진다.

암기 TIP

물체와의 거리에 따른 수정체의 두께 변화
글자 수대로 암기!

[거리]   [수정체]
가깝다 → 두껍다
멀다 → 얇다

2 다음은 물체와의 거리에 따른 눈의 변화이다. ( ) 안에 알맞은 말을 고르시오.

(1) 먼 곳을 볼 때 : 섬모체 ㉠(수축, 이완) → 수정체 ㉡(두꺼워짐, 얇아짐)

(2) 가까운 곳을 볼 때 : 섬모체 ㉠(수축, 이완) → 수정체 ㉡(두꺼워짐, 얇아짐)

[1~2] 오른쪽 그림은 귀의 구조를 나타낸 것이다.

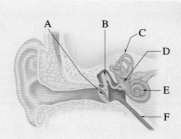

1 A~F의 이름을 쓰시오.

2 다음에서 설명하는 부위의 기호를 쓰시오.

(1) 몸의 회전을 감지한다.

(2) 고막의 진동을 증폭한다.

(3) 몸의 기울어짐을 감지한다.

(4) 소리에 의해 진동하는 얇은 막이다.

(5) 고막 안쪽과 바깥쪽의 압력을 같게 조절한다.

(6) 소리를 자극으로 받아들이는 청각 세포가 있다.

암기 TIP

청각 성립 경로

고막은 귓속에서 달팽이를 만난다.
         뼈   관

(고막 → 귓속뼈 → 달팽이관)

3 다음은 청각이 성립하는 경로를 나열한 것이다. ( ) 안에 알맞은 말을 쓰시오.

소리 → 귓바퀴 → 외이도 → ㉠(   ) → 귓속뼈 → 달팽이관의 청각 세포
→ ㉡(   ) → 뇌

D 코(후각), 혀(미각)

코감기에 걸리면 평소에 좋아하던 음식을 먹어도 그 맛을 잘 느낄 수가 없죠? 맛은 혀에서 느끼는데 코가 막혔다고 왜 음식 맛이 잘 느껴지지 않을까요? 코와 혀의 구조와 기능을 알아보면서 궁금증을 해결해 봅시다.

후각	미각
코에서 기체 상태의 화학 물질을 자극으로 받아들여 냄새를 느끼는 감각	혀에서 액체 상태의 화학 물질을 자극으로 받아들여 맛을 느끼는 감각

후각 신경 후각 세포에서 받아들인 자극을 뇌로 전달

└ 콧속 윗부분

후각 상피 점액으로 덮인, 후각 세포가 모여 있는 세포층

후각 세포 기체 상태의 화학 물질을 자극으로 받아들임

⬆ 코의 구조와 기능

유두 혀 표면의 작은 돌기

맛세포 액체 상태의 화학 물질을 자극으로 받아들임

맛봉오리 유두 옆면에 분포, 맛세포가 모여 있음

미각 신경 맛세포에서 받아들인 자극을 뇌로 전달

⬆ 혀의 구조와 기능

- 성립 경로 : 기체 상태의 화학 물질 → 후각 상피의 후각 세포 → 후각 신경 → 뇌
- 특징 : 매우 민감한 감각이지만, 쉽게 피로해진다. ➡ 후각 세포는 쉽게 피로해지기 때문에 같은 냄새를 계속 맡으면 나중에는 잘 느끼지 못한다. ─● 다른 냄새 자극이 오면 그 냄새는 맡을 수 있다.

- 성립 경로 : 액체 상태의 화학 물질 → 맛봉오리의 맛세포 → 미각 신경 → 뇌
- 특징 : 혀로 느끼는 기본적인 맛에는 단맛, 짠맛, 신맛, 쓴맛, 감칠맛이 있다.[+] ➡ 미각과 후각을 종합하여 음식 맛을 느끼기 때문에 다양한 음식 맛을 느낄 수 있다.[+]

✦ 감칠맛
아미노산의 일종인 글루탐산의 맛으로, 고기, 생선, 다시마 등에서 느낄 수 있다.

✦ 미각과 후각

코를 막고 포도 맛 젤리와 사과 맛 젤리를 먹으면 단맛과 신맛만 느껴지지만, 코를 막지 않고 젤리를 먹으면 과일 냄새도 맡을 수 있어 과일 맛을 느낄 수 있다. ➡ 음식 맛은 미각과 후각을 종합하여 느끼는 것이다.

E 피부(피부 감각)

우리가 눈으로 보지 않고 손으로만 만져도 물체를 구별할 수 있는 것은 피부를 통해 전달되는 감각을 느끼기 때문입니다. 피부에서는 어떤 감각들을 느낄까요? 지금부터 알아봅시다.

1. 피부 감각 : 피부를 통해 부드러움, 딱딱함, 차가움, 따뜻함, 아픔 등을 느끼는 감각

2. 감각점 : 피부에서 자극을 받아들이는 부위

감각점	통점	압점[+]	촉점	냉점	온점
받아들이는 자극	통증	누르는 압력 (눌림, 압박)	접촉(촉감)	차가움	따뜻함
				상대적인 온도 변화[+]	

(1) 감각점이 분포하는 정도는 몸의 부위에 따라 다르며, 같은 부위라도 감각점의 종류에 따라 분포하는 개수에 차이가 있다. ➡ 특정 감각점이 많은 부위는 그 감각점이 받아들이는 자극에 더 예민하다.

(2) 일반적으로 통점이 가장 많이 분포한다. ─● 통증에 가장 예민하게 반응한다.

3. 피부 감각 성립 경로

온점 압점 통점 촉점 냉점

감각 신경

─● 미래엔, 동아 교과서에서는 피부 감각 신경이라고 한다.

자극 → 피부의 감각점 → <u>감각 신경</u> → 뇌

✦ 매운맛과 떫은맛
매운맛과 떫은맛은 각각 혀와 입속 피부의 통점과 압점에서 자극을 받아들여 느끼는 피부 감각으로, 미각이 아니다.

✦ 피부의 온도 감각
[과정] 오른손은 15 ℃의 물에, 왼손은 35 ℃의 물에 담갔다가 두 손을 동시에 25 ℃의 물에 담근다.

[결과] 오른손은 따뜻함을, 왼손은 차가움을 느낀다. ➡ 처음보다 온도가 높아지면 온점이, 낮아지면 냉점이 자극을 받아들이기 때문

[1~2] 오른쪽 그림은 코와 혀의 구조를 나타낸 것이다.

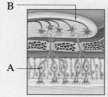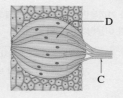

1 A~D의 이름을 쓰시오.

2 이에 대한 설명으로 옳은 것은 ○, 옳지 않은 것은 ×로 표시하시오.

(1) A는 후각 상피에 있고, D는 맛봉오리에 있다. ·············· ( )

(2) A는 쉽게 피로해지기 때문에 같은 냄새를 계속 느끼게 한다. ·········· ( )

(3) B는 A가 받아들인 자극을 뇌로 전달한다. ·············· ( )

(4) C는 D가 받아들인 자극을 뇌로 전달한다. ·············· ( )

(5) D는 기체 상태의 화학 물질을 자극으로 받아들인다. ·········· ( )

3 혀로 느끼는 기본적인 맛 5가지를 쓰시오.

암기TIP

혀로 느끼는 기본적인 맛

단짠단짠알쓴신감
맛 맛   맛 맛 칠
           맛

만화 확인하기 146쪽으로 돌아가서 내가 쓴 대사를 점검해 보자.

---

1 표는 감각점에서 받아들이는 자극의 종류를 나타낸 것이다. ( ) 안에 알맞은 감각점을 쓰시오.

감각점	㉠( )	㉡( )	㉢( )	㉣( )	㉤( )
자극	통증	누르는 압력	접촉	차가움	따뜻함

2 피부 감각에 대한 설명으로 옳은 것은 ○, 옳지 않은 것은 ×로 표시하시오.

(1) 일반적으로 촉점이 가장 많다. ·············· ( )

(2) 온점과 냉점에서는 상대적인 온도 변화를 감각한다. ·········· ( )

(3) 감각점에서 받아들인 자극은 뇌로 전달되지 않는다. ·········· ( )

(4) 감각점이 분포하는 정도는 몸의 부위에 따라 다르다. ·········· ( )

암기

감각점의 분포

감각점의 분포 정도는 몸의 부위에 따라 다르다.
➡ 몸의 부위에 따라 감각을 느끼는 정도가 다르다.

정답친해 46쪽

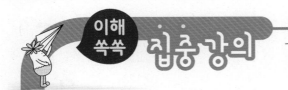

2009 개정 교육과정에서 중요하게 다루었던 눈의 이상과 교정에 대해서도 한 번 살펴보고 넘어갑시다. 또, 감각점의 분포를 조사하는 방법도 알아봅시다.

심화 자료 근시와 원시의 교정

관련 개념 | 146쪽 Ⓐ 눈(시각)

수정체와 망막 사이의 거리가 정상보다 멀거나 가까우면 상이 망막에 정확히 맺히지 않아 물체를 잘 볼 수 없는데, 이러한 눈의 이상은 렌즈를 이용하여 교정할 수 있다.

구분	근시	원시
증상	멀리 있는 물체가 잘 보이지 않는다.	가까이 있는 물체가 잘 보이지 않는다.
원인	수정체와 망막 사이의 거리가 정상보다 멀다. ➡ 먼 곳을 볼 때 상이 망막 앞에 맺힌다.	수정체와 망막 사이의 거리가 정상보다 가깝다. ➡ 가까운 곳을 볼 때 상이 망막 뒤에 맺힌다.
교정 방법	오목 렌즈로 빛을 퍼뜨려 교정한다.	볼록 렌즈로 빛을 모아 교정한다.
	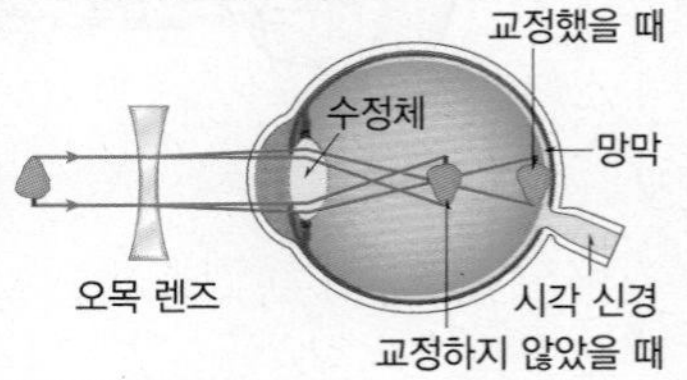 교정했을 때 수정체 망막 오목 렌즈 시각 신경 교정하지 않았을 때	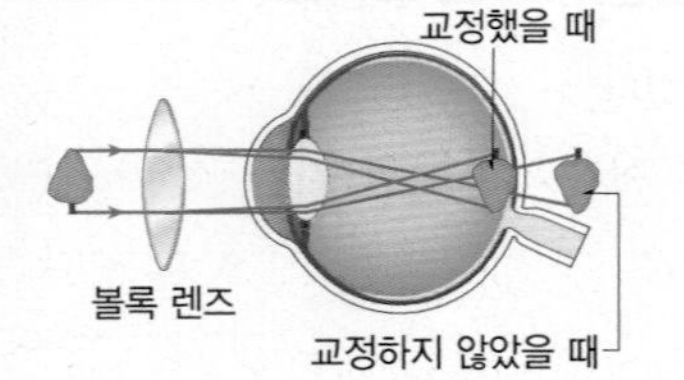 교정했을 때 볼록 렌즈 교정하지 않았을 때

유제 1 그림은 시력에 이상이 있는 눈에서 상이 맺히는 모습을 나타낸 것이다.

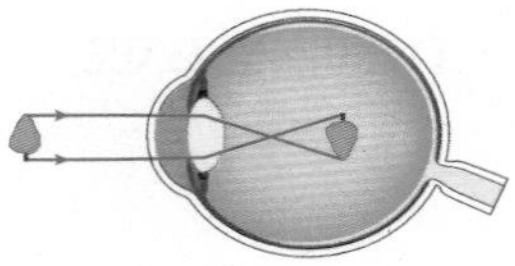

이에 대한 설명으로 옳은 것은 ○, 옳지 않은 것은 ×로 표시하시오.

(1) 오목 렌즈로 교정한다. .... (　　)

(2) 멀리 있는 물체가 잘 보이지 않는 원시이다. .... (　　)

(3) 수정체와 망막 사이의 거리가 정상보다 가깝다. .... (　　)

탐구 자료 피부의 감각점 분포 조사

관련 개념 | 150쪽 Ⓔ 피부(피부 감각)

목표 몸의 부위에 따라 감각점의 수에 차이가 있음을 확인한다.

과정

① 하드보드지에 이쑤시개를 두 개씩 각각 8 mm, 6 mm, 4 mm, 2 mm 간격으로 붙인다.

② 한 사람(A)은 눈을 가리고, 다른 사람(B)은 8 mm, 6 mm, 4 mm, 2 mm 간격의 순서로 A의 손바닥을 이쑤시개로 살짝 누른다. A는 이쑤시개가 두 개로 느껴지는지, 한 개로 느껴지는지 말한다.

③ A의 손가락 끝과 손등에 과정 ②를 반복하고, 이쑤시개가 두 개로 느껴지는 최소 거리를 각각 표에 기록한다.

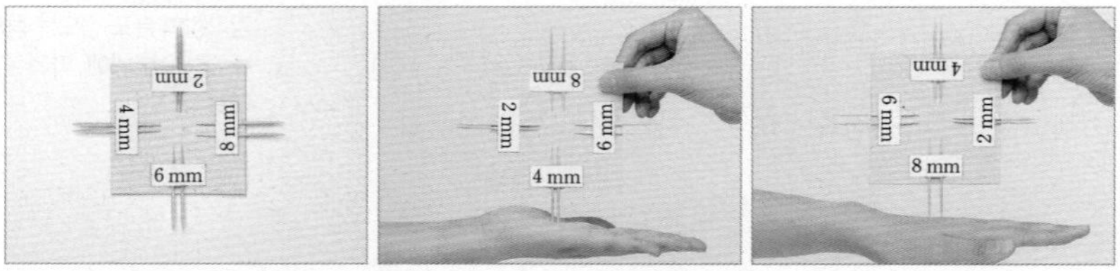
2 mm
4 mm
8 mm
6 mm

이쑤시개가 한 개로 느껴지는 까닭
이쑤시개 간격에 해당하는 거리에 감각점이 한 개 분포하기 때문이다.

결과 및 해석

구분	손바닥	손가락 끝	손등
이쑤시개가 두 개로 느껴지는 최소 거리(mm)	6	2	8

이쑤시개가 두 개로 느껴지는 최소 거리가 짧은 부위일수록 감각점이 많이 분포하여 감각이 예민한 부위이다. ➡ 조사한 부위 중 ㉠(　　　　)이 감각점이 가장 많아 가장 예민한 부위이고, ㉡(　　　　)이 감각점이 가장 적어 가장 둔감한 부위이다.

결론 몸의 부위에 따라 감각점이 분포하는 정도가 다르기 때문에 몸의 부위에 따라 감각을 느끼는 정도가 다르다. ➡ 특정 감각점이 많은 부위는 그 감각점이 받아들이는 자극에 더 예민하다.

답 ㉠ 손가락 끝 ㉡ 손등

[01~02] 오른쪽 그림은 눈의 구조를 나타낸 것이다.

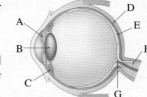

중요
01 이에 대한 설명으로 옳지 <u>않은</u> 것은? [146쪽]

① A는 눈으로 들어오는 빛의 양을 조절한다.
② B는 볼록 렌즈와 같이 빛을 굴절시켜 망막에 상이 맺히게 한다.
③ C는 A의 두께를 조절한다.
④ D는 검은색 색소가 있어 눈 속을 어둡게 한다.
⑤ F는 E의 시각 세포에서 받아들인 자극을 뇌로 전달한다.

02 오른쪽 눈을 가린 채 왼쪽 눈으로 그림의 병아리를 응시하다가 오른쪽 방향으로 숫자를 차례대로 하나씩 보았더니 어느 순간 병아리가 보이지 않았다. [146쪽]

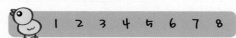

이때 병아리의 상은 A~G 중 어디에 맺힌 것인지 그 기호와 이름을 쓰시오.

03 시각 성립 경로를 순서대로 옳게 나열한 것은? [146쪽]

① 빛 → 각막 → 수정체 → 유리체 → 망막의 시각 세포 → 시각 신경 → 뇌
② 빛 → 각막 → 유리체 → 수정체 → 망막의 시각 세포 → 시각 신경 → 뇌
③ 빛 → 망막 → 수정체 → 유리체 → 각막의 시각 세포 → 시각 신경 → 뇌
④ 빛 → 망막 → 유리체 → 수정체 → 각막의 시각 세포 → 시각 신경 → 뇌
⑤ 빛 → 각막 → 수정체 → 유리체 → 맥락막의 시각 세포 → 시각 신경 → 뇌

[04~05] 그림은 동공의 크기 변화를 나타낸 것이다.

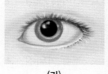　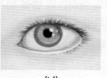

(가)　　　　　(나)

중요
풀이 **TIP**
04 눈의 상태가 (가) → (나)로 변할 때에 대한 설명으로 옳은 것을 보기에서 모두 고른 것은? [148쪽]

┌ 보기 ┐
ㄱ. 동공이 확대되었다.
ㄴ. 홍채가 확장되었다.
ㄷ. 눈으로 들어오는 빛의 양이 증가한다.
ㄹ. 어두운 곳에서 밝은 곳으로 이동했을 때이다.
└────────┘

① ㄱ, ㄴ　　② ㄱ, ㄷ　　③ ㄴ, ㄷ
④ ㄴ, ㄹ　　⑤ ㄱ, ㄴ, ㄹ

05 눈의 상태가 (나) → (가)로 변하는 상황에 해당하는 것은? [148쪽]

① 책을 읽다가 먼 산을 바라볼 때
② 어두운 방에서 형광등을 켰을 때
③ 작은 물체를 보다가 큰 물체를 볼 때
④ 멀리 수평선을 바라보다가 발등을 볼 때
⑤ 밝은 곳에 있다가 어두운 극장 안으로 들어갈 때

중요
06 오른쪽 그림은 수정체의 두께 변화를 나타낸 것이다. 눈의 상태가 (가)에서 (나)로 변할 때에 대한 설명으로 옳은 것은? [148쪽]

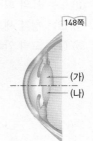

(가)
(나)

① 홍채가 수축하였다.
② 섬모체가 수축하였다.
③ 주변이 밝아질 때이다.
④ 먼 곳을 보다가 가까운 곳을 볼 때이다.
⑤ 신문을 보다가 창밖의 구름을 볼 때이다.

풀이 **TIP** 04 ❶ (가)와 (나)에서 동공이 클 때와 작을 때를 찾는다. ❷ 동공이 크면 눈으로 빛이 많이 들어오고, 동공이 작으면 눈으로 빛이 적게 들어오는 것을 떠올린다. ❸ 어두울 때와 밝을 때 각각 눈으로 들어오는 빛의 양을 어떻게 변화시켜야 하는지 생각한다.

풀이 TIP
07 세희는 밤늦게까지 방에 불을 켜고 책을 보다가 집 밖으로 나와 밤하늘의 별을 바라보았다. 이때 세희의 눈에서 나타난 변화로 옳은 것은? [148쪽]

	홍채	동공	섬모체	수정체
①	확장	축소	수축	두꺼워짐
②	확장	축소	이완	두꺼워짐
③	수축	확대	수축	얇아짐
④	수축	확대	수축	두꺼워짐
⑤	수축	확대	이완	얇아짐

[08~11] 그림은 귀의 구조를 나타낸 것이다.

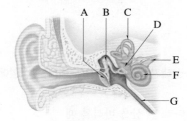

중요
08 이에 대한 설명으로 옳지 않은 것은? [148쪽]
① A는 소리에 의해 진동하는 얇은 막이다.
② B는 A의 진동을 증폭하여 D로 전달한다.
③ C는 몸의 회전을 감지한다.
④ E는 청각 세포에서 받아들인 자극을 뇌로 전달한다.
⑤ G는 고막 안쪽과 바깥쪽의 압력을 같게 조절한다.

09 평형 감각을 담당하는 두 부위의 기호와 이름을 모두 쓰시오. [148쪽]

풀이 TIP
10 다음은 청각 성립 경로를 나열한 것이다. [148쪽]

소리 → 귓바퀴 → 외이도 → ㉠(　　　) → ㉡(　　　)
→ ㉢(　　　)의 청각 세포 → 청각 신경 → 뇌

(　　) 안에 들어갈 알맞은 부위의 기호를 쓰시오.

중요
11 (가)~(다)의 현상과 가장 관계 깊은 부위의 기호를 쓰시오. [148쪽]

(가) 승강기를 탔을 때 몸이 움직이는 것을 느낀다.
(나) 눈을 감고 있어도 몸이 회전하는 방향을 느낄 수 있다.
(다) 차를 타고 높은 곳에 올라가니 귀가 먹먹해졌는데, 침을 삼키니까 먹먹한 느낌이 사라졌다.

12 다음은 개구리의 평형 감각을 알아보는 실험이다. [148쪽]

(가) 정상적인 개구리를 기울어진 판자 위에 올려놓으면 고개를 들어 균형을 잘 잡는다.
(나) 귓속의 특정 구조를 파괴한 개구리를 기울어진 판자 위에 올려놓으면 고개를 들지 못하고 균형을 잘 잡지 못한다.

(가)　　　　　　　　(나)

(나)의 개구리는 귓속의 어떤 구조가 파괴되었는지 쓰시오.

07 ❶ 밤에 불을 켠 방에 있다가 집 밖으로 나왔을 때 주변 밝기가 어떻게 변했는지 생각한다. ❷ 책을 보다가 밤하늘의 별을 바라보았을 때 물체와의 거리가 어떻게 변했는지 생각한다.　**10** 평형 감각과 압력 조절을 담당하는 구조는 청각 성립 경로에 포함되지 않는다는 것을 떠올린다.

154 Ⅳ. 자극과 반응

13 오른쪽 그림은 귓속 구조의 일 148쪽
부를 나타낸 것이다. 이에 대한 설명으
로 옳은 것은?

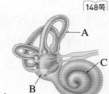

① A는 몸의 기울어짐을 감지한다.
② A와 B에서 받아들인 자극은 청각
　신경을 통해 뇌로 전달된다.
③ 회전하는 놀이 기구를 타고 내렸을 때 한동안 어지러
　운 것은 B의 작용 때문이다.
④ C에 청각 세포가 있다.
⑤ C는 평형 감각을 담당한다.

14 매우 민감하지만 쉽게 피로해지는 감각은? 150쪽

① 시각　　　　② 청각　　　　③ 후각
④ 미각　　　　⑤ 피부 감각

15 후각에 대한 설명으로 옳은 것을 보기에서 모두 고른 150쪽
것은?

┌ 보기 ┐
ㄱ. 후각 상피에 후각 세포가 있다.
ㄴ. 코에서는 5종류의 냄새만 맡을 수 있다.
ㄷ. 액체 상태의 화학 물질을 자극으로 받아들인다.
ㄹ. 후각 세포에서 받아들인 자극은 후각 신경을 통해
　뇌로 전달된다.
└─────────────────────────────┘

① ㄱ, ㄴ　　　② ㄱ, ㄹ　　　③ ㄴ, ㄷ
④ ㄴ, ㄹ　　　⑤ ㄱ, ㄷ, ㄹ

16 다음은 미각과 후각에 대해 알아보는 실험이다. 150쪽

┌─────────────────────────────┐
(가) 코를 막고 포도 맛 젤리와
　사과 맛 젤리를 먹는다.　　　
(나) 코를 막지 않고 포도 맛
　젤리와 사과 맛 젤리를
　먹는다.
[결과]
(가)에서는 단맛과 신맛만 느껴졌지만, (나)에서는 포
도 맛과 사과 맛이 느껴졌다.
└─────────────────────────────┘

이를 통해 알 수 있는 사실로 옳은 것은?

① 음식 맛은 미각을 통해서만 느낀다.
② 음식 맛은 후각을 통해서만 느낀다.
③ 음식 맛은 미각과 후각을 종합하여 느낀다.
④ 혀의 부위에 따라 강하게 느끼는 맛이 다르다.
⑤ 음식 맛을 느끼는 데 가장 중요한 역할을 하는 것은
　시각이다.

17 그림은 두 감각 기관의 구조를 나타낸 것이다. 150쪽

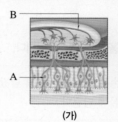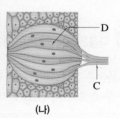

(가)　　　　　　　(나)

이에 대한 설명으로 옳은 것을 보기에서 모두 고른 것은?

┌ 보기 ┐
ㄱ. A는 후각 세포, B는 후각 신경이다.
ㄴ. A와 D는 같은 종류의 자극을 받아들인다.
ㄷ. C는 D에서 받아들인 자극을 뇌로 전달한다.
ㄹ. D는 맛봉오리에 있다.
└─────────────────────────────┘

① ㄱ, ㄴ　　　② ㄱ, ㄷ　　　③ ㄴ, ㄷ
④ ㄴ, ㄹ　　　⑤ ㄱ, ㄷ, ㄹ

---

13 ❶ 평형 감각을 담당하는 곳과 청각을 담당하는 곳을 구분한다. ❷ 회전 감각과 기울어짐 감각을 담당하는 곳을 구분한다. ❸ 각 구조에서 받아들인 자극이 어떤 신경을
통해 뇌로 전달되는지 생각한다. 　17 ❶ 후각 세포와 맛세포에서 받아들이는 자극의 종류를 안다. ❷ 후각과 미각의 성립 경로를 생각한다.

18 혀로 느끼는 기본적인 맛이 <u>아닌</u> 것은? [150쪽]

① 단맛　　② 짠맛　　③ 신맛
④ 떫은맛　　⑤ 감칠맛

19 피부 감각에 대한 설명으로 옳지 <u>않은</u> 것을 모두 고르면?(2개) [150쪽]

① 감각점은 온몸에 고르게 분포한다.
② 일반적으로 온점의 수가 통점의 수보다 많다.
③ 압점에서는 누르는 압력을 자극으로 받아들인다.
④ 감각점에서 받아들인 자극은 감각 신경을 통해 뇌로 전달된다.
⑤ 특정 감각점이 많은 부위는 그 감각점이 받아들이는 자극에 더 예민하다.

20 다음은 피부의 온도 감각을 알아보는 실험이다. [150쪽]

> 오른손은 15 °C의 물에, 왼손은 35 °C의 물에 담갔다가 두 손을 동시에 25 °C의 물에 담근다.

이에 대한 설명으로 옳은 것을 보기에서 모두 고른 것은?

{ 보기 }
ㄱ. 오른손은 따뜻함을, 왼손을 차가움을 느낀다.
ㄴ. 냉점과 온점에서는 상대적인 온도 변화를 감지한다.
ㄷ. 처음보다 온도가 낮아지면 온점에서 자극을 받아들인다.

① ㄱ　　② ㄱ, ㄴ　　③ ㄱ, ㄷ
④ ㄴ, ㄷ　　⑤ ㄱ, ㄴ, ㄷ

21 통점에서 느끼는 감각의 예로 옳은 것은? [150쪽]

① 살에 옷깃이 닿는 것을 느꼈다.
② 국그릇을 손으로 감싸니 따뜻했다.
③ 한약을 먹었더니 쓴맛이 느껴졌다.
④ 매운 음식을 먹었더니 혀가 얼얼했다.
⑤ 고속 승강기를 타고 높이 올라가니 귀가 먹먹했다.

22 다음은 감각점의 분포를 알아보는 실험이다. [152쪽]

> (가) 하드보드지에 이쑤시개를 두 개씩 각각 8 mm, 6 mm, 4 mm, 2 mm 간격으로 붙인다.
> (나) 손바닥, 손등, 손가락 끝에 각 간격의 이쑤시개를 눌러 이쑤시개가 두 개로 느껴지는 최소 거리를 측정한다.

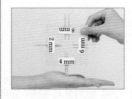

부위	최소 거리
손바닥	6 mm
손등	8 mm
손가락 끝	2 mm

이에 대한 설명으로 옳지 <u>않은</u> 것은?

① 손가락 끝이 가장 예민하다.
② 손등에 감각점이 가장 많다.
③ 이쑤시개가 두 개로 느껴지는 최소 거리가 길수록 둔감한 부위이다.
④ 이쑤시개가 두 개로 느껴지는 최소 거리가 짧을수록 감각점이 많이 분포한 부위이다.
⑤ 두 이쑤시개 사이의 간격이 8 mm일 때 손바닥에서는 이쑤시개가 두 개로 느껴진다.

 21 ❶ 혀에서 느끼는 미각과 귀에서의 압력 조절, 피부 감각을 구분한다. ❷ 각 감각점에서 받아들이는 자극의 종류를 떠올린다. **22** ❶ 이쑤시개가 두 개로 느껴지는 최소 거리가 짧을수록 예민한 부위임을 안다. ❷ 감각점의 분포 정도와 감각이 예민한 정도의 관계를 생각한다.

156 Ⅳ. 자극과 반응

서술형 문제

23 그림은 눈의 구조를 나타낸 것이다. _{풀이}**TIP** _{146쪽}

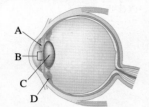

(1) A의 이름을 쓰고, 그 기능을 서술하시오.

----

(2) 어두운 극장의 앞자리에서 영화를 보다가 밝은 밖으로 나와 멀리 있는 친구를 보았을 때, 눈에서 일어나는 변화를 기호를 이용하여 서술하시오.

----

24 그림은 귀의 구조를 나타낸 것이다. _{148쪽}

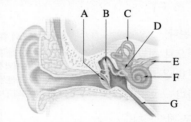

(1) 청각 성립 경로에 포함되지 <u>않는</u> 부위의 기호를 모두 쓰시오.

----

(2) G의 이름을 쓰고, 그 기능을 서술하시오.

----

25 같은 냄새를 계속 맡으면 나중에는 그 냄새를 잘 느끼지 못한다. 그 까닭을 서술하시오. _{150쪽}

----

26 코감기에 걸리면 음식 맛을 제대로 느낄 수 없다. 그 까닭을 서술하시오. _{풀이}**TIP** _{150쪽}

----

27 우리는 몸의 부위에 따라 감각을 느끼는 정도가 다르다. 그 까닭을 서술하시오. _{풀이}**TIP** _{150쪽}

학습 평가하기

정답친해 46쪽으로 가서 문제를 채점한 후 학습 결과를 스스로 평가해 보세요.

맞춘 개수	24~27개	19~23개	0~18개
평가	잘함	보통	부족

→ 정답친해에서 그 문제를 왜 틀렸는지 꼭 확인하세요!
→ 본책에서 해당 쪽으로 돌아가서 부족한 부분을 다시 공부하세요!

23 동공의 크기는 홍채의 면적 변화에 의해 조절되고, 수정체의 두께는 섬모체의 수축과 이완에 의해 조절됨을 안다. **26** 코감기에 걸리면 냄새를 잘 맡을 수 없음을 떠올린다. **27** 특정 감각점이 많은 부위는 그 감각점이 받아들이는 자극에 더 예민한 것을 안다.

02. 신경계

만화 완성하기

다음 만화를 보고 말풍선을 완성해 보자.

>> 이 단원을 학습한 후 내가 쓴 대사를 수정해 보자.

A 뉴런

감각 기관에서 받아들인 자극은 시각 신경, 청각 신경, 후각 신경 등을 통해 뇌로 전달된다고 배웠습니다. 신경은 뉴런으로 이루어져 있지요. 뉴런은 다른 세포들과 어떻게 다를까요? 지금부터 알아봅시다.

1. 뉴런 : 신경계를 이루고 있는 신경 세포[+]

2. 뉴런의 구조 : 돌기가 발달되어 있어 자극을 받아들이고 전달하기에 적합하다.

신경 세포체 핵과 세포질이 있어 여러 가지 생명 활동이 일어난다. → 핵과 대부분의 세포질이 모여 있다.

가지 돌기에서 받아들인 자극은 축삭 돌기를 통해 다른 뉴런이나 기관으로 전달된다.

자극 전달 방향

가지 돌기 다른 뉴런이나 감각 기관에서 전달된 자극을 받아들인다.[+]

축삭 돌기 다른 뉴런이나 기관으로 자극을 전달한다.

3. 뉴런의 종류 : 기능에 따라 감각 뉴런, 연합 뉴런, 운동 뉴런으로 구분된다.

(1) 감각 뉴런(감각 신경 구성) : 감각 기관에서 받아들인 자극을 연합 뉴런으로 전달한다.

(2) 연합 뉴런(중추 신경계 구성) : 자극을 느끼고 판단하여 적절한 명령(신호)을 내린다.

(3) 운동 뉴런(운동 신경 구성) : 연합 뉴런의 명령을 반응 기관으로 전달한다.

4. 자극의 전달 경로 : 자극은 감각 뉴런 → 연합 뉴런 → 운동 뉴런 순으로 전달된다.[+]

자극	→	감각 기관	→	감각 뉴런	→	연합 뉴런	→	운동 뉴런	→	반응 기관	→	반응
전화벨 소리		귀		청각 신경을 이루는 감각 뉴런		중추 신경계를 이루는 연합 뉴런		운동 신경을 이루는 운동 뉴런		팔의 근육		전화기를 들어 올림

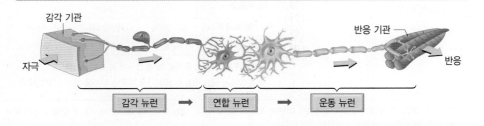

감각 기관 / 감각 뉴런 → 연합 뉴런 → 운동 뉴런 / 반응 기관 / 자극 / 반응

+ 신경계

감각 기관에서 받아들인 자극을 전달하고, 이 자극을 판단하여 적절한 반응이 나타나도록 신호를 전달하는 체계

+ 가지 돌기와 축삭 돌기

• 가지 돌기 : 신경 세포체에서 뻗어 나온 여러 개의 짧은 돌기
• 축삭 돌기 : 신경 세포체에서 뻗어 나온 한 개의 긴 돌기

● 미래엔, 동아 교과서에서는 반응기라고 한다.

+ 자극의 전달 경로 비교

신경계	컴퓨터
감각 기관	키보드
감각 뉴런	연결선
연합 뉴런	본체 (중앙 처리 장치)
운동 뉴런	연결선
반응 기관	모니터 화면

이 단원의 개념이 어떻게 구성되어 있는지 살펴보고 빈칸을 완성해 보자.

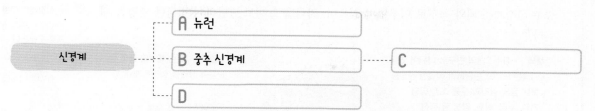

신경계

A 뉴런

B 중추 신경계 ────── C

D

이 단원을 공부하기 전에 미리 알고 있는 단어를 체크해 보자.

☐ 뉴런　　　　☐ 중추 신경계　　　　☐ 대뇌　　　　☐ 척수　　　　☐ 말초 신경계

☐ 자율 신경　　☐ 무조건 반사

1 오른쪽 그림은 뉴런의 구조를 나타낸 것이다. 다음에서 설명하는 부위의 기호와 이름을 쓰시오.

(1) 핵과 대부분의 세포질이 모여 있다.

(2) 다른 뉴런이나 기관으로 자극을 전달한다.

(3) 다른 뉴런이나 감각 기관에서 전달된 자극을 받아들인다.

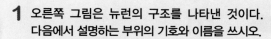

암기구

자극의 전달 경로
감각 뉴런 자극 전달
↓
연합 뉴런 판단 및 명령
↓
운동 뉴런 명령 전달

[2~3] 오른쪽 그림은 뉴런이 연결된 모습을 나타낸 것이다.

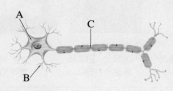

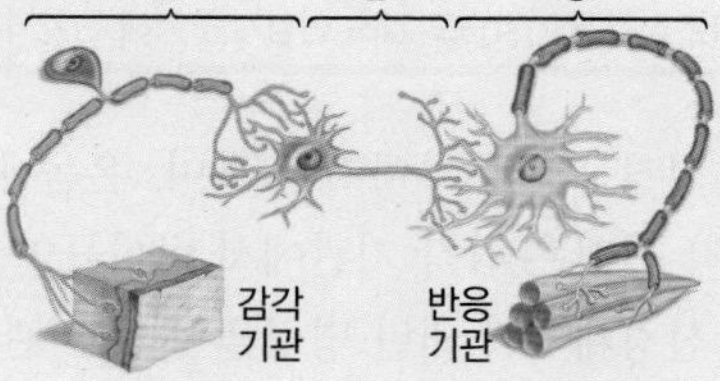

2 다음에서 설명하는 뉴런의 기호와 이름을 쓰시오.

(1) 중추 신경계를 구성한다.

(2) 연합 뉴런의 명령을 반응 기관으로 전달한다.

(3) 감각 기관에서 받아들인 자극을 연합 뉴런으로 전달한다.

3 다음은 자극의 전달 경로를 나열한 것이다. ( ) 안에 알맞은 기호를 쓰시오.

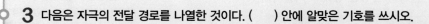

감각 기관 → ㉠( ) → ㉡( ) → ㉢( ) → 반응 기관

02 신경계

B 중추 신경계

우리 몸에서 신호를 전달하는 체계인 신경계는 크게 중추 신경계와 말초 신경계로 구분합니다. 먼저 뇌를 포함하고 있는 중추 신경계의 구조와 기능을 알아봅시다.

중추 신경계는 뇌와 척수로 이루어져 있으며, 자극을 느끼고 판단하여 적절한 명령을 내린다.[+]

대뇌 · 좌우 2개의 반구로 나뉘어 있음
· 자극을 느끼고 판단하여 적절한 신호를 보내 몸의 감각과 운동 조절 담당
· 기억, 추리, 학습, 감정 등 정신 활동 담당

중간뇌 눈의 움직임, 동공과 홍채의 변화 조절

연수 · 심장 박동, 호흡 운동, 소화 운동 등 생명 유지 활동 조절
· 기침, 재채기, 눈물 분비 등의 중추

간뇌 체온, 체액의 농도 등 몸속 상태를 일정하게 유지

소뇌 · 근육 운동 조절
· 몸의 자세와 균형 유지

척수 · 뇌와 말초 신경 사이에서 신호를 전달하는 통로
· 자신의 의지와 관계없이 일어나는 반응의 중추

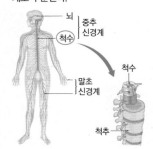

+ 신경계의 구분
신경계는 중추 신경계와 말초 신경계로 구분된다.

● 척수는 연수 아래쪽으로 뻗어 있으며, 척추에 싸여 보호된다. 척추는 등뼈이고, 척수는 등뼈 속에 들어 있는 신경이다.

📖 뇌의 기능

⬆ **대뇌**
구구단을 외운다.

⬆ **간뇌**
더울 때 땀을 흘려 체온을 낮춘다.

⬆ **중간뇌**
어두운 곳에서 동공이 커진다.

⬆ **연수**
운동할 때 심장이 빨리 뛴다.

⬆ **소뇌**
한 발로 서서 몸의 균형을 유지한다.

C 말초 신경계

중추 신경계에서는 자극을 느끼고 판단하여 명령을 내린다고 했죠? 중추 신경계에서 느끼는 자극은 말초 신경계를 통해 전달된 것입니다. 또, 중추 신경계의 명령도 말초 신경계를 통해 전달되지요. 지금부터 말초 신경계의 구성과 기능을 알아봅시다.

1. 말초 신경계 : 감각 신경과 운동 신경으로 이루어져 있으며, 온몸에 퍼져 있어 중추 신경계와 온몸을 연결한다. ➡ 감각 신경은 감각 기관에서 받아들인 자극을 중추 신경계로 전달하며, 운동 신경은 중추 신경계에서 내린 명령을 반응 기관으로 전달한다.[+]

2. 자율 신경 : 말초 신경계 중 자율 신경은 교감 신경과 부교감 신경으로 구분되며, 내장 기관에 연결되어 대뇌의 직접적인 명령 없이 내장 기관의 운동을 조절한다.

(1) 분포 : 교감 신경과 부교감 신경은 같은 내장 기관에 분포하여 서로 반대 작용을 한다.

(2) 기능 : 교감 신경은 긴장하거나 위기 상황에 처했을 때 우리 몸을 대처하기에 알맞은 상태로 만들고, 부교감 신경은 이를 원래의 안정된 상태로 되돌린다.[+]

● 아래엔 교과서에만 나온다.
+ 체성 신경
운동 신경은 체성 신경과 자율 신경으로 구분된다. 체성 신경은 대뇌의 명령을 팔이나 다리 등의 근육으로 전달하여 몸을 움직이는 데 관여한다.

+ 자율 신경에 의한 반응
위험한 상황에 처하면 교감 신경에 의해 심장 박동과 호흡이 빨라지고, 위험한 상황이 지나면 부교감 신경에 의해 심장 박동과 호흡이 이전 상태로 돌아온다.

구분	동공 크기	호흡 운동	심장 박동	소화 운동
교감 신경	확대	촉진	촉진	억제
부교감 신경	축소	억제	억제	촉진

[1~2] 오른쪽 그림은 뇌의 구조를 나타낸 것이다.

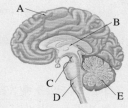

1 A~E의 이름을 쓰시오.

2 다음에서 설명하는 부위의 기호를 쓰시오.

(1) 몸의 자세와 균형을 유지한다.
(2) 동공과 홍채의 변화를 조절한다.
(3) 체온이나 체액의 농도 등을 일정하게 유지한다.
(4) 심장 박동, 호흡 운동, 소화 운동 등을 조절한다.
(5) 기억, 추리, 학습, 감정 등 정신 활동을 담당한다.

3 중추 신경계에 대한 설명으로 옳은 것은 ○, 옳지 <u>않은</u> 것은 ×로 표시하시오.

(1) 척수는 중추 신경계에 속한다. ·······························( )
(2) 더울 때 땀이 나는 것은 중간뇌의 작용이다. ·······( )
(3) 대뇌에서 몸의 감각과 운동 조절을 담당한다. ·······( )
(4) 척수는 뇌와 말초 신경 사이의 신호 전달 통로이다. ·······( )

암기 TIP

연수의 기능
연수가 호흡하면
　　　흡
　　　운
　　　동
소심한 심장이 쿵쿵
화　　　박
운　　　동
동

만화
확인하기 158쪽으로 돌아가서
내가 쓴 대사를 점검해 보자.

---

1 말초 신경계에 대한 설명으로 옳은 것은 ○, 옳지 <u>않은</u> 것은 ×로 표시하시오.

(1) 연합 뉴런은 말초 신경계를 구성한다. ·······················( )
(2) 감각 신경과 운동 신경으로 이루어져 있다. ···············( )
(3) 모든 신경은 대뇌의 직접적인 명령을 받는다. ···········( )
(4) 운동 신경은 중추 신경계의 명령을 반응 기관으로 전달한다. ·······( )

2 교감 신경과 부교감 신경의 작용을 비교한 표에서 ( ) 안에 알맞은 말을 쓰시오.

구분	동공 크기	호흡 운동	심장 박동	소화 운동
교감 신경	확대	촉진	㉠( )	㉢( )
부교감 신경	축소	억제	㉡( )	㉣( )

암기

호흡 운동, 심장 박동, 소화 운동의 조절
소화 운동의 조절은 호흡 운동 및 심장 박동의 조절과 반대이다.
➡ 교감 신경에 의해 호흡 운동과 심장 박동이 촉진될 때 소화 운동은 억제된다.

02 신경계

D 자극에 따른 반응의 경로

우리가 일상적으로 하는 대부분의 행동은 우리의 의지에 따라 일어납니다. 그런데 뜨거운 냄비에 손이 닿으면 미처 의식하기도 전에 손을 떼게 되지요. 이러한 반응은 의지에 따라 일어나는 반응과 무엇이 다를까요?

1. 의식적 반응 : 대뇌의 판단 과정을 거쳐 자신의 의지에 따라 일어나는 반응으로, 대뇌가 반응의 중추이다.
→ 대뇌에서의 판단 과정이 복잡할수록 반응이 나타나는 데 시간이 더 걸린다.

2. 무조건 반사 : 대뇌의 판단 과정을 거치지 않아 자신의 의지와 관계없이 일어나는 반응
→ 대뇌가 관여하지 않는다. / 우의식적 반응, 선천적인 반응

(1) 중추 : 척수, 연수, 중간뇌

척수 반사	뜨겁거나 날카로운 물체가 몸에 닿았을 때 몸을 움츠림, 무릎 반사+
연수 반사	재채기, 기침, 딸꾹질, 침 분비, 눈물 분비
중간뇌 반사	동공 반사(빛의 밝기에 따른 동공의 크기 변화)

(2) 특징 : 매우 빠르게 일어나므로 위험한 상황에서 몸을 보호하는 데 중요한 역할을 한다.
➡ 의식적 반응보다 반응 경로가 짧고 단순하기 때문
→ 반응 경로에서 대뇌를 거치지 않아 반응 경로가 짧고 단순하다.
→ 의식적 반응보다 빠르게 일어난다.

3. 반응 경로 비교+

주전자를 들고 컵에 원하는 만큼 물을 따르는 반응(의식적 반응)의 경로	뜨거운 주전자에 손이 닿았을 때 급히 손을 떼는 반응(무조건 반사)의 경로
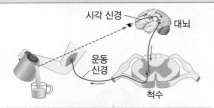	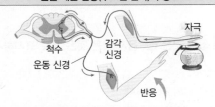
자극 → 감각 기관(눈) → 감각 신경(시각 신경) → 대뇌 → 척수 → 운동 신경 → 반응 기관(팔의 근육) → 반응 · 동아 교과서에서는 손이라고 한다.	자극 → 감각 기관(피부) → 감각 신경(피부 감각 신경) → 척수 → 운동 신경 → 반응 기관(팔의 근육) → 반응 · 손

✚ 무릎 반사
고무망치로 무릎뼈 아래를 치면 자신도 모르게 다리가 들리는 반응

✚ 반응 경로 비교
얼굴에서 받아들인 자극은 척수를 거치지 않고 대뇌로 전달되지만, 팔이나 다리에서 받아들인 자극은 척수를 거쳐 대뇌로 전달된다.

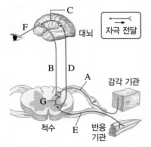

· 압정을 밟았을 때 자신도 모르게 발을 든다. ➡ A → G → E
· 공을 보고 원하는 방향으로 찬다. ➡ F → C → D → E
· 눈을 감고 더듬어서 책상 위의 연필을 집어 든다. ➡ A → B → C → D → E

---

1 의식적 반응과 무조건 반사에 대한 설명으로 옳은 것은 ○, 옳지 <u>않은</u> 것은 ×로 표시하시오.

(1) 의식적 반응의 중추는 대뇌이다. ·······( )

(2) 재채기, 딸꾹질, 침 분비의 중추는 척수이다. ·······( )

(3) 의식적 반응보다 무조건 반사가 더 빠르게 일어난다. ·······( )

2 다음은 자극에 따른 반응 경로를 나타낸 것이다. 반응 경로를 완성하시오.

(1) 축구공을 보고 원하는 방향으로 차는 반응 : 감각 기관 → 감각 신경 → ( ) → 척수 → 운동 신경 → 반응 기관

(2) 선인장 가시에 손이 찔렸을 때 자신도 모르게 손을 떼는 반응 : 감각 기관 → 감각 신경 → ( ) → 운동 신경 → 반응 기관

암기 TIP

무조건 반사의 중추
동공이는 **재연** 배우
공 간   채 수
반 뇌   기
사

의식적 반응과 무조건 반사의 중추와 반응 경로를 묻는 문제는 시험에서 자주 출제됩니다. 지금부터 여러 가지 반응 경로를 비교하여 살펴봅시다.

탐구 자료 ❶ 자극의 종류에 따른 반응 경로

관련 개념 | 162쪽 **D** 자극에 따른 반응의 경로

목표 자극의 종류에 따라 반응 시간에 차이가 있음을 확인한다.

과정
① 한 사람(A)이 예고 없이 자를 떨어뜨리면 의자에 앉은 다른 사람(B)이 떨어지는 자를 보고 잡은 다음, 자가 떨어진 거리를 측정한다. 이 과정을 5회 반복하여 평균값을 구한다.
② B의 눈을 가린 후 A가 '땅' 소리를 내는 동시에 자를 떨어뜨리면 B는 그 소리를 듣고 자를 잡은 다음, 자가 떨어진 거리를 측정한다. 이 과정을 5회 반복하여 평균값을 구한다.

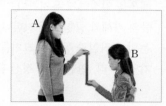 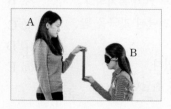

자가 떨어진 거리와 반응 시간의 관계

시간(초): 0.04, 0.08, 0.12, 0.16, 0.20, 0.24, 0.28
자가 떨어진 거리(cm): 0, 5, 10, 15, 20, 25, 30, 35, 40

자가 떨어진 거리가 길수록 자를 잡기까지 걸린 시간(반응 시간)이 길다.

결과 및 해석

구분	1회	2회	3회	4회	5회	평균값
눈으로 볼 때(cm)	24	21	19	19	17	20
소리를 들을 때(cm)	33	31	31	28	27	30

· 떨어지는 자를 눈으로 보고 잡는 반응이 '땅' 소리를 귀로 듣고 잡는 반응보다 빠르다.
· 시각을 통한 반응과 청각을 통한 반응은 반응 경로가 다르기 때문에 반응 시간에 차이가 난다.

시각을 통한 반응의 경로	청각을 통한 반응의 경로
빛 자극 → 눈 → 시각 신경 → 대뇌 → 척수 → 운동 신경 → 손의 근육 → 자를 잡음	소리 자극 → 귀 → 청각 신경 → 대뇌 → 척수 → 운동 신경 → 손의 근육 → 자를 잡음

결론 감각 기관에서 받아들인 ⊙(   )이 신경계를 거쳐 ⓒ(   )으로 나타나기까지는 어느 정도 시간이 필요하며, 이때 걸리는 시간은 자극의 종류에 따라 차이가 있다.

답 ⊙ 자극 ⓒ 반응

탐구 자료 ❷ 무조건 반사와 의식적 반응의 반응 경로

관련 개념 | 162쪽 **D** 자극에 따른 반응의 경로

목표 무조건 반사와 의식적 반응의 반응 경로를 비교한다.

과정
① 한 사람(A)이 발이 바닥에 닿지 않도록 책상에 앉은 다음, 눈을 감고 다리에 힘을 뺀다.
② 다른 사람(B)이 고무망치로 A의 무릎뼈 바로 아래를 가볍게 치고, A는 다리에 고무망치가 닿는 것을 느끼는 즉시 오른팔을 든다.

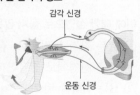

무릎 반사의 경로

감각 신경
운동 신경

결과 및 해석
· 고무망치로 무릎뼈 아래를 치면 자신의 의지와 관계없이 다리가 들린다. ➡ 무릎 반사는 무조건 반사이다.
· 다리가 들리는 반응이 팔을 드는 반응보다 더 빠르게 일어난다. ➡ 다리가 들리는 반응의 경로가 팔을 드는 반응의 경로보다 짧고 단순하기 때문

다리가 들리는 반응의 경로(무조건 반사)	팔을 드는 반응의 경로(의식적 반응)
자극 수용 → 감각 신경 → 척수 → 운동 신경 → 반응 기관	자극 수용 → 감각 신경 → 척수 → 대뇌 → 척수 → 운동 신경 → 반응 기관

무조건 반사와 자극의 전달
무조건 반사가 일어난다고 해서 자극이 대뇌로 전달되지 않는 것은 아니다. 고무망치의 자극이 대뇌로 전달되기 때문에 자극을 느끼고 오른팔을 들 수 있다.

결론 대뇌의 판단 과정을 ⊙(거치는, 거치지 않는) 무조건 반사는 매우 ⓒ(빠르게, 느리게) 일어나기 때문에 위험한 상황에서 우리 몸을 보호하는 데 중요한 역할을 한다.

답 ⊙ 거치지 않는 ⓒ 빠르게

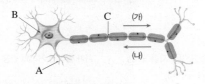

01 그림은 뉴런의 구조를 나타낸 것이다.

158쪽

이에 대한 설명으로 옳지 **않은** 것은?

① A는 축삭 돌기, B는 신경 세포체, C는 가지 돌기이다.

② A는 다른 뉴런이나 감각 기관에서 전달된 자극을 받아들인다.

③ B에 핵과 대부분의 세포질이 모여 있다.

④ C는 다른 뉴런이나 기관으로 자극을 전달한다.

⑤ 자극은 (가) 방향으로 전달된다.

02 그림은 서로 다른 종류의 뉴런이 연결된 모습을 나타낸 것이다.

풀이 TIP

158쪽

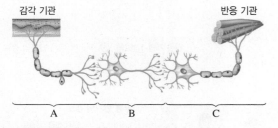

이에 대한 설명으로 옳지 **않은** 것은?

① A는 감각 뉴런으로, 감각 기관에서 받아들인 자극을 중추 신경계로 전달한다.

② B는 연합 뉴런으로, 뇌와 척수를 구성한다.

③ B는 자극을 느끼고 판단하여 신호를 보낸다.

④ C는 운동 뉴런으로, 연합 뉴런의 명령을 반응 기관으로 전달한다.

⑤ 자극은 C → B → A 방향으로 전달된다.

[03~05] 오른쪽 그림은 사람 뇌의 구조를 나타낸 것이다.

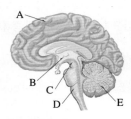

03 각 부위의 기능이 옳게 연결된 것은?

160쪽

① A - 심장 박동, 호흡 운동 등을 조절한다.

② B - 체온을 일정하게 유지한다.

③ C - 몸의 자세와 균형을 유지한다.

④ D - 눈의 움직임과 동공의 크기를 조절한다.

⑤ E - 기억, 추리, 판단 등의 정신 활동을 담당한다.

04 감각 기관에서 받아들인 자극을 느끼고 판단하여 적절한 신호를 보내 몸의 감각과 운동 조절을 담당하는 뇌 부위의 기호와 이름을 옳게 짝 지은 것은?

160쪽

① A - 대뇌 　② B - 간뇌

③ C - 중간뇌 　④ D - 연수

⑤ E - 소뇌

05 (가)~(다)의 작용을 담당하는 뇌 부위의 기호를 각각 쓰시오.

풀이 TIP

160쪽

(가) 증거를 찾아 범인이 누구인지 추리하였다.

(나) 무더운 여름날 밖에 나갔더니 땀이 많이 났다.

(다) 100 m 달리기를 하였더니 심장이 빨리 뛰고, 호흡이 가빠졌다.

풀이 TIP

02 ❶ 뉴런이 기능에 따라 세 종류로 구분되는 것을 안다. ❷ 감각 기관에 연결된 뉴런과 반응 기관에 연결된 뉴런의 종류를 생각한다. **05** ❶ (가)는 추리, (나)는 땀 분비, (다)는 심장 박동과 호흡 운동의 변화를 설명하고 있음을 파악한다. ❷ 추리는 정신 활동, 땀 분비는 체온 조절 작용임을 떠올린다.

164　IV. 자극과 반응

정답친해 49쪽

06 다음은 뇌에 이상이 생겼을 때 나타날 수 있는 여러 가지 증상이다.

160쪽

> (가) 사고 전의 일을 잘 기억하지 못한다.
> (나) 몸의 균형을 잘 잡지 못해 비틀거린다.
> (다) 눈에 손전등을 비추어도 동공의 크기가 변하지 않는다.

(가)~(다)의 증상과 관련 있는 뇌 부위의 이름을 각각 쓰시오.

07 오른쪽 그림은 사람의 신경계를 나타낸 것이다. 이에 대한 설명으로 옳지 **않은** 것은?

160쪽

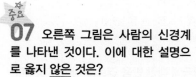

① A는 중추 신경계, B는 말초 신경계이다.
② 척수는 A에 포함된다.
③ B는 모두 대뇌의 직접적인 명령을 받는다.
④ B는 온몸에 퍼져 있어 A와 온몸을 연결한다.
⑤ B는 감각 신경과 운동 신경으로 이루어져 있다.

08 자율 신경에 대한 설명으로 옳지 **않은** 것은?

풀이 TIP 160쪽

① 부교감 신경은 소화 운동을 촉진한다.
② 교감 신경은 심장 박동과 호흡 운동을 촉진한다.
③ 교감 신경은 동공을 확대시키고, 부교감 신경은 동공을 축소시킨다.
④ 놀이공원에서 공포관에 들어가 긴장한 상황에서는 교감 신경이 작용한다.
⑤ 부교감 신경은 우리 몸을 위기 상황에 대처하기에 알맞은 상태로 만들어 준다.

09 무조건 반사에 대한 설명으로 옳은 것은?

162쪽

① 의식적 반응에 비해 느리게 일어난다.
② 동공 반사와 무릎 반사의 중추는 같다.
③ 재채기, 기침 등은 간뇌가 중추인 무조건 반사이다.
④ 신호등을 보고 길을 건너는 것은 무조건 반사의 예이다.
⑤ 위험한 상황에서 우리 몸을 보호하는 데 중요한 역할을 한다.

10 그림은 우리 몸에서 일어나는 서로 다른 종류의 반응을 나타낸 것이다.

162쪽

(가) 팔에 앉은 모기를 보고 쫓는다. (나) 뜨거운 피자를 집다가 급히 손을 뗀다.

이에 대한 설명으로 옳지 **않은** 것은?

① (가)는 의식적 반응이다.
② (나)는 무조건 반사이다.
③ (나)가 (가)보다 더 빠르게 일어난다.
④ (나)는 자신의 의지에 따라 일어나는 반응이다.
⑤ (가) 반응의 중추는 대뇌이고, (나) 반응의 중추는 척수이다.

11 (가)~(마) 반응의 중추를 각각 쓰시오.

풀이 TIP 162쪽

> (가) 입에 밥을 넣으면 침이 나온다.
> (나) 콧속에 먼지가 들어가면 재채기가 난다.
> (다) 가시에 손이 찔리면 자신도 모르게 손을 뗀다.
> (라) 밝은 곳에서 어두운 곳으로 가면 동공이 커진다.
> (마) 야구 선수가 날아오는 공을 보고 방망이를 휘두른다.

---

08 ❶ 교감 신경과 부교감 신경은 같은 내장 기관에 분포하여 서로 반대 작용을 하는 것을 안다. ❷ 소화 운동은 호흡 운동 및 심장 박동과 반대로 조절됨을 떠올린다.
11 ❶ 자신의 의지에 따라 일어나는 반응과 의지와 관계없이 일어나는 반응으로 구분한다. ❷ 무조건 반사의 중추에는 척수, 연수, 중간뇌가 있음을 안다.

12 그림 (가)는 한 사람이 예고 없이 자를 떨어뜨리면 다른 사람이 떨어지는 자를 보고 잡는 반응을, (나)는 한 사람이 '땅' 소리를 내며 자를 떨어뜨리면 다른 사람이 그 소리를 듣고 자를 잡는 반응을 나타낸 것이다.

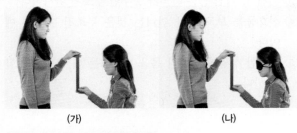

(가)   (나)

이에 대한 설명으로 옳은 것은?

① (가)와 (나)의 반응 경로는 같다.

② (가)와 (나)의 반응 시간은 같다.

③ (가)와 (나)는 모두 무조건 반사이다.

④ (가)와 (나)의 중추는 모두 대뇌이다.

⑤ 눈으로 보지 않으면 자극에 대해 반응할 수 없다.

[13~14] 오른쪽 그림과 같이 한 사람이 고무망치로 책상에 앉은 사람의 무릎뼈 바로 아래를 가볍게 치면 책상에 앉은 사람이 다리에 고무망치가 닿는 것을 느끼는 즉시 오른팔을 드는 실험을 하였다.

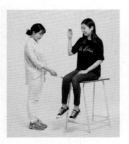

13 이에 대한 설명으로 옳지 않은 것은?

① 고무망치가 닿는 자극은 대뇌로 전달되지 않는다.

② 고무망치로 무릎뼈 아래를 치면 다리가 저절로 들린다.

③ 다리가 들리는 반응이 오른팔을 드는 반응보다 빠르게 일어난다.

④ 무릎 반사가 일어나는 경로가 오른팔을 드는 반응의 경로보다 짧고 단순하다.

⑤ 오른팔을 드는 반응은 '감각 신경 → 척수 → 대뇌 → 척수 → 운동 신경'의 경로를 거쳐 일어난다.

14 무릎 반사가 일어나는 경로를 옳게 나열한 것은?

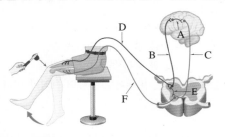

① D → A → F

② D → E → F

③ D → B → A → C → F

④ D → E → C → A → B

⑤ D → E → C → A → B → E → F

[15~16] 그림은 자극에 대한 반응 경로를 나타낸 것이다.

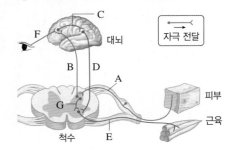

15 (가), (나)의 반응 경로를 기호와 화살표를 이용하여 각각 순서대로 나열하시오.

> (가) 손이 시려 주머니에 손을 넣었다.
> (나) 날아오는 공을 본 골키퍼가 공을 막았다.

16 A가 손상되었을 때 나타나는 현상으로 옳은 것은?

① 척수 반사가 정상적으로 일어난다.

② 감각을 느낄 수 있고 움직일 수도 있다.

③ 감각을 느낄 수 없고 움직일 수도 없다.

④ 감각은 느낄 수 없으나 움직일 수는 있다.

⑤ 감각은 느낄 수 있으나 움직일 수는 없다.

 12 눈에서 받아들인 자극과 귀에서 받아들인 자극이 전달되는 경로를 생각한다. **15** 눈에서 받아들인 자극과 손의 피부에서 받아들인 자극이 대뇌로 전달되는 경로가 어떻게 다른지 생각한다. **16** 감각 신경이 손상되면 감각 기관에서 받아들인 자극이 중추 신경계로 전달되지 않는 것을 안다.

166   Ⅳ. 자극과 반응

17 그림은 서로 다른 종류의 뉴런이 연결된 모습을 나타낸 것이다. 〔158쪽〕

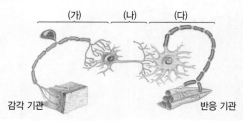

감각 기관 ...... 반응 기관

(1) (가)~(다)의 이름을 쓰시오.

----

(2) (다)의 기능을 서술하시오.

----

(3) 자극이 전달되는 방향을 기호를 이용하여 서술하시오.

----

18 그림은 사람 뇌의 구조를 나타낸 것이다. 〔160쪽〕

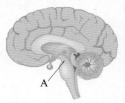

A

A의 이름을 쓰고, 그 기능을 서술하시오.

----

19 풀이 TIP 〔160쪽〕 자율 신경은 교감 신경과 부교감 신경으로 구분되며, 교감 신경과 부교감 신경은 같은 내장 기관에 분포하여 서로 반대 작용을 한다.

(1) 위험을 느끼거나 긴장했을 때 작용하는 자율 신경의 종류를 쓰시오.

----

(2) (1)의 자율 신경이 작용할 때 소화 운동, 호흡 운동, 심장 박동은 각각 어떻게 변하는지 서술하시오.

----

20 풀이 TIP 〔162쪽〕 의식적 반응은 대뇌의 판단 과정을 거쳐 자신의 의지에 따라 일어나는 반응이고, 무조건 반사는 대뇌의 판단 과정을 거치지 않아 자신의 의지와 관계없이 일어나는 반응이다.

(1) 의식적 반응과 무조건 반사가 일어나는 빠르기를 비교하여 서술하시오.

----

(2) (1)과 같이 빠르기에 차이가 나는 까닭을 서술하시오.

학습 평가 하기

정답친해 49쪽으로 가서 문제를 채점한 후 학습 결과를 스스로 평가해 보세요.

맞춘 개수	18~20개	14~17개	0~13개
평가	잘함	보통	부족

➡ 정답친해에서 그 문제를 왜 틀렸는지 꼭 확인하세요!

➡ 본책에서 해당 쪽으로 돌아가서 부족한 부분을 다시 공부하세요!

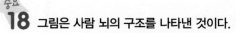

19 위험을 느끼거나 긴장하면 소화가 잘 되는지, 호흡과 심장 박동은 어떻게 변하는지 생각해 본다. 20 ❶ 반응 경로에 대뇌가 포함되는 경우와 포함되지 않는 경우 반응 경로가 더 짧고 단순한 것은 무엇인지 생각한다. ❷ 반응 경로가 길 때와 짧을 때 반응 시간은 어떻게 나타날지 생각해 본다.

03 호르몬과 항상성

만화 완성하기

다음 만화를 보고 말풍선을 완성해 보자.

더우면 왜 땀이 날까?

➤➤ 이 단원을 학습한 후 내가 쓴 대사를 수정해 보자.

A 호르몬

사춘기가 되면 키가 빨리 자라면서 2차 성징이 나타나기 시작합니다. 이것은 몸에서 분비되는 화학 물질들이 뼈, 근육, 생식 기관 등에 작용하여 여러 가지 기능을 조절하기 때문이지요. 이러한 화학 물질에 대해 알아봅시다.

1. 호르몬 : 특정 세포나 기관으로 신호를 전달하여 몸의 기능을 조절하는 물질로, 종류에 따라 그 역할이 다르다.

2. 호르몬의 특징

(1) 내분비샘에서 혈액으로 분비된다. ➡ 내분비샘에는 분비관이 따로 없다.[+]

(2) 혈관을 통해 온몸으로 이동하여 특정 세포나 기관에 작용한다. ➡ 호르몬의 작용을 받는 세포나 기관을 표적 세포 또는 표적 기관이라고 한다.

(3) 적은 양으로 큰 효과를 나타낸다. ➡ 호르몬의 분비량이 너무 많거나 적으면 몸에 이상 증상이 나타날 수 있다.

3. 내분비샘과 호르몬

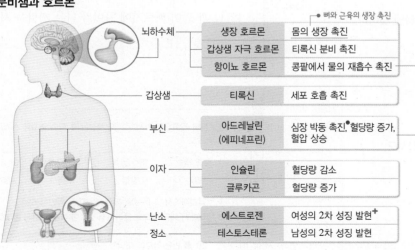

뇌하수체	생장 호르몬	몸의 생장 촉진 ● 뼈와 근육의 생장 촉진
	갑상샘 자극 호르몬	티록신 분비 촉진
	항이뇨 호르몬	콩팥에서 물의 재흡수 촉진
갑상샘	티록신	세포 호흡 촉진
부신	아드레날린 (에피네프린)	심장 박동 촉진, 혈당량 증가, 혈압 상승
이자	인슐린	혈당량 감소
	글루카곤	혈당량 증가
난소	에스트로겐	여성의 2차 성징 발현[+]
정소	테스토스테론	남성의 2차 성징 발현

＋ 내분비샘
호르몬을 만들어 분비하는 조직이나 기관으로, 우리 몸에는 갑상샘이나 이자 등 여러 가지 내분비샘이 있다.

● 혈액 속에는 여러 호르몬이 있지만, 각 호르몬이 작용하는 세포나 기관은 정해져 있다.

＋ 2차 성징
청소년기에 남성과 여성으로서의 여러 가지 특징이 나타나는 것

● 오줌이 잘 나오게 하는 것을 이뇨라 하고, 이를 억제하는 것을 항이뇨라고 한다.

● 동아, 천재 교과서에서는 아드레날린, 미래엔 교과서에서는 에피네프린이라고 한다.

┃용어┃
● 혈당량(血 피, 糖 탄수화물, 量 헤아리다) 혈액 속에 들어 있는 포도당의 양

한눈에 보기

이 단원의 개념이 어떻게 구성되어 있는지 살펴보고 빈칸을 완성해 보자.

호르몬과 항상성

A 호르몬 ──── B

C 항상성 ──── D 체온 조절 과정

E

단어 체크하기

이 단원을 공부하기 전에 미리 알고 있는 단어를 체크해 보자.

☐ 호르몬   ☐ 갑상샘   ☐ 이자   ☐ 난소   ☐ 정소
☐ 생장 호르몬   ☐ 인슐린   ☐ 항상성   ☐ 혈당량

1 호르몬에 대한 설명으로 옳은 것은 ○, 옳지 <u>않은</u> 것은 ×로 표시하시오.

(1) 내분비샘에서 분비된다. ·· (   )

(2) 효과를 나타내기 위해서는 많은 양이 필요하다. ·········· (   )

(3) 분비관을 통해 표적 세포나 표적 기관으로 운반된다. ·········· (   )

(4) 분비량이 너무 많거나 적으면 몸에 이상 증상이 나타날 수 있다. ·········· (   )

[2~3] 오른쪽 그림은 사람의 내분비샘을 나타낸 것이다.

2 내분비샘 A~F의 이름을 쓰시오.

3 A~F에서 분비되는 호르몬과 그 기능을 옳게 연결하시오.

(1) A ·   · ㉠ 티록신   · ① 혈당량 감소

(2) B ·   · ㉡ 인슐린   · ② 몸의 생장 촉진

(3) C ·   · ㉢ 에스트로젠   · ③ 세포 호흡 촉진

(4) D ·   · ㉣ 아드레날린   · ④ 남성의 2차 성징 발현

(5) E ·   · ㉤ 생장 호르몬   · ⑤ 여성의 2차 성징 발현

(6) F ·   · ㉥ 테스토스테론   · ⑥ 심장 박동 촉진, 혈압 상승

암기 TIP

내분비샘과 호르몬

난데없는 **정**신력 **테**스트
소   에   소   스
스   트   토
트   로   스
로   젠   테
                론

이인자는 **글루카곤**!
자 슐
린

B 호르몬 관련 질병

내분비샘에서 호르몬이 너무 적게 분비되거나 너무 많이 분비되면 질병에 걸릴 수 있습니다. 우리가 일상생활에서 자주 듣는 당뇨병도 호르몬 관련 질병이지요. 호르몬 관련 질병에는 어떤 것들이 있는지 알아봅시다.

호르몬 과잉이나 부족에 의해 여러 가지 질병이 나타날 수 있다.[+]

질병	호르몬 이상		증상
소인증	생장 호르몬 ● 비상 교과서에서는 성장 호르몬이라고 한다.	결핍	• 키가 정상인에 비해 매우 작다.
거인증		과다(성장기)	• 키가 정상인에 비해 매우 크다.
말단 비대증		과다 (성장기 이후)	• 손과 발이 커진다.[+] • 입술과 코가 두꺼워져 얼굴 모습이 변한다.
갑상샘 기능 저하증	티록신	결핍	• 추위를 잘 탄다. • 쉽게 피로해진다. • 체중이 증가한다.
갑상샘 기능 항진증		과다	• 눈이 돌출된다. • 맥박이 빨라진다. • 체중이 감소한다.
당뇨병	인슐린	결핍	• 체중이 감소한다. • 오줌을 자주 눈다. • 심한 갈증을 느낀다. • 오줌에 당이 섞여 나온다.

● 혈당량이 높게 유지되어 콩팥에서 여과된 포도당이 모두 재흡수되지 못하고 일부가 오줌으로 빠져나온다.

+ 성조숙증

성호르몬이 이른 시기에 분비되면 2차 성징 시기가 앞당겨져 몸의 발육과 초경이 빨리 오는 성조숙증이 나타난다.

+ 말단 비대증

C 항상성

우리 몸은 외부 기온이 변하거나 단 음식을 많이 먹어도 체온과 혈당량을 일정하게 유지합니다. 이와 같이 몸의 상태를 일정하게 유지하는 성질을 항상성이라고 하지요. 항상성은 어떻게 유지될까요?

1. 항상성 : 몸 안팎의 환경이 변해도 적절하게 반응하여 몸의 상태를 일정하게 유지하는 성질 ➡ 신경과 호르몬의 작용으로 항상성이 유지된다.

예 체온 유지, 혈당량 유지, 몸속 수분량 유지[+]

2. 호르몬과 신경의 작용 비교

구분	전달 매체	신호 전달 속도	효과의 지속성	작용 범위
호르몬	혈액	느리다.	지속적이다.	넓다.
신경	뉴런	빠르다.	일시적이다.	좁다.

📖 호르몬과 신경의 작용

[호르몬이 작용하는 과정]
혈관을 통해 온몸으로 퍼져 나가 신호를 전달한다.

[신경이 작용하는 과정]
뉴런을 통해 신호를 전달한다.

┌─● 미래엔 교과서에만 나온다.
+ 몸속 수분량 조절

• 땀을 많이 흘림 → 몸속 수분량 감소 → 뇌하수체에서 항이뇨 호르몬 분비 증가 → 콩팥에서 물의 재흡수 촉진 → 오줌의 양 감소
• 물을 많이 마심 → 몸속 수분량 증가 → 뇌하수체에서 항이뇨 호르몬 분비 억제 → 콩팥에서 물의 재흡수 감소 → 오줌의 양 증가

1 다음 질병이 나타나는 원인이 되는 호르몬의 이름을 쓰시오.

(1) 당뇨병 : (   ) 결핍

(2) 거인증 : 성장기에 (   ) 과다 분비

(3) 갑상샘 기능 항진증 : (   ) 과다 분비

(4) 말단 비대증 : 성장기 이후에 (   ) 과다 분비

티록신 관련 질병

너무 **적으면** ➡ 저하증

너무 **많으면** ➡ 항진증

2 갑상샘 기능 저하증의 증상에 해당하는 것을 보기에서 모두 고르시오.

〔 보기 〕

ㄱ. 추위를 잘 탄다.

ㄴ. 맥박이 빨라지고, 눈이 돌출된다.

ㄷ. 쉽게 피로해지고, 체중이 증가한다.

1 몸 안팎의 환경이 변해도 적절하게 반응하여 몸의 상태를 일정하게 유지하는 성질을 무엇이라고 하는지 쓰시오.

호르몬의 작용

호수는 넓지만 물살이 느리다.
르   다 속
몬   적
               이
               다

천천히 가자~

2 항상성에 대한 설명으로 옳은 것은 ○, 옳지 <u>않은</u> 것은 ×로 표시하시오.

(1) 신경과 호르몬의 작용으로 유지된다. ······························· (   )

(2) 식사량이 많아져 체중이 증가하는 것은 항상성 유지 작용이다. ············ (   )

(3) 혈당량과 체온이 일정하게 유지되는 것은 항상성 유지 작용이다. ·········· (   )

3 표는 호르몬과 신경의 작용을 비교하여 나타낸 것이다. (   ) 안에 알맞은 말을 쓰시오.

구분	전달 매체	신호 전달 속도	효과의 지속성	작용 범위
호르몬	혈액	㉠( ).	지속적이다.	㉢( ).
신경	뉴런	㉡( ).	일시적이다.	㉣( ).

D 체온 조절 과정

앞에서 항상성은 신속한 신호 전달과 일시적인 반응이 일어나게 하는 신경과 느리지만 지속적인 반응이 일어나게 하는 호르몬의 작용에 의해 유지된다고 했습니다. 이번에는 실제로 체온이 어떤 과정을 통해 일정하게 유지되는지 자세히 살펴봅시다.

주위의 온도 변화에 따라 체온이 변하면 간뇌의 명령으로 열 방출량과 열 발생량을 조절하여 체온을 유지한다.

더울 때(체온이 높을 때)	추울 때(체온이 낮을 때)
열 방출량 증가, 열 발생량 감소	열 방출량 감소, 열 발생량 증가
• 피부 근처 혈관 확장 ➡ 열 방출량 증가 • 땀 분비 증가 ➡ 열 방출량 증가 땀을 흘리면 땀이 기화하면서 피부의 열에너지를 흡수하여 체온이 낮아진다. 액체가 기체로 될 때 흡수하는 열에너지를 기화열이라고 한다.	• 피부 근처 혈관 수축 ➡ 열 방출량 감소[+] • 근육을 떨리게 함 ➡ 열 발생량 증가 • 티록신 분비 증가에 따른 세포 호흡 촉진 ➡ 열 발생량 증가

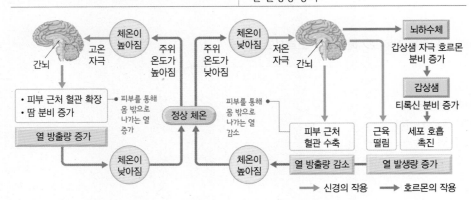

→ 신경의 작용   → 호르몬의 작용

+ 피부 근처 혈관의 변화

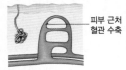

피부 근처 혈관 수축

↑ 추울 때

땀 분비 촉진

피부 근처 혈관 확장

↑ 더울 때

E 혈당량 조절 과정

혈당량은 혈액 속에 들어 있는 포도당의 양입니다. 혈액 100 mL 속에 들어 있는 포도당의 양은 보통 70 mg~90 mg 정도로 유지되지요. 혈당량은 어떤 과정을 통해 일정하게 유지될까요?

이자에서 분비하는 인슐린과 글루카곤의 작용으로 혈당량을 유지한다.[+]

혈당량이 높을 때(고혈당)	혈당량이 낮을 때(저혈당)
이자에서 인슐린 분비 → 간에서 포도당을 글리코젠으로 합성하여 저장, 세포에서의 포도당 흡수 촉진 → 혈당량 낮아짐	이자에서 글루카곤 분비 → 간에서 글리코젠을 포도당으로 분해하여 혈액으로 내보냄 → 혈당량 높아짐

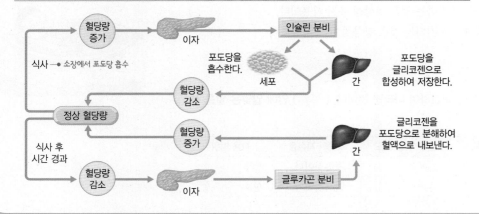

+ 이자의 기능
• 혈당량을 조절하는 호르몬인 인슐린과 글루카곤을 분비한다.
• 녹말, 단백질, 지방의 소화 효소를 모두 포함한 소화액인 이자액을 만들어 분비한다.

| 용어 |
• 글리코젠(glycogen) 동물의 간이나 근육 등에 저장된 탄수화물

1 추울 때 일어나는 현상으로 옳은 것은 ○, 옳지 않은 것은 ×로 표시하시오.

(1) 땀 분비가 증가한다. ··· (　　)

(2) 세포 호흡이 촉진된다. ·· (　　)

(3) 피부 근처 혈관이 확장된다. ······································ (　　)

(4) 열 발생량과 열 방출량이 모두 증가한다. ····················· (　　)

(5) 갑상샘 자극 호르몬과 티록신 분비가 증가한다. ············· (　　)

암기끌

피부 근처 혈관의 변화
• 추울 때 : 피부 근처 혈관 수축 ➡ 열 방출량 감소 ➡ 체온 높아짐
• 더울 때 : 피부 근처 혈관 확장 ➡ 열 방출량 증가 ➡ 체온 낮아짐

2 오른쪽 그림은 피부 근처 혈관의 변화를 나타낸 것이다. (가)와 (나)는 각각 추울 때와 더울 때 중 어떤 상황에 해당하는지 쓰시오.

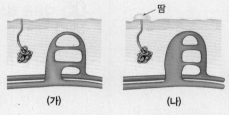

(가)　　　　(나)

만화 확인하기 168쪽으로 돌아가서 내가 쓴 대사를 점검해 보자.

[1~3] 그림은 이자에서 분비되는 호르몬에 의해 혈당량이 조절되는 과정을 나타낸 것이다.

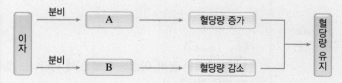

암기끌

혈당량 조절
• 인슐린 : 포도당 → 글리코젠 ➡ 혈당량 감소
• 글루카곤 : 글리코젠 → 포도당 ➡ 혈당량 증가

1 호르몬 A와 B의 이름을 쓰시오.

2 식사 후 혈당량이 높아졌을 때 분비되는 호르몬의 기호를 쓰시오.

3 간에서 글리코젠을 포도당으로 분해하게 하는 호르몬의 기호를 쓰시오.

개념 페이지로 점프해요!

중요

01 호르몬에 대한 설명으로 옳지 <u>않은</u> 것은? 168쪽

① 항상성 유지에 관여한다.
② 혈관을 통해 온몸으로 이동한다.
③ 내분비샘에서 혈액으로 분비된다.
④ 많이 분비될수록 기능 조절에 유리하다.
⑤ 호르몬의 작용을 받는 세포나 기관을 표적 세포 또는 표적 기관이라고 한다.

04 다음과 같은 작용을 하는 호르몬의 이름과 이 호르몬을 분비하는 내분비샘을 옳게 짝 지은 것은? 168쪽

> 심장 박동 촉진, 혈압 상승, 혈당량 증가

① 인슐린 – 이자
② 아드레날린 – 이자
③ 아드레날린 – 부신
④ 티록신 – 뇌하수체
⑤ 생장 호르몬 – 뇌하수체

[02~03] 오른쪽 그림은 사람의 내분비샘을 나타낸 것이다.

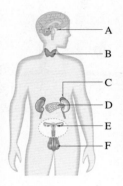

풀이 TIP

02 B에서의 호르몬 분비를 촉진하는 호르몬을 분비하는 내분비샘은? 168쪽

① A   ② C
③ D   ④ E
⑤ F

05 다음은 청소년기에 나타나는 남자로서의 여러 가지 특징이다. 168쪽

- 근육이 발달한다.
- 수염이 나고, 목소리가 굵어진다.
- 정자를 생산하여 생식 능력을 갖춘다.

이와 같은 2차 성징이 발현되게 하는 호르몬의 이름과 이 호르몬을 분비하는 내분비샘을 옳게 짝 지은 것은?

① 티록신 – 갑상샘
② 에스트로젠 – 난소
③ 테스토스테론 – 정소
④ 항이뇨 호르몬 – 뇌하수체
⑤ 갑상샘 자극 호르몬 – 뇌하수체

중요

03 각 내분비샘에서 분비되는 호르몬의 종류와 주요 작용을 옳게 짝 지은 것은? 168쪽

	내분비샘	호르몬	주요 작용
①	A	에스트로젠	몸의 생장 촉진
②	B	티록신	물의 재흡수 촉진
③	C	아드레날린	혈당량 감소
④	D	글루카곤	혈당량 증가
⑤	E	항이뇨 호르몬	세포 호흡 촉진

중요 **풀이 TIP**

06 호르몬 분비 이상과 이로 인해 나타나는 질병을 옳게 짝 지은 것은? 170쪽

① 인슐린 과다 – 당뇨병
② 인슐린 결핍 – 소인증
③ 생장 호르몬 결핍 – 거인증
④ 생장 호르몬 과다 – 말단 비대증
⑤ 티록신 과다 – 갑상샘 기능 저하증

 풀이 TIP

02 ❶ B의 이름과 B에서 분비되는 호르몬을 안다. ❷ B를 자극하면 B에서의 호르몬 분비가 촉진됨을 생각한다. **06** ❶ 인슐린, 생장 호르몬, 티록신의 분비 이상과 관련된 질병의 이름을 떠올린다. ❷ 각 호르몬이 결핍되었을 때와 과다 분비되었을 때 나타나는 증상과 질병의 이름을 관련지어 본다.

07 호르몬 관련 질병과 그 증상에 대한 설명으로 옳지 <u>않은</u> 것은? [170쪽]

① 당뇨병에 걸리면 오줌에 당이 섞여 나온다.
② 갑상샘 기능 저하증에 걸리면 추위를 잘 탄다.
③ 갑상샘 기능 항진증에 걸리면 체중이 증가한다.
④ 소인증에 걸리면 키가 정상인에 비해 매우 작아진다.
⑤ 말단 비대증에 걸리면 입술과 코가 두꺼워져 얼굴 모습이 변한다.

08 생물의 항상성 유지와 가장 관계가 <u>먼</u> 것은? [170쪽]

① 더울 때 땀을 흘린다.
② 2차 성징이 나타난다.
③ 찬물에 들어갔을 때 몸이 떨린다.
④ 식사 후 이자에서 인슐린이 분비된다.
⑤ 물을 많이 마시면 오줌의 양이 늘어난다.

09 신경과 호르몬의 작용을 옳게 비교한 것은? [170쪽]

구분	신경	호르몬
① 전달 속도	느리다.	빠르다.
② 작용 범위	좁다.	넓다.
③ 지속 시간	지속적이다.	일시적이다.
④ 전달 매체	혈액	뉴런
⑤ 항상성 유지	관여하지 않는다.	관여한다.

10 풀이 TIP 땀을 많이 흘렸을 때 일어나는 현상으로 옳은 것을 보기에서 모두 고른 것은? [170쪽]

보기
ㄱ. 오줌의 양이 많아진다.
ㄴ. 항이뇨 호르몬의 분비가 증가한다.
ㄷ. 콩팥에서 재흡수되는 물의 양이 증가한다.

① ㄱ ② ㄱ, ㄴ ③ ㄱ, ㄷ
④ ㄴ, ㄷ ⑤ ㄱ, ㄴ, ㄷ

11 중요 풀이 TIP 추울 때 우리 몸에서 일어나는 변화로 옳지 <u>않은</u> 것을 모두 고르면?(2개) [172쪽]

① 근육이 떨린다.
② 땀 분비가 증가한다.
③ 열 방출량이 증가한다.
④ 피부 근처 혈관이 수축된다.
⑤ 신경과 호르몬의 작용에 의해 열 발생량이 증가한다.

12 다음은 체온이 낮아졌을 때 체온을 높이기 위해 몸에서 일어나는 작용을 순서 없이 나열한 것이다. [172쪽]

(가) 체온이 높아진다.
(나) 세포 호흡이 촉진된다.
(다) 갑상샘에서 티록신 분비가 증가한다.
(라) 간뇌에서 체온이 낮은 것을 감지한다.
(마) 뇌하수체에서 갑상샘 자극 호르몬 분비가 증가한다.

순서대로 옳게 나열한 것은?

① (나) → (다) → (라) → (마) → (가)
② (다) → (라) → (나) → (마) → (가)
③ (라) → (다) → (마) → (나) → (가)
④ (라) → (마) → (다) → (나) → (가)
⑤ (마) → (다) → (라) → (나) → (가)

---

10 ❶ 땀을 많이 흘리면 몸속 수분량이 어떻게 변할지 생각한다. ❷ 몸속 수분량이 변했을 때 콩팥에서 재흡수되는 물의 양은 어떻게 변해야 하는지 생각한다. ❸ 항이뇨 호르몬의 기능을 떠올린다. **11** 열 방출량이 증가할 때와 열 발생량이 증가할 때 체온은 각각 어떻게 변할지 생각해 본다.

172쪽

13 그림은 운동을 했을 때 체온의 변화를 나타낸 것이다.

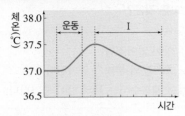

이에 대한 설명으로 옳지 않은 것은?

① 운동을 하여 체온이 높아졌다.
② 구간 I에서 땀 분비가 증가하였다.
③ 구간 I에서 근육 떨림이 일어났다.
④ 구간 I에서 피부 근처 혈관이 확장되었다.
⑤ 구간 I에서 체온을 낮추는 조절 작용이 일어났다.

172쪽

14 다음은 혈당량이 조절되는 과정을 설명한 것이다.

혈당량이 높아지면 이자에서 ㉠( )이 분비되어
간에서 ㉡( )을 ㉢( )으로 합성하여 저장
하고, 세포에서 포도당 흡수가 촉진된다.

( ) 안에 알맞은 말을 쓰시오.

172쪽

15 혈당량 조절 과정에 대한 설명으로 옳은 것은?

① 건강한 사람은 식사 후 글루카곤이 분비된다.
② 이자에서 분비되는 인슐린은 혈당량을 증가시킨다.
③ 인슐린이 분비되면 세포에서 포도당 흡수가 억제된다.
④ 부신에서 분비되는 아드레날린은 혈당량을 감소시
킨다.
⑤ 글루카곤이 분비되면 간에서 글리코젠을 포도당으로
분해하여 혈액으로 내보낸다.

172쪽

16 그림은 혈당량이 조절되는 과정을 나타낸 것이다.

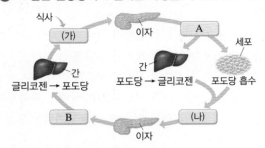

이에 대한 설명으로 옳은 것을 보기에서 모두 고른 것은?

┤ 보기 ├
ㄱ. (가)는 혈당량 증가, (나)는 혈당량 감소이다.
ㄴ. 간은 호르몬 A와 B의 표적 기관이다.
ㄷ. 호르몬 A는 글루카곤, B는 인슐린이다.

① ㄱ   ② ㄱ, ㄴ   ③ ㄱ, ㄷ
④ ㄴ, ㄷ   ⑤ ㄱ, ㄴ, ㄷ

172쪽

17 그림은 식사와 운동을 할 때 우리 몸의 혈당량 변화를 나타낸 것이다.

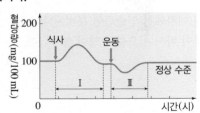

이에 대한 설명으로 옳은 것을 보기에서 모두 고른 것은?(단,
구간 I과 II에서 분비되는 호르몬은 같은 내분비샘에서 분비
된다.)

┤ 보기 ├
ㄱ. 구간 I에서는 혈당량을 감소시키는 호르몬이 분비
된다.
ㄴ. 구간 II에서는 글루카곤이 분비된다.
ㄷ. 구간 II에서 분비되는 호르몬이 부족하면 당뇨병에
걸린다.

① ㄱ   ② ㄴ   ③ ㄷ
④ ㄱ, ㄴ   ⑤ ㄴ, ㄷ

풀이 TIP

13 ❶ 구간 I에서 체온이 낮아지고 있음을 파악한다. ❷ 체온을 낮추기 위해서는 열 방출량이 어떻게 변해야 하는지 생각한다.　**16** ❶ 간에서 포도당이 글리코젠으로 합성될 때와 글리코젠이 포도당으로 분해될 때 각각 혈당량이 어떻게 변할지 생각한다. ❷ 표적 기관의 뜻을 떠올린다.

18 오른쪽 그림은 사람의 내분비샘을 나타낸 것이다.

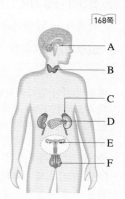

[168쪽]

(1) 세포 호흡을 촉진하는 호르몬을 분비하는 내분비샘의 기호와 이름을 쓰시오.

----

(2) 여성의 2차 성징이 발현되게 하는 호르몬을 분비하는 내분비샘의 기호와 이름을 쓰시오.

----

(3) 내분비샘 A에서 분비하는 호르몬 <u>세 가지</u>를 쓰고, 그 기능을 서술하시오.

★중요

풀이 TIP

19 그림은 호르몬과 신경의 작용을 나타낸 것이다.

[170쪽]

호르몬과 신경의 신호 전달 속도, 효과의 지속성, 작용 범위를 비교하여 서술하시오.

----

20 주위의 온도 변화에 따라 체온이 변하면 피부 근처 혈관이 수축 또는 확장되어 피부를 통해 몸 밖으로 나가는 열의 양이 변한다.

[172쪽]

(1) 피부 근처 혈관이 수축할 때와 확장될 때 각각 열 방출량은 어떻게 변하는지 서술하시오.

----

(2) 추울 때와 더울 때 각각 피부 근처 혈관은 어떻게 변하는지 서술하시오.

풀이 TIP

21 그림은 혈당량 변화에 따른 호르몬 X와 Y의 분비량 변화를 나타낸 것이다. 호르몬 X와 Y는 이자에서 분비된다.

[172쪽]

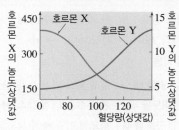

(1) 호르몬 X와 Y의 이름을 쓰시오.

----

(2) 호르몬 Y의 기능을 간과 세포에서 일어나는 현상을 포함하여 서술하시오.

학습 평가하기

정답친해 52쪽으로 가서 문제를 채점한 후 학습 결과를 스스로 평가해 보세요.

맞춘 개수	18~21개	14~17개	0~13개
평가	잘함	보통	부족

➜ 정답친해에서 그 문제를 왜 틀렸는지 꼭 확인하세요!
➜ 본책에서 해당 쪽으로 돌아가서 부족한 부분을 다시 공부하세요!

19 신호가 혈관을 통해 온몸으로 전달될 때와 뉴런을 통해 전달될 때 그 전달 속도와 작용 범위는 어떠한지 생각해 본다.　21 ❶ 호르몬 X는 혈당량이 낮을 때 분비량이 많고, 호르몬 Y는 혈당량이 높을 때 분비량이 많음을 파악한다. ❷ 혈당량을 증가시키는 호르몬과 감소시키는 호르몬을 떠올린다.

01 감각 기관

1. 눈(시각)

(1) 눈의 구조와 기능

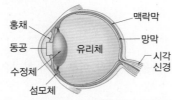

홍채	동공(눈 안쪽으로 빛이 들어가는 구멍)의 크기를 조절하여 눈으로 들어오는 빛의 양 조절
수정체	볼록 렌즈와 같이 빛을 굴절시켜 망막에 상이 맺히게 함
섬모체	수정체의 두께 조절
망막	상이 맺히는 곳, 시각 세포가 있음
맥락막	검은색 색소가 있어 눈 속을 어둡게 함

(2) 시각의 성립 경로 : 빛 → 각막 → 수정체 → 유리체 → 망막의 시각 세포 → 시각 신경 → 뇌

(3) 눈의 조절 작용

동공 크기 조절	밝을 때	홍채 확장(면적 증가) ➡ 동공 축소
	어두울 때	홍채 수축(면적 감소) ➡ 동공 확대
수정체 두께 조절	먼 곳을 볼 때	섬모체 이완 ➡ 수정체 얇아짐
	가까운 곳을 볼 때	섬모체 수축 ➡ 수정체 두꺼워짐

2. 귀(청각, 평형 감각)

(1) 귀의 구조와 기능

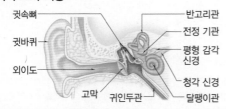

고막	소리에 의해 진동하는 얇은 막	
귓속뼈	고막의 진동을 증폭함	
달팽이관	청각 세포가 있음	
귀인두관	고막 안쪽과 바깥쪽의 압력을 같게 조절	
반고리관	몸의 회전 감지	평형 감각 담당
전정 기관	몸의 기울어짐 감지	

(2) 청각의 성립 경로 : 소리 → 귓바퀴 → 외이도 → 고막 → 귓속뼈 → 달팽이관의 청각 세포 → 청각 신경 → 뇌

3. 코(후각), 혀(미각)

후각	미각
매우 민감한 감각이지만, 쉽게 피로해진다. ➡ 후각 세포는 쉽게 피로해지기 때문에 같은 냄새를 계속 맡으면 나중에는 잘 느끼지 못한다.	혀로 느끼는 기본적인 맛 : 단맛, 짠맛, 신맛, 쓴맛, 감칠맛 ➡ 다양한 음식 맛은 미각과 후각을 종합하여 느끼는 것이다.
[성립 경로] 기체 상태의 화학 물질 → 후각 상피의 후각 세포 → 후각 신경 → 뇌	[성립 경로] 액체 상태의 화학 물질 → 맛봉오리의 맛세포 → 미각 신경 → 뇌

4. 피부(피부 감각)

(1) 감각점의 분포

① 감각점이 분포하는 정도는 몸의 부위에 따라 다르며, 같은 부위라도 감각점의 종류에 따라 분포하는 개수에 차이가 있다. ➡ 특정 감각점이 많은 부위는 그 감각점이 받아들이는 자극에 더 예민하다.

② 일반적으로 통점이 가장 많다.

(2) 피부 감각의 성립 경로 : 자극 → 피부의 감각점 → 감각 신경 → 뇌

02 신경계

1. 뉴런

(1) 뉴런의 구조

가지 돌기	다른 뉴런이나 감각 기관에서 전달된 자극을 받아들임
신경 세포체	핵과 세포질이 있어 여러 가지 생명 활동이 일어남
축삭 돌기	다른 뉴런이나 기관으로 자극을 전달함

(2) 뉴런의 종류와 자극의 전달 : 자극의 전달은 감각 뉴런 → 연합 뉴런 → 운동 뉴런 순으로 일어난다.

감각 뉴런	감각 신경 구성, 감각 기관에서 받아들인 자극을 연합 뉴런으로 전달
연합 뉴런	중추 신경계 구성, 자극을 느끼고 판단하여 적절한 명령(신호)을 내림
운동 뉴런	운동 신경 구성, 연합 뉴런의 명령을 반응 기관으로 전달

2. 신경계

(1) 중추 신경계 : 뇌와 척수로 이루어져 있으며, 자극을 느끼고 판단하여 적절한 명령을 내린다.

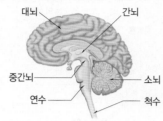

대뇌	몸의 감각과 운동 조절 담당, 기억·추리·학습·감정 등 정신 활동 담당
간뇌	체온, 체액의 농도 등 몸속 상태를 일정하게 유지
중간뇌	눈의 움직임, 동공과 홍채의 변화 조절
소뇌	근육 운동 조절, 몸의 자세와 균형 유지
연수	심장 박동·호흡 운동·소화 운동 등 조절
척수	뇌와 말초 신경 사이의 신호 전달 통로

(2) 말초 신경계 : 감각 신경과 운동 신경으로 이루어져 있으며, 중추 신경계와 온몸을 연결한다.

• **자율 신경** : 대뇌의 직접적인 명령 없이 내장 기관의 운동을 조절한다.

구분	동공 크기	심장 박동	호흡 운동	소화 운동
교감 신경	확대	촉진	촉진	억제
부교감 신경	축소	억제	억제	촉진

3. 자극에 따른 반응의 경로

(1) 의식적 반응 : 대뇌가 반응의 중추이다.

(2) 무조건 반사 : 반응이 매우 빠르게 일어나므로 위험한 상황에서 몸을 보호하는 데 중요한 역할을 한다.

척수 반사	뜨겁거나 날카로운 물체가 몸에 닿았을 때 몸을 움츠림, 무릎 반사
연수 반사	재채기, 기침, 딸꾹질, 침 분비, 눈물 분비
중간뇌 반사	동공 반사

(3) 반응 경로 비교

의식적 반응	무조건 반사
주전자를 들고 컵에 원하는 만큼 물을 따르는 반응	뜨거운 주전자에 손이 닿았을 때 급히 손을 떼는 반응
자극 → 감각 기관(눈) → 시각 신경 → 대뇌 → 척수 → 운동 신경 → 반응 기관(팔의 근육) → 반응	자극 → 감각 기관(피부) → 감각 신경 → 척수 → 운동 신경 → 반응 기관(팔의 근육) → 반응

03 호르몬과 항상성

1. 호르몬

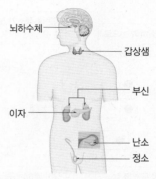

뇌하수체	생장 호르몬	몸의 생장 촉진
	갑상샘 자극 호르몬	티록신 분비 촉진
	항이뇨 호르몬	콩팥에서 물의 재흡수 촉진
갑상샘	티록신	세포 호흡 촉진
부신	아드레날린 (에피네프린)	심장 박동 촉진, 혈압 상승, 혈당량 증가
이자	인슐린	혈당량 감소
	글루카곤	혈당량 증가
난소	에스트로겐	여성의 2차 성징 발현
정소	테스토스테론	남성의 2차 성징 발현

2. 항상성

(1) 호르몬과 신경의 작용 비교

구분	전달 매체	전달 속도	지속성	작용 범위
호르몬	혈액	느림	지속적	넓음
신경	뉴런	빠름	일시적	좁음

(2) 체온 조절 과정

추울 때	• 피부 근처 혈관 수축 ➡ 열 방출량 감소 • 근육을 떨리게 함 ➡ 열 발생량 증가 • 세포 호흡 촉진 ➡ 열 발생량 증가
더울 때	• 피부 근처 혈관 확장 ➡ 열 방출량 증가 • 땀 분비 증가 ➡ 열 방출량 증가

(3) 혈당량 조절 과정

혈당량 높을 때	이자에서 인슐린 분비 → 간에서 포도당을 글리코젠으로 합성하여 저장, 세포에서의 포도당 흡수 촉진 → 혈당량 낮아짐
혈당량 낮을 때	이자에서 글루카곤 분비 → 간에서 글리코젠을 포도당으로 분해하여 혈액으로 내보냄 → 혈당량 높아짐

01 감각 기관

1. 눈의 구조와 기능

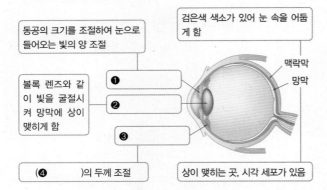

동공의 크기를 조절하여 눈으로 들어오는 빛의 양 조절 → ❶

볼록 렌즈와 같이 빛을 굴절시켜 망막에 상이 맺히게 함 → ❷

❸

검은색 색소가 있어 눈 속을 어둡게 함

맥락막

망막

(❹)의 두께 조절

상이 맺히는 곳, 시각 세포가 있음

2. 주변 밝기에 따른 동공의 크기 변화

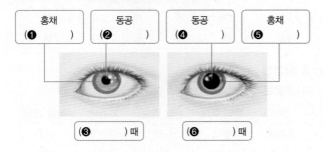

홍채 (❶)　동공 (❷)

동공 (❹)　홍채 (❺)

(❸) 때　(❻) 때

3. 물체와의 거리에 따른 수정체의 두께 변화

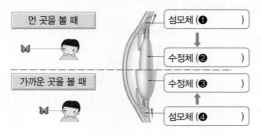

먼 곳을 볼 때

섬모체 (❶)
↓
수정체 (❷)

가까운 곳을 볼 때

수정체 (❸)
↑
섬모체 (❹)

4. 귀의 구조와 기능

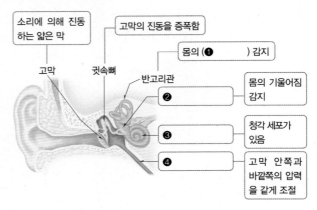

소리에 의해 진동하는 얇은 막

고막의 진동을 증폭함

몸의 (❶) 감지

고막　귓속뼈　반고리관

❷ → 몸의 기울어짐 감지

❸ → 청각 세포가 있음

❹ → 고막 안쪽과 바깥쪽의 압력을 같게 조절

5. 코와 혀의 구조와 기능

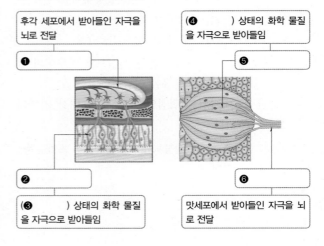

후각 세포에서 받아들인 자극을 뇌로 전달 → ❶

(❹) 상태의 화학 물질을 자극으로 받아들임 → ❺

❷

❻

(❸) 상태의 화학 물질을 자극으로 받아들임

맛세포에서 받아들인 자극을 뇌로 전달

02 신경계

1. 뉴런의 구조와 기능

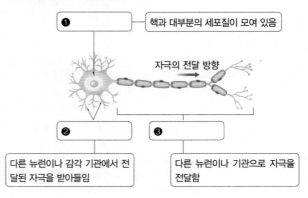

❶ → 핵과 대부분의 세포질이 모여 있음

자극의 전달 방향

❷　❸

다른 뉴런이나 감각 기관에서 전달된 자극을 받아들임

다른 뉴런이나 기관으로 자극을 전달함

2. 뉴런의 종류와 연결

감각 기관에서 받아들인 자극을 연합 뉴런으로 전달	자극을 느끼고 판단하여 적절한 명령(신호)을 내림	연합 뉴런의 명령을 반응 기관으로 전달
❶	**❷**	**❸**

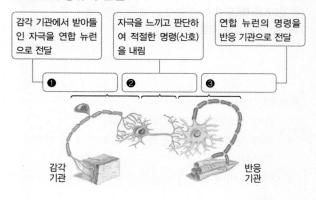

감각
기관

반응
기관

3. 사람의 신경계

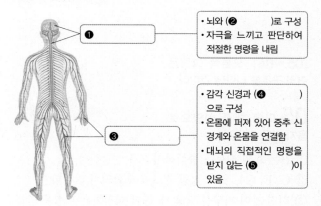

❶
- 뇌와 (**❷**   )로 구성
- 자극을 느끼고 판단하여 적절한 명령을 내림

❸
- 감각 신경과 (**❹**   )으로 구성
- 온몸에 퍼져 있어 중추 신경계와 온몸을 연결함
- 대뇌의 직접적인 명령을 받지 않는 (**❺**   )이 있음

4. 중추 신경계의 구조와 기능

기억, 추리, 학습, 감정 등 정신 활동 담당

눈의 움직임, 동공과 홍채의 변화 조절

대뇌

체온, 체액의 농도 등을 일정하게 유지

❸

몸의 자세와 균형 유지

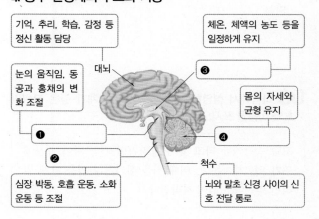

❶

❷

❹

척수

심장 박동, 호흡 운동, 소화 운동 등 조절

뇌와 말초 신경 사이의 신호 전달 통로

---

03 호르몬과 항상성

1. 내분비샘과 호르몬

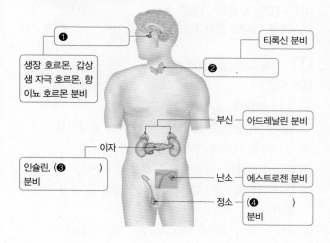

❶

생장 호르몬, 갑상샘 자극 호르몬, 항이뇨 호르몬 분비

❷

티록신 분비

부신 — 아드레날린 분비

이자

인슐린, (**❸**   ) 분비

난소 — 에스트로겐 분비

정소 — (**❹**   ) 분비

2. 체온 조절

땀

피부 근처 혈관 (**❶**) ➡ 열 방출량 (**❷**)	피부 근처 혈관 (**❸**) ➡ 열 방출량 (**❹**)
⬆ 추울 때	**⬆** 더울 때

3. 혈당량 조절

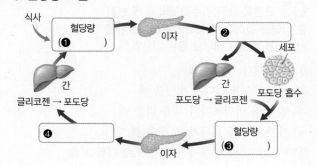

식사

혈당량 (**❶**   )

이자

❷

세포

간
글리코젠 → 포도당

간
포도당 → 글리코젠

포도당 흡수

❹

이자

혈당량 (**❸**   )

이 감각 기관

[01~02] 오른쪽 그림은 눈의 구조를 나타낸 것이다.

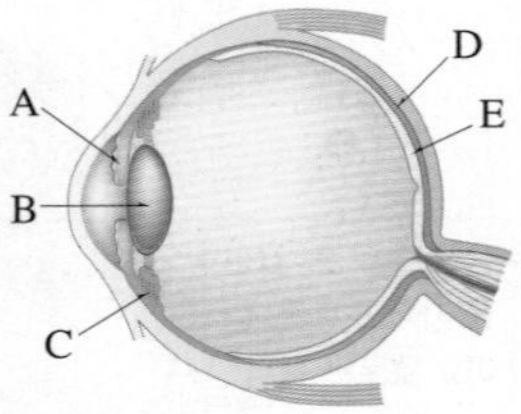

01 이에 대한 설명으로 옳지 않은 것은?

① A는 홍채로, 동공의 크기를 변화시켜 눈으로 들어오는 빛의 양을 조절한다.
② 물체와의 거리에 따라 B의 두께가 변한다.
③ C는 섬모체로, 수정체의 두께를 조절한다.
④ D는 맥락막으로, 검은색 색소가 있어 눈 속을 어둡게 한다.
⑤ E에는 상이 맺혀도 보이지 않는 황반이 있다.

02 다음은 시각이 성립하는 경로이다.

> 빛 → 각막 → ㉠(　　　　) → 유리체 → ㉡(　　　　)의
> 시각 세포 → 시각 신경 → 뇌

(　　) 안에 알맞은 부위의 기호를 쓰시오.

03 오른쪽 그림은 수정체의 두께 변화를 나타낸 것이다. 수정체의 두께가 (나)에서 (가)로 변하는 경우로 옳은 것은?

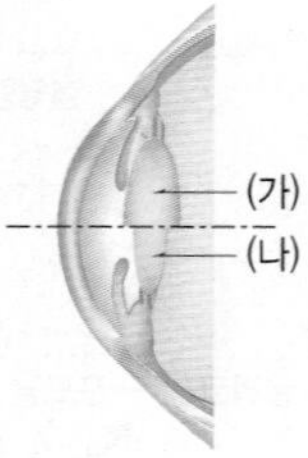

① 섬모체가 이완할 때
② 선글라스를 썼다가 벗었을 때
③ 먼 산을 바라보다가 책을 읽을 때
④ 가까운 곳을 보다가 먼 곳을 볼 때
⑤ 어두운 곳에 있다가 밝은 곳으로 나왔을 때

04 오른쪽 그림은 눈 구조의 일부를 나타낸 것이다. 이에 대한 설명으로 옳은 것을 보기에서 모두 고른 것은?

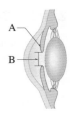

┌ 보기 ┐
ㄱ. A가 수축하면 B의 크기가 커진다.
ㄴ. 밝은 곳에서 어두운 곳으로 이동하면 A의 면적이 증가한다.
ㄷ. 어두운 방에 들어가 형광등을 켜면 B의 크기가 작아진다.

① ㄱ　　　② ㄱ, ㄴ　　　③ ㄱ, ㄷ
④ ㄴ, ㄷ　　　⑤ ㄱ, ㄴ, ㄷ

[05~06] 오른쪽 그림은 귀의 구조를 나타낸 것이다.

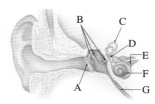

05 이에 대한 설명으로 옳지 않은 것은?

① B는 A의 진동을 증폭하여 F로 전달한다.
② C, F, G는 청각 성립 경로에 포함되지 않는다.
③ 회전 놀이 기구를 탔을 때 몸이 회전하는 느낌을 받는 것은 C의 작용 때문이다.
④ 좁은 평균대 위를 걸을 때 몸이 기울어지는 느낌을 받는 것은 D의 작용 때문이다.
⑤ 청각 세포에서 받아들인 자극은 E를 통해 뇌로 전달된다.

06 다음에서 설명하는 현상과 가장 관계가 깊은 부위의 기호와 이름을 쓰시오.

> 고속 승강기를 타고 높이 올라가면 기압 차이 때문에 귀가 먹먹해지는데, 이때 침을 삼키거나 입을 크게 벌리면 먹먹한 느낌이 사라진다.

07 후각과 미각에 대한 설명으로 옳지 <u>않은</u> 것은?

① 후각은 매우 민감한 감각이지만 쉽게 피로해진다.

② 후각 세포는 액체 상태의 화학 물질을 자극으로 받아들인다.

③ 다양한 음식 맛은 후각과 미각을 종합하여 느낀다.

④ 혀에서 느끼는 기본적인 맛에는 단맛, 짠맛, 쓴맛, 신맛, 감칠맛이 있다.

⑤ 맛봉오리에 있는 맛세포에서 받아들인 자극은 미각 신경을 통해 뇌로 전달된다.

08 피부 감각에 대한 설명으로 옳은 것은?

① 일반적으로 감각점 중 촉점이 가장 많다.

② 온점과 냉점에서는 절대적인 온도를 감각한다.

③ 몸의 부위에 따라 감각점의 분포 정도가 다르다.

④ 매운맛은 압점, 떫은맛은 통점에서 자극을 받아들여 느끼는 피부 감각이다.

⑤ 손가락 끝이 손등보다 예민한 까닭은 분포하는 감각점의 수가 적기 때문이다.

02 신경계

09 그림은 뉴런이 연결된 모습을 나타낸 것이다.

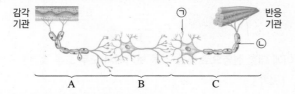

이에 대한 설명으로 옳지 <u>않은</u> 것은?

① 감각 기관에서 받아들인 자극은 A를 통해 B로 전달된다.

② B의 명령은 C를 통해 반응 기관으로 전달된다.

③ 자극은 A → B → C 방향으로 전달된다.

④ ㉠은 가지 돌기이다.

⑤ ㉡은 축삭 돌기로, 다른 뉴런이나 감각 기관에서 전달된 자극을 받아들이는 부분이다.

[10~11] 오른쪽 그림은 뇌의 구조를 나타낸 것이다.

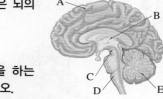

10 다음과 같은 기능을 하는 부위의 기호와 이름을 쓰시오.

> • 심장 박동, 호흡 운동, 소화 운동 등 생명 유지 활동을 조절한다.
> • 재채기, 기침, 눈물 분비 등과 같은 무조건 반사의 중추이다.

11 E 부위가 손상되었을 때 나타날 수 있는 현상으로 옳은 것은?

① 체온 조절이 잘 되지 않는다.

② 몸의 균형을 잡기가 힘들어진다.

③ 피부에서 받아들인 자극을 느끼지 못한다.

④ 추리나 판단 등 복잡한 정신 활동이 불가능해진다.

⑤ 주위 밝기가 변해도 동공의 크기가 변하지 않는다.

12 신경계에 대한 설명으로 옳지 <u>않은</u> 것은?

① 신경계는 중추 신경계와 말초 신경계로 구분한다.

② 중추 신경계는 뇌와 척수로 이루어져 있다.

③ 말초 신경계는 감각 신경과 운동 신경으로 이루어져 있다.

④ 자율 신경은 대뇌의 직접적인 명령을 받는다.

⑤ 자율 신경에는 교감 신경과 부교감 신경이 있다.

13 그림과 같은 위기 상황에서 몸에 나타나는 변화로 옳지 <u>않은</u> 것은?

① 동공이 확대된다.
② 소화 운동이 촉진된다.
③ 교감 신경이 작용한다.
④ 심장 박동이 빨라진다.
⑤ 호흡 운동이 촉진된다.

[14~15] 다음은 우리 몸에서 일어나는 여러 가지 반응이다.

(가) 음식을 입에 넣으니 침이 나왔다.
(나) 코에 먼지가 들어와 재채기가 났다.
(다) 손이 시린 것을 느끼고 주머니에 손을 넣었다.
(라) 뜨거운 주전자에 손이 닿았을 때 나도 모르게 손을 움츠렸다.

14 대뇌의 판단 과정을 거쳐 일어나는 반응을 모두 고른 것은?

① (다)　　② (가), (나)　　③ (가), (다)
④ (나), (라)　　⑤ (나), (다), (라)

15 이에 대한 설명으로 옳은 것은?

① (가)와 (나)의 반응 중추는 같다.
② (나)와 (다)는 의식적 반응이다.
③ (다)와 (라)의 반응 중추는 같다.
④ (라)의 반응 경로에는 대뇌가 포함된다.
⑤ (라)보다 (다)의 반응 경로가 더 짧고 단순하다.

---

16 그림과 같이 고무망치로 무릎뼈 바로 아래를 가볍게 치면 자신도 모르게 다리가 들리는 반응이 나타난다.

이에 대한 설명으로 옳은 것을 보기에서 모두 고른 것은?

{ 보기 }
ㄱ. 반응의 중추는 척수이다.
ㄴ. 의식적 반응에 비해 빠르게 일어난다.
ㄷ. 고무망치로 친 자극은 대뇌로 전달되지 않는다.

① ㄱ　　　　② ㄱ, ㄴ　　　　③ ㄱ, ㄷ
④ ㄴ, ㄷ　　　⑤ ㄱ, ㄴ, ㄷ

---

17 그림은 자극의 전달 경로를 나타낸 것이다.

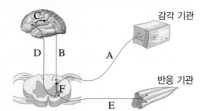

이에 대한 설명으로 옳은 것을 보기에서 모두 고른 것은?

{ 보기 }
ㄱ. 압정을 밟았을 때 자신도 모르게 발을 재빨리 드는 반응의 경로는 A → F → E이다.
ㄴ. 어두운 곳에서 손으로 책상 위를 더듬어 연필을 찾아 집는 반응의 경로는 A → B → C → D → E이다.
ㄷ. E가 손상되면 감각은 느낄 수 없지만, 몸을 움직일 수는 있다.

① ㄱ　　　　② ㄱ, ㄴ　　　　③ ㄱ, ㄷ
④ ㄴ, ㄷ　　　⑤ ㄱ, ㄴ, ㄷ

03 호르몬과 항상성

18 다음 물질들의 공통점이 <u>아닌</u> 것은?

• 인슐린	• 티록신	• 글루카곤

① 호르몬이다.
② 내분비샘에서 분비된다.
③ 신경보다 전달 속도가 빠르다.
④ 적은 양으로 큰 효과를 나타낸다.
⑤ 우리 몸의 항상성 유지에 관여한다.

19 오른쪽 그림은 우리 몸에 있는 내분비샘을 나타낸 것이다. 각 내분비샘에서 분비되는 호르몬에 대한 설명으로 옳은 것은?

① A – 인슐린 : 혈당량을 감소시킨다.
② B – 티록신 : 세포 호흡을 촉진한다.
③ C – 에스트로젠 : 여성의 2차 성징이 나타나게 한다.
④ D – 생장 호르몬 : 뼈와 근육의 생장을 촉진한다.
⑤ E – 항이뇨 호르몬 : 콩팥에서 물의 재흡수를 촉진한다.

20 다음은 호르몬 관련 질병의 증상이다.

> (가) 입술과 코가 두꺼워지고, 손과 발이 커진다.
> (나) 혈당량이 높게 유지되어 오줌에 당이 섞여 나온다.

(가), (나)의 증상을 나타내는 질병의 이름을 각각 쓰시오.

21 다음은 물을 많이 마셨을 때 우리 몸에서 일어나는 현상이다.

> 물을 많이 마셔 몸속 수분량이 증가하면 ㉠(   )에서 ㉡(   )의 분비가 억제되어 콩팥에서 재흡수되는 물의 양이 줄어들고, 오줌의 양이 늘어난다.

(   ) 안에 알맞은 말을 쓰시오.

22 추울 때 우리 몸에서 일어나는 현상으로 옳은 것을 보기에서 모두 고른 것은?

> **보기**
> ㄱ. 땀 분비가 증가한다.
> ㄴ. 근육이 떨리고, 피부 근처 혈관이 확장된다.
> ㄷ. 열 발생량이 증가하고, 열 방출량이 감소한다.
> ㄹ. 티록신 분비가 증가하여 세포 호흡이 촉진된다.

① ㄱ, ㄴ
② ㄴ, ㄷ
③ ㄷ, ㄹ
④ ㄱ, ㄴ, ㄷ
⑤ ㄴ, ㄷ, ㄹ

23 그림은 혈당량이 조절되는 과정을 나타낸 것이다.

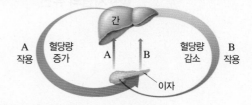

이에 대한 설명으로 옳지 <u>않은</u> 것은?

① A는 글루카곤으로, 혈당량을 증가시킨다.
② B는 인슐린으로, 혈당량을 감소시킨다.
③ 식사 후 혈당량이 높아졌을 때는 이자에서 A가 분비된다.
④ B가 부족하면 당뇨병에 걸릴 수 있다.
⑤ B가 분비되면 간에서 포도당을 글리코젠으로 합성하여 저장한다.

생식과 유전

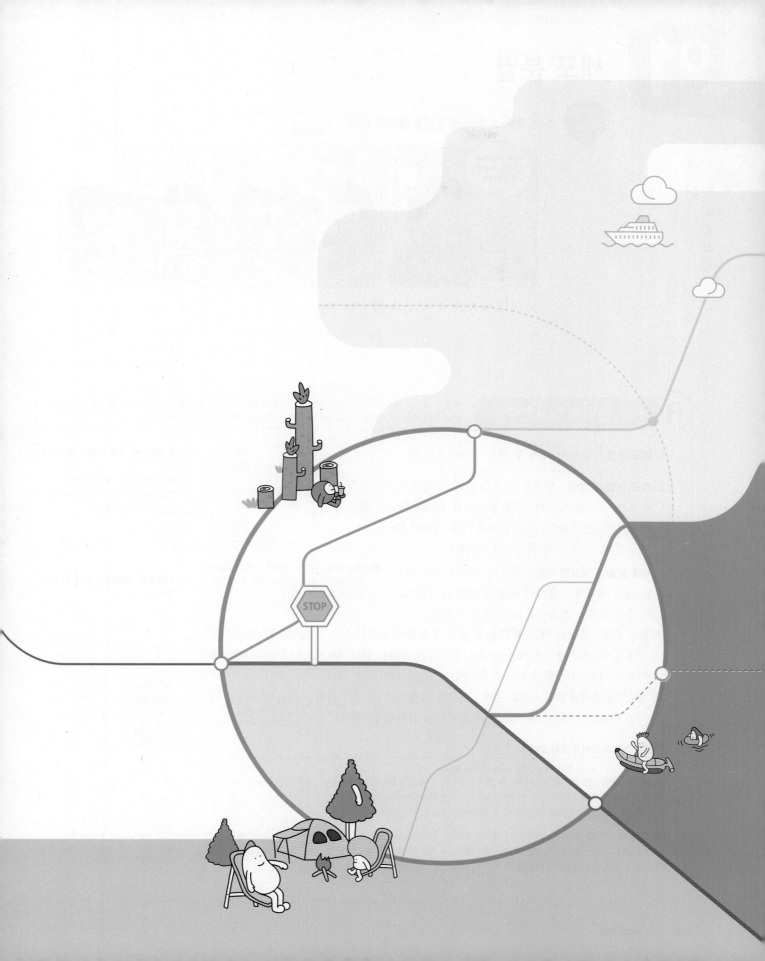

01 세포 분열

만화 완성하기 다음 만화를 보고 말풍선을 완성해 보자.

>> 이 단원을 학습한 후 내가 쓴 대사를 수정해 보자.

A 세포 분열이 필요한 까닭

우리는 성인이 될 때까지 자라면서 몸집이 점점 커집니다. 이는 몸을 이루는 세포의 수가 늘어난 결과이지요. 세포는 왜 계속 커지지 않고 수를 늘리는 것일까요? 지금부터 그 까닭을 알아봅시다.

1. **세포 분열** : 세포 한 개가 두 개로 나누어지는 것
   └ 비상 교과서에서는 성장이라고 한다.

2. **세포 분열과 성장** : 성장은 세포의 크기가 계속 커져서가 아니라 세포의 수가 늘어나서 일어난다.
   ➡ 몸집이 큰 동물은 작은 동물에 비해 세포의 수가 많으며, 세포의 크기는 거의 비슷하다.[+]

3. **세포 분열이 필요한 까닭** : 세포의 크기가 계속 커지는 대신 세포가 분열하여 세포의 수가 늘어남으로써 물질 교환이 효율적으로 일어날 수 있다.

(1) **물질 교환** : 세포는 세포 표면을 통해 생명 활동에 필요한 산소와 영양소를 흡수하고, 생명 활동 결과 생긴 노폐물을 내보내는 물질 교환을 한다. ➡ 세포의 부피에 대한 표면적의 비가 커야 물질 교환에 유리하다.

(2) **세포의 표면적과 부피 사이의 관계** : 세포가 커질 때 표면적이 커지는 비율이 부피가 커지는 비율보다 작다. ➡ 세포가 커지면 물질 교환에 불리하다.[+]
   └ 세포의 부피에 대한 표면적의 비가 작아진다.

⬆ **세포 분열** : 새로운 세포는 세포 분열에 의해 생긴다. 세포는 어느 정도 커지면 분열하여 그 수를 늘린다.

[+] **코끼리와 쥐의 몸집이 차이나는 까닭**

코끼리와 쥐의 세포 크기는 거의 비슷하며, 코끼리가 쥐보다 더 많은 세포로 이루어져 있다.

[+] **세포의 표면적과 부피 사이의 관계**

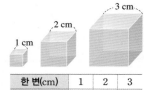

한 변(cm)	1	2	3
표면적(cm^2)	6	24	54
부피(cm^3)	1	8	27
$\dfrac{표면적}{부피}$	6	3	2

📖 세포의 크기와 물질 교환

[과정] 페놀프탈레인 용액을 넣어 만든 한 변이 2 cm인 우무 조각 두 개를 준비하여 한 개는 그대로 두고(A), 한 개만 한 변이 1 cm가 되도록 8등분한다(B). A와 B에 4 % 수산화 나트륨 수용액을 붓고 잠시 후 꺼내어 반으로 잘라 단면을 관찰한다.
   └ 수산화 나트륨 수용액을 만나면 우무에서 붉은색으로 변한다.

[결과] A와 B의 한 조각에서 붉은색이 퍼지는 속도는 같지만, A는 겉부분만 붉은색으로 변하고, B는 중심까지 붉은색으로 변하였다. ➡ 세포가 클수록 필요한 물질이 세포의 중심까지 이동하기 어렵다.
   └ 수산화 나트륨 수용액의 확산 속도

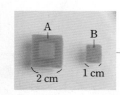

└ 우무 조각을 세포라고 하면, 수산화 나트륨 수용액은 세포에 필요한 물질로 볼 수 있다. 따라서 우무 조각에서 붉은색이 퍼진 것은 세포에 필요한 산소, 영양소 등의 물질이 세포 안으로 이동하는 것을 뜻한다.

한눈에 보기

이 단원의 개념이 어떻게 구성되어 있는지 살펴보고 빈칸을 완성해 보자.

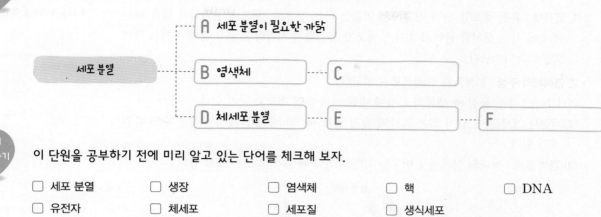

세포 분열
- A 세포 분열이 필요한 까닭
- B 염색체 ──── C
- D 체세포 분열 ──── E ──── F

단어 체크하기

이 단원을 공부하기 전에 미리 알고 있는 단어를 체크해 보자.

☐ 세포 분열　　☐ 생장　　☐ 염색체　　☐ 핵　　☐ DNA
☐ 유전자　　☐ 체세포　　☐ 세포질　　☐ 생식세포

1 세포 한 개가 두 개로 나누어지는 것을 무엇이라고 하는지 쓰시오.

2 다음은 세포 분열이 필요한 까닭을 설명한 것이다. ( ) 안에 알맞은 말을 쓰시오.

> 생물이 자랄 때 세포의 크기가 계속 커지는 대신 세포가 분열하여 세포의 수가 늘어남으로써 (　　　)이 효율적으로 일어날 수 있다.

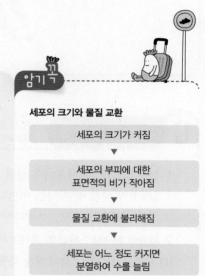

암기구

세포의 크기와 물질 교환

세포의 크기가 커짐
▼
세포의 부피에 대한 표면적의 비가 작아짐
▼
물질 교환에 불리해짐
▼
세포는 어느 정도 커지면 분열하여 수를 늘림

3 세포의 표면적과 부피 사이의 관계에 대한 설명으로 옳은 것은 ○, 옳지 <u>않은</u> 것은 ×로 표시하시오.

(1) 세포가 커지면 $\dfrac{표면적}{부피}$ 값이 작아진다. ────────── (　　)

(2) 세포가 클수록 필요한 물질이 세포의 중심까지 이동하기 쉽다. ────── (　　)

(3) 세포의 부피에 대한 표면적의 비가 커야 물질 교환에 유리하다. ────── (　　)

(4) 세포가 커질 때 표면적이 커지는 비율이 부피가 커지는 비율보다 크다. (　　)

만화 확인하기

188쪽으로 돌아가서 내가 쓴 대사를 점검해 보자.

B 염색체

자동차처럼 복잡한 제품을 만들려면 설계도가 있어야 합니다. 자동차를 만들기 위한 모든 정보가 설계도에 있는 것처럼 생물의 생명 활동에 필요한 유전 정보는 염색체에 있습니다. 지금부터 염색체에 대해 알아봅시다.

1. 염색체 : 유전 정보를 담아 전달하는 역할을 하는 것으로, 세포가 분열하지 않을 때는 핵 속에 가는 실처럼 풀어져 있다가 세포가 분열하기 시작하면 굵고 짧게 뭉쳐져 막대 모양으로 나타난다.

2. 염색체의 구성 : DNA와 단백질로 구성된다.

(1) DNA : 유전 물질 ➡ 생물의 특징에 대한 여러 유전 정보가 담겨 있다.

(2) 유전자 : DNA에 담겨 있는 각각의 유전 정보 ➡ 하나의 DNA에는 많은 수의 유전자가 있다.

(3) 염색 분체 : 하나의 염색체를 이루는 각각의 가닥 ➡ 유전 정보가 서로 같다.

└─ 한쪽의 DNA가 복제되어 만들어진 것이기 때문

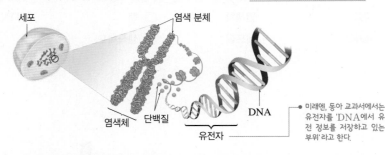

세포 · 염색 분체 · 염색체 · 단백질 · 유전자 · DNA

└─ 미래엔, 동아 교과서에서는 유전자를 'DNA에서 유전 정보를 저장하고 있는 부위'라고 한다.

♣ 세포 분열과 염색 분체

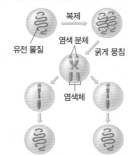

유전 물질 · 복제 · 염색 분체 · 굵게 뭉침 · 염색체

세포가 분열하기 전 DNA가 복제되므로 세포 분열이 시작될 때 염색체는 두 가닥의 염색 분체로 되어 있고, 염색 분체는 유전 정보가 서로 같다. 세포가 분열하면서 두 가닥의 염색 분체는 각각 2개의 세포로 나뉘어 들어간다.

C 사람의 염색체

사람의 몸을 이루는 체세포에는 몇 개의 염색체가 들어 있을까요? 또, 남자와 여자의 염색체 구성은 어떻게 다를까요? 사람의 체세포에 들어 있는 염색체 수와 그 구성에 대해 자세히 살펴봅시다.

1. 상동 염색체 : 체세포에서 쌍을 이루고 있는 크기와 모양이 같은 2개의 염색체 ➡ 하나는 어머니에게서, 다른 하나는 아버지에게서 물려받은 것이다. └─ 유전 정보가 서로 같지 않다.

2. 사람의 염색체 : 사람의 체세포에는 46개(23쌍)의 염색체가 있다.

(1) 상염색체(22쌍) : 남녀에게 공통적으로 들어 있는 염색체

➡ 1번~22번 염색체

(2) 성염색체(1쌍) : 성을 결정하는 염색체 ➡ 여자 XX, 남자 XY

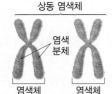

상동 염색체 · 염색 분체 · 염색체 · 염색체

♪ 상동 염색체와 염색 분체

♣ 생물의 염색체 수

벼	24개	소나무	24개
사람	46개	초파리	8개
개	78개	침팬지	48개

· 체세포에 들어 있는 염색체 수와 모양은 생물의 종에 따라 다르다. ➡ 생물의 종을 판단할 수 있는 고유한 특징

· 벼와 소나무처럼 종이 달라도 염색체 수가 같을 수 있는데, 종이 다르면 염색체의 크기나 모양, 유전자 등이 다르다.

여자의 염색체 구성	남자의 염색체 구성
상동 염색체 ...	상동 염색체 ...
44(상염색체)＋XX(성염색체) ➡ 어머니에게서 22＋X, 아버지에게서 22＋X를 물려받았다.	44(상염색체)＋XY(성염색체) ➡ 어머니에게서 22＋X, 아버지에게서 22＋Y를 물려받았다.

| 용어 |

· 체(體 몸)세포 생물의 몸을 이루는 세포

1 세포의 상태에 따른 염색체의 형태를 옳게 연결하시오.

(1) 세포가 분열하지 않을 때는 •

(2) 세포가 분열하기 시작하면 •

• ㉠ 굵고 짧게 뭉쳐져 막대 모양이 된다.

• ㉡ 핵 속에 가는 실처럼 풀어져 있다.

염색체, DNA, 유전자의 관계
DNA는 염색체를 구성하는 유전 물질이며, 유전자는 DNA에 담겨 있는 각각의 유전 정보이다.

2 오른쪽 그림은 염색체의 구조를 나타낸 것이다. 각 설명에 해당하는 부위의 기호와 이름을 쓰시오.

(1) 염색체를 구성하는 유전 물질

(2) 하나의 염색체를 이루는 각각의 가닥

(3) 유전 물질에 담겨 있는 각각의 유전 정보

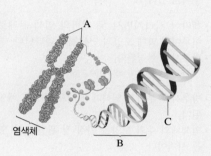

1 체세포에서 쌍을 이루고 있는 크기와 모양이 같은 2개의 염색체를 무엇이라고 하는지 쓰시오.

남자의 성염색체 구성
Y 염색체는 남자에게만 있다.
남자는 Y셔츠
염
색
체

2 그림은 남녀의 염색체 구성을 순서 없이 나타낸 것이다.

(가)

(나)

이에 대한 설명으로 옳은 것은 ○, 옳지 <u>않은</u> 것은 ✕로 표시하시오.

(1) (가)와 (나)의 염색체 수는 46개로 같다. ·· (　　)

(2) (가)는 남자, (나)는 여자의 염색체 구성이다. ······························· (　　)

(3) 1번~22번 염색체 22쌍은 상염색체이다. ······································· (　　)

01 세포 분열

D **체세포 분열** 생물의 몸을 이루는 세포인 체세포가 분열하면 세포의 수가 늘어나 생물의 몸집이 커지는 생장이 일어납니다. 체세포 분열이 일어날 때 염색체는 어떻게 행동할까요? 지금부터 알아봅시다.

1. 체세포 분열 과정 : 세포는 분열 전 간기에 유전 물질을 복제하는 등 세포 분열을 준비하고, 분열이 시작되면 핵분열과 세포질 분열을 한다.⁺⁺

(1) 핵분열 : 연속적으로 일어나지만 염색체의 모양과 행동에 따라 전기, 중기, 후기, 말기로 구분한다.

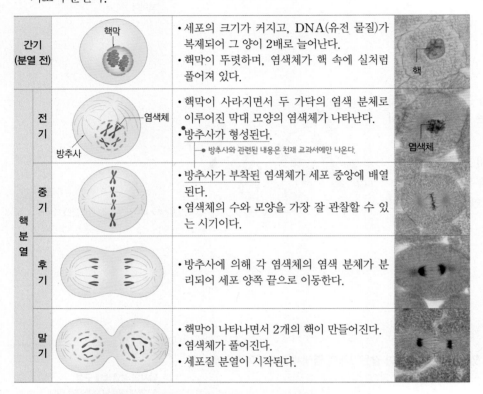

간기 **(분열 전)**	핵막 / 핵	• 세포의 크기가 커지고, DNA(유전 물질)가 복제되어 그 양이 2배로 늘어난다. • 핵막이 뚜렷하며, 염색체가 핵 속에 실처럼 풀어져 있다.
핵분열	**전기** — 염색체, 방추사	• 핵막이 사라지면서 두 가닥의 염색 분체로 이루어진 막대 모양의 염색체가 나타난다. • 방추사가 형성된다. ● 방추사와 관련된 내용은 천재 교과서에만 나온다. 염색체
	중기	• 방추사가 부착된 염색체가 세포 중앙에 배열된다. • 염색체의 수와 모양을 가장 잘 관찰할 수 있는 시기이다.
	후기	• 방추사에 의해 각 염색체의 염색 분체가 분리되어 세포 양쪽 끝으로 이동한다.
	말기	• 핵막이 나타나면서 2개의 핵이 만들어진다. • 염색체가 풀어진다. • 세포질 분열이 시작된다.

(2) 세포질 분열 : 동물 세포와 식물 세포에서 다르게 나타난다.

동물 세포(세포막 함입)	식물 세포(세포판 형성)
딸세포 ● 동아 교과서에서는 세포질이 밖에서 안으로 들어간다고 하였다. 세포막이 바깥쪽에서 안쪽으로 잘록하게 들어가면서 세포질이 나누어진다.	세포판 / 딸세포 새로운 2개의 핵 사이에 안쪽에서 바깥쪽으로 세포판이 만들어지면서 세포질이 나누어진다.

2. 딸세포 형성 : 모세포와 유전 정보, 염색체의 수와 모양이 같은 2개의 딸세포가 만들어진다.
└ 세포 분열이 일어나기 전의 세포   └ 세포 분열 결과 새로 만들어진 세포

3. 체세포 분열 결과⁺

(1) 생장 : 세포 수가 늘어나 몸집이 커진다. 예 성장기에 키가 자란다.

(2) 재생 : 상처를 아물게 하고, 수명이 다하여 죽은 세포를 보충한다.
예 꼬리가 잘린 도마뱀에서 꼬리가 새로 자란다.

✚ 체세포 분열 장소
• 동물 : 몸 전체에서 체세포 분열이 일어나 생장한다.
• 식물 : 생장점, 형성층과 같은 특정 부위에서 체세포 분열이 활발하게 일어나 생장한다.

● 동아 교과서에만 나온다.
✚ 세포 주기
세포 분열을 마친 세포가 자라서 다시 세포 분열을 마치기까지의 과정으로, 간기와 분열기로 구분된다.
• 간기 : 세포가 생장하고 다음 세포 분열을 준비하는 시기 ➡ 세포 주기의 대부분을 차지한다.
• 분열기 : 세포가 분열하여 딸세포가 형성되는 시기

간기
(세포의 생장,
세포 분열 준비)
분열기

● 천재 교과서에만 나온다.
✚ 체세포 분열과 번식
하나의 세포로 구성된 단세포 생물의 경우에는 체세포 분열로 생긴 딸세포가 새로운 개체가 된다.
예 아메바, 짚신벌레

| 용어 |
• **방추사**(紡 길쌈, 錘 저울추, 絲 실) 염색체를 세포의 양쪽 끝으로 끌고 가는 얇은 실 모양의 구조물

[1~2] 그림은 체세포 분열 과정을 순서 없이 나타낸 것이다.

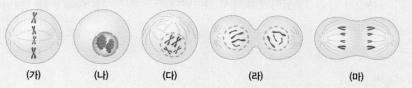

| (가) | (나) | (다) | (라) | (마) |

1 체세포 분열 각 시기의 특징을 설명한 표에서 해당하는 시기의 기호와 이름을 쓰시오.

㉠( )	㉡( )	㉢( )	㉣( )	㉤( )
유전 물질이 복제된다.	핵막이 사라지면서 막대 모양의 염색체가 나타난다.	핵막이 나타나면서 2개의 핵이 만들어진다.	염색체가 세포 중앙에 배열된다.	염색 분체가 분리되어 세포 양쪽 끝으로 이동한다.

2 (가)~(마)를 간기부터 순서대로 나열하시오.

3 다음은 식물 세포에서 세포질 분열이 일어나는 방식을 설명한 것이다. ( ) 안에 알맞은 말을 고르시오.

식물 세포는 ㉠(바깥쪽, 안쪽)에서 ㉡(바깥쪽, 안쪽)으로 ㉢(세포막, 세포판)이 만들어지면서 세포질이 나누어진다.

4 체세포 분열에 대한 설명으로 옳은 것은 ○, 옳지 **않은** 것은 ×로 표시하시오.

(1) 상처 부위가 아물 때 체세포 분열이 일어난다. ⋯⋯⋯⋯⋯⋯⋯⋯ ( )

(2) 상동 염색체가 분리되어 서로 다른 딸세포로 들어간다. ⋯⋯⋯⋯ ( )

(3) 핵분열은 염색체 수에 따라 전기, 중기, 후기, 말기로 구분한다. ⋯⋯⋯ ( )

(4) 분열 결과 모세포와 염색체 수가 같은 2개의 딸세포가 만들어진다. ⋯⋯ ( )

암기 TIP

체세포 분열 후기의 변화

·체육 후 연분이 분홍분홍
세   기 염체 리
포   색
분
열

어! 나 이쪽으로 끌려간다!

난 이쪽으로 가는데?

E 감수 분열(생식세포 분열)

같은 종의 생물에서는 생식세포를 제외한 모든 세포에서 염색체 수가 같습니다. 생식세포의 염색체 수가 체세포의 절반인 까닭은 무엇이고, 또 부모와 자손의 염색체 수가 같게 유지되는 까닭은 무엇일까요?

1. **감수 분열(생식세포 분열)** : 생식 기관에서 생식세포를 만들 때 일어나는 세포 분열[++]

2. **감수 분열 과정** : 간기를 거친 후 감수 1분열과 감수 2분열이 연속해서 일어난다.[+]

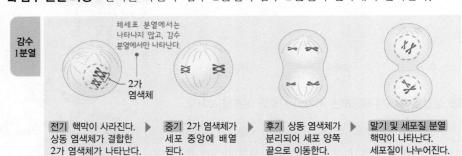

감수
1분열

체세포 분열에서는 나타나지 않고, 감수 분열에서만 나타난다. — 2가 염색체

전기 핵막이 사라진다. 상동 염색체가 결합한 2가 염색체가 나타난다. ▶ **중기** 2가 염색체가 세포 중앙에 배열된다. ▶ **후기** 상동 염색체가 분리되어 세포 양쪽 끝으로 이동한다. ▶ **말기 및 세포질 분열** 핵막이 나타난다. 세포질이 나누어진다.

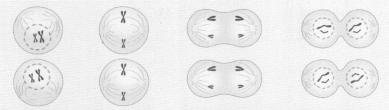

감수
2분열

전기 유전 물질의 복제 없이 시작된다. 핵막이 사라진다. ▶ **중기** 염색체가 세포 중앙에 배열된다. ▶ **후기** 각 염색체의 염색 분체가 분리되어 세포 양쪽 끝으로 이동한다. ▶ **말기 및 세포질 분열** 핵막이 나타나고, 염색체가 풀어진다. 세포질이 나누어진다.

3. **딸세포 형성** : 염색체 수가 모세포에 비해 절반으로 줄어든 4개의 딸세포가 만들어진다.[+]

4. **감수 분열의 의의** : 감수 분열로 만들어진 생식세포의 염색체 수가 체세포의 절반이기 때문에 부모의 생식세포가 한 개씩 결합하여 생긴 자손의 염색체 수는 부모와 같다.

➡ 세대를 거듭해도 자손의 염색체 수가 항상 일정하게 유지된다.

✚ 생식과 생식세포
생물이 살아 있는 동안 자신과 닮은 자손을 만드는 것을 생식이라고 하며, 동물은 정자와 난자 같은 생식세포를 만들어 생식을 한다.

✚ 감수 분열 장소

| 식물 | • 밑씨 : 난세포 생성
• 꽃밥 : 꽃가루 생성 |
| 동물 | • 난소 : 난자 생성
• 정소 : 정자 생성 |

✚ 감수 분열 전 간기
감수 1분열 전 간기에 DNA가 복제되며, 감수 2분열 전에는 DNA가 복제되지 않는다.

● 딸세포는 생식세포가 된다.

✚ 염색체 수 변화
• 감수 1분열 : 상동 염색체 분리
➡ 염색체 수 절반으로 줄어듦
• 감수 2분열 : 염색 분체 분리
➡ 염색체 수 변화하지 않음
　DNA양은 절반으로 줄어듦 ●

F 체세포 분열과 감수 분열의 비교

체세포 분열에서는 염색체 수가 변하지 않고, 감수 분열에서는 염색체 수가 절반으로 줄어듭니다. 이외에 체세포 분열과 감수 분열 사이에는 또 어떤 차이점이 있을까요?

구분	분열 횟수	딸세포 수	2가 염색체	염색체 수[+]	분열 결과
체세포 분열	1회	2개	형성 안 됨	변화 없음	생장, 재생
감수 분열	연속 2회	4개	형성됨	절반으로 줄어듦	생식세포 형성

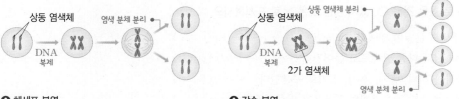

⬆ 체세포 분열　　　⬆ 감수 분열

✚ 체세포와 생식세포
• 체세포 : 상동 염색체가 쌍으로 있다.
• 생식세포 : 상동 염색체 중 하나만 있고, 염색체 수가 체세포의 절반이다.

⬆ 체세포　⬆ 생식세포

[1~2] 그림은 감수 분열 과정 중 일부를 순서 없이 나타낸 것이다.

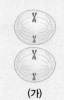

(가)　　　　(나)　　　　(다)　　　　(라)　　　　(마)

1 A의 이름을 쓰시오.

2 (가)~(마)를 순서대로 나열하시오.

3 감수 분열에 대한 설명으로 옳은 것은 ○, 옳지 <u>않은</u> 것은 ×로 표시하시오.

(1) 감수 1분열 결과 염색체 수가 절반으로 줄어든다. ···················· (　)

(2) 감수 1분열 전과 감수 2분열 전에 각각 DNA가 복제된다. ·············· (　)

(3) 감수 2분열 중기에 2가 염색체가 세포 중앙에 배열된다. ················· (　)

(4) 감수 2분열 후기에 상동 염색체가 분리된다. ························· (　)

1 다음은 체세포 분열과 감수 분열에 대한 설명이다. (　) 안에 알맞은 말을 쓰시오.

(1) 체세포 분열 : ㉠(　　　　)회 분열하여 ㉡(　　　)개의 딸세포가 만들어진다.

(2) 감수 분열 : ㉠(　　　　)회 연속 분열하여 ㉡(　　　)개의 딸세포가 만들어진다.

2 체세포 분열과 감수 분열 중 2가 염색체가 형성되는 것을 쓰시오.

3 체세포의 염색체 수가 12개일 때 생식세포의 염색체 수를 쓰시오.

이해 쏙쏙 **집중 강의**

생물이 생장할 때 체세포가 계속 커지지 않고 분열하여 수가 늘어나는 까닭과 양파 뿌리 끝에서 체세포 분열을 관찰하는 과정은 시험에 매우 자주 출제되는 중요한 내용입니다.

탐구 자료 ① 세포의 표면적과 부피 사이의 관계

관련 개념 | 188쪽 Ⓐ 세포 분열이 필요한 까닭

목표 세포의 표면적과 부피 사이의 관계를 바탕으로 세포 분열이 필요한 까닭을 이해한다.

과정 및 결과
① 가로 4 cm, 세로 2 cm, 높이 2 cm인 직육면체 모양의 우무 조각 2개 중 1개만 가운데를 잘라 정육면체 모양의 조각 2개를 만든다.
② 식용 색소 용액이 담긴 비커에 과정 ①의 우무 조각을 모두 넣었다가 잠시 후 꺼내어 증류수로 씻고, 가운데를 잘라 단면을 관찰한다. ➡ 큰 우무 조각보다 작은 우무 조각 2개가 식용 색소에 물든 면적이 더 크다.

(가) 큰 우무 조각과 (나) 작은 우무 조각 2개의 표면적과 부피

구분	(가)	(나)
표면적(cm^2)	40	48
부피(cm^3)	16	16
$\dfrac{표면적}{부피}$	$\dfrac{5}{2}$	3

해석
• 큰 우무 조각의 부피는 작은 우무 조각 2개의 전체 부피와 같지만, 큰 우무 조각의 표면적은 작은 우무 조각 2개의 전체 표면적보다 작다. ──• 큰 우무 조각을 작은 우무 조각 2개로 자르면 잘린 면만큼 표면적이 늘어난다.
• 세포가 커지면 세포의 부피에 대한 표면적의 비가 ⓐ(커, 작아)져 세포 표면을 통해 세포에 필요한 물질을 흡수하는 데 불리하다.

결론 세포의 부피에 대한 표면적의 비가 ⓑ(커, 작아)야 물질 교환에 유리하므로, 세포는 어느 정도 커지면 분열하여 그 수를 늘린다.

답 ⓐ 작아 ⓑ 커

탐구 자료 ② 체세포 분열 관찰

관련 개념 | 192쪽 Ⓓ 체세포 분열

목표 양파 뿌리 끝을 이용하여 체세포 분열이 일어나는 동안 염색체의 모양과 행동을 관찰한다.

과정 및 결과
① 고정 : 양파 뿌리 조각을 에탄올과 아세트산을 3 : 1로 섞은 용액에 하루 정도 담가 둔다.
② 해리 : 뿌리 조각을 묽은 염산에 넣어 55 ℃~60 ℃의 온도로 물중탕을 한다.
③ 염색 : 뿌리 조각의 끝부분을 약 2 mm로 자르고, 아세트산 카민 용액을 떨어뜨린다.
④ 분리 : 뿌리 끝을 해부 침으로 잘게 찢고, 덮개 유리를 덮어 연필에 달린 고무로 두드린다.
⑤ 압착 : 거름종이를 덮고 손가락으로 지그시 눌러 여분의 아세트산 카민 용액을 제거한다.
⑥ 현미경 표본을 현미경으로 관찰한다.

양파 뿌리 끝을 사용하는 까닭
양파 뿌리 끝에는 체세포 분열이 활발하게 일어나는 생장점이 있기 때문

고정
세포가 생명 활동(세포 분열)을 멈추고 살아 있을 때의 모습을 유지하도록 하는 과정

 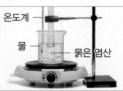 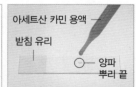
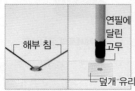  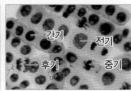

해리
세포가 잘 분리되도록 조직을 연하게 하는 과정

염색 ──• 아세트올세인 용액을 사용하기도 한다.
아세트산 카민 용액으로 핵과 염색체를 붉게 염색하는 과정

해석
• 염색체의 모양과 행동에 따라 체세포 분열의 각 단계를 구분할 수 있다.
• ⓐ( )의 세포가 가장 많이 관찰된다. ➡ 간기가 세포 주기의 대부분을 차지하기 때문
• 분열을 막 끝낸 세포는 분열 전의 세포에 비해 크기가 작다. ──• 딸세포는 어느 정도 커지면 체세포 분열을 반복한다.

분리 및 압착
세포를 명확하게 관찰하기 위해 세포와 세포를 떼어 내어 한 층으로 얇게 편 후 납작하게 하는 과정

결론
• '고정 → 해리 → 염색 → 분리 → 압착'의 순서로 현미경 표본을 만든다.
• 양파의 뿌리 끝 생장점에서는 ⓑ( ) 분열이 일어난다.

답 ⓐ 간기 ⓑ 체세포

196 V. 생식과 유전

01 동물의 몸집이 차이 나는 까닭으로 옳은 것은? [188쪽]

① 몸집이 큰 동물은 세포 수가 많다.

② 몸집이 큰 동물은 세포의 크기가 크다.

③ 몸집이 큰 동물은 염색체 수가 많다.

④ 몸집이 큰 동물은 염색체의 크기가 크다.

⑤ 몸집이 큰 동물은 염색체의 모양이 다양하다.

02 세포 분열이 필요한 까닭으로 옳은 것은? [188쪽]

① 핵의 수를 늘리기 위해서

② 염색체 수를 늘리기 위해서

③ 세포가 작을수록 세포막이 두꺼워지기 때문에

④ 세포의 크기가 커지는 것보다 세포 수를 늘리는 것이 더 빠르기 때문에

⑤ 세포의 크기가 커지는 것보다 세포 수를 늘리는 것이 물질 교환에 더 유리하기 때문에

03 풀이 TIP 오른쪽 그림은 페놀프탈 레인 용액을 넣어 만든 우무 덩어리를 서로 다른 크기의 정 육면체 (가)~(다)로 자른 다 음, 수산화 나트륨 수용액을 붓 [188쪽]

(가) (나) (다)

고 잠시 후 꺼내어 반으로 잘라 단면을 관찰한 결과를 나타낸 것이다. 우무 조각을 세포라고 가정할 때, 이에 대한 설명으로 옳지 <u>않은</u> 것은?

① (가)~(다)에서 붉은색이 퍼지는 속도는 같다.

② 수산화 나트륨 수용액은 세포에 필요한 물질로 가정 할 수 있다.

③ 세포가 클수록 필요한 물질이 세포의 중심까지 이동 하기 어렵다.

④ 세포가 커질 때 부피가 커지는 비율이 표면적이 커지 는 비율보다 크다.

⑤ 세포의 부피에 대한 표면적의 비가 작을 때 물질 교환 이 원활하게 일어난다.

04 염색체에 대한 설명으로 옳지 <u>않은</u> 것은? [190쪽]

① DNA와 단백질로 구성된다.

② 유전 정보를 담아 전달하는 역할을 한다.

③ 성을 결정하는 염색체를 성염색체라고 한다.

④ 세포가 분열하지 않을 때는 굵고 짧게 뭉쳐져 막대 모 양으로 나타난다.

⑤ 세포가 분열하기 시작할 때 하나의 염색체는 두 가닥 의 염색 분체로 이루어져 있다.

05 그림은 염색체의 구조를 나타낸 것이다. [190쪽]

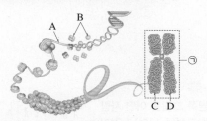

이에 대한 설명으로 옳지 <u>않은</u> 것은?

① A는 DNA, B는 단백질이다.

② A에 담겨 있는 각각의 유전 정보를 유전자라고 한다.

③ C와 D는 염색 분체이다.

④ C와 D는 세포 분열 결과 서로 다른 딸세포로 나뉘어 들어간다.

⑤ ㉠에는 한 개의 유전자가 있다.

06 표는 여러 생물의 염색체 수를 나타낸 것이다. [190쪽]

침팬지	소나무	개	감자	초파리
48개	24개	78개	48개	8개

이에 대한 설명으로 옳은 것은?

① 생장하면서 염색체 수가 많아진다.

② 식물보다 동물의 염색체 수가 더 많다.

③ 같은 종의 생물은 체세포의 염색체 수가 같다.

④ 염색체 수가 같으면 반드시 같은 종의 생물이다.

⑤ 한 생물에서 체세포와 생식세포의 염색체 수는 같다.

풀이 TIP **03** ❶ 페놀프탈레인 용액은 수산화 나트륨 수용액을 만나면 무색에서 붉은색으로 변함을 안다. ❷ (가)만 중심까지 붉은색으로 변하고, (나)와 (다)는 중심까지 붉은 색으로 변하지 않은 까닭을 생각한다. ❸ 세포의 크기, 세포의 부피에 대한 표면적의 비, 물질 교환의 효율성 간의 관계를 생각한다.

07 오른쪽 그림은 어떤 생물의 체세포에서 쌍을 이루고 있는 크기와 모양이 같은 2개의 염색체를 나타낸 것이다. 이에 대한 설명으로 옳은 것을 보기에서 모두 고른 것은?

─[보기]─
ㄱ. A와 B는 염색 분체로, 유전 정보가 서로 같다.
ㄴ. (가)와 (나)는 상동 염색체로, 유전 정보가 서로 같다.
ㄷ. (가)가 어머니에게서 물려받은 것이라면, (나)는 아버지에게서 물려받은 것이다.

① ㄱ   ② ㄱ, ㄴ   ③ ㄱ, ㄷ
④ ㄴ, ㄷ   ⑤ ㄱ, ㄴ, ㄷ

08 오른쪽 그림은 어떤 사람의 염색체 구성을 나타낸 것이다. 이에 대한 설명으로 옳지 않은 것은?

① 남자의 염색체 구성이다.
② X 염색체와 Y 염색체는 성염색체이다.
③ 이 사람의 체세포의 염색체 수는 46개이다.
④ X 염색체는 아버지로부터 물려받은 것이다.
⑤ 1번에서 22번까지의 염색체는 상염색체이다.

09 체세포 분열에 대한 설명으로 옳지 않은 것은?

① 핵분열과 세포질 분열이 일어난다.
② 모세포와 딸세포의 염색체 수가 같다.
③ 모세포와 딸세포의 유전 정보가 같다.
④ 식물은 몸 전체에서 체세포 분열이 일어난다.
⑤ 핵분열은 염색체의 모양과 행동에 따라 전기, 중기, 후기, 말기로 구분한다.

[10~11] 그림은 체세포 분열이 일어나는 과정을 순서 없이 나타낸 것이다.

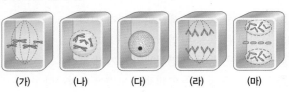

(가)   (나)   (다)   (라)   (마)

10 간기부터 순서대로 옳게 나열한 것은?

① (가) → (나) → (다) → (라) → (마)
② (가) → (다) → (나) → (라) → (마)
③ (다) → (가) → (나) → (라) → (마)
④ (다) → (나) → (가) → (라) → (마)
⑤ (다) → (나) → (라) → (가) → (마)

11 이에 대한 설명으로 옳지 않은 것은?

① (가)는 중기로, 염색체의 수와 모양을 가장 잘 관찰할 수 있는 시기이다.
② (나)는 전기로, DNA가 복제된다.
③ (다)는 간기로, 세포 주기의 대부분을 차지한다.
④ (라)는 후기로, 염색 분체가 분리되어 세포의 양쪽 끝으로 이동한다.
⑤ (마)는 말기로, 핵막이 나타나 2개의 핵이 만들어진다.

12 체세포 분열 결과 일어나는 현상으로 옳지 않은 것은?

① 상처 부위가 아문다.
② 동물에서 정자와 난자가 만들어진다.
③ 싹이 튼 씨앗에서 뿌리, 줄기, 잎이 자란다.
④ 꼬리가 잘린 도마뱀에서 꼬리가 새로 자란다.
⑤ 아메바와 같은 단세포 생물은 체세포 분열로 생긴 딸세포가 새로운 개체가 된다.

---

07 ❶ 염색 분체와 상동 염색체를 구분한다. ❷ 상동 염색체 중 하나는 어머니에게서, 다른 하나는 아버지에게서 물려받은 것임을 안다. **08** ❶ 여성의 체세포에는 Y 염색체가 없음을 떠올린다. ❷ 상염색체와 성염색체의 뜻을 생각한다. **09** 동물과 식물에서 체세포 분열이 일어나는 장소가 어떻게 다른지 생각한다.

13 그림은 동물 세포와 식물 세포에서 세포질 분열이 일어나는 모습을 순서 없이 나타낸 것이다. _{192쪽}

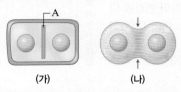

(가)   (나)

이에 대한 설명으로 옳은 것을 보기에서 모두 고른 것은?

{ 보기 }
ㄱ. (가)는 식물 세포이다.
ㄴ. (나)는 세포막이 바깥쪽에서 안쪽으로 잘록하게 들어가면서 세포질이 나누어진다.
ㄷ. A는 세포판으로, 안쪽에서 바깥쪽으로 만들어진다.

① ㄱ   ② ㄱ, ㄴ   ③ ㄱ, ㄷ
④ ㄴ, ㄷ   ⑤ ㄱ, ㄴ, ㄷ

[14~15] 그림은 양파 뿌리 끝에서 일어나는 세포 분열을 관찰하기 위해 현미경 표본을 만드는 과정을 순서 없이 나타낸 것이다.

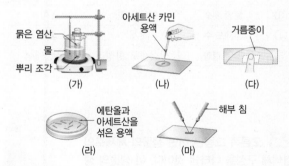

묽은 염산
물
뿌리 조각
(가)

아세트산 카민 용액
(나)

거름종이
(다)

에탄올과 아세트산을 섞은 용액
(라)

해부 침
(마)

★중요 풀이 **TIP**
14 실험 과정을 순서대로 옳게 나열한 것은? _{196쪽}

① (가) → (나) → (다) → (라) → (마)
② (나) → (가) → (라) → (다) → (마)
③ (다) → (나) → (가) → (마) → (라)
④ (라) → (가) → (나) → (마) → (다)
⑤ (라) → (나) → (가) → (마) → (다)

★중요 **15** 이 실험에 대한 설명으로 옳은 것은? _{196쪽}

① (가)는 세포가 잘 분리되도록 조직을 연하게 하는 과정이다.
② (나)는 세포를 고정하는 과정이다.
③ (라) 과정을 거치지 않으면 핵이나 염색체가 붉게 염색되지 않는다.
④ (마)는 해리 과정이다.
⑤ 만들어진 현미경 표본을 관찰하면 중기의 세포가 가장 많이 보인다.

[16~17] 그림은 감수 분열 과정 중 일부를 순서 없이 나타낸 것이다.

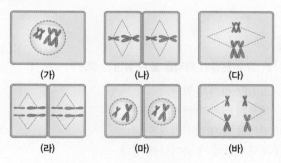

(가)   (나)   (다)

(라)   (마)   (바)

풀이 **TIP**
16 (가)~(바)를 순서대로 나열하시오. _{194쪽}

17 이에 대한 설명으로 옳지 <u>않은</u> 것은? _{194쪽}

① 식물의 꽃밥이나 밑씨에서 일어난다.
② (가) 시기 전에 유전 물질이 복제된다.
③ (나) 시기에 세포 한 개의 염색체 수는 모세포와 같다.
④ (다)는 감수 1분열 중기이다.
⑤ (바) 시기에 상동 염색체가 분리되어 세포 양쪽 끝으로 이동한다.

---

14 ❶ 묽은 염산, 아세트산 카민 용액, 에탄올과 아세트산을 섞은 용액의 용도를 생각한다. ❷ 고정, 해리, 염색, 분리, 압착 단계에 해당하는 과정을 찾는다. 16 ❶ 세포가 하나인 것과 두 개로 나뉜 것을 구분한다. ❷ 각각 감수 1분열과 감수 2분열에서 어떤 단계에 해당하는지 생각한다.

풀이 **TIP**

18 그림은 어떤 생물에서 일어나는 세포 분열 과정을 나타낸 것이다.

[194쪽]

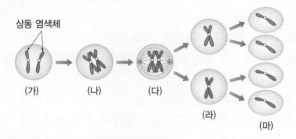

상동 염색체

(가) (나) (다) (라) (마)

이에 대한 설명으로 옳지 <u>않은</u> 것은?

① (가) → (나) 시기에 DNA가 복제된다.

② (나)의 염색체 수는 (가)의 2배이다.

③ (다) → (라) 시기에 염색체 수가 절반으로 줄어든다.

④ (라) → (마) 시기에 염색 분체가 분리된다.

⑤ (라)와 (마)의 세포 1개당 염색체 수는 같다.

19 감수 분열의 의의를 옳게 설명한 것은?

[194쪽]

① 몸집이 커지게 한다.

② 세포의 크기가 커지게 한다.

③ 염색체 수가 많아지게 한다.

④ 체세포의 수가 줄어들게 한다.

⑤ 세대를 거듭해도 자손의 염색체 수가 일정하게 유지되게 한다.

20 오른쪽 그림은 어떤 생물의 세포 분열 과정 중 특정 시기의 세포를 나타낸 것이다. 이에 대한 설명으로 옳지 <u>않은</u> 것은?

[194쪽]

① 감수 1분열 후기의 세포이다.

② 세포 분열 결과 생장이 일어난다.

③ 상동 염색체가 분리되어 이동하고 있다.

④ 이 생물의 체세포에는 4개의 염색체가 들어 있다.

⑤ 이 생물의 생식세포에는 2개의 염색체가 들어 있다.

풀이 **TIP**

21 오른쪽 그림은 감수 분열 과정에서 핵 1개당 DNA 상대량의 변화를 나타낸 것이다. 이에 대한 설명으로 옳은 것을 보기에서 모두 고른 것은?

[194쪽]

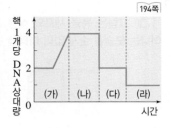

핵 1개당 DNA 상대량 / 시간 / (가) (나) (다) (라)

「 보기 」

ㄱ. (가) 구간에서 DNA가 복제된다.

ㄴ. 감수 1분열 중기의 세포는 (나) 구간에 있다.

ㄷ. (라) 구간에서 핵 1개의 DNA양은 감수 1분열 전기 세포의 절반이다.

① ㄱ   ② ㄱ, ㄴ   ③ ㄱ, ㄷ

④ ㄴ, ㄷ   ⑤ ㄱ, ㄴ, ㄷ

22 체세포 분열과 감수 분열을 비교한 내용으로 옳은 것을 모두 고르면?(2개)

[194쪽]

	구분	체세포 분열	감수 분열
①	2가 염색체	형성됨	형성되지 않음
②	염색체 수 변화	변화 없음	절반으로 줄어듦
③	분열 횟수	연속 2회	1회
④	딸세포 수	2개	4개
⑤	분열 결과	생식세포 형성	생장, 재생

23 오른쪽 그림은 어떤 생물의 체세포의 염색체 구성을 나타낸 것이다. 이 생물의 생식세포의 염색체 구성을 옳게 나타낸 것은?

[194쪽]

①   ②   ③

④   ⑤

풀이 **TIP**
18 ❶ DNA가 복제될 때 염색체 수는 어떻게 변하는지 생각해 본다. ❷ 상동 염색체와 염색 분체가 분리되어 서로 다른 딸세포로 들어갈 때 염색체 수는 각각 어떻게 변하는지 생각해 본다. **21** 감수 1분열 전기와 중기의 세포는 DNA양이 모세포에 비해 2배로 증가한 상태임을 안다.

200   V. 생식과 유전

서술형 문제

풀이 TIP [188쪽]
24 세포가 계속 커질 때의 문제점을 세포의 부피에 대한 표면적의 비 및 물질 교환과 관련지어 서술하시오.

[190쪽]
25 그림은 (가)와 (나) 두 사람의 염색체 구성을 나타낸 것이다.

(가)   (나)

(가)와 (나)의 성별을 쓰고, 그 까닭을 서술하시오.

[192쪽]
26 그림은 동물 세포와 식물 세포에서 세포질 분열이 일어나는 모습을 순서 없이 나타낸 것이다.

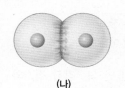

(가)   (나)

식물 세포의 기호를 쓰고, 식물 세포의 세포질 분열 방식을 서술하시오.

중요 [196쪽]
27 체세포 분열을 관찰할 때 실험의 재료로 양파의 뿌리 끝을 사용하는 까닭을 서술하시오.

풀이 TIP [194쪽]
28 감수 분열 과정에서 염색체 수가 절반으로 줄어드는 까닭을 제시된 단어를 모두 포함하여 서술하시오.

> 분리, 상동 염색체, 감수 1분열, 딸세포

중요 [194쪽]
29 체세포 분열과 감수 분열의 차이점을 다음 요소를 모두 포함하여 서술하시오.

> • 분열 횟수
> • 딸세포 수
> • 모세포와의 염색체 수 비교

학습 평가하기

정답친해 57쪽으로 가서 문제를 채점한 후 학습 결과를 스스로 평가해 보세요.

맞춘 개수	26~29개	21~25개	0~20개
평가	잘함	보통	부족

➡ 정답친해에서 그 문제를 왜 틀렸는지 꼭 확인하세요!
➡ 본책에서 해당 쪽으로 돌아가서 부족한 부분을 다시 공부하세요!

24 물질 교환이 효율적으로 일어나려면 세포의 부피에 대한 표면적의 비가 작은 것이 유리한지, 큰 것이 유리한지 생각해 본다. **28** 감수 1분열 과정에서 염색체 수가 절반으로 줄어들며, 감수 2분열 과정에서는 염색체 수가 변하지 않는 것을 떠올린다.

02 사람의 발생

만화 완성하기

다음 만화를 보고 말풍선을 완성해 보자.

나도 엄마 뱃속에 있다가 나왔지?

그럼~

뱃속에 얼마나 오래 있었어?

>> 이 단원을 학습한 후 내가 쓴 대사를 수정해 보자.

단원 미리 보기

A 사람의 생식 기관과 생식세포

생식 기관에서 감수 분열이 일어난 결과 정자와 난자 같은 생식세포가 만들어집니다. 남녀의 생식 기관과 생식세포에는 어떤 차이가 있을까요? 지금부터 알아봅시다.

1. 사람의 생식 기관 → 동아 교과서에만 나온다.

남자의 생식 기관	여자의 생식 기관
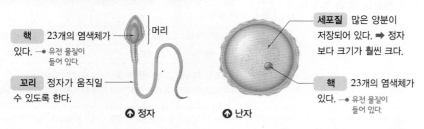 수정관 / 부정소 / 정소	수란관 / 자궁 / 난소 / 질

정소	정자가 만들어지는 장소
부정소	정자가 잠시 머물면서 성숙하는 장소
수정관	정자가 이동하는 통로

난소	난자가 만들어지는 장소
수란관	난자와 수정란이 자궁으로 이동하는 통로
자궁	태아가 자라는 장소
질	정자와 태아의 이동 통로

정자와 난자의 비교

구분	정자	난자
생성 장소	정소	난소
크기	작다.	크다.
운동성	있다.	없다.
염색체 수 (사람)	23개	23개

· 정자는 꼬리를 이용하여 스스로 움직일 수 있고, 난자는 스스로 움직이지 못한다.
· 난자는 세포질에 많은 양분을 저장하고 있어 보통 세포보다 훨씬 크다.

2. 사람의 생식세포 : 남자의 생식세포인 정자와 여자의 생식세포인 난자는 각각 정소와 난소에서 감수 분열 결과 만들어진다.

핵 23개의 염색체가 있다. → 유전 물질이 들어 있다.
머리

꼬리 정자가 움직일 수 있도록 한다.

↑ 정자

세포질 많은 양분이 저장되어 있다. → 정자보다 크기가 훨씬 크다.

핵 23개의 염색체가 있다. → 유전 물질이 들어 있다.

↑ 난자

이 단원의 개념이 어떻게 구성되어 있는지 살펴보고 빈칸을 완성해 보자.

사람의 발생

A 사람의 생식 기관과 생식세포

B

 이 단원을 공부하기 전에 미리 알고 있는 단어를 체크해 보자.

☐ 정소   ☐ 난소   ☐ 정자   ☐ 난자   ☐ 수정

☐ 발생   ☐ 배란   ☐ 태반   ☐ 태아   ☐ 출산

[1~2] 그림은 사람의 생식 기관을 나타낸 것이다.

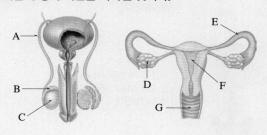

1 A~G의 이름을 쓰시오.

2 다음에서 설명하는 장소의 기호를 쓰시오.

(1) 정자가 만들어지는 장소   (2) 난자가 만들어지는 장소

(3) 태아가 자라는 장소   (4) 정자가 잠시 머물면서 성숙하는 장소

3 정자와 난자의 특징을 비교한 표에서 ( ) 안에 알맞은 말을 쓰시오.

구분	생성 장소	크기	운동성	염색체 수(사람)
정자	정소	㉠( ).	있다.	㉢( )개
난자	난소	㉡( ).	없다.	㉣( )개

정자와 난자의 크기 비교
세포질에 많은 양분을 저장하고 있는 난자가 정자에 비해 크기가 훨씬 크다.

넌 왜이렇게 커?

왜냐하면...

B **수정과 발생**   생식 기관에서 생식세포가 만들어진 후에는 어떤 일들이 일어날까요? 정자와 난자가 결합하여 만들어진 수정란이 태아가 되고, 엄마 뱃속에서 밖으로 나오기까지 일어나는 여러 가지 현상을 차근차근 살펴봅시다.

1. 수정 : 정자와 난자 같은 암수의 생식세포가 결합하는 것
➡ 정자와 난자가 수정하면 수정란이 되며, <u>수정란은 체세포와 염색체 수가 같다.</u> — 정자와 난자는 각각 염색체 수가 체세포의 절반이기 때문

⬆ 정자와 난자의 수정

2. 발생 : 수정란이 세포 분열을 하면서 여러 과정을 거쳐 개체가 되는 것

(1) 수정란의 초기 세포 분열인 난할이 일어난다.
• 난할 : 체세포 분열이지만 딸세포의 크기가 커지지 않고, 세포 분열을 빠르게 반복한다.
➡ 난할이 진행되면 세포 수가 늘어나고, 세포 각각의 크기는 점점 작아진다.[+]

(2) 난할을 거친 배아는 자궁 안쪽 벽에 파묻힌다.
① 착상 : 수정 후 <u>약 일주일이 지나</u> 수정란이 ˙포배가 되어 자궁 안쪽 벽을 파고들어 가는 현상 ➡ 착상되었을 때부터 임신되었다고 한다.
└ 천재 교과서에서는 5~7일 후라고 하였다.
② ˙배란에서 착상까지의 과정

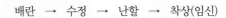
배란 → 수정 → 난할 → 착상(임신)

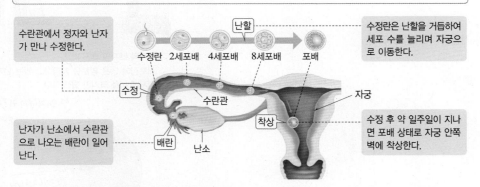

수란관에서 정자와 난자가 만나 수정한다.

난할

수정란 2세포배 4세포배 8세포배 포배

수정란은 난할을 거듭하여 세포 수를 늘리며 자궁으로 이동한다.

수정

수란관

자궁

착상

수정 후 약 일주일이 지나면 포배 상태로 자궁 안쪽 벽에 착상한다.

난자가 난소에서 수란관으로 나오는 배란이 일어난다.

배란 난소

(3) 자궁에서 배아는 모체로부터 양분을 공급받고, 체세포 분열을 계속하여 조직과 기관을 만들고 하나의 개체로 성장한다.
└ 수정란이 난할을 거쳐 일정한 시기가 되면 세포 분열 속도가 느려지면서 일반적인 체세포 분열이 일어난다.
① 태반 형성 : 착상 이후 태반이 만들어지며, 태반에서 물질 교환이 일어난다.
➡ 태아는 필요한 산소와 영양소를 모체로부터 전달받고, 태아의 몸에서 생기는 이산화 탄소와 노폐물을 모체로 전달하여 내보낸다.[+] └ 천재 교과서에만 나온다.

산소, 영양소
모체 ⟷ 태아
이산화 탄소, 노폐물

② 배아와 태아
• 배아 : 수정란이 난할을 시작한 후 사람의 모습을 갖추기 전까지의 세포 덩어리 상태
• 태아 : 정자와 난자가 수정되고 8주가 지난 뒤 사람의 모습을 갖추기 시작한 상태

3. 출산 : 태아는 수정된 지 약 266일이 지나면 출산 과정을 거쳐 모체 밖으로 나온다.[+]

✦ 난할이 진행될 때 나타나는 변화

세포 수	증가한다.
세포 하나의 크기	작아진다.
배아 전체의 크기	수정란과 비슷하다.
세포 하나당 염색체 수	변화 없다 (46개).

✦ 태아와 태반

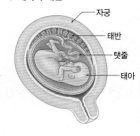
자궁
태반
탯줄
태아

✦ 임신과 출산 과정
배란 → 수정 → 난할 → 착상(임신) → 태반 형성 → 출산

| 용어 |
• 포배(胞 세포, 胚 아이 배다) 속이 빈 공 모양의 세포 덩어리
• 배란(排 밀치다, 卵 알) 난자가 난소에서 수란관으로 나오는 현상

1 정자와 난자 같은 암수의 생식세포가 결합하는 것을 무엇이라고 하는지 쓰시오.

2 수정란이 세포 분열을 하면서 여러 과정을 거쳐 개체가 되는 것을 무엇이라고 하는지 쓰시오.

3 난할이 진행될 때 일어나는 변화로 옳은 것은 ○, 옳지 <u>않은</u> 것은 ×로 표시하시오.

(1) 세포 수가 증가한다. ·· (　　)
(2) 세포 하나의 크기는 변하지 않는다. ················· (　　)
(3) 배아 전체의 크기는 점점 작아진다. ················· (　　)
(4) 세포 하나당 염색체 수는 변하지 않는다. ·········· (　　)

[4~5] 오른쪽 그림은 임신 과정을 나타낸 것이다.

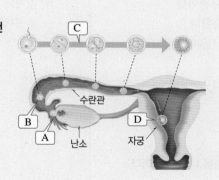

4 A~D 과정의 이름을 쓰시오.

5 D가 일어날 때 배아의 상태를 쓰시오.

6 태반에서 물질 교환이 일어날 때 모체 → 태아로 이동하는 물질을 보기에서 모두 고르시오.

┌ 보기 ┐
ㄱ. 산소　　　ㄴ. 노폐물　　　ㄷ. 영양소　　　ㄹ. 이산화 탄소

암기 TIP

배란에서 착상까지의 과정

배를 깎아 **수**타면에
란　　　정
계란과 넣었더니 입에 **착**!
난　　　　　　　상
할

배를 깎자~　　계란을 탁!

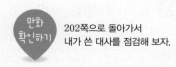
만화
확인하기
202쪽으로 돌아가서
내가 쓴 대사를 점검해 보자.

개념 페이지로 점프해요!

[01~02] 그림 (가)는 남자의 생식 기관을, (나)는 여자의 생식 기관을 나타낸 것이다.

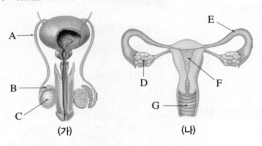

(가)   (나)

01 202쪽
(가) 정자가 만들어지는 곳과 (나) 난자가 만들어지는 곳을 옳게 짝 지은 것은?

	(가)	(나)		(가)	(나)
①	B	D	②	B	F
③	C	D	④	C	E
⑤	C	F			

★중요 풀이 TIP
02 202쪽
이에 대한 설명으로 옳지 <u>않은</u> 것은?

① A는 정자가 이동하는 통로인 수란관이다.
② 정자는 B에서 잠시 머물면서 성숙한다.
③ E는 난자와 수정란이 자궁으로 이동하는 통로이다.
④ F에서 태아가 자란다.
⑤ G는 정자와 태아의 이동 통로이다.

[03~04] 그림은 정자와 난자의 모습을 나타낸 것이다.

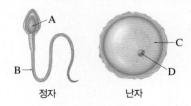

정자   난자

풀이 TIP
03 202쪽
A~D의 이름을 쓰시오.

★중요 풀이 TIP
04 202쪽
이에 대한 설명으로 옳지 <u>않은</u> 것은?

① 난자는 스스로 움직이지 못한다.
② 정자와 난자는 감수 분열 결과 만들어진다.
③ A에는 23개의 염색체가 있고, D에는 46개의 염색체가 있다.
④ 정자는 B를 이용해 스스로 움직일 수 있다.
⑤ C에는 많은 양분이 저장되어 있다.

05 204쪽
오른쪽 그림은 수정이 일어나는 모습을 나타낸 것이다. 수정과 수정란에 대한 설명으로 옳은 것을 보기에서 모두 고른 것은?

┌─ 보기 ─┐
ㄱ. 수란관에서 수정이 일어난다.
ㄴ. 수정란의 염색체 수는 체세포와 같다.
ㄷ. 정자와 난자 같은 암수의 생식세포가 결합하는 것을 수정이라고 한다.

① ㄱ   ② ㄱ, ㄴ   ③ ㄱ, ㄷ
④ ㄴ, ㄷ   ⑤ ㄱ, ㄴ, ㄷ

06 204쪽
다음에서 설명하는 현상은 무엇인가?

수정란이 세포 분열을 하면서 여러 과정을 거쳐 개체가 되는 것이다.

① 배란   ② 난할   ③ 발생
④ 착상   ⑤ 출산

풀이 TIP
02 수정관과 수란관이 각각 남자와 여자의 생식 기관 중 어디에 있는지 생각한다.　**03** ❶ 정자는 꼬리를 이용해 스스로 움직일 수 있음을 떠올린다. ❷ 정자와 난자에서 유전 물질이 어디에 들어 있는지 생각한다.　**04** 감수 분열 결과 만들어진 생식세포의 염색체 수는 체세포의 절반임을 안다.

07 난할에 대한 설명으로 옳지 <u>않은</u> 것은? [204쪽]

① 수정란의 초기 세포 분열이다.

② 딸세포가 충분히 커진 후 세포 분열을 반복한다.

③ 난할이 진행되어도 세포 하나당 염색체 수는 변하지 않는다.

④ 난할이 진행되어도 배아 전체의 크기는 수정란과 비슷하다.

⑤ 난할이 진행되면 세포 수가 늘어나고, 세포 각각의 크기는 점점 작아진다.

08 그림은 난할이 진행될 때 세포 하나당 염색체 수, 세포 하나의 크기, 세포 수의 변화를 순서 없이 나타낸 것이다. [204쪽]

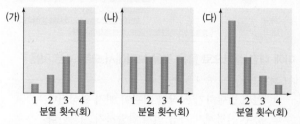

(가)~(다)에 해당하는 것을 각각 쓰시오.

[09~10] 그림은 수정란의 초기 세포 분열 과정 중 일부를 순서 없이 나타낸 것이다.

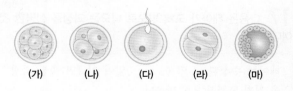

09 (가)~(마)를 순서대로 옳게 나열하시오. [204쪽]

10 이에 대한 설명으로 옳은 것을 보기에서 모두 고른 것은? [204쪽]

[보기]

ㄱ. (가)~(마)의 크기는 모두 수정란과 비슷하다.

ㄴ. (가)와 (나)에서 세포 하나당 염색체 수는 같다.

ㄷ. (나)와 (라)에서 세포 하나의 크기는 같다.

ㄹ. (다) 상태에서 착상이 일어난다.

① ㄱ, ㄴ   ② ㄱ, ㄹ   ③ ㄴ, ㄷ

④ ㄴ, ㄹ   ⑤ ㄱ, ㄴ, ㄷ

11 다음은 임신이 되기까지의 과정을 순서 없이 나타낸 것이다. [204쪽]

(가) 정자와 난자가 만나 수정한다.

(나) 배아가 자궁 안쪽 벽에 파묻힌다.

(다) 난자가 난소에서 수란관으로 나온다.

(라) 수정란이 난할을 거듭하면서 자궁으로 이동한다.

순서대로 옳게 나열한 것은?

① (가) → (나) → (다) → (라)

② (가) → (다) → (라) → (나)

③ (나) → (다) → (가) → (라)

④ (다) → (가) → (나) → (라)

⑤ (다) → (가) → (라) → (나)

12 사람의 발생에 대한 설명으로 옳지 <u>않은</u> 것은? [204쪽]

① 난할은 분열 결과 염색체 수가 변하지 않는 체세포 분열이다.

② 착상되었을 때부터 임신되었다고 한다.

③ 착상 이후 태반이 만들어진다.

④ 착상된 배아는 더 이상 세포 분열을 하지 않는다.

⑤ 수정되고 8주가 지난 뒤 사람의 모습을 갖추기 시작한 상태를 태아라고 한다.

---

08 ❶ 세포 하나당 염색체 수, 세포 하나의 크기, 세포 수에서 난할이 진행될 때 증가하는 것, 일정한 것, 감소하는 것을 찾는다. ❷ 그래프에서 분열 횟수가 많아질 때 증가하는 것, 일정한 것, 감소하는 것을 찾아 연결한다. 09 세포 분열이 반복될수록 세포 수가 많아지는 것을 떠올린다.

13 그림은 수정란의 형성과 초기 발생 과정을 나타낸 것이다.

[204쪽]

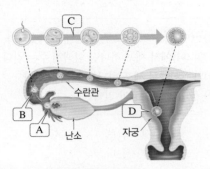

이에 대한 설명으로 옳은 것을 보기에서 모두 고른 것은?

{ 보기 }

ㄱ. A는 배란으로, 난자가 난소에서 수란관으로 나오는 현상이다.

ㄴ. B가 일어난 후 약 한 달이 지나 D가 일어난다.

ㄷ. 수정란은 C를 하면서 자궁으로 이동한다.

ㄹ. D는 포배 상태에서 일어난다.

① ㄱ, ㄴ   ② ㄱ, ㄹ   ③ ㄴ, ㄷ
④ ㄴ, ㄹ   ⑤ ㄱ, ㄷ, ㄹ

14 풀이 TIP 다음은 태반에서 일어나는 모체와 태아 사이의 물질 교환을 나타낸 것이다.

[204쪽]

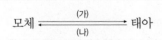

(가)와 (나) 방향으로 이동하는 물질을 옳게 짝 지은 것은?

	(가)	(나)
①	산소	이산화 탄소
②	영양소	산소
③	노폐물	산소
④	노폐물	이산화 탄소
⑤	이산화 탄소	영양소

15 풀이 TIP 출산까지의 과정을 순서대로 옳게 나열한 것은?

[204쪽]

① 수정 → 난할 → 배란 → 태반 형성 → 착상 → 출산
② 착상 → 수정 → 배란 → 난할 → 태반 형성 → 출산
③ 난할 → 착상 → 태반 형성 → 배란 → 수정 → 출산
④ 배란 → 수정 → 난할 → 착상 → 태반 형성 → 출산
⑤ 배란 → 난할 → 착상 → 수정 → 태반 형성 → 출산

16 풀이 TIP 그림은 태아의 발달 과정을 나타낸 것이다.

[204쪽]

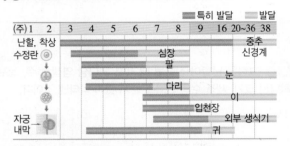

이에 대한 설명으로 옳은 것을 보기에서 모두 고른 것은?

{ 보기 }

ㄱ. 먼저 발달하기 시작한 기관이 먼저 완성된다.

ㄴ. 중추 신경계가 가장 먼저 발달하기 시작한다.

ㄷ. 외부 생식기가 가장 나중에 발달하기 시작한다.

① ㄴ   ② ㄱ, ㄴ   ③ ㄱ, ㄷ
④ ㄴ, ㄷ   ⑤ ㄱ, ㄴ, ㄷ

17 다음은 태아가 모체 밖으로 나오는 과정을 설명한 것이다.

[204쪽]

태아는 수정된 지 약 (   )일이 지나면 출산 과정을 거쳐 모체 밖으로 나온다.

(   ) 안에 알맞은 말을 쓰시오.

 풀이 TIP **14** 태아의 생명 활동에 필요한 물질과 생명 활동 결과 태아의 몸에서 생겨 내보내야 하는 물질을 구분한다. **15** ❶ 배란에서 착상까지의 과정을 먼저 순서대로 나열한다. ❷ 태반은 착상 이후에 만들어지는 것을 떠올린다. **16** 그래프에서 각 기관의 발달이 시작되는 지점과 완료되는 지점을 찾는다.

208   V. 생식과 유전

서술형 문제

202쪽
18 남자의 생식세포는 정자이고, 여자의 생식세포는 난자이다.

(1) 정자와 난자가 만들어지는 장소, 운동성, 염색체 수를 비교하여 서술하시오.

----

(2) 난자는 정자에 비해 크기가 훨씬 크다. 그 까닭을 서술하시오.

204쪽
19 수정란의 염색체 수가 체세포와 같은 까닭을 다음 단어를 모두 포함하여 서술하시오.

> 염색체 수, 체세포, 정자, 난자, 수정

204쪽
20 난할이 진행될 때 나타나는 변화를 다음 내용을 모두 포함하여 서술하시오.

> • 세포 수
> • 세포 하나의 크기
> • 세포 하나당 염색체 수

204쪽
21 그림은 임신 과정을 나타낸 것이다.

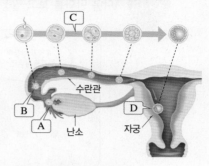

(1) A~D 과정의 이름을 쓰시오.

----

(2) D의 뜻을 다음 내용을 모두 포함하여 서술하시오.

> • 배의 상태
> • 일어나는 시기
> • 일어나는 장소

204쪽
22 오른쪽 그림은 태아와 태반의 모습을 나타낸 것이다. (가)와 (나) 방향으로 이동하는 물질을 각각 **두 가지**씩 서술하시오.

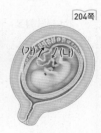

학습 평가하기

정답친해 60쪽으로 가서 문제를 채점한 후 학습 결과를 스스로 평가해 보세요.

맞춘 개수	19~22개	15~18개	0~14개
평가	잘함	보통	부족

➜ 정답친해에서 그 문제를 왜 틀렸는지 꼭 확인하세요!

➜ 본책에서 해당 쪽으로 돌아가서 부족한 부분을 다시 공부하세요!

18 ❶ 정자와 난자는 각각 남자와 여자의 생식 기관에서 감수 분열이 일어나 만들어짐을 안다. ❷ 정자 꼬리의 기능을 떠올린다.　19 감수 분열의 의의를 생각해 본다.
20 난할은 체세포 분열이지만 분열 후 생긴 딸세포의 크기가 커지지 않고, 세포 분열이 빠르게 반복되는 것을 안다.

03 멘델의 유전 원리

만화 완성하기 다음 만화를 보고 말풍선을 완성해 보자.

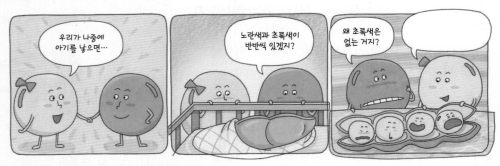

우리가 나중에 아기를 낳으면…

노란색과 초록색이 반반씩 있겠지?

왜 초록색은 없는 거지?

≫ 이 단원을 학습한 후 내가 쓴 대사를 수정해 보자.

A 유전 용어

"내 코는 아빠를 닮았고, 눈은 엄마를 닮았대." 부모님과 내가 닮은 까닭은 부모님이 지닌 특성이 나한테 유전되었기 때문이죠. 유전이 어떻게 일어나는지 알아보기 전에 먼저 유전을 공부할 때 꼭 알아야 하는 용어들을 살펴봅시다.

1. 유전 : 부모의 °형질이 자녀에게 전달되는 현상

2. 유전 용어

형질	생물이 지니고 있는 여러 가지 특성 예 모양, 색깔, 성질 등
대립 형질	한 가지 형질에서 뚜렷하게 구분되는 변이 → 같은 종의 생물 사이에서 나타나는 서로 다른 특징 예 완두 씨의 색깔이 노란색인 것 ←→ 초록색인 것
유전자형	유전자 구성을 알파벳 기호로 나타낸 것 예 RR, Rr, rr
표현형	유전자 구성에 따라 겉으로 드러나는 형질 예 완두 씨 모양이 둥근 것, 주름진 것
자가 수분	수술의 꽃가루가 같은 그루의 꽃에 있는 암술에 붙는 현상
타가 수분	수술의 꽃가루가 다른 그루의 꽃에 있는 암술에 붙는 현상
순종	• 한 가지 형질을 나타내는 유전자의 구성이 같은 개체 예 RR, RRyy • 여러 세대를 자가 수분하여도 계속 같은 형질의 자손만 나오는 개체
잡종	• 한 가지 형질을 나타내는 유전자의 구성이 다른 개체 예 Rr, RrYy* • 대립 형질이 다른 두 순종 개체를 타가 수분하여 얻은 자손

└ 대립유전자

✦ 표현형과 유전자형

형질	표현형	유전자형
완두 씨 모양	둥글다.	RR(순종), Rr(잡종)
	주름지다.	rr(순종)
완두 씨 색깔	노란색	YY(순종), Yy(잡종)
	초록색	yy(순종)

📖 대립유전자

• 대립 형질을 결정하는 유전자이다.
• 상동 염색체의 같은 위치에 있다.
• 우성 대립유전자는 알파벳 대문자로 표시하고, 열성 대립유전자는 알파벳 소문자로 표시한다.
예 완두 씨를 둥글게 하는 대립유전자를 R, 주름지게 하는 대립유전자를 r라고 하면 순종 둥근 완두는 RR, 잡종 둥근 완두는 Rr, 순종 주름진 완두는 rr로 나타낼 수 있다.

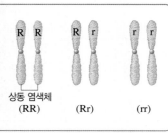

상동 염색체 (RR) (Rr) (rr)

| 용어 |

• **형질**(形 모양, 質 성질) 모양, 색깔, 성질 등 생물이 지니고 있는 여러 가지 특성

이 단원의 개념이 어떻게 구성되어 있는지 살펴보고 빈칸을 완성해 보자.

A

멘델의 유전 원리 ···· | B 멘델이 밝힌 유전 원리(1) | ···· | C 멘델이 밝힌 유전 원리(2) |

D

이 단원을 공부하기 전에 미리 알고 있는 단어를 체크해 보자.

☐ 유전　　☐ 형질　　☐ 변이　　☐ 유전자　　☐ 수분

☐ 순종　　☐ 잡종　　☐ 우성　　☐ 열성

순종과 잡종
대립유전자 구성이
같으면 순종, 다르면 잡종

1 부모의 형질이 자녀에게 전달되는 현상을 무엇이라고 하는지 쓰시오.

2 다음에서 설명하는 유전 용어는 무엇인지 쓰시오.

(1) 유전자 구성을 알파벳 기호로 나타낸 것

(2) 유전자 구성에 따라 겉으로 드러나는 형질

(3) 한 가지 형질을 나타내는 유전자의 구성이 같은 개체

(4) 한 가지 형질을 나타내는 유전자의 구성이 다른 개체

(5) 수술의 꽃가루가 같은 그루의 꽃에 있는 암술에 붙는 현상

(6) 수술의 꽃가루가 다른 그루의 꽃에 있는 암술에 붙는 현상

3 순종인 것을 보기에서 모두 고르시오.

{ 보기 }
ㄱ. RR　　ㄴ. yy　　ㄷ. Aa　　ㄹ. rrYY　　ㅁ. AaBb

B **멘델이 밝힌 유전 원리(1)**

오스트리아의 수도사였던 멘델은 완두를 재배하면서 완두의 다양한 생김새가 다음 세대로 어떻게 전달되는지 밝혔습니다. 즉, 유전 현상의 기본 원리를 설명한 것이죠. 지금부터 멘델이 밝힌 유전 원리를 알아봅시다.

1. 멘델이 사용한 완두가 유전 실험의 재료로 적합한 까닭

(1) 기르기 쉽고, 한 세대가 짧으며, 자손의 수가 많아 통계적인 분석에 유리하다.

(2) 대립 형질이 뚜렷하여 교배 결과를 명확하게 해석할 수 있다.[+]

(3) 자가 수분과 타가 수분이 모두 가능하여 <u>의도한 대로 형질을 교배할 수 있다.</u>
　　　　　　　　　　　　　　└─● 자유로운 교배가 가능하다.

2. 한 쌍의 대립 형질의 유전에서 밝힌 유전 원리

잡종 1대를 얻는 과정
순종의 둥근 완두와 순종의 주름진 완두를 교배하였더니 자손(잡종 1대)에서 모두 둥근 완두만 나왔다.

▼

우열의 원리
대립 형질이 다른 두 순종 개체를 교배하여 얻은 잡종 1대에는 대립 형질 중 한 가지만 나타나는데, 잡종 1대에서 나타나는 형질을 우성, 나타나지 않는 형질을 열성이라고 한다.

잡종 2대를 얻는 과정
잡종 1대를 자가 수분하였더니 잡종 2대에서 둥근 완두와 주름진 완두가 약 3 : 1의 비로 나왔다.

▼

분리의 법칙
쌍을 이루고 있던 대립유전자가 감수 분열이 일어날 때 분리되어 서로 다른 생식세포로 들어가는 유전 원리

+ 멘델이 실험에 사용한 완두의 7가지 대립 형질

구분	우성	열성
씨 모양	둥글다.	주름지다.
씨 색깔	노란색	초록색
꽃잎 색깔	보라색	흰색
꼬투리 모양	매끈하다. (볼록하다.)	잘록하다. (주름지다.)
꼬투리 색깔	초록색	노란색
꽃 위치	잎겨드랑이	줄기 끝
줄기의 키	크다.	작다.

● 잡종 2대에 우성 형질과 열성 형질이 일정한 비율로 나타난 것은 잡종 1대에서 쌍으로 존재하던 우성 대립유전자와 열성 대립유전자가 생식세포 형성 과정에서 분리되어 각각 서로 다른 생식세포로 나뉘어 들어가고, 생식세포가 수정되어 잡종 2대의 완두가 만들어졌기 때문이다.

+ 검정 교배

유전자형을 모르는 우성 개체를 열성 순종 개체와 교배하여 유전자형을 알아보는 방법
· RR × rr → Rr ➡ 자손에서 우성 형질만 나오면 교배한 우성 개체는 순종(RR)이다.
· Rr × rr → Rr, rr ➡ 자손에서 우성 형질과 열성 형질이 1 : 1로 나오면 교배한 우성 개체는 잡종(Rr)이다.

어버이 ---- (RR) 둥근 완두　(rr) 주름진 완두
　　　　(R)─생식세포─(r)

감수 분열에서 한 쌍의 대립유전자가 분리되어 각 생식세포에 들어간다. ➡ 둥근 완두의 생식세포 R, 주름진 완두의 생식세포 r

잡종 1대 ---- (Rr) 자가 수분 (Rr)
　　　　둥근 완두　　둥근 완두

비상 교과서에서는 자손 1대, 자손 2대라고 한다.

· 생식세포가 수정되면서 대립유전자는 다시 쌍을 이룬다. ➡ 잡종 1대의 유전자형은 모두 Rr이다.
· 우성 유전자만 표현된다. ➡ 잡종 1대에서 나타난 둥근 모양이 우성 형질이고, 나타나지 않은 주름진 모양이 열성 형질이다.[+]

생식세포 (R) (R)
생식세포 (r) (r)

대립유전자 R와 r가 분리되어 서로 다른 생식세포로 들어간다. ➡ 생식세포 R : r = 1 : 1[+]

잡종 2대 ---- (RR) (Rr) (Rr) (rr)

· 유전자형의 비 ➡ RR : Rr : rr = 1 : 2 : 1
· 표현형의 비 ➡
둥근 완두(RR, Rr) : 주름진 완두(rr) = 3 : 1

● 완두 씨 모양이 유전되는 원리

3. 실험 결과를 설명하기 위해 멘델이 세운 가설

(1) 생물에는 한 가지 형질을 결정하는 한 쌍의 유전 인자가 있으며, 유전 인자는 부모에서 자손으로 전달된다. ➡ 유전 인자는 오늘날의 유전자이다.

(2) 한 쌍을 이루는 유전 인자가 서로 다를 때 하나의 유전 인자만 형질로 표현되며, 나머지 인자는 표현되지 않는다. ➡ 우열의 원리

(3) 한 쌍을 이루는 유전 인자는 생식세포가 만들어질 때 각 생식세포로 나뉘어 들어가고, 생식세포가 수정될 때 다시 쌍을 이룬다. ➡ 분리의 법칙

+ 잡종 1대의 생식세포 형성

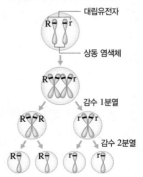

1 완두가 유전 실험의 재료로 적합한 까닭으로 옳은 것은 ○, 옳지 <u>않은</u> 것은 ×로 표시하시오.

(1) 대립 형질이 뚜렷하다. ··· (   )

(2) 기르기 쉽고, 한 세대가 짧다. ·· (   )

(3) 자손의 수가 적어 통계적인 분석에 유리하다. ···················· (   )

(4) 타가 수분이 불가능하고 자가 수분만 할 수 있다. ············· (   )

암기구

한 쌍의 대립 형질의 유전에서 잡종 2대의 표현형의 비
우성 : 열성=3 : 1

2 다음은 멘델이 밝힌 어떤 유전 원리에 대한 설명이다. (   ) 안에 알맞은 말을 쓰시오.

> 대립 형질이 다른 두 순종 개체를 교배하여 얻은 잡종 1대에는 대립 형질 중 한 가지만 나타나는데, 잡종 1대에서 나타나는 형질을 ㉠(   ), 나타나지 않는 형질을 ㉡(   )이라고 한다.

3 쌍을 이루고 있던 대립유전자가 감수 분열이 일어날 때 분리되어 서로 다른 생식세포로 들어가는 유전 원리를 무엇이라고 하는지 쓰시오.

4 오른쪽 그림은 순종의 노란색 완두(YY)와 순종의 초록색 완두(yy)를 교배하여 얻은 잡종 1대를 자가 수분하여 잡종 2대를 얻는 과정을 나타낸 것이다.

(1) 완두 씨 색깔에서 우성 형질을 쓰시오.

(2) ㉠~㉣의 유전자형을 쓰시오.

(3) 잡종 2대에서 우성 : 열성의 비를 쓰시오.

(4) 잡종 2대에서 총 400개의 완두를 얻었다면, 이 중 초록색 완두는 이론상 모두 몇 개인지 구하시오.

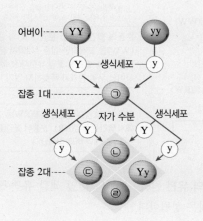

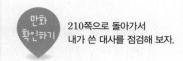
210쪽으로 돌아가서 내가 쓴 대사를 점검해 보자.

C 멘델이 밝힌 유전 원리(2)

한 개체의 완두는 씨의 모양뿐만 아니라 씨의 색깔, 꽃잎 색깔, 줄기의 키 등 다양한 형질을 함께 지니고 있습니다. 여러 가지 형질이 동시에 유전되면 어떤 결과가 나올까요? 지금부터 알아봅시다.

1. 멘델의 실험 : 순종의 둥글고 노란색인 완두와 순종의 주름지고 초록색인 완두를 교배하여 얻은 잡종 1대를 자가 수분하였더니 잡종 2대에서 둥글고 노란색, 둥글고 초록색, 주름지고 노란색, 주름지고 초록색인 완두가 약 9 : 3 : 3 : 1의 비로 나타났다.

2. 두 쌍의 대립 형질의 유전에서 밝힌 유전 원리 : 독립의 법칙 ➡ 두 쌍 이상의 대립유전자가 서로 영향을 미치지 않고 각각 분리의 법칙에 따라 유전되는 원리

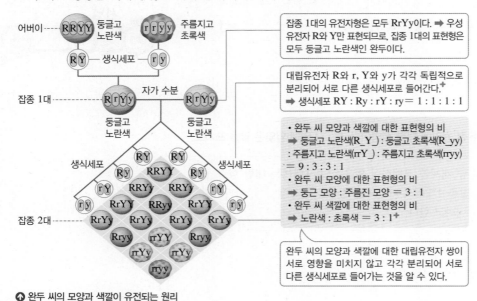

잡종 1대의 유전자형은 모두 RrYy이다. ➡ 우성 유전자 R와 Y만 표현되므로, 잡종 1대의 표현형은 모두 둥글고 노란색인 완두이다.

대립유전자 R와 r, Y와 y가 각각 독립적으로 분리되어 서로 다른 생식세포로 들어간다.[+]
➡ 생식세포 RY : Ry : rY : ry = 1 : 1 : 1 : 1

• 완두 씨 모양과 색깔에 대한 표현형의 비
➡ 둥글고 노란색(R_Y_) : 둥글고 초록색(R_yy)
 : 주름지고 노란색(rrY_) : 주름지고 초록색(rryy)
 = 9 : 3 : 3 : 1
• 완두 씨 모양에 대한 표현형의 비
➡ 둥근 모양 : 주름진 모양 = 3 : 1
• 완두 씨 색깔에 대한 표현형의 비
➡ 노란색 : 초록색 = 3 : 1[+]

완두 씨의 모양과 색깔에 대한 대립유전자 쌍이 서로 영향을 미치지 않고 각각 분리되어 서로 다른 생식세포로 들어가는 것을 알 수 있다.

⬆ 완두 씨의 모양과 색깔이 유전되는 원리

✚ 잡종 1대의 생식세포 형성
완두 씨의 모양을 나타내는 대립유전자와 색깔을 나타내는 대립유전자는 서로 다른 상동 염색체에 있다.

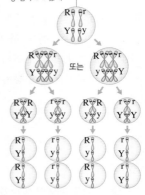

✚ 완두 씨의 모양에 대한 표현형의 비와 색깔에 대한 표현형의 비

모양	둥·노(9)+둥·초(3) : 주·노(3)+주·초(1) =12 : 4=3 : 1
색깔	둥·노(9)+주·노(3) : 둥·초(3)+주·초(1) =12 : 4=3 : 1

D 우열의 원리가 성립하지 않는 유전

멘델이 밝힌 유전 원리는 모든 생물에게, 모든 형질에서 적용될까요? 멘델의 유전 원리가 적용되지 않는다면 그 까닭은 무엇일까요? 분꽃의 꽃잎 색깔 유전을 통해 알아봅시다.

1. 분꽃의 꽃잎 색깔 유전

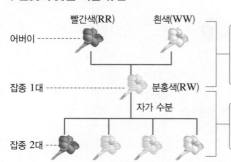

우열의 원리에 따른다면 잡종 1대에서 빨간색 꽃잎 혹은 흰색 꽃잎 중 하나만 나타났어야 한다.

순종의 빨간색 꽃잎 분꽃(RR)과 순종의 흰색 꽃잎 분꽃(WW)을 교배하면 잡종 1대에서 분홍색 꽃잎(RW)만 나타난다. ➡ 빨간색 꽃잎 유전자(R)와 흰색 꽃잎 유전자(W) 사이의 우열 관계가 뚜렷하지 않기 때문[+]

잡종 1대의 분홍색 꽃잎 분꽃(RW)을 자가 수분하면 잡종 2대에서 빨간색 꽃잎(RR) : 분홍색 꽃잎(RW) : 흰색 꽃잎(WW) =1 : 2 : 1의 비로 나타난다.

✚ 중간 유전
대립유전자 사이의 우열 관계가 뚜렷하지 않아 잡종 1대에서 부모의 중간 형질이 나타나는 유전 현상

● 잡종 1대의 자가 수분

생식세포	R	W
R	RR	RW
W	RW	WW

2. 분꽃의 꽃잎 색깔 유전과 멘델의 유전 원리 : 분꽃의 꽃잎 색깔 유전에서 우열의 원리는 성립하지 않지만, 분리의 법칙은 성립한다.

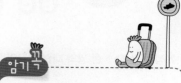

1 두 쌍 이상의 대립유전자가 서로 영향을 미치지 않고 각각 분리의 법칙에 따라 유전되는 원리를 무엇이라고 하는지 쓰시오.

두 쌍의 대립 형질의 유전에서 잡종 2대의 표현형의 비
· 둥글고 노란색 : 둥글고 초록색 : 주름지고 노란색 : 주름지고 초록색=9 : 3 : 3 : 1
· 둥근 완두 : 주름진 완두=3 : 1
· 노란색 완두 : 초록색 완두=3 : 1

2 오른쪽 그림은 순종의 둥글고 노란색인 완두와 순종의 주름지고 초록색인 완두를 교배하여 얻은 잡종 1대를 자가 수분하여 잡종 2대를 얻는 과정을 나타낸 것이다.

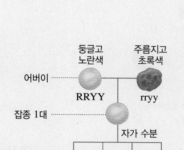

(1) 잡종 1대의 유전자형을 쓰시오.

(2) 잡종 1대에서 만들어지는 생식세포의 종류를 모두 쓰시오.

(3) 잡종 2대에서 둥글고 노란색 : 둥글고 초록색 : 주름지고 노란색 : 주름지고 초록색의 비를 쓰시오.

(4) 잡종 2대에서 (가) 둥근 완두 : 주름진 완두와 (나) 노란색 완두 : 초록색 완두의 비를 쓰시오.

(5) 잡종 2대에서 총 1600개의 완두를 얻었다면, 이 중 둥글고 노란색인 완두는 이론상 모두 몇 개인지 구하시오.

---

1 오른쪽 그림은 순종의 빨간색 꽃잎 분꽃과 순종의 흰색 꽃잎 분꽃을 교배하여 얻은 잡종 1대를 자가 수분하여 잡종 2대를 얻는 과정을 나타낸 것이다. 이에 대한 설명으로 옳은 것은 ○, 옳지 않은 것은 ×로 표시하시오.

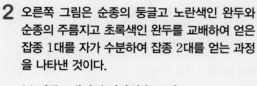

분꽃의 꽃잎 색깔 유전과 멘델의 유전 원리
· 성립하지 않는 유전 원리 ➡ 우열의 원리
· 성립하는 유전 원리 ➡ 분리의 법칙

(1) 우열의 원리가 성립하지 않는다. ···· ( )

(2) 분리의 법칙이 성립하지 않는다. ···· ( )

(3) 분홍색 꽃잎 분꽃은 모두 잡종이다. ·· ( )

(4) 빨간색 꽃잎 유전자가 흰색 꽃잎 유전자에 대해 우성이다. ·················· ( )

(5) 잡종 2대에서 유전자형의 비와 표현형의 비는 모두 1 : 2 : 1이다. ··········· ( )

잡종 2대에서 특정 형질이나 특정 유전자형을 지닌 완두의 개수를 구하는 문제는 시험에 항상 출제됩니다. 집중 강의에서 완벽하게 이해하고 넘어갑시다.

핵심 자료 ① 한 쌍의 대립 형질의 유전에서 특정 완두의 개수 구하기 관련 개념 I 212쪽 **B** 멘델이 밝힌 유전 원리(1)

그림과 같이 순종의 노란색 완두와 순종의 초록색 완두를 교배하여 얻은 잡종 1대를 자가 수분하여 잡종 2대를 얻었다.

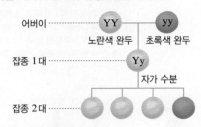

어버이 ········ YY   yy
노란색 완두   초록색 완두

잡종 1대 ········ Yy

자가 수분

잡종 2대 ········

① 잡종 2대의 표현형과 유전자형

생식세포	Y	y
Y	YY	Yy
y	Yy	yy

• 노란색 : 초록색=3 : 1
• YY : Yy : yy=1 : 2 : 1

② 잡종 2대에서 특정 형질을 지닌 완두의 개수

잡종 2대의 총 개수 × $\dfrac{\text{특정 형질} \text{— 노란색은 3, 초록색은 1}}{4(3\text{노란색}+1\text{초록색})}$

③ 잡종 2대에서 특정 유전자형을 지닌 완두의 개수

잡종 2대의 총 개수 × $\dfrac{\text{특정 유전자형} \text{— YY와 yy는 1, Yy는 2}}{4(1\text{YY}+2\text{Yy}+1\text{yy})}$

유제 1 그림과 같이 잡종의 둥근 완두와 순종의 주름진 완두를 교배하여 총 800개의 자손을 얻었다.

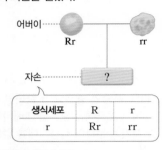

어버이 ········ Rr   rr

자손 ········ ?

생식세포	R	r
r	Rr	rr

(1) 자손에서 표현형의 비를 쓰시오.

(2) 자손에서 둥근 완두의 개수를 구하시오.

(3) 자손에서 유전자형이 rr인 완두의 개수를 구하시오.

(4) 자손에서 순종인 완두의 개수를 구하시오.

핵심 자료 ② 두 쌍의 대립 형질의 유전에서 특정 완두의 개수 구하기 관련 개념 I 214쪽 **C** 멘델이 밝힌 유전 원리(2)

그림과 같이 순종의 둥글고 노란색인 완두와 순종의 주름지고 초록색인 완두를 교배하여 얻은 잡종 1대를 자가 수분하여 잡종 2대를 얻었다.

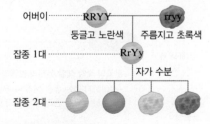

어버이 ········ RRYY   rryy
둥글고 노란색   주름지고 초록색

잡종 1대 ········ RrYy

자가 수분

잡종 2대 ········

① 잡종 2대의 표현형과 유전자형

생식세포	RY	Ry	rY	ry
RY	RRYY	RRYy	RrYY	RrYy
Ry	RRYy	RRyy	RrYy	Rryy
rY	RrYY	RrYy	rrYY	rrYy
ry	RrYy	Rryy	rrYy	rryy

둥글고 노란색 : 둥글고 초록색 : 주름지고 노란색 : 주름지고 초록색 =9 : 3 : 3 : 1

② 잡종 2대에서 특정 형질을 지닌 완두의 개수

잡종 2대의 총 개수 × $\dfrac{\text{특정 형질}}{16(9\text{둥·노}+3\text{둥·초}+3\text{주·노}+1\text{주·초})}$

— 둥글고 노란색은 9, 둥글고 초록색과 주름지고 노란색은 3, 주름지고 초록색은 1

유제 2 그림과 같이 잡종의 둥글고 노란색인 완두와 순종의 주름지고 초록색인 완두를 교배하여 총 2000개의 자손을 얻었다.

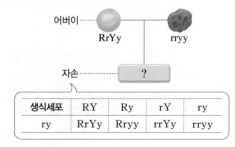

어버이 ········ RrYy   rryy

자손 ········ ?

생식세포	RY	Ry	rY	ry
ry	RrYy	Rryy	rrYy	rryy

(1) 자손에서 표현형의 비를 쓰시오.

(2) 자손에서 둥글고 초록색인 완두의 개수를 구하시오.

(3) 자손에서 주름진 완두의 개수를 구하시오.

(4) 자손에서 유전자형이 어버이의 둥글고 노란색인 완두와 같은 완두의 개수를 구하시오.

01 유전 용어에 대한 설명으로 옳지 <u>않은</u> 것은? `[210쪽]`

① 유전자형 : 유전자 구성을 알파벳 기호로 나타낸 것

② 대립 형질 : 한 가지 형질에서 뚜렷하게 구분되는 변이

③ 순종 : 한 가지 형질을 나타내는 유전자의 구성이 같은 개체

④ 자가 수분 : 수술의 꽃가루가 같은 그루의 꽃에 있는 암술에 붙는 현상

⑤ 우성 : 대립 형질이 다른 두 순종 개체를 교배하여 얻은 잡종 1대에서 나타나지 않는 형질

02 순종인 것을 보기에서 모두 고른 것은? `[210쪽]`

┌ 보기 ┐

ㄱ. rr   ㄴ. Tt   ㄷ. Aa
ㄹ. RrYy   ㅁ. RRyy   ㅂ. aaBBcc

① ㄱ, ㄴ, ㄷ ② ㄱ, ㄹ, ㅂ ③ ㄱ, ㅁ, ㅂ
④ ㄴ, ㄷ, ㅁ ⑤ ㄴ, ㄹ, ㅂ

03 풀이 TIP 대립 형질끼리 옳게 짝 지은 것은? `[210쪽]`

① 씨 모양이 둥근 것 – 씨 색깔이 노란색인 것

② 줄기의 키가 큰 것 – 줄기 끝에 꽃이 피는 것

③ 꼬투리 모양이 매끈한 것 – 씨 모양이 주름진 것

④ 꽃잎 색깔이 보라색인 것 – 꽃잎 색깔이 흰색인 것

⑤ 씨 색깔이 초록색인 것 – 꼬투리 색깔이 초록색인 것

04 완두가 유전 실험의 재료로 적합한 까닭으로 옳은 것을 보기에서 모두 고르시오. `[212쪽]`

┌ 보기 ┐

ㄱ. 자손의 수가 많다.

ㄴ. 자유로운 교배가 가능하다.

ㄷ. 대립 형질이 뚜렷하지 않다.

ㄹ. 기르기 쉽고, 한 세대가 짧다.

[05~06] 그림은 순종의 둥근 완두와 순종의 주름진 완두를 교배하여 잡종 1대를 얻는 과정을 나타낸 것이다. 둥근 유전자 R는 주름진 유전자 r에 대해 우성이다.

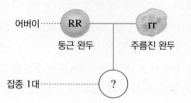

05 풀이 TIP 이에 대한 설명으로 옳지 <u>않은</u> 것은? `[212쪽]`

① 잡종 1대의 완두는 잡종이다.

② 잡종 1대에는 둥근 완두만 나온다.

③ 잡종 1대의 완두는 어버이와 유전자형이 다르다.

④ 잡종 1대에서는 한 종류의 생식세포만 만들어진다.

⑤ 잡종 1대를 자가 수분하면 잡종 2대에서 둥근 완두 : 주름진 완두=3 : 1로 나온다.

06 잡종 1대의 유전자 구성을 염색체에 옳게 나타낸 것은? `[212쪽]`

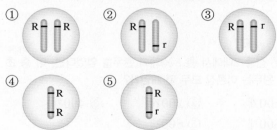

 03 대립 형질은 한 가지 형질에서 나타나는 것임을 안다. **05 ❶** 유전자형이 RR인 완두, Rr인 완두, rr인 완두에서 만들어지는 생식세포의 종류를 파악한다.
❷ 두 가지 이상의 생식세포가 만들어지는 경우 표를 그려 자손에서 나올 수 있는 유전자형과 표현형을 구한다.

03. 멘델의 유전 원리   **217**

[07~10] 그림은 순종의 노란색 완두(YY)와 순종의 초록색 완두(yy)를 교배하여 잡종 1대를 얻고, 이를 자가 수분하여 잡종 2대를 얻는 과정을 나타낸 것이다.

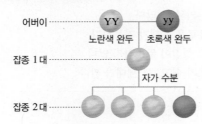

중요
07 이에 대한 설명으로 옳지 <u>않은</u> 것은? 〔212쪽〕

① 초록색 완두는 모두 순종이다.
② 노란색이 초록색에 대해 우성이다.
③ 잡종 1대에서는 Y를 가진 생식세포와 y를 가진 생식세포가 1 : 1로 만들어진다.
④ 잡종 2대에서 노란색 완두의 유전자형은 모두 같다.
⑤ 우열의 원리와 분리의 법칙이 모두 성립한다.

08 잡종 2대에서 순종과 잡종의 비로 옳은 것은? 〔212쪽〕 풀이 **TIP**

	순종	잡종			순종	잡종
①	1	:	1	②	1	:	2
③	1	:	3	④	2	:	1
⑤	3	:	1				

중요
09 잡종 2대에서 총 800개의 완두를 얻었다면, 이 중 초록색 완두는 이론상 모두 몇 개인가? 풀이 **TIP** 〔212쪽〕

① 100개   ② 200개   ③ 400개
④ 600개   ⑤ 800개

10 잡종 2대에서 총 600개의 완두를 얻었다면, 이 중 잡종 1대와 유전자형이 같은 것은 이론상 모두 몇 개인가? 〔212쪽〕

① 100개   ② 150개   ③ 300개
④ 450개   ⑤ 600개

11 완두 씨의 모양에 대한 유전자형이 다음과 같은 완두끼리 교배했을 때, 자손에서 우성 형질과 열성 형질의 비가 1 : 1로 나타나는 경우는?(단, 둥근 유전자 R는 주름진 유전자 r에 대해 우성이다.) 〔212쪽〕

① RR×RR   ② RR×Rr   ③ RR×rr
④ Rr×Rr   ⑤ Rr×rr

12 멘델의 가설로 옳지 <u>않은</u> 것은? 〔212쪽〕

① 생물에는 한 가지 형질을 결정하는 한 쌍의 유전 인자가 있다.
② 유전 인자는 부모에서 자손으로 전달된다.
③ 한 쌍을 이루는 유전 인자가 서로 다르면 두 가지 유전 인자가 모두 표현된다.
④ 한 쌍을 이루는 유전 인자는 생식세포가 만들어질 때 각 생식세포로 나뉘어 들어간다.
⑤ 생식세포가 수정될 때 유전 인자가 다시 쌍을 이룬다.

풀이 **TIP** **08** ❶ 잡종 1대에서 만들어지는 생식세포의 종류를 생각한다. ❷ 잡종 1대를 자가 수분할 때 생식세포의 조합으로 나올 수 있는 잡종 2대의 유전자형을 구한다. ❸ 잡종 2대의 유전자형에서 순종과 잡종을 구분한다.   **09** 잡종 2대 전체 중 초록색 완두가 차지하는 비율을 생각한다.

212쪽

13 키 큰 완두 (가)와 키 작은 완두 (나)를 교배하였더니 자손에서 키 큰 완두와 키 작은 완두가 1 : 1의 비로 나타났다. (가)와 (나)의 유전자형을 옳게 짝 지은 것은?(단, 키가 큰 유전자 T는 키가 작은 유전자 t에 대해 우성이다.)

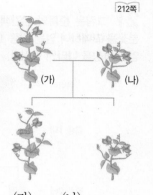

	(가)	(나)		(가)	(나)
①	TT	TT	②	TT	Tt
③	TT	tt	④	Tt	Tt
⑤	Tt	tt			

[14~17] 그림은 순종의 둥글고 노란색인 완두(RRYY)와 순종의 주름지고 초록색인 완두(rryy)를 교배하여 잡종 1대를 얻고, 이를 자가 수분하여 잡종 2대를 얻는 과정을 나타낸 것이다. 둥근 유전자 R는 주름진 유전자 r에 대해, 노란색 유전자 Y는 초록색 유전자 y에 대해 우성이다.

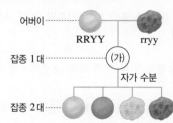

어버이 ⋯⋯⋯ RRYY   rryy

잡종 1대 ⋯⋯⋯ (가)

자가 수분

잡종 2대 ⋯⋯⋯

214쪽

14 (가)의 표현형과 유전자형을 옳게 짝 지은 것은?

	표현형	유전자형		표현형	유전자형
①		RRYY	②		RrYy
③		Rryy	④		rrYY
⑤		rryy			

214쪽

15 잡종 1대에서 만들어지는 생식세포의 종류와 그 비를 옳게 나타낸 것은?

① Rr : Yy=1 : 1
② Rr : Yy=3 : 1
③ R : r : Y : y=1 : 1 : 1 : 1
④ RY : Ry : rY : ry=1 : 1 : 1 : 1
⑤ RY : Ry : rY : ry=9 : 3 : 3 : 1

214쪽

16 이에 대한 설명으로 옳지 <u>않은</u> 것을 모두 고르면?(2개)

① 잡종 2대에서 표현형의 비는 9 : 3 : 3 : 1이다.
② 잡종 2대에서 둥근 완두와 주름진 완두의 비는 1 : 1이다.
③ 잡종 2대에서 총 1600개의 완두를 얻었다면, 이 중 주름지고 노란색인 완두는 이론상 600개이다.
④ 유전자형이 RRyy인 완두와 Rryy인 완두의 표현형은 같다.
⑤ 완두 씨의 모양과 색깔에 대한 대립유전자 쌍은 서로 영향을 미치지 않고 각각 분리의 법칙에 따라 유전된다.

214쪽

17 잡종 2대에서 총 800개의 완두를 얻었다면, 이 중 (가)와 같은 표현형을 가진 완두는 이론상 모두 몇 개인가?

① 100개　　② 200개　　③ 250개
④ 450개　　⑤ 600개

---

13 유전자형을 모르는 우성 개체를 순종의 열성 개체와 교배했을 때 자손에서 우성 형질만 나오는 경우와 우성 형질 : 열성 형질=1 : 1로 나오는 경우를 생각해 본다.
15 유전자 R는 유전자 Y 또는 y와 같은 생식세포로 들어갈 수 있고, 유전자 r도 유전자 Y 또는 y와 같은 생식세포로 들어갈 수 있음을 떠올린다.

[18~19] 그림은 순종의 둥글고 초록색인 완두(RRyy)와 순종의 주름지고 노란색인 완두(rrYY)를 교배하여 잡종 1대를 얻는 과정을 나타낸 것이다.

어버이 ──── 둥글고 초록색 ─ 주름지고 노란색

잡종 1대 ──── ?

18 잡종 1대의 유전자 구성을 염색체 상에 옳게 나타낸 것은?

[214쪽]

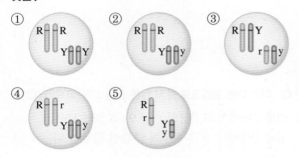

① R R Y Y
② R R Y y
③ R Y r y
④ R r Y y
⑤ R r Y y

19 잡종 1대를 자가 수분하여 잡종 2대에서 총 1200개의 완두를 얻었다면, 이 중 노란색 완두는 이론상 모두 몇 개인가?

[214쪽]

① 200개 ② 400개 ③ 600개
④ 800개 ⑤ 900개

20 유전자형이 AABbCc인 개체가 만들 수 있는 생식세포가 아닌 것은?(단, 유전자 A, B, C는 각각 서로 다른 상동 염색체에 있다.)

[214쪽]

① ABC ② ABc ③ AbC
④ Abc ⑤ aBc

21 그림은 순종의 빨간색 꽃잎 분꽃과 순종의 흰색 꽃잎 분꽃을 교배하여 얻은 잡종 1대를 자가 수분하여 잡종 2대를 얻는 과정을 나타낸 것이다.

[214쪽]

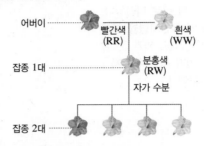

어버이 ── 빨간색 (RR) ── 흰색 (WW)

잡종 1대 ── 분홍색 (RW)

자가 수분

잡종 2대 ────

이에 대한 설명으로 옳지 않은 것은?

① 잡종 2대에서 표현형의 비는 1 : 2 : 1이다.
② 잡종 2대에서 표현형의 비와 유전자형의 비가 같다.
③ 분리의 법칙에 따라 유전된다.
④ 빨간색 꽃잎 유전자와 흰색 꽃잎 유전자 사이의 우열 관계가 뚜렷하지 않다.
⑤ 분홍색 꽃잎 분꽃과 흰색 꽃잎 분꽃을 교배하면 자손에서 분홍색 꽃잎만 나온다.

22 다음은 어떤 식물의 키 유전자와 꽃잎 색깔 유전자에 대한 설명이다.

[풀이 TIP] [214쪽]

• 키가 큰 유전자 T는 키가 작은 유전자 t에 대해 우성이다.
• 빨간색 꽃잎 유전자 R와 흰색 꽃잎 유전자 W 사이의 우열 관계는 뚜렷하지 않다.
• 키 유전자와 꽃잎 색깔 유전자는 서로 다른 상동 염색체에 있다.

키가 크고 분홍색 꽃잎을 가진 식물(TtRW)과 키가 크고 빨간색 꽃잎을 가진 식물(TTRR)을 교배하여 2000개의 자손을 얻었다면, 이 중 키가 크고 분홍색 꽃잎을 가진 식물은 이론상 모두 몇 개인가?

① 125개 ② 250개 ③ 500개
④ 1000개 ⑤ 1600개

풀이 TIP **22** ❶ 유전자형이 TtRW인 식물에서 만들어지는 4종류의 생식세포와 유전자형이 TTRR인 식물에서 만들어지는 한 종류의 생식세포를 파악한다. ❷ 표를 그려 자손에서 나올 수 있는 유전자형을 구한다. ❸ 키가 크고 분홍색 꽃잎을 가진 식물의 비율을 파악한다.

212쪽

23 멘델이 사용한 완두가 유전 실험의 재료로 적합한 까닭을 세 가지만 서술하시오.

212쪽

24 그림과 같이 완두에서 순종의 보라색 꽃잎(PP)과 순종의 흰색 꽃잎(pp)을 교배하였더니 잡종 1대에서 보라색 꽃잎만 나타났다.

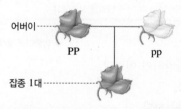

완두의 꽃잎 색깔에서 보라색과 흰색 중 우성인 형질을 쓰고, 그 까닭을 우성의 뜻과 관련지어 서술하시오.

212쪽

25 순종의 둥근 완두(RR)와 순종의 주름진 완두(rr)를 교배하여 얻은 잡종 1대를 자가 수분하여 잡종 2대를 얻었다. 잡종 2대의 표현형의 비와 유전자형의 비를 서술하시오. 완두씨의 모양은 둥근 모양이 우성, 주름진 모양이 열성이다.

214쪽

26 그림과 같이 순종의 둥글고 노란색인 완두(RRYY)와 순종의 주름지고 초록색인 완두(rryy)를 교배하여 얻은 잡종 1대를 자가 수분하여 잡종 2대를 얻었다.

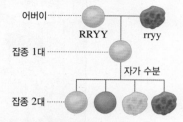

잡종 2대의 표현형의 비를 서술하시오.

214쪽

27 그림은 순종의 빨간색 꽃잎 분꽃(RR)과 순종의 흰색 꽃잎 분꽃(WW)을 교배하여 잡종 1대를 얻는 과정을 나타낸 것이다.

잡종 1대에서 분홍색 꽃잎 분꽃만 나타나는 까닭을 서술하시오.

----

23 완두를 이용한 실험이 통계적인 분석과 교배 결과 해석에 유리한 까닭을 생각한다. **27** 빨간색 꽃잎 유전자 R와 흰색 꽃잎 유전자 W 사이의 우열 관계가 뚜렷하다면 잡종 1대에서는 우열의 원리에 따라 빨간색 꽃잎만 나오거나 흰색 꽃잎만 나와야 함을 떠올린다.

04 사람의 유전

만화 완성하기 다음 만화를 보고 말풍선을 완성해 보자.

나 뭔가 출생의 비밀이 있는 것 같아…

???

엄마, 아빠가 다 B형이래. 난 O형인데!

아이참!!ㅠ

>> 이 단원을 학습한 후 내가 쓴 대사를 수정해 보자.

A 사람의 유전 연구

사람의 유전은 완두의 유전에 비해 연구하기가 어렵습니다. 그 까닭은 무엇일까요? 또, 그렇다면 어떤 방법으로 연구할 수 있을까요? 사람의 형질이 어떻게 유전되는지 알아보기 전에 먼저 그 연구 방법을 살펴봅시다.

1. 사람의 유전 연구가 어려운 까닭

(1) 한 세대가 길다. ➡ 여러 세대에 걸쳐 특정 형질이 유전되는 방식을 관찰하기 어렵다.

(2) 자손의 수가 적다. ➡ 통계 자료로 활용할 충분한 사례를 얻기 어렵다.

(3) 대립 형질이 복잡하고, 환경의 영향을 많이 받으며, 교배 실험이 불가능하다.

2. 사람의 유전 연구 방법 : 주로 간접적인 방법을 이용한다.

가계도 조사	특정 형질을 가진 집안에서 여러 세대에 걸쳐 이 형질이 어떻게 유전되는지 알아보는 방법 ➡ 형질의 우열 관계, 유전자의 전달 경로, 가족 구성원의 유전자형 등을 알 수 있고, 앞으로 태어날 자손의 형질을 예측할 수 있다.
쌍둥이 연구	쌍둥이의 성장 환경과 특정 형질의 발현이 어느 정도 일치하는지 조사하는 방법 ➡ 유전과 환경이 특정 형질에 미치는 영향을 알아볼 수 있다.[+]
통계 조사	특정 형질이 사람에게 나타난 사례를 가능한 많이 수집하고, 자료를 통계적으로 분석하는 방법 ➡ 형질이 유전되는 특징, 유전자의 분포 등을 밝힌다.
최근의 유전 연구 방법	• 염색체의 수와 모양 분석 ➡ 염색체 이상에 의한 유전병을 진단할 수 있다. • DNA 분석 ➡ 특정 형질이 나타나는 것과 관련된 유전자의 정보를 얻는다. • 부모의 DNA와 자녀의 DNA 비교 ➡ 특정 형질의 유전 여부를 확인한다.

📖 **쌍둥이 연구**

세 명의 1란성 쌍둥이 (가)~(다) 중 (가)와 (나)는 같은 환경에서 자라고, (다)만 다른 환경에서 자랐을 때 (가)~(다)의 키와 몸무게가 표와 같았다.

구분	키	몸무게
(가)	177 cm	70 kg중
(나)	177.5 cm	71 kg중
(다)	177.5 cm	82 kg중

• 키 : 자란 환경에 상관없이 거의 비슷하다. ➡ 유전자의 영향을 많이 받는 형질

• 몸무게 : 같은 환경에서 자랐을 때보다 다른 환경에서 자랐을 때 차이가 크다. ➡ 환경의 영향을 많이 받는 형질

➕ **쌍둥이의 발생 과정**

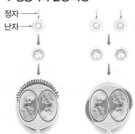

정자 —
난자 —

⬆ 1란성 쌍둥이　⬆ 2란성 쌍둥이

• 1란성 쌍둥이 : 하나의 수정란이 발생 초기에 둘로 나뉘어 각각 발생한다. ➡ 유전자 구성이 서로 같으므로, 환경의 영향으로 형질 차이가 나타난다. — 성별이 항상 같다.

• 2란성 쌍둥이 : 각기 다른 두 개의 수정란이 동시에 발생한다. ➡ 유전자 구성이 서로 다르므로, 유전과 환경의 영향으로 형질 차이가 나타난다. — 성별이 같을 수도 있고, 다를 수도 있다.

● 미래엔 교과서에서는 집단 조사(한 집단에서 나타나는 유전 형질을 조사하고 자료를 통계 처리하는 방법)라고 한다.

이 단원의 개념이 어떻게 구성되어 있는지 살펴보고 빈칸을 완성해 보자.

사람의 유전

A 사람의 유전 연구 ──── B

C 상염색체 유전 (1) ──── D 상염색체 유전 (2)

E

이 단원을 공부하기 전에 미리 알고 있는 단어를 체크해 보자.

☐ 가계도 ☐ 대립유전자 ☐ 상염색체 ☐ 분리의 법칙 ☐ 표현형
☐ 유전자형 ☐ 성염색체 ☐ 반성유전 ☐ 적록 색맹

1 사람의 유전 연구가 어려운 까닭으로 옳은 것을 보기에서 모두 고르시오.

┌ 보기 ┐
ㄱ. 대립 형질이 뚜렷하다.
ㄴ. 환경의 영향을 많이 받는다.
ㄷ. 자유로운 교배 실험이 가능하다.
ㄹ. 한 세대가 길고, 자손의 수가 적다.

사람의 유전 연구가 어려운 까닭

완두	사람
한 세대가 짧다.	한 세대가 길다.
자손의 수가 많다.	자손의 수가 적다.
교배 실험에 적합하다.	교배 실험이 불가능하다.

2 사람의 유전 연구 방법에 대한 설명으로 옳은 것은 ◯, 옳지 <u>않은</u> 것은 ✕로 표시하시오.

(1) 2란성 쌍둥이는 유전자 구성이 서로 같아 성별이 항상 같다. ·············· (   )
(2) 가계도 조사를 통해 앞으로 태어날 자손의 형질을 예측할 수 있다. ········· (   )
(3) 염색체의 수와 모양을 분석하면 염색체 이상으로 발생할 수 있는 유전병을 진단할 수 있다. ················· (   )
(4) 통계 조사는 특정 형질이 사람에게 나타난 사례를 가능한 많이 수집하고, 자료를 통계적으로 분석하는 방법이다. ·················· (   )

3 유전과 환경이 특정 형질에 미치는 영향을 알아보는 데 가장 적합한 유전 연구 방법을 쓰시오.

B 가계도 분석 방법

집안의 가족 관계를 그림으로 나타낸 가계도를 조사하면 특정 형질이 어떻게 유전되는지 알 수 있습니다. 멘델의 유전 원리에 따라 유전되는 형질에 대한 가계도를 분석하는 방법을 알아봅시다.

1. 가계도 작성에 사용되는 기호

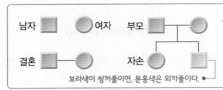

• 가로 직선으로 연결된 것은 부부 사이이고, 가로 직선에서 세로 직선으로 연결된 그 다음 세대는 자녀이다.
• 색깔이 다른 것은 서로 다른 대립 형질을 뜻한다.

2. 가계도 분석 방법

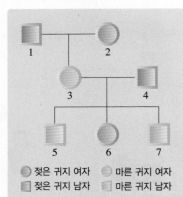

◉ 젖은 귀지 여자   ◼ 마른 귀지 여자
◼ 젖은 귀지 남자   ◼ 마른 귀지 남자

• 부모(1과 2)와 다른 형질을 지닌 자녀(3)가 태어나면 부모의 형질이 우성이고, 자녀의 형질이 열성이다.
  ➡ 젖은 귀지가 우성, 마른 귀지가 열성이다. 열성인 마른 귀지가 있는 사람(3, 5, 7)의 유전자형은 aa이다.
• 자녀는 부모에게서 대립유전자를 하나씩 물려받는다.
➡ 3은 부모에게서 마른 귀지 유전자 a를 하나씩 물려받았으므로, 1과 2의 유전자형은 Aa이다.[+]
➡ 5와 7은 부모에게서 마른 귀지 유전자 a를 하나씩 물려받았으므로, 4의 유전자형은 Aa이다.
➡ 6은 3으로부터 마른 귀지 유전자 a를 물려받았으므로 유전자형이 Aa이다. ── 4로부터는 젖은 귀지 유전자 A를 물려받았다.

+ 1과 2에서 귀지 상태 대립유전자의 위치

귀지 상태를 결정하는 대립유전자는 상동 염색체의 같은 위치에 있다.

• 멘델의 유전 원리에 따르면 우성 형질 사이에서는 우성 형질인 자녀와 열성 형질인 자녀가 모두 태어날 수 있지만, 열성 형질 사이에서는 열성 형질인 자녀만 태어난다.

C 상염색체 유전(1)

완두에 다양한 형질이 있는 것처럼 사람에게도 혀 말기, 이마 선 모양, 보조개 등 다양한 유전 형질이 있습니다. 먼저 유전자가 상염색체에 있는 경우부터 어떤 방식으로 유전되는지 살펴봅시다.

1. 상염색체에 있는 한 쌍의 대립유전자에 의해 결정되는 형질의 특징 : 멘델의 분리의 법칙에 따라 유전되며, 대립 형질이 비교적 명확하게 구분되고, 남녀에 따라 형질이 나타나는 빈도에 차이가 없다.[++]

2. 혀 말기 유전 가계도 분석

• 만약 혀 말기가 가능한 것이 열성이라면, 1과 2 사이에서는 혀 말기가 가능한 자녀만 태어나며, 혀 말기가 불가능한 자녀는 태어날 수 없다.

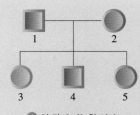

◉ 혀 말기 가능한 여자
◼ 혀 말기 가능한 남자
◉ 혀 말기 불가능한 여자
◼ 혀 말기 불가능한 남자

• 혀 말기가 가능한 부모(1과 2) 사이에서 혀 말기가 불가능한 자녀(3)가 태어났으므로 혀 말기가 가능한 것이 우성, 혀 말기가 불가능한 것이 열성이다. ➡ 열성인 3의 유전자형은 tt이다.
• 3은 부모에게서 혀 말기 불가능 유전자 t를 하나씩 물려받았다.
  ➡ 1과 2의 유전자형은 Tt이다.
• 유전자형이 모두 Tt인 부모 사이에서 태어날 수 있는 자녀

생식세포	T	t
T	TT	Tt
t	Tt	tt

➡ 4와 5의 유전자형은 확실히 알 수 없다(TT 또는 Tt).

+ 사람의 다양한 유전 형질

구분	우성	열성
혀 말기	가능	불가능
이마 선 모양	V자형	일자형
보조개	있음	없음
눈꺼풀	쌍꺼풀	외까풀
귓불 모양	분리형	부착형
엄지 모양	굽음	굽지 않음

• phenylthiocarbamide

+ 미맹

PTC 용액의 쓴맛을 느끼지 못하는 형질로, 쓴맛을 느끼는 형질(미맹이 아닌 형질)에 대해 열성이다.

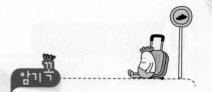

1 다음은 가계도 분석 방법에 대한 설명이다. ( ) 안에 알맞은 말을 쓰시오.

> 멘델의 유전 원리에 따르면 우성 형질 사이에서는 우성 형질인 자녀와 열성 형질인 자녀가 모두 태어날 수 있다. 반면, 열성 형질 사이에서는 ㉠( ) 형질인 자녀만 태어난다. 따라서 특정 형질의 유전에서 부모와 다른 형질을 지닌 자녀가 태어나면 부모에서 나타난 형질이 ㉡( )이고, 자녀에서 나타난 형질이 ㉢( )이다. 또, 자녀는 부모에게서 대립유전자를 하나씩 물려받으므로, 부모와 자녀의 유전자형을 짐작할 수 있다.

우성과 열성의 판단
부모와 다른 형질을 지닌 자녀가 태어나면 부모의 형질이 우성, 자녀의 형질이 열성이다.

쌍꺼풀이 우성, 외까풀이 열성이구나!

2 오른쪽 그림은 어떤 집안의 귀지 상태 유전 가계도를 나타낸 것이다. 이에 대한 설명으로 옳은 것은 ○, 옳지 않은 것은 ×로 표시하시오.

■ 젖은 귀지 남자
● 젖은 귀지 여자
▨ 마른 귀지 남자

(1) 젖은 귀지가 우성, 마른 귀지가 열성이다.
 ································· ( )

(2) (가)는 마른 귀지 유전자가 없다. ··················· ( )

(3) (나)는 (다)에게 마른 귀지 유전자를 물려주었다. ·········· ( )

---

1 상염색체에 있는 한 쌍의 대립유전자에 의해 결정되는 형질에 대한 설명으로 옳은 것은 ○, 옳지 않은 것은 ×로 표시하시오.

(1) 멘델의 분리의 법칙에 따라 유전된다. ······················· ( )

(2) 대립 형질이 명확하게 구분되지 않는다. ······················· ( )

(3) 남녀에 따라 형질이 나타나는 빈도에 차이가 난다. ······· ( )

상염색체 유전
유전자가 상염색체에 있는 형질은 남녀에 따라 형질이 나타나는 빈도에 차이가 없다.

2 오른쪽 그림은 어떤 집안의 귓불 모양 유전 가계도를 나타낸 것이다. 우성 유전자를 A, 열성 유전자를 a라고 할 때, (가)~(라)의 유전자형을 쓰시오.

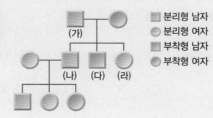

■ 분리형 남자
● 분리형 여자
▨ 부착형 남자
⬤ 부착형 여자

04 사람의 유전

D 상염색체 유전(2)

한 쌍의 대립유전자에 의해 결정되는 형질은 모두 대립유전자의 종류가 두 가지일까요? ABO식 혈액형은 왜 표현형이 2가지가 아니라 4가지일까요? 지금부터 그 까닭을 알아봅시다.

1. ABO식 혈액형 : A, B, O 세 가지 대립유전자가 관여하며, 한 사람은 A, B, O 중 2개의 대립유전자를 가진다. ➡ 유전자 A와 B 사이에는 우열 관계가 없고, 유전자 A 와 B는 유전자 O에 대해 우성이다(A=B>O).

한 쌍의 대립유전자에 의해 형질이 결정된다. ●

표현형	A형	B형	AB형	O형
유전자형	AA, AO	BB, BO	AB	OO[+]

2. ABO식 혈액형 유전 가계도 분석

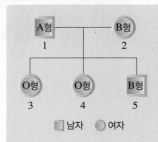

- 유전자형이 OO일 때만 O형이 된다. ➡ 3과 4의 유전자형 OO
- O형인 자녀(3, 4)는 부모로부터 유전자 O를 하나씩 물려받았다.
  ➡ 1의 유전자형은 AO, 2의 유전자형은 BO이다.
- 유전자형이 각각 AO, BO인 부모 사이에서 태어날 수 있는 자녀

생식세포	A	O
B	AB	BO
O	AO	OO

➡ 5의 유전자형 BO

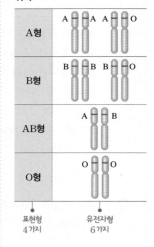

+ ABO식 혈액형 대립유전자의 위치

A형	A A A O
B형	B B B O
AB형	A B
O형	O O
표현형 4가지	유전자형 6가지

E 성염색체 유전

사람의 성별은 한 쌍의 성염색체에 의해 결정되지요. 성염색체에도 형질을 결정하는 유전자가 있습니다. 유전자가 성염색체에 있는 유전 형질은 어떤 방식으로 유전될까요? 상염색체 유전과의 차이점을 살펴봅시다.

1. 적록 색맹 : 형질을 결정하는 유전자가 성염색체인 X 염색체에 있다.[+]
(1) 우열 관계 : 적록 색맹 대립유전자(X′)는 정상 대립유전자(X)에 대해 열성이다.
(2) 특징 : 여자보다 남자에게 더 많이 나타난다.[+]

남녀 구분	남자		여자	
표현형	정상	적록 색맹	정상	적록 색맹
유전자형	XY	X′Y	XX, XX′(보인자)	X′X′

● 하나의 X 염색체에만 적록 색맹 유전자가 있는 여자의 경우 정상인과 같이 색을 구별할 수 있어 보인자라고 한다.

2. 적록 색맹 유전 가계도 분석

- 적록 색맹인 남자 1의 유전자형은 X′Y, 정상인 남자 4의 유전자형은 XY이고, 적록 색맹인 여자 3의 유전자형은 X′X′이다.
- 적록 색맹인 여자 3은 부모로부터 적록 색맹 유전자를 하나씩 물려받았다. ➡ 2의 유전자형은 XX′이다.
- 유전자형이 각각 X′Y, XX′인 부모 사이에서 태어날 수 있는 자녀

● 정상 여자 ● 적록 색맹 여자
■ 정상 남자 ■ 적록 색맹 남자

생식세포	X′	Y
X	XX′	XY
X′	X′X′	X′Y

● 아버지가 적록 색맹일 때 딸은 모두 적록 색맹 유전자를 가진다.

➡ 5의 유전자형 XX′

+ 반성유전

유전자가 성염색체에 있어 유전 형질이 나타나는 빈도가 남녀에 따라 차이가 나는 유전 현상
예 적록 색맹, 혈우병
- 적록 색맹 : 붉은색과 초록색을 잘 구별하지 못하는 유전 형질
- 혈우병 : 혈액이 응고되지 않아 상처가 나면 출혈이 잘 멈추지 않는 병

+ 적록 색맹이 여자보다 남자에게 더 많이 나타나는 까닭

성염색체 구성이 XY인 남자는 적록 색맹 유전자가 1개만 있어도 적록 색맹이 되지만, 성염색체 구성이 XX인 여자는 2개의 X 염색체에 모두 적록 색맹 유전자가 있어야 적록 색맹이 되기 때문

1 ABO식 혈액형에 대한 설명으로 옳은 것은 ○, 옳지 <u>않은</u> 것은 ×로 표시하시오.

(1) 유전자형은 4가지가 있다. ·································· ( )

(2) 유전자 A와 B 사이에는 우열 관계가 없다. ·················· ( )

(3) 관여하는 대립유전자의 종류가 세 가지이다. ················ ( )

(4) 세 쌍의 대립유전자에 의해 형질이 결정된다. ··············· ( )

ABO식 혈액형의 결정
A, B, O 세 가지 대립유전자가 관여하지만, 한 쌍의 대립유전자에 의해 형질이 결정된다.

2 오른쪽 그림은 어떤 집안의 ABO식 혈액형 유전 가계도를 나타낸 것이다. (가)와 (나)의 유전자형을 쓰시오.

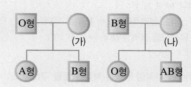

222쪽으로 돌아가서 내가 쓴 대사를 점검해 보자.

---

1 적록 색맹에 대한 설명으로 옳은 것은 ○, 옳지 <u>않은</u> 것은 ×로 표시하시오.

(1) 반성유전을 하는 형질이다. ······························ ( )

(2) 정상에 대해 열성으로 유전된다. ························· ( )

(3) 남자보다 여자에게 더 많이 나타난다. ···················· ( )

(4) 남자는 보인자가 있지만, 여자는 보인자가 없다. ··········· ( )

적록 색맹 유전자의 전달
• 아버지가 적록 색맹일 때 딸은 모두 적록 색맹 유전자를 가진다.
• 어머니가 적록 색맹일 때 아들은 모두 적록 색맹이다.

2 오른쪽 그림은 어떤 집안의 적록 색맹 유전 가계도를 나타낸 것이다.

(1) (가)는 어머니와 아버지 중 누구로부터 적록 색맹 유전자를 물려받았는지 쓰시오.

(2) (나)가 가질 수 있는 유전자형을 모두 쓰시오.

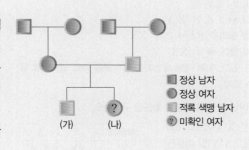

■ 정상 남자
● 정상 여자
▨ 적록 색맹 남자
? 미확인 여자

사람의 유전 단원에서 가장 중요한 것은 가계도를 분석하는 방법을 이해하는 것입니다. 가계도 분석은 시험에 항상 출제되는 문제이지요. 집중 강의에서 확실히 알고 넘어갑시다.

핵심 자료 ① 귓불 모양 유전 가계도 분석하기

관련 개념 Ⅰ 224쪽 ⓒ 상염색체 유전 (1)

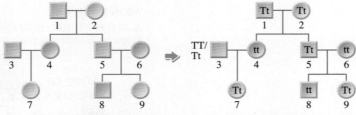

■ 분리형 귓불 남자 ■ 부착형 귓불 남자
● 분리형 귓불 여자 ● 부착형 귓불 여자

■ 분리형 귓불 남자 ■ 부착형 귓불 남자
● 분리형 귓불 여자 ● 부착형 귓불 여자

① 분리형 귓불을 가진 1과 2 사이에서 부착형 귓불을 가진 4가 태어났다.
➡ 분리형 귓불이 우성, 부착형 귓불이 열성이다.
② 부착형 귓불을 가진 사람의 유전자형은 tt이다. ➡ 4, 6, 8 : tt
③ ・1과 2는 4에게, 5는 8에게 부착형 귓불 유전자를 물려주었다. ➡ 1, 2, 5 : Tt
・7은 4로부터, 9는 6으로부터 부착형 귓불 유전자를 물려받았다. ➡ 7, 9 : Tt
④ 3의 유전자형은 TT인지, Tt인지 확실히 알 수 없다.

예제 5와 6 사이에서 자녀가 한 명 더 태어날 때 부착형 귓불을 가질 확률을 구하시오.

[풀이] 5(Tt)×6(tt) → Tt, tt이므로, 5와 6 사이에서 태어나는 자녀가 부착형 귓불(tt)을 가질 확률은 $\frac{1}{2}$×100=50(%)이다.

생식세포	T	t
t	Tt	tt

유제1 그림은 어떤 집안의 귓불 모양 유전 가계도를 나타낸 것이다.

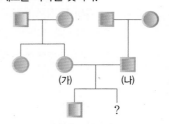

■ 분리형 귓불 남자 ■ 부착형 귓불 남자
● 분리형 귓불 여자 ● 부착형 귓불 여자

(가)와 (나) 사이에서 자녀가 한 명 더 태어날 때 분리형 귓불을 가질 확률을 구하시오.

핵심 자료 ② 적록 색맹 유전 가계도 분석하기

관련 개념 Ⅰ 226쪽 ⓔ 성염색체 유전

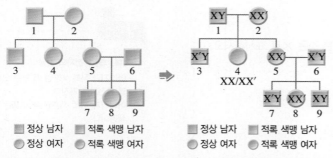

■ 정상 남자 ■ 적록 색맹 남자
● 정상 여자 ● 적록 색맹 여자

■ 정상 남자 ■ 적록 색맹 남자
● 정상 여자 ● 적록 색맹 여자

① 적록 색맹이 열성, 정상이 우성이다. 정상인 1과 2 사이에서 적록 색맹인 3이 태어난 것으로 확인할 수 있다.
② ・정상인 남자의 유전자형은 XY이다. ➡ 1, 9 : XY
・적록 색맹인 남자의 유전자형은 X′Y이다. ➡ 3, 6, 7 : X′Y
③ ・2는 3에게, 5는 7에게 적록 색맹 유전자를 물려주었다. ➡ 2, 5 : XX′
・8은 6으로부터 적록 색맹 유전자를 물려받았다. ➡ 8 : XX′
④ 4는 2로부터 정상 유전자를 물려받을 수도 있고, 적록 색맹 유전자를 물려받을 수도 있으므로 유전자형이 XX인지 XX′인지 확실히 알 수 없다.

예제 5와 6 사이에서 자녀가 한 명 더 태어날 때 적록 색맹일 확률을 구하시오.

[풀이] 5(XX′)×6(X′Y) → XX′, X′X′, XY, X′Y이므로, 5와 6 사이에서 태어나는 자녀가 적록 색맹(X′X′, X′Y)일 확률은 $\frac{2}{4}$×100=50(%)이다.

생식세포	X	X′
X′	XX′	X′X′
Y	XY	X′Y

유제2 그림은 어떤 집안의 적록 색맹 유전 가계도를 나타낸 것이다.

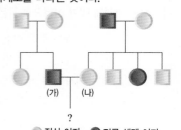

● 정상 여자 ● 적록 색맹 여자
■ 정상 남자 ■ 적록 색맹 남자

(1) (가)와 (나) 사이에서 자녀가 태어날 때 적록 색맹일 확률을 구하시오.

(2) (가)와 (나) 사이에서 자녀가 태어날 때 적록 색맹인 아들일 확률을 구하시오.

(3) (가)와 (나) 사이에서 태어난 아들이 적록 색맹일 확률을 구하시오.

01 사람의 유전 연구가 어려운 까닭으로 옳은 것을 모두 고르면?(2개) [222쪽]

① 한 세대가 짧다.
② 자손의 수가 적다.
③ 대립 형질이 복잡하다.
④ 자유로운 교배가 가능하다.
⑤ 환경의 영향을 받지 않는다.

02 사람의 유전 연구 방법에 대한 설명으로 옳은 것을 보기에서 모두 고른 것은? [222쪽]

┌ 보기 ┐
ㄱ. 교배 실험을 하여 형질의 우열 관계를 파악한다.
ㄴ. 가계도를 조사하여 가족 구성원의 유전자형을 파악한다.
ㄷ. 쌍둥이의 성장 환경과 특정 형질의 발현이 어느 정도 일치하는지 조사한다.
ㄹ. 염색체의 수와 모양을 분석하면 염색체 이상에 의한 유전병을 진단할 수 있다.
└──────┘

① ㄱ, ㄴ 　　② ㄴ, ㄷ 　　③ ㄷ, ㄹ
④ ㄱ, ㄴ, ㄷ 　　⑤ ㄴ, ㄷ, ㄹ

03 유전과 환경이 특정 형질에 미치는 영향을 알아보는 데 가장 적합한 유전 연구 방법은? [222쪽]

① 통계 조사 　　② 가계도 조사
③ 쌍둥이 연구 　　④ 염색체 분석
⑤ 부모와 자녀의 DNA 비교

04 다음은 한 부모에게서 태어난 세 명의 1란성 쌍둥이 (가)~(다)에 대한 설명이다. [222쪽]

• (가)~(다)는 중학생 시절까지 한집에서 자랐고, 이후 (다)만 운동을 하기 위해 형제들과 떨어져 10년을 다른 곳에서 생활하였다.
• 현재 (가)~(다)의 키와 몸무게는 표와 같다.

구분	(가)	(나)	(다)
키	177 cm	177.5 cm	177.5 cm
몸무게	70 kg중	71 kg중	82 kg중

이에 대한 설명으로 옳은 것을 보기에서 모두 고른 것은?

┌ 보기 ┐
ㄱ. (가)~(다)에서 형질의 차이는 환경의 영향으로 나타난다.
ㄴ. (가)~(다)는 하나의 수정란이 발생 초기에 나뉘어 각각 발생하였다.
ㄷ. 키는 몸무게보다 환경의 영향을 더 많이 받는다.
└──────┘

① ㄱ 　　② ㄱ, ㄴ 　　③ ㄱ, ㄷ
④ ㄴ, ㄷ 　　⑤ ㄱ, ㄴ, ㄷ

05 그림은 어떤 집안의 혀 말기 유전 가계도를 나타낸 것이다. [224쪽] 풀이 TIP

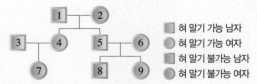

혀 말기 가능 남자
혀 말기 가능 여자
혀 말기 불가능 남자
혀 말기 불가능 여자

이에 대한 설명으로 옳지 않은 것은?

① 혀 말기가 가능한 형질이 우성이다.
② 3과 4는 혀 말기 불가능 유전자를 가지고 있다.
③ 5는 1로부터 혀 말기 불가능 유전자를 물려받았다.
④ 3과 4 사이에서 자녀가 한 명 더 태어날 때 혀 말기가 가능할 확률은 75 %이다.
⑤ 유전자형을 확실히 알 수 없는 사람은 총 2명이다.

풀이 TIP **05** ❶ 형질의 우열 관계를 파악한다. ❷ 열성 형질을 가진 사람의 유전자형을 먼저 쓰고, 부모와 자녀 사이의 관계에 따라 우성 형질을 가진 사람의 유전자형을 파악한다. ❸ 생식세포의 조합을 파악할 수 있는 표를 그려 앞으로 태어날 자녀가 특정 형질을 가질 확률을 구한다.

06 다음은 은희네 가족의 미맹 여부에 대한 설명이다. ^{224쪽}

- 어머니와 아버지는 모두 미맹이 아니다.
- 은희의 언니는 미맹이 아니고, 은희는 미맹이다.

어머니, 아버지, 은희의 유전자형을 쓰시오.(단, 우성 유전자는 A, 열성 유전자는 a로 표시한다.)

[07~08] 그림은 어떤 가족의 귓불 모양 유전 가계도를 나타낸 것이다.

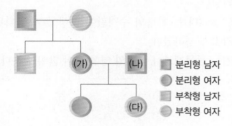

■ 분리형 남자
● 분리형 여자
▨ 부착형 남자
◐ 부착형 여자

07 (가)와 (나) 사이에서 자녀가 한 명 더 태어날 때 부착형 귓불을 가질 확률은? ^{224쪽}

① 0 % ② 25 % ③ 50 %
④ 75 % ⑤ 100 %

08 (다)가 분리형 귓불 남자와 결혼하여 자녀를 낳을 때 이 자녀가 분리형 귓불을 가질 확률은?(단, 분리형 귓불 남자는 부착형 귓불 유전자를 가지고 있다.) ^{224쪽}

① 0 % ② 25 % ③ 50 %
④ 75 % ⑤ 100 %

09 ABO식 혈액형 유전에 대한 설명으로 옳지 <u>않은</u> 것은? ^{226쪽}

① 표현형은 6가지이다.
② A형의 유전자형은 2가지이다.
③ 대립유전자는 A, B, O 3가지이다.
④ 유전자 A는 유전자 O에 대해 우성이다.
⑤ 유전자 A와 B 사이에는 우열 관계가 없다.

10 부모의 ABO식 혈액형이 다음과 같을 때 O형인 자녀가 태어날 수 <u>없는</u> 경우는? ^{226쪽}

① A형×A형   ② A형×B형
③ B형×B형   ④ B형×O형
⑤ AB형×O형

11 ABO식 혈액형에서 B형의 유전자형을 염색체 상에 옳게 나타낸 것을 모두 고르면?(2개) ^{226쪽}

①
②
③
④
⑤

---

 07 자녀가 처음 태어날 때와 한 명 더 태어날 때 어떤 형질을 지닐 확률은 변하지 않음을 안다. **10** ❶ 자녀에서 O형이 나오려면 부모가 모두 유전자 O를 가지고 있어야 함을 생각한다. ❷ A형과 B형은 유전자 O를 가질 수 있고, AB형은 유전자 O를 가지지 않는다.

[12~13] 그림은 어떤 집안의 ABO식 혈액형 유전 가계도를 나타낸 것이다.

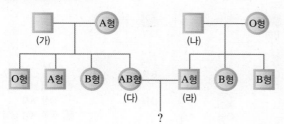

12

226쪽

(가)와 (나)의 혈액형을 옳게 짝 지은 것은?

	(가)	(나)		(가)	(나)
①	A형	B형	②	O형	O형
③	B형	A형	④	B형	AB형
⑤	AB형	O형			

13

226쪽

(다)와 (라) 사이에서 태어나는 자녀의 ABO식 혈액형으로 가능한 것을 모두 나열한 것은?

① A형, B형
② A형, O형
③ A형, B형, O형
④ A형, B형, AB형
⑤ A형, B형, AB형, O형

14

226쪽

적록 색맹에 대한 설명으로 옳지 않은 것은?

① 반성유전을 한다.
② 정상에 대해 열성으로 유전된다.
③ 여자보다 남자에게 더 많이 나타난다.
④ 어머니가 적록 색맹이면 아들은 항상 적록 색맹이다.
⑤ 아버지가 정상이어도 적록 색맹인 딸이 태어날 수 있다.

15

226쪽

그림은 어떤 집안의 적록 색맹 유전 가계도를 나타낸 것이다.

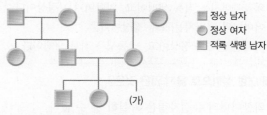

(가)가 적록 색맹일 확률은?

① 0 %
② 25 %
③ 50 %
④ 75 %
⑤ 100 %

16

226쪽

그림은 어떤 집안의 적록 색맹 유전 가계도를 나타낸 것이다.

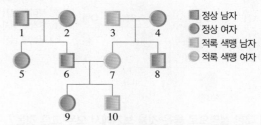

이에 대한 설명으로 옳은 것을 보기에서 모두 고른 것은?

【 보기 】
ㄱ. 9는 적록 색맹 유전자를 가지고 있다.
ㄴ. 6은 2로부터 정상 유전자를 물려받았다.
ㄷ. 유전자형을 확실히 알 수 없는 사람은 총 3명이다.
ㄹ. 6과 7 사이에서 자녀가 한 명 더 태어날 때 적록 색맹일 확률은 25 %이다.

① ㄱ, ㄴ
② ㄱ, ㄷ
③ ㄴ, ㄹ
④ ㄱ, ㄴ, ㄷ
⑤ ㄴ, ㄷ, ㄹ

---

14 아들은 어머니로부터 X 염색체를 물려받고, 딸은 아버지와 어머니로부터 X 염색체를 하나씩 물려받는다는 것을 생각한다.　**16 ❶** 적록 색맹인 남자와 여자, 정상인 남자의 유전자형을 먼저 쓴다. ❷ 정상 여자의 유전자형을 파악한다. ❸ 태어날 자손의 유전자형을 예측한다.

17 다음은 은하네 가족의 적록 색맹 여부에 대한 설명이다. 〔226쪽〕

- 외할아버지는 적록 색맹이고, 외할머니는 정상이다.
- 어머니와 아버지는 모두 정상이다.
- 여자인 은하는 정상이고, 남동생은 적록 색맹이다.

이에 대한 설명으로 옳지 <u>않은</u> 것은?

① 외할머니의 유전자형은 확실히 알 수 없다.
② 어머니는 적록 색맹 유전자를 가지고 있다.
③ 은하는 아버지로부터 정상 유전자를 물려받았다.
④ 남동생은 어머니로부터 적록 색맹 유전자를 물려받았다.
⑤ 은하의 동생이 한 명 더 태어날 때 정상인 아들일 확률은 50 %이다.

18 그림은 어떤 집안의 귓불 모양과 ABO식 혈액형 유전 가계도를 나타낸 것이다. 〔226쪽〕

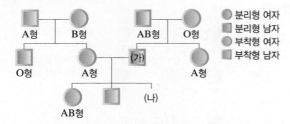

이에 대한 설명으로 옳은 것을 보기에서 모두 고른 것은?

〔 보기 〕
ㄱ. (가)의 ABO식 혈액형 유전자형은 BO이다.
ㄴ. (나)의 어머니와 (가)는 모두 부착형 귓불 유전자를 가지고 있다.
ㄷ. (나)가 A형이면서 분리형 귓불을 가질 확률은 $\frac{3}{16}$ 이다.

① ㄱ   ② ㄱ, ㄴ   ③ ㄱ, ㄷ
④ ㄴ, ㄷ   ⑤ ㄱ, ㄴ, ㄷ

19 그림은 어떤 집안의 ABO식 혈액형과 적록 색맹 유전 가계도를 나타낸 것이다. 〔226쪽〕

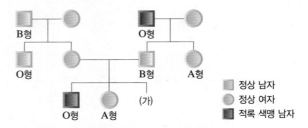

(가)가 O형이면서 적록 색맹인 아들일 확률은?

① $\frac{1}{2}$ ② $\frac{1}{4}$ ③ $\frac{1}{8}$

④ $\frac{3}{8}$ ⑤ $\frac{1}{16}$

20 그림은 어떤 집안의 유전병 유전 가계도를 나타낸 것이다. 〔226쪽〕

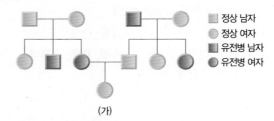

이에 대한 설명으로 옳은 것을 보기에서 모두 고른 것은?

〔 보기 〕
ㄱ. 이 유전병은 우성으로 유전된다.
ㄴ. 유전병 유전자는 X 염색체에 있다.
ㄷ. (가)는 유전병 유전자를 가지고 있다.
ㄹ. (가)의 동생이 태어날 때 유전병을 나타낼 확률은 50 %이다.

① ㄱ, ㄴ   ② ㄴ, ㄷ   ③ ㄷ, ㄹ
④ ㄱ, ㄴ, ㄷ   ⑤ ㄴ, ㄷ, ㄹ

풀이 TIP
17 남동생에게 적록 색맹 유전자가 전달된 경로를 찾아 본다.   **18** 두 가지 형질이 동시에 나타날 확률은 '한 가지 형질이 나타날 확률×다른 한 가지 형질이 나타날 확률'임을 안다.   **20** 유전자가 X 염색체에 있다고 가정했을 때 가계도가 성립하는지 확인한다.

21 사람의 유전 연구가 어려운 까닭을 세 가지만 서술하시오. `222쪽`

----

22 그림은 어떤 집안의 유전병 유전 가계도를 나타낸 것이다. `224쪽`

풀이 TIP

■ 정상 남자
● 정상 여자
● 유전병 여자

(1) 이 유전병은 정상에 대해 우성인지, 열성인지 쓰시오.

----

(2) (1)과 같이 생각한 까닭을 서술하시오.

----

23 ABO식 혈액형을 결정하는 데는 A, B, O 세 가지 대립유전자가 관여한다. 유전자 A, B, O 사이의 우열 관계를 서술하시오. `226쪽`

----

24 적록 색맹은 여자보다 남자에게 더 많이 나타난다. 그 까닭을 다음 단어를 모두 포함하여 서술하시오. `226쪽`

> 성염색체, XX, XY

----

25 그림은 어떤 집안의 적록 색맹 유전 가계도를 나타낸 것이다. `226쪽`

풀이 TIP

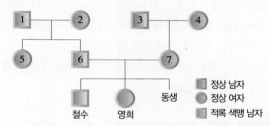

■ 정상 남자
● 정상 여자
■ 적록 색맹 남자

철수   영희   동생

(1) 철수에게 적록 색맹 유전자가 전달된 경로를 서술하시오.

----

(2) 영희의 동생이 태어날 때 적록 색맹인 아들일 확률을 구하시오.

학습 평가 하기

정답친해 68쪽으로 가서 문제를 채점한 후 학습 결과를 스스로 평가해 보세요.

맞춘 개수	22~25개	18~21개	0~17개
평가	잘함	보통	부족

➜ 정답친해에서 그 문제를 왜 틀렸는지 꼭 확인하세요!
➜ 본책에서 해당 쪽으로 돌아가서 부족한 부분을 다시 공부하세요!

22 부모가 모두 열성 형질이면 열성 형질인 자녀만 태어나는 것을 떠올린다.   25 ❶ 남자는 어머니로부터 X 염색체를, 아버지로부터 Y 염색체를 물려받음을 안다. ❷ 남자의 적록 색맹 유전자는 어머니와 아버지 중 누구로부터 물려받은 것인지 생각한다.

한눈에 보는 대단원

01 세포 분열

1. 세포 분열이 필요한 까닭 : 세포에서 물질 교환이 효율적으로 일어나려면 세포의 크기가 계속 커지는 것보다 세포가 분열하여 세포의 수가 늘어나는 것이 더 유리하기 때문이다.

2. 염색체 : 세포가 분열하지 않을 때는 핵 속에 가는 실처럼 풀어져 있다가 세포가 분열하기 시작하면 굵고 짧게 뭉쳐져 막대 모양으로 나타난다. ➡ DNA(유전 물질)와 단백질로 구성된다.

(1) **유전자** : DNA에 담겨 있는 각각의 유전 정보

(2) **염색 분체** : 하나의 염색체를 이루는 각각의 가닥 ➡ 유전 정보가 서로 같다.

(3) **상동 염색체** : 체세포에서 쌍을 이루고 있는 크기와 모양이 같은 2개의 염색체 ➡ 하나는 어머니에게서, 다른 하나는 아버지에게서 물려받은 것이다.

(4) **사람의 염색체** : 상염색체 22쌍＋성염색체 1쌍(남자는 XY, 여자는 XX)

3. 체세포 분열

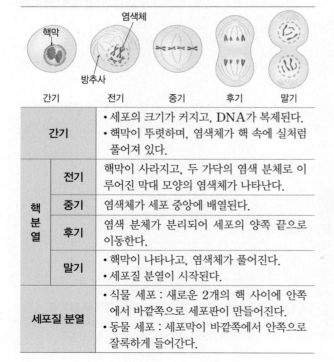

간기 / 전기 / 중기 / 후기 / 말기

핵막 / 염색체 / 방추사

간기		• 세포의 크기가 커지고, DNA가 복제된다. • 핵막이 뚜렷하며, 염색체가 핵 속에 실처럼 풀어져 있다.
핵분열	전기	핵막이 사라지고, 두 가닥의 염색 분체로 이루어진 막대 모양의 염색체가 나타난다.
	중기	염색체가 세포 중앙에 배열된다.
	후기	염색 분체가 분리되어 세포의 양쪽 끝으로 이동한다.
	말기	• 핵막이 나타나고, 염색체가 풀어진다. • 세포질 분열이 시작된다.
세포질 분열		• 식물 세포 : 새로운 2개의 핵 사이에 안쪽에서 바깥쪽으로 세포판이 만들어진다. • 동물 세포 : 세포막이 바깥쪽에서 안쪽으로 잘록하게 들어간다.

4. 감수 분열(생식세포 분열)

(1) **감수 1분열** : 상동 염색체가 분리되어 서로 다른 딸세포로 들어간다. ➡ 염색체 수가 절반으로 줄어든다.

(2) **감수 2분열** : 염색 분체가 분리되어 서로 다른 딸세포로 들어간다. ➡ 염색체 수가 변하지 않는다.

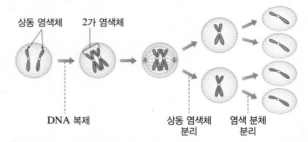

상동 염색체 / 2가 염색체 / DNA 복제 / 상동 염색체 분리 / 염색 분체 분리

(3) **의의** : 세대를 거듭해도 자손의 염색체 수가 항상 일정하게 유지되도록 한다.

5. 체세포 분열과 감수 분열 비교

구분	체세포 분열	감수 분열
분열 횟수	1회	연속 2회
딸세포 수	2개	4개
2가 염색체	형성되지 않는다.	형성된다.
염색체 수	변화 없다.	절반으로 줄어든다.
분열 결과	생장, 재생	생식세포 형성

02 사람의 발생

1. 사람의 생식세포

구분	생성 장소	염색체 수	크기	운동성
정자	정소	23개	작다.	있다.
난자	난소	23개	크다.	없다.

2. 수정 : 정자와 난자 같은 암수의 생식세포가 결합하는 것

3. 발생 : 수정란이 세포 분열을 하면서 여러 과정을 거쳐 개체가 되는 것

(1) **난할** : 체세포 분열이지만 딸세포의 크기가 커지지 않고, 세포 분열을 빠르게 반복한다.

세포 1개당 염색체 수	세포 수	세포 1개의 크기	배아 전체의 크기
변화 없다.	증가한다.	작아진다.	수정란과 비슷하다.

(2) **착상** : 수정 후 약 일주일이 지나 수정란이 포배가 되어 자궁 안쪽 벽을 파고들어 가는 현상 ➡ 착상되었을 때부터 임신되었다고 한다.

(3) **태반에서의 물질 교환**

$$모체 \xrightarrow{\text{산소, 영양소}} 태아$$
$$모체 \xleftarrow{\text{이산화 탄소, 노폐물}} 태아$$

4. 출산 : 태아는 수정된 지 약 266일이 지나면 출산 과정을 거쳐 모체 밖으로 나온다.

03 멘델의 유전 원리

1. 완두가 유전 실험의 재료로 적합한 까닭
(1) 기르기 쉽고, 한 세대가 짧으며, 자손의 수가 많다.
(2) 대립 형질이 뚜렷하다.
(3) 자가 수분과 타가 수분이 모두 가능하여 의도한 대로 형질을 교배할 수 있다.

2. 멘델이 밝힌 유전 원리
(1) 한 쌍의 대립 형질의 유전

순종의 둥근 완두와 순종의 주름진 완두를 교배하였더니 잡종 1대에서 모두 둥근 완두만 나왔고, 이를 자가 수분하였더니 잡종 2대에서 둥근 완두와 주름진 완두가 약 3 : 1의 비로 나왔다.

➡ **우열의 원리** : 대립 형질이 다른 두 순종 개체를 교배하여 얻은 잡종 1대에는 대립 형질 중 한 가지만 나타나는데, 잡종 1대에서 나타나는 형질을 우성, 나타나지 않는 형질을 열성이라고 한다.
➡ **분리의 법칙** : 쌍을 이루고 있던 대립유전자가 감수 분열이 일어날 때 분리되어 서로 다른 생식세포로 들어가는 유전 원리

(2) 두 쌍의 대립 형질의 유전

순종의 둥글고 노란색인 완두와 순종의 주름지고 초록색인 완두를 교배하였더니 잡종 1대에서 모두 둥글고 노란색인 완두만 나왔고, 이를 자가 수분하였더니 잡종 2대에서 둥글고 노란색, 둥글고 초록색, 주름지고 노란색, 주름지고 초록색인 완두가 약 9 : 3 : 3 : 1의 비로 나왔다.

➡ **독립의 법칙** : 두 쌍 이상의 대립유전자가 서로 영향을 미치지 않고 각각 분리의 법칙에 따라 유전되는 원리

04 사람의 유전

1. 사람의 유전 연구가 어려운 까닭
(1) 한 세대가 길고, 자손의 수가 적다.
(2) 교배 실험이 불가능하다.
(3) 대립 형질이 복잡하고, 환경의 영향을 많이 받는다.

2. 가계도 분석 방법

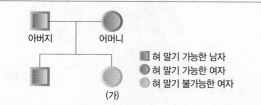

■ 혀 말기 가능한 남자
● 혀 말기 가능한 여자
● 혀 말기 불가능한 여자

- 부모와 다른 형질을 지닌 자녀가 태어나면 부모의 형질이 우성, 자녀의 형질이 열성이다. ➡ 혀 말기가 가능한 것이 우성, 불가능한 것이 열성이다.
- 열성인 (가)는 부모로부터 열성 유전자를 하나씩 물려받았다. ➡ 아버지와 어머니는 모두 열성 유전자를 가지고 있다.

3. ABO식 혈액형 유전
(1) **특징** : 한 쌍의 대립유전자에 의해 결정되지만, 관여하는 대립유전자는 A, B, O 세 가지이다.
(2) **우열 관계** : 유전자 A와 B는 유전자 O에 대해 우성이고, 유전자 A와 B 사이에는 우열 관계가 없다.

표현형	A형	B형	AB형	O형
유전자형	AA, AO	BB, BO	AB	OO

4. 적록 색맹 유전
(1) **반성유전** : 유전자가 성염색체에 있어 유전 형질이 나타나는 빈도가 남녀에 따라 차이가 나는 유전 현상
(2) **우열 관계** : 적록 색맹 유전자(X')는 정상 유전자(X)에 대해 열성이다.

표현형		정상	적록 색맹
유전자형	남자	XY	X′Y
	여자	XX, XX′	X′X′

(3) **특징** : 여자보다 남자에게 더 많이 나타난다. ➡ 성염색체 구성이 XY인 남자는 적록 색맹 유전자가 한 개만 있어도 적록 색맹이 되지만, 성염색체 구성이 XX인 여자는 2개의 X 염색체에 모두 적록 색맹 유전자가 있어야 적록 색맹이 되기 때문

01 세포 분열

1. 염색체 구조

세포가 분열하지 않을 때는 (❶) 속에 가는 실처럼 풀어져 있다가 세포가 분열하기 시작하면 굵고 짧게 뭉쳐져 막대 모양으로 나타남

유전 정보가 서로 같다. ❷

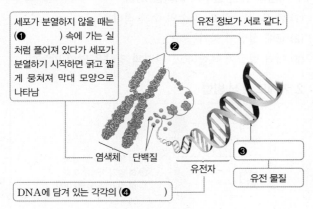

염색체 단백질

유전자

❸

유전 물질

DNA에 담겨 있는 각각의 (❹)

2. 사람의 염색체

성을 결정하는 염색체 (❶)쌍 ➡ 여자는 XX, 남자는 XY

❷

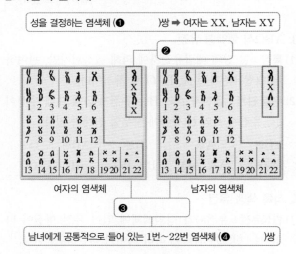

여자의 염색체   남자의 염색체

❸

남녀에게 공통적으로 들어 있는 1번~22번 염색체 (❹)쌍

3. 체세포 분열 과정

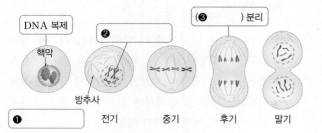

DNA 복제

❷

(❸) 분리

핵막

방추사

❶   전기   중기   후기   말기

4. 감수 분열(생식세포 분열) 과정

감수 1분열 — (❷) 분리 ➡ 염색체 수 절반으로 줄어듦

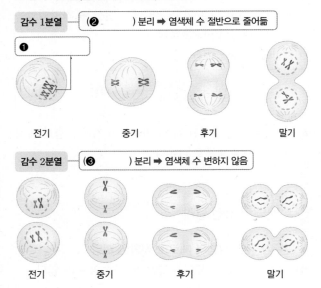

전기   중기   후기   말기

감수 2분열 — (❸) 분리 ➡ 염색체 수 변하지 않음

전기   중기   후기   말기

02 사람의 발생

1. 사람의 정자와 난자

(❶)개의 염색체가 있음

핵

많은 (❷)이 저장되어 있음 ➡ 정자보다 크기가 훨씬 큼

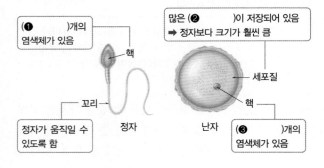

꼬리

정자가 움직일 수 있도록 함

정자

난자

세포질

핵

(❸)개의 염색체가 있음

2. 배란에서 착상까지의 과정

세포 수 늘어남, 세포 하나의 크기 작아짐

❶

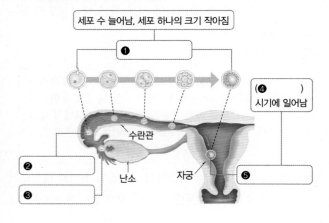

(❹) 시기에 일어남

수란관

❷

❸

난소   자궁   ❺

03 멘델의 유전 원리

1. 한 쌍의 대립 형질의 유전

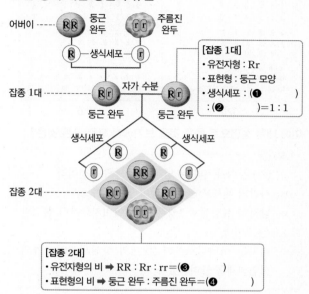

어버이 ── 둥근 완두 (RR) / 주름진 완두 (rr)

생식세포 (R) (r)

잡종 1대 ── 둥근 완두 (Rr) 자가 수분 둥근 완두 (Rr)

[잡종 1대]
- 유전자형 : Rr
- 표현형 : 둥근 모양
- 생식세포 : (❶   )
  : (❷   )=1 : 1

생식세포 (R) (R)   생식세포 (R) (R)

잡종 2대 ── RR Rr Rr rr

[잡종 2대]
- 유전자형의 비 ➡ RR : Rr : rr=(❸   )
- 표현형의 비 ➡ 둥근 완두 : 주름진 완두=(❹   )

2. 두 쌍의 대립 형질의 유전

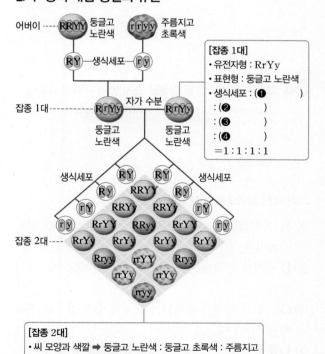

어버이 ── 둥글고 노란색 (RRYY) / 주름지고 초록색 (rryy)

생식세포 (RY) (ry)

잡종 1대 ── 둥글고 노란색 (RrYy) 자가 수분 둥글고 노란색 (RrYy)

[잡종 1대]
- 유전자형 : RrYy
- 표현형 : 둥글고 노란색
- 생식세포 : (❶   )
  : (❷   )
  : (❸   )
  : (❹   )
  =1 : 1 : 1 : 1

생식세포 (RY)(RY)(Ry)(rY)(ry)

잡종 2대 ──
RRYY RRYy RrYY RrYy
RRYy RRyy RrYy Rryy
RrYY RrYy rrYY rrYy
RrYy Rryy rrYy rryy

[잡종 2대]
- 씨 모양과 색깔 ➡ 둥글고 노란색 : 둥글고 초록색 : 주름지고 노란색 : 주름지고 초록색=(❺   )
- 씨 모양 ➡ 둥근 완두 : 주름진 완두=(❻   )
- 씨 색깔 ➡ 노란색 완두 : 초록색 완두=(❼   )

04 사람의 유전

1. 유전병 유전 가계도 분석(상염색체 유전)

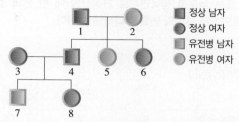

정상 남자 / 정상 여자 / 유전병 남자 / 유전병 여자

- 정상인 3과 4 사이에서 유전병을 나타내는 7이 태어난 것으로 보아 정상이 (❶   ), 유전병이 (❷   )이다.
- 1은 5에게, 3과 4는 7에게 유전병 유전자를 물려주었다.
- 6은 2로부터 유전병 유전자를 물려받았다.
- ➡ 정상 유전자를 A, 유전병 유전자를 a라고 할 때 1, 3, 4, 6의 유전자형은 (❸   )이고, 8의 유전자형은 확실히 알 수 없다.

2. ABO식 혈액형 유전 가계도 분석

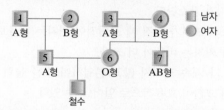

남자 / 여자

1 A형, 2 B형, 3 A형, 4 B형
5 A형, 6 O형, 7 AB형
철수

- 2는 5에게 유전자 O를 물려주었다. ➡ 2의 유전자형 (❶   ), 5의 유전자형 (❷   )
- 3과 4는 6에게 유전자 O를 물려주었다. ➡ 3의 유전자형 (❸   ), 4의 유전자형 (❹   )
- 1의 유전자형은 확실히 알 수 없다.
- 철수가 가질 수 있는 유전자형은 (❺   )이다.

3. 적록 색맹 유전 가계도 분석

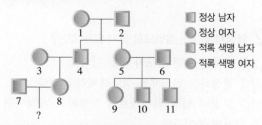

정상 남자 / 정상 여자 / 적록 색맹 남자 / 적록 색맹 여자

1 2 / 3 4 5 6 / 7 8 9 10 11 / ?

- 1은 4에게, 5는 11에게 적록 색맹 유전자를 물려주었다.
- 8은 4로부터, 9는 6으로부터 적록 색맹 유전자를 물려받았다.
- ➡ 1, 5, 8, 9의 유전자형은 (❶   )이고, 3의 유전자형은 확실히 알 수 없다.
- 7과 8 사이에서 태어나는 자녀가 가질 수 있는 유전자형은 (❷   )이다.

01 세포 분열

01 표는 세포를 정육면체로 가정했을 때 한 변의 길이에 따른 표면적과 부피의 변화를 나타낸 것이다.

한 변의 길이(cm)	1 cm	2 cm	4 cm
표면적(cm²)	6	24	96
부피(cm³)	1	8	64

이에 대한 설명으로 옳지 <u>않은</u> 것은?

① 세포의 크기가 커지면 표면적과 부피가 모두 증가한다.
② 세포의 크기가 작을수록 세포 표면을 통한 물질 교환에 불리하다.
③ 세포의 크기가 커질수록 세포의 부피에 대한 표면적의 비가 감소한다.
④ 세포의 크기가 커질 때 표면적이 커지는 비율보다 부피가 커지는 비율이 더 크다.
⑤ 세포가 계속 커지지 않고 분열하여 수를 늘림으로써 물질 교환이 효율적으로 일어날 수 있다.

02 염색체에 대한 설명으로 옳지 <u>않은</u> 것은?

① 염색 분체는 유전 정보가 서로 같다.
② 성을 결정하는 염색체를 성염색체라고 한다.
③ 막대 모양의 염색체는 세포가 분열하기 시작하면 가는 실처럼 풀어진다.
④ 상동 염색체 중 하나는 어머니에게서, 다른 하나는 아버지에게서 물려받은 것이다.
⑤ 체세포에서 쌍을 이루고 있는 크기와 모양이 같은 2개의 염색체를 상동 염색체라고 한다.

03 그림은 남녀의 염색체 구성을 순서 없이 나타낸 것이다.

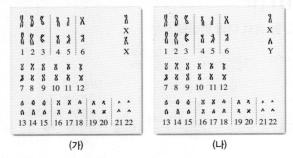

(가)　　　　　　　(나)

이에 대한 설명으로 옳은 것을 보기에서 모두 고른 것은?

보기
ㄱ. (가)는 여자, (나)는 남자의 염색체 구성이다.
ㄴ. 사람의 체세포에는 46쌍의 염색체가 있다.
ㄷ. 남자의 성염색체 1쌍은 모두 아버지로부터 물려받은 것이다.
ㄹ. 여자는 어머니로부터 22개의 상염색체와 1개의 성염색체를 물려받았다.

① ㄱ, ㄴ ② ㄱ, ㄹ ③ ㄴ, ㄷ
④ ㄱ, ㄴ, ㄹ ⑤ ㄴ, ㄷ, ㄹ

04 그림은 체세포 분열 과정을 순서 없이 나타낸 것이다.

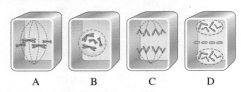

A　　　B　　　C　　　D

이에 대한 설명으로 옳지 <u>않은</u> 것은?

① A는 염색체의 수와 모양을 가장 잘 관찰할 수 있는 시기이다.
② B 시기에 염색체는 두 가닥의 염색 분체로 이루어져 있다.
③ C는 염색 분체가 분리되어 세포의 양쪽 끝으로 이동하는 시기이다.
④ D를 통해 동물 세포의 체세포 분열임을 알 수 있다.
⑤ 체세포 분열이 일어나는 순서는 B → A → C → D 이다.

05 그림은 양파 뿌리 끝에서 체세포 분열을 관찰하기 위한 실험 과정을 순서 없이 나타낸 것이다.

묽은 염산
물
뿌리 조각
(가)

아세트산 카민 용액
(나)

거름종이
(다)

에탄올과 아세트산을 섞은 용액
(라)

해부 침
(마)

이에 대한 설명으로 옳은 것을 보기에서 모두 고른 것은?

[보기]
ㄱ. (가)는 세포 분열을 멈추고 살아 있을 때의 모습을 유지하도록 하는 과정이다.
ㄴ. (나) 과정을 거치면 핵과 염색체가 붉게 염색된다.
ㄷ. (라)는 세포가 잘 분리되도록 조직을 연하게 만드는 과정이다.
ㄹ. 실험은 (라) → (가) → (나) → (마) → (다) 순으로 진행된다.

① ㄱ, ㄴ   ② ㄱ, ㄷ   ③ ㄴ, ㄹ
④ ㄱ, ㄴ, ㄹ   ⑤ ㄴ, ㄷ, ㄹ

06 그림은 어떤 세포 분열 과정을 나타낸 것이다.

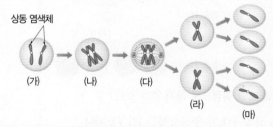

상동 염색체
(가) → (나) → (다) → (라) → (마)

이에 대한 설명으로 옳은 것을 모두 고르면?(2개)

① 식물의 경우 생장점과 형성층에서 일어난다.
② 동물의 경우 정자와 난자를 만드는 세포 분열이다.
③ (나)의 세포는 (가)의 세포보다 DNA양이 4배 많다.
④ (다) → (라) 과정에서 염색체 수가 절반으로 줄어든다.
⑤ (라) → (마) 과정에서 세포 1개당 DNA양은 변하지 않는다.

07 그림은 서로 다른 두 종류의 세포 분열을 나타낸 것이다.

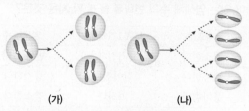

(가)   (나)

이에 대한 설명으로 옳은 것을 모두 고르면?(2개)

① (가)는 감수 분열, (나)는 체세포 분열이다.
② (나)의 결과 생장과 재생이 일어난다.
③ (가)는 1회, (나)는 연속 2회 분열한다.
④ (가)의 결과 4개의 딸세포가, (나)의 결과 2개의 딸세포가 만들어진다.
⑤ (가)에서는 염색체 수가 변하지 않고, (나)에서는 염색체 수가 절반으로 줄어든다.

○2 사람의 발생

08 그림은 사람의 정자와 난자의 구조를 나타낸 것이다.

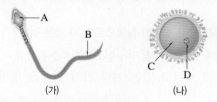

A
B
(가)

C
D
(나)

이에 대한 설명으로 옳지 않은 것은?

① (가)가 (나)보다 크기가 훨씬 크다.
② (가)는 정소에서, (나)는 난소에서 만들어진다.
③ A와 D에는 각각 23개의 염색체가 들어 있다.
④ B는 (가)가 움직일 수 있도록 한다.
⑤ C에는 많은 양분이 저장되어 있다.

09 난할이 진행될 때 세포 수, 세포 1개의 크기, 세포 1개에 들어 있는 염색체 수의 변화를 옳게 짝 지은 것은?

	세포 수	세포 1개의 크기	염색체 수
①	감소한다.	커진다.	변화 없다.
②	감소한다.	작아진다.	증가한다.
③	증가한다.	커진다.	감소한다.
④	증가한다.	작아진다.	변화 없다.
⑤	증가한다.	작아진다.	증가한다.

10 사람의 임신과 출산에 대한 설명으로 옳지 않은 것은?

① 수정되었을 때부터 임신되었다고 한다.
② 수정란은 난할을 하면서 자궁으로 이동한다.
③ 포배 상태에서 착상이 일어난다.
④ 태아는 모체로부터 산소와 영양소를 공급받는다.
⑤ 수정된 지 약 266일이 지나면 출산 과정을 거쳐 태아가 모체 밖으로 나온다.

03 멘델의 유전 원리

11 유전 용어에 대한 설명으로 옳지 않은 것은?

① 유전자 구성이 RR, yy인 개체는 순종이다.
② 생물이 지니고 있는 여러 가지 특성을 형질이라고 한다.
③ 표현형은 유전자 구성에 따라 겉으로 드러나는 형질이다.
④ 수술의 꽃가루가 같은 그루의 꽃에 있는 암술에 붙는 현상을 타가 수분이라고 한다.
⑤ 대립 형질이 다른 두 순종 개체를 교배하여 얻은 잡종 1대에서 나타나지 않는 형질을 열성이라고 한다.

12 그림은 순종의 노란색 완두(YY)와 순종의 초록색 완두(yy)를 교배하여 얻은 잡종 1대를 자가 수분하여 잡종 2대를 얻는 과정을 나타낸 것이다.

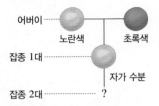

이에 대한 설명으로 옳지 않은 것은?

① 노란색이 초록색에 대해 우성이다.
② 초록색 완두의 유전자형은 한 종류이다.
③ 어버이의 노란색 완두와 잡종 1대의 노란색 완두의 유전자형은 서로 다르다.
④ 잡종 2대에서 순종과 잡종이 1 : 1의 비로 나타난다.
⑤ 잡종 2대에서 총 900개의 완두를 얻었다면, 이 중 노란색 완두는 이론상 600개이다.

13 그림은 순종의 둥글고 노란색인 완두(RRYY)와 순종의 주름지고 초록색인 완두(rryy)를 교배하여 얻은 잡종 1대를 자가 수분하여 잡종 2대를 얻는 과정을 나타낸 것이다.

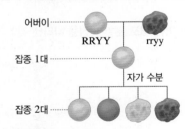

이에 대한 설명으로 옳지 않은 것은?

① 잡종 1대의 유전자형은 RrYy이다.
② 잡종 1대에서 만들어지는 생식세포는 RY, Ry, rY, ry의 4종류이다.
③ 잡종 2대에서 표현형의 비는 9 : 3 : 3 : 1이다.
④ 잡종 2대에서 2400개의 완두를 얻었다면, 이 중 둥글고 초록색인 완두는 이론상 450개이다.
⑤ 잡종 2대에서는 잡종 1대와 유전자형이 같은 완두가 만들어지지 않는다.

04 사람의 유전

14 그림은 어느 집안의 미맹 유전 가계도를 나타낸 것이다.

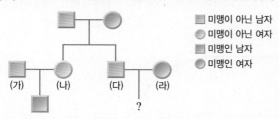

■ 미맹이 아닌 남자
● 미맹이 아닌 여자
■ 미맹인 남자
● 미맹인 여자

이에 대한 설명으로 옳은 것을 보기에서 모두 고른 것은?

〔 보기 〕
ㄱ. 미맹은 미맹이 아닌 형질에 대해 우성이다.
ㄴ. (가)와 (나)는 미맹 유전자를 가지고 있지 않다.
ㄷ. (다)와 (라) 사이에서 태어나는 자녀가 미맹일 확률은 50 %이다.

① ㄱ   ② ㄴ   ③ ㄷ
④ ㄱ, ㄴ   ⑤ ㄴ, ㄷ

15 그림은 어느 집안의 ABO식 혈액형 유전 가계도를 나타낸 것이다.

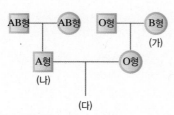

이에 대한 설명으로 옳은 것은?

① 유전자 A는 유전자 B에 대해 우성이다.
② 유전자 A와 유전자 O 사이에는 우열 관계가 없다.
③ (가)의 유전자형은 BO이다.
④ (나)의 유전자형은 AO이다.
⑤ (다)가 가질 수 있는 ABO식 혈액형의 종류는 A형과 O형 2가지이다.

16 그림은 A형과 AB형인 부부의 ABO식 혈액형 유전자가 염색체에 위치한 모습을 나타낸 것이다.

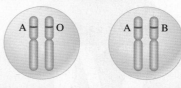

이 부부 사이에서 태어나는 자녀의 유전자형으로 가능하지 않은 것은?

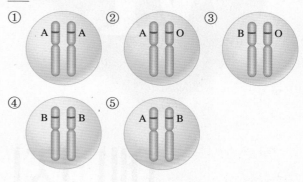

① A A   ② A O   ③ B O
④ B B   ⑤ A B

17 그림은 어느 집안의 적록 색맹 유전 가계도를 나타낸 것이다.

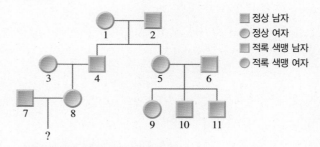

■ 정상 남자
● 정상 여자
■ 적록 색맹 남자
● 적록 색맹 여자

이에 대한 설명으로 옳은 것은?

① 3과 5의 유전자형은 확실히 알 수 없다.
② 4는 2로부터 적록 색맹 유전자를 물려받았다.
③ 7과 8 사이에서 적록 색맹인 딸이 태어날 확률은 50 %이다.
④ 9는 적록 색맹 유전자를 가지고 있지 않다.
⑤ 11의 적록 색맹 유전자는 1에서 5를 거쳐 전달된 것이다.

VI

에너지 전환과 보존

01 역학적 에너지 전환과 보존

만화 완성하기 다음 만화를 보고 여학생의 말풍선을 완성해 보자.

>> 이 단원을 학습한 후 내가 쓴 대사를 수정해 보자.

A 역학적 에너지 전환과 보존

에너지는 외부에 일을 할 수 있다고 배웠죠? 뿐만 아니라 에너지는 다른 종류의 에너지로 전환도 가능해요. 위치 에너지와 운동 에너지가 어떻게 전환되는지 알아볼까요?

1. 역학적 에너지 : 물체가 가진 중력에 의한 위치 에너지와 운동 에너지의 합

2. 역학적 에너지 전환 : 물체의 높이가 변하면 위치 에너지와 운동 에너지가 서로 전환된다.

물체가 자유 낙하 할 때	물체를 던져 올렸을 때
• 높이가 낮아짐. ➡ 위치 에너지 감소 • 속력이 빨라짐. ➡ 운동 에너지 증가 • 위치 에너지가 운동 에너지로 전환된다.	• 높이가 높아짐. ➡ 위치 에너지 증가 • 속력이 느려짐. ➡ 운동 에너지 감소 • 운동 에너지가 위치 에너지로 전환된다.

3. 역학적 에너지 보존 : 공기 저항이나 마찰이 없을 때 운동하는 물체의 역학적 에너지는 항상 일정하게 보존된다.⁺

> 역학적 에너지＝위치 에너지＋운동 에너지＝일정

📖 **낙하하는 물체의 역학적 에너지 보존⁺**

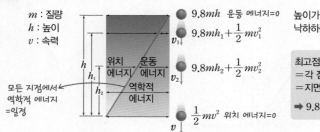

m : 질량
h : 높이
v : 속력

$9.8mh$ 운동 에너지=0
$9.8mh_1+\dfrac{1}{2}mv_1^2$
$9.8mh_2+\dfrac{1}{2}mv_2^2$
$\dfrac{1}{2}mv^2$ 위치 에너지=0

모든 지점에서 역학적 에너지 =일정

높이가 h인 지점에서 정지해 있다가 낙하하는 물체(단, 공기 저항은 무시)

최고점에서의 위치 에너지
=각 점에서의 역학적 에너지
=지면에 닿기 직전의 운동 에너지
➡ $9.8mh=\dfrac{1}{2}mv^2$

✛ 높이 변화에 따른 에너지 보존
• 내려갈 때 : 감소한 위치 에너지만큼 운동 에너지가 증가
• 올라갈 때 : 증가한 위치 에너지만큼 운동 에너지가 감소
➡ 역학적 에너지 보존

✛ 낙하하는 물체의 위치 에너지와 운동 에너지의 비
낙하하는 물체의 운동 에너지는 감소한 위치 에너지와 같으므로, 감소한 높이에 비례한다.● 감소한 위치 에너지
위치 에너지 : 운동 에너지
＝물체의 높이 : 물체의 감소한 높이
예 5 m 높이에서 물체를 가만히 떨어뜨린 경우

3 m { 감소한 높이 ＝3 m
5 m
2 m { 물체의 높이 ＝2 m

2 m 높이에서 위치 에너지와 운동 에너지의 비＝2 : 3

| 용어 |
• 역학(力 힘, 學 공부하다) 물체의 운동에 관한 법칙을 연구하는 학문

한눈에 보기 이 단원의 개념이 어떻게 구성되어 있는지 살펴보고 빈칸을 완성해 보자.

역학적 에너지 ---- A ---- 역학적 에너지 전환

역학적 에너지 보존 ---- B

단어 체크하기 이 단원을 공부하기 전에 미리 알고 있는 단어를 체크해 보자.

☐ 에너지　　　　　☐ 에너지 전환　　　　　☐ 에너지 보존　　　　　☐ 자유 낙하

☐ 중력에 의한 위치 에너지　　☐ 운동 에너지　　　☐ 역학적 에너지

역학적 에너지의 전환과 보존

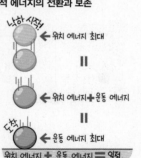

낙하 시작! ← 위치 에너지 최대

=

← 위치 에너지 + 운동 에너지

=

도착! ← 운동 에너지 최대

위치 에너지 + 운동 에너지 = 일정

1 물체를 위로 던져 올린 경우에 대한 설명으로 옳은 것은 ○, 옳지 않은 것은 ×로 표시하시오.(단, 공기 저항은 무시한다.)

(1) 물체가 올라가는 동안 속력은 점점 느려진다. ·············· (　　)

(2) 물체가 올라가는 동안 위치 에너지는 점점 증가한다. ·········· (　　)

(3) 물체가 올라가는 동안 역학적 에너지는 감소한다. ·········· (　　)

2 오른쪽 그림과 같이 지면으로부터 10 m 높이에 정지해 있던 질량이 1 kg인 물체가 낙하하였다.(단, 지면을 기준으로 하고, 공기 저항은 무시한다.)

1 kg

10 m

5 m

지면

(1) 10 m 높이에서 이 물체의 역학적 에너지는 몇 J인지 구하시오.

(2) 5 m 높이에 도달했을 때 물체의 운동 에너지는 몇 J인지 구하시오.

(3) 지면에 도달하는 순간 물체의 운동 에너지는 몇 J인지 구하시오.

3 오른쪽 그림과 같이 20 m 높이에서 질량이 2 kg인 물체를 가만히 놓아 떨어뜨렸다. 높이 5 m인 지점을 지나는 순간 물체의 역학적 에너지는?(단, 공기 저항은 무시한다.)

2 kg

20 m

5 m

① 9.8 J　　　　② 98 J　　　　③ 196 J

④ 294 J　　　　⑤ 392 J

B 여러 가지 운동의 역학적 에너지

놀이공원의 롤러코스터는 엔진도 없는데 빠른 속력으로 레일 위를 달립니다. 어디서 그런 에너지가 생겼을까요? 역학적 에너지가 전환되는 여러 경우를 알아보아요.

1. 롤러코스터의 운동[+]

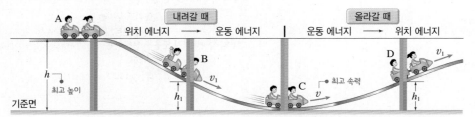

(■ 역학적 에너지, ■ 위치 에너지, ■ 운동 에너지)

구분	A ● 최고점	B ● 내려가는 동안	C ● 최저점	D ● 올라가는 동안
위치 에너지	$9.8mh$ 최대	$9.8mh_1$	0 최소	$9.8mh_1$
운동 에너지	0 최소	$\frac{1}{2}mv_1^2$	$\frac{1}{2}mv^2$ 최대	$\frac{1}{2}mv_1^2$
역학적 에너지	$9.8mh$ =	$9.8mh_1+\frac{1}{2}mv_1^2$ =	$\frac{1}{2}mv^2$ =	$9.8mh_1+\frac{1}{2}mv_1^2$

● 높이가 같은 두 지점 B, D에서는 위치 에너지가 같고, 역학적 에너지가 보존되므로 운동 에너지도 같다.

(1) A → C : 위치 에너지 감소, 운동 에너지 증가 ➡ 위치 에너지 → 운동 에너지 전환
  └● 내려갈 때
(2) C → D : 위치 에너지 증가, 운동 에너지 감소 ➡ 운동 에너지 → 위치 에너지 전환
  └● 올라갈 때

2. 진자의 운동[+]

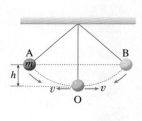

위치	에너지
A, B점	위치 에너지가 최대($=9.8mh$), 운동 에너지는 0
O점	운동 에너지가 최대$\left(=\frac{1}{2}mv^2\right)$
A, B → O	위치 에너지가 운동 에너지로 전환
O → A, B	운동 에너지가 위치 에너지로 전환
모든 지점	역학적 에너지는 모든 지점에서 같다. ➡ $9.8mh=\frac{1}{2}mv^2$

3. 위로 비스듬히 던져 올린 물체의 운동

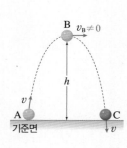

위치	에너지
A, C점	위치 에너지는 0, 운동 에너지가 최대$\left(=\frac{1}{2}mv^2\right)$
B점	위치 에너지가 최대($=9.8mh$), 운동 에너지는 0이 아니다.$\left(=\frac{1}{2}mv_B^2\right)$
A → B	운동 에너지가 위치 에너지로 전환
B → C	위치 에너지가 운동 에너지로 전환
모든 지점	역학적 에너지는 모든 지점에서 같다. ➡ $\frac{1}{2}mv^2=9.8mh+\frac{1}{2}mv_B^2$

[+] 롤러코스터의 궤도

롤러코스터가 끝까지 운행되기 위해서는 중간의 궤도 높이가 출발 높이보다 낮아야 한다.

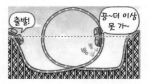

[+] 반원형 둥근 그릇에서의 운동

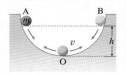

· A → O, B → O 구간 : 위치 에너지 → 운동 에너지
· O → A, O → B 구간 : 운동 에너지 → 위치 에너지

최고점(A, B)에서의 위치 에너지는 최저점(O)에서의 운동 에너지와 같다.

$$9.8mh=\frac{1}{2}mv^2$$

1 그림은 롤러코스터의 운동을 나타낸 것이다.

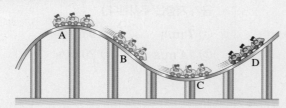

이에 대한 설명으로 옳은 것을 보기에서 모두 고른 것은?(단, 마찰이나 공기 저항은 무시한다.)

{ 보기 }
ㄱ. A점에서 위치 에너지가 최대이다.
ㄴ. 역학적 에너지는 C점에서 가장 크다.
ㄷ. A점에서 B점으로 운동하는 동안 속력이 빨라진다.
ㄹ. C점에서 D점으로 운동하는 동안 운동 에너지가 위치 에너지로 전환된다.

① ㄱ, ㄴ   ② ㄱ, ㄷ   ③ ㄴ, ㄷ
④ ㄷ, ㄹ   ⑤ ㄱ, ㄷ, ㄹ

암기 TIP

높이로 구하는 에너지
낙하 운동, 롤러코스터의 운동, 진자의 운동 등 운동의 종류에 관계없이 다음의 관계가 성립한다.
위치 에너지 ∝ 물체의 높이
운동 에너지 ∝ 물체의 감소한 높이

2 오른쪽 그림과 같이 물체가 실에 매달려 A와 B 사이를 왕복 운동하고 있다. 위치 에너지가 운동 에너지로 전환되는 구간을 보기에서 모두 고르시오.(단, 공기 저항과 마찰은 무시한다.)

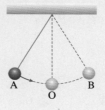

{ 보기 }
ㄱ. A → O 구간   ㄴ. B → O 구간
ㄷ. O → A 구간   ㄹ. O → B 구간

3 오른쪽 그림은 A에서 비스듬히 던져 올린 공의 운동을 나타낸 것이다. 이에 대한 설명으로 옳은 것은 ○, 옳지 않은 것은 ×로 표시하시오.(단, 공기 저항은 무시한다.)

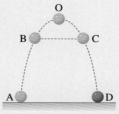

(1) O에서 운동 에너지는 0이다. .... (   )
(2) 모든 위치에서 역학적 에너지는 같다. .... (   )
(3) B와 C에서 운동 에너지는 같다. .... (   )
(4) A와 D에서 공의 속력은 같다. .... (   )

만화 확인하기 244쪽으로 돌아가서 내가 쓴 대사를 점검해 보자.

01 오른쪽 그림과 같이 5 m 높이에서 질량이 2 kg인 새가 10 m/s의 속력으로 날고 있을 때, 새의 역학적 에너지는?

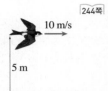

[244쪽]

① 49 J   ② 98 J
③ 100 J   ④ 149 J
⑤ 198 J

02 물체의 운동 에너지가 위치 에너지로 전환되는 경우는?

[244쪽]

① 처마 끝에서 빗방울이 떨어질 때
② 얼음판 위에서 스케이트를 탈 때
③ 장대높이뛰기 선수가 뛰어 오를 때
④ 언덕 위에서 자전거를 타고 내려올 때
⑤ 바람개비가 바람에 의해 돌고 있을 때

03 오른쪽 그림과 같이 10 m 높이에서 질량이 2 kg인 물체를 가만히 떨어뜨렸다. 이 물체가 지면에서 2 m 높이인 A점을 통과할 때, 위치 에너지와 운동 에너지의 비는?(단, 공기 저항은 무시한다.)

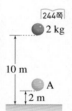

[244쪽]

① 1 : 1   ② 1 : 4   ③ 1 : 5
④ 4 : 1   ⑤ 5 : 1

04 오른쪽 그림은 연직 위로 던져 올린 공의 운동을 나타낸 것이다. 공이 위로 올라가는 동안의 운동에 대한 설명으로 옳지 않은 것은?(단, 공은 A점에서 던졌고, 최고점은 D점이며, 공기 저항은 무시한다.)

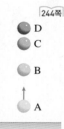

[244쪽]

① 역학적 에너지는 일정하다.
② 위치 에너지는 점점 증가한다.
③ 운동 에너지는 점점 감소한다.
④ 운동 에너지는 A점에서 가장 크다.
⑤ 위치 에너지가 운동 에너지로 전환된다.

05 오른쪽 그림과 같이 10 m 높이에서 질량이 4 kg인 물체를 가만히 떨어뜨렸다. 이 물체가 지면에 도달하는 순간의 속력은?(단, 공기 저항은 무시한다.)

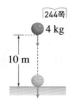

[244쪽]

① 7 m/s   ② 9 m/s
③ 14 m/s   ④ 20 m/s
⑤ 30 m/s

06 오른쪽 그림과 같이 높이가 2 m인 건물의 옥상에서 질량이 2 kg인 물체를 떨어뜨렸다. 이 물체가 0.5 m 높이를 지날 때의 운동 에너지는? (단, 공기 저항은 무시한다.)

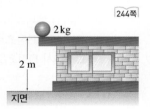

[244쪽]

① 9.8 J   ② 19.6 J   ③ 29.4 J
④ 39.2 J   ⑤ 78.4 J

07 그림과 같이 롤러코스터가 정지 상태에서 A점을 출발하여 B점을 거쳐 C점으로 이동하고 있다.

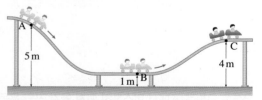

[246쪽]

이때 B점과 C점에서 롤러코스터의 운동 에너지 비(B : C)는?(단, 공기 저항 및 마찰은 무시한다.)

① 1 : 2   ② 1 : 4   ③ 2 : 1
④ 4 : 1   ⑤ 5 : 4

풀이 TIP **03** ❶ 위치 에너지는 물체의 높이에 비례한다. ❷ 역학적 에너지가 보존될 때 운동 에너지는 어떤 값과 비례할지 생각한다. **05** ❶ 처음에 물체가 가지고 있는 에너지는 어떤 에너지인지 생각한다. ❷ 물체가 지면에 도달하는 순간에 물체는 어떤 에너지만 갖는지 생각한다.

08 그림은 마찰이 없는 레일 위를 움직이는 수레의 모습을 나타낸 것이다.

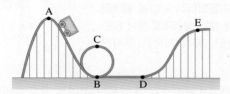

이에 대한 설명으로 옳은 것은?(단, 공기 저항은 무시한다.)

① 위치 에너지가 가장 큰 곳은 C점이다.
② 운동 에너지는 B점이 D점보다 크다.
③ 속력이 가장 빠른 곳은 E점이다.
④ AB 구간에서 역학적 에너지는 감소한다.
⑤ B점에서 C점으로 가는 동안 운동 에너지가 위치 에너지로 전환된다.

246쪽

09 그림과 같이 질량이 2 kg인 공을 레일 위의 A점에 가만히 놓았더니 레일을 따라 이동했다.

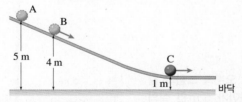

이에 대한 설명으로 옳은 것은?(단, 공기 저항 및 마찰은 무시한다.)

① A점에서 역학적 에너지는 49 J이다.
② B점에서 공은 19.6 J의 에너지를 잃게 된다.
③ C점에서 운동 에너지는 A점에서 위치 에너지와 같다.
④ C점의 운동 에너지는 B점보다 29.4 J만큼 크다.
⑤ B점에서 위치 에너지와 C점에서 운동 에너지의 크기는 같다.

246쪽

10 오른쪽 그림은 진자의 운동을 나타낸 것이다. A점에서 O점으로 이동하는 동안 진자의 위치 에너지, 운동 에너지, 역학적 에너지의 변화를 옳게 짝 지은 것은?(단, 마찰이나 공기 저항은 무시한다.)

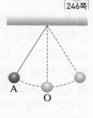

	위치 에너지	운동 에너지	역학적 에너지
①	증가	감소	일정
②	증가	감소	증가
③	감소	증가	일정
④	감소	증가	감소
⑤	일정	일정	일정

[11~12] 오른쪽 그림과 같이 진자가 A점과 B점 사이를 왕복 운동하고 있다.(단, 마찰과 공기 저항은 무시한다.)

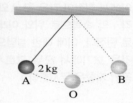

246쪽

11 위 그림에 대한 설명으로 옳은 것은?

① A점과 B점에서 속력이 가장 빠르다.
② A점에서 운동 에너지가 최대이다.
③ O점에서 위치 에너지가 최대이다.
④ A점에서 O점으로 이동할 때 위치 에너지가 증가한다.
⑤ B점에서 O점으로 이동할 때 운동 에너지가 증가한다.

246쪽

12 위 그림의 O점에서 진자의 운동 에너지가 36 J이고, O점의 위치가 기준면으로부터의 높이가 10 m인 곳이라면, B점에서 진자의 역학적 에너지는?

① 36 J   ② 49 J   ③ 196 J
④ 211 J   ⑤ 232 J

---

08 ❶ 수레가 처음에 갖고 있던 에너지가 무엇인지 찾는다. ❷ 수레의 높이에 따라 증가하는 에너지와 감소하는 에너지가 무엇인지 생각한다. 12 ❶ O점에서의 운동 에너지와 위치 에너지를 각각 구한다. ❷ O점에서의 역학적 에너지와 B점에서의 역학적 에너지를 비교하여 구한다.

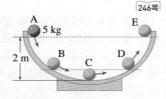

13 오른쪽 그림과 같은 반원형 그릇의 2 m인 지점에 질량이 5 kg인 쇠구슬을 가만히 놓았더니 A점과 E점 사이를 왕복 운동하였다. 이에 대한 설명으로 옳은 것은?(단, 모든 마찰과 공기 저항은 무시한다.)

① B점의 운동 에너지는 0이다.
② B점과 D점에서 운동 에너지는 같다.
③ 운동 에너지가 최대인 곳은 B점이다.
④ A점에서 E점으로 갈수록 역학적 에너지는 감소한다.
⑤ C점에서 E점으로 갈 때 운동 에너지는 증가한다.

14 오른쪽 그림과 같이 같은 높이에서 질량이 같은 공 A와 B를 각각 v의 속력으로 위와 아래 방향으로 던졌다. 이에 대한 설명으로 옳은 것을 보기에서 모두 고르시오.(단, 공기 저항은 무시한다.)

┌ 보기 ┐
ㄱ. 지면에 B가 먼저 도착한다.
ㄴ. 지면에 도착할 때 B의 속력이 더 빠르다.
ㄷ. 지면에 도착할 때 B의 역학적 에너지가 더 크다.

15 오른쪽 그림과 같이 질량이 1 kg인 공을 지면으로부터 1 m 높이에서 A, B, C, D 방향으로 각각 던졌다. 모두 동일한 속력으로 던졌을 때, 지면에 도달하는 순간 공의 속력을 옳게 비교한 것은?(단, 공기 저항은 무시한다.)

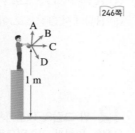

① A>B>C>D
② A>C>D>B
③ B>A>C>D
④ D>C>B>A
⑤ A=B=C=D

16 오른쪽 그림과 같이 A점에서 질량이 500 g인 공을 비스듬히 던져 올렸더니 E점에 떨어졌다. 이에 대한 설명으로 옳지 <u>않은</u> 것은?(단, 공기 저항은 무시한다.)

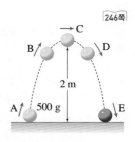

① A점에서 B점까지 가는 동안 속력은 점점 느려진다.
② C점에서 속력은 0이다.
③ A점에서 C점까지 가는 동안 운동 에너지는 9.8 J 감소한다.
④ A점과 E점에서 운동 에너지는 같다.
⑤ 모든 점에서 역학적 에너지는 같다.

17 오른쪽 그림과 같이 질량이 5 kg인 물체를 10 m/s의 속력으로 비스듬히 던져 올렸더니 최고 4 m 높이까지 올라갔다가 떨어졌다. 이때 최고 높이에서 물체의 운동 에너지는 몇 J인지 구하시오.(단, 공기 저항은 무시한다.)

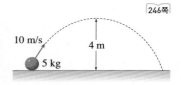

18 오른쪽 그림과 같이 길이가 5 m인 실의 한쪽 끝을 O점에 고정시키고 다른 쪽 끝에 질량이 1 kg인 공을 매달아 O점과 같은 높이인 P점까지 들어 올린 후 가만히 놓았다. 이때 실이 O점의 연직 아래에 있는 못 C에 걸려 공이 A점에서 B점까지 운동하였다면, B점을 지날 때 공의 속력은?(단, 마찰이나 공기 저항은 무시한다.)

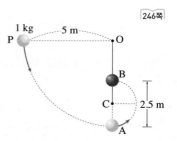

① 2 m/s
② 5 m/s
③ 7 m/s
④ 14 m/s
⑤ 49 m/s

14 ❶ 공을 던지기 전, A와 B의 역학적 에너지를 비교한다. ❷ 바닥에 도달할 때의 공의 에너지는 어떻게 변하는지 생각하고, 크기를 비교한다. **18** ❶ 공이 P점에서 처음 가지고 있는 역학적 에너지를 구한다. ❷ 역학적 에너지는 보존됨을 이용하여 B점에서 공의 운동 에너지를 구한다.

250　VI. 에너지 전환과 보존

서술형 문제

244쪽

19 지면으로부터 높이가 10 m인 위치에서 질량이 m인 물체를 가만히 놓았다. 이 물체의 위치 에너지와 운동 에너지가 같아지는 곳은 지면에서 몇 m 지점인지 구하고, 그 까닭을 서술하시오.(단, 공기 저항은 무시한다.)

244쪽

20 오른쪽 그림과 같이 질량이 1 kg인 공을 높이 15 m인 곳에서 가만히 놓아 떨어뜨렸다.(단, 공기 저항은 무시한다.)

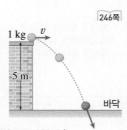

(1) 높이가 5 m인 지점을 지날 때 공의 위치 에너지와 운동 에너지의 비를 풀이 과정과 함께 구하시오.

----

(2) 공이 바닥에 도달하는 순간 공의 운동 에너지는 몇 J인지 풀이 과정과 함께 구하시오.

246쪽

21 오른쪽 그림과 같이 높이가 5 m인 곳에서 질량이 1 kg인 공을 v의 속력으로 수평 방향으로 던졌다. 바닥에 도달할 때 공의 운동 에너지가 81 J이었다면, 공을 던질 때의 속력 v는 얼마인지 풀이 과정과 함께 구하시오.(단, 공기 저항은 무시한다.)

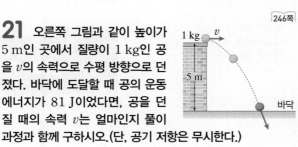

246쪽

22 그림과 같이 질량이 10 kg인 공을 높이가 1 m인 레일 위의 A점에 가만히 놓았더니 공이 레일을 따라 이동했다.

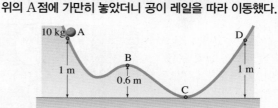

B점과 C점에서 공의 운동 에너지의 비를 풀이 과정과 함께 구하시오.(단, 공기 저항 및 마찰은 무시한다.)

246쪽

23 오른쪽 그림은 A점과 E점 사이를 왕복 운동하는 진자를 나타낸 것이다. B점과 D점이 기준면으로부터의 높이가 같을 때, 두 지점에서 크기가 같은 에너지는 무엇이 있는지 서술하시오.(단, 공기 저항 및 마찰은 무시한다.)

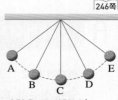

246쪽

24 오른쪽 그림과 같이 지면에서 질량이 4 kg인 공을 10 m/s의 속력으로 비스듬히 던져 올렸다. 공이 5 m까지 올라갔다가 다시 내려왔을 때, 최고점에서의 운동 에너지를 풀이 과정과 함께 구하시오.

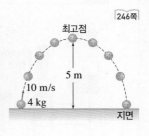

학습 평가하기

정답친해 74쪽으로 가서 문제를 채점한 후 학습 결과를 스스로 평가해 보세요.

맞춘 개수	21~24개	16~20개	0~15개
평가	잘함	보통	부족

➔ 정답친해에서 그 문제를 왜 틀렸는지 꼭 확인하세요!
➔ 본책에서 해당 쪽으로 돌아가서 부족한 부분을 다시 공부하세요!

19 ❶ 위치 에너지는 물체의 높이에 비례한다. ❷ 역학적 에너지가 보존될 때 운동 에너지는 어떤 값과 비례할지 생각한다. 24 ❶ 공을 비스듬히 위로 던지는 순간 공의 역학적 에너지를 구한다. ❷ 역학적 에너지 보존 법칙을 이용하여 최고점에서 위치 에너지와 운동 에너지를 각각 구한다.

02. 전기 에너지의 발생과 전환

다음 만화를 보고 학생의 말풍선을 완성해 보자.

이건 전기 에너지로 움직여. 전기 에너지는 최고야!

이건 달릴 때 예쁘게 불이 들어와.

그것도 안에 배터리가 들어 있나?

≫ 이 단원을 학습한 후 내가 쓴 대사를 수정해 보자.

A 전기 에너지의 발생

전기 에너지 없이 우리는 살 수 있을까요? 하루라도 전기 에너지를 사용하지 않으면 불편한 일이 너무 많이 생겨요. 불을 밝힐 수도 없고, 지하철이나 엘리베이터도 탈 수 없게 됩니다. 이렇게 중요한 전기 에너지는 어떻게 만들어지는지 알아보아요.

1. 전자기 유도 : 코일 주위에서 자석을 움직이면 코일을 통과하는 자기장이 변하면서 코일에 전류가 흐르는 현상[+] — 자석 주위에서 코일이 움직여도 전류가 흐른다.

2. 유도 전류 : 전자기 유도에 의해 코일에 흐르는 전류

(1) 방향 : 자석을 코일에 가까이 할 때와 멀리 할 때 서로 반대 방향으로 흐른다.

📖 자석의 운동 방향과 전류의 방향

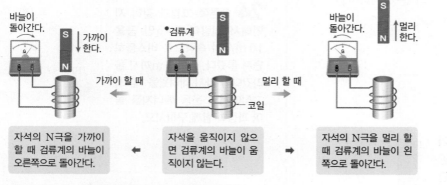

바늘이 돌아간다. S N 가까이 한다.

검류계 S N

바늘이 돌아간다. S N 멀리 한다.

가까이 할 때 → 코일 멀리 할 때

자석의 N극을 가까이 할 때 검류계의 바늘이 오른쪽으로 돌아간다. ← 자석을 움직이지 않으면 검류계의 바늘이 움직이지 않는다. → 자석의 N극을 멀리 할 때 검류계의 바늘이 왼쪽으로 돌아간다.

➡ 자석이 움직이는 방향에 따라 유도 전류의 방향이 바뀐다.

(2) 세기

① 강한 자석을 움직일수록 더 센 전류가 유도된다.

② 코일의 감은 수가 많을수록 더 센 전류가 유도된다.

③ 자석을 빠르게 움직일수록 더 센 전류가 유도된다.

3. 전자기 유도의 이용 : 발전기, 도난 방지 장치, 교통 카드 판독기, 고속도로의 통행료 지불 단말기(하이패스), 마이크, 인덕션 레인지, 금속 탐지기, 전자 기타 등[+]

[+] 전자기 유도가 일어나지 않는 경우

자석이나 코일이 움직이지 않으면 코일 내부의 자기장이 변하지 않아 유도 전류가 흐르지 않는다.

[+] 전자기 유도의 이용

⬆ 도난 방지 장치

⬆ 고속도로 통행료 지불 단말기

| 용어 |

● 검류계(檢 검사, 流 흐르다, 計 측정하다) 매우 미세한 전류나 전압을 검출하는 장치로, 전기 기호로는 ⓖ로 표현한다.

한눈에 보기 이 단원의 개념이 어떻게 구성되어 있는지 살펴보고 빈칸을 완성해 보자.

전기 에너지

 **A**

 B 발전기의 에너지 전환

C 전기 에너지의 전환

 **D**

E

 단어 체크하기 이 단원을 공부하기 전에 미리 알고 있는 단어를 체크해 보자.

☐ 전기 에너지   ☐ 전류   ☐ 자석   ☐ 자기장   ☐ 전자기 유도
☐ 에너지 전환   ☐ 에너지 보존   ☐ 역학적 에너지

1 전자기 유도 현상이 일어나는 경우로 옳은 것은 ○, 옳지 <u>않은</u> 것은 ×로 표시하시오.

(1) 자석을 코일에서 멀리 한다. ··· (   )

(2) 자석을 코일에 가까이 가져간다. ··· (   )

(3) 코일 속에 자석을 넣고 가만히 있는다. ··· (   )

(4) 자석을 정지시키고 코일을 자석 가까이로 가져간다. ··························· (   )

2 오른쪽 그림은 전자기 유도 실험을 나타낸 것이다. 이 실험에 대한 설명으로 옳은 것은 ○, 옳지 <u>않은</u> 것은 ×로 표시하시오.

검류계 | 막대 자석 | 코일

(1) 코일의 감은 수가 많을수록 검류계의 바늘이 더 많이 회전한다. ································· (   )

(2) 자석을 빠르게 움직일수록 검류계의 바늘이 더 많이 회전한다. ················· (   )

(3) 자석을 코일 속에 넣을 때와 뺄 때 검류계의 바늘이 같은 방향으로 회전한다.
··· (   )

3 전자기 유도 현상을 이용한 예로 옳은 것을 보기에서 모두 고르시오.

┌ 보기 ┐
ㄱ. 발전기   ㄴ. 선풍기   ㄷ. 금속 탐지기
ㄹ. 전자석   ㅁ. 스피커   ㅂ. 전자 기타
ㅅ. 교통 카드 판독기 ㅇ. 나침반   ㅈ. 세탁기

암기 TIP

전자기 유도가 일어나지 않는 경우

파업 선언! 움직이지 않겠다!

➡ 자석과 코일 중 하나라도 움직여야 유도 전류가 흐른다.

B 발전기의 에너지 전환

우리가 사용하는 전기 에너지는 발전소에서 전자기 유도를 이용해서 대량으로 만들어요. 어떤 에너지를 이용해서 발전기를 돌리느냐에 따라 다양한 발전소가 있어요. 발전소에서는 에너지 전환이 어떻게 일어나는지 알아볼까요?

1. 발전기의 구조 : 발전기는 영구 자석 사이에서 코일이 회전할 수 있는 구조로, 코일이 회전하면 전자기 유도에 의해 전류가 흐른다.
➡ 역학적 에너지가 전기 에너지로 전환[+]

2. 발전소의 에너지 전환

구분	에너지 전환
수력 발전소	물의 위치 에너지 → 물의 운동 에너지 → 발전기의 역학적 에너지 → 전기 에너지 —● 댐에 고인 물이 낙하하면서 발전기에 연결된 터빈을 돌려 발전한다.
화력 발전소	연료의 화학 에너지 → 수증기의 역학적 에너지 → 발전기의 역학적 에너지 → 전기 에너지
풍력 발전소	바람의 역학적 에너지 → 발전기의 역학적 에너지 → 전기 에너지

📖 화력 발전소의 에너지 전환

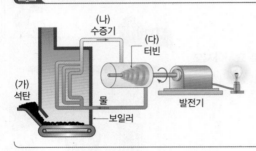

(가) 화학 에너지를 가지고 있는 석탄을 태워 열에너지를 만든다.
(나) 열에너지로 물을 끓여 역학적 에너지를 가진 수증기를 만든다.
(다) 수증기가 터빈을 돌리면 발전기가 회전하여 역학적 에너지가 전기 에너지로 전환된다.
　　　　　　　—● 전자기 유도 현상

➕ 발전기와 전동기 비교
|발전기| —● 전자기 유도 이용

역학적 에너지 → 전기 에너지

날개를 돌리면 전자기 유도 현상에 의해 유도 전류가 흘러 전구에 불이 켜진다.

|전동기| —● 자기력 이용

전기 에너지 → 역학적 에너지

코일에 전류가 흐르면 코일이 자석의 자기장에 의해 힘을 받아 회전한다.
➡ 발전기와 전동기의 에너지 전환은 반대로 일어난다.

C 전기 에너지의 전환

전기 에너지가 우리 생활에서 많이 사용되는 까닭은 편리하기 때문입니다. 전기 에너지는 다양한 형태의 에너지로 전환 가능하답니다. 우리는 일상생활에서 전기 에너지를 어떤 에너지로 바꿔서 사용하고 있는지 알아볼까요?

전기 에너지 : 전류가 흐를 때 공급되는 에너지
(1) 단위 : J(줄)
(2) 전기 에너지는 다른 형태의 에너지로 쉽게 전환하여 사용할 수 있기 때문에 우리 생활에 많이 이용된다.

전환되는 에너지	예
열에너지	전기다리미, 전기밥솥, 전기난로, 헤어드라이어 등
빛에너지	전구, 형광등, 텔레비전, 컴퓨터 모니터 등
소리 에너지	오디오, 스피커, 텔레비전, 휴대 전화 등
운동 에너지	세탁기, 선풍기, 진공청소기, 헤어드라이어, 믹서 등
화학 에너지	배터리 충전 등

📖 스마트폰의 에너지 전환[+]

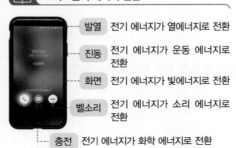

발열 전기 에너지가 열에너지로 전환
진동 전기 에너지가 운동 에너지로 전환
화면 전기 에너지가 빛에너지로 전환
벨소리 전기 에너지가 소리 에너지로 전환
충전 전기 에너지가 화학 에너지로 전환

➕ 전기 에너지의 전환
전기 에너지는 다양한 형태의 에너지로 전환 가능하며, 동시에 여러 에너지로 전환될 수 있다.

1 발전기와 발전소에 대한 설명으로 옳은 것은 ○, 옳지 않은 것은 ×로 표시하시오.

(1) 발전기는 정전기 유도를 이용하여 전기 에너지를 생산한다. ·············· ( )

(2) 화력 발전소에서는 화석 연료의 화학 에너지를 열에너지로 전환한 후 전기 에너지를 생산한다. ─────────────────── ( )

(3) 풍력 발전소에서는 열에너지를 이용하여 전기 에너지를 생산한다. ········· ( )

(4) 발전소에서는 모두 동일한 에너지 전환 과정을 거쳐 전기 에너지를 생산한다.
··· ( )

2 물의 역학적 에너지를 이용하여 전기 에너지를 생산하는 발전소를 어떤 발전소라고 하는지 발전소의 종류를 쓰시오.

3 발전기에서는 코일을 회전시켜 전기를 만들어내고, 전동기는 전류가 흘러서 코일이 회전한다. ( ) 안에 알맞은 말을 쓰시오.

- 발전기 : ㉠( ) 에너지 → 전기 에너지
- 전동기 : ㉡( ) 에너지 → 역학적 에너지

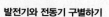
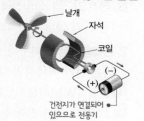

발전기와 전동기 구별하기
건전지나 전원 장치가 연결되어 있으면 전동기, 연결되어 있지 않으면 발전기!

날개 / 자석 / 코일
건전지가 연결되어 있으므로 전동기

252쪽으로 돌아가서 내가 쓴 대사를 점검해 보자.

1 전기 에너지와 전환에 대한 설명으로 옳은 것은 ○, 옳지 않은 것은 ×로 표시하시오.

(1) 전기 에너지는 일의 단위와 같은 단위를 사용한다. ························· ( )

(2) 전기 에너지는 동시에 여러 가지 다른 형태의 에너지로 전환될 수 있다. ( )

(3) 선풍기를 사용할 때 전기 에너지는 운동 에너지로 전환된다. ·············· ( )

(4) 전기 에너지는 다른 형태의 에너지로 전환하기 쉬워서 많이 이용한다. ···· ( )

2 다음은 전기 기구에서의 에너지 전환을 나타낸 것이다. ( ) 안에 알맞은 에너지를 쓰시오.

(1) LED 전구 : 전기 에너지 → ( )에너지

(2) 헤어드라이어 : ( ) 에너지 → 열에너지

(3) 세탁기 : 전기 에너지 → ( ) 에너지

(4) 오디오 : 전기 에너지 → ( ) 에너지

전환되는 에너지의 종류
빛이 나면 빛에너지
따뜻해지면 열에너지
소리가 나면 소리 에너지
모터가 돌아가면 운동 에너지
저장할 때는 화학 에너지

02 전기 에너지의 발생과 전환

D 소비 전력과 전력량

전기 에너지를 사용하고 나면 사용한만큼 사용료를 내야 해요. 전기 에너지를 얼마나 사용했는지는 어떻게 표현할 수 있을까요? 우리가 사용하는 전기 에너지의 양을 나타내는 소비 전력과 전력량에 대해 알아보아요.

1. 소비 전력 : 1초 동안 전기 기구가 소모하는 전기 에너지의 양

$$소비 전력(W) = \frac{전기 에너지(J)}{시간(s)}$$

(1) 단위 : W(와트), kW(킬로와트) → 1000 W=1 kW

(2) 1 W : 1초 동안 1 J의 전기 에너지를 사용할 때의 전력

(3) 전기 기구의 소비 전력 :[●]정격 전압을 연결했을 때 단위 시간 동안 전기 기구가 사용하는 전기 에너지 → 정격 소비 전력이라고 한다.

2. 전력량 : 전기 기구가 일정 시간 동안 소모하는 전기 에너지의 양

$$전력량(Wh) = 소비 전력(W) \times 시간(h)$$

(1) 단위 : Wh(와트시), kWh(킬로와트시)

(2) 1 Wh : 소비 전력이 1 W인 전기 기구를 1시간 동안 사용했을 때의 전력량⁺

📖 소비 전력과 전력량 구하기

· 정격 전압 : 220 V
· 소비 전력 : 110 W

➡ 220 V에 연결했을 때 전기다리미는 1초에 110 J의 전기 에너지를 사용한다.

➡ 220 V에 연결하고 전기다리미를 30분 동안 사용했을 때 전력량은 110 W×0.5 h=55 Wh이다.

품명: 전기다리미
220 V−110 W

+ 소비 전력과 전력량의 단위 시간

소비 전력을 구할 때 단위 시간은 1초이고 전력량을 구할 때 단위 시간은 1시간이다. 시간의 기본 단위가 다름에 주의한다.

| 용어 |

· **정격**(定 정하다, 格 바로잡다) **전압** 전기 기구가 정상적으로 작동할 수 있는 전압

E 에너지 전환과 보존

에너지를 사용할 때 에너지는 원하는 형태의 에너지로만 전환되지 않아요. 앞에서 역학적 에너지 전환과 보존에 대해 배웠는데, 여기서는 역학적 에너지가 보존되지 않는 경우를 알아보아요.

1. 에너지 전환 : 에너지는 한 형태에서 다른 형태로 전환된다.

2. 에너지 보존 법칙 : 에너지는 전환 과정에서 새로 생기거나 없어지지 않으므로 에너지의 총량은 일정하게 보존된다. → 에너지의 총량은 보존되지만 에너지가 전환되는 과정에서 일부는 다시 사용할 수 없는 열에너지, 소리 에너지 등으로 전환되어 우리가 사용할 수 있는 에너지는 점점 줄어들므로 에너지를 절약해야 한다.

예	에너지 전환	예	에너지 전환
LED 전구	전기 에너지 → 빛에너지	불꽃놀이	화학 에너지 → 빛에너지
광합성	빛에너지 → 화학 에너지	풍력 발전	운동 에너지 → 전기 에너지

📖 역학적 에너지가 보존되지 않는 경우⁺

· 공기 저항과 마찰이 있을 때 물체의 역학적 에너지는 열에너지, 소리 에너지 등으로도 전환되어 보존되지 않는다.
  예 미끄럼틀을 탈 때 역학적 에너지의 전환
· 미끄럼틀을 타기 전후 에너지의 총량은 같다.
  ➡ 위치 에너지=소리 에너지+열에너지+운동 에너지
· 미끄럼틀 아래에서 운동 에너지는 위에서의 위치 에너지보다 작다.

위치 에너지
소리 에너지
열에너지
운동 에너지

+ 바닥에 떨어뜨린 공의 최고점이 점점 낮아지는 경우

공기 저항이나 마찰로 인해 역학적 에너지의 일부가 열에너지, 소리 에너지 등으로 전환되기 때문에 최고점이 낮아진다.

A에서 B로 가는 동안 열에너지, 소리 에너지 등으로 전환된 에너지 =감소한 역학적 에너지=A에서 위치 에너지−B에서 위치 에너지

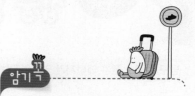

1 소비 전력과 전력량에 대한 설명으로 옳은 것은 ○, 옳지 않은 것은 ✕로 표시하시오.

(1) 소비 전력은 1초 동안 전기 기구가 소모하는 전기 에너지이다. ……………… (   )

(2) 전기 기구의 소비 전력이 클수록 같은 시간 동안 사용했을 때 소비하는 전기 에너지의 양이 많다. ……………… (   )

(3) '전력량=소비 전력×시간'으로, 이때 시간의 단위는 '시(h)'이다. ………… (   )

(4) 1 Wh의 전력량은 1000 J의 전기 에너지와 같다. ……………… (   )

2 오른쪽 그림과 같은 110 V−44 W인 선풍기를 110 V 전원에 연결하였다.

(1) 선풍기의 정격 전압은 몇 V인지 구하시오.

(2) 선풍기가 1초 동안 사용한 전기 에너지는 몇 J인지 구하시오.

(3) 선풍기를 1시간 동안 사용할 때 소모한 전력량을 구하시오.

3 220 V−60 W인 전구를 220 V 전원에서 10시간 동안 사용하였다. 이때 전구가 사용한 총 전력량은 몇 Wh인지 구하시오.

암기꼭

소리 전력과 전력량의 단위 시간

1 J을 1초 동안 ➡ 1 W

1 W를 1시간 동안 ➡ 1 Wh

1 다음은 에너지 전환이 일어나는 다양한 경우이다. (   ) 안에 알맞은 말을 쓰시오.

(1) 텔레비전을 볼 때 : 전기 에너지 → (   ) 에너지, 열에너지, 빛에너지 등

(2) 자동차를 탈 때 : 화학 에너지 → (   ) 에너지, 열에너지, 소리 에너지, 빛에너지 등

(3) 불꽃놀이를 할 때 : 화학 에너지 → (   )에너지, 소리 에너지, 열에너지, 위치 에너지 등

암기꼭

에너지 보존 법칙

공기 저항과 마찰이 있을 때 역학적 에너지는 보존되지 않지만 전체 에너지는 보존된다. 공기 저항과 마찰이 없을 때 역학적 에너지가 보존된다.

2 오른쪽 그림과 같이 수평면에서 운동하는 물체가 A점을 지날 때 운동 에너지는 100 J, B점을 지날 때 운동 에너지는 80 J이었다. A점에서 B점으로 이동하는 동안 열에너지 등으로 전환된 역학적 에너지는 몇 J인지 구하시오.

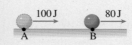

자석과 코일만 있으면 전기 에너지를 만들 수 있어요. 간이 발전기를 만들어 전구에 불을 켜 보고, 전기 에너지가 생산되는 과정과 그 특징을 알아보아요.

탐구 자료   전기 에너지가 만들어지는 원리

관련 개념 Ⅰ 252쪽 Ⓐ 전기 에너지의 발생

목표   발전기에서 전기 에너지가 만들어지는 원리를 설명할 수 있다.

과정

① 플라스틱 관에 에나멜선을 감아 코일을 만들고, 에나멜선의 양 끝을 사포로 문지른다.

② 에나멜선의 양 끝을 발광 다이오드의 양 끝에 각각 연결한다.

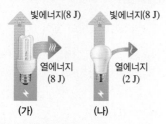

③ 플라스틱 관에 자석을 넣고 관의 양쪽 끝을 마개로 막는다.

④ 플라스틱 관을 흔들면서 발광 다이오드를 관찰한다.

주의 TIP

발광 다이오드는 전류가 긴 다리에서 짧은 다리로만 흐른다. 전류가 반대 방향으로 흐르면 불이 켜지지 않는다.

결과 및 해석

• 플라스틱 관을 흔들면 발광 다이오드에 불이 켜진다.
  ➡ 역학적 에너지가 전기 에너지로 전환된다.
• 플라스틱 관을 흔드는 동안 발광 다이오드의 불이 꺼졌다 켜졌다를 반복한다.
  ➡ 자석의 운동 방향에 따라 전류가 흐르는 방향이 달라진다.

결론

❶ 자석이 코일 사이를 통과할 때 ⊙(   ) 현상이 일어나 코일에 전류가 흐른다.
❷ 자석의 운동 방향이 달라지면 ⓒ(   )의 방향도 달라진다.

류전 ⓒ 도유기자 ⊙ **답**

핵심 자료   소비 전력으로 에너지 효율 비교하기

관련 개념 Ⅰ 256쪽 Ⓓ 소비 전력과 전력량

밝기가 같은 두 전구의 에너지 효율

서로 다른 두 전구가 1초 동안 사용한 에너지를 나타낸 것이다.

빛에너지(8 J)   빛에너지(8 J)

열에너지 (8 J)   열에너지 (2 J)

(가)   (나)

• 1초 동안 사용한 에너지의 총량
  (가) : 8 J+8 J=16 J, (나) : 8 J+2 J=10 J
  ➡ 소비 전력의 크기 : (가)>(나)
• 같은 밝기를 내는 데 (가)가 더 많은 에너지를 소비하므로 에너지 효율은 (나)가 (가)보다 좋다.

에너지 사용량이 같은 두 전구의 에너지 효율

서로 다른 두 전구가 1초 동안 사용한 에너지를 나타낸 것이다.

빛에너지 (36 J)   빛에너지 (48 J)

열에너지 (28 J)   열에너지 (16 J)

(다)   (라)

• 1초 동안 사용한 에너지의 총량
  (다) : 36 J+28 J=64 J, (라) : 48 J+16 J=64 J
  ➡ 소비 전력의 크기 : (다)=(라)
• 같은 에너지를 소비하는 데 빛에너지로 사용한 에너지가 (라)가 더 많으므로 에너지 효율은 (라)가 (다)보다 좋다.

정답친해 77쪽
개념 페이지로 점프해요!

01 전자기 유도에 대한 설명으로 옳은 것은? [252쪽]

① 코일 내부의 자기장이 있으면 전류가 흐른다.
② 자석이 코일을 통과할 때 자석에 전류가 흐른다.
③ 전기 에너지가 역학적 에너지로 전환된다.
④ 강한 자석을 코일 내부에 넣어두면 전류가 흐른다.
⑤ 자석 주위에서 코일을 움직이면 유도 전류가 흐른다.

02 오른쪽 그림과 같이 코일에 자석을 가까이 할 때, 코일에 흐르는 유도 전류의 세기가 세지는 경우를 모두 고르면?(3개) [252쪽]

검류계
막대 자석
코일

① 자석을 천천히 움직인다.
② 자석을 빠르게 움직인다.
③ 코일의 감은 수를 늘린다.
④ 더 센 자석을 가까이 한다.
⑤ 자석의 극을 바꾸어서 가까이 한다.

03 오른쪽 그림과 같이 검류계를 연결한 코일 속에 자석의 S극을 넣었을 때 검류계의 바늘이 오른쪽으로 움직였다. 검류계의 바늘이 왼쪽으로 움직이도록 하는 방법으로 옳은 것을 보기에서 모두 고른 것은? [252쪽]

검류계
N
S
코일

┌ 보기 ┐
ㄱ. S극을 코일에서 멀리 한다.
ㄴ. S극이 위를 향하도록 코일 안쪽에 자석을 넣어 둔다.
ㄷ. S극이 아래를 향하도록 코일 안쪽에 자석을 넣어 둔다.
ㄹ. 더 강한 자석의 S극을 코일 속에 넣는다.

① ㄱ
② ㄱ, ㄴ
③ ㄱ, ㄷ
④ ㄴ, ㄹ
⑤ ㄱ, ㄷ, ㄹ

04 풀이 TIP 오른쪽 그림과 같이 발광 다이오드가 연결된 코일을 감은 플라스틱 관에 자석을 넣고 흔들었다. 이에 대한 설명으로 옳은 것은? [252쪽]

① 흔드는 동안 발광 다이오드에 계속 불이 켜진다.
② 코일을 더 많이 감으면 불빛이 더 밝아진다.
③ 자석의 세기나 흔드는 빠르기에 관계없이 같은 밝기의 불이 켜진다.
④ 아주 세게 흔들면 멈췄을 때도 불이 꺼지지 않는다.
⑤ 흔드는 동안 코일에 전류가 흘렀다 안 흘렀다를 반복하므로 발광 다이오드의 불이 깜박인다.

[05~06] 오른쪽 그림과 같이 발광 다이오드 2개를 다른 길이의 다리끼리 만나도록 엇갈려서 코일에 연결하고 자석을 코일에 가까이 가져갔다.

자석
발광 다이오드
코일

05 풀이 TIP 이에 대한 설명으로 옳은 것을 보기에서 모두 고르시오. [252쪽]

┌ 보기 ┐
ㄱ. 전자기 유도 현상이 나타난다.
ㄴ. 자석을 코일에 넣을 때와 뺄 때 각각 다른 발광 다이오드의 불이 켜진다.
ㄷ. 이와 같은 원리를 이용한 전기 기구에는 전동기, 도난 방지 장치 등이 있다.

06 다음 중 발광 다이오드의 불이 켜지지 <u>않는</u> 경우는? [252쪽]

① 자석을 코일에 가져갈 경우
② 자석을 코일 속에서 뺄 경우
③ 자석을 코일 속에 넣고 가만히 있을 경우
④ 자석을 코일 속에 넣었다 뺐다를 반복할 경우
⑤ 코일을 자석 쪽으로 가져갈 경우

풀이 TIP **04** ❶ 플라스틱 관을 흔들 때 플라스틱 관 안의 자석의 움직임을 예상한다. ❷ 자석의 움직임에 따라 유도 전류는 어떻게 흐르는지 생각한다. **05** ❶ 발광 다이오드의 다리 길이와 전류의 흐름의 관계를 생각한다. ❷ 발광 다이오드를 길이가 다른 다리끼리 연결하면 어떤 특징을 갖는지 예상한다.

02. 전기 에너지의 발생과 전환 **259**

07 전자기 유도 현상을 이용한 예가 <u>아닌</u> 것은? [252쪽]

① 마이크
② 전자석 기중기
③ 도난 방지 장치
④ 교통 카드 판독기
⑤ 고속도로의 통행료 지불 단말기

08 오른쪽 그림과 같이 장치한 후 날개를 돌렸더니, 전구의 불이 켜졌다. 이때 에너지 전환 과정으로 옳은 것은? [254쪽]

① 전기 에너지 → 열에너지 → 빛에너지
② 전기 에너지 → 역학적 에너지 → 빛에너지
③ 역학적 에너지 → 열에너지 → 전기 에너지
④ 역학적 에너지 → 전기 에너지 → 운동 에너지
⑤ 역학적 에너지 → 전기 에너지 → 빛에너지

09 풀이 TIP 그림은 어떤 기구의 구조를 나타낸 것이다. [254쪽]

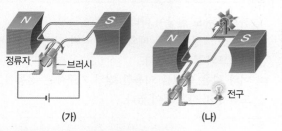

(가)   (나)

이에 대한 설명으로 옳지 <u>않은</u> 것은?

① (가)는 발전기, (나)는 전동기이다.
② (가)에서는 자석 사이에 놓인 전류가 흐르는 코일이 회전한다.
③ (나)에서는 전자기 유도 현상을 이용한다.
④ (나)에서는 역학적 에너지가 전기 에너지로 전환된다.
⑤ (가)와 (나)는 구조가 비슷하지만 에너지 전환 과정은 반대이다.

10 그림은 화력 발전소에서 전기 에너지를 생산하는 모습을 나타낸 것이다. [254쪽]

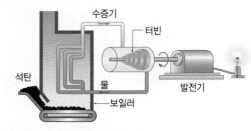

이에 대한 설명으로 옳지 <u>않은</u> 것은?

① 석탄을 태워 열에너지를 얻는다.
② 발전기 안에는 코일과 자석이 들어있다.
③ 회전하는 터빈은 역학적 에너지를 가지고 있다.
④ 열에너지가 역학적 에너지로 전환되는 과정이 있다.
⑤ 수증기가 가진 화학 에너지를 전기 에너지로 전환한다.

11 전기 기구들의 에너지 전환으로 옳지 <u>않은</u> 것은? [254쪽]

① 전구 : 전기 에너지 → 빛에너지
② 선풍기 : 전기 에너지 → 운동 에너지
③ 라디오 : 전기 에너지 → 소리 에너지
④ 배터리 충전 : 전기 에너지 → 역학적 에너지
⑤ 헤어드라이어 : 전기 에너지 → 열에너지

12 풀이 TIP 소비 전력과 전력량에 대한 설명으로 옳은 것은? [256쪽]

① 소비 전력의 단위로 Wh, kWh 등을 사용한다.
② 전기 기구를 사용한 시간이 길수록 전력량이 증가한다.
③ 전기 기구를 사용한 시간이 길수록 소비 전력이 증가한다.
④ 1시간 동안 사용한 전기 에너지의 양을 소비 전력이라고 한다.
⑤ 1초 동안 사용한 전기 에너지가 1 J인 전기 기구를 1시간 동안 사용하면 전력량은 3600 Wh이다.

 풀이 TIP **09 ❶** 전동기와 발전기에서 일어나는 에너지 전환을 생각한다. **❷** (가)와 (나)에서의 에너지 전환을 찾아 전동기, 발전기를 짝 짓는다. **12 ❶** 소비 전력과 전력량의 정의를 생각한다. **❷** 소비 전력과 전력량을 구할 때 시간의 기본 단위가 다르다는 것에 주의한다.

256쪽

13 오른쪽 그림과 같이 200 V − 100 W로 표시되어 있는 전기다리미를 200 V 전원에 연결하여 1시간 동안 사용하였다. 이에 대한 설명으로 옳지 <u>않은</u> 것은?

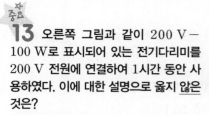

200 V−100 W

① 다리미의 소비 전력은 100 W 이다.

② 100 V에 연결해도 다리미의 소비 전력은 100 W이다.

③ 다리미를 30초 동안 사용하면 3 kJ의 전기 에너지를 소비한다.

④ 다리미가 소비한 전기 에너지는 360000 J이다.

⑤ 다리미가 소비한 전력량은 100 Wh이다.

256쪽

14 어떤 전기 기구를 3시간 동안 사용했을 때 소비한 전력량이 3 kWh였다. 이 전기 기구의 소비 전력은?

① 1 W   ② 3 W   ③ 100 W

④ 1000 W   ⑤ 3000 W

256쪽

15 그림은 서로 다른 두 전구를 10초 동안 켜두었을 때 방출한 에너지를 나타낸 것이다.

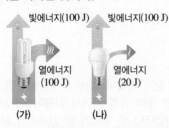

빛에너지(100 J)   빛에너지(100 J)

열에너지(100 J)   열에너지(20 J)

(가)   (나)

이에 대한 설명으로 옳은 것을 보기에서 모두 고른 것은?

┌ 보기 ┐
ㄱ. (가)의 소비 전력은 10 W이다.
ㄴ. (가)와 (나)의 소비 전력은 같다.
ㄷ. 같은 시간 동안 사용했을 때 에너지 효율이 더 좋은 전구는 (나)이다.
└─────┘

① ㄱ   ② ㄴ   ③ ㄷ

④ ㄱ, ㄷ   ⑤ ㄴ, ㄷ

256쪽

16 표는 220 V의 전원이 공급되는 가정에서 하루 동안 사용하는 전기 기구의 소비 전력과 사용 시간을 나타낸 것이다.

전기 기구	소비 전력	사용 시간
텔레비전	100 W	2시간
형광등	20 W	5시간
세탁기	200 W	1시간
컴퓨터	500 W	2시간

하루 동안 사용한 전력량이 (가)가장 큰 전기 기구와 (나)가장 작은 전기 기구를 옳게 짝 지은 것은?

	(가)	(나)		(가)	(나)
①	텔레비전	형광등	②	텔레비전	세탁기
③	형광등	컴퓨터	④	컴퓨터	형광등
⑤	컴퓨터	세탁기			

[17~18] 표는 영희의 집에서 하루 동안 사용하는 전기 기구의 소비 전력과 사용 시간을 나타낸 것이다.

전기 기구	대수	소비 전력	사용 시간
형광등	2개	50 W	5시간
냉장고	1대	100 W	24시간
텔레비전	1대	250 W	2시간

256쪽

17 영희의 집에서 하루 동안 사용한 전력량은?

① 0.2 kWh   ② 0.6 kWh   ③ 1.2 kWh

④ 2.1 kWh   ⑤ 3.4 kWh

256쪽

18 전기 요금이 1 kWh당 100원이라고 할 때, 영희의 집의 한 달(30일) 전기 요금은?

① 340원   ② 3150원   ③ 3400원

④ 9450원   ⑤ 10200원

---

15 ❶ 전구가 방출한 에너지의 총량이 전구가 사용한 전기 에너지의 총량과 같다. ❷ 전구의 사용 목적은 빛을 내는 것이므로 에너지 효율을 구할 때 빛을 내는 데 사용한 에너지의 비율을 생각한다.   18 ❶ 영희의 집에서 한 달 동안 사용하는 전력량을 구한다. ❷ 전력량과 기준 요금을 곱해서 전기 요금을 구한다.

19 오른쪽 그림은 텔레비전이 켜져 있는 모습을 나타낸 것이다. 이에 대한 설명으로 옳은 것은?

① 텔레비전에서는 전기 에너지가 생산된다.

② 빛에너지를 이용하여 소리 에너지를 만든다.

③ 전기 에너지가 역학적 에너지로 전환된다.

④ 소리 에너지, 빛에너지, 열에너지 등을 합하면 텔레비전이 소비한 전기 에너지의 양과 같다.

⑤ 발전기에서 일어나는 에너지 전환과 같은 종류의 에너지 전환이 텔레비전에서도 일어난다.

20 에너지에 대한 설명으로 옳지 <u>않은</u> 것은?

① 에너지는 항상 보존된다.

② 에너지가 전환될 때 총량은 일정하다.

③ 마찰이 있는 경우 역학적 에너지는 보존된다.

④ 에너지는 새로 생기거나 없어지지 않는다.

⑤ 에너지는 다른 형태의 에너지로 전환될 수 있다.

21 오른쪽 그림은 바닥에서 튀어 오르는 공의 모습을 나타낸 것이다. 이에 대한 설명으로 옳지 <u>않은</u> 것은?

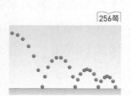

① 역학적 에너지는 감소한다.

② 에너지의 총량은 보존된다.

③ 공에 마찰과 공기 저항은 작용하지 않는다.

④ 역학적 에너지의 일부가 열에너지로 전환된다.

⑤ 감소한 역학적 에너지의 크기는 열에너지, 소리 에너지 등으로 전환된 에너지의 합과 같다.

22 오른쪽 그림과 같이 질량이 2 kg인 공을 5 m 높이에서 가만히 떨어뜨렸더니 바닥에 충돌한 후 4 m 높이까지 튀어 올랐다. 이때 손실된 역학적 에너지는?

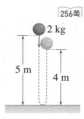

① 9.8 J   ② 10 J

③ 19.6 J   ④ 98 J

⑤ 196 J

23 그림은 질량이 20 kg인 연재가 지면으로부터 높이가 2 m인 미끄럼틀에 가만히 앉은 상태에서 내려오는 모습을 나타낸 것이다.

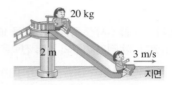

지면에 도달하는 순간 연재의 속력이 3 m/s였다면, 미끄럼틀을 타고 내려오는 동안 열에너지, 소리 에너지 등으로 전환된 역학적 에너지는?

① 50.8 J   ② 90 J   ③ 212 J

④ 302 J   ⑤ 392 J

24 그림과 같이 마찰이 없는 10 m 높이의 빗면 위에서 질량이 1 kg인 수레 A를 굴려서 질량이 6 kg인 수레 B와 충돌하도록 하였더니 두 수레가 한 덩어리가 되어 2 m/s의 속력으로 움직였다.

이때 다른 형태의 에너지로 전환된 역학적 에너지는?

① 12 J   ② 14 J   ③ 36 J

④ 84 J   ⑤ 98 J

22 ❶ 공이 처음 가지고 있던 역학적 에너지는 얼마인지 구한다. **❷** 튀어 올랐을 때 공의 역학적 에너지를 구해 처음 값과 차를 구한다.   **24 ❶** 처음 수레가 가지고 있던 에너지는 중력에 의한 위치 에너지이다. **❷** 충돌 후 두 수레가 가진 에너지는 운동 에너지이다.

서술형 문제

25 그림은 발전기의 구조를 나타낸 것이다. `252쪽`

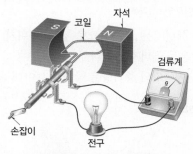

발전기의 손잡이를 돌릴 때 전구에 불이 켜지는 까닭을 전자기 유도 현상으로 서술하시오.

중요 풀이 TIP
26 오른쪽 그림은 풍력 발전기의 모습이다. 풍력 발전기에서 일어나는 에너지 전환을 서술하시오. `254쪽`

중요
27 오른쪽 그림은 선풍기에 붙어 있는 세부 사항을 나타낸 것이다. `256쪽`

제품명 : 선풍기
정격 전압 : 220 V
소비 전력 : 56 W
제조 연월 : 2020년 6월

(1) 소비 전력 56 W가 의미하는 것은 무엇인지 서술하시오.

----

(2) 같은 선풍기 2대를 220 V에 연결하여 5시간 동안 사용했을 때의 전력량을 풀이 과정과 함께 구하시오.

중요
28 오른쪽 그림은 로봇 청소기를 사용하여 청소를 하는 모습을 나타낸 것이다. 로봇 청소기에서 일어나는 에너지 전환 두 가지를 서술하시오. `256쪽`

----

29 그림과 같이 수평면에서 처음 속력이 4 m/s이고 질량이 1 kg인 나무 도막이 20 cm만큼 미끄러진 후 속력이 2 m/s가 되었다. `256쪽`

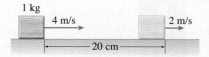

바닥과의 마찰로 인해 손실된 역학적 에너지는 얼마인지 풀이 과정과 함께 구하시오.

풀이 TIP
30 높은 곳에서 공을 떨어뜨렸더니 오른쪽 그림과 같이 처음 높이보다 점점 낮아지다가 결국 공이 멈추었다. 그 까닭을 서술하시오. `256쪽`

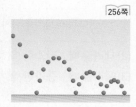

학습 평가하기

정답친해 77쪽으로 가서 문제를 채점한 후 학습 결과를 스스로 평가해 보세요.

맞춘 개수	27~30개	21~26개	0~20개
평가	잘함	보통	부족

➜ 정답친해에서 그 문제를 왜 틀렸는지 꼭 확인하세요!
➜ 본책에서 해당 쪽으로 돌아가서 부족한 부분을 다시 공부하세요!

26 ❶ 풍력 발전에서는 바람을 이용해 전기 에너지를 생산한다. ❷ 발전기를 돌리는 에너지는 무엇인지 생각하고, 발전기에서 일어나는 에너지 전환을 서술한다.
30 ❶ 공이 튀어 오르는 높이가 달라지는 것은 무엇을 의미하는지 생각한다. ❷ 에너지 보존 법칙에 의해 공의 에너지는 어떤 에너지로 전환되었을지 생각한다.

01 역학적 에너지 전환과 보존

1. 역학적 에너지 : 물체가 가진 중력에 의한 위치 에너지와 운동 에너지의 합

2. 역학적 에너지의 전환 : 물체의 높이가 변하면 위치 에너지와 운동 에너지가 서로 전환된다.

물체가 자유 낙하 할 때		• 높이가 낮아진다. ➡ 위치 에너지 감소 • 속력이 빨라진다. ➡ 운동 에너지 증가 • 위치 에너지가 운동 에너지로 전환
물체를 던져 올렸을 때		• 높이가 높아진다. ➡ 위치 에너지 증가 • 속력이 느려진다. ➡ 운동 에너지 감소 • 운동 에너지가 위치 에너지로 전환

3. 역학적 에너지 보존

(1) **역학적 에너지 보존 법칙** : 공기 저항이나 마찰이 없을 때 운동하는 물체의 역학적 에너지는 항상 일정하게 보존된다.

> 역학적 에너지=위치 에너지+운동 에너지=일정

(2) **내려갈 때** : 감소한 위치 에너지만큼 운동 에너지 증가

(3) **올라갈 때** : 증가한 위치 에너지만큼 운동 에너지 감소

4. 여러 가지 운동의 역학적 에너지 보존

(1) **자유 낙하 하는 물체의 운동**

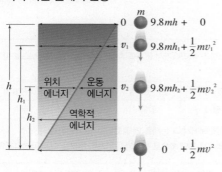

$$0 \quad 9.8mh + \quad 0$$
$$v_1 \quad 9.8mh_1 + \frac{1}{2}mv_1^2$$
$$v_2 \quad 9.8mh_2 + \frac{1}{2}mv_2^2$$
$$v \quad 0 \quad + \frac{1}{2}mv^2$$

① 최고점에서 위치 에너지는 최대, 운동 에너지는 0이다.

② 바닥에 닿는 순간 위치 에너지는 0이고, 운동 에너지는 최대이다.

➡ $9.8mh = \frac{1}{2}mv^2$

③ 역학적 에너지는 보존되므로 감소한 위치 에너지는 증가한 운동 에너지와 같다.

➡ 운동 에너지의 증가량은 낙하한 높이에 비례한다.

(2) **롤러코스터의 운동**

① A점에서 위치 에너지가 최대이다.

② A → O 구간 : 위치 에너지가 운동 에너지로 전환된다.

③ O점에서 운동 에너지가 최대, 위치 에너지가 최소이다.

④ O → B 구간 : 운동 에너지가 위치 에너지로 전환된다.

(3) **왕복 운동**

진자의 운동	반원형 그릇에서의 운동
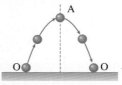	

① A, B점에서 위치 에너지가 최대, 운동 에너지는 0이다.

② A → O 구간 : 위치 에너지가 운동 에너지로 전환된다.

③ O점에서 운동 에너지가 최대이다.

④ A점에서의 위치 에너지=O점에서의 운동 에너지

⑤ O → B 구간 : 운동 에너지가 위치 에너지로 전환된다.

⑥ A점과 같은 높이인 B점까지 올라갔다가 다시 내려온다.

(4) **위로 비스듬히 던져 올린 물체의 운동**

① O점에서 위치 에너지는 0이고, 운동 에너지가 최대이다.

② O → A 구간 : 운동 에너지가 위치 에너지로 전환된다.

③ A점에서 위치 에너지가 최대이지만 운동 에너지는 0이 아니다.

④ O점에서의 운동 에너지>A점에서의 위치 에너지

⑤ A → O 구간 : 위치 에너지가 운동 에너지로 전환된다.

02 전기 에너지의 발생과 전환

1. 전자기 유도 : 코일 주위에서 자석을 움직이면 코일을 통과하는 자기장이 변하면서 코일에 전류가 흐르는 현상 ➡ 자석이나 코일의 움직임이 없어서 코일 내부의 자기장이 변하지 않으면 전류가 흐르지 않는다.

2. 유도 전류 : 전자기 유도에 의해 코일에 흐르는 전류
(1) **방향** : 자석을 코일에 가까이 할 때와 멀리 할 때 서로 반대 방향으로 흐른다.
(2) **세기**
① 강한 자석을 움직일수록 센 전류가 유도된다.
② 코일의 감은 수가 많을수록 센 전류가 유도된다.
③ 자석을 빠르게 움직일수록 센 전류가 유도된다.

3. 전자기 유도의 이용
(1) 발전기, 도난 방지 장치, 교통 카드 판독기, 고속도로의 통행료 지불 단말기, 마이크, 인덕션 레인지 등
(2) **발전기의 구조** : 영구 자석 사이에서 코일이 회전할 수 있는 구조

구조	원리
날개 자석 코일 전구	❶ 날개를 돌려 코일을 회전시킨다. ❷ 코일을 통과하는 자기장이 변한다. ❸ 코일에 유도 전류가 흐른다. ❹ 전구에 불이 켜진다. ➡ 역학적 에너지가 전기 에너지로 전환된다.

(3) **발전소의 에너지 전환**

발전소	에너지 전환
수력	물의 위치 에너지 → 물의 운동 에너지 → 발전기의 역학적 에너지 → 전기 에너지
화력	연료의 화학 에너지 → 수증기의 역학적 에너지 → 발전기의 역학적 에너지 → 전기 에너지
풍력	바람의 역학적 에너지 → 발전기의 역학적 에너지 → 전기 에너지

4. 전기 에너지의 전환
(1) **전기 에너지** : 전류가 흐를 때 공급되는 에너지
(2) 전기 에너지는 다른 형태의 에너지로 쉽게 전환할 수 있기 때문에 우리 생활에 많이 이용된다.
(3) **전기 에너지 전환의 이용**

전환되는 에너지	예
열에너지	전기다리미, 전기밥솥, 헤어드라이어 등
빛에너지	전구, 텔레비전, 컴퓨터 모니터 등
소리 에너지	오디오, 스피커, 휴대 전화 등
운동 에너지	세탁기, 선풍기, 진공청소기 등
화학 에너지	배터리 충전 등

5. 소비 전력 : 1초 동안 전기 기구가 소모하는 전기 에너지의 양
(1) **단위** : W(와트), kW(킬로와트)

$$소비 전력(W) = \frac{전기 에너지(J)}{시간(s)}$$

(2) 1 W는 1초 동안 1 J의 전기 에너지를 사용할 때의 전력이다.
예 220 V−50 W인 전기 기구는 220 V에 연결하면 1초 동안 50 J의 전기 에너지를 사용한다.

6. 전력량 : 전기 기구가 일정 시간 동안 소모하는 전기 에너지의 양
(1) **단위** : Wh(와트시), kWh(킬로와트시)

$$전력량(Wh) = 소비 전력(W) \times 시간(h)$$

(2) 1 Wh는 소비 전력이 1 W인 전기 기구를 1시간 동안 사용했을 때의 전력량이다.

7. 에너지 전환과 보존
(1) **에너지 전환** : 에너지는 한 형태에서 다른 형태로 전환된다.
(2) **에너지 보존 법칙** : 에너지는 전환 과정에서 새로 생기거나 없어지지 않으므로 에너지의 총량은 일정하게 보존된다.
(3) **역학적 에너지의 보존** : 마찰이나 공기 저항이 있으면 역학적 에너지의 일부가 열에너지, 소리 에너지 등으로 전환되어 역학적 에너지는 보존되지 않는다. ➡ 전환 전후 에너지의 총량은 일정하다.

01 역학적 에너지 전환과 보존

1. 역학적 에너지 전환과 보존

낙하하는 동안 위치 에너지는 (❶   )한다.

최고점에서 (❷   ) 에너지는 최대, (❸   ) 에너지는 0이다.

낙하하는 동안 운동 에너지는 (❹   )한다.

지면에 도달할 때 (❺   ) 에너지는 최대, (❻   ) 에너지는 0이다.

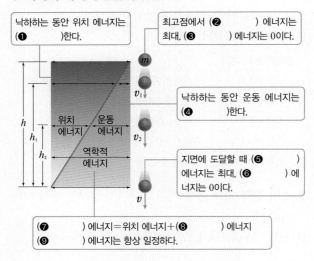

(❼   ) 에너지＝위치 에너지＋(❽   ) 에너지
(❾   ) 에너지는 항상 일정하다.

2. 롤러코스터의 운동

A : 최고점에서 (❶   ) 에너지가 최대

C → D : 높이가 (❷   )한다.
(❸   ) 에너지 → (❹   ) 에너지로 전환

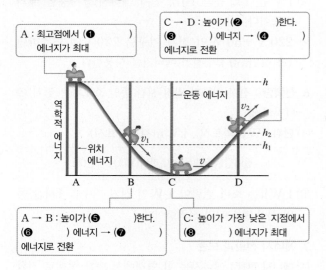

A → B : 높이가 (❺   )한다.
(❻   ) 에너지 → (❼   ) 에너지로 전환

C : 높이가 가장 낮은 지점에서 (❽   ) 에너지가 최대

3. 진자의 운동

높이가 최대인 지점 :
(❶   ) 에너지가 최대, (❷   ) 에너지가 0이다.

O → B : 높이가 (❹   )한다.
(❺   ) 에너지 → (❻   ) 에너지로 전환

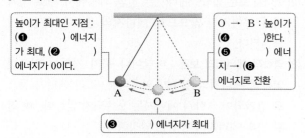

(❸   ) 에너지가 최대

4. 반원형 그릇에서의 운동

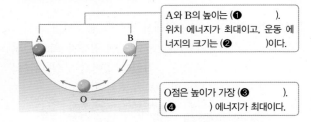

A와 B의 높이는 (❶   ).
위치 에너지가 최대이고, 운동 에너지의 크기는 (❷   )이다.

O점은 높이가 가장 (❸   ).
(❹   ) 에너지가 최대이다.

5. 비스듬히 던져 올린 물체의 운동

(❶   ) 에너지가 최대인 지점
운동 에너지는 최소이지만 0이 아니다.

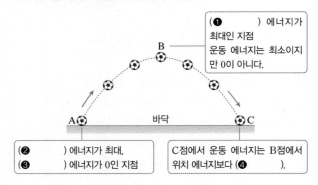

(❷   ) 에너지가 최대,
(❸   ) 에너지가 0인 지점

C점에서 운동 에너지는 B점에서 위치 에너지보다 (❹   ).

02 전기 에너지의 발생과 전환

1. 전자기 유도

자석이 코일 주변에서 움직이면 (❶   ) 현상이 나타난다.

코일에 (❷   )가 흐르면 검류계의 바늘이 회전한다.

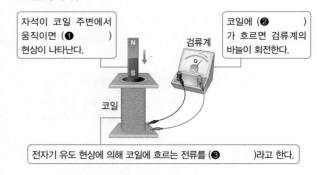

전자기 유도 현상에 의해 코일에 흐르는 전류를 (❸   )라고 한다.

2. 유도 전류의 방향과 세기

자석을 코일에 가까이 할 때와 멀리 할 때 (❶   )의 방향이 서로 반대가 된다.

발광 다이오드의 다리를 엇갈려 연결하면 전류의 방향에 따라 다른 발광 다이오드에 불이 들어온다.

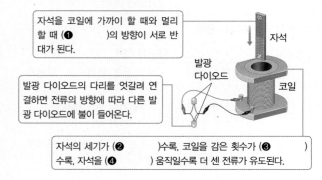

자석의 세기가 (❷   )수록, 코일을 감은 횟수가 (❸   )수록, 자석을 (❹   ) 움직일수록 더 센 전류가 유도된다.

3. 발전기의 구조

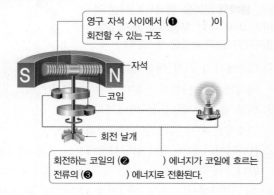

영구 자석 사이에서 (❶   )이 회전할 수 있는 구조

자석

코일

회전 날개

회전하는 코일의 (❷   ) 에너지가 코일에 흐르는 전류의 (❸   ) 에너지로 전환된다.

4. 발전기와 전동기의 비교

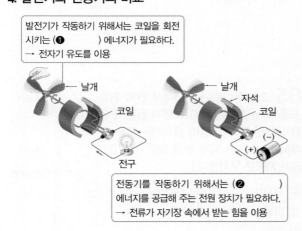

발전기가 작동하기 위해서는 코일을 회전시키는 (❶   ) 에너지가 필요하다.
→ 전자기 유도를 이용

날개

날개

자석

코일

코일

전구

(−)
(+)

전동기를 작동하기 위해서는 (❷   ) 에너지를 공급해 주는 전원 장치가 필요하다.
→ 전류가 자기장 속에서 받는 힘을 이용

5. 전기 에너지의 전환

전환되는 에너지	(❶) 에너지	빛에너지	소리 에너지
예	전기다리미	휴대 전화 화면	스피커
전환되는 에너지	(❷) 에너지	(❸) 에너지	
예	선풍기	휴대폰 충전	전기차 충전

6. 소비 전력과 전력량

220 V−50 W
선풍기

정격 전압 : (❶   ) V
소비 전력 : (❷   ) W

1초 동안 선풍기가 사용하는 전기 에너지의 양 : (❸   ) J

선풍기를 3시간 동안 사용했을 때 선풍기가 소모하는 전력량 : (❹   ) Wh

LED
220 V − 20 W
(가)

LED
220 V − 50 W
(나)

(가)와 (나) 중 같은 시간 동안 전구를 사용할 때 전기 에너지를 더 많이 소비하는 전구 : (❺   )

두 전구의 밝기가 같을 때 더 효율적인 전구 : (❻   )

7. 에너지 전환과 보존

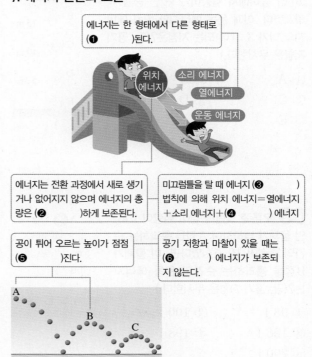

에너지는 한 형태에서 다른 형태로 (❶   )된다.

위치 에너지
소리 에너지
열에너지
운동 에너지

에너지는 전환 과정에서 새로 생기거나 없어지지 않으며 에너지의 총량은 (❷   )하게 보존된다.

미끄럼틀을 탈 때 에너지 (❸   ) 법칙에 의해 위치 에너지＝열에너지＋소리 에너지＋(❹   ) 에너지

공이 튀어 오르는 높이가 점점 (❺   )진다.

공기 저항과 마찰이 있을 때는 (❻   ) 에너지가 보존되지 않는다.

A

B

C

01 역학적 에너지 전환과 보존

01 오른쪽 그림과 같이 높이가 20 m 인 A점에서 정지해 있던 물체를 가만히 놓아 떨어뜨렸다. 각 위치에서의 에너지에 대한 설명으로 옳지 <u>않은</u> 것은?(단, 공기 저항은 무시한다.)

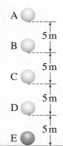

① A점에서 위치 에너지는 역학적 에너지와 같다.
② B점에서는 위치 에너지가 운동 에너지보다 크다.
③ C점에서는 위치 에너지와 운동 에너지가 같다.
④ D점에서의 위치 에너지와 운동 에너지의 합은 E점에서의 운동 에너지와 같다.
⑤ D점에서의 운동 에너지는 C점에서의 위치 에너지보다 작다.

02 오른쪽 그림과 같이 지면으로부터 20 m 높이에서 질량이 2 kg인 공을 낙하시켰다. 이때 운동 에너지와 위치 에너지의 비가 3 : 1이 되는 지점은?(단, 공기 저항은 무시한다.)

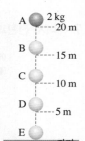

① A   ② B
③ C   ④ D
⑤ E

03 오른쪽 그림과 같이 질량이 2 kg 인 물체가 낙하하여 A점을 통과하는 순간의 속력이 10 m/s였다면, 이 물체가 B점을 통과하는 순간의 운동 에너지는?(단, 공기 저항은 무시한다.)

① 98 J   ② 100 J
③ 196 J   ④ 198 J
⑤ 200 J

04 오른쪽 그림은 연직 위로 던져 올린 물체의 운동을 펼쳐서 나타낸 것이다. 이에 대한 설명으로 옳지 <u>않은</u> 것은?(단, 공기 저항은 무시한다.)

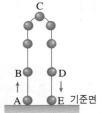

① C점에서의 위치 에너지와 E점에서의 운동 에너지는 같다.
② 위로 올라갈 때 운동 에너지의 감소량은 위치 에너지의 증가량과 같다.
③ B점에서의 위치 에너지와 D점에서의 운동 에너지는 같다.
④ AC 구간에서는 운동 에너지가 감소하고, 위치 에너지가 증가한다.
⑤ CE 구간에서는 위치 에너지가 감소하고, 운동 에너지가 증가한다.

05 오른쪽 그림은 지면에서 연직 위로 공을 28 m/s의 속력으로 던져 올린 모습을 나타낸 것이다. 공이 올라가는 도중 속력이 14 m/s가 되는 곳의 높이 h는?(단, 공기 저항은 무시한다.)

① 10 m   ② 14 m
③ 20 m   ④ 28 m
⑤ 30 m

06 연직 위로 던져 올린 물체가 제자리로 되돌아올 때까지 이동한 거리(s)와 운동 에너지(E_k), 위치 에너지(E_p)의 관계를 나타낸 그래프로 옳은 것은?(단, 공기 저항은 무시한다.)

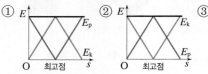

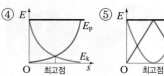

07 그림과 같이 A점에 정지해 있던 눈썰매가 마찰을 무시할 수 있는 눈 위를 미끄러져 B, C, D점을 지나 E점을 통과하였다.

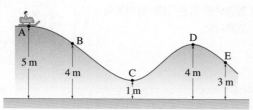

C점에서 눈썰매의 속력은 D점에서의 몇 배인가?(단, 공기 저항은 무시한다.)

① 0.5배   ② 같다.   ③ 1.5배
④ 2배   ⑤ 4배

08 그림은 롤러코스터가 A점에서 D점으로 운동하는 모습을 나타낸 것이다.

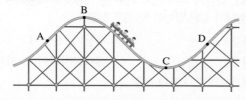

각 점에서의 에너지에 대한 설명으로 옳은 것은?(단, 공기 저항과 마찰은 무시한다.)

① A점에서는 운동 에너지가 최대이다.
② B점에서는 역학적 에너지가 가장 크다.
③ C점에서는 위치 에너지가 최대이다.
④ D점에서는 역학적 에너지가 최소이다.
⑤ CD 구간에서는 운동 에너지가 위치 에너지로 전환된다.

09 오른쪽 그림은 A점과 B점 사이를 왕복하는 진자의 운동을 나타낸 것이다. 에너지의 양이 나머지 넷과 <u>다른</u> 하나는?(단, O점의 위치를 기준면으로 하고, 공기 저항과 모든 마찰은 무시한다.)

① A점의 역학적 에너지   ② O점의 역학적 에너지
③ O점의 운동 에너지   ④ B점의 위치 에너지
⑤ B점의 운동 에너지

10 A점에서 정지해 있던 수레를 살짝 밀었더니 그림과 같은 경로를 따라 굴러 내려갔다.

이때 B점에서 수레의 속력은?(단, 마찰이나 공기 저항은 무시한다.)

① 9.8 m/s   ② 10 m/s   ③ 12 m/s
④ 13 m/s   ⑤ 14 m/s

02 전기 에너지의 발생과 전환

11 전자기 유도 현상이 생기는 까닭으로 옳은 것은?

① 자석에서 코일로 전자가 이동하기 때문이다.
② 코일을 통과하는 자기장이 변하기 때문이다.
③ 코일에서 자석으로 전자가 이동하기 때문이다.
④ 시간이 지날수록 자석의 세기가 변하기 때문이다.
⑤ 검류계 속의 전지가 코일에 전류를 흐르게 하기 때문이다.

12 오른쪽 그림과 같이 코일에 검류계를 연결한 다음, 코일 안에 자석을 넣었다 뺐다를 반복하는 실험을 하였다. 이에 대한 설명으로 <u>옳지 않은</u> 것은?

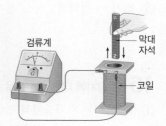

① 코일에 전류가 흐른다.
② 검류계 바늘이 양쪽으로 움직인다.
③ 자석을 넣을 때와 빼낼 때 유도 전류의 방향이 반대이다.
④ 코일을 더 많이 감으면 검류계의 바늘이 더 많이 움직인다.
⑤ 자석을 코일 안에 넣고 움직이지 않으면 코일에 흐르는 전류의 세기는 최대가 된다.

13 전자기 유도 현상에서 유도 전류의 세기를 증가시키는 방법으로 옳은 것을 보기에서 모두 고르시오.

{ 보기 }

ㄱ. 코일을 더 많이 감는다.
ㄴ. 더 센 자석을 사용한다.
ㄷ. 자석의 극을 반대로 한다.
ㄹ. 자석을 더 빠르게 움직인다.

[14~15] 그림은 어떤 두 장치의 구조를 나타낸 것이다.

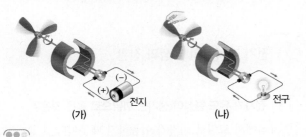

(가)   (나)

14 (가)와 (나)의 장치에서 일어나는 에너지 전환을 옳게 나타낸 것은?

	(가)	(나)
①	역학적 → 전기	전기 → 빛
②	역학적 → 전기	전기 → 역학적
③	전기 → 역학적	빛 → 역학적
④	전기 → 역학적	역학적 → 전기
⑤	전기 → 역학적	전기 → 역학적

15 위 장치에 대한 설명으로 옳지 <u>않은</u> 것은?

① (가)에서는 자기장에서 전류가 흐르는 코일이 힘을 받아 회전하는 것을 이용한다.
② (가)에서 전지 대신 전구를 연결하여 코일을 회전시키면 (나)와 같이 불이 켜진다.
③ (가)를 이용한 기구에는 전동기, 도난 방지 장치, 교통 카드 판독기 등이 있다.
④ (나)에서는 전자기 유도 현상을 이용한다.
⑤ (나)에서 코일에 전류가 흐르는 것은 코일 내부의 자기장이 변하기 때문이다.

16 오른쪽 그림은 자전거 바퀴가 회전할 때 불이 켜지는 발광 바퀴의 구조를 나타낸 것이다. 이에 대한 설명으로 옳은 것을 보기에서 모두 고르시오.

{ 보기 }

ㄱ. 전자기 유도 현상을 이용한 기구이다.
ㄴ. 바퀴가 회전할 때 코일에 유도 전류가 흐른다.
ㄷ. 바퀴의 회전이 빠를수록 유도 전류가 세진다.

17 전기 에너지는 다양한 형태의 에너지로 쉽게 전환될 수 있다. 다음의 여러 전기 기구 중 전환되어 이용되는 에너지의 형태가 같은 것끼리 짝 지은 것은?

① 형광등, 전동기   ② 전동기, 선풍기
③ 에어컨, 전기난로   ④ 헤어드라이어, 스피커
⑤ 전기다리미, LED 전등

18 220 V－880 W인 전기다리미를 220 V에 연결하여 30분 동안 사용할 때, 소비 전력량은?

① 110 Wh   ② 220 Wh   ③ 440 Wh
④ 660 Wh   ⑤ 880 Wh

19 어느 가정에서 100 V－40 W인 형광등 5개를 하루 4시간씩, 100 V－250 W인 컴퓨터 1대를 하루 2시간씩 100 V에 연결하여 사용하였다. 이 가정의 한 달(30일) 동안 전기 요금은?(단, 전기 요금은 1 kWh당 50원이다.)

① 390원   ② 1050원   ③ 1950원
④ 39000원   ⑤ 195만원

20 다음은 여러 기기에서 에너지 전환 과정을 나타낸 것이다.

> 수력 발전 : 위치 에너지 → [   ]
> 전구 : [   ] → 빛에너지
> 오디오 : [   ] → 소리 에너지

빈칸에 공통으로 들어가는 에너지는?

① 빛에너지   ② 열에너지
③ 전기 에너지   ④ 화학 에너지
⑤ 운동 에너지

21 오른쪽 그림은 질량이 1 kg인 진자의 운동을 나타낸 것이다. 이에 대한 설명으로 옳지 <u>않은</u> 것은?

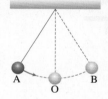

① AB 구간에서 위치 에너지와 운동 에너지가 서로 전환된다.
② 속력이 최대인 곳은 O점이다.
③ 운동 에너지가 최대인 곳은 O점이다.
④ 위치 에너지가 최소인 곳은 O점이다.
⑤ 공기 중에서 항상 역학적 에너지가 보존된다.

22 그림과 같이 A점에서 질량이 1 kg인 진자를 놓았더니 B점까지 올라갔다.

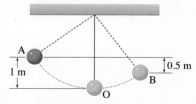

이때 손실된 역학적 에너지는?

① 4.9 J   ② 5 J   ③ 9.8 J
④ 19.6 J   ⑤ 98 J

23 그림과 같이 질량이 100 kg인 자동차가 10000 J의 에너지를 얻은 후 그 연료를 모두 태워 주행하였더니 속력이 10 m/s가 되었다.

이때 발생한 열에너지는?(단, 자동차에서 음악이나 에어컨 등 주행 이외의 것은 가동하지 않았고, 주행 중 소리나 빛은 발생하지 않았다고 가정한다.)

① 0   ② 100 J   ③ 500 J
④ 5000 J   ⑤ 10000 J

24 그림과 같이 정지해 있던 질량이 2 kg인 물체가 5 m 높이의 빗면 위에서 굴러 내려왔다.

바닥에 도달하기 직전 물체의 속력이 8 m/s였다면, 이때 손실된 역학적 에너지는?

① 9.8 J   ② 17 J   ③ 34 J
④ 64 J   ⑤ 98 J

25 에너지를 절약해야 하는 까닭으로 옳은 것은?

① 에너지는 소멸하기 때문이다.
② 에너지를 전환하는 횟수에 제한이 있기 때문이다.
③ 화석 연료에서만 에너지를 얻을 수 있기 때문이다.
④ 다시 사용할 수 없는 에너지로도 전환하기 때문이다.
⑤ 에너지를 생성하는 데 비용이 많이 들기 때문이다.

VII

별과 우주

01 별

 만화 완성하기

다음 만화를 보고 북극성의 말풍선을 완성해 보자.

>> 이 단원을 학습한 후 내가 쓴 대사를 수정해 보자.

A **연주 시차와 별까지의 거리** 가로수 사이의 거리나 건물들 사이의 거리는 줄자로 측정해 알아낼 수 있어요. 지구 밖에 있는 별까지의 거리는 어떻게 측정할 수 있을까요?

1. 시차 : 멀리 떨어진 두 지점에서 관측자가 같은 물체를 관측할 때, 두 관측 지점과 물체가 이루는 각도 ➡ 관측자와 물체 사이의 거리가 멀어질수록 시차는 작아진다.

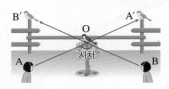

• 관측자가 A에 있을 때 새는 A′에 있는 것처럼 보인다.
• 관측자가 B에 있을 때 새는 B′에 있는 것처럼 보인다.
• 시차 : ∠AOB ➡ 관측자와 새 사이의 거리가 멀수록 ∠AOB는 작아진다.

2. 연주 시차 : 지구에서 6개월 간격으로 별을 관측하여 측정한 시차의 $\frac{1}{2}$

(1) 연주 시차는 지구가 공전하기 때문에 나타난다. ➡ 지구 공전의 증거가 된다.

(2) 가까이 있는 별일수록 연주 시차가 크다. ➡ 별까지의 거리와 연주 시차는 반비례 관계

📖 **연주 시차와 별까지의 거리 관계**

지구가 E₁에 위치할 때 별 A는 A₁에, 별 B는 B₁에 위치한 것처럼 보인다.

지구 E₁
연주 시차(p_A)
연주 시차(p_B)
태양
E₂

A₂
B₂
B₁
A₁

• 별 A의 연주 시차 : ∠E₁AE₂의 $\frac{1}{2}=p_A$
• 별 B의 연주 시차 : ∠E₁BE₂의 $\frac{1}{2}=p_B$
• 지구에 더 가까운 별 : A ➡ 별 A의 연주 시차가 별 B보다 크기 때문($p_A>p_B$)

6개월 후 지구가 E₂에 위치할 때 별 A는 A₂에, 별 B는 B₂에 위치한 것처럼 보인다.

(3) 연주 시차를 이용하여 별까지의 거리를 구할 수 있다. ➡ 연주 시차가 1″(초)인 별까지의 거리를 1 pc(파섹)이라고 한다. ➡ 100 pc 이내의 거리

(4) 연주 시차는 비교적 가까운 별까지의 거리를 구하는 데 주로 이용된다. ➡ 멀리 있는 별일수록 연주 시차가 매우 작게 측정되어 거리를 정확하게 측정하기 어렵기 때문

➕ 시차와 거리의 관계

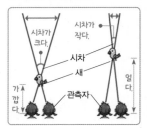

➕ 연주 시차를 6개월 간격으로 측정하는 까닭

지구는 태양 주위를 1년에 한 바퀴 공전하므로 지구가 공전 궤도 상에서 가장 멀리 떨어지게 되는 6개월 간격으로 별을 측정한다.

➕ 별까지의 거리를 나타내는 단위

• 1광년(LY) : 빛이 진공에서 1년 동안 이동하는 거리
• 1 pc : 연주 시차가 1″인 별까지의 거리 ➡ 1 pc≒3.26광년 ≒3×10¹³ km

| 용어 |

• ″(초) 각도를 나타내는 단위로, 연주 시차의 크기가 매우 작기 때문에 ″(초) 단위를 사용한다. ➡ 1°(도)=60′(분)=3600″(초)

한눈에 보기 이 단원의 개념이 어떻게 구성되어 있는지 살펴보고 빈칸을 완성해 보자.

별

A 연주 시차와 별까지의 거리

B ────── C 등급과 거리

D

단어 체크하기 이 단원을 공부하기 전에 미리 알고 있는 단어를 체크해 보자.

☐ 시차 ☐ 연주 시차 ☐ ″(초) ☐ pc ☐ 광년

☐ 겉보기 등급 ☐ 절대 등급

1 다음은 연주 시차에 대한 설명이다. ( ) 안에 알맞은 말을 쓰시오.

연주 시차는 지구에서 ㉠( )개월 간격으로 별을 관측하여 측정한 시차의 $\frac{1}{2}$로, 지구가 ㉡( )하기 때문에 나타난다. 가까운 별일수록 연주 시차가 ㉢( )게 측정된다.

암기꼭

연주 시차가 나타나는 까닭
지구가 **공전**하기 때문

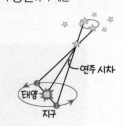

연주 시차

태양

지구

2 그림은 지구에서 6개월 간격으로 별 S를 관측한 결과이다.

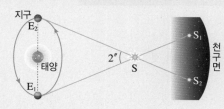

(1) 별 S의 시차는 몇 ″(초)인가?

(2) 별 S의 연주 시차는 몇 ″(초)인가?

(3) 별 S보다 2배 멀리 떨어진 별의 연주 시차는 몇 ″(초)인가?

01 별

B 별의 밝기와 등급

우리가 맨눈으로 볼 수 있는 밤하늘의 별은 6000개 정도입니다. 이렇게 많은 별 중에는 눈에 띄게 밝은 별도 있고, 거의 보이지 않는 어두운 별도 있어요. 그렇다면 별의 밝기는 어떻게 나타낼 수 있을까요?

1. 별의 밝기에 영향을 주는 요인

(1) 별까지의 거리가 같은 경우 : 방출하는 빛의 양이 많은 별일수록 밝게 보인다.

(2) 방출하는 빛의 양이 같은 경우 : 별까지의 거리가 가까울수록 밝게 보인다.

📖 **별까지의 거리 변화에 따른 밝기 변화**

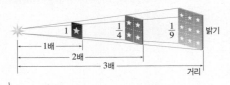

별까지의 거리가 2배, 3배로 멀어지면 별빛을 받는 면적은 2^2배, 3^2배로 늘어나므로 단위 면적당 도달하는 별빛의 양은 원래의 $\frac{1}{2^2}$배, $\frac{1}{3^2}$배로 줄어든다.

➡ 별의 밝기는 별까지의 거리의 제곱에 반비례한다.

$$별의 밝기 \propto \frac{1}{(별까지의 거리)^2}$$

2. 별의 밝기 표시

(1) 히파르코스는 맨눈으로 보았을 때 가장 밝게 보이는 별을 1등급, 가장 어둡게 보이는 별을 6등급으로 정하였다.

(2) 별의 밝기를 등급으로 나타내는 방법[+]

① 등급의 숫자가 작을수록 밝은 별이고, 등급의 숫자가 클수록 어두운 별이다.

② 각 등급 사이의 밝기인 별의 등급은 소수점을 이용하여 나타낸다.

(3) 별의 등급 차에 따른 밝기 차 : 1등급인 별은 6등급인 별보다 약 100배 밝다. ➡ 1등급 차이마다 약 2.5배의 밝기 차이가 있다.

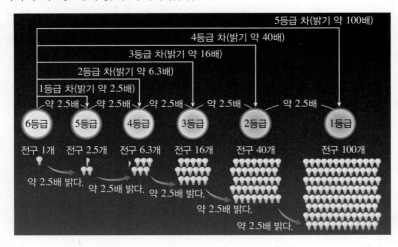

3. 겉보기 등급과 절대 등급[+]

(1) 겉보기 등급 : 우리 눈에 보이는 별의 밝기를 등급으로 나타낸 것

① 별까지의 거리를 고려하지 않고 나타낸 등급이다.

② 겉보기 등급이 작을수록 우리 눈에 밝게 보인다.

(2) 절대 등급 : 별이 10 pc의 거리에 있다고 가정했을 때 별의 밝기를 등급으로 나타낸 것

① 별의 실제 밝기를 비교할 수 있다.

② 절대 등급이 작을수록 실제로 밝은 별이다.

＋ 별의 등급 표시

• 1등급보다 밝은 별 : 0등급, -1등급, -2등급, …으로 표시

• 6등급보다 어두운 별 : 7등급, 8등급, 9등급, …으로 표시

• 각 등급 사이의 별 : -1.9등급, 2.1등급 등으로 표시 —2등급보다 어둡고, —1등급보다 밝은 별 2등급보다 어둡고, 3등급보다 밝은 별

＋ 별의 겉보기 등급과 절대 등급

별의 겉보기 등급과 절대 등급은 대부분 다르게 나타난다.

별	겉보기 등급	절대 등급
태양	-26.8	4.8
북극성	2.1	-3.7
시리우스	-1.5	1.4
데네브	1.3	-8.7
베텔게우스	0.4	-5.6
폴룩스	1.16	1.10

• 우리 눈에 가장 밝게 보이는 별 : 태양 ➡ 겉보기 등급이 가장 작은 별

• 실제로 가장 밝은 별 : 데네브 ➡ 절대 등급이 가장 작은 별

│용어│

• 히파르코스(Hipparchus, B.C. 190?~B.C. 120?) 고대 그리스의 과학자로, 별의 밝기를 6개의 등급으로 구분하고 별의 위치를 측정하여 별 지도를 만드는 데 도움을 주기도 했다.

암기구

1 다음은 별의 밝기에 영향을 주는 요인에 대한 설명이다. ( ) 안에 알맞은 말을 쓰시오.

(1) 별의 밝기는 별까지의 ( )와 별이 방출하는 빛의 양에 따라 달라진다.

(2) 별까지의 거리가 2배로 멀어지면 별의 밝기는 원래의 ( )배로 어두워진다.

(3) 밤하늘에서 어느 두 별이 방출하는 빛의 양이 같다면, 더 밝게 보이는 별은 거리가 ( ) 별이다.

(4) 밤하늘에서 어느 두 별이 같은 거리에 있다면, 더 밝게 보이는 별은 방출하는 빛의 양이 ( ) 별이다.

・**별의 밝기에 영향을 주는 요인**
별까지의 거리, 별이 방출하는 빛의 양

・**별의 등급 차에 따른 밝기 차**
1등급인 별은 6등급인 별보다 약 100배 밝다.

2 다음은 별의 밝기 표시에 대한 설명이다. 옳은 것은 ○, 옳지 <u>않은</u> 것은 ×로 표시하시오.

(1) 히파르코스는 별을 눈에 보이는 밝기에 따라 1등급에서 6등급까지 정하였다.
.... ( )

(2) 등급이 작은 별일수록 어두운 별이고, 등급이 큰 별일수록 밝은 별이다. ( )

(3) 3등급인 별은 4등급인 별보다 약 100배 밝다. .... ( )

(4) 각 등급 사이의 밝기인 별의 등급은 소수점을 이용해 나타낸다. .... ( )

3 다음은 별의 겉보기 등급과 절대 등급에 대한 설명이다. 겉보기 등급에 대한 것은 '겉', 절대 등급에 대한 것은 '절'이라고 쓰시오.

(1) 맨눈에 보이는 별의 밝기를 나타낸 것이다. .... ( )

(2) 별이 10 pc의 거리에 있다고 가정하여 별의 밝기를 나타낸 것이다. .... ( )

(3) 별까지의 거리가 달라지면 등급이 변한다. .... ( )

(4) 별의 실제 밝기를 비교할 수 있다. .... ( )

만화
확인하기
274쪽으로 돌아가서
내가 쓴 대사를 점검해 보자.

C 등급과 거리

앞에서 겉보기 등급과 절대 등급을 배웠어요. 이러한 별의 겉보기 등급과 절대 등급을 이용하면 지구로부터 별까지의 거리를 알 수 있답니다. 어떻게 알 수 있을까요?

겉보기 등급과 절대 등급을 이용하여 별까지의 거리를 판단할 수 있다.

겉보기 등급 − 절대 등급 < 0	10 pc보다 가까이 있는 별(A) 10 pc으로 이동시키면 더 멀어지므로 등급이 커진다.	
겉보기 등급 − 절대 등급 = 0	10 pc의 거리에 있는 별(B) 10 pc으로 이동시켜도 등급이 같다.	
겉보기 등급 − 절대 등급 > 0	10 pc보다 멀리 있는 별(C) 10 pc으로 이동시키면 더 가까워지므로 등급이 작아진다.	

절대 등급이 더 어둡게 보인다.
➡ 겉보기 등급 < 절대 등급

A ☆ →☆ A′

지구 10 pc(절대 등급 기준) ☆ B 겉보기 등급 = 절대 등급

절대 등급이 더 밝게 보인다.
➡ 겉보기 등급 > 절대 등급

C′ ☆← ☆ C

[별까지의 거리 판단]
• (겉보기 등급 − 절대 등급) 값이 작을수록 가까이 있는 별이다.
• (겉보기 등급 − 절대 등급) 값이 클수록 멀리 있는 별이다.

D 별의 색깔과 표면 온도

밤하늘에 보이는 별들을 자세히 보면 별의 색깔이 각각 다르다는 것을 알 수 있어요. 별의 색깔이 다른 까닭은 무엇일까요? 지금부터 알아보아요.

1. 별의 색깔

(1) 별의 색깔이 다른 까닭 : 별마다 표면 온도가 다르기 때문이다.[+]

(2) 별은 표면 온도가 높을수록 파란색을 띠고, 표면 온도가 낮을수록 붉은색을 띤다.
└ 표면 온도가 높은 별은 파란색 빛을 많이 방출하고, 표면 온도가 낮은 별은 붉은색 빛을 많이 방출하기 때문

📖 **별의 색깔과 표면 온도**

붉은색으로 보인다. 베텔게우스

청백색으로 보인다. 리겔

◀오리온자리

• 베텔게우스는 붉은색을 띤다.
• 리겔은 청백색을 띤다.
➡ 베텔게우스보다 리겔의 표면 온도가 더 높다.

➕ 색깔과 온도 관계

제철소의 용광로에서 갓 나온 쇳물은 흰색을 띠지만, 시간이 지나 점차 식으면서 노란색, 붉은색을 거쳐 검붉은 색으로 변해간다. 이처럼 별의 색깔도 별의 표면 온도에 따라 다르게 보인다.

2. 별의 표면 온도를 알아내는 방법 : 별의 색깔 등을 통해 알아낸다.

색깔	청색	청백색	백색	황백색	황색	주황색	적색
표면 온도	높다. ←――――――――――――――――――――→ 낮다.						
대표적인 별	나오스, 민타카	리겔, 스피카	견우성, 직녀성	북극성, 프로키온	태양, 카펠라	알데바란, 아크투르스	베텔게우스, 안타레스

| 용어 |
• **오리온자리** 겨울철의 대표적인 별자리로, 비교적 밝은 별들로 이루어져 있어 쉽게 찾을 수 있다. 별자리의 이름은 그리스 신화에 등장하는 사냥꾼 '오리온'에서 기원하였다.

1 표는 별 A~D의 겉보기 등급과 절대 등급을 나타낸 것이다.

별	A	B	C	D
겉보기 등급	2.5	1.0	−0.5	5.5
절대 등급	−1.5	1.0	4.5	3.7

(1) A~D 중 우리 눈에 가장 밝게 보이는 별을 쓰시오.

(2) A~D 중 실제로 가장 밝은 별을 쓰시오.

(3) A~D 중 지구로부터 10 pc의 거리에 있는 별을 쓰시오.

(4) A~D 중 지구로부터 가장 가까이 있는 별과 가장 멀리 있는 별을 순서대로 쓰시오.

등급과 별까지의 거리 판단

거절을 **많이** 하면 **멀**어진다.
겉 대
보
기

➡ (겉보기 등급−절대 등급) 값이 클수록 멀리 있는 별이다.

1 별의 색깔과 표면 온도에 대한 설명으로 옳은 것은 ○, 옳지 <u>않은</u> 것은 ×로 표시하시오.

(1) 별의 색깔이 서로 다른 까닭은 별마다 표면 온도가 다르기 때문이다. ········ (   )

(2) 표면 온도가 높은 별일수록 붉은색을 띤다. ·· (   )

별의 색깔과 표면 온도

높고 **파란** 하늘
➡ 표면 온도가 높은 별일수록 파란색을 띤다.

2 그림은 밤하늘에서 밝게 보이는 두 별을 나타낸 것이다.

 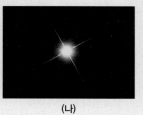

(가)   (나)

(가)와 (나) 중 표면 온도가 더 높은 별을 쓰시오.

이 단원에서 시차와 거리 사이의 관계 실험과 별의 밝기에 영향을 주는 요인 실험은 매우 중요해요.
집중 강의를 통해 실험 과정과 결과를 확인해 볼까요?

탐구 자료 ❶ 시차와 거리

관련 개념 | 274쪽 Ⓐ 연주 시차와 별까지의 거리

목표 관측자와 물체 사이의 거리에 따라 시차가 어떻게 달라지는지 설명할 수 있다.

과정
① 색종이를 동그라미 모양으로 7개를 만든 후, 칠판에 일정한 간격으로 붙이고 번호를 적는다.
② 연필을 손에 쥐고 칠판을 향해 팔을 쭉 뻗는다.
③ 양쪽 눈을 한쪽씩 번갈아 감으면서 연필 끝이 가리키는 색종이의 번호를 읽는다.
④ 연필을 쥔 팔을 굽힌 상태에서 과정 ③을 반복한다.

결과

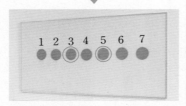
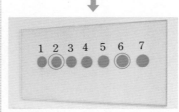

왼쪽 눈을 감고 읽은 번호는 3, 오른쪽 눈을 감고 읽은 번호는 5이다.

왼쪽 눈을 감고 읽은 번호는 2, 오른쪽 눈을 감고 읽은 번호는 6이다.

결론 시차는 물체까지의 거리가 멀수록 ⊙(   )고, 가까울수록 ⓒ(   )다.

답 ⊙ 작 ⓒ 크

탐구 자료 ❷ 별의 밝기에 영향을 주는 요인

관련 개념 | 276쪽 Ⓑ 별의 밝기와 등급

목표 별의 밝기에 영향을 주는 요인을 설명할 수 있다.

과정
① 방출되는 빛의 양이 같은 손전등 두 개를 같은 거리에서 종이에 비추고, 밝기를 비교한다.
② 방출되는 빛의 양이 다른 손전등 두 개를 같은 거리에서 종이에 비추고, 밝기를 비교한다.
③ 방출되는 빛의 양이 같은 손전등 두 개를 다른 거리에서 종이에 비추고, 밝기를 비교한다.

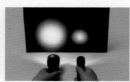

결과 및 해석
❶ 같은 밝기로 보인다.
❷ 방출하는 빛의 양이 많은 손전등의 불빛이 더 밝게 보인다.
  ➡ 방출하는 빛의 양이 많을수록 단위 면적당 도달하는 빛의 양이 많기 때문
❸ 종이와의 거리가 가까운 손전등의 불빛이 더 밝게 보인다.
  ➡ 거리가 가까울수록 단위 면적당 도달하는 빛의 양이 더 많기 때문

결론 별까지의 거리가 같은 경우, 실제로 방출하는 빛의 양이 ⊙(   )을수록 더 밝게 보이고,
별이 방출하는 빛의 양이 같은 경우, 거리가 ⓒ(   )수록 더 밝게 보인다.

답 ⊙ 많 ⓒ 가까울

별의 밝기는 별까지의 거리에 따라 달라지고, 별의 밝기를 나타내는 등급 차에 따라 일정한 밝기 차가 나타납니다. 집중 강의를 통해 여러 형태의 문제를 풀어 보면서 자신감을 키워 보아요.

● 별의 밝기와 등급에 관한 문제 정복하기

유형 ❶ 별까지의 거리와 별의 밝기 관계

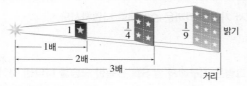

① 별까지의 거리가 멀어지면
→ 별의 밝기는 원래의 $\dfrac{1}{(별까지의\ 거리)^2}$ 배로 어두워진다.
② 별까지의 거리가 가까워지면
→ 별의 밝기는 $(별까지의\ 거리)^2$배로 밝아진다.

예제 지구로부터 별까지의 거리가 현재보다 5배 멀어지는 별 A의 밝기와 $\dfrac{1}{5}$ 배로 가까워지는 별 B의 밝기는 각각 어떻게 변하겠는가?

풀이 별 A까지의 거리가 현재보다 5배 멀어지므로 별의 밝기는 원래의 $\dfrac{1}{5^2}$ 배로 어두워진다.

별 B까지의 거리가 원래의 $\dfrac{1}{5}$ 배로 가까워지므로 별의 밝기는 5^2배 밝아진다.

답 별 A는 원래의 $\dfrac{1}{25}$ 배로 어두워진다. 별 B는 25배 밝아진다.

유형 ❷ 별의 등급 차와 밝기 차 관계

등급 차	1	2	3	4	5
밝기 차(배)	약 2.5	약 6.3	약 16	약 40	약 100

① 밝기 차 구하기 : 1등급인 별은 2등급인 별보다 약 2.5배 밝다.
② 등급 구하기 : 2등급보다 약 2.5배 밝은 별의 등급은 1등급이다.

예제 5등급인 별과 1등급인 별의 밝기 차는 얼마인가?
풀이 5등급−1등급=4등급 차이이므로 두 별은 약 40배의 밝기 차이가 있다.

답 약 40배

유형 ❸ 별까지의 거리 변화에 따른 등급 변화 계산하기

예제 1 3등급인 별까지의 거리가 현재의 위치보다 10배 멀어지면 이 별은 몇 등급으로 보이겠는가?
①단계 별의 밝기는 $(별까지의\ 거리)^2$에 반비례한다. ➡ 별까지의 거리가 10배 멀어졌으므로 별의 밝기는 원래의 $\dfrac{1}{10^2}=\dfrac{1}{100}$ 배로 어두워진다.
②단계 등급 차에 따라 일정한 밝기 차가 나타난다. ➡ 밝기 차가 약 100 배이면 등급 차는 5등급 차이다.
③단계 밝기가 어두워지므로 등급 차를 더한다. ➡ 3+5=8등급

예제 2 −1등급인 별까지의 거리가 현재의 위치에서 $\dfrac{1}{10}$ 배로 가까워지면 이 별은 몇 등급으로 보이겠는가?
①단계 별의 밝기는 $(별까지의\ 거리)^2$에 반비례한다. ➡ 별까지의 거리가 원래의 $\dfrac{1}{10}$ 배로 가까워졌으므로 별의 밝기는 $10^2=100$배 밝아진다.
②단계 등급 차에 따라 일정한 밝기 차가 나타난다. ➡ 밝기 차가 약 100 배이면 등급 차는 5등급 차이다.
③단계 밝기가 밝아지므로 등급 차를 뺀다. ➡ −1−5=−6등급

유형 ❹ 별까지의 거리 변화를 이용하여 겉보기 등급 또는 절대 등급 계산하기

예제 1 100 pc의 거리에 있는 별의 절대 등급이 8등급일 때, 이 별의 겉보기 등급은 얼마인가?
①단계 실제 별까지의 거리를 기준으로 10 pc(절대 등급의 기준 거리)과 비교한다. ➡ 100 pc은 10 pc보다 10배 멀다.
②단계 별의 밝기는 $(별까지의\ 거리)^2$에 반비례한다. ➡ 별까지의 거리가 10배 멀어졌으므로 별의 밝기는 원래의 $\dfrac{1}{10^2}=\dfrac{1}{100}$ 배로 어두워진다.
③단계 등급 차에 따라 일정한 밝기 차가 나타난다. ➡ 밝기 차가 약 100 배이면 등급 차는 5등급 차이다.
④단계 밝기가 어두워지므로 등급 차를 더한다. ➡ 8+5=13등급

예제 2 100 pc의 거리에 있는 별의 겉보기 등급이 −7등급일 때, 이 별의 절대 등급은 얼마인가?
①단계 10 pc을 기준으로 실제 별까지의 거리와 비교한다. ➡ 10 pc은 100 pc보다 $\dfrac{1}{10}$ 배 가깝다.
②단계 별의 밝기는 $(별까지의\ 거리)^2$에 반비례한다. ➡ 별까지의 거리가 원래의 $\dfrac{1}{10}$ 배로 가까워졌으므로 별의 밝기는 $10^2=100$배 밝아진다.
③단계 등급 차에 따라 일정한 밝기 차가 나타난다. ➡ 밝기 차가 약 100 배이면 등급 차는 5등급 차이다.
④단계 밝기가 밝아지므로 등급 차를 뺀다. ➡ −7−5=−12등급

중요

01 그림은 시차와 거리의 관계를 알아보는 실험이다.

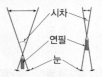

양쪽 눈을 번갈아 감으면서   연필이 가까이   연필이 멀리
연필 끝을 볼 때   있을 때   있을 때

이에 대한 설명으로 옳은 것을 보기에서 모두 고른 것은?

{ 보기 }

ㄱ. 관측자의 양쪽 눈은 지구에 비유할 수 있다.

ㄴ. 시차는 두 눈과 연필이 이루는 각도이다.

ㄷ. 연필이 눈에서 멀어지면 시차가 작아진다.

① ㄱ   ② ㄷ   ③ ㄱ, ㄴ

④ ㄴ, ㄷ   ⑤ ㄱ, ㄴ, ㄷ

02 연주 시차에 대한 설명으로 옳지 않은 것은?

① 지구에서 6개월 간격으로 별을 관측했을 때 위치가 달라져 보이는 각도를 연주 시차라고 한다.

② 연주 시차의 단위로 주로 ″(초)를 사용한다.

③ 가까이 있는 별일수록 연주 시차가 크게 측정된다.

④ 연주 시차가 $1''$인 별까지의 거리는 1 pc이다.

⑤ 100 pc 이상 멀리 있는 별은 연주 시차로 거리를 측정하기 어렵다.

중요

03 그림은 지구에서 별 S를 관측한 모습을 나타낸 것이다.

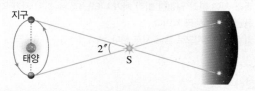

(가) 별 S의 연주 시차와 (나) 별 S까지의 거리를 옳게 짝 지은 것은?

	(가)	(나)		(가)	(나)
①	$1''$	1 pc	②	$1''$	2 pc
③	$2''$	1 pc	④	$2''$	2 pc
⑤	$0.1''$	1 pc			

04 표는 여러 별의 연주 시차를 나타낸 것이다.

별	견우성	직녀성	프록시마 센타우리	시리우스	스피카
연주 시차	$0.19''$	$0.13''$	$0.77''$	$0.38''$	$0.013''$

지구에서 거리가 가까운 순서대로 나열하시오.

중요

05 그림은 지구에서 별 S를 관측한 모습을 나타낸 것이다.

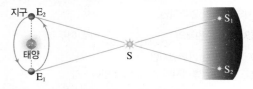

이에 대한 설명으로 옳은 것을 모두 고르면? (2개)

① 연주 시차는 지구가 자전한다는 증거이다.

② 이 별의 연주 시차는 $\angle E_1 SE_2$의 $\frac{1}{2}$이다.

③ 연주 시차는 별까지의 거리에 비례한다.

④ 연주 시차를 이용해 거리를 구할 수 있는 별은 비교적 먼 거리에 있는 별이다.

⑤ 화성에서 별 S의 연주 시차를 측정한다면 지구에서 측정한 값보다 클 것이다.

06 그림은 지구에서 6개월 간격으로 별 S_1, S_2를 관측한 모습을 나타낸 것이다.

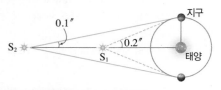

두 별까지의 거리의 비($S_1 : S_2$)를 구하시오.

07 지구로부터의 거리가 가장 가까운 별은?

① 1 pc에 있는 별   ② 32.6광년에 있는 별

③ 연주 시차가 $5''$인 별   ④ 연주 시차가 $1''$인 별

⑤ 거리가 3×10^{13} km에 있는 별

풀이 TIP

01 ❶ 양쪽 눈과 연필은 각각 무엇에 비유되는지 파악한다. ❷ 연필과 양쪽 눈 사이의 거리 변화에 따른 시차 변화를 생각해 본다.   **06** ❶ 두 별의 연주 시차를 파악한다. ❷ 연주 시차와 별까지의 거리의 관계를 떠올린다.

282   VII. 별과 우주

08 [276쪽]

그림 (가)와 (나)는 별의 밝기에 영향을 주는 요인이 무엇인지 알아보기 위한 실험을 나타낸 것이다.

(가) 두 손전등이 같은 거리에 있지만, 방출하는 빛의 양이 많은 손전등이 더 밝게 보인다.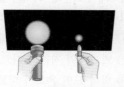

(나) 두 손전등이 방출하는 빛의 양이 같지만, 가까운 거리에 있는 손전등이 더 밝게 보인다.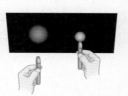

이 실험의 결과로부터 알 수 있는 사실을 모두 고르면?(2개)

① 별의 색깔 차이 때문에 별의 밝기가 다르다.
② 별의 표면 온도 차이 때문에 별의 밝기가 다르다.
③ 별까지의 거리가 멀어지면 별이 어둡게 보인다.
④ 별이 생성된 시기가 다르기 때문에 별의 밝기가 다르다.
⑤ 별이 실제로 방출하는 빛의 양이 많을수록 별이 밝게 보인다.

중요
09 [276쪽]

별까지의 거리가 4배 멀어지면 우리 눈에 보이는 별의 밝기는 어떻게 변하는가?

① $\frac{1}{16}$배로 어두워진다. ② $\frac{1}{2}$배로 어두워진다.
③ 3배로 밝아진다. ④ 9배로 밝아진다.
⑤ 밝기는 변하지 않는다.

10 [276쪽]

별의 밝기 표시에 대한 설명으로 옳지 않은 것은?

① 등급이 작을수록 밝은 별이다.
② 2등급은 1등급보다 약 2.5배 밝다.
③ 1등급은 6등급보다 약 100배 밝다.
④ 별의 밝기를 최초로 구분한 학자는 히파르코스이다.
⑤ 히파르코스는 맨눈으로 보이는 가장 밝은 별을 1등급이라고 정하였다.

11 5등급의 별 100개와 같은 밝기인 것은? [276쪽]

① −2등급인 별 1개 ② 0등급인 별 1개
③ 2등급인 별 1개 ④ 5등급인 별 1개
⑤ 10등급인 별 1개

중요
12 표는 별의 등급 차에 따른 밝기 차를 나타낸 것이다. [276쪽]

등급 차	1	2	3	4	5
밝기 차(배)	약 2.5	약 6.3	약 16	약 40	약 100

현재 −2등급으로 보이는 별까지의 거리가 10배 멀어진다면 몇 등급으로 보이겠는가?

① 0등급 ② 1등급 ③ 2등급
④ 3등급 ⑤ 4등급

13 별의 겉보기 등급과 절대 등급에 대한 설명으로 옳지 않은 것은? [276쪽]

① 겉보기 등급은 맨눈으로 보았을 때 보이는 별의 밝기를 나타낸 것이다.
② 절대 등급은 별이 10 pc의 거리에 있다고 가정하여 별의 밝기를 나타낸 것이다.
③ 별의 실제 밝기를 비교하려면 겉보기 등급을 이용해야 한다.
④ 겉보기 등급이 0등급인 별은 1등급인 별보다 밝게 보인다.
⑤ 별의 절대 등급이 같을 때 거리가 먼 별일수록 겉보기 등급은 커진다.

14 지구로부터 10 pc의 거리에 있는 별의 겉보기 등급이 2등급이라고 할 때, 이 별의 절대 등급은 몇 등급인가? [278쪽]

① −3등급 ② −2등급 ③ 0등급
④ 2등급 ⑤ 7등급

---

08 (가)와 (나)일 때 두 실험의 차이점이 무엇인지 각각 생각해 본다. **12 ❶** 별까지의 거리 변화에 따른 별의 밝기 변화를 파악한다. **❷** 표에서 밝기 차에 해당하는 등급 차를 찾는다. **❸** 밝기 변화에 따른 등급 차를 계산한다.

[15~17] 표는 여러 별의 겉보기 등급과 절대 등급을 나타낸 것이다.

별	겉보기 등급	절대 등급
북극성	2.1	−3.7
직녀성	0.0	0.5
데네브	1.3	−8.7
견우성	0.8	2.2
시리우스	−1.5	1.4

중요
15 276쪽
표의 별 중 (가) 우리 눈에 가장 밝게 보이는 별과 (나) 실제로 가장 밝은 별을 옳게 짝 지은 것은?

	(가)	(나)
①	직녀성	북극성
②	견우성	직녀성
③	견우성	데네브
④	시리우스	북극성
⑤	시리우스	데네브

중요
16 278쪽
10 pc보다 멀리 있는 별로만 옳게 짝 지은 것은?

① 북극성, 직녀성   ② 북극성, 데네브
③ 직녀성, 견우성   ④ 데네브, 시리우스
⑤ 직녀성, 견우성, 시리우스

풀이 TIP
17 278쪽
시리우스가 현재 위치에서 10배 먼 거리로 이동했다고 가정했을 때의 (가) 겉보기 등급과 (나) 절대 등급을 옳게 짝 지은 것은?

	(가)	(나)
①	−6.5등급	−3.6등급
②	−6.5등급	1.4등급
③	−1.5등급	1.4등급
④	3.5등급	1.4등급
⑤	3.5등급	6.4등급

중요
18 278쪽
오른쪽 그림은 오리온자리이다. 오리온자리를 이루는 별의 색깔이 다르게 보이는데, 이처럼 별마다 색깔이 다른 까닭으로 옳은 것은?

베텔게우스
리겔

① 별의 크기가 다르기 때문
② 별까지의 거리가 다르기 때문
③ 별의 표면 온도가 다르기 때문
④ 별의 절대 등급이 다르기 때문
⑤ 별의 겉보기 등급이 다르기 때문

중요
19 278쪽
표는 별 A~D의 색깔을 나타낸 것이다.

별	A	B	C	D
색깔	황색	적색	청백색	백색

A~D 중 표면 온도가 가장 높은 별과 가장 낮은 별을 순서대로 쓰시오.

풀이 TIP
20 278쪽
표는 여러 별의 겉보기 등급과 절대 등급 및 색깔을 나타낸 것이다.

별	겉보기 등급	절대 등급	색깔
(가)	0.0	−2.0	적색
(나)	2.0	3.5	청색
(다)	−2.0	1.8	황색
(라)	−1.5	1.4	황백색
(마)	−0.1	−0.3	주황색

이에 대한 설명으로 옳지 <u>않은</u> 것은?

① 실제로 가장 밝은 별은 (가)이다.
② 지구에서 10 pc보다 가까이 있는 별은 (라)와 (마)이다.
③ 표면 온도가 가장 높은 별은 (나)이다.
④ 연주 시차가 가장 큰 별은 (다)이다.
⑤ (다)는 (나)보다 약 40배 밝게 보인다.

풀이 TIP **17** ❶ 별까지의 거리 변화에 따른 별의 밝기 변화를 생각해 본다. ❷ 밝기 차에 따른 등급 차를 떠올린다. **20** ❶ 별의 겉보기 등급, 절대 등급, 색깔에 따른 별의 성질을 파악한다. ❷ 별의 성질을 서로 비교한다.

21 그림은 지구에서 6개월 간격으로 별 S를 관측한 모습을 나타낸 것이다. [274쪽]

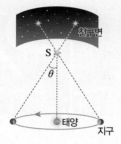

(1) 이 그림에서 θ가 의미하는 것이 무엇인지 쓰시오.

(2) θ가 1″일 때 지구에서 별 S까지의 거리(pc)를 구하시오.

(3) 별 S가 현재의 위치에서 2배로 멀어진다면 θ 값은 어떻게 변할지 쓰고, 그렇게 판단한 까닭을 서술하시오.

22 그림은 별의 밝기와 거리의 관계를 나타낸 것이다. [276쪽]

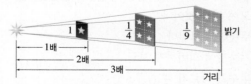

어떤 별까지의 거리가 현재보다 4배 멀어지면 별의 밝기는 어떻게 변할지 서술하시오.

23 풀이 **TIP** 절대 등급이 4등급인 별까지의 실제 거리가 1 pc일 때, 이 별의 겉보기 등급을 구하시오. [278쪽]

24 표는 별 A~E의 여러 가지 물리량을 나타낸 것이다. [278쪽]

별	겉보기 등급	절대 등급	색깔
A	−26.8	4.8	황색
B	0.9	−3.3	청백색
C	0.8	0.8	적색
D	−1.5	1.4	백색
E	5.2	−4.2	청색

(1) A~E 중 (가) 우리 눈에 가장 어둡게 보이는 별과 (나) 표면 온도가 가장 낮은 별을 근거와 함께 서술하시오.

(2) 지구에서 가장 가까이 있는 별부터 순서대로 쓰시오.

25 오리온자리를 이루고 있는 별인 베텔게우스는 붉은색을 띠고, 리겔은 청백색을 띤다. 베텔게우스와 리겔의 표면 온도를 비교하고, 그렇게 생각한 까닭을 서술하시오. [278쪽]

학습 평가 하기

정답친해 84쪽으로 가서 문제를 채점한 후 학습 결과를 스스로 평가해 보세요.

맞춘 개수	22~25개	16~21개	0~15개
평가	잘함	보통	부족

➜ 정답친해에서 그 문제를 왜 틀렸는지 꼭 확인하세요!
➜ 본책에서 해당 쪽으로 돌아가서 부족한 부분을 다시 공부하세요!

23 ❶ 실제 별까지의 거리를 기준으로 10 pc과 비교하여 얼마나 가까운지 먼지 판단한다. ❷ 거리에 따른 밝기 차를 계산한다. ❸ 밝기 차에 따른 등급 차를 계산한다.
❹ 절대 등급에서 등급 차만큼 뺄지 더할지 생각해 본다.

02. 은하와 우주

 만화 완성하기 다음 만화를 보고 남자의 말풍선을 완성해 보자.

> 태양계 외에 우주를 이루고 있는 천체는 무엇이 있을까?

> 태양계 밖에는 성단도 있고, 성운도 있어.

> 그럼 저기 보이는 것도 성단이야?

> 안드로메다은하

>> 이 단원을 학습한 후 내가 쓴 대사를 수정해 보자.

A 우리은하

대한민국은 지구상에 존재하는 수많은 나라 중 하나이고, 지구는 태양계를 이루는 행성 중 하나인 것처럼 태양계도 더 큰 범위에 속해 있답니다. 이를 은하라고 해요. 그럼, 태양계가 속해 있는 은하에 대해 자세히 알아볼까요?

1. 은하 : 우주 공간에 수많은 별로 이루어진 거대한 천체 집단

2. 우리은하 : 태양계가 속해 있는 은하 ➡ 모양으로는 막대 나선 은하에 속한다.

    └ 은하의 모양에 대해서는 288쪽에서 자세히 공부하도록 하자!

(1) 우리은하의 크기

① 우리은하의 지름 : 약 30 kpc(10만 광년)

② 우리은하에 포함된 별의 수 : 약 2000억 개 → 별들은 우리은하 중심부에 집중적으로 모여 있다.

③ 태양계의 위치 : 우리은하의 중심에서 약 8.5 kpc(3만 광년) 떨어진 나선팔에 있다.

(2) 우리은하의 모양

위에서 본 모습		옆에서 본 모습	
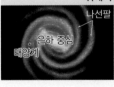 나선팔 / 은하 중심 / 태양계	은하 중심부에 막대 모양의 구조가 있고, 막대 끝에서 뻗어 나온 나선팔이 휘감고 있다.	 구형의 공간 / 은하 중심 / 태양계 / 약 8.5 kpc / 약 30 kpc	은하 중심부가 약간 볼록한 납작한 원반 모양이다.

3. 은하수 : 밤하늘을 가로지르는 희미한 띠로, 무수히 많은 별이 모여 있는 것이다. [+]

(1) 우리은하 중심 방향인 궁수자리 방향을 보았을 때 가장 넓고 뚜렷하게 보인다.

(2) 우리나라(북반구)에서는 여름철에 폭이 두껍고 밝게 보이고, 겨울철에 희미하게 보인다. ➡ 우리은하의 어느 방향을 보느냐에 따라 볼 수 있는 별의 수가 다르기 때문

📖 **계절에 따른 은하수의 변화**

여름철 은하수 ⊙
북반구의 여름철에 지구가 우리은하의 중심 방향을 향하므로 은하수가 두껍고 밝게 보인다.

⊙ 겨울철 은하수
북반구의 겨울철에 지구가 우리은하의 중심과 반대 방향을 향하므로 은하수가 희미하게 보인다.

✚ 은하수
지구가 포함된 태양계가 우리은하 내부에 있고, 우리은하 내부(태양계)에서 우리은하를 바라본 모습이 천구에 투영된 것을 은하수라고 한다. 은하수는 북반구와 남반구에서 모두 관측할 수 있다.

이 단원의 개념이 어떻게 구성되어 있는지 살펴보고 빈칸을 완성해 보자.

| A | ----- | B 성단과 성운 |

은하와 우주 ----- C 외부 은하 ----- D

E

 이 단원을 공부하기 전에 미리 알고 있는 단어를 체크해 보자.

☐ 우리은하   ☐ 은하수   ☐ 성단   ☐ 성운   ☐ 외부 은하

☐ 대폭발 우주론   ☐ 우주 탐사   ☐ 우주 쓰레기

1 그림은 우리은하의 모습을 나타낸 것이다.

(1) A~E 중 태양계의 위치를 쓰시오.
(2) 우리은하의 지름 ㉠은 약 몇 kpc인지 쓰시오.

 암기꽉

우리은하의 모양
• 위에서 보면 : 은하 중심부에 막대 모양이 있고, 막대 끝에서 나선팔이 휘감고 있다.
• 옆에서 보면 : 은하 중심부가 약간 볼록한 납작한 원반형

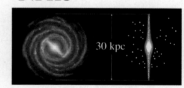

2 우리은하를 위에서 보면 은하 중심부에 ㉠(   ) 모양의 구조가 있고, 그 끝에서 뻗어 나온 ㉡(   )이 휘감고 있다.

3 은하수에 대한 설명으로 옳은 것은 ○, 옳지 <u>않은</u> 것은 ×로 표시하시오.

(1) 우리나라에서는 여름철보다 겨울철에 두껍고 밝게 보인다. ·················· (　　)
(2) 궁수자리 방향에서 폭이 넓고 뚜렷하게 보인다. ······························· (　　)
(3) 은하수는 우리은하의 일부가 보이는 것이다. ······························· (　　)

B 성단과 성운

학생들이 교실에 모여 한 반을 이루듯이 밤하늘에 보이는 수많은 별 중에서도 별들이 모여 있는 집단이 있답니다. 이를 성단이라고 하지요. 지구 밖 우주에는 성단 외에 또 무엇이 있을까요?

1. 성단 : 수많은 별들이 무리를 지어 모여 있는 집단 +

종류	산개 성단		구상 성단	
정의		수십~수만 개의 별들이 비교적 엉성하게 모여 있는 성단		수만~수십만 개의 별들이 공 모양으로 빽빽하게 모여 있는 성단
색	파란색		붉은색	
온도	높다.		낮다.	
우리은하에서 분포 위치 +	우리은하의 나선팔		우리은하의 중심부(은하핵), 은하 원반을 둘러싼 구형의 공간	

2. 성운 : •성간 물질이 많이 모여 구름처럼 보이는 천체

종류	방출 성운	반사 성운	암흑 성운
모습			
정의	성간 물질이 주변의 별빛을 흡수하여 가열되면서 스스로 빛을 내는 성운 ➡ 주로 붉은색을 띤다.	성간 물질이 주변의 별빛을 반사하여 밝게 보이는 성운 ➡ 주로 파란색을 띤다.	성간 물질이 뒤쪽에서 오는 별빛을 가로막아 어둡게 보이는 성운 ➡ 검은색을 띤다.
예	오리온 대성운, 장미성운	메로페성운, 마귀할멈 성운	말머리성운, 석탄자루성운

+ **성단의 생성**
성단을 이루는 별들은 거의 같은 시기에 한 공간에서 생성되었다. 따라서 성단을 이루는 별들은 구성 성분이나 나이가 거의 비슷하다.

+ **우리은하에서 산개 성단과 구상 성단의 분포 위치**

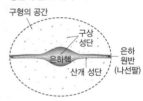

| 용어 |
• **성간(星 별, 間 사이) 물질** 별과 별 사이의 공간에 분포하는 가스나 티끌이다. 은하수를 관찰할 때 군데군데 어둡게 보이는 부분은 성간 물질이 많아서 뒤쪽에서 오는 별빛을 가로막은 것이다.

C 외부 은하

•── 미래엔 교과서에만 나온다.

밤하늘에는 성단이나 성운처럼 보이지만 실제로는 수천 억 개의 별들을 포함하고 있는 은하가 있어요. 우리은하 밖에 존재하는 수많은 은하는 어떻게 분류할 수 있을까요?

1. 외부 은하 : 우리은하 밖에 있는 은하 예 안드로메다은하

2. 외부 은하의 분류 : 외부 은하의 모양을 기준으로 분류한다. ➡ •허블이 분류하였다. +

타원 은하	나선 은하		불규칙 은하
	정상 나선 은하	막대 나선 은하	
나선팔이 없고, 구형이나 타원체 모양이다.	둥근 형태의 은하 중심에서 나선팔이 휘어져 나온 모양이다.	막대 구조의 끝에서 나선팔이 휘어져 나온 모양이다.	규칙적인 모양이 없다.

+ **허블의 외부 은하 분류**

| 용어 |
• **허블(Hubble, E. P., 1889~1953)** 미국의 천문학자로, 외부 은하의 존재를 알아내었다. 또한, 관측을 통해 우주가 팽창한다는 사실을 밝혔다.

1 그림은 두 종류의 성단을 나타낸 것이다.

(가)   (나)

(1) (가)와 (나)의 종류를 쓰시오.

(2) (가) 천체의 온도는 (나) 천체보다 (낮다, 높다).

(3) (가)와 (나) 중 우리은하의 중심부에 주로 분포하는 성단을 쓰시오.

2 별과 별 사이의 공간에 분포하는 가스나 티끌을 ㉠(   )이라 하며, 이것이 많이 모여 구름처럼 보이는 천체를 ㉡(   )이라고 한다.

3 다음 설명에 해당하는 성운의 종류를 쓰시오.

(1) 성간 물질이 주변의 별빛을 반사하여 밝게 보이는 성운

(2) 성간 물질이 주변의 별빛을 흡수하여 스스로 빛을 내는 성운

(3) 성간 물질이 뒤쪽에서 오는 별빛을 가로막아 어둡게 보이는 성운

산개 성단과 구상 성단

내가 더 뜨거워!   별은 내가 더 많아!

산개 성단   구상 성단

1 외부 은하의 종류와 모습을 옳게 연결하시오.

(1) 타원 은하   (2) 정상 나선 은하   (3) 막대 나선 은하   (4) 불규칙 은하

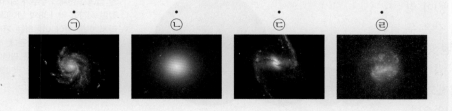

㉠   ㉡   ㉢   ㉣

외부 은하의 분류
타원 은하, 정상 나선 은하, 막대 나선 은하, 불규칙 은하

만화 확인하기

286쪽으로 돌아가서 내가 쓴 대사를 점검해 보자.

D **우주의 팽창**   우주는 얼마나 클까요? 우주의 끝이 있을까요? 과학자들은 연구를 하면서 우주에 대해 어느 정도 알게 되었지만, 우주는 아직도 베일에 싸여 있는 존재입니다. 현재까지 알려진 우주에 대해 알아보아요.

1. 우주 : 우리은하를 비롯하여 외부 은하 전체가 차지하는 거대한 공간[+]

2. 우주의 팽창

(1) 허블은 대부분의 외부 은하들이 우리은하로부터 멀어지고 있다는 것을 통해 우주가 팽창하고 있음을 알아내었다.

(2) 우주의 팽창 모습

① 멀리 떨어져 있는 은하일수록 더 빨리 멀어진다.

② 우주의 어느 방향에서 보더라도 은하들이 관측자로부터 멀어지고 있다.

➡ 우주는 특별한 중심 없이 모든 방향으로 균일하게 팽창하고 있다.

📖 **우주 팽창 모형 실험**

[과정]

① 풍선에 바람을 조금 불어 넣은 후, 풍선의 표면에 스티커를 붙이고 스티커 A, B, C 사이의 거리를 잰다.

② 풍선에 바람을 더 불어 넣은 후 스티커 A, B, C 사이의 거리를 다시 잰다.

③ 과정 ①, ②의 결과를 비교한다.

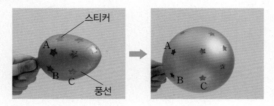

[결과 및 해석]

• 풍선을 더 크게 불면 스티커 A, B, C 사이의 거리가 더 멀어진다.

• 실제와 비교 : 풍선 표면은 우주, 스티커는 은하를 의미한다.

• 풍선을 더 크게 불었을 때 : 가까이 있는 스티커 A와 B 사이의 거리보다 멀리 있는 스티커 A와 C 사이의 거리가 더 많이 멀어진다. ➡ 멀리 있는 은하일수록 더 빠르게 멀어진다.

• 팽창의 중심 : 스티커(은하)가 서로 멀어지므로 팽창의 중심을 정할 수 없다.

(3) 팽창하는 우주의 시간을 거꾸로 돌리면 <u>우주의 크기가 점점 작아지면서 뜨거워지고,</u> 우주의 처음 상태는 한 점에 모여 있었다고 추측할 수 있다. ◦ 우주는 팽창하면서 우주의 온도와 밀도가 감소하기 때문

3. 대폭발 우주론(빅뱅 우주론)

(1) 약 138억 년 전, 매우 뜨겁고 밀도가 큰 한 점에서 대폭발(빅뱅)이 일어나 계속 팽창하여 현재와 같은 우주가 되었다고 설명하는 이론

(2) 대폭발 이후 우주의 온도는 점차 낮아져서 별과 은하가 만들어졌고, 현재와 같은 분포를 보이게 되었으며, 현재에도 계속 팽창하고 있다.[+]

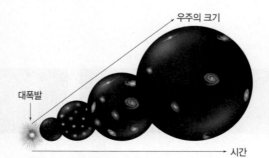

⬆ 대폭발 우주론(빅뱅 우주론)

[+] **우주를 구성하는 천체의 규모 비교**

지구 < 태양계 < 성단 또는 성운 < 은하 < 우주

[+] **우주의 크기**

한 점에서 현재의 우주가 되기까지 걸린 시간이 약 138억 년이다. 따라서 이를 빛이 이동하는 거리로 바꾸면 우주의 크기가 된다. 빛이 1년 동안 이동한 거리를 광년이라고 하므로 우주의 크기는 약 138억 광년이다.

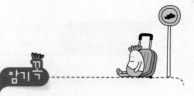

1 우리은하를 비롯하여 외부 은하 전체가 차지하는 거대한 공간을 (   )라고 한다.

2 우주의 팽창에 대한 설명으로 옳은 것은 ○, 옳지 <u>않은</u> 것은 ×로 표시하시오.

(1) 우주가 팽창하고 있으므로 은하들은 서로 멀어지고 있다. ·························· (   )

(2) 모든 은하는 같은 속도로 다른 은하로부터 멀어진다. ······························ (   )

(3) 우주는 우리은하를 중심으로 팽창하고 있다. ··· (   )

3 그림은 우주 팽창의 원리를 알아보기 위한 풍선 실험이다. 실제 우주와 비교하여 풍선 표면과 스티커는 각각 무엇에 비유할 수 있는지 쓰시오.

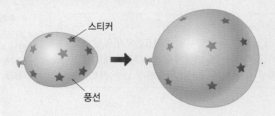

스티커

풍선

4 다음은 팽창하는 우주에 대한 설명이다. (   ) 안에 알맞은 말을 쓰시오.

> 약 138억 년 전, 모든 물질과 에너지가 모인 한 점에서 대폭발로 시작된 우주가 점점 팽창하여 현재와 같은 우주가 되었다고 설명하는 이론을 (   )이라고 한다.

02 은하와 우주

E 우주 탐사

망원경을 이용해 밤하늘을 관측했던 사람들은 지구를 벗어나 우주를 탐험하고 싶어 했습니다. 이에 인공위성 등을 개발하고 직접 우주로 나가 탐사할 수 있게 되었어요. 이러한 우주 탐사에 대해 알아볼까요?

1. 우주 탐사의 목적 및 의의

(1) 우주에 대한 이해의 폭을 넓히고, 외계 생명체의 존재를 탐사할 수 있다.

(2) 지구에서 부족하거나 고갈되어 가는 지하자원을 채취할 수 있다.

(3) 우주 탐사를 통해 습득된 정보로부터 지구 환경과 생명에 대해 깊이 이해할 수 있다.

(4) 우주 탐사 과정에서 개발된 첨단 기술을 여러 산업 분야와 실생활에 이용할 수 있다.

2. 우주 탐사 장비

인공위성	우주 탐사선	우주 정거장
• 지구 주위를 일정한 궤도를 따라 공전하도록 만든 장치 • 다양한 목적으로 발사됨 • 우주 망원경도 포함됨+	• 지구 이외의 다른 천체를 탐사하기 위해 쏘아 올린 물체 • 직접 천체의 주위를 돌거나 천체 표면에 착륙하여 탐사함	• 무중력 상태로, 과학자들이 우주에 머무르면서 지상에서 하기 어려운 과학 실험이나 우주 환경 등을 연구함

└─ 재사용을 할 수 없다.

3. 우주 탐사의 역사+

[1950년대] 우주 탐사 시작	• 스푸트니크 1호 : 1957년에 구소련에서 발사한 인류 최초의 인공위성

⬇

[1960년대] 달 탐사	• 아폴로 11호 : 1969년에 최초로 인류가 달 착륙에 성공

⬇

[1970년대] 행성 탐사	• 보이저 1호 : 1977년 태양계 탐사를 위해 발사됨 • 보이저 2호 : 1977년 발사되어 목성형 행성 탐사, 1989년에 해왕성 통과

⬇

[1990년대 이후] 다양한 장비로 우주 탐사 진행	• 허블 우주 망원경 : 1990년 발사되어 현재까지 이용됨 • 뉴호라이즌스호 : 2006년 명왕성 탐사를 위해 발사됨, 2015년에 명왕성 통과 • 주노호 : 2011년 목성 탐사를 위해 발사됨, 2016년에 목성 도착 후 궤도 공전 • 큐리오시티 : 2011년 발사된 화성 탐사 로봇, 2012년에 화성 표면 착륙

4. 우주 탐사의 영향

(1) 우주 과학과 관련된 직업 : 전문 지식이 필요하고 종류가 매우 다양하다. 예 인공위성 개발자, 위성 관제 센터 연구원 등

(2) 우주 탐사 기술의 이용 : 우주 탐사를 위해 개발된 기술을 응용하여 일상생활에 이용한다. 예 자기 공명 영상(MRI), 정수기, 전자레인지, 에어쿠션 운동화, 안경테, 골프채 등

형상 기억 합금 소재 이용   티타늄 소재 이용

(3) 인공위성의 이용

① 일기 예보를 하고, 태풍의 경로를 예측하여 피해를 줄일 수 있다. ➡ 기상 위성 이용

② 지구 반대편에서 열리는 운동 경기를 실시간으로 볼 수 있다. ➡ 방송 통신 위성 이용

③ 다른 나라에 사는 친구와 쉽게 전화 통화를 할 수 있다. ➡ 방송 통신 위성 이용

④ 자신의 위치를 파악하고 길을 찾을 수 있다. ➡ 방송 통신 위성, 항법 위성 이용

(4) 우주 쓰레기 : 인공위성의 발사나 폐기 과정 등에서 나온 파편으로, 궤도가 일정하지 않고 빠른 속도로 떠돌면서 운행 중인 인공위성이나 우주 탐사선과 충돌할 수 있다.+

+ 망원경의 발달과 우주 탐사

망원경이 만들어진 이후 망원경을 이용한 우주 관측 기술이 발달하여 우주 과학이 발전하게 되었다.

갈릴레이 굴절 망원경
1609년 갈릴레이는 최초로 굴절 망원경을 만들고, 태양의 흑점, 달의 분화구 등을 관측하였다.

⬇

반사 망원경
렌즈 대신 거울을 사용하며, 대형 망원경으로 만드는 데 유리하다.

⬇

전파 망원경
가시광선보다 파장이 긴 전파 신호를 모아서 멀리 있는 물체의 상을 만든다.

⬇

우주 망원경
지구 대기 밖 우주에서 관측을 수행하여 지상 망원경보다 더욱 선명하게 천체를 관측할 수 있다.

┌─ 동아 교과서에만 나온다.

+ 우리나라의 우주 탐사

2009년에 인공위성을 발사할 수 있는 우주 센터(나로 우주 센터)를 완공하였고, 2013년에 이곳에서 나로호 로켓을 발사하였다.

+ 우주 쓰레기 분포

| 용어 |

• **우주 탐사** 우주를 이해하고자 우주를 탐색하고 조사하는 활동

1 지구 주위를 일정한 궤도를 따라 도는 인공적인 장치로, 다양한 목적으로 발사되는 우주 탐사 장비가 무엇인지 쓰시오.

1957년에 발사한 인류 최초의 인공위성

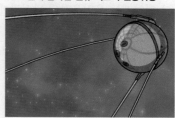

↑ 스푸트니크 1호

2 다음은 우주 탐사에 이용된 다양한 장비를 나타낸 것이다. 각 설명에 해당하는 것을 찾아 쓰시오.

> 아폴로 11호, 스푸트니크 1호, 큐리오시티, 허블 우주 망원경

(1) 1990년에 발사된 이래로 선명한 우주 영상을 지구로 전송하고 있다.

(2) 2011년에 화성 탐사를 위해 발사된 탐사 로봇이다.

(3) 달에 착륙한 최초의 유인 탐사선이다.

(4) 인류 최초로 발사된 인공위성이다.

3 다음은 인공위성을 목적에 따라 분류한 것이다. 각 설명에 해당하는 것을 보기에서 찾아 기호를 쓰시오.

> [보기]
> ㄱ. 기상 위성   ㄴ. 항법 위성   ㄷ. 방송 통신 위성

(1) 다른 나라에 사는 친척과 휴대 전화로 통화할 수 있다.

(2) 태풍의 경로를 예측하여 피해를 줄일 수 있다.

4 우주 쓰레기에 대한 설명으로 옳은 것은 ○, 옳지 <u>않은</u> 것은 ×로 표시하시오.

(1) 속도가 느리고, 지상에서 통제할 수 있다. ┈┈┈┈┈┈┈┈┈┈┈┈ (   )

(2) 운행 중인 인공위성이나 우주 탐사선과 충돌하여 피해를 줄 수 있다. ┈┈ (   )

01 우리은하에 대한 설명으로 옳지 <u>않은</u> 것은? [286쪽]

① 모양으로는 정상 나선 은하에 속한다.

② 태양계를 포함하고 있는 은하를 말한다.

③ 태양계는 우리은하의 나선팔에 위치해 있다.

④ 태양과 같은 별이 약 2000억 개 포함되어 있다.

⑤ 위에서 보면 중심부에 막대 모양이 있고, 그 끝에서 나온 나선팔이 휘감고 있다.

04 태양계가 우리은하의 중심에 있다고 가정할 때, 우리가 볼 수 있는 은하수의 모습을 옳게 예측한 것은? [286쪽]

① 전혀 보이지 않는다.

② 현재와 똑같이 보인다.

③ 북쪽 하늘에서만 보인다.

④ 현재보다 좁고 어둡게 보인다.

⑤ 하늘 전체가 많은 별들로 덮여 보인다.

02 그림 (가)는 우리은하를 옆에서 본 모습이고, (나)는 우리은하를 위에서 본 모습을 나타낸 것이다. [286쪽]

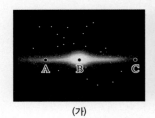
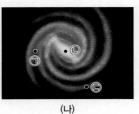

(가)   (나)

(가)와 (나)에서 태양계의 위치를 옳게 짝 지은 것은?

	(가)	(나)		(가)	(나)
①	A	㉠	②	A	㉡
③	B	㉡	④	B	㉢
⑤	C	㉠			

05 비슷한 시기에 만들어진 수많은 별이 무리를 지어 모여 있는 것을 무엇이라고 하는가? [288쪽]

① 성운 　　② 성단 　　③ 은하수

④ 우리은하 　　⑤ 외부 은하

06 수만~수십만 개의 별들이 공 모양으로 빽빽하게 모여 있고, 주로 붉은색을 띠는 별들로 구성된 천체는? [288쪽]

① 구상 성단 　　　② 산개 성단

③ 반사 성운 　　　④ 방출 성운

⑤ 암흑 성운

03 은하수에 대한 설명으로 옳지 <u>않은</u> 것은? [286쪽]

① 밤하늘을 가로지르는 희미한 띠이다.

② 우리은하의 일부가 보이는 것이다.

③ 북반구에서만 관측할 수 있다.

④ 궁수자리 방향을 보았을 때 가장 넓고 뚜렷하게 보인다.

⑤ 우리나라에서는 겨울철에 비해 여름철에 밝게 보인다.

07 산개 성단에 대한 설명으로 옳은 것을 보기에서 모두 고른 것은? [288쪽]

┤ 보기 ├
ㄱ. 수십~수만 개 정도의 별이 엉성하게 모여 있다.
ㄴ. 주로 파란색 별들로 구성되어 있다.
ㄷ. 우리은하의 중심부에 주로 분포한다.

① ㄱ 　　　② ㄷ 　　　③ ㄱ, ㄴ

④ ㄴ, ㄷ 　　　⑤ ㄱ, ㄴ, ㄷ

풀이 TIP
04 ❶ 우리은하에서 태양계의 위치를 떠올린다. ❷ 우리은하에서 별이 가장 많은 곳은 어디일지 생각해 본다. **07** ❶ 산개 성단의 정의와 특징을 파악한다. ❷ 우리은하에서 산개 성단의 분포 위치를 떠올린다.

08 산개 성단과 구상 성단을 비교한 것으로 옳지 <u>않은</u> 것은?

	비교	산개 성단	구상 성단
①	별의 수	수십~수만 개	수만~수십만 개
②	모인 형태	엉성하게 모임	빽빽하게 모임
③	색깔	파란색	붉은색
④	온도	낮다.	높다.
⑤	분포 위치	우리은하의 나선팔	우리은하의 중심부

09 그림 (가)와 (나)는 두 종류의 성단을 나타낸 것이다.

(가)   (나)

이에 대한 설명으로 옳지 <u>않은</u> 것은?

① (가)는 산개 성단, (나)는 구상 성단이다.

② (가)는 주로 파란색, (나)는 주로 붉은색 별이 많다.

③ (가)는 (나)보다 별의 수가 적다.

④ (나)는 (가)보다 별들의 온도가 낮다.

⑤ (나)는 우리은하의 나선팔에 주로 분포한다.

10 그림은 우리은하의 모습을 나타낸 것이다.

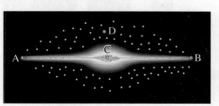

이에 대한 설명으로 옳은 것은?

① 우리은하를 위에서 본 모습이다.

② A에서 B까지의 거리는 약 15 kpc이다.

③ B 위치에는 주로 구상 성단이 분포한다.

④ 우리나라는 여름철에 밤하늘이 C 방향을 향한다.

⑤ 태양계는 D 위치에 있다.

11 다음에서 설명하는 천체는 무엇인가?

- 성간 물질이 구름처럼 모여 있다.
- 성간 물질이 뒤쪽에서 오는 별빛을 가로막아 어둡게 보인다.

① 구상 성단   ② 산개 성단

③ 방출 성운   ④ 반사 성운

⑤ 암흑 성운

12 (가)와 (나)에 해당하는 성운의 이름을 옳게 짝 지은 것은?

(가) 성간 물질이 주변의 밝은 별빛을 반사하여 밝게 보이는 성운으로, 메로페성운이나 마귀할멈 성운이 이에 속한다.

(나) 성간 물질이 주변의 별빛을 흡수하여 가열되면서 스스로 빛을 내는 성운으로, 오리온 대성운이나 장미성운이 이에 속한다.

	(가)	(나)
①	방출 성운	반사 성운
②	방출 성운	암흑 성운
③	반사 성운	방출 성운
④	반사 성운	암흑 성운
⑤	암흑 성운	방출 성운

13 성단과 성운에 대한 설명으로 옳은 것은?

① 가스나 작은 티끌이 구름처럼 모여 있는 천체를 성간 물질이라고 한다.

② 성운은 수많은 별들이 모여 집단을 이루는 천체이다.

③ 구상 성단은 수십~수만 개의 별들이 비교적 엉성하게 모여 있는 천체이다.

④ 산개 성단은 주로 붉은색 별들로 이루어져 있다.

⑤ 암흑 성운은 성간 물질이 모여 뒤쪽에서 오는 별빛을 차단하여 어둡게 보이는 천체이다.

---

09 ❶ 성단을 이루는 별의 모양을 보고 성단의 종류를 파악한다. ❷ (가)와 (나) 성단의 특징을 생각해 본다. 10 ❶ 우리은하의 모양을 파악한다. ❷ 우리은하의 지름을 생각해 본다. ❸ 우리은하에서의 산개 성단과 구상 성단의 분포 위치를 생각해 본다.

14 우리은하 밖에 있는 외부 은하를 다음과 같이 분류한 기준은 무엇인가?

> • 타원 은하　　　• 나선 은하　　　• 불규칙 은하

① 은하의 크기　　　② 은하의 모양
③ 은하까지의 거리　　　④ 은하의 색깔
⑤ 은하 내 별의 개수

[15~16] 그림은 허블이 분류한 외부 은하의 종류를 나타낸 것이다.

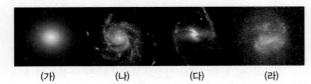

(가)　　　(나)　　　(다)　　　(라)

15 우리은하와 같은 종류의 은하의 기호와 이름을 옳게 짝 지은 것은?

① (가) – 타원 은하　　　② (나) – 불규칙 은하
③ (나) – 정상 나선 은하　　　④ (다) – 막대 나선 은하
⑤ (라) – 불규칙 은하

16 이에 대한 설명으로 옳은 것을 보기에서 모두 고른 것은?

> ┤ 보기 ├
> ㄱ. (가)는 타원 은하이다.
> ㄴ. (나)와 (다)의 차이점은 나선팔의 유무이다.
> ㄷ. 우리은하는 (라)와 모양이 가장 비슷하다.

① ㄱ　　　② ㄴ　　　③ ㄱ, ㄷ
④ ㄴ, ㄷ　　　⑤ ㄱ, ㄴ, ㄷ

17 그림은 바람을 조금 불어 넣은 풍선의 표면에 스티커를 붙이고, 풍선에 바람을 더 많이 불어 넣었을 때 스티커의 위치 변화를 관찰한 실험이다.

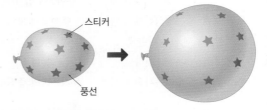

스티커

풍선

이에 대한 설명으로 옳지 <u>않은</u> 것은?

① 풍선이 커지면 스티커 사이의 거리는 좁아진다.
② 스티커는 은하에, 풍선 표면은 우주에 비유된다.
③ 우주가 팽창할 때 특별한 중심은 없다.
④ 은하와 은하 사이의 거리는 점점 더 멀어진다.
⑤ 멀리 있는 은하일수록 빠른 속도로 멀어진다.

18 다음은 우주와 관련된 어떤 이론에 대한 설명이다.

> 우주는 처음에 모든 물질과 에너지가 한 점에 모여 있다가 대폭발한 후 오늘날과 같은 모습이 되었다.

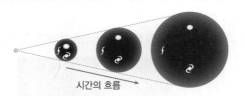

시간의 흐름

이에 대한 설명으로 옳은 것을 보기에서 모두 고른 것은?

> ┤ 보기 ├
> ㄱ. 대폭발 우주론에 대한 설명이다.
> ㄴ. 최초에 우주는 하나의 점이었다.
> ㄷ. 우주는 더 이상 팽창하지 않는다.
> ㄹ. 우주의 크기는 약 138억 광년이다.

① ㄱ, ㄴ　　　② ㄱ, ㄷ　　　③ ㄷ, ㄹ
④ ㄱ, ㄴ, ㄹ　　　⑤ ㄴ, ㄷ, ㄹ

 풀이 TIP **15~16** ❶ 외부 은하 (가)~(라)의 이름을 파악한다. ❷ 우리은하의 모양을 떠올린다. ❸ 각 외부 은하의 특징을 생각해 본다. **17** ❶ 풍선 실험을 실제와 비교해 본다. ❷ 풍선을 더 크게 불었을 때 나타나는 변화를 생각해 본다.

19 우주에 대한 설명으로 옳은 것을 보기에서 모두 고른 것은? 290쪽

┌ 보기 ┐
- ㄱ. 우주 팽창의 중심은 우리은하이다.
- ㄴ. 은하들은 서로 멀어지고 있다.
- ㄷ. 우주는 대폭발 이후 수축하고 있다.

① ㄱ   ② ㄴ   ③ ㄱ, ㄷ
④ ㄴ, ㄷ   ⑤ ㄱ, ㄴ, ㄷ

 20 천체의 규모가 작은 것부터 순서대로 옳게 나열한 것은? 290쪽

① 우주 < 성단 < 지구 < 은하 < 태양계
② 우주 < 은하 < 성단 < 태양계 < 지구
③ 지구 < 성단 < 태양계 < 은하 < 우주
④ 지구 < 태양계 < 성단 < 은하 < 우주
⑤ 지구 < 태양계 < 은하 < 성단 < 우주

21 우주 탐사를 하는 목적과 거리가 먼 것은? 292쪽

① 우주 산업으로 확장하기 위해
② 첨단 과학기술의 발전을 위해
③ 지구 환경 오염을 해결하기 위해
④ 태양계와 우주를 잘 이해하기 위해
⑤ 지구에서 고갈된 자원을 확보하기 위해

 22 다음에서 설명하는 우주 탐사 장비는 무엇인지 쓰시오. 292쪽

- 지구 이외의 다른 천체를 탐사하기 위해 쏘아 올린 물체이다.
- 직접 천체까지 날아가 그 주위를 돌거나 천체 표면에 착륙하여 탐사한다.
- 한 번 발사되면 재사용을 할 수 없다.

23 우주 탐사에 있어 시대별 주된 탐사 내용을 옳게 짝 지은 것은? 292쪽

	1960년대	1970년대
①	달 탐사	태양 탐사
②	달 탐사	행성 탐사
③	태양 탐사	달 탐사
④	태양 탐사	행성 탐사
⑤	행성 탐사	달 탐사

24 다음은 태양계 행성을 탐사한 내용을 설명한 것이다. 292쪽

- 오른쪽에 제시된 행성을 탐사하기 위해 2011년에 발사된 우주 탐사선이다.
- 2016년에 이 행성에 도착한 후 궤도를 돌며 탐사하고 있다.

이에 이용된 우주 탐사선은 무엇인가?

① 주노호   ② 아폴로 11호
③ 큐리오시티   ④ 스푸트니크 1호
⑤ 뉴호라이즌스호

---

22 ❶ 우주 탐사 장비의 종류를 떠올린다. ❷ 설명에 해당하는 우주 탐사 장비가 무엇일지 생각해 본다.   **24** ❶ 그림에 해당하는 태양계 행성이 무엇인지 파악한다. ❷ 설명에 해당하는 우주 탐사선이 무엇일지 생각해 본다.

풀이 TIP
25 다음은 우주 탐사의 중요한 사건을 나열한 것이다. [292쪽]

> (가) 유인 탐사선인 아폴로 11호가 최초로 달 착륙에 성공하였다.
> (나) 탐사 로봇인 큐리오시티를 이용하여 화성 표면을 탐사하였다.
> (다) 목성, 토성, 천왕성, 해왕성을 탐사하고 더 멀리까지 탐사하기 위해 보이저 2호가 발사되었다.
> (라) 지구 대기의 영향을 받지 않고 우주를 자세히 관측하기 위해 허블 우주 망원경이 발사되었다.

이를 오래된 것부터 시간 순서대로 옳게 나열한 것은?

① (가) → (나) → (다) → (라)
② (가) → (다) → (나) → (라)
③ (가) → (다) → (라) → (나)
④ (다) → (가) → (라) → (나)
⑤ (다) → (나) → (가) → (라)

26 우주 탐사와 관련하여 생긴 첨단 기술을 통해 생활에 편리한 제품이 다양하게 만들어져 이용되고 있다. 이에 해당하지 않는 것은? [292쪽]

① 골프채

② 안경테

③ 정수기

④ 도자기 컵

⑤ 자기 공명 영상(MRI)

27 지구 반대편에서 열리는 올림픽 경기를 안방에서 편안히 실시간 방송으로 볼 수 있는 것은 어떤 종류의 위성을 이용한 것인가? [292쪽]
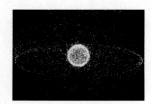

① 군사 위성   ② 기상 위성
③ 항법 위성   ④ 지구 관측 위성
⑤ 방송 통신 위성

중요
풀이 TIP
28 우리 생활에서 인공위성을 이용하는 예에 대한 설명으로 옳지 않은 것은? [292쪽]

① 매일의 기상 관측 자료를 받는다.
② 외국에 사는 친구와 전화 통화를 한다.
③ 태양계 행성의 표면에 착륙하여 탐사한다.
④ 내비게이션을 이용해 모르는 곳을 찾아간다.
⑤ 지구 반대편에서 열리는 운동 경기를 실시간 방송으로 볼 수 있다.

중요
29 그림은 우주 쓰레기의 분포를 나타낸 것이다. [292쪽]

이에 대한 설명으로 옳은 것은?

① 우주 공간을 떠도는 소행성 조각을 포함한다.
② 속도가 매우 빠르기 때문에 작은 조각 하나도 매우 위험하다.
③ 실제로 우주 쓰레기 때문에 인공위성이 손상된 경우는 없었다.
④ 우주에서 스스로 타서 없어지기 때문에 크게 문제가 되지 않는다.
⑤ 크기가 아주 작은 것은 별 문제가 되지 않지만, 지름이 10 m 이상인 것이 인공위성과 충돌하면 큰 피해를 입힐 수 있다.

 풀이 TIP
25 ❶ (가)~(라)에 해당하는 연도를 파악한다. ❷ 해당 연도를 오래된 것부터 나열한다.   **28** ❶ 목적에 따른 인공위성의 종류를 떠올린다. ❷ 인공위성의 종류와 연관지어 우리 생활에 이용되는 예를 파악한다.

서술형 문제

30 우리은하에서 태양계의 위치를 서술하시오. _{286쪽}

──────────────────────────────

──────────────────────────────

31 우리나라에서 은하수가 가장 잘 보이는 계절을 쓰고, 그렇게 생각한 까닭을 서술하시오. _{286쪽}

──────────────────────────────

──────────────────────────────

32 그림은 우리은하를 구성하는 천체를 나타낸 것이다. _{288쪽}

(가)　　　　　　　　　(나)

(1) (가)와 (나) 천체의 이름을 쓰시오.

──────────────────────────────

(2) 두 천체의 차이를 별의 수, 우리은하에서의 분포 위치를 중심으로 비교하시오.

──────────────────────────────

──────────────────────────────

33 오른쪽 그림은 어떤 성운을 나타낸 것이다. 이 성운의 종류를 쓰고, 이 성운이 밝게 보이는 까닭을 서술하시오. _{288쪽}

──────────────────────────────

──────────────────────────────

34 그림은 어느 외부 은하의 모습이다. _{288쪽}

(가)　　　　　　　　　(나)

(1) (가)와 (나)의 종류를 쓰시오.

──────────────────────────────

(2) (가)와 (나)의 공통점과 차이점을 서술하시오.

──────────────────────────────

35 현재 우주의 크기 변화를 쓰고, 이에 따른 은하들 사이의 거리는 어떻게 변화하는지 서술하시오. _{290쪽}

──────────────────────────────

──────────────────────────────

36 그림 (가)와 (나)는 인공위성이 생활에 이용되는 예를 나타낸 것이다. _{292쪽}

(가)　　　　　　　　　(나)

(가)와 (나) 상황에서 이용되는 인공위성의 종류를 각각 쓰시오.

──────────────────────────────

학습 평가하기

정답친해 87쪽으로 가서 문제를 채점한 후 학습 결과를 스스로 평가해 보세요.

맞춘 개수	31~36개	24~30개	0~23개
평가	잘함	보통	부족

→ 정답친해에서 그 문제를 왜 틀렸는지 꼭 확인하세요!

→ 본책에서 해당 쪽으로 돌아가서 부족한 부분을 다시 공부하세요!

32 ❶ 주어진 그림으로 (가)와 (나)의 이름을 파악한다. **❷** 두 천체를 비교해 본다. **34 ❶** 주어진 그림으로 (가)와 (나)의 종류를 파악한다. **❷** 두 외부 은하의 공통점과 차이점을 생각해 본다.

01 별

1. 연주 시차와 별까지의 거리

(1) 시차와 연주 시차

시차	멀리 떨어진 두 지점에서 관측자가 같은 물체를 관측할 때, 두 관측 지점과 물체가 이루는 각도 ➡ 물체까지의 거리가 멀수록 시차가 작아짐
연주 시차	지구에서 6개월 간격으로 별을 관측하여 측정한 시차 $(\angle ASB)$의 $\frac{1}{2}(=\theta)$ ➡ 지구가 공전하기 때문에 나타남 ➡ 가까이 있는 별일수록 연주 시차가 크게 관측됨

(2) 연주 시차와 별까지의 거리

> 연주 시차가 $1''$인 별까지의 거리=1 pc

2. 별의 밝기와 등급

(1) 별의 밝기에 영향을 주는 요인

① 별이 방출하는 빛의 양이 많을수록 별의 밝기는 밝아진다.

② 별까지의 거리가 멀어질수록 별의 밝기는 어두워진다.

- 별까지의 거리가 2배, 3배로 멀어질 때 ➡ 원래 밝기의 $\frac{1}{4}$배, $\frac{1}{9}$배로 어두워진다.

- 별까지의 거리가 원래의 $\frac{1}{2}$배, $\frac{1}{3}$배로 가까워질 때 ➡ 원래 밝기의 4배, 9배로 밝아진다.

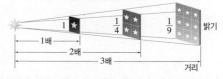

(2) 별의 밝기 표시

① 히파르코스는 처음으로 별의 밝기를 등급으로 나타내었다. ➡ 가장 밝게 보이는 별을 1등급, 가장 어둡게 보이는 별을 6등급으로 정하였다.

② 별이 밝을수록 등급이 작고, 어두울수록 등급이 크다.

③ 각 등급 사이의 밝기인 별의 등급은 소수점을 이용하여 나타낸다. 예 −0.8등급, 4.7등급 등

(3) 별의 등급 차에 따른 밝기 차

① 1등급인 별은 6등급인 별보다 약 100배 밝다.

② 1등급 차이는 약 2.5배의 밝기 차이가 있다.

등급 차	1	2	3	4	5
밝기 차 (배)	약 2.5	약 6.3 $(≒2.5^2)$	약 16 $(≒2.5^3)$	약 40 $(≒2.5^4)$	약 100 $(≒2.5^5)$

(4) 등급 계산하는 방법 : 별의 밝기와 거리 관계, 별의 등급 차와 밝기 차를 이용하여 구한다.

> - 별의 밝기 $\propto \dfrac{1}{(별까지의 거리)^2}$
> - 별의 밝기 차가 100배일 때 등급 차 ➡ 5등급

3. 별의 겉보기 등급과 절대 등급

겉보기 등급	절대 등급
• 우리 눈에 보이는 별의 밝기를 나타낸 등급 • 별까지의 실제 거리를 고려하지 않았다. • 등급이 작을수록 우리 눈에 밝게 보인다.	• 별이 10 pc의 거리에 있다고 가정했을 때 별의 밝기를 나타낸 등급 • 별의 실제 밝기를 비교할 수 있다. • 등급이 작을수록 실제로 밝다.

4. 겉보기 등급과 절대 등급을 이용한 별까지의 거리 판단

겉보기 등급−절대 등급<0	10 pc보다 가까이 있는 별
겉보기 등급−절대 등급=0	10 pc의 거리에 있는 별
겉보기 등급−절대 등급>0	10 pc보다 멀리 있는 별

5. 별의 색깔과 표면 온도

(1) 별의 색깔 : 표면 온도가 높을수록 파란색을 띠고, 표면 온도가 낮을수록 붉은색을 띤다. ➡ 별의 색깔이 다른 까닭 : 별의 표면 온도가 다르기 때문

(2) 별의 색깔과 표면 온도

	청색	청백색	백색	황백색	황색	주황색	적색
색깔							
표면 온도	높다. ◄─────────────────► 낮다.						

○2 은하와 우주

1. 우리은하

(1) **우리은하** : 태양계가 속해 있는 은하

① 지름 : 약 30 kpc

② 태양계 위치 : 은하 중심에서 약 8.5 kpc 떨어진 나선팔

위에서 본 모습	옆에서 본 모습
나선팔 / 은하 중심 / 태양계	구형의 공간 / 은하 중심 / 태양계 / 약 8.5 kpc / 약 30 kpc
은하 중심에 막대 구조가 있고, 나선팔이 휘감고 있는 나선형	은하 중심부가 약간 볼록하고 납작한 원반형

(2) **은하수** : 밤하늘을 가로지르는 희미한 띠

① 우리은하의 일부가 보이는 것이다.

② 우리은하의 중심부 쪽(궁수자리 방향, 우리나라의 여름철)을 바라보았을 때 은하수가 넓고 밝게 보인다.

2. 성단과 성운

(1) **성단** : 수많은 별들이 무리를 지어 모여 있는 집단

구분	산개 성단	구상 성단
모습	수많은 별이 비교적 엉성하게 모여 있음	수많은 별이 구형으로 빽빽하게 모여 있음
별의 수	수십~수만 개	수만~수십만 개
색 / 온도	파란색 / 높음	붉은색 / 낮음
분포 위치	우리은하의 나선팔	우리은하 중심부와 은하 주변의 구형 공간

(2) **성운** : 성간 물질이 많이 모여 구름처럼 보이는 천체

방출 성운	반사 성운	암흑 성운
성간 물질이 주변의 별빛을 흡수하여 가열되면서 스스로 빛을 내는 성운	성간 물질이 주변의 별빛을 반사하여 밝게 보이는 성운	성간 물질이 뒤쪽에서 오는 별빛을 가로막아 어둡게 보이는 성운

3. 외부 은하 : 우리은하 밖에 있는 은하

타원 은하		나선팔이 없고, 구형이나 타원체 모양
나선 은하	정상 나선 은하	둥근 형태의 은하 중심에서 나선팔이 휘어져 나온 모양
	막대 나선 은하	은하 중심에 막대 모양의 구조가 있고, 그 끝에서 나선팔이 휘어져 나온 모양
불규칙 은하		규칙적인 모양이 없음

4. 우주의 팽창

(1) **우주 팽창 모습**

① 모든 은하는 서로 멀어지고 있다.

② 멀리 있는 은하일수록 더 빨리 멀어진다.

③ 특별한 중심 없이 모든 방향으로 팽창하고 있다.

(2) **대폭발 우주론(빅뱅 우주론)** : 하나의 점이었던 우주가 약 138억 년 전 폭발한 후 계속 팽창하여 오늘날의 우주가 만들어졌다는 이론

5. 우주 탐사

(1) **우주 탐사 목적** : 우주 이해, 지하자원 채취, 과학과 기술의 발전, 우주 산업 발달 등

(2) **우주 탐사 장비**

인공위성	지구 주위를 일정한 궤도를 따라 돌도록 만든 인공적인 장치로, 우주 망원경도 포함됨 예 스푸트니크 1호, 허블 우주 망원경 등
우주 탐사선	지구 외의 다른 천체를 탐사하기 위해 쏘아 올린 비행 물체 예 보이저 1호, 2호 등
우주 정거장	과학자가 우주에 오래 머무르면서 과학 실험이나 우주 환경 등을 연구함

(3) **우주 탐사의 역사**

1950년대	• 우주 탐사 시작 • 스푸트니크 1호(1957년) : 최초의 인공위성
1960년대	• 달 탐사 진행 • 아폴로 11호(1969년) : 최초로 인류가 달 착륙
1970년대	• 행성 탐사 진행 • 보이저 1호(1977년, 태양계 탐사) • 보이저 2호(1977년, 목성형 행성 탐사)
1990년대 이후	• 허블 우주 망원경(1990년) • 뉴호라이즌스호(2006년, 명왕성 탐사) • 주노호(2011년, 목성 탐사) • 큐리오시티(2011년, 화성 표면 탐사)

(4) **우주 탐사의 영향**

① 우주 탐사 기술의 이용 : 형상 기억 합금(안경테 등), 정수기, 전자레인지, 에어쿠션 운동화, 골프채 등

② 인공위성의 이용 : 일기 예보, 위성 생중계 방송 시청, 위치 파악 등

③ 우주 쓰레기 : 인공위성의 발사나 폐기 과정 등에서 나온 파편으로, 속도가 매우 빠르고 지상의 통제에서 벗어나 있다.

이 별

1. 연주 시차와 별까지의 거리

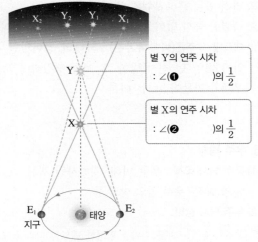

별 Y의 연주 시차
: ∠(❶　　　)의 $\frac{1}{2}$

별 X의 연주 시차
: ∠(❷　　　)의 $\frac{1}{2}$

- 별의 연주 시차 비교 : X(❸　　　)Y
- 별까지의 거리 비교 : X(❹　　　)Y
- ➡ 별까지의 거리가 멀수록 연주 시차가 (❺　　　).

2. 별의 밝기에 영향을 주는 요인

방출하는 빛의 양이
(❶　　　) 별일수록 밝게 보인다.

별까지의 거리가
(❷　　　)수록 밝게 보인다.

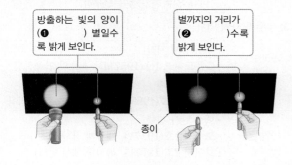

종이

3. 별까지의 거리 변화에 따른 밝기 변화

별의 밝기는 별까지의 거리의 제곱에 (❶　　　)한다.
➡ 별의 밝기 ∝ $\dfrac{1}{(별까지의 거리)^2}$

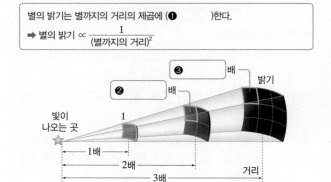

❸　　　배
❷　　　배
밝기

빛이
나오는 곳
1

1배
2배
3배
거리

4. 별의 등급 차에 따른 밝기 차

약 2.5배　약 2.5배　약 2.5배　약 2.5배　약 2.5배

6등급　5등급　4등급　3등급　2등급　1등급

❶

- 밝은 별일수록 등급이 (❷　　　).
- 1등급 간의 밝기 차이 : 약 (❸　　　)배

5. 겉보기 등급과 절대 등급을 이용한 별까지의 거리 판단

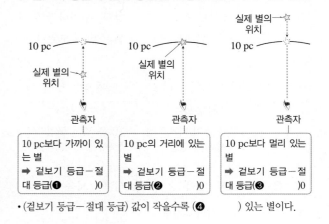

실제 별의 위치
10 pc
실제 별의 위치
관측자

10 pc
실제 별의 위치
관측자

10 pc
관측자

10 pc보다 가까이 있는 별
➡ 겉보기 등급 - 절대 등급(❶　　　)0

10 pc의 거리에 있는 별
➡ 겉보기 등급 - 절대 등급(❷　　　)0

10 pc보다 멀리 있는 별
➡ 겉보기 등급 - 절대 등급(❸　　　)0

- (겉보기 등급 - 절대 등급) 값이 작을수록 (❹　　　) 있는 별이다.

6. 별의 색깔과 표면 온도

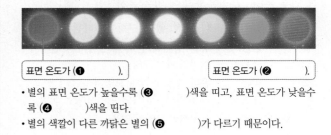

표면 온도가 (❶　　　).

표면 온도가 (❷　　　).

- 별의 표면 온도가 높을수록 (❸　　　)색을 띠고, 표면 온도가 낮을수록 (❹　　　)색을 띤다.
- 별의 색깔이 다른 까닭은 별의 (❺　　　)가 다르기 때문이다.

02 은하와 우주

1. 우리은하

> 우리은하 중심에 (❶   ) 모양의 구조가 있고, 그 끝에서 (❷   )이 휘감고 있는 모양

> 은하 중심부가 약간 볼록하고 납작한 (❸   ) 모양

↑ 위에서 본 우리은하

태양계 / 은하 중심

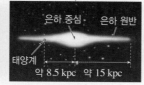

↑ 옆에서 본 우리은하

은하 중심 / 은하 원반 / 태양계 / 약 8.5 kpc / 약 15 kpc

- 우리은하의 지름 : 약 (❹   ) kpc
- 태양계의 위치 : 우리은하 중심에서 약 (❺   ) kpc 떨어진 나선팔
- 태양계에 포함된 별의 수 : 약 2000억 개

2. 계절에 따른 은하수의 변화

여름철 은하수	겨울철 은하수
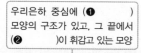	
지구가 우리은하의 (❶) 방향을 향하고 있으므로 은하수가 두껍고 밝게 보인다.	지구가 우리은하의 (❷) 방향을 향하고 있으므로 은하수가 희미하게 보인다.

3. 산개 성단과 구상 성단

구분		산개 성단	구상 성단
모습		수많은 별이 비교적 엉성하게 모여 있는 성단	수많은 별이 구형으로 빽빽하게 모여 있는 성단
별	수	수십~수만 개	수만~수십만 개
	색깔	파란색	붉은색
	온도	(❶).	(❸).
분포 위치		우리은하의 (❷)	우리은하의 (❹)와 은하 원반을 둘러싼 구형 공간

4. 성운의 종류

❶   ❸   ❺

> 성간 물질이 주변의 별빛을 (❷   )하여 가열되면서 스스로 빛을 낸다.

> 성간 물질이 주변의 별빛을 (❹   )하여 밝게 보인다.

> 성간 물질이 뒤쪽에서 오는 별빛을 가로막아 어둡게 보인다.

5. 외부 은하의 분류

> 나선팔이 없고, 구형이나 타원체 모양이다.

> 규칙적인 모양이 없다.

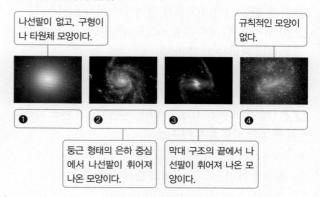

❶   ❷   ❸   ❹

> 둥근 형태의 은하 중심에서 나선팔이 휘어져 나온 모양이다.

> 막대 구조의 끝에서 나선팔이 휘어져 나온 모양이다.

6. 우주 팽창 모형

> 스티커는 실제와 비교하여 (❶   )에 비유할 수 있다.

스티커 / 풍선

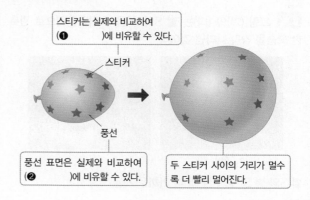

> 풍선 표면은 실제와 비교하여 (❷   )에 비유할 수 있다.

> 두 스티커 사이의 거리가 멀수록 더 빨리 멀어진다.

01 별

01 그림은 관측자가 양쪽 눈을 번갈아 감으면서 연필 끝의 위치 변화를 관찰하는 실험을 나타낸 것이다.

(가) 팔을 굽혔을 때   (나) 팔을 폈을 때

이에 대한 설명으로 옳지 **않은** 것은?

① 물체의 시차를 측정하기 위한 실험이다.
② 연필은 별에 비유할 수 있다.
③ 두 눈과 연필 끝이 이루는 각도는 시차이다.
④ 눈과 연필 사이의 거리가 멀어지면 시차는 커진다.
⑤ 이와 같은 원리로 별을 6개월 간격으로 관측하면 별까지의 거리를 알 수 있다.

02 (가) 별의 연주 시차가 생기는 원인과 (나) 연주 시차로 구할 수 있는 것을 옳게 짝 지은 것은?

	(가)	(나)
①	지구의 자전	별의 크기
②	지구의 자전	별까지의 거리
③	지구의 공전	별의 밝기
④	지구의 공전	별까지의 거리
⑤	지구의 공전	별의 표면 온도

03 그림 (가)와 (나)는 별 S와 S'을 6개월 간격으로 관측한 모습을 각각 나타낸 것이다.

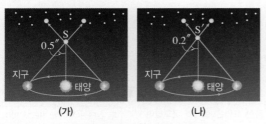

(가)   (나)

별 S와 별 S' 중 지구와 더 가까운 것을 고르시오.

[04~05] 표는 지구에서 6개월 간격으로 측정한 여러 별의 시차를 나타낸 것이다.

별	리겔	견우성	직녀성	시리우스	베텔게우스
시차	0.008″	0.38″	0.26″	0.76″	0.016″

04 위 별 중 지구에서 가장 가까운 별과 가장 먼 별을 순서대로 옳게 짝 지은 것은?

① 베텔게우스, 직녀성   ② 시리우스, 리겔
③ 견우성, 직녀성   ④ 베텔게우스, 리겔
⑤ 리겔, 시리우스

05 이에 대한 설명으로 옳은 것을 보기에서 모두 고른 것은?

[보기]
ㄱ. 연주 시차가 가장 큰 별은 시리우스이다.
ㄴ. 견우성은 직녀성보다 지구에서 멀리 떨어져 있다.
ㄷ. 리겔은 베텔게우스보다 약 2배 멀리 떨어져 있다.

① ㄱ   ② ㄴ   ③ ㄱ, ㄷ
④ ㄴ, ㄷ   ⑤ ㄱ, ㄴ, ㄷ

06 그림 (가)와 (나)는 별의 밝기에 영향을 미치는 요인을 알아보기 위한 손전등 실험을 나타낸 것이다.

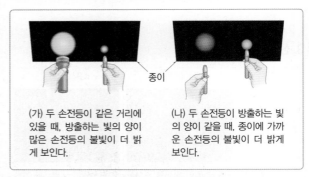

종이

(가) 두 손전등이 같은 거리에 있을 때, 방출하는 빛의 양이 많은 손전등의 불빛이 더 밝게 보인다.

(나) 두 손전등이 방출하는 빛의 양이 같을 때, 종이에 가까운 손전등의 불빛이 더 밝게 보인다.

이를 통해 알 수 있는 별의 밝기에 영향을 주는 요인을 모두 고르면?(2개)

① 별까지의 거리   ② 별의 크기 변화
③ 별이 생성된 시기   ④ 별과 지구가 이루는 각
⑤ 별이 방출하는 빛의 양

07 그림은 별의 밝기와 거리 관계를 나타낸 것이다.

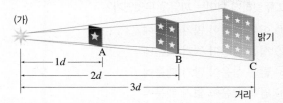

별 (가)를 거리가 각각 d, $2d$, $3d$만큼 떨어진 A, B, C 위치에서 보았을 때 별의 밝기 비(A : B : C)로 옳은 것은?

① 9 : 4 : 1
② 1 : 4 : 9
③ 3 : 2 : 1
④ $1 : \dfrac{1}{2} : \dfrac{1}{3}$
⑤ $1 : \dfrac{1}{4} : \dfrac{1}{9}$

08 별의 등급에 대한 설명으로 옳은 것을 모두 고르면?
(2개)

① 등급의 숫자가 클수록 밝은 별이다.
② 1등급의 별보다 밝은 별은 존재하지 않는다.
③ 6등급의 별보다 어두운 별은 7등급, 8등급, …으로 나타낼 수 있다.
④ 1등급 차는 약 2.5배의 밝기 차이가 있다.
⑤ 히파르코스는 눈에 보이는 가장 밝은 별을 0등급으로 정하였다.

09 −3등급인 별 A와 2등급인 별 B의 밝기를 옳게 비교한 것은?

① A가 B보다 약 2배 밝다.
② A가 B보다 약 5배 밝다.
③ A가 B보다 약 100배 밝다.
④ B가 A보다 약 5배 밝다.
⑤ B가 A보다 약 100배 밝다.

10 현재 겉보기 등급이 3등급인 어떤 별의 거리가 4배 멀어졌다면, 이 별의 겉보기 등급은 몇 등급인가?

① −3등급
② −1등급
③ 0등급
④ 3등급
⑤ 6등급

11 표는 여러 별의 겉보기 등급과 절대 등급을 나타낸 것이다.

별	북극성	직녀성	시리우스
겉보기 등급	2.1	0.0	−1.5
절대 등급	−3.7	0.6	1.4

이에 대한 설명으로 옳은 것을 보기에서 모두 고른 것은?

┌ 보기 ┐
ㄱ. 우리 눈에 가장 밝게 보이는 별은 시리우스이다.
ㄴ. 같은 거리에 두었을 때 가장 밝게 보이는 별은 직녀성이다.
ㄷ. 실제로 가장 어두운 별은 북극성이다.
└───┘

① ㄱ
② ㄴ
③ ㄷ
④ ㄱ, ㄷ
⑤ ㄴ, ㄷ

12 표는 별 A~D의 겉보기 등급과 절대 등급을 나타낸 것이다.

별	A	B	C	D
겉보기 등급	0.8	−2.5	0.1	−0.3
절대 등급	2.2	1.6	−6.8	−0.3

지구에서 가까운 별부터 순서대로 나열하시오.

13 표는 별 A~D의 색깔을 나타낸 것이다.

별	A	B	C	D
색깔	황색	적색	청백색	백색

별의 표면 온도가 높은 별부터 순서대로 옳게 나열한 것은?

① A − B − C − D
② A − B − D − C
③ C − D − A − B
④ C − D − B − A
⑤ D − A − B − C

14 표는 별 A~C의 겉보기 등급과 절대 등급 및 색깔을 나타낸 것이다.

별	A	B	C
겉보기 등급	−1.0	−4.0	3.0
절대 등급	−1.0	1.2	2.5
색깔	황색	청색	적색

이에 대한 설명으로 옳지 <u>않은</u> 것은?

① 실제로 가장 밝은 별은 A이다.
② 우리 눈에 가장 밝게 보이는 별은 B이다.
③ 10 pc보다 먼 거리에 있는 별은 C이다.
④ 표면 온도가 가장 높은 별은 B이다.
⑤ 별 A가 지금 위치에서 10배 멀어지면 겉보기 등급은 5등급이 된다.

15 별의 물리적인 특성 중 별까지의 거리가 달라졌을 때 그 값이 변하는 것을 모두 고르면?(2개)

① 연주 시차
② 별의 색깔
③ 절대 등급
④ 겉보기 등급
⑤ 별의 표면 온도

02 은하와 우주

16 그림은 우리은하의 모습을 나타낸 것이다.

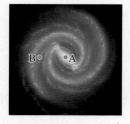

이에 대한 설명으로 옳은 것은?

① 우리은하를 옆에서 본 모습이다.
② 태양계는 B 위치에 있다.
③ 우리은하는 정상 나선 은하에 속한다.
④ 태양과 같은 별이 약 1000개 있다.
⑤ A에서 B까지의 거리는 약 15 kpc이다.

17 은하수를 보았을 때 궁수자리 방향에서 폭이 가장 넓고 뚜렷하게 보이는 까닭은 무엇인가?

① 어두운 별이 많기 때문에
② 성간 물질이 적기 때문에
③ 밝은 성운이 많기 때문에
④ 암흑 성운이 없기 때문에
⑤ 은하 중심 방향이기 때문에

18 우리은하를 이루는 천체에 대한 설명으로 옳은 것은?

① 산개 성단 – 별들이 공 모양으로 빽빽하게 모여 있다.
② 구상 성단 – 뒤쪽의 별빛을 가려서 어둡게 보인다.
③ 방출 성운 – 말머리성운이 이에 속한다.
④ 반사 성운 – 주위의 별빛을 반사시켜 밝게 보인다.
⑤ 암흑 성운 – 별이 엉성하게 모인 것으로, 우리은하의 중심부에 주로 분포한다.

19 그림 (가)와 (나)는 망원경으로 관측한 성단의 모습이다.

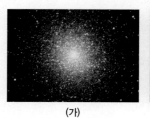 

(가)   (나)

이에 대한 설명으로 옳은 것을 모두 고르면?(2개)

① (가)는 구상 성단, (나)는 산개 성단이다.
② (가)는 우리은하의 나선팔에 주로 분포한다.
③ (나)는 별들이 빽빽하게 공 모양으로 모여 있다.
④ (가)는 (나)보다 별의 수가 많다.
⑤ (나)는 (가)보다 온도가 낮다.

20 그림은 우리은하를 구성하는 천체를 나타낸 것이다.

이 천체의 종류를 쓰시오.

21 다음은 어느 외부 은하를 관측한 결과이다.

- 은하 중심에 막대 모양의 구조가 있다.
- 막대 모양의 구조 양 끝에서 나선팔이 나와 휘감고 있다.

이 은하의 모습으로 옳은 것은?

① ② ③
④ ⑤

22 그림은 풍선의 표면에 스티커를 붙이고 풍선을 크게 불어 각 스티커의 위치 변화를 관찰한 실험을 나타낸 것이다.

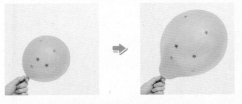

이 실험에서 풍선 표면을 우주에 비유한다면, 스티커는 무엇에 비유할 수 있는가?

① 성단   ② 성운   ③ 은하
④ 행성   ⑤ 태양계

23 우주에 대한 설명으로 옳은 것은?

① 우주는 점점 수축하고 있다.
② 우주 팽창의 중심은 우리은하이다.
③ 우주의 크기는 약 10억 광년이다.
④ 모든 은하는 같은 속도로 멀어지고 있다.
⑤ 우주는 한 점에서 대폭발이 일어나 만들어졌다.

24 다음은 어떤 우주 탐사 장비에 대한 설명이다.

- 무중력 상태이다.
- 과학자들이 머무르면서 임무를 수행하도록 만든 인공 구조물이다.
- 지상에서 하기 어려운 과학 실험이나 우주 환경 등을 연구한다.

이 탐사 장비의 이름을 쓰시오.

25 다음은 인공위성을 생활에서 이용하고 있는 예를 설명한 것이다.

- 영국에서 진행되는 축구 경기를 우리나라에서 실시간 방송으로 본다.
- 미국에 있는 친구와 휴대 전화로 통화한다.

이에 공통으로 이용되는 인공위성의 종류는 무엇인가?

① 과학 위성   ② 기상 위성
③ 기술 시험 위성   ④ 방송 통신 위성
⑤ 지구 관측 위성

VIII

과학기술과
인류 문명

01 과학기술과 인류 문명

 만화 완성하기

다음 만화를 보고 남학생의 말풍선을 완성해 보자.

인공 지능

홈 네트워크

웨어러블 기기

생활을 편리하게 하는 과학기술 중 _____

>> 이 단원을 학습한 후 내가 쓴 대사를 수정해 보자.

A 과학 원리의 발견이 인류 문명에 미친 영향

과학기술의 발달은 인류의 생활을 편리하게 변화시켰고, 인류의 사고방식에도 영향을 미쳤습니다. 지금부터 과학기술과 인류 문명 사이의 관계를 알아보아요.

1. 과학기술과 인류 문명 : 과학기술의 발달(생활에 필요한 도구 제작, 금속을 제련하는 방법의 개발 등) → 인류의 생활 수준 향상 → 문명의 발전

2. 과학 원리의 발견이 인류 문명에 미친 영향

태양 중심설(코페르니쿠스)++	세포의 발견(훅)	만유인력 법칙(뉴턴)
망원경으로 천체를 관측하여 태양 중심설의 증거를 발견하면서 경험 중심의 과학적 사고를 중요시하게 되었다.	현미경으로 세포를 발견하면서 생물체를 작은 세포들이 모여서 이루어진 존재로 인식하게 되었다.	만유인력 법칙을 발견하여 자연 현상을 이해하고 그 변화를 예측할 수 있게 하였다.
전자기 유도 법칙(패러데이)+	암모니아 합성(하버)	백신 개발(파스퇴르)
전자기 유도 법칙을 발견하여 전기를 생산하고 활용할 수 있는 방법을 열었다.	암모니아 합성법을 개발한 후 질소 비료를 대량 생산할 수 있게 되면서 식량 문제 해결에 기여하였다.	백신 접종으로 질병 예방이 가능함을 입증하였고, 이후 다양한 백신의 개발로 인류의 평균 수명이 증가하였다.

╋ 태양 중심설
지구와 다른 행성이 태양 주위를 돌고 있다는 학설

● 미래엔 교과서에만 나온다.
╋ 망원경의 발달이 인류 문명의 발달에 미친 영향
• 갈릴레이 : 자신이 만든 망원경으로 목성의 위성 4개와 은하수가 수많은 별로 이루어져 있음을 발견하였다.
• 뉴턴 : 오목 거울로 배율이 높은 망원경을 만들어 천체 관측에 기여하였다.
• 우주 망원경 : 지상에서는 관측할 수 없는 관측 자료를 수집하여 천문학, 우주 항공 기술을 발전시켰다.

● 미래엔 교과서에만 나온다.
╋ 전자기 유도
코일 주위에서 자석을 움직이면 코일 내부의 자기장이 변하며, 이에 따라 코일에 전류가 흐르는 현상

한눈에 보기

이 단원의 개념이 어떻게 구성되어 있는지 살펴보고 빈칸을 완성해 보자.

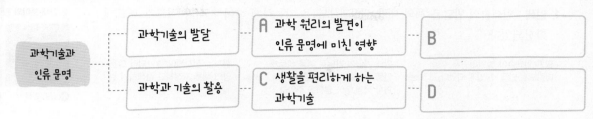

단어 체크하기

이 단원을 공부하기 전에 미리 알고 있는 단어를 체크해 보자.

- ☐ 태양 중심설
- ☐ 만유인력 법칙
- ☐ 전자기 유도 법칙
- ☐ 암모니아 합성
- ☐ 백신
- ☐ 활판 인쇄술
- ☐ 증기 기관
- ☐ 지능형 농장
- ☐ 항생제
- ☐ 공학적 설계

1 과학기술이 인류 문명에 미친 영향으로 옳은 것은 ○, 옳지 <u>않은</u> 것은 ×로 표시하시오.

(1) 생활에 필요한 도구를 제작하면서 시작된 과학기술의 발달은 인류의 생활을 불편하게 변화시켰다. ·································· (   )

(2) 금속 제련 방법의 개발은 인류의 생활 수준을 크게 향상시켰다. ·············· (   )

(3) 과학기술이 발달하면서 문명이 빠르게 발전하였다. ·································· (   )

암기꾹

과학 원리와 이를 발견한 학자

↑ 태양 중심설   ↑ 만유인력 법칙
(코페르니쿠스)   (뉴턴)

2 다음은 어떤 과학 원리에 대한 설명인지 쓰시오.

> 망원경으로 천체를 관측하여 지구와 다른 행성이 태양 주위를 돌고 있음을 발견하면서 경험 중심의 과학적 사고를 중요시하게 되었다.

3 과학 원리의 발견이 인류 문명에 미친 영향으로 옳은 것은 ○, 옳지 <u>않은</u> 것은 ×로 표시하시오.

(1) 전자기 유도 법칙의 발견으로 식량 문제가 해결되었다. ···················· (   )

(2) 만유인력 법칙의 발견은 자연 현상을 이해하고 그 변화를 예측할 수 있게 하였다.

··· (   )

(3) 백신의 개발은 질병을 예방하여 인류의 평균 수명을 감소시키는 데 큰 영향을 미쳤다. ·································· (   )

(4) 현미경으로 세포를 발견하면서 생물체를 작은 세포들이 모여서 이루어진 존재로 인식하게 되었다. ·································· (   )

B 과학기술이 인류 문명의 발달에 미친 영향

우리가 교통수단을 이용하여 멀리 이동할 수 있는 것은 과학기술의 발달 때문입니다. 과학기술이 발달하면서 인류의 생활이 어떻게 변화했는지 알아볼까요?

1. 인쇄 : 인쇄술의 발달은 책의 대량 생산과 보급을 가능하게 하여 지식과 정보가 빠르게 확산되었다.[+]

활판 인쇄술이 발달하면서 책을 대량으로 만들 수 있게 되었다. ⇒	인쇄 기술의 발달로 책을 빠르게 만들 수 있게 되었고, 종교 개혁, 과학 혁명 등에 영향을 주었다. ⇒	현재는 전자책이 출판되어 많은 양의 책을 저장하고 검색하기 쉬워졌다.

2. 교통 : 교통수단의 발달로 먼 거리까지 많은 물건을 빠르게 운반할 수 있게 되어 산업이 크게 발달하였다.

 증기 기관차
 자동차
 고속 열차

증기 기관을 이용한 기차나 배로 대량의 물건을 먼 곳까지 운반할 수 있게 되었다.[+] ⇒	내연 기관의 등장으로 자동차가 발달하였다.[+] ⇒	현재는 전기를 동력으로 하는 고속 열차를 이용하여 사람과 물자의 이동이 더욱 활발해졌다.

3. 농업 : 화학 비료 등이 개발되어 농산물의 품질이 향상되고, 생산량이 증가하였다.[+]

암모니아 합성 기술을 이용하여 개발된 질소 비료는 농산물의 생산량을 늘려 식량 증대에 큰 역할을 하였다. ⇒	해충을 죽이는 살충제, 잡초를 제거하는 제초제, 복합 비료 등이 개발되어 농산물의 생산성과 품질이 크게 향상되었다. ⇒	현재는 생명 공학 기술을 이용하여 특정 목적에 맞게 품종을 개량하고, 지능형 농장에서는 농산물이 성장하기에 좋은 환경을 자동으로 유지하여 농산물의 생산성과 품질을 높이고 있다.

4. 의료 : 의약품과 치료 방법, 의료 기기 등이 개발되어 인류의 평균 수명이 길어졌다.[+]

종두법의 발견 이후 여러 가지 백신이 개발되어 소아마비와 같은 질병을 예방할 수 있게 되었다.● ● 천연두 예방을 위해 백신을 인체의 피부에 접종하는 방법 ⇒	페니실린과 같은 항생제가 개발되면서 결핵과 같은 질병을 치료할 수 있게 되었다. ⇒	현재는 자기 공명 영상 장치(MRI) 등 첨단 의료 기기로 정밀한 진단과 치료가 가능하며, 원격 의료 기술이 발달하고 있다.

5. 정보 통신 : 정보 통신 분야의 기술 발달은 인류의 문명과 생활을 크게 변화시켰다.

 전화기
 스마트 기기
 인공 지능 스피커

소리의 진동을 전기 신호로 바꾸는 기술의 개발로 전화기가 발명되어 멀리 떨어진 사람과 통화할 수 있게 되었다. ⇒	인공위성, 인터넷의 개발로 세계를 연결하는 통신망이 구축되고, 스마트 기기를 활용해 다양한 작업이 가능해졌다. ⇒	현재는 인공 지능을 이용한 스피커로 음악을 재생하는 등 생활이 더욱 편리해지고 있다.

+ 인쇄 분야와 관련한 과학기술

↑ 활판 인쇄 ↑ 전자책

+ 증기 기관
외부에서 연료를 연소시켜 얻은 증기의 압력을 이용하여 기계를 움직이는 장치로, 수공업 중심의 사회를 산업 사회로 변화시키는 산업 혁명의 원동력이 되었다.

+ 내연 기관
연료를 기관 내부에서 연소시켜 이를 동력원으로 이용하는 것으로, 내연 기관의 등장은 산업을 한 단계 더 발전시켰다.

+ 농업 분야와 관련한 과학기술

↑ 암모니아 합성 장치 ↑ 지능형 농장

+ 의료 분야와 관련한 과학기술

↑ 페니실린 ↑ 자기 공명 영상 장치(MRI)

+ 과학기술 발달의 부정적 영향
과학기술이 발달하면서 환경 오염, 에너지 부족 등의 문제가 나타나고, 사생활 침해와 같은 사회적 문제가 발생하기도 한다. 따라서 앞으로 발생할 수 있는 문제에 대비하고, 이미 발생한 문제를 해결하려고 노력해야 한다.

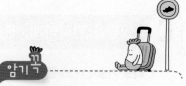

1 다음은 과학기술이 인류 문명의 발달에 미친 영향 중 어떤 분야에 대한 설명인지 쓰시오.

> 이 기술이 발명되기 전까지 인류는 책을 만드는 시간이 오래 걸렸다. 그런데 금속 활자로 단어를 조합하는 방법이 발달하면서 책을 빠르게 만들 수 있게 되었고, 많은 사람이 책에서 대량의 지식을 얻을 수 있게 되었다.

과학기술이 인류 문명의 발달에 미친 영향

인쇄	지식과 정보의 빠른 확산
교통	산업 발달
농업	농산물의 품질 향상, 생산량 증가
의료	인류의 평균 수명 증가
정보 통신	인류의 문명과 생활 변화

2 다음 (   ) 안에 공통으로 들어갈 말을 쓰시오.

> 증기의 압력을 이용하여 기계를 움직이는 장치인 (   )은 산업 혁명에서 동력원으로써 중요한 역할을 하였다. 특히 (   )을 이용한 기차나 배의 발명으로 인류는 더 많은 물건을 먼 곳까지 운반할 수 있게 되었다.

3 농업 분야의 과학기술이 인류 문명의 발달에 미친 영향으로 옳은 것은 ○, 옳지 않은 것은 ×로 표시하시오.

(1) 암모니아 합성 기술을 이용하여 개발된 질소 비료는 식량 감소에 큰 역할을 하였다. ·· (   )

(2) 현재는 생명 공학 기술을 이용하여 특정한 목적에 맞는 품종을 개량할 수 있다. ··· (   )

(3) 지능형 농장에서는 농산물이 성장하기 좋은 환경을 자동으로 유지하여 농산물의 생산량을 늘리고 품질을 높이고 있다. ·· (   )

4 의료 분야의 과학기술이 인류 문명의 발달에 미친 영향으로 옳은 것은 ○, 옳지 않은 것은 ×로 표시하시오.

(1) 항생제의 개발로 소아마비와 같은 질병을 예방할 수 있게 되었다. ·········· (   )

(2) 백신의 개발로 결핵과 같은 질병을 치료할 수 있게 되었다. ····················· (   )

(3) 여러 종류의 백신과 항생제는 인류의 평균 수명을 증가시키는 역할을 하였다. ··· (   )

5 다음은 과학기술이 인류 문명의 발달에 미친 영향 중 어떤 분야에 대한 설명인지 쓰시오.

> 이 분야의 기술은 전화기에서 라디오, 텔레비전을 거쳐 컴퓨터에 이르기까지 빠르게 발달하였다. 특히 인터넷이 개발되어 인류는 세계를 연결하는 통신망을 만들고, 많은 정보를 쉽게 찾을 수 있게 되었다. 최근에는 스마트 기기를 이용하여 어디서든 정보를 검색하거나 영상을 보는 것이 가능해졌다.

C 생활을 편리하게 하는 과학기술

과학기술의 발달로 인해 우리는 편리하고 풍요로운 생활을 누리며 살고 있습니다. 지금부터 생활을 편리하게 하는 과학기술에 대해 알아볼까요?

1. 나노 기술 : 나노 물질의 독특한 특성을 이용하여 다양한 소재나 제품을 만드는 기술

나노 반도체	기존 반도체보다 크기가 매우 작아 초소형 하드 디스크를 만들 수 있다.
나노 로봇	나노미터 크기의 로봇으로, 몸속에 넣으면 혈관을 따라 이동하면서 산소를 공급하거나 바이러스를 직접 파괴한다.
나노 표면 소재	연잎 효과에 착안하여 물에 젖지 않는 소재를 만들 수 있다.
휘어지는 디스플레이+	기존 디스플레이보다 얇고 가벼우며, 휘어지는 성질이 있어 충격에 강하다.

→ 잎이 물방울에 젖지 않는 현상

2. 생명 공학 기술 : 생물의 특성과 생명 현상을 이해하고, 이를 인간에게 유용하게 이용하거나 인위적으로 조작하는 기술

유전자 재조합 기술+	특정 생물의 유용한 유전자를 다른 생물의 DNA에 끼워 넣어 재조합 DNA를 만드는 기술
세포 융합+	서로 다른 특징을 가진 두 종류의 세포를 융합하여 하나의 세포로 만드는 기술
바이오 의약품	생물체에서 유래한 단백질이나 호르몬, 유전자 등을 사용하여 만든 의약품
바이오칩	단백질, DNA, 세포 조직 등과 같은 생물 소재와 반도체를 조합하여 제작된 칩

3. 정보 통신 기술 : 정보 기기의 하드웨어와 소프트웨어 기술, 이 기술을 이용한 정보 수집, 생산, 가공, 보존, 전달, 활용하는 모든 방법++

사물 인터넷(IoT)	모든 사물을 인터넷으로 연결하는 기술
빅데이터 기술	방대한 정보를 분석하여 활용하는 기술
인공 지능(AI)	컴퓨터로 인간이 하는 지적 행위를 실현하고자 하는 기술
증강 현실(AR)	현실 세계에 가상의 정보가 실제 존재하는 것처럼 보이게 하는 기술
가상 현실(VR)	가상의 세계를 오감을 통해 마치 현실처럼 체험하도록 하는 기술

→ 천재 교과서에만 나온다.
+ 유기 발광 다이오드(OLED)
형광성 물질에 전류를 흘려 주면 스스로 빛을 내는 현상을 이용한 것으로, 얇은 모니터나 휘어지는 스마트폰 화면 등에 사용한다.

→ 미래엔 교과서에만 나온다.
+ 유전자 재조합 기술로 만들어진 유전자 변형 생물(LMO)
제초제에 내성을 가진 콩, 바이타민 A를 강화한 쌀, 잘 무르지 않는 토마토 등

→ 미래엔 교과서에만 나온다.
+ 세포 융합의 예
오렌지와 귤의 세포를 융합하여 당도를 높인 감귤을 만든다.

+ 정보 통신 기술의 예
홈 네트워크, 전자 결제, 언어 번역, 생체 인식, 웨어러블 기기 등

+ 나노 기술과 정보 통신 기술 활용
• 자율 주행 자동차 : 운전자가 차량을 조작하지 않아도 스스로 주행하는 자동차
• 드론 : 조종사가 탑승하지 않고 전파를 통해 원격 조종하는 항공기

D 공학적 설계

사람들은 생활을 편리하게 하기 위해 여러 가지 새로운 제품을 만드는데, 보통 새로운 제품은 공학적 설계 과정을 거쳐 만들어집니다. 공학적 설계란 무엇일까요?

공학적 설계 : 과학 원리나 기술을 활용하여 기존의 제품을 개선하거나 새로운 제품 또는 시스템을 개발하는 창의적인 과정

일상생활에서 불편한 점 인식 ⇒ 최적의 해결 방법 모색 ⇒ 적절한 과학 원리나 기술을 활용하여 제품 생산+

📖 제품 생산 시 고려해야 하는 점 (예 전기 자동차)

• 경제성 : 축전지(배터리) 교체 비용을 줄이기 위해 수명이 긴 축전지 사용
• 안전성 : 소음이 거의 없는 전기 자동차의 접근을 보행자가 알 수 있도록 경보음 장치 설치
• 편리성 : 한 번 충전하면 먼 거리를 주행할 수 있도록 용량이 큰 축전지 사용
• 환경적 요인 : 배기가스를 배출하지 않도록 전기 에너지를 이용하는 전동기 사용
• 외형적 요인 : 주요 소비자층의 취향을 분석하여 설계

→ 비상 교과서에만 나온다.
+ 과학 원리를 활용하여 만든 제품
• 고무를 덧댄 장갑 : 고무는 마찰력이 크므로 물체를 잡을 때 손이 미끄러지는 것을 방지한다.
• 자전거 안장 : 자전거 안장에 앉으면 용수철이 줄어들면서 충격을 흡수한다.
• 튜브 : 튜브에 공기를 불어 넣으면 밀도가 작아져 물 위에 뜬다.

1 다음은 나노 기술과 생명 공학 기술의 예를 나타낸 것이다.

> (가) 나노 표면 소재　　　　　(나) 휘어지는 디스플레이
> (다) 유전자 재조합 기술　　　(라) 바이오칩

(가)~(라)를 나노 기술과 생명 공학 기술로 구분하시오.

(1) 나노 기술 : (　　　　　　　　) 　　(2) 생명 공학 기술 : (　　　　　　　　)

암기꾹

증강 현실(AR)과 가상 현실(VR)

↑ 증강 현실(AR)　　↑ 가상 현실(VR)

2 다음은 정보 통신 기술의 예를 나타낸 것이다.

> 인공 지능, 가상 현실, 증강 현실, 사물 인터넷

다음 설명에 해당하는 용어를 각각 쓰시오.

(1) 모든 사물을 인터넷으로 연결하는 기술 ·························· (　　　　)
(2) 현실 세계에 가상의 정보가 실제 존재하는 것처럼 보이게 하는 기술 · (　　　　)
(3) 컴퓨터로 인간의 기억, 지각, 학습 이해 등 인간이 하는 지적 행위를 실현하고자
　 하는 기술 ··· (　　　　)
(4) 가상의 세계를 시각, 청각, 촉각 등 오감을 통해 마치 현실처럼 체험하도록 하는
　 기술 ··· (　　　　)

만화
확인하기

310쪽으로 돌아가서
내가 쓴 대사를 점검해 보자.

1 과학 원리나 기술을 활용하여 기존의 제품을 개선하거나 새로운 제품 또는 시스템을 개발하는 창의적인 과정을 무엇이라고 하는지 쓰시오.

암기꾹

공학적 설계의 특징
· 과학 원리의 활용을 전제로 한다.
· 목적에 맞게 제품의 기능을 구체적으로 정해야 한다.
· 기존 제품의 개선에도 적용된다.

2 노트북 컴퓨터 생산 시 고려해야 하는 점과 그 예로 옳은 것을 선으로 연결하시오.

(1) 외형적 요인　·　　　　　·⊙ 대량 생산이 가능하게 하여 가격을 낮춘다.
(2) 경제성　　　·　　　　　·⊙ 제품의 크기를 줄이고 휴대가 가능하게 한다.
(3) 편리성　　　·　　　　　·⊙ 주요 소비자층의 취향을 고려하여 디자인과 색상
　　　　　　　　　　　　　　 을 다양하게 한다.

01 과학 원리를 발견한 학자와 과학 원리의 내용을 옳게 짝 지은 것은? [310쪽]

① 뉴턴 – 세포의 발견
② 훅 – 태양 중심설 주장
③ 하버 – 만유인력 법칙 발견
④ 패러데이 – 전자기 유도 법칙 발견
⑤ 코페르니쿠스 – 암모니아 합성법 개발

02 과학 원리의 발견이 인류 문명에 미친 영향으로 옳지 않은 것은? [310쪽]

① 만유인력 법칙은 자연 현상을 이해하는 데 큰 역할을 하였다.
② 백신의 개발은 인류의 평균 수명을 증가시키는 데 큰 영향을 미쳤다.
③ 암모니아 합성법의 개발은 인류의 식량 문제를 해결하는 데 기여하였다.
④ 전자기 유도 법칙의 발견은 전기를 생산하고 활용할 수 있는 방법을 열었다.
⑤ 천체 관측으로 지구 중심설의 증거가 발견되어 우주에 관한 사람들의 생각이 달라지기 시작했다.

03 과학기술이 인류 문명의 발달에 미친 영향으로 옳지 않은 것은? [312쪽]

① 생명 공학 기술로 농산물의 품종을 개량하였다.
② 화학 비료의 개발은 인류의 식량 부족 문제를 심화시켰다.
③ 전화기와 인터넷은 인류의 생활을 예전보다 편리하게 만들었다.
④ 항생제와 백신의 개발로 여러 가지 질병을 치료하고 예방할 수 있게 되었다.
⑤ 망원경의 발명으로 멀리 떨어져 있는 곳에 대한 연구를 할 수 있게 되었다.

04 인쇄 분야의 과학기술이 인류 문명의 발달에 미친 영향으로 옳은 것을 보기에서 모두 고르시오. [312쪽]

〔 보기 〕
ㄱ. 활판 인쇄술이 발달하면서 책을 대량으로 만들 수 있게 되었다.
ㄴ. 인쇄 기술의 발달로 책의 종류가 너무 많아져 사람들은 책에서 지식을 얻기 힘들어졌다.
ㄷ. 현재는 전자책이 출판되어 많은 양의 도서를 저장하고 손쉽게 검색할 수 있게 되었다.

05 증기 기관에 대한 설명으로 옳지 않은 것은? [312쪽]

① 증기 기관은 연료를 기관 내부에서 연소시켜 이를 동력원으로 이용한다.
② 증기 기관의 발명으로 면직물과 같은 제품의 대량 생산이 가능해졌다.
③ 증기 기관을 이용한 증기 기관차는 교통수단에 큰 변화를 주었다.
④ 증기 기관의 발명으로 한꺼번에 많은 짐을 실어 나를 수 있게 되었다.
⑤ 증기 기관은 산업 혁명의 원동력이 되었다.

06 농업 분야의 과학기술과 인류 문명에 대한 설명으로 옳지 않은 것은? [312쪽]

① 산업 혁명 이후 인구가 증가하면서 인류는 더 많은 식량이 필요해졌다.
② 암모니아 합성 기술을 이용하여 개발된 질소 비료는 농산물의 생산량을 감소시켜 식량 부족 문제를 가져왔다.
③ 화학 비료 등이 개발되어 농산물의 품질과 생산량이 향상되었다.
④ 현재는 생명 공학 기술을 이용하여 특정한 목적에 맞게 품종을 개량하고 있다.
⑤ 지능형 농장은 식물에게 최적의 환경을 만들어 주어 농산물의 생산성과 품질을 높이고 있다.

 풀이 TIP **02** ❶ 과학 원리의 종류를 안다. ❷ 과학 원리의 종류가 인류 문명에 미친 영향을 떠올린다. **05** 증기 기관은 물을 끓여 만든 수증기가 피스톤을 움직이게 하는 장치임을 생각한다.

316   Ⅷ. 과학기술과 인류 문명

정답친해 94쪽

07 312쪽
의료 분야의 과학기술이 인류 문명의 발달에 미친 영향으로 옳지 <u>않은</u> 것은?

① 종두법의 발견으로 천연두 예방이 가능해졌다.

② 여러 가지 백신의 개발로 소아마비와 같은 질병을 예방할 수 있게 되었다.

③ 항생제의 개발로 결핵과 같은 질병을 치료할 수 있게 되었다.

④ 현재는 첨단 의료 기기가 개발되지 않아 정밀한 진단이나 치료가 어려운 상황이다.

⑤ 원격 의료 기술이 발달하여 시간과 장소에 관계없이 의료 지원을 받을 수도 있다.

08 중요 312쪽
정보 통신 분야의 과학기술이 인류 문명의 발달에 미친 영향으로 옳은 것을 보기에서 모두 고르시오.

┤ 보기 ├

ㄱ. 전화기의 발명으로 멀리 떨어진 사람과 통화할 수 있게 되었다.

ㄴ. 인터넷이 개발되어 세계 곳곳의 정보를 쉽게 찾을 수 있게 되었다.

ㄷ. 스마트 기기를 이용하여 어디서든 영상을 보는 것이 가능해졌다.

09 중요 풀이 TIP 312쪽
과학기술의 발달이 우리 생활에 미치는 긍정적인 영향에 해당하는 것은?

① 교통수단의 발달로 교통사고가 증가하였다.

② 생명 공학 기술의 발달로 생명 경시 현상이 나타났다.

③ 의학의 발달로 인구 고령화가 사회적 문제로 부각되고 있다.

④ 스마트 기기를 통해 문화적 경험과 의견을 빠르게 주고받을 수 있다.

⑤ 과학기술의 발달로 개인 정보 유출에 따른 사생활 침해 현상이 늘어나고 있다.

10 풀이 TIP 314쪽
생활을 편리하게 하는 과학기술에 대한 설명으로 옳은 것을 모두 고르면?(2개)

① 나노 기술을 활용하여 식량 문제를 해결하고 유용한 의약품을 만들고 있다.

② 생명 공학 기술의 발달로 제품의 소형화, 경량화가 가능해져 다양한 제품이 개발되고 있다.

③ 정보 통신 기술을 활용하여 증강 현실, 가상 현실 등의 기술이 개발되고 있다.

④ 생명 공학 기술의 발달은 자율 주행 자동차와 드론의 개발로 이어지고 있다.

⑤ 정보 통신 기술을 활용하여 통신망으로 연결된 사물이 주변 상황에 맞추어 스스로 일을 하는 기술이 발달하고 있다.

11 314쪽
다음은 연잎에 대하여 설명한 것이다.

연잎은 표면이 수많은 미세 돌기로 덮여 있다. 따라서 연잎 위로 떨어진 물은 연잎 표면과 접촉하는 면적이 작아져 연잎 속으로 스며들지 않고 맺혀 있거나 흘러내린다.

연잎이 물에 젖지 않는 원리를 모방한 물질을 만들려고 할 때, 이에 대한 설명으로 옳은 것을 보기에서 모두 고른 것은?

┤ 보기 ├

ㄱ. 이 원리를 모방하여 물에 젖지 않는 섬유를 개발할 수 있다.

ㄴ. 이 원리를 모방하여 인체에 해가 없는 의료용 접착제를 개발할 수 있다.

ㄷ. 나노 기술을 이용하면 이 원리를 모방한 물질을 만들 수 있다.

① ㄱ　　　　② ㄴ　　　　③ ㄷ

④ ㄱ, ㄷ　　　⑤ ㄴ, ㄷ

---

09 ❶ 과학기술의 발달이 우리 생활에 미치는 다양한 영향을 생각한다. ❷ 과학기술의 발달이 우리 생활에 미치는 영향 중 긍정적인 면과 부정적인 면을 구분한다. 10 ❶ 생활을 편리하게 하는 과학기술의 종류와 특징을 떠올린다. ❷ 과학기술의 종류에 따른 예를 파악한다.

12 다음 설명에 해당하는 과학기술은? [314쪽]

> • 나노 물질의 독특한 특성을 이용하여 다양한 소재나 제품을 만드는 기술이다.
> • 나노 표면 소재, 휘어지는 디스플레이 등은 이 기술을 적용하여 만든 물질이다.

① 나노 기술
② 사물 인터넷
③ 빅데이터 기술
④ 정보 통신 기술
⑤ 생명 공학 기술

13 다음의 과학기술을 활용한 예와 거리가 **먼** 것은? [314쪽]

> 생물의 특성과 생명 현상을 이해하고, 이를 인간에게 유용하게 이용하거나 인위적으로 조작하는 기술

① 바이오칩
② 가상 현실
③ 세포 융합
④ 바이오 의약품
⑤ 유전자 재조합 기술

14 유전자 재조합 기술과 관련된 설명으로 옳은 것을 모두 고르면?(2개) [314쪽]

① 오렌지와 귤의 세포를 융합하여 당도를 높인 감귤을 만들 수 있다.
② 잘 무르지 않는 토마토, 제초제에 내성을 가진 콩 등을 만들 수 있다.
③ 서로 다른 특징을 가진 두 종류의 세포를 융합하여 하나의 세포로 만드는 기술이다.
④ 지문, 홍채, 정맥, 얼굴 등 개인의 고유한 신체적 특성으로 사용자를 인증하는 방법이다.
⑤ 특정 생물의 유용한 유전자를 다른 생물의 DNA에 끼워 넣어 재조합 DNA를 만드는 기술이다.

15 정보 통신 기술을 활용한 예에 대한 설명으로 옳지 **않은** 것은? [314쪽]

① 컴퓨터 기능이 탑재된 의류, 안경, 손목시계 등을 착용하고 활동한다.
② 스마트폰을 이용하여 정보 검색, 사진 촬영, 홈 네트워크 등이 가능하다.
③ 학습 자료에 가상의 정보를 첨가하여 현실감 있는 학습을 할 수 있다.
④ 생물체에서 유래한 단백질이나 호르몬, 유전자 등을 사용하여 의약품을 만든다.
⑤ 버스 정보 안내 단말기를 이용하여 타야 할 버스의 위치와 도착 예정 시간을 알 수 있다.

16 풀이 TIP 다음은 무엇에 대한 설명인지 쓰시오. [314쪽]

> • 새로운 제품이나 시스템을 구상하거나 현재의 것을 개선하기 위한 방안을 산출하는 창의적인 과정
> • 새로운 제품을 사용 목적에 맞게 제약 조건을 고려하면서 체계적으로 설계하고 개발하는 것

17 공학적 설계에 따라 전기 자동차를 개발할 때 고려한 사항으로 적합한 것을 모두 고르면?(2개) [314쪽]

① 수명이 긴 축전지를 사용하여 경제성을 높인다.
② 용량이 큰 축전지를 사용하여 편리성을 높인다.
③ 개발자의 취향만을 고려하여 자동차의 외형을 디자인한다.
④ 배기가스가 많이 발생하는 전동기를 사용하여 환경적 요인을 고려한다.
⑤ 보행자가 자동차의 접근을 알 수 있도록 큰 소리가 나는 전동기를 사용하여 안전성을 높인다.

 풀이 TIP 16 ❶ 이것은 일상생활에서 불편한 점을 인식하는 것에서 시작한다. ❷ 이후 불편한 점을 해결하기 위한 최적의 방법을 생각하고, 적절한 과학 원리나 기술을 활용하여 제품을 만드는 과정이다.

318 Ⅷ. 과학기술과 인류 문명

18 다음은 인류 문명에 영향을 준 몇 가지 사례이다. `310쪽`

> (가) 인류는 망원경으로 천체를 관측하여 태양 중심설의 증거를 발견하였다.
> (나) 훅은 자신이 만든 현미경을 사용하여 세포를 발견하였다.
> (다) 뉴턴은 만유인력 법칙을 발견하였다.

(가)~(다)의 발견이 인류 문명에 미친 영향을 각각 서술하시오.

---

19 금속 활자로 단어를 조합하는 활판 인쇄술의 개발이 인류 문명에 미친 영향을 서술하시오. `312쪽`

---

20 오른쪽 그림은 지능형 농장의 모습을 나타낸 것이다. 이 지능형 농장에서 하는 일을 간단히 서술하시오. `312쪽`

---

21 오른쪽 그림은 푸른곰팡이의 주변에서 세균이 자라지 못하는 현상을 보고 발견한 항생 물질로 만든 의약품이다. 이 물질이 인류 문명에 미친 영향을 한 가지만 서술하시오. `312쪽`

---

22 과학기술이 발달하면서 우리 생활은 편리해졌지만, 이에 따른 부정적인 영향도 발생하고 있다. 과학기술 발달의 부정적인 영향을 한 가지만 서술하시오. `312쪽`

---

23 정보 통신 기술의 발달로 최근에는 오른쪽 그림과 같은 스마트 기기를 이용하고 있다. 스마트 기기의 등장이 우리 생활을 편리하게 하는 점을 두 가지만 서술하시오. `314쪽`

---

24 다음은 생활을 편리하게 하는 과학기술에 대한 설명이다. `314쪽`

> (가) 나노 물질의 독특한 특성을 이용하여 다양한 소재나 제품을 만드는 기술
> (나) 생물의 특성과 생명 현상을 이해하고, 이를 인간에게 유용하게 이용하거나 인위적으로 조작하는 기술
> (다) 정보 기기의 하드웨어와 소프트웨어 기술, 이 기술을 이용한 정보 수집, 생산, 가공, 보존, 전달, 활용하는 모든 방법

(가)~(다) 기술의 종류와 이 기술이 활용되는 예를 한 가지씩 서술하시오.

학습 평가 하기

> 정답친해 94쪽으로 가서 문제를 채점한 후 학습 결과를 스스로 평가해 보세요.

맞춘 개수	21~24개	17~20개	0~16개
평가	잘함	보통	부족

→ 정답친해에서 그 문제를 왜 틀렸는지 꼭 확인하세요!
→ 본책에서 해당 쪽으로 돌아가서 부족한 부분을 다시 공부하세요!

19 ❶ 인쇄술이 발명되기 전까지 인류는 손으로 책을 써야 했기 때문에 책을 만드는 시간이 오래 걸렸음을 인지한다. ❷ 책에는 다양한 지식이 포함되어 있음을 떠올린다. 24 ❶ 생활을 편리하게 하는 과학기술의 종류를 떠올린다. ❷ 주어진 내용에 해당하는 과학기술의 예를 찾는다.

Memo

15개정 교육과정

· 완벽한 자율학습서 ·

ω
완자

완자네 새주소

자율학습시
비상구

정확한 답과 친절한 해설

정답친해로
53

중등 과학
3

정답친해로
오삼~

책 속의 가접 별책 (특허 제 0557442호)

'정답친해'는 본책에서 쉽게 분리할 수 있도록 제작되었으므로
유통 과정에서 분리될 수 있으나 파본이 아닌 정상제품입니다.

visang

자율학습시 비상구 정답친해로 53

완벽한 자율학습서

완자

중등 과학 **3**

Ⅰ. 화학 반응의 규칙과 에너지 변화

01 물질 변화와 화학 반응식

단원 미리보기

10~11쪽

만화 완성하기 ≫ [모범 답안] 용해도가 감소, 물리 변화
한눈에 보기 ≫ [B] 화학 변화, [C] 화학 반응식

11~15쪽

Ⓐ **1** 물리 변화 **2** (1) × (2) ○ (3) ○ (4) × **3** ㄱ, ㄴ, ㄹ, ㅁ

Ⓑ **1** 화학 변화 **2** (1) ○ (2) ○ (3) × **3** ㄷ, ㄹ, ㅁ **4** ㄱ, ㄴ, ㄷ, ㅁ **5** (1) ○ (2) × (3) ○ (4) ○ (5) × (6) ×

Ⓒ **1** (1) ○ (2) ○ (3) × (4) × **2** (1) 2 (2) ㉠ 2, ㉡ 1 (3) ㉠ 2, ㉡ 2H₂O **3** N₂+3H₂ ⟶ 2NH₃ **4** ㄱ, ㄴ, ㄹ **5** 1 : 1 : 2

Ⓐ-1 문제 분석하기 ≫

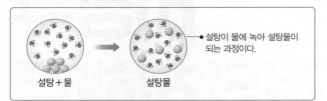

→ 설탕이 물에 녹아 설탕물이 되는 과정이다.

설탕+물   설탕물

설탕물이 만들어질 때 설탕 분자와 물 분자는 다른 분자로 변하지 않고 단순히 분자의 배열만 변하므로 물리 변화이다.

Ⓐ-2 바로알기 ≫
(1) 물리 변화는 물질을 이루는 원자의 배열이 달라지지 않는다.
(4) 물리 변화는 물질의 성질이 변하지 않는다.

Ⓐ-3
ㄱ은 모양 변화, ㄴ과 ㄹ은 상태 변화, ㅁ은 확산 현상으로 모두 물리 변화가 일어나는 현상이다.
바로알기 ≫ ㄷ은 물질의 성질이 변하므로 물리 변화가 일어나는 현상이 아니다.

Ⓑ-1 문제 분석하기 ≫

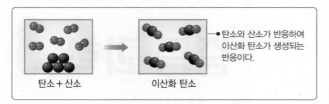

→ 탄소와 산소가 반응하여 이산화 탄소가 생성되는 반응이다.

탄소+산소   이산화 탄소

탄소와 산소의 원자 배열이 달라져 새로운 분자인 이산화 탄소가 생성되므로 화학 변화이다.

Ⓑ-2 바로알기 ≫
(3) 화학 변화는 어떤 물질이 처음과 성질이 다른 새로운 물질로 변하는 현상이다.

Ⓑ-3
ㄷ, ㄹ, ㅁ. 화학 변화가 일어나면 원자의 배열이 달라져 분자의 종류가 변하므로 물질의 성질이 달라진다.
바로알기 ≫ ㄱ, ㄴ. 화학 변화가 일어나도 물질을 이루는 원자의 개수와 종류는 변하지 않는다.

Ⓑ-4 바로알기 ≫
ㄹ. 액체에서 기체로 상태가 변하는 것은 물리 변화이므로, 화학 변화가 일어났음을 알 수 있는 현상이 아니다.

Ⓑ-5
(1), (3), (4) 화학 변화가 일어나는 현상이다.
바로알기 ≫ (2) 음식 냄새의 확산, (5) 기체의 용해도 감소, (6) 상태 변화는 물리 변화가 일어나는 현상이다.

Ⓒ-1 바로알기 ≫
(3) 화학 반응식을 나타낼 때 반응물은 화살표의 왼쪽에, 생성물은 화살표의 오른쪽에 쓴다.
(4) 화학 반응식을 나타낼 때 반응 전후에 원자의 종류와 개수가 같도록 화학식 앞의 계수를 맞춘다.

Ⓒ-2
(1) 2Mg+O₂ ⟶ 2MgO
(2) 2H₂O₂ ⟶ 2H₂O+O₂
(3) CH₄+2O₂ ⟶ CO₂+2H₂O

Ⓒ-3 문제 분석하기 ≫

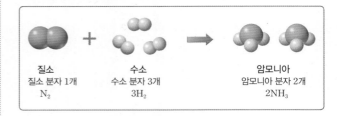

질소   수소   암모니아
질소 분자 1개   수소 분자 3개   암모니아 분자 2개
N₂   3H₂   2NH₃

Ⓒ-4 바로알기 ≫
ㄷ. 반응물과 생성물을 이루는 분자의 크기는 화학 반응식을 통해 알 수 없다.

Ⓒ-5
수소 분자 1개와 염소 분자 1개가 반응하여 염화 수소 분자 2개가 생성되므로 분자 수의 비(수소 : 염소 : 염화 수소)=1 : 1 : 2이다.

이해 쏙쏙 집중 강의
16쪽

유제 ㉠ CH₄, ㉡ O₂, ㉢ CO₂, ㉣ H₂O, ㉤ 2, ㉥ 2

01 ④   02 ④   03 ②   04 ①   05 ⑤   06 ④   07 ②
08 ⑤   09 ④   10 ②   11 ④   12 ⑤   13 ⑤   14 ④
15 ⑤   16 ⑤   17 ②   18 ③   19 ③   20 ①   21 ③

서술형 문제 22~27 해설 참조

01   ④ 물리 변화가 일어날 때 물질을 이루는 분자의 배열은 변하지만 분자 자체는 변하지 않는다.
바로알기 ≫ ①, ②, ③, ⑤ 물리 변화가 일어날 때 분자를 이루는 원자의 종류와 배열, 분자의 종류, 물질의 성질은 변하지 않는다.

02   냉동실에 넣어 둔 물이 어는 현상은 물리 변화이다.
④ 물리 변화가 일어날 때 분자의 종류와 개수는 변하지 않는다.
바로알기 ≫ ①, ②, ③, ⑤ 물리 변화가 일어날 때 물질의 성질, 원자의 배열, 원자의 종류와 개수, 분자의 종류와 개수는 변하지 않는다.

03   물질의 성질은 변하지 않고 상태나 모양 등만 변하는 현상은 물리 변화이다.
ㄱ, ㄹ, ㅂ. 물리 변화에 해당하는 현상이다.
바로알기 ≫ ㄴ, ㄷ, ㅁ. 화학 변화에 해당하는 현상이다.

04   ㄱ, ㄷ. 화학 변화가 일어날 때 원자의 종류와 개수는 변하지 않는다.
바로알기 ≫ ㄴ, ㄹ, ㅁ, ㅂ. 화학 변화가 일어나면 분자를 이루는 원자의 배열이 변해 새로운 분자가 생성된다. 즉 분자의 종류가 변해 처음과 성질이 다른 새로운 물질이 된다. 이때 분자의 개수는 변할 수도 있고, 변하지 않을 수도 있다.

05   이 모형에서 원자의 배열이 달라져 새로운 물질이 생성되었으므로 화학 변화에 해당한다.
⑤ 앙금이 생성되는 반응으로, 화학 변화에 해당하는 현상이다.
바로알기 ≫ ①, ②, ③, ④ 물리 변화에 해당하는 현상이다.

06   원자의 배열이 달라져 분자의 종류가 변하는 현상은 화학 변화이다.
①, ②, ③, ⑤ 화학 변화에 해당하는 현상이다.
바로알기 ≫ ④ 설탕이 물에 용해되는 현상은 원자의 배열이 변하지 않고 분자의 배열만 달라지는 물리 변화이다.

07   ①, ③, ④, ⑤ 일반적으로 화학 변화에서 나타나는 현상에는 열과 빛 발생, 색깔이나 냄새 변화, 새로운 기체 생성, 앙금 생성 등이 있다.
바로알기 ≫ ② 물질의 상태 변화는 물질의 성질이 변하지 않는 물리 변화이다.

08   ①, ② (가)는 물이 수증기로 상태가 변하는 현상이므로 물리 변화이다. 물리 변화가 일어날 때 분자 자체는 변하지 않고 분자 배열만 변하므로 물질의 고유한 성질이 변하지 않는다.
③, ④ (나)는 물이 수소와 산소로 분해되는 현상이므로 화학 변화이다. 화학 변화가 일어날 때 분자를 이루는 원자의 배열이 변해 다른 성질을 가진 새로운 물질이 생성된다.
바로알기 ≫ ⑤ (가)는 물리 변화, (나)는 화학 변화가 일어난다.

09   문제 분석하기 ≫

- 물리 변화가 일어날 때 변하지 않는 것 : 원자의 배열, 원자의 종류와 개수, 분자의 종류와 개수, 물질의 성질과 총질량
- 화학 변화가 일어날 때 변하지 않는 것 : 원자의 종류와 개수, 물질의 총질량

④ 물리 변화와 화학 변화가 일어날 때 공통적으로 변하지 않는 것은 원자의 종류와 개수이다.

10   ② 산화 마그네슘 생성 반응은 화학 변화이다.
바로알기 ≫ ① (가)는 물리 변화이지만, (나)는 화학 변화이다.
③ (가)는 물리 변화이므로 반응 전후에 분자의 종류와 개수는 변하지 않는다.
④ 물리 변화나 화학 변화가 일어날 때 반응 전후에 원자의 종류와 개수는 변하지 않는다.
⑤ (다)는 화학 변화이므로, 생성물은 마그네슘이나 산소의 성질과 다른 새로운 성질을 가진다.

11   (나), (라), (바)는 물리 변화, (가), (다), (마)는 화학 변화이다.

12   문제 분석하기 ≫

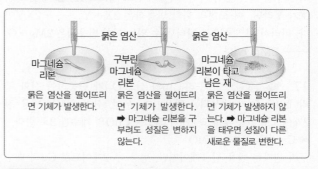

마그네슘 리본
묽은 염산을 떨어뜨리면 기체가 발생한다.

구부린 마그네슘 리본
묽은 염산을 떨어뜨리면 기체가 발생한다. ➡ 마그네슘 리본을 구부려도 성질은 변하지 않는다.

마그네슘 리본이 타고 남은 재
묽은 염산을 떨어뜨리면 기체가 발생하지 않는다. ➡ 마그네슘 리본을 태우면 성질이 다른 새로운 물질로 변한다.

바로알기 ≫ ⑤ 과산화 수소수를 상처 부위에 발랐을 때 거품이 발생하는 것은 화학 변화이므로, 마그네슘 리본을 태우는 것과 같은 종류의 물질 변화가 일어난 것이다.

13   ① 수소와 산소가 반응하여 물이 생성된다.
② 물은 수소, 산소의 성질과 전혀 다른 새로운 물질이다.
③ 반응물은 수소 원자 4개, 산소 원자 2개이고, 생성물은 수소 원자 4개, 산소 원자 2개이다. 따라서 화학 반응이 일어날 때 반응 전후에 원자의 종류와 개수는 변하지 않는다.

④ 분자 수의 비는 수소 : 산소 : 물=2 : 1 : 2이므로, 수소 분자 30개와 산소 분자 15개가 반응하면 물 분자 30개가 생성된다.

바로알기 ⑤ 분자 수의 비는 수소 : 산소 : 물=2 : 1 : 2이다. 반응물과 생성물을 이루는 원자의 개수는 수소 원자 4개, 산소 원자 2개, 물 분자를 이루는 수소 원자 4개+산소 원자 2개이므로, 원자 수의 비는 2 : 1 : 3이 된다.

14 **바로알기** ④ 화학 반응식을 나타낼 때 반응 전후에 원자의 종류와 개수가 같도록 계수를 맞춘다.

15 ⑤ 과산화 수소(H_2O_2)가 분해되어 물(H_2O)과 산소(O_2)가 생성되므로 반응 전후에 수소 원자와 산소 원자의 개수가 각각 같도록 계수를 맞춰 화학 반응식을 나타낸다.
우선, 수소 원자는 반응 전후에 원자 수가 같으므로 H_2O_2의 계수인 ㉠과 H_2O의 계수인 ㉡은 같다.
➡ ㉠H_2O_2 ⟶ ㉡H_2O+㉢O_2, ㉠=㉡
산소 원자는 반응 전에는 2개이지만, 반응 후에는 3개이다. 따라서 반응 전후에 산소 원자의 개수를 4개로 맞추기 위해 ㉠과 ㉡은 2로 하고, ㉢은 1로 한다.
➡ $2H_2O_2$ ⟶ $2H_2O$+$1O_2$
└ 원래의 화학 반응식에서 계수 1은 생략한다.

16 **문제 분석하기**

• 구리나 마그네슘처럼 분자로 존재하지 않는 물질이다.
• 수소나 산소처럼 원자 2개로 이루어진 분자이다.

⑤ 분자로 존재하지 않는 물질은 원자의 개수비로 화학 반응식의 계수를 나타낸다. 따라서 ⚪의 원소 기호가 X, ⚫의 원소 기호가 Y라면, 이 모형의 화학 반응식은 $2X+Y_2$ ⟶ $2XY$이다. 따라서 이 모형으로 나타낼 수 있는 화학 반응식은 $2Mg+O_2$ ⟶ $2MgO$이다.

17 **바로알기** ㄱ. 구리(Cu)와 산소(O_2)가 반응하여 산화 구리(Ⅱ)(CuO)가 생성되는 반응이다. 우선, 산소 원자는 반응 전 2개이므로 반응 후에도 2개가 되도록 CuO의 계수를 2로 한다.
➡ $Cu+O_2$ ⟶ $2CuO$
구리 원자는 반응 전 1개이지만, 반응 후 2개이므로 Cu의 계수를 2로 하여 화학 반응식을 완성한다.
➡ $2Cu+O_2$ ⟶ $2CuO$
ㄹ. 탄산 나트륨(Na_2CO_3)과 염화 칼슘($CaCl_2$)이 반응하여 염화 나트륨($NaCl$)과 탄산 칼슘($CaCO_3$)이 생성되는 반응이다. 나트륨 원자와 염소 원자가 반응 전 각각 2개이므로 반응 후에도 2개가 되도록 $NaCl$의 계수를 2로 한다.
➡ $Na_2CO_3+CaCl_2$ ⟶ $2NaCl+CaCO_3$
반응 전후에 탄소 원자, 산소 원자, 칼슘 원자의 개수도 같으므로 화학 반응식이 완성되었다.

18 ③ 탄산수소 나트륨($NaHCO_3$)을 가열하면 탄산 나트륨(Na_2CO_3), 이산화 탄소(CO_2), 물(H_2O)로 분해된다.
➡ $NaHCO_3$ ⟶ $Na_2CO_3+CO_2+H_2O$
우선, 나트륨 원자는 반응 전 1개이지만, 반응 후 2개이므로 $NaHCO_3$의 계수를 2로 한다.
➡ $2NaHCO_3$ ⟶ $Na_2CO_3+CO_2+H_2O$
반응 전후에 수소 원자, 탄소 원자, 산소 원자의 개수도 같으므로 화학 반응식이 완성되었다.

19 ①, ②, ④, ⑤ 화학 반응식을 통해 반응물과 생성물의 종류, 반응물과 생성물을 이루는 원자의 종류와 개수, 입자 수의 비 등을 알 수 있다.

바로알기 ③ 반응물과 생성물을 이루는 입자의 질량은 화학 반응식을 통해 알 수 없다.

20 ②, ③, ⑤ 질소 분자 1개와 수소 분자 3개가 반응하여 암모니아 분자 2개가 생성되었다.
N_2+3H_2 ⟶ $2NH_3$
④ 암모니아 생성 반응에서 화학 반응식의 계수비는 분자 수의 비와 같다. 따라서 분자 수의 비는 질소 : 수소 : 암모니아=1 : 3 : 2=10 : 30 : 20이다.

바로알기 ① 반응물은 질소 분자 1개와 수소 분자 3개이고, 생성물은 암모니아 분자 2개이므로, 반응 후 분자의 개수가 줄어들었다.

21 메테인의 연소 반응을 화학 반응식으로 나타내면 다음과 같다.
CH_4+2O_2 ⟶ CO_2+2H_2O
ㄱ. ㉠=2, ㉡=1, ㉢=2이다.
ㄷ. 분자 수의 비는 메테인 : 물=1 : 2이므로, 메테인 분자 2개가 연소하면 물 분자 4개가 생성된다.
ㄹ. 분자 수의 비는 메테인 : 산소=1 : 2이므로, 메테인 분자 10개를 연소시키려면 산소 분자는 최소 20개가 필요하다.

바로알기 ㄴ. 반응물은 메테인 분자 1개와 산소 분자 2개이고, 생성물은 이산화 탄소 분자 1개와 물 분자 2개이므로 반응 후에 분자의 개수는 변하지 않는다.

22 **모범 답안** (가) 물리 변화, (나) 화학 변화, (가)는 원자의 배열은 변하지 않고 분자의 배열만 변하며, (나)는 원자의 배열이 변해 새로운 분자가 생성되기 때문이다.
해설 (가)는 두 종류의 물질이 혼합되는 모습이고, (나)는 두 종류의 물질이 반응하여 처음과 성질이 다른 새로운 종류의 물질이 생성되는 모습이다.

채점 기준	배점
(가)와 (나)의 변화를 옳게 구분하고, 까닭을 입자의 변화와 관련지어 옳게 서술한 경우	100 %
(가)와 (나)의 변화만 옳게 구분한 경우	50 %

23 모범 답안 ▶ (가) 물리 변화, (나) 화학 변화, (가)는 물질의 성질이 변하지 않았고, (나)는 물질의 성질이 변하였기 때문이다.
|해설| 물리 변화는 물질의 고유한 성질은 변하지 않으면서 모양이나 상태 등이 변하는 현상이고, 화학 변화는 어떤 물질이 처음과 성질이 다른 새로운 물질로 변하는 현상이다.

채점 기준	배점
(가)와 (나)의 변화를 옳게 구분하고, 그 까닭을 물질의 성질과 관련지어 옳게 서술한 경우	100 %
(가)와 (나)의 변화만 옳게 구분한 경우	50 %

24 모범 답안 ▶ (나), (나)는 색깔이 변하였고, 묽은 염산과 반응하여도 기체가 발생하지 않기 때문이다.
|해설| 마그네슘 리본과 (가)는 색깔이 같고, 묽은 염산과 반응하여 기체가 발생한다. 따라서 (가)는 물리 변화가 일어난 것임을 알 수 있다.

채점 기준	배점
(나)를 고르고, 그 까닭을 실험 결과와 관련지어 옳게 서술한 경우	100 %
(나)만 고른 경우	50 %

25 모범 답안 ▶ (1) 반응물 : 수소 – H_2, 산소 – O_2, 생성물 : 물 – H_2O
(2) $2H_2+O_2 \longrightarrow 2H_2O$
|해설| 수소 분자 2개와 산소 분자 1개가 반응하여 물 분자 2개가 생성된다.

채점 기준	배점
(1)	반응물과 생성물을 화학식으로 옳게 나타낸 경우	50 %
(2)	물 생성 반응을 화학 반응식으로 옳게 나타낸 경우	50 %

26 모범 답안 ▶ 화학 반응 전과 후에 원자의 종류와 개수가 같으므로 화살표 양쪽의 원자의 종류와 개수를 같게 맞추기 위해서이다.

채점 기준	배점
반응 전후 원자의 종류와 개수로 옳게 서술한 경우	100 %
원자의 종류와 개수로 서술하지 못한 경우	0 %

27 모범 답안 ▶ (1)
이산화 탄소　　　　물
(2) 분자 수의 비는 메테인 : 이산화 탄소=1 : 1이므로 메테인 분자 3개가 연소하면 이산화 탄소 분자 3개가 생성된다.
|해설| 메테인의 연소 반응을 화학 반응식으로 나타내면 다음과 같다.
$CH_4+2O_2 \longrightarrow CO_2+2H_2O$

채점 기준	배점
(1)	생성물의 분자 모형을 그림으로 옳게 나타낸 경우	50 %
(2)	이산화 탄소 분자의 개수를 풀이 과정과 함께 옳게 나타낸 경우	50 %

02 화학 반응의 규칙

단원 미리보기

22~23쪽

만화 완성하기 ≫ [모범 답안] 빵 2개와 치즈 1개가 필요한데, 치즈가 없어요.
한눈에 보기 ≫ [D] 일정 성분비 법칙, [F] 기체 반응 법칙

23~29쪽

A **1** (1) ○ (2) × (3) ○ **2** 원자 **3** 같다.
B **1** (1) ○ (2) × (3) × **2** 44 g
C **1** (1) ○ (2) × (3) ○ **2** 6 g **3** (1) 감소 (2) 증가 (3) 증가
D **1** (1) × (2) ○ (3) ○ **2** 1 : 8 **3** 2개
E **1** 4 : 1 **2** 5 g **3** 30 g
F **1** 기체 반응 법칙 **2** 2 : 1 : 2 **3** (가) 90 mL, (나) 60 mL
G **1** 분자 **2** 수소 기체, 200 mL **3** 1 : 3 : 2

A–1 (3) 앙금 생성 반응이 일어날 때 반응물과 생성물을 이루는 원자의 종류와 개수가 같으므로 질량 보존 법칙이 성립한다.
바로알기 ≫ (2) 질량 보존 법칙은 물리 변화와 화학 변화에서 모두 성립한다.

A–3 염화 나트륨 수용액과 질산 은 수용액의 반응 모형에서 반응 전후에 물질을 이루는 원자의 종류와 개수는 변하지 않는다. 따라서 (염화 나트륨+질산 은) 수용액의 질량은 (염화 은+질산 나트륨) 수용액의 질량과 같다.

B–1 (1) 탄산 칼슘과 묽은 염산이 반응하면 염화 칼슘, 이산화 탄소, 물이 생성되며 이 반응의 화학 반응식은 다음과 같다.
$CaCO_3+2HCl \longrightarrow CaCl_2+CO_2+H_2O$
바로알기 ≫ (2) 닫힌 용기에서 반응이 일어나면 발생한 기체가 빠져나가지 못하므로 질량은 (가)=(나)이다.
(3) 기체가 발생하는 반응에서도 발생한 기체의 질량을 고려하면 반응 전후에 물질의 총질량이 같으므로 질량 보존 법칙이 성립한다.

B–2 탄산수소 나트륨을 가열하면 탄산 나트륨, 이산화 탄소, 물이 생성되며, 이때 반응물의 총질량과 생성물의 총질량은 같다.
$168 g=106 g+(\quad)+18 g \quad \therefore (\quad)=44 g$

C–1 (1) 화학 반응이 일어나면 새로운 성질의 물질이 생성된다.
(3) 닫힌 공간에서 나무, 종이 등이 연소하면 발생한 기체가 빠져나가지 못하므로 반응 전후에 질량이 일정하고, 닫힌 공간에서 금속이 연소하면 생성물은 결합한 산소의 질량을 합한 것과 같으므로 반응 전후에 질량이 일정하게 보존된다.

바로알기 >> (2) 열린 공간에서 나무가 연소하면 재, 이산화 탄소, 수증기가 발생하고, 발생한 기체가 공기 중으로 날아가므로 질량이 감소한다.

C-2 철을 가열하면 공기 중의 산소와 결합하여 산화 철(Ⅱ)이 생성되며, 이때 철과 결합한 산소의 질량=산화 철(Ⅱ)의 질량-철의 질량과 같다.

철+산소 ⟶ 산화 철(Ⅱ)

$21\,g + x = 27\,g$ ∴ $x = 27\,g - 21\,g = 6\,g$

C-3 (1) 종이를 연소시키면 발생한 이산화 탄소 기체가 공기 중으로 날아가므로 질량이 감소한다.
(2), (3) 금속을 연소시키면 산소와 결합하여 새로운 물질이 생성되므로 결합한 산소의 질량만큼 물질의 질량이 증가한다.

D-1 (2) 같은 종류의 화합물을 구성하는 성분 원소 사이에는 일정한 질량비가 성립한다. 성분 원소의 종류가 같더라도 성분 원소의 질량비가 다르면 다른 종류의 화합물이다.
(3) 이산화 탄소는 화합물이므로 일정 성분비 법칙이 성립한다.
바로알기 >> (1) 일정 성분비 법칙은 화합물에서는 성립하지만, 혼합물에서는 성립하지 않는다.

D-2 • 물을 구성하는 수소 원자의 개수는 2개, 산소 원자의 개수는 1개이다. ➡ 수소 : 산소의 개수비=2 : 1
• 물을 구성하는 수소 원자 2개의 질량 : 산소 원자 1개의 질량은 $(2 \times 1) : (1 \times 16)$이다. ➡ 수소 : 산소의 질량비=1 : 8

D-3 BN_3 모형에서 B와 N의 개수비는 1 : 3이므로, B 2개와 결합하는 N은 6개이다. 따라서 BN_3 모형을 최대 2개 만들 수 있고, N 1개는 남는다.

E-1~3 문제 분석하기 >>

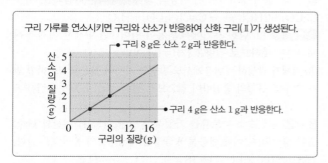

구리 가루를 연소시키면 구리와 산소가 반응하여 산화 구리(Ⅱ)가 생성된다.
➡ 구리 8 g은 산소 2 g과 반응한다.
➡ 구리 4 g은 산소 1 g과 반응한다.
(세로축: 산소의 질량(g), 가로축: 구리의 질량(g))

E-1 구리 가루를 연소시킬 때 반응하는 구리와 산소의 질량비(구리 : 산소)=4 g : 1 g=8 g : 2 g=4 : 1이다.

E-2 구리와 산소의 질량비는 4 : 1이므로, 구리 20 g을 완전히 반응시키기 위해 필요한 산소의 질량을 x라고 하면, 구리 : 산소=4 : 1=20 g : x, $x = 5\,g$이다.

E-3 구리 : 산소 : 산화 구리(Ⅱ)의 질량비는 4 : 1 : 5이므로, 구리 24 g이 완전히 연소하였을 때 생성되는 산화 구리(Ⅱ)의 질량을 x라고 하면, 구리 : 산화 구리(Ⅱ)=4 : 5=24 g : x, $x = 30\,g$이다.

F-1 기체가 반응하여 새로운 기체를 생성할 때 각 기체 사이의 부피 관계를 설명할 수 있는 법칙은 기체 반응 법칙이다.

F-2 모형에서 상자 1개는 기체 1부피를 의미한다. 따라서 수소는 2부피, 산소는 1부피, 수증기는 2부피이므로 각 기체의 부피비는 수소 : 산소 : 수증기=2 : 1 : 2이다.

F-3 암모니아 기체 생성 반응에서 각 기체의 부피비는 질소 : 수소 : 암모니아=1 : 3 : 2=30 mL : 90 mL : 60 mL이다.

G-1 반응물과 생성물이 기체인 반응에서 각 기체 사이의 부피비는 분자 수의 비와 같다.

G-2 수증기 생성 반응에서 각 기체의 부피비는 수소 : 산소 : 수증기=2 : 1 : 2=200 mL : 100 mL : 200 mL이다. 따라서 수소 기체 200 mL는 반응하지 않고 남는다.

G-3 암모니아 기체 생성 반응의 화학 반응식에서 계수비는 분자 수의 비와 같다.

실력탄탄 핵심 문제   32~37쪽

01 ② 02 ① 03 탄산 칼슘, 60 g 04 ②, ③ 05 ①
06 (가)=(나)>(다) 07 ③ 08 ② 09 ② 10 ①, ⑤
11 ③ 12 ③ 13 ③ 14 3 : 8 15 ② 16 ③ 17 2 : 3
18 ① 19 ① 20 ② 21 ④ 22 (가) 수소 : 산소=1 : 8,
(나) 일정 성분비 법칙 23 ② 24 ② 25 ③ 26 ㉠ 수소,
10, ㉡ 40 27 ② 28 ⑤ 29 ③ 30 ④
서술형 문제 **31~37 해설 참조**

01 ㄱ. 질량 보존 법칙에 따르면 화학 반응이 일어날 때 반응 전 물질의 총질량과 반응 후 생성된 물질의 총질량은 같다.
ㄷ. 열린 공간에서 강철솜의 연소 반응이 일어나면 질량이 증가하지만, 강철솜과 결합한 산소의 질량을 고려하면 반응 전후에 물질의 총질량은 같다.
ㅁ. 앙금 생성 반응은 용기의 밀폐 여부와 관계없이 반응 전후에 물질의 총질량이 같다.

바로알기 >> ㄴ. 질량 보존 법칙은 물리 변화와 화학 변화에서 모두 성립한다.

ㄹ. 열린 용기에서 기체 발생 반응이 일어나면 질량이 감소하지만, 발생한 기체의 질량을 고려하면 반응 전후에 물질의 총질량은 같다.

02 문제 분석하기 >>

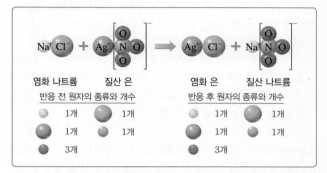

염화 나트륨   질산 은   염화 은   질산 나트륨

반응 전 원자의 종류와 개수   반응 후 원자의 종류와 개수

	1개		1개		1개		1개
	1개		1개		1개		1개
	3개				3개		

① 반응 전후에 원자의 배열이 달라져 물질의 종류가 변했지만, 원자의 종류와 개수는 변하지 않았으므로 반응물의 총질량과 생성물의 총질량은 같다.

03 탄산 나트륨 수용액과 염화 칼슘 수용액이 반응하면 흰색의 탄산 칼슘 앙금이 생성되며, 이 반응을 화학 반응식으로 나타내면 다음과 같다.

$$Na_2CO_3 + CaCl_2 \longrightarrow CaCO_3 + 2NaCl$$

반응물의 총질량과 생성물의 총질량은 같으므로 혼합 용액의 전체 질량은 60 g이다.

04 문제 분석하기 >>

흰색 앙금이 생성되므로 용액이 뿌옇게 흐려진다.

염화 나트륨 수용액   질산 은 수용액

반응 전 (염화 나트륨+질산 은)의 질량   =   반응 후 (염화 은+질산 나트륨)의 질량

바로알기 >> ① 흰색 앙금인 염화 은이 생성된다.

④, ⑤ 앙금 생성 반응은 용기의 밀폐 여부와 관계없이 반응 전후에 물질의 총질량이 같다.

05 ① 반응물의 총질량과 생성물의 총질량은 같으므로 (탄산 칼슘+염화 수소)의 질량=(염화 칼슘+이산화 탄소+물)의 질량이다. 따라서 물의 질량을 x라고 하면, $100 g + 73 g = (111 g + 44 g + x)$이므로 $x = 18 g$이다.

06 탄산 칼슘과 묽은 염산이 반응하면 이산화 탄소 기체가 발생하는데, (다)에서 뚜껑을 열면 기체가 빠져나가므로 질량이 감소한다.

07 ③ 닫힌 용기에서 반응이 일어나면 발생한 이산화 탄소 기체가 빠져나가지 못하므로 반응 전후에 질량이 변하지 않는다.

바로알기 >> ① 화학 변화가 일어난다.

②, ④ (나)에서는 이산화 탄소 기체가 생성되므로, 뚜껑을 열면 기체가 공기 중으로 날아가 질량이 감소한다.

⑤ 두 물질이 반응하여 발생한 기체의 질량을 고려하면 반응 전후에 질량이 변하지 않는다. 따라서 이 반응에서는 질량 보존 법칙이 성립한다.

08 ㄱ. 유리병 안에서 마그네슘 조각과 묽은 염산이 반응하면 수소 기체가 발생하며, 이 반응을 화학 반응식으로 나타내면 다음과 같다.

$$Mg + 2HCl \longrightarrow MgCl_2 + H_2$$

ㄴ. 닫힌 용기에서 실험하였으므로 반응 전후에 측정한 질량은 같다.

바로알기 >> ㄷ. 뚜껑을 열고 실험하면 발생한 기체가 공기 중으로 날아가므로 반응 후에 질량이 감소한다.

09 문제 분석하기 >>

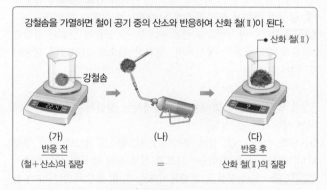

강철솜을 가열하면 철이 공기 중의 산소와 반응하여 산화 철(Ⅱ)이 된다.

강철솜   산화 철(Ⅱ)

(가)   (나)   (다)

반응 전 (철+산소)의 질량   =   반응 후 산화 철(Ⅱ)의 질량

①, ③ 강철솜을 가열하면 철이 산소와 반응하여 산화 철(Ⅱ)이 되므로 반응한 산소의 질량만큼 질량이 증가한다. 따라서 산화 철(Ⅱ)의 질량인 (다)에서 강철솜의 질량인 (가)를 빼면 강철솜과 반응한 산소의 질량을 구할 수 있다.

④ 반응물인 철과 산소의 질량은 생성물인 산화 철(Ⅱ)의 질량과 같다. 즉, 강철솜과 반응한 산소의 질량까지 고려하면 가열 전과 후에 물질의 총질량이 같다.

⑤ 강철솜 대신 나무를 가열하면 재가 남고, 이산화 탄소와 수증기가 발생하며, 발생한 기체가 공기 중으로 날아간다. 따라서 반응 전인 (가)의 질량보다 반응 후인 (다)의 질량이 작다.

바로알기 >> ② 강철솜을 가열하면 산화 철(Ⅱ)이 되면서 반응한 산소의 질량만큼 질량이 증가하므로 반응 전인 (가)의 질량보다 반응 후인 (다)의 질량이 크다.

10 열린 공간에서 연소 반응, 기체 발생 반응과 같이 기체가 관여하는 반응이 일어나는 경우에는 반응 전후에 질량이 다르다. 그러나 기체가 관여하는 반응이 아닌 경우에는 반응 전후에 질량이 같게 측정된다.
① 설탕 10 g을 물 50 g에 녹이면 설탕 분자와 물 분자가 섞여 설탕물 60 g이 된다.
⑤ 탄산 나트륨 수용액 5 g과 염화 칼슘 수용액 5 g을 섞으면 흰색 앙금인 탄산 칼슘이 생성되며, 반응 후 물질의 총질량은 반응 전 물질의 총질량과 같다.
바로알기 》 ② 숯 10 g을 가열하면 공기 중의 산소와 반응하여 재, 이산화 탄소, 수증기가 생성되며, 발생한 기체가 공기 중으로 날아가므로 반응 전보다 질량이 감소한다.
③ 구리 가루 5 g을 도가니에 넣고 가열하면 공기 중의 산소와 반응하여 산화 구리(Ⅱ)가 생성되며, 반응한 산소의 질량만큼 질량이 증가한다.
④ 탄산수소 나트륨 20 g을 가열하면 탄산 나트륨, 이산화 탄소, 물로 분해되는데, 발생한 기체가 공기 중으로 날아가므로 반응 전보다 질량이 감소한다.

11 ①, ② 종이, 나무를 태우면 발생한 기체가 공기 중으로 날아가므로 질량이 감소한다.
④ 과산화 수소를 분해하면 물과 산소 기체가 발생하며, 발생한 기체가 공기 중으로 날아가므로 질량이 감소한다.
⑤ 묽은 염산에 탄산 칼슘을 넣으면 이산화 탄소 기체가 발생하며, 발생한 기체가 공기 중으로 날아가므로 질량이 감소한다.
바로알기 》 ③ 마그네슘 리본을 태우면 공기 중의 산소와 결합하여 산화 마그네슘이 생성되며, 결합한 산소의 질량만큼 질량이 증가한다.

12 일정 성분비 법칙은 화합물에서는 성립하지만, 혼합물에서는 성립하지 않는다.
① 산화 철(Ⅱ), ② 산화 구리(Ⅱ), ④ 물, ⑤ 암모니아가 생성되며, 이들은 모두 화합물이므로 일정 성분비 법칙이 성립한다.
바로알기 》 ③ 설탕물은 혼합물이므로 일정 성분비 법칙이 성립하지 않는다.

13 (가)는 물, (나)는 과산화 수소의 분자 모형이다.
ㄱ. (가)를 구성하는 수소와 산소의 질량비는 $2 \times 1 : 16 = 1 : 8$이다.
ㄹ. 과산화 수소를 구성하는 수소와 산소의 질량비는 $2 \times 1 : 2 \times 16 = 1 : 16$이다. 성분 원소의 질량비가 다르면 서로 다른 물질이다.
바로알기 》 ㄴ. 과산화 수소 분자 1개는 수소 원자 2개와 산소 원자 2개로 이루어져 있으므로 과산화 수소를 구성하는 수소 원자와 산소 원자의 개수비는 $1 : 1$이다.
ㄷ. 같은 원소로 이루어진 화합물이라도 성분 원소의 질량비가 다르면 서로 다른 물질이다.

14 화합물을 구성하는 성분 원소의 질량비는 원자의 개수비에 질량비를 곱해 구한다. 이산화 탄소 분자를 구성하는 탄소 원자와 산소 원자의 개수비는 $1 : 2$이고, 탄소 원자와 산소 원자의 질량비는 $12 : 16 = 3 : 4$이다. 따라서 이산화 탄소를 구성하는 탄소와 산소의 질량비는 $1 \times 3 : 2 \times 4 = 3 : 8$이다.

15 암모니아 분자를 구성하는 질소 원자와 수소 원자의 개수비는 $1 : 3$이고, 질소 원자와 수소 원자의 질량비는 $14 : 1$이다. 따라서 암모니아를 구성하는 질소와 수소의 질량비는 $1 \times 14 : 3 \times 1 = 14 : 3$이다.
② 암모니아를 합성하기 위해 질소 28 g을 반응시킬 때 필요한 수소의 질량을 x라고 하면, 질소 : 수소 $= 14 : 3 = 28\,g : x$이므로 $x = 6\,g$이다. 따라서 질소 28 g은 수소 6 g과 반응하여 암모니아 34 g($= 28\,g + 6\,g$)을 생성한다.

16 ③ BN_2 모형을 이루는 B와 N의 개수비는 $1 : 2$이므로 B 20개와 N 36개를 사용하면 BN_2 모형을 최대 18개 만들 수 있다. 이때 B 20개 중 18개만 필요하므로, B 2개가 남는다.

17 BN_2 모형을 이루는 B와 N의 개수비는 $1 : 2$이므로, B 5개, N 10개를 사용하여 BN_2 모형을 최대 5개 만들 수 있다.
B 10개의 질량이 20 g이므로 B 5개의 질량은 10 g이고, N 10개의 질량은 15 g이다. 따라서 BN_2 모형을 이루는 B와 N의 질량비는 B : N $= 10\,g : 15\,g = 2 : 3$이다.

18 AB_2를 이루는 A와 B의 개수비는 $1 : 2$이므로 A 25개와 B 40개를 사용하여 최대로 만들 수 있는 AB_2는 20개이고, 이때 A 5개가 남는다.
① 만들어진 AB_2 20개의 전체 질량이 30 g이고 B 40개의 질량이 20 g이므로, A 20개의 질량은 10 g($= 30\,g - 20\,g$)이다. 따라서 AB_2를 이루는 A와 B의 질량비는 A : B $= 10\,g : 20\,g = 1 : 2$이다.

19 **문제 분석하기 》**

구리를 가열하면 공기 중의 산소와 반응하여 산화 구리(Ⅱ)가 된다.			
구리의 질량(g)	2.0	4.0	6.0	8.0
산화 구리(Ⅱ)의 질량(g)	2.5	5.0	7.5	10.0
반응한 산소의 질량(g)	0.5	1.0	1.5	2.0

└ 산화 구리(Ⅱ)의 질량에서 구리의 질량을 빼면 반응한 산소의 질량을 구할 수 있다.

① 구리 2.0 g과 산소 0.5 g이 반응하여 산화 구리(Ⅱ) 2.5 g이 생성되므로, 질량비는 구리 : 산소 : 산화 구리(Ⅱ) $= 2.0\,g : 0.5\,g : 2.5\,g = 4 : 1 : 5$이다. 산화 구리(Ⅱ) 20 g을 얻기 위해 필요한 산소의 질량을 x라고 하면, 산소 : 산화 구리(Ⅱ) $= 1 : 5 = x : 20\,g$이므로 $x = 4\,g$이다.

20 ㄴ, ㄷ. 산화 구리(Ⅱ)를 생성할 때 반응시키는 구리의 질량이 변하더라도 반응물과 생성물의 질량비는 구리 : 산소 : 산화 구리(Ⅱ)=4 : 1 : 5로 일정하다.

바로알기 ㄱ. 구리의 질량이 변하면 구리와 반응하는 산소의 질량도 변한다.

ㄹ. 구리의 질량이 변하면 생성되는 산화 구리(Ⅱ)의 질량이 변하므로, 산화 구리(Ⅱ)에 포함된 산소의 질량도 변한다.

21 문제 분석하기 ≫

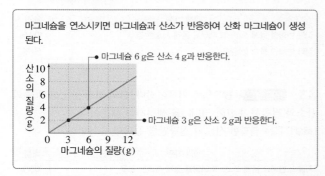

마그네슘을 연소시키면 마그네슘과 산소가 반응하여 산화 마그네슘이 생성된다.

● 마그네슘 6 g은 산소 4 g과 반응한다.

산소의 질량(g) / 마그네슘의 질량(g)

● 마그네슘 3 g은 산소 2 g과 반응한다.

④ 마그네슘을 연소시킬 때 반응하는 마그네슘과 산소의 질량비는 마그네슘 : 산소=3 g : 2 g=6 g : 4 g=3 : 2이다. 마그네슘 24 g을 완전히 연소시킬 때 필요한 산소의 질량을 x라고 하면, 마그네슘 : 산소=3 : 2=24 g : x, x=16 g이다. 따라서 마그네슘 24 g을 연소시키면 산소 16 g과 반응하여 산화 마그네슘 40 g(=24 g+16 g)이 생성된다.

[22~23] 문제 분석하기 ≫

실험	혼합한 기체(g)		반응 후 남은 기체(g)
	수소	산소	
Ⅰ	0.2−0.1=0.1	0.8	수소, 0.1
Ⅱ	0.4	3.4	㉠( )
Ⅲ	0.6	㉡( )	산소, 0.2

● 실험 Ⅰ의 결과로 물을 합성할 때 반응하는 수소와 산소의 질량비를 구할 수 있다.

22 (가) 실험 Ⅰ에서 수소 0.1 g과 산소 0.8 g이 반응하므로 물을 합성할 때 수소와 산소의 질량비는 수소 : 산소=0.1 g : 0.8 g=1 : 8이다.

(나) 물을 합성할 때 수소와 산소 사이에 1 : 8의 일정한 질량비가 성립하므로, 일정 성분비 법칙을 설명할 수 있다.

23 ② 수소와 산소는 1 : 8의 질량비로 반응한다. 따라서 실험 Ⅱ에서 수소 0.4 g은 산소 3.2 g과 반응하므로, ㉠은 산소 0.2 g이다.

실험 Ⅲ에서 수소 0.6 g은 산소 4.8 g과 반응하는데, 반응 후 산소 0.2 g이 남았으므로 ㉡은 5.0 g이다.

24 문제 분석하기 ≫

시험관	A	B	C	D	E	F
아이오딘화 칼륨 수용액(mL)	6	6	6	6	6	6
질산 납 수용액(mL)	0	2	4	6	8	10
앙금의 높이(mm)	0	1.4	2.6	3.8	3.8	3.8

● 아이오딘화 납

앙금이 더 이상 증가하지 않는다. ➡ 아이오딘화 칼륨 수용액 6 mL와 완전히 반응하는 질산 납 수용액의 부피는 6 mL이다.

① 아이오딘화 칼륨 수용액과 질산 납 수용액을 반응시키면 아이오딘화 이온과 납 이온이 결합하여 아이오딘화 납이 생성된다.

③ 시험관 D에서 두 수용액은 모두 반응한다. 즉, 아이오딘화 칼륨 수용액 6 mL와 완전히 반응하는 질산 납 수용액의 부피는 6 mL이므로, 두 수용액은 1 : 1의 부피비로 반응한다.

④ 처음에는 수용액에 아이오딘화 이온이 충분하여 질산 납 수용액을 넣어 주는 대로 납 이온과 반응하여 앙금이 생성된다. 그러나 시험관 D에서 수용액 속 아이오딘화 이온이 모두 반응하여 앙금을 생성하였으므로, 시험관 E와 F에서 질산 납 수용액을 더 넣어 주어도 더 이상 앙금이 생성되지 않는다.

⑤ 일정 부피의 두 수용액 속에 들어 있는 아이오딘화 이온과 납 이온의 개수가 일정하여, 아이오딘화 납을 생성할 때 두 이온은 일정한 개수비로 반응한다. 개수비가 일정하면 질량비도 일정하므로 일정 성분비 법칙이 성립한다.

바로알기 ② 시험관 C에는 아이오딘화 이온이 반응하지 않고 남아 있다. 따라서 질산 납 수용액을 더 넣어 주면 앙금이 생성되지만, 아이오딘화 칼륨 수용액을 더 넣어 주면 앙금이 생성되지 않는다.

25 ㄱ, ㄴ. 반응물과 생성물이 모두 기체이므로 기체 반응 법칙이 성립한다.

바로알기 ㄷ. 산소와 이산화 탄소는 기체이지만 탄소는 고체이므로 기체 반응 법칙이 성립하지 않는다.

ㄹ. 산소는 기체이지만 구리와 산화 구리(Ⅱ)는 고체이므로 기체 반응 법칙이 성립하지 않는다.

26 실험 Ⅱ에서 각 기체의 부피비는 수소 : 산소 : 수증기=30 mL : 15 mL(=20 mL−5 mL) : 30 mL=2 : 1 : 2이다. 실험 Ⅰ과 Ⅲ도 실험 Ⅱ와 같은 온도와 압력이므로 각 기체의 부피비는 실험 Ⅱ와 같다.

㉠ 실험 Ⅰ에서 수소 기체 30 mL와 산소 기체 10 mL를 반응시키면 수소 기체 20 mL와 산소 기체 10 mL가 반응하고, 수소 기체 10 mL가 남는다.

㉡ 실험 Ⅲ에서 수소 기체 40 mL와 산소 기체 30 mL를 반응시키면 수소 기체 40 mL와 산소 기체 20 mL가 반응하여 수증기 40 mL가 생성된다.

27 ② 모형에서 각 기체의 부피비는 질소 : 수소 : 암모니아 $=1:3:2$이다. 따라서 질소 기체 30 mL와 수소 기체 30 mL를 반응시키면 질소 기체 10 mL와 수소 기체 30 mL가 반응하여 암모니아 기체 20 mL가 생성된다.

28 〈문제 분석하기 ≫〉

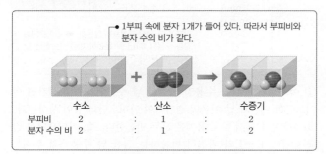

① 반응 전과 후에 수소 원자와 산소 원자의 개수가 각각 같다. 따라서 반응물의 총질량과 생성물의 총질량이 같아 질량 보존 법칙이 성립함을 알 수 있다.
②, ③ 각 기체 1부피 속에는 분자 1개가 들어 있다. 따라서 기체의 부피와 분자 수의 비는 모두 수소 : 산소 : 수증기 $=2:1:2$이다.
④ 분자 수의 비는 수소 : 산소 $=2:1$이므로 수소 분자 40개는 산소 분자 20개와 완전히 반응한다.
〈바로알기 ≫〉 ⑤ 수소 기체 10 L와 산소 기체 5 L가 완전히 반응하면 수증기 10 L가 생성된다.

29 암모니아 2분자가 생성되려면 질소 원자 1개와 수소 원자 3개가 결합하여 암모니아 분자 1개를 생성해야 한다.

30 ① 반응물과 생성물이 모두 기체이므로 기체 반응 법칙이 성립한다.
② 화학 반응이 일어날 때 원자의 종류와 개수는 변하지 않으므로 반응 전후에 물질의 총질량은 같다.
③, ⑤ 질소 기체 1부피와 수소 기체 3부피가 반응하여 암모니아 기체 2부피가 생성되며, 부피비는 분자 수의 비와 같다. 따라서 이 반응을 화학 반응식으로 나타내면 다음과 같다.
$$N_2 + 3H_2 \longrightarrow 2NH_3$$
〈바로알기 ≫〉 ④ 부피비는 질소 : 암모니아 $=1:2$이므로, 질소 분자 50개를 완전히 반응시킬 때 생성되는 암모니아 분자의 개수는 100개이다.

31 〈모범 답안 ▶〉 화학 반응 전후에 물질을 이루는 원자의 종류와 개수가 변하지 않기 때문이다.

|해설| 화학 반응이 일어날 때 물질을 이루는 원자의 종류와 개수가 변하지 않으므로 질량 보존 법칙이 성립한다.

채점 기준	배점
화학 반응 전후 원자의 종류와 개수로 옳게 서술한 경우	100 %
반응물의 총질량과 생성물의 총질량이 같다고 서술한 경우	50 %

32 〈모범 답안 ▶〉 반응 전보다 반응 후에 질량이 감소한다. 열린 용기에서 탄산 칼슘과 묽은 염산이 반응하면 발생한 이산화 탄소 기체가 공기 중으로 날아가기 때문이다.

채점 기준	배점
질량 변화를 옳게 쓰고, 그 까닭을 옳게 서술한 경우	100 %
질량 변화만 옳게 쓴 경우	50 %

33 〈모범 답안 ▶〉 B쪽으로 기울어진다. B의 강철솜이 공기 중의 산소와 결합하여 산화 철(Ⅱ)을 생성하기 때문이다.
|해설| B는 결합한 산소의 질량만큼 질량이 증가한다.

채점 기준	배점
저울의 변화를 옳게 쓰고, 그 까닭을 옳게 서술한 경우	100 %
저울의 변화만 옳게 쓴 경우	50 %

34 〈모범 답안 ▶〉 화합물이 만들어질 때 원자는 항상 일정한 개수비로 결합하기 때문이다.
|해설| 화합물을 구성하는 원자의 개수비가 일정하면 성분 원소의 질량비도 일정하다.

채점 기준	배점
원자의 개수비로 옳게 서술한 경우	100 %
성분 원소의 질량비가 일정하기 때문이라고 서술한 경우	50 %

35 〈모범 답안 ▶〉 반응하는 질량비는 수소 : 산소 : 수증기 $=1:8:9$이므로 수소 3 g과 산소 24 g이 반응하여 물 27 g이 생성된다.
|해설| 수소 1 g은 반응하지 않고 남는다.

채점 기준	배점
생성된 물의 질량을 풀이 과정과 함께 옳게 서술한 경우	100 %
생성된 물의 질량만 쓴 경우	50 %

36 〈모범 답안 ▶〉 질량비는 구리 : 산소 : 산화 구리(Ⅱ) $=4:1:5=28\,g:7\,g:35\,g$이므로 산소의 최소 질량은 7 g이다.

채점 기준	배점
산소의 최소 질량을 풀이 과정과 함께 옳게 서술한 경우	100 %
산소의 최소 질량만 쓴 경우	50 %

37 〈모범 답안 ▶〉 부피비는 수소 : 산소 : 수증기 $=2:1:2=100\,mL:50\,mL:100\,mL$이므로, 최소 부피는 수소 기체 100 mL와 산소 기체 50 mL이다.

채점 기준	배점
수소 기체와 산소 기체의 최소 부피를 풀이 과정과 함께 옳게 서술한 경우	100 %
수소 기체와 산소 기체의 최소 부피만 구한 경우	50 %

03 화학 반응에서의 에너지 출입

단원 미리보기

38~39쪽

만화 완성하기 >> [모범 답안] 에너지를 흡수해서 주변의 온도가 낮아지기 때문이죠.

한눈에 보기 >> [A] 발열 반응, [B] 흡열 반응

39~41쪽

Ⓐ **1** 발열 반응 **2** (1) ○ (2) ○ (3) × (4) ○ (5) ○ **3** ㉠ 방출, ㉡ 높

Ⓑ **1** 흡열 반응 **2** (1) ○ (2) × (3) ○ (4) ○ (5) ○ **3** ㉠ 흡수, ㉡ 낮

Ⓒ **1** 방출 **2** 낮

A - 2 바로알기 >> (3) 식물이 광합성을 할 때는 빛에너지를 흡수하므로, 이 반응은 에너지를 흡수하는 반응이다.

A - 3 산화 칼슘과 물이 반응하면 에너지를 방출하므로, 주변의 온도가 높아진다.

B - 2 바로알기 >> (2) 산화 칼슘과 물이 반응할 때는 에너지를 방출한다.

B - 3 탄산수소 나트륨을 가열하면 에너지를 흡수하여 탄산 나트륨, 이산화 탄소, 물로 분해되므로 주변의 온도가 낮아진다.

C - 1 휴대용 손난로, 염화 칼슘 제설제는 화학 반응이 일어날 때 방출하는 에너지를 일상생활에서 활용한 예이다.

C - 2 냉찜질 팩은 화학 반응이 일어날 때 흡수하는 에너지를 일상생활에서 활용한 예이다.

실력탄탄 핵심 문제

43~45쪽

01 ⑤ **02** ④ **03** ② **04** ⑤ **05** ⑤ **06** ③ **07** ①
08 ③ **09** ② **10** ⑤ **11** ③ **12** ②

서술형 문제 **13~17** 해설 참조

01 ① 화학 반응이 일어날 때에는 에너지를 방출하거나 흡수한다.
②, ③ 발열 반응이 일어날 때 에너지를 방출하므로 주변의 온도가 높아지고, 흡열 반응이 일어날 때 에너지를 흡수하므로 주변의 온도가 낮아진다.
④ 나무의 연소는 발열 반응이다.
바로알기 >> ⑤ 산화 칼슘과 물의 반응은 에너지를 방출하는 반응이다.

02 석고의 주성분은 황산 칼슘으로, 물과 화학 반응하면 굳으면서 열에너지를 방출한다.
ㄴ. 발열 반응이 일어나면 주변의 온도가 높아진다.
ㄷ. 사람의 호흡은 에너지를 방출하는 발열 반응이다.
바로알기 >> ㄱ. 이 반응은 에너지를 방출하는 반응이다.

03 (가) 철이 녹스는 반응, (라) 금속과 산의 반응, (마) 산과 염기의 반응은 에너지를 방출하는 반응이다.
바로알기 >> (나) 소금과 물의 반응, (다) 질산 암모늄과 물의 반응, (바) 수산화 바륨과 염화 암모늄의 반응은 에너지를 흡수하는 반응이다.

04 ㄱ. 메테인(CH_4)의 연소는 에너지를 방출하는 발열 반응이다.
ㄴ. 발열 반응은 반응물의 에너지 합이 생성물의 에너지 합보다 크다.
ㄷ. 산과 염기의 반응은 에너지를 방출하는 발열 반응이므로 메테인의 연소 반응과 에너지의 출입이 같다.

05 ① 묽은 염산이 들어 있는 시험관에 마그네슘 리본을 넣으면 기체가 발생하는 화학 반응이 일어난다.
②, ③ 금속과 산의 반응은 에너지를 방출하는 반응이므로, 주변의 온도가 높아진다.
④ 연소 반응은 에너지를 방출하는 반응이므로, 금속과 산의 반응에서 일어나는 에너지의 출입과 같다.
바로알기 >> ⑤ 발열 반응이므로 반응물의 에너지 합이 생성물의 에너지 합보다 크다.

06 ㄱ, ㄷ. 부직포 주머니를 흔들면 철 가루가 공기 중의 산소와 반응하여 에너지를 방출하므로 주변의 온도가 높아진다. 따라서 주머니가 따뜻해지는 것은 발열 반응이 일어나기 때문이다.
바로알기 >> ㄴ. 철 가루와 산소의 반응은 주변으로 에너지를 방출하는 반응이다.

07 ㄱ. 식물이 광합성을 할 때는 빛에너지를 흡수하므로, 이 반응은 흡열 반응이다.
바로알기 >> ㄴ, ㄷ. LPG 가스의 연소, 사람의 호흡은 발열 반응이다.

08 ㄱ. 수산화 바륨과 염화 암모늄이 반응할 때 주변에서 에너지를 흡수하므로 주변의 온도가 낮아진다.
ㄷ. 소금과 물의 반응은 에너지를 흡수하는 흡열 반응이므로, 이 반응의 에너지 출입과 같다.
바로알기 >> ㄴ. 흡열 반응이 일어나면 주변의 온도가 낮아진다.

09 ㄱ, ㄴ. 탄산수소 나트륨이 분해될 때 주변에서 에너지를 흡수하므로, 주변의 온도가 낮아진다.
바로알기 >> ㄷ. 흡열 반응은 반응물의 에너지 합이 생성물의 에너지 합보다 작다.

10 ㄱ, ㄴ. 질산 암모늄과 물의 반응이 일어날 때는 에너지를 흡수하므로 주변의 온도가 낮아져 투명 봉지가 차가워진다.
ㄷ. 질산 암모늄과 물의 반응을 활용하여 냉찜질 팩을 만들 수 있다.

11 ㄱ. 염화 칼슘과 물의 반응, ㄴ. 철 가루와 산소의 반응, ㄹ. 산화 칼슘과 물의 반응은 발열 반응이다.
ㄷ. 질산 암모늄과 물의 반응은 흡열 반응이다.

12 ① 손난로, ③ 가스레인지, ④ 발열 도시락, ⑤ 염화 칼슘 제설제는 에너지를 방출하는 반응을 활용한 예이다.
바로알기 >> ② 냉찜질 팩은 에너지를 흡수하는 반응을 활용한 예이다.

13 모범 답안 > (가)에서 메테인이 산소와 반응할 때 에너지를 방출하고, (나)에서 철 가루가 산소와 반응할 때 에너지를 방출하기 때문이다.

채점 기준	배점
(가)와 (나)에서 온도가 높아지는 까닭을 반응물의 종류, 에너지 출입과 관련지어 옳게 서술한 경우	100 %
(가)와 (나)에서 온도가 높아지는 까닭을 반응물의 종류 또는 에너지 출입 중 한 가지만 언급하여 서술한 경우	50 %

14 모범 답안 > 발열 반응, 염산과 수산화 나트륨 수용액이 반응하면서 용액의 온도가 높아졌기 때문이다.
|해설| 발열 반응이 일어날 때 에너지를 방출하므로 주변의 온도가 높아진다.

채점 기준	배점
발열 반응을 쓰고, 그 까닭을 실험 결과를 이용하여 옳게 서술한 경우	100 %
발열 반응만 쓴 경우	50 %

15 모범 답안 > 메테인이 연소한다. 산과 염기가 반응한다. 산화 칼슘과 물이 반응한다. 사람이 호흡을 한다. 등

채점 기준	배점
발열 반응의 예를 두 가지 모두 서술한 경우	100 %
발열 반응의 예를 한 가지만 서술한 경우	50 %

16 모범 답안 > 수산화 바륨과 염화 암모늄이 반응할 때 에너지를 흡수하여 주변의 온도가 낮아지기 때문이다.

채점 기준	배점
에너지 출입, 온도 변화와 관련지어 까닭을 옳게 서술한 경우	100 %
에너지 출입, 온도 변화 중 한 가지만 언급하여 까닭을 서술한 경우	50 %

17 모범 답안 > (1) 발열 반응 : (가), 흡열 반응 : (나), (다)
(2) (가)는 구제역 바이러스 제거, (나)는 냉찜질 팩, (다)는 베이킹파우더의 주성분으로 활용된다.

	채점 기준	배점
(1)	발열 반응과 흡열 반응을 옳게 구분한 경우	50 %
(2)	(가)~(다)가 실생활에 활용되는 예를 한 가지씩 옳게 서술한 경우	50 %

핵심 자료로 최종 점검 48쪽

01 물질 변화와 화학 반응식
1 ❶ 물리 ❷ 분자 ❸ 화학 ❹ 원자
2 ❶ 분자 ❷ 분자 ❸ 원자

02 화학 반응의 규칙
1 ❶ 1 ❷ 1 ❸ 1 ❹ 3 ❺ 1 ❻ 1 ❼ 1 ❽ 3 ❾ 종류(개수) ❿ 개수(종류)
2 ❶ 2 : 1 ❷ 1 : 3 ❸ 1 : 2 ❹ 1 : 8 ❺ 14 : 3 ❻ 3 : 8
3 ❶ 1 ❷ 3 ❸ 2 ❹ 1 ❺ 3 ❻ 2 ❼ 1 ❽ 1 ❾ 2 ❿ 1 ⓫ 1 ⓬ 2

03 화학 반응에서의 에너지 출입
1 ❶ 발열 ❷ 방출 ❸ 높아 ❹ 흡열 ❺ 흡수 ❻ 낮아

시험적중 마무리 문제 49~53쪽

01 ④	02 ①, ③	03 (가), (다)	04 ③	05 ③	06 ⑤
07 ④	08 ④	09 ⑤	10 ④	11 ③	12 ③	13 ③
14 ④	15 ②	16 ①, ④	17 ①	18 ③	19 14 : 3	20 ④
21 ⑤	22 ①	23 24 g	24 ⑤	25 ⑤	26 9 g	27 ③
28 ㄴ, ㄷ	29 ⑤	30 ㄱ, ㄴ			

01 물리 변화와 화학 변화가 일어날 때 변하는 것과 변하지 않는 것은 다음과 같다.

구분	물리 변화	화학 변화
변하는 것	• 분자의 배열	• 원자의 배열 • 분자의 종류 • 물질의 성질
변하지 않는 것	• 원자의 배열 • 원자의 종류, 개수 • 분자의 종류, 개수 • 물질의 성질, 총질량	• 원자의 종류, 개수 • 물질의 총질량

02 ①, ③ 암모니아 생성 반응에서 반응 전후에 원자의 종류와 개수는 변하지 않는다.

바로알기 ②, ④, ⑤ 질소와 수소가 반응하여 암모니아가 생성될 때 원자의 배열이 달라져 분자의 종류가 변하므로 물질이 처음과 성질이 다른 새로운 물질로 변한다.

03 물질의 성질이 변하는 것은 화학 변화이다. (가)와 (다)는 화학 변화이고, (나)와 (라)는 물리 변화이다.

04 ㄱ, ㄹ. (가)와 (나)는 물질의 성질이 변하는 화학 변화이고, (다)는 물질의 성질이 변하지 않는 물리 변화이다. 따라서 (다)의 암모니아수는 반응물의 성질을 그대로 가지고 있다.

바로알기 ㄴ. (가)에서는 원자의 배열이 달라져 분자의 종류가 변하는 반응이 일어난다.

ㄷ. (나)에서는 반응 전후에 원자의 종류와 개수가 변하지 않는다.

05 ①, ②, ④, ⑤ 화학 변화의 예이다.

바로알기 ③ 물리 변화의 예이다.

06 바로알기 ⑤ 메테인의 연소 반응을 화학 반응식으로 나타내면 $CH_4 + 2O_2 \longrightarrow CO_2 + 2H_2O$이다.

07 ④ 과산화 수소의 분해 반응을 화학 반응식으로 나타내면 $2H_2O_2 \longrightarrow 2H_2O + O_2$이다.

08 ④ 마그네슘과 산소의 반응을 화학 반응식으로 나타내면 $2Mg + O_2 \longrightarrow 2MgO$이다. 따라서 ㉠은 2, ㉡은 1, ㉢은 2이다.

09 바로알기 ① $2C + O_2 \longrightarrow 2CO$
② $H_2 + Cl_2 \longrightarrow 2HCl$
③ $N_2 + 3H_2 \longrightarrow 2NH_3$
④ $Zn + 2HCl \longrightarrow ZnCl_2 + H_2$

10 ④ 질량 보존 법칙은 물리 변화와 화학 변화에서 모두 성립한다.

바로알기 ①, ② 앙금 생성 반응, 금속의 연소 반응에서는 모두 질량 보존 법칙이 성립한다.

③ 열린 용기에서 기체 발생 반응이 일어나면 질량이 감소하는 것으로 측정되지만, 발생하는 기체의 질량을 고려하면 반응 전후에 물질의 총질량은 같다.

⑤ 질량 보존 법칙은 화합물이 만들어질 때와 혼합물이 만들어질 때 모두 성립한다.

11 ③ 염화 나트륨 수용액과 질산 은 수용액이 반응하면 흰색의 염화 은 앙금이 생성된다.

염화 나트륨＋질산 은 ⟶ 염화 은↓＋질산 나트륨

화학 반응에서 반응 전 물질의 총질량은 반응 후 물질의 총질량과 같으므로 반응 후의 총질량은 $20\,g + 20\,g = 40\,g$이다.

12 ㄷ. 탄산 나트륨 수용액과 염화 칼슘 수용액의 반응에서 반응 전후에 질량이 일정하므로, 질량 보존 법칙이 성립한다.

바로알기 ㄱ. 탄산 나트륨 수용액과 염화 칼슘 수용액이 반응하면 흰색의 탄산 칼슘 앙금이 생성된다.

탄산 나트륨＋염화 칼슘 ⟶ 탄산 칼슘↓＋염화 나트륨

ㄴ. 앙금 생성 반응에서 반응 전후에 원자의 종류와 개수가 변하지 않으므로 질량은 (가)와 (나)가 같다.

13 ①, ② 달걀 껍데기와 묽은 염산이 반응하면 이산화 탄소 기체가 발생하는 화학 반응이 일어난다.

④ 반응 전후에 질량이 변하지 않으므로 질량 보존 법칙이 성립한다.

⑤ (나)에서 뚜껑을 열면 발생한 이산화 탄소 기체가 공기 중으로 날아가므로 질량이 감소한다.

바로알기 ③ 닫힌 용기에서 기체 발생 반응이 일어날 때 발생한 기체가 공기 중으로 빠져나가지 않으므로 질량은 (가)와 (나)가 같다.

14 바로알기 ㄱ. B를 가열하면 공기 중의 산소와 결합하므로 결합한 산소의 질량만큼 질량이 증가한다. 따라서 질량은 A<B이므로 연소가 끝난 후 저울은 B쪽이 아래로 기울어진다.

ㄹ. 강철솜 대신 나무를 매달아 B를 가열하면 이산화 탄소와 수증기가 발생하며, 발생한 기체가 공기 중으로 날아가므로 질량이 감소한다. 따라서 질량은 A>B이므로 연소가 끝난 후 저울은 A쪽이 아래로 기울어진다.

15 ② 과산화 수소 ⟶ 물 ＋ 산소
$\quad\quad\quad 34\,g \;=\; 18\,g + x \quad \therefore x = 16\,g$
이산화 망가니즈는 반응이 일어나도록 도와주는 물질이며, 직접 반응하지 않으므로 반응 전후에 질량이 변하지 않는다. 따라서 질량 관계를 계산할 때 이산화 망가니즈의 질량은 고려하지 않는다.

16 ① 종이를 태우면 발생한 기체가 공기 중으로 날아가므로 반응 후 질량이 감소한다.

④ 묽은 염산과 마그네슘이 반응하면 수소 기체가 발생하며, 발생한 기체가 공기 중으로 날아가므로 반응 후 질량이 감소한다.

바로알기 » ②, ③ 구리, 강철솜을 가열하면 산소와 결합하므로 질량이 증가한다.

⑤ 염화 나트륨 수용액과 질산 은 수용액을 섞으면 흰색의 염화 은 앙금이 생성되며, 열린 용기에서 반응해도 질량은 변하지 않는다.

17 ②, ③, ④, ⑤ 암모니아, 아이오딘화 납, 이산화 탄소, 염화 나트륨은 모두 화합물이므로, 일정 성분비 법칙이 성립한다.

바로알기 » ① 설탕물은 혼합물이므로, 일정 성분비 법칙이 성립하지 않는다.

18 ③ 물 분자를 구성하는 수소 원자와 산소 원자의 개수비는 $2 : 1$이고, 수소 원자 1개와 산소 원자 1개의 질량비는 $1 : 16$이다. 따라서 물을 구성하는 수소와 산소의 질량비는 수소 : 산소 $= 2 \times 1 : 1 \times 16 = 2 : 16 = 1 : 8$이다. 산소 48 g과 반응하는 수소의 질량을 x라고 하면 수소 : 산소 $= 1 : 8 = x : 48$ g, $x = 6$ g이다. 따라서 물은 54 g$(= 48$ g$+ 6$ g$)$ 생성된다.

19 암모니아 분자는 질소 원자 1개와 수소 원자 3개로 이루어진다. 따라서 암모니아를 구성하는 질소와 수소의 질량비는 $14 : 3 \times 1 = 14 : 3$이다.

20 ㄱ. 볼트(B) 1개와 너트(N) 2개가 결합하여 화합물을 만드는 과정이므로 이 반응은 B$+$2N $\longrightarrow$ BN$_2$로 나타낼 수 있다.

ㄷ. 화합물을 구성하는 원자는 항상 일정한 개수비로 결합하므로 화합물 모형을 만들 때 과량의 너트 모형이 남는다. 이를 통해 일정 성분비 법칙을 설명할 수 있다.

ㄹ. 볼트 1개와 너트 2개가 반응하여 화합물을 만들고 너트 2개는 반응하지 않고 남는다.

바로알기 » ㄴ. 생성된 화합물에서 B : N의 개수비는 $1 : 2$이고, B : N의 질량비$= 5$ g : $(2 \times 2$ g$) = 5 : 4$이다.

21 ⑤ 구리와 산소의 질량비는 $4 : 1$로 일정하므로, 구리의 질량이 증가하면 반응하는 산소의 질량도 일정하게 증가한다.

바로알기 » ① 구리 4 g을 가열할 때 산화 구리(Ⅱ) 5 g이 생성되므로 산소 1 g이 반응하였다. 따라서 반응하는 구리와 산소의 질량비는 $4 : 1$이다.

② 구리 4 g을 가열할 때 산화 구리(Ⅱ) 5 g이 생성되므로 구리와 산화 구리(Ⅱ)의 질량비는 $4 : 5$이다. 따라서 구리 20 g을 가열할 때 생성되는 산화 구리(Ⅱ)는 25 g이다.

③ 구리 24 g을 가열할 때 필요한 산소의 질량을 x라고 하면 구리 : 산소 $= 4 : 1 = 24$ g : x, $x = 6$ g이다.

④ 산화 구리(Ⅱ) 20 g을 생성하기 위해 필요한 산소의 질량을 y라고 하면 산화 구리(Ⅱ) : 산소 $= 5 : 1 = 20$ g : y, $y = 4$ g이다.

22 ① 질량비는 마그네슘 : 산소 : 산화 마그네슘 $= 3 : 2 : 5 = 18$ g : 12 g : 30 g이므로, 산화 마그네슘 30 g을 얻기 위해 필요한 산소의 최소 질량은 12 g이다.

23 실험 Ⅰ에서 질량비는 수소 : 산소 $= 1 : 8$임을 알 수 있다. 실험 Ⅱ에서 반응 후 수소 3 g이 남았으므로, 반응한 수소 : 산소의 질량은 $1 : 8 = 3$ g : 24 g이다. 따라서 반응 전 산소의 질량은 24 g이다.

24 ⑤ 같은 농도의 아이오딘화 칼륨 수용액과 질산 납 수용액은 $1 : 1$의 부피비로 반응한다. 따라서 아이오딘화 칼륨 수용액에 질산 납 수용액을 넣어 주면 처음에는 앙금의 양이 점점 증가하다가 아이오딘화 칼륨 수용액이 모두 반응하면 앙금의 양이 더 이상 증가하지 않는다.

25 ⑤ 반응물과 생성물이 모두 기체인 반응에서 각 기체의 부피 사이에 항상 간단한 정수비가 성립한다는 법칙은 기체 반응 법칙이다.

26 메테인 연소 반응에서 반응물의 총질량과 생성물의 총질량은 같다. 따라서 $(4$ g$+ 16$ g$) = (11$ g$+$수증기의 질량$)$이므로 수증기의 질량은 9 g이다.

27 ③ 기체 사이의 반응에서 각 기체의 분자 수의 비와 부피비는 같으므로 메테인의 연소 반응에서 분자 수의 비와 부피비는 모두 메테인 : 산소 : 이산화 탄소 : 수증기 $= 1 : 2 : 1 : 2$이다. 따라서 메테인 10 mL가 완전히 연소되기 위해서는 산소 20 mL가 필요하고, 이때 이산화 탄소 10 mL, 수증기 20 mL가 생성된다.

28 염화 칼슘과 물이 반응하면 에너지를 방출한다.

ㄴ, ㄷ. 철이 녹스는 반응, 산과 염기의 반응은 에너지를 방출하는 발열 반응이다.

바로알기 » ㄱ, ㄹ. 소금과 물의 반응, 수산화 바륨과 염화 암모늄의 반응은 에너지를 흡수하는 흡열 반응이다.

29 ①, ③ (가)는 에너지를 흡수하는 흡열 반응이므로, 주변의 온도가 낮아진다.

②, ④ (나)는 에너지를 방출하는 발열 반응이므로, 주변의 온도가 높아진다.

바로알기 » ⑤ (가)는 생성물의 에너지 합이 반응물의 에너지 합보다 크고, (나)는 반응물의 에너지 합이 생성물의 에너지 합보다 크다.

30 ㄱ, ㄴ. 질산 암모늄과 물이 반응하면 에너지를 흡수하므로, 투명 봉지의 온도가 낮아진다.

바로알기 » ㄷ. 이 반응을 이용하여 냉찜질 팩을 만들 수 있다.

Ⅱ. 기권과 날씨

01 기권과 지구 기온

단원 미리보기

56~57쪽

만화 완성하기 ≫ [모범 답안] 오존층에서 자외선을 흡수하니깐 높이 올라갈수록 기온이 높아지는 거야.

한눈에 보기 ≫ [A] 기권의 층상 구조, [D] 지구 온난화

57~60쪽

A 1 A : 질소, B : 산소 2 기온 3 (1) × (2) × (3) ○

B 1 ㉠ 적어지며, ㉡ 대류권 2 대류권, 중간권 3 (1) – ㉣ (2) – ㉢ (3) – ㉠ (4) – ㉡

C 1 복사 평형 2 (1) 70 %, 70 % (2) D

D 1 지구 온난화 2 이산화 탄소 3 (1) × (2) × (3) ○

A-1 지구 대기의 조성(부피비) : 질소 > 산소 > 아르곤 > 이산화 탄소 > …

A-2 지표면으로부터 높이 올라갈수록 대류권에서는 기온이 낮아지고, 성층권에서는 높아지며, 중간권에서는 다시 낮아지고, 열권에서는 다시 높아진다.

A-3 바로알기 ≫ (1) 오존층은 태양에서 오는 자외선을 흡수하여 지상의 생명체를 보호하며, 성층권에 분포한다.
(2) 성층권과 중간권 사이의 경계면을 성층권 계면이라고 한다. 중간권 계면은 중간권과 열권 사이의 경계면이다.

B-1 높이 올라갈수록 공기를 잡아 주는 중력이 약해지기 때문에 공기의 양이 적어지며, 기권 중 지표에서 가장 가까운 대류권에 대부분의 공기가 모여 있다.

B-2 대류권과 중간권은 높이 올라갈수록 기온이 낮아진다. 따라서 밀도가 큰 찬 공기는 아래로, 밀도가 작은 따뜻한 공기는 위로 이동하여 대류가 일어난다.

B-3 (1) 대류권에는 수증기가 존재하기 때문에 구름이 만들어지고 눈, 비 등의 기상 현상이 나타난다.
(2) 성층권은 높이 올라갈수록 기온이 높아지기 때문에 밀도가 작은 따뜻한 공기가 위에, 밀도가 큰 찬 공기가 아래에 있어 대류가 일어나지 않는 매우 안정한 층이다. 장거리 비행기는 안정한 성층권을 항로로 주로 이용한다.
(3) 중간권은 높이 올라갈수록 기온이 낮아지므로 대류가 일어나지만, 수증기가 거의 없기 때문에 기상 현상은 나타나지 않는다.

C-2 문제 분석하기 ≫

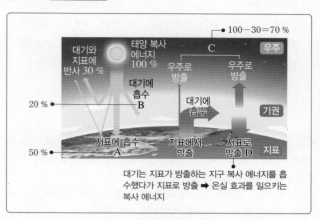

대기는 지표가 방출하는 지구 복사 에너지를 흡수했다가 지표로 방출 ➡ 온실 효과를 일으키는 복사 에너지

(1) 지구가 흡수하는 태양 복사 에너지양은 지구에 도달한 태양 복사 에너지 100 % 중 대기와 지표에 반사된 30 %를 제외한 70 %이다. 그리고 지구는 태양 복사 에너지를 흡수한 양만큼 방출한다.
(2) A~D 중 온실 효과를 일으키는 것은 지표에서 방출되어 대기에 의해 흡수되었다가 지표로 방출되는 D이다.

D-3 (3) 지구 온난화는 대기 중으로 방출되는 온실 기체의 양이 증가하면서 온실 효과가 강화되어 지구의 평균 기온이 높아지는 현상으로, 이를 방지하기 위해서는 온실 기체의 배출량을 줄여야 한다.

바로알기 ≫ (1) 대기 중 이산화 탄소의 농도가 증가하면 온실 효과가 강화되어 지구의 평균 기온이 대체로 높아진다.
(2) 지구 온난화의 영향으로 평균 기온이 대체로 상승하므로 빙하가 녹거나 해수가 열팽창하여 해수면의 높이가 상승할 것이다.

이해 쏙쏙 집중 강의

61쪽

유제 1 (나)
유제 2 (가) < (나)

유제 1 (나)는 지표에서 방출하는 지구 복사 에너지의 일부를 대기가 흡수했다가 지표로 방출하여 지구의 평균 기온이 높게 유지되는 온실 효과가 일어난다.

유제 2 온실 효과가 일어나면 높은 온도에서 복사 평형이 일어나므로 평균 온도는 (나)가 (가)보다 높다.

01 ⑤　02 ②　03 높이에 따른 기온 변화　04 ①　05 ④

06 ①　07 ③　08 ⑤　09 ⑤　10 ③　11 ②　12 ②

13 ③　14 ③　15 ①, ②　16 ⑤　17 ④　18 ㄱ, ㄷ, ㄹ

서술형 문제 19~23 해설 참조

01　①, ② 지구의 대기는 질소, 산소, 아르곤, 이산화 탄소 등 여러 기체가 혼합되어 구성되어 있다. 이중 질소(78 %)와 산소(21 %)가 대부분을 차지한다.
④ 수증기는 시간과 장소에 따라 대기 중의 양이 달라지므로 대기의 조성은 보통 수증기를 제외하고 나타낸다.
바로알기 ⑤ 기권은 지표에서 높이 약 1000 km까지 분포한다.

02　바로알기 ① A는 질소, B는 산소이다.
③ 기상 현상을 일으키는 주된 기체는 수증기이다.
④ 태양의 자외선을 막아주는 기체는 오존이다.
⑤ 온실 효과를 일으키는 기체는 수증기, 이산화 탄소, 메테인 등이다.

03　기권은 높이에 따른 기온 변화에 따라 지표에서부터 대류권(A), 성층권(B), 중간권(C), 열권(D)으로 구분한다.

04　대류권(A)과 중간권(C)에서는 높이 올라갈수록 기온이 낮아진다. 따라서 위쪽에 무거운 찬 공기, 아래쪽에 가벼운 따뜻한 공기가 있어서 대류가 일어난다.

05　④ 열권(D)은 공기가 매우 희박하고, 낮과 밤의 기온 차가 가장 크다.
바로알기 ① 대류권(A)은 높이 올라갈수록 기온이 낮아지므로 대기가 불안정하여 대류가 활발하게 일어난다.
② 성층권(B)은 높이 올라갈수록 기온이 높아지므로 안정한 층이다.
③ 중간권(C)은 대류가 일어나지만 수증기가 거의 없어서 기상 현상은 나타나지 않는다. 기상 현상이 나타나는 층은 대류권(A)이다.
⑤ 성층권(B)의 높이 약 20~30 km에는 오존층이 존재하여 자외선을 흡수한다.

06　바로알기 ① 기권 중 오로라가 관측되는 층은 열권이다.

07　중간권은 높이 올라갈수록 기온이 낮아지므로 대류가 일어난다. 하지만, 수증기가 거의 없기 때문에 기상 현상은 나타나지 않는다. 중간권과 열권 사이의 경계면인 중간권 계면 부근에서는 기권 중 가장 낮은 기온이 나타난다.

08　기권은 높이에 따른 기온 변화를 기준으로 지표면에서부터 '대류권 → 성층권 → 중간권 → 열권'으로 구분한다. 따라서 지표면에서 가까운 층에서 나타나는 현상부터 나열하면 '구름(ㄹ) → 장거리 비행기 항로(ㄷ) → 유성(ㄴ) → 오로라(ㄱ)'이다.

구분	특징
열권	ㄱ. 오로라는 태양에서 방출된 전기를 띤 입자들이 극지방의 상층 대기 입자와 부딪혀 빛을 내는 현상으로, 열권에서 나타나기도 한다. **오로라**
중간권	ㄴ. 유성은 지구로 들어오는 행성 간 물질이 대기와의 마찰로 타면서 빛을 내는 것으로, 중간권에서 관측되기도 한다. **유성**
성층권	ㄷ. 성층권은 아래에 찬 공기가 있고 위에 따뜻한 공기가 있어서 안정한 층이므로 장거리 비행기 항로로 이용된다. **장거리 비행기 항로**
대류권	ㄹ. 구름이 만들어지고 눈, 비와 같은 기상 현상은 수증기가 존재하는 대류권에서 나타난다. **구름**

09　문제 분석하기

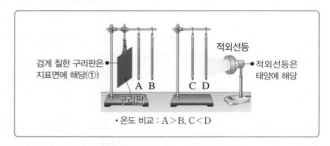

검게 칠한 구리판은 지표면에 해당(①)
적외선등
적외선등은 태양에 해당
구리판
• 온도 비교 : A>B, C<D

② 검게 칠한 구리판은 적외선등에서 받은 에너지만큼 방출한다. 이때 온도계 A와 B는 적외선등보다 구리판이 방출하는 열에너지의 영향을 더 많이 받는다. 따라서 구리판에서 더 가까운 A의 온도가 B의 온도보다 높다.
③, ④ 온도계 C와 D는 구리판보다 적외선등에 가까우므로 적외선등에서 나오는 열의 영향을 더 많이 받는다. 따라서 적외선등에서 더 가까운 D의 온도가 C의 온도보다 높다.
바로알기 ⑤ 온도계 A와 B는 구리판(지표)에서 멀어질수록 온도가 낮아지므로 대류권의 온도 분포를 알아보기 위한 것이고, 온도계 C와 D는 적외선등(태양)에 가까워질수록 온도가 높아지므로 열권의 온도 분포를 알아보기 위한 것이다.

10　⑤ 지구는 태양 복사 에너지를 끊임없이 받으면서 지구 복사 에너지를 방출하고 있다.

바로알기 ≫ ③ 얼음을 포함하여 모든 물체는 물체의 온도에 해당하는 복사 에너지를 방출한다.

11 ①, ④ 컵은 지구, 적외선등은 태양을 의미하며, 지구의 복사 평형을 알아보기 위한 실험이다.
③ 컵과 적외선등 사이의 거리가 가까워지면 컵에 도달하는 적외선등의 에너지가 많아지므로 복사 평형에 이르는 온도는 높아진다.
⑤ 시간이 지나면 컵이 흡수하는 에너지양과 컵이 방출하는 에너지양이 같아져서 복사 평형 상태가 된다.
바로알기 ≫ ② 컵 속 온도는 일정 시간이 지나면 복사 평형 상태가 되어 온도가 일정하게 유지된다.

12 알루미늄 컵 속 공기는 적외선등으로부터 에너지를 받아 온도가 점차 올라간다. 어느 정도 시간이 지나면 컵이 적외선등에서 흡수한 에너지양만큼 에너지를 방출하므로 복사 평형 상태에 도달하여 온도가 일정하게 유지된다.

13 문제 분석하기 ≫

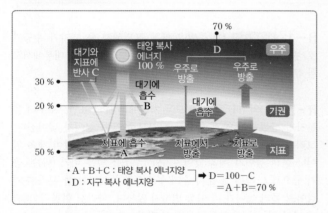

• A+B+C : 태양 복사 에너지양
• D : 지구 복사 에너지양

D=100−C
=A+B=70 %

①, ② 태양 복사 에너지가 반사되는 C의 양은 30 %이고, 지표와 대기를 통해 지구가 흡수하는 태양 복사 에너지 A와 B의 합은 70 %이다.
④ D는 지구에서 우주로 방출되는 지구 복사 에너지로, D의 양은 70 %이다.
⑤ 지구는 태양 복사 에너지를 흡수한 양만큼 지구 복사 에너지를 방출하여 복사 평형 상태에 있으므로 지구의 평균 기온이 거의 일정하게 유지되고 있다.
바로알기 ≫ ③ D는 지구가 방출하는 지구 복사 에너지양이며, 지구는 복사 평형을 이루므로 지구가 흡수하는 태양 복사 에너지양과 같다. 지구가 흡수하는 태양 복사 에너지양은 전체 태양 복사 에너지 100 %에서 우주로 반사된 양(C=30 %)을 뺀 70 %이다.

14 ㄱ. 온실 효과는 지표에서 방출되는 지구 복사 에너지의 일부를 대기가 흡수하였다가 지표로 방출하여 지구의 평균 기온이 높게 유지되는 현상이다.

ㄴ. 온실 효과가 강화되면 대기가 흡수하였다가 방출하는 복사 에너지양이 증가한다. 따라서 온실 효과가 강화될수록 더 높은 온도에서 복사 평형을 이룬다.
바로알기 ≫ ㄷ. 지구에 대기가 없다면 온실 효과가 일어나지 않아 현재보다 낮은 온도에서 복사 평형이 이루어지므로 현재보다 평균 기온이 더 낮을 것이다.

15 온실 기체는 지구 대기를 이루는 기체 중에서 온실 효과를 일으키는 것이다. 온실 기체의 종류로 수증기, 이산화 탄소, 메테인 등이 있다.
바로알기 ≫ ①, ② 산소와 질소는 지구 대기의 주요 성분으로, 온실 기체는 아니다.

16 ①, ④ 기체 A는 온실 기체 중 하나인 이산화 탄소로, 화석 연료의 사용 증가 등 인간 활동의 영향으로 대기 중의 농도가 증가하였다.
②, ③ 대기 중 이산화 탄소의 농도가 증가하면서 지구의 평균 기온은 대체로 상승하고 있다.
바로알기 ≫ ⑤ 지구 온난화는 대기 중으로 방출되는 온실 기체의 양이 증가하여 온실 효과가 강화되면서 지구의 평균 기온이 높아지는 현상이다.

17 (나)는 지구의 평균 기온이 대체로 증가하는 지구 온난화를 나타낸 것이다.
바로알기 ≫ ①, ② 지구 온난화로 지구의 평균 기온이 높아지면 극지방의 빙하가 녹고 해수의 부피가 팽창하여 해수면이 상승한다.
③ 해수면이 상승하면 해안 저지대가 침수되어 육지의 면적이 감소한다.
⑤ 지구 온난화로 농작물 생산량이 감소하고, 이로 인해 식량 부족 현상이 발생한다.

18 지구 온난화는 주로 대기 중 이산화 탄소의 농도 증가 때문에 나타나므로 지구 온난화를 억제하기 위해서는 대기 중의 이산화 탄소의 농도를 줄여야 한다.
ㄱ. 삼림의 면적을 넓히면 식물의 광합성량이 증가되어 대기 중 이산화 탄소의 농도를 줄일 수 있다.
ㄷ, ㄹ. 에너지의 소비량을 줄이거나 무공해 대체 에너지를 개발하면 이산화 탄소의 발생량을 줄일 수 있다.
바로알기 ≫ ㄴ. 석탄과 석유는 모두 화석 연료이므로 석탄을 석유로 대체한다고 해도 이산화 탄소 발생량을 줄일 수는 없다.

19 모범 답안 ▶ 기권은 높이에 따른 기온 변화에 따라 대류권, 성층권, 중간권, 열권으로 구분한다.

채점 기준	배점
높이에 따른 기온을 언급하여 옳게 서술한 경우	100 %
그 외의 경우	0 %

20 A는 대류권, B는 성층권, C는 중간권, D는 열권이다.

모범 답안 (1) B, 성층권

(2) • 공통점 : 높이 올라갈수록 기온이 낮아진다. 또는 A층(대류권)과 C층(중간권)에서 모두 대류가 일어난다.
• 차이점 : A층(대류권)은 기상 현상이 나타나지만, C층(중간권)은 기상 현상이 나타나지 않는다.

|해설| (2) 대류권에는 수증기가 존재하여 기상 현상이 나타나지만, 중간권에는 수증기가 거의 없어서 기상 현상이 나타나지 않는다.

	채점 기준	배점
(1)	기호와 층의 이름을 모두 옳게 쓴 경우	40 %
	기호와 층의 이름 중 한 가지만 옳게 쓴 경우	20 %
(2)	공통점과 차이점을 모두 옳게 서술한 경우	60 %
	공통점과 차이점 중 한 가지만 옳게 서술한 경우	30 %

21 모범 답안 (나), 물체의 에너지 흡수량과 방출량은 같다.

|해설| 문제 분석하기 »

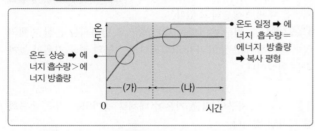

채점 기준	배점
(나)를 쓰고, 에너지 흡수량과 방출량이 같다고 옳게 서술한 경우	100 %
에너지 흡수량과 방출량이 같다고만 옳게 서술한 경우	60 %
(나)만 쓴 경우	40 %

22 모범 답안 지구가 흡수하는 태양 복사 에너지양과 방출하는 지구 복사 에너지양이 같아 복사 평형을 이루고 있기 때문에 지구의 평균 기온이 거의 일정하게 유지된다.

채점 기준	배점
지구의 에너지 흡수량과 방출량을 언급하여 복사 평형을 서술한 경우	100 %
지구가 복사 평형을 이루고 있기 때문이라고만 서술한 경우	50 %

23 모범 답안 (1) 대기 중 이산화 탄소 농도가 높아질수록 지구의 평균 기온이 대체로 상승한다.

(2) 빙하가 녹는다. 해수면이 상승한다. 육지의 면적이 감소한다. 폭염, 홍수 등 기상 이변이 증가한다. 생태계가 변화한다. 식량 부족 현상이 나타난다. 등

	채점 기준	배점
(1)	대기 중 이산화 탄소 농도 변화와 지구의 평균 기온 변화의 관계를 옳게 서술한 경우	40 %
(2)	지구 온난화의 영향으로 나타나는 현상 세 가지를 모두 옳게 쓴 경우	60 %
	지구 온난화의 영향으로 나타나는 현상 한 가지당 부분 배점	20 %

02 구름과 강수

단원 미리보기 66~67쪽

만화 완성하기 » [모범 답안] 상대 습도가 낮아지면 다시 불포화 상태가 될 수 있어!

한눈에 보기 » [B] 포화 수증기량, [D] 상대 습도, [E] 구름의 생성

67~72쪽

A 1 (1) × (2) ○ 2 (1) (나) (2) (나)

B 1 ㉠ 1, ㉡ 높 2 (1) A (2) 7.6 g/kg (3) 27.1 g/kg

C 1 (1) 증 (2) 응 (3) 증 (4) 응 (5) 증 2 ㉠ 이슬점, ㉡ 높
  3 (1) B (2) 12.4 g

D 1 $\dfrac{15 \text{ g/kg}}{30 \text{ g/kg}} \times 100$ 2 (1) ○ (2) × 3 A : 기온, B : 상대 습도, C : 이슬점

E 1 ㉠ 팽창, ㉡ 수증기 응결 2 (1) ○ (2) ○ (3) ×

F 1 (1) (가) (2) B

A-1 바로알기 » (1) 증발은 액체 표면에서 물 분자가 수증기로 변하는 현상이다. 끓음은 액체 표면뿐만 아니라 내부에서도 물 분자가 수증기로 변하는 현상이다.

A-2 (가)와 (나) 두 비커 모두 처음에는 물의 표면으로부터 물 분자가 증발하여 공기 중으로 나가므로 물의 높이가 낮아진다. 그러나 얼마 후에 수조를 덮지 않은 비커 (가)는 증발이 계속 일어나 물의 높이가 계속 낮아지지만, 수조를 덮은 비커 (나)는 공기 중으로 나가는 물 분자 수와 물속으로 들어가는 물 분자 수와 같아져 물의 높이가 더 이상 변하지 않는다. 따라서 며칠 후 비커에 남아 있는 물의 양은 (나)가 더 많다.

B-1 포화 수증기량은 기온에 따라 달라지는데, 기온이 높을수록 포화 수증기량이 증가한다.

B-2 문제 분석하기 »

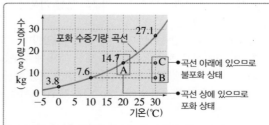

• 실제 수증기량 읽기 : 해당 공기의 수증기량을 읽는다.
• 포화 수증기량 읽기 : 현재 기온에서 포화 수증기량 곡선과 만나는 점의 수증기량을 읽는다.

(1) 포화 수증기량 곡선은 포화 상태의 공기 1 kg에 포함되어 있는 수증기의 양(g)을 기온에 따라 나타낸 곡선으로, 포화 수증기량 곡선 상에 있는 공기 A는 포화 상태이다.

(2) B 공기의 실제 수증기량은 B 지점에서의 수증기량인 7.6 g/kg이다.

(3) C 공기의 포화 수증기량은 C 지점의 기온인 30 ℃에서 포화 수증기량 곡선과 만나는 점의 수증기량인 27.1 g/kg이다.

C-1 (1) 빨래에 있던 물이 수증기로 변하여 공기 중으로 날아가는 현상은 증발이다.

(2), (4) 차가운 병 표면에 물방울이 맺히고, 맑은 날 새벽 강가에 안개가 생기는 것은 모두 공기가 냉각되어 응결이 일어나서 만들어지는 것이다.

(3) 여름철 마당에 물을 뿌리면 물이 증발하면서 주위의 열을 빼앗아 가므로 시원해진다.

(5) 뚜껑을 덮지 않은 어항의 물은 점점 증발하여 물의 양이 줄어든다.

C-2 이슬점은 실제 수증기량에 따라 달라지는데, 실제 수증기량이 많을수록 이슬점이 높아진다.

C-3 문제 분석하기 »

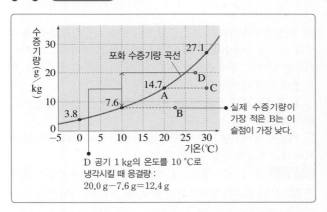

D 공기 1 kg의 온도를 10 ℃로 냉각시킬 때 응결량 :
20.0 g−7.6 g=12.4 g

(1) 수증기량의 변화 없이 공기를 냉각시켜 포화 수증기량 곡선과 만나는 점의 온도가 이슬점이다. A와 C의 이슬점은 20 ℃, B의 이슬점은 10 ℃, D의 이슬점은 25 ℃이다.

(2) 20.0 g/kg의 수증기를 갖고 있는 D 공기 1 kg의 온도를 10 ℃로 냉각시키면, 10 ℃에서 포화 수증기량은 7.6 g/kg이므로 20.0 g−7.6 g=12.4 g의 수증기가 응결한다.

D-1 상대 습도=$\dfrac{15 \text{ g/kg}}{30 \text{ g/kg}} \times 100 = 50$ %이다.

D-2 (1) 포화 상태는 어떤 기온에서 공기가 최대한의 수증기를 포함하고 있는 상태로, 상대 습도는 100 %이다.

바로알기 » (2) 실제 수증기량이 같아도 기온이 다르면 포화 수증기량의 값이 달라지기 때문에 상대 습도는 달라진다.

D-3 A는 15시경에 가장 높은 것으로 보아 기온이며, B는 15시경에 그 값이 가장 낮으므로 상대 습도이다. 이슬점은 실제 수증기량에 의해 결정되는데, 맑은 날은 공기 중의 수증기량이 거의 변하지 않으므로 이슬점도 그래프에서 C와 같이 변화가 작다.

E-1 공기 중의 수증기가 응결하여 생긴 물방울이나 얼음 알갱이가 하늘에 떠 있는 것을 구름이라고 하며, 구름의 생성 과정은 다음과 같다.

• 공기 상승 : 지표면 부근의 공기가 상승한다.
• 부피 팽창(단열 팽창) : 공기가 상승하면 부피가 팽창한다.
• 기온 하강 : 공기가 팽창하면 열을 소모하여 기온이 낮아진다.
• 수증기 응결 : 기온이 낮아지다가 이슬점과 같아지면 상대 습도가 100 %가 되고 수증기가 응결한다.
• 구름 생성 : 수증기가 응결하여 생긴 작은 물방울이나 얼음 알갱이가 모여 구름이 된다.

E-2 (1) 찬 공기와 따뜻한 공기가 만날 때 비교적 가벼운 따뜻한 공기가 찬 공기 위로 상승하여 구름이 생성된다.

(2) 지표면의 일부분이 강하게 가열되면 공기가 상승한다. 여름철에 소나기를 내리는 구름은 대부분 지표면의 갑작스런 가열로 공기가 빠르게 상승하여 만들어진 것이다.

바로알기 » (3) 공기가 산의 경사면을 타고 내려가면 하강하는 공기는 단열 압축되면서 기온이 상승한다. 따라서 포화 수증기량이 증가하므로 구름이 소멸된다.

F-1 (1) (가)는 중위도나 고위도 지방에서 발달하는 구름 속의 얼음 알갱이에 수증기가 달라붙어 얼음 알갱이가 성장하여 눈이 되고, 이것이 내리다가 녹으면 비(차가운 비)가 되는 과정을 설명한 것이다.

(나)는 저위도 지방(열대 지방)에서 발달하는 구름 속에서 큰 물방울과 작은 물방울이 충돌하여 합쳐져 점점 커지면서 비(따뜻한 비)가 되는 과정을 설명한 것이다.

(2) 구름 속의 기온이 −40~0 ℃일 때는 물방울과 얼음 알갱이가 함께 존재하고, −40 ℃ 이하에서는 대부분의 구름 알갱이가 얼음 알갱이로 존재한다. 따라서 C층에는 주로 물방울로 이루어져 있고, B층에는 물방울과 얼음 알갱이가 함께 존재하며, A층에는 주로 얼음 알갱이로 이루어져 있다.

이해 쏙쏙 집중 강의   74쪽

유형1 ㉠ 7.1
유형2 ㉡ 20, ㉢ 30, ㉣ 14.7, ㉤ 27.1, ㉥ 14.7, ㉦ 20,
       ㉧ 9.3, ㉨ 46.5, ㉩ 51.7

유형 1 문제 분석하기 »

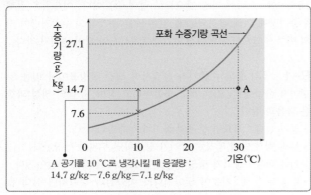

A 공기를 10 °C로 냉각시킬 때 응결량 :
14.7 g/kg−7.6 g/kg=7.1 g/kg

유형 2 문제 분석하기 »

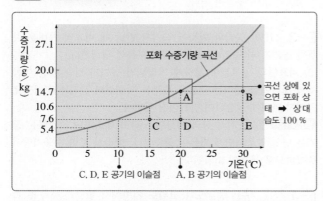

곡선 상에 있으면 포화 상태 ➡ 상대 습도 100 %

C, D, E 공기의 이슬점   A, B 공기의 이슬점

◎ A, B 공기 1 kg의 온도를 5 °C로 냉각시킬 때 응결량 :
14.7 g−5.4 g=9.3 g

㉦ A, B 공기 5 kg의 온도를 5 °C로 냉각시킬 때 응결량 :
9.3 g/kg×5 kg=46.5 g

㉩ D 공기의 상대 습도= $\dfrac{7.6\ \text{g/kg}}{14.7\ \text{g/kg}}$ ×100≒51.7 %

실력탄탄 **핵심 문제**   75~79쪽

01 ㄱ, ㄴ   02 ⑤   03 ③   04 ③   05 ④   06 ④   07 ②
08 ④   09 15 °C   10 6.0 g   11 ⑤   12 ②   13 5.88 g
14 ④   15 ㄱ, ㄷ   16 ⑤   17 ③   18 ②   19 ①   20 ④
21 ①   22 ④   23 ②   24 ⑤   25 ⑤

서술형 **문제** 26~30 해설 참조

01 ㄱ, ㄴ. 젖은 빨래가 마르고, 여름철 마당에 뿌린 물이 마르는 것은 증발에 의한 현상이다.
바로알기 » ㄷ. 새벽에 나뭇잎 위에 이슬이 맺히는 것은 응결에 의한 현상이다.

02 ①, ② 공기가 포함할 수 있는 수증기의 양에는 한계가 있으므로 (가)에서는 페트리 접시에서 증발한 수증기가 수조 안 공기의 포화 수증기량을 채우면 더 이상 물의 양이 줄어들지 않는다.
③ (가)는 포화 상태에 도달하므로 물속으로 들어가는 물 분자 수와 나가는 물 분자 수가 같다.
④ (나) 주변의 공기는 밀폐되어 있지 않기 때문에 (나)에서 증발한 물 분자는 공기 중으로 흩어진다.
바로알기 » ⑤ (가)와 (나)의 기온 조건은 같다. (가) 수조 속의 공기는 포화 상태에 도달하지만, (나) 페트리 접시 주변의 공기는 개방되어 있어서 다른 불포화된 공기가 계속 이동해 오기 때문에 증발이 잘 일어난다.

03 문제 분석하기 »

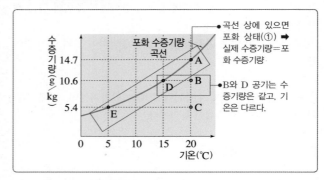

곡선 상에 있으면 포화 상태(①) ➡ 실제 수증기량=포화 수증기량

B와 D 공기는 수증기량은 같고, 기온은 다르다.

② 젖은 빨래가 마르는 것은 증발 현상이다. 증발은 기온이 높고 상대 습도가 낮을수록 잘 일어난다. 따라서 B 공기와 C 공기는 기온은 같지만, 상대 습도가 B 공기보다 더 낮은 C 공기에서 젖은 빨래가 더 잘 마른다.
④ E 공기는 포화 상태이므로 E 공기에 놓아 둔 컵의 물은 줄어들지 않는다.
⑤ 기온이 높아지면 공기가 포함할 수 있는 수증기의 양이 많아지기 때문에 포화 수증기량은 증가한다.
바로알기 » ③ D 공기를 20 °C까지 가열할 때 수증기량은 변하지 않으므로 불포화 상태인 B가 된다. 즉, 기온만 높아진다.

04 불포화 공기를 포화시키기 위해서는 기온을 낮추거나 수증기를 공급하면 된다. 따라서 현재 기온이 20 °C이고 수증기량이 10.6 g/kg인 B 공기 1 kg을 포화시키려면, 온도를 15 °C로 낮추거나 수증기를 4.1 g(=14.7 g−10.6 g) 더 공급하면 된다.

05 ④ (가)에서는 증발이 일어나 플라스크 내부의 수증기량이 증가하고, (나)에서는 응결이 일어나 플라스크 내부의 수증기량이 감소한다.
바로알기 » ①, ② (가)에서 온도가 높아져 포화 수증기량이 많아지므로 증발이 일어나 플라스크 내부가 맑아진다.
③ (나)에서 온도가 낮아지면서 응결이 일어나 플라스크 내부에 물방울이 맺혀 뿌옇게 흐려진다.
⑤ (나)는 (가)보다 온도가 낮아 포화 수증기량이 더 적다.

06 냉장고에서 꺼낸 음료수는 온도가 낮으므로 컵 주변의 공기를 냉각시킨다. 그 결과 컵 주변에 있는 공기 중의 수증기가 응결하여 컵의 표면에 물방울로 맺힌다.

07 ③ 이슬점은 공기가 포화 상태에 도달하여 응결이 일어나기 시작하는 온도이다.
④ 공기 중의 수증기량이 많아지면 높은 온도에서 응결이 일어나기 시작한다.
바로알기 ≫ ② 포화 수증기량은 포화 상태의 공기 1 kg에 포함된 수증기의 양(g)으로, 기온이 높아지면 그 값이 증가한다. 포화 수증기량은 이슬점과는 관계가 없다.

08 이슬점은 공기가 포화 상태에 도달하여 응결이 일어나기 시작하는 온도이다. A의 이슬점은 10 °C, B와 D의 이슬점은 5 °C, C의 이슬점은 15 °C이다. 따라서 이슬점을 비교하면, C>A>B=D이다.

09 기온이 30 °C인 공기 5 kg 속에 53 g의 수증기가 포함되어 있으므로 이 공기 1 kg에는 $\dfrac{53\,\text{g}}{5\,\text{kg}}=10.6\,\text{g/kg}$의 수증기가 포함되어 있다. 따라서 실제 수증기량은 이슬점에서의 포화 수증기량과 같으므로 이 공기의 이슬점은 15 °C이다. 그런데 밤 사이에 이슬이 맺혔다면 응결이 일어난 것이므로 이 공기의 기온은 이슬점인 15 °C 이하로 떨어졌음을 알 수 있다.

10 실제 수증기량은 이슬점에서의 포화 수증기량과 같다. 따라서 실제 수증기량은 이슬점인 15 °C에서의 포화 수증기량 10.6 g/kg과 같다. 응결되는 수증기량은 (실제 수증기량−냉각된 온도에서의 포화 수증기량) 값이므로 1 kg의 공기에서 응결되는 양은 10.6 g−7.6 g=3.0 g이다. 따라서 이 공기 2 kg에서는 3.0 g×2=6.0 g의 수증기가 응결된다.

기온 25 °C, 수증기량 10.6 g/kg (불포화 상태)	냉각 →	기온 15 °C, 수증기량 10.6 g/kg (포화 상태)	냉각 →	기온 10 °C, 포화 수증기량 7.6 g/kg (응결량 3.0 g/kg)

11 ⑤ 현재 공기의 수증기량은 10.6 g/kg이고, 5 °C일 때 포화 수증기량은 5.4 g/kg이므로 현재 공기 1 kg을 5 °C로 냉각시켰을 때 응결량은 10.6 g−5.4 g=5.2 g이다.
바로알기 ≫ ① 이슬점은 응결이 시작될 때의 온도이므로 실험실 공기의 이슬점은 알루미늄 컵의 표면이 뿌옇게 흐려지기 시작한 15 °C이다.
② 컵의 표면에 생긴 물방울은 컵 표면의 온도가 낮아지면서 공기 중의 수증기가 응결하여 맺힌 것이다.
③ 컵 표면에서 응결이 일어났으므로 컵 표면의 공기는 포화 상태이다.

④ 실제 수증기량은 이슬점에서의 포화 수증기량과 같다. 실험실 공기의 이슬점이 15 °C이고, 15 °C에서의 포화 수증기량은 10.6 g/kg이므로 현재 공기 1 kg 속에는 10.6 g의 수증기가 포함되어 있다.

[12~13] 문제 분석하기 ≫

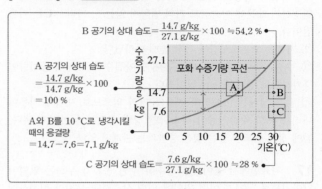

12 ① 포함하고 있는 수증기량이 같으면 이슬점이 같으므로 A와 B 공기의 이슬점은 20 °C로 같다.
③ 응결량은 (실제 수증기량−냉각된 기온의 포화 수증기량)이다. 10 °C로 냉각시킬 때 A와 B의 응결량은 14.7 g/kg−7.6 g/kg =7.1 g/kg이고, C의 응결량은 7.6 g/kg−7.6 g/kg=0 g/kg 이므로 C의 응결량이 가장 적다.
④, ⑤ A 공기의 상대 습도는 100 %, B 공기의 상대 습도는 약 54.2 %, C 공기의 상대 습도는 약 28 %이다. 따라서 상대 습도는 A 공기가 가장 높고, C 공기가 가장 낮다. 상대 습도가 100 %인 A 공기는 포화 상태이다.
바로알기 ≫ ② B와 C 공기는 기온은 같지만 포함하고 있는 수증기량은 각각 14.7 g/kg, 7.6 g/kg으로 다르다.

13 상대 습도(%)=$\dfrac{\text{현재 공기 중의 실제 수증기량(g/kg)}}{\text{현재 기온의 포화 수증기량(g/kg)}}\times100$
에서 상대 습도는 40 %이고, 20 °C에서 포화 수증기량은 14.7 g/kg 이므로 실제 수증기량은 다음과 같다.

$$\dfrac{x}{14.7\,\text{g/kg}}\times100=40\,\%$$

$$\therefore\ x=14.7\,\text{g/kg}\times\dfrac{40}{100}=5.88\,\text{g/kg}$$

14 상대 습도(%)=$\dfrac{\text{현재 공기 중의 실제 수증기량(g/kg)}}{\text{현재 기온의 포화 수증기량(g/kg)}}\times100$
이다. 따라서 이 공기의 상대 습도는 $\dfrac{14.7\,\text{g/kg}}{20.0\,\text{g/kg}}\times100=73.5\,\%$ 이다.

15 밀폐된 방 안에서 온도만 높였으므로 실내의 수증기량에는 변화가 없으며(ㄹ) 이슬점도 변화가 없다(ㄴ). 따라서 실제 수증기량은 일정한데 포화 수증기량이 증가하였으므로(ㄷ) 상대 습도는 낮아진다(ㄱ).

16 ⑤ 맑은 날에는 공기 중의 수증기량이 거의 일정하기 때문에 이슬점도 일정하게 나타난다.

바로알기 》 ① 기온은 새벽에 가장 낮고 15시경(오후 3시경)에 가장 높게 나타나므로 B는 기온이다. 맑은 날 상대 습도는 기온 변화와 대체로 반대로 나타나므로 A는 상대 습도이다. 이슬점은 수증기량의 영향을 받는데, 맑은 날은 온종일 수증기량이 거의 일정하기 때문에 이슬점도 거의 변화지 않는다. 따라서 C는 이슬점이다.
② 기온은 오후 3시경에 가장 높게 나타난다.
③ 수증기량이 일정할 때 기온이 높아질수록 포화 수증기량이 증가하므로 상대 습도는 낮아진다.
④ 맑은 날에는 이슬점의 변화가 거의 없으므로 새벽에 기온이 내려가 포화 수증기량이 감소하면 상대 습도가 높아지게 된다. 밤에 상대 습도가 높은 것은 증발과는 관계가 없다.

17 지표면에서 높이 올라갈수록 주변 공기가 누르는 압력이 낮아지므로 공기가 어떤 원인에 의해 상승하면 부피가 팽창하게 된다. 이때 주변에 있는 공기를 밀어내면서 에너지를 소모하여 기온이 낮아진다. 공기가 더욱 상승하면 기온이 이슬점까지 낮아져 공기 속에 포함되어 있는 수증기가 응결하기 시작한다. 이와 같은 과정으로 생긴 작은 물방울이나 얼음 알갱이가 하늘 높이 떠 있는 것을 구름이라고 한다.

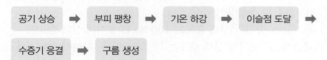

공기 상승 ➡ 부피 팽창 ➡ 기온 하강 ➡ 이슬점 도달 ➡ 수증기 응결 ➡ 구름 생성

18 문제 분석하기 》

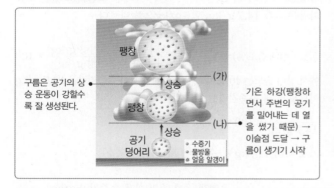

구름은 공기의 상승 운동이 강할수록 잘 생성된다.

기온 하강(팽창하면서 주변의 공기를 밀어내는 데 열을 썼기 때문) → 이슬점 도달 → 구름이 생기기 시작

① 높이 올라갈수록 중력이 작아지기 때문에 공기가 희박해진다. 따라서 높이 올라갈수록 주변 공기의 압력이 낮아지므로 공기 덩어리가 팽창한다.
③, ④ (나) 지점에서 구름이 생성되기 시작하므로 (나) 지점의 공기는 포화 상태이다.
⑤ 공기가 더욱 상승하여 온도가 0 °C 이하로 내려가면 구름 속에 물방울과 얼음 알갱이가 함께 존재한다.
바로알기 》 ② 상승하는 공기는 단열 팽창하면서 주변 공기를 밀어내는 데 열을 소모하기 때문에 기온이 낮아진다.

19 구름이 생성되기 위해서는 공기가 상승해야 한다.
② 지표의 일부분이 강하게 가열되면 지표 부근의 공기가 상대적으로 가벼워져서 공기가 상승한다. 따라서 구름이 만들어진다.
③ 산 쪽으로 바람이 불면 공기가 산 사면을 따라 상승하면서 단열 팽창에 의해 기온이 이슬점 이하로 낮아져 구름이 만들어진다.
④, ⑤ 찬 공기가 따뜻한 공기를 파고들면서 밀어 올릴 때와 따뜻한 공기가 찬 공기를 타고 오르면서 상승할 때에는 구름이 만들어진다.
바로알기 》 ① 주변으로 공기가 빠져나가면 이를 보충하기 위해 상층의 공기가 하강하면서 공기가 압축되어 구름이 소멸한다.

[20~21] 문제 분석하기 》

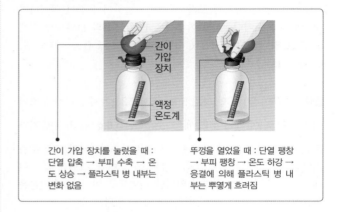

간이 가압 장치를 눌렀을 때 : 단열 압축 → 부피 수축 → 온도 상승 → 플라스틱 병 내부는 변화 없음

뚜껑을 열었을 때 : 단열 팽창 → 부피 팽창 → 온도 하강 → 응결에 의해 플라스틱 병 내부는 뿌옇게 흐려짐

20 뚜껑을 열면 공기가 빠져나가 플라스틱 병 내부 공기의 부피가 팽창하므로 온도가 낮아지는데, 이때 이슬점에 도달하면 수증기의 응결이 일어나 뿌옇게 흐려진다.

21 ② 간이 가압 장치를 누르면 기온이 상승하므로 포화 수증기량이 많아진다.
③ 뚜껑을 열면 내부의 압력이 낮아져서 공기가 팽창하므로 온도가 하강한다.
④ 뚜껑을 열면 공기가 팽창하면서 온도가 하강하여 수증기의 응결이 일어나므로 플라스틱 병 내부가 뿌옇게 흐려진다. 이는 공기가 상승하여 구름이 발생할 때와 같은 변화이다.
⑤ 플라스틱 병 안에 향 연기를 넣으면 플라스틱 병 내부에서 뿌옇게 흐려지는 현상이 더 잘 관측된다. 이는 향 연기가 응결핵 역할을 하여 수증기의 응결을 돕기 때문이다.
바로알기 》 ① 간이 가압 장치를 누르면 공기가 압축되면서 기온이 상승하고 포화 수증기량이 증가하므로 상대 습도가 낮아진다. 따라서 플라스틱 병 내부에서는 변화가 없다.

22 지표면~h_3 사이에서는 기온이 이슬점보다 높으므로 구름이 생기지 않는다. 그러나 h_3~h_4 사이에서는 기온이 이슬점보다 낮아졌으므로 이 구간에서는 응결이 일어나 구름이 생기기 시작한다.

23 [문제 분석하기 »]

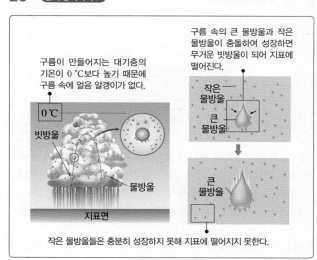

구름이 만들어지는 대기층의 기온이 0 °C보다 높기 때문에 구름 속에 얼음 알갱이가 없다.

빗방울
물방울
지표면
작은 물방울들은 충분히 성장하지 못해 지표에 떨어지지 못한다.

구름 속의 큰 물방울과 작은 물방울이 충돌하여 성장하면 무거운 빗방울이 되어 지표에 떨어진다.

작은 물방울
큰 물방울
큰 물방울

저위도 지방(열대 지방)의 구름은 대부분 크고 작은 물방울로 이루어져 있는데, 이러한 물방울들이 상승 운동에 의해 오르락내리락하면서 서로 충돌하여 합쳐지게 되고 결국 큰 물방울이 되어 떨어져 비가 된다. 이와 같은 강수 이론을 병합설이라고 한다.

[24~25] [문제 분석하기 »]

[A~C층을 구성하는 알갱이]
• A층(상층부) : 기온이 낮아 주로 얼음 알갱이로만 구성되어 있다.
• B층(중층부) : 얼음 알갱이와 물방울이 섞여 있다.
• C층(하층부) : 기온이 높아 주로 물방울로만 구성되어 있다.

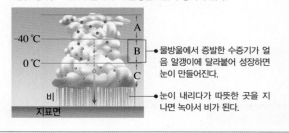

-40 °C
0 °C
A
B
C
비
지표면

물방울에서 증발한 수증기가 얼음 알갱이에 달라붙어 성장하면 눈이 만들어진다.

눈이 내리다가 따뜻한 곳을 지나면 녹아서 비가 된다.

24 중위도나 고위도 지방의 경우 수직으로 발달한 구름에서 온도가 −40~0 °C인 구간(B)에서는 얼음 알갱이와 물방울이 섞여 있다.

25 B 구간 속에는 얼음 알갱이와 물방울이 섞여 있는데, 물방울에서 증발한 수증기가 얼음 알갱이에 달라붙어 커지면 눈이 되고, 눈이 내리다가 따뜻한 공기층을 지나면 녹아서 비가 된다. 이와 같은 강수 이론을 빙정설이라고 한다.

26 [모범 답안] (1) 12.4 g/kg의 수증기를 공급한다. 기온을 20 °C로 낮춘다.
(2) A 공기의 상대 습도 = $\dfrac{14.7\ \text{g/kg}}{27.1\ \text{g/kg}} \times 100 ≒ 54.2\ \%$

채점 기준		배점
(1)	포화 상태로 만드는 방법 두 가지를 수치를 언급하여 옳게 서술한 경우	50 %
	한 가지 방법만 수치를 언급하여 옳게 서술한 경우	25 %
	두 가지 방법을 수치를 언급하지 않고 옳게 서술한 경우	
(2)	상대 습도를 구하는 식과 그 값을 모두 옳게 서술한 경우	50 %
	상대 습도를 구하는 식만 옳게 서술한 경우	25 %

27 [모범 답안] • 증발 : 젖은 빨래가 마른다. 물걸레로 청소한 바닥이 마른다. 컵에 담아 둔 물이 줄어든다. 등
• 응결 : 찬 음료수 캔 표면에 물방울이 맺힌다. 새벽에 풀잎에 이슬이 맺힌다. 새벽에 지표면 부근에 안개가 생긴다. 겨울철 창문이나 안경에 김이 서린다. 등

채점 기준	배점
증발과 응결 현상의 예를 한 가지씩 모두 옳게 서술한 경우	100 %
증발과 응결 현상의 예 중 한 가지만 옳게 서술한 경우	50 %

28 [모범 답안] 공기 중의 수증기량은 거의 일정한데, 기온이 높을수록 포화 수증기량이 증가하기 때문에 상대 습도가 낮아진다.
|해설| 맑은 날에는 공기 중의 수증기량에 변화가 거의 없으므로 이슬점이 하루 동안 거의 일정하게 나타난다. 이때 기온이 높아지면 포화 수증기량이 증가하기 때문에 상대 습도가 낮아진다.

채점 기준	배점
하루 동안 수증기량이 거의 일정하다는 내용을 포함하여 기온과 상대 습도의 관계를 옳게 서술한 경우	100 %
기온과 상대 습도의 관계만 옳게 서술한 경우	50 %

29 [모범 답안] 공기 덩어리가 상승하여 부피가 팽창하면 기온이 낮아지고, 이슬점에 도달하여 수증기가 응결하면 구름이 생성된다.

채점 기준	배점
주어진 단어를 모두 이용하여 옳게 서술한 경우	100 %
사용한 단어 하나당 부분 배점	20 %

30 [모범 답안] (1) 플라스틱 병 안이 뿌옇게 흐려진다. 뚜껑을 여는 순간 플라스틱 병 안 공기의 부피가 팽창하면서 온도가 낮아져 수증기가 응결하기 때문이다.
(2) 더 뿌옇게 흐려진다. 향 연기가 수증기의 응결을 도와주는 응결핵 역할을 하기 때문이다.

채점 기준		배점
(1)	플라스틱 병 안의 변화와 까닭을 모두 옳게 서술한 경우	60 %
	플라스틱 병 안의 변화 또는 변화가 나타나는 까닭 중 한 가지만 옳게 서술한 경우	30 %
(2)	플라스틱 병 안의 변화와 향 연기의 역할을 모두 옳게 서술한 경우	40 %
	플라스틱 병 안의 변화 또는 향 연기의 역할 중 한 가지만 옳게 서술한 경우	20 %

03 기압과 바람

단원 미리보기   80~81쪽

만화 완성하기 》 [모범 답안] 밤에는 육지의 기압이 더 높거든!

한눈에 보기 》 [A] 기압, [C] 바람

81~84쪽

> **A**   1 (1) ○ (2) × (3) ×   2 (1) 1기압 (2) 높아진 (3) 일정하다
> (4) 일정하다
>
> **B**   1 ㉠ 76, ㉡ 1013, ㉢ 10   2 (1) < (2) < (3) <
>
> **C**   1 (1) × (2) ○   2 (1) B (2) A (3) ㉠ B, ㉡ A
>
> **D**   1 (1) ← (2) 해풍 (3) 낮 (4) > (5) <   2 ㉠ 대륙, ㉡ 해양에서
> 대륙으로

A-1 **바로알기 》** (2) 기압은 모든 방향으로 동일하게 작용한다.
(3) 우리가 기압을 거의 느끼지 못하는 까닭은 몸속에서 외부로 작용하는 압력이 기압과 같기 때문이다.

A-2 (1) 수은 기둥이 내려오다가 멈추는 까닭은 수은 기둥의 압력과 수은 면을 누르는 기압이 같아졌기 때문이다. 이때 수은 기둥 76 cm에 해당하는 기압을 1기압이라고 한다.
(2) 토리첼리의 실험에서 기압이 높아지면 수은 면을 누르는 힘이 커지므로 수은 기둥의 높이도 높아진다.
(3), (4) 기압이 일정할 때, 유리관의 굵기나 기울기가 달라져도 단위 넓이에 작용하는 수은 기둥의 무게는 일정하기 때문에 수은 기둥의 높이가 일정하다.

B-1 1기압은 수은 기둥 76 cm에 해당하는 공기의 압력이다. hPa 단위를 사용해서 나타내면 1기압은 약 1013 hPa에 해당한다. 또한, 수은 대신 물을 이용해 실험한다면 물기둥의 높이는 약 10 m가 된다.

물의 밀도는 $1\,g/cm^3$이고, 수은의 밀도는 약 $13.6\,g/cm^3$이므로 물기둥 약 10 m가 누르는 압력($1000\,cm \times 1\,g/cm^3$)은 수은 기둥 76 cm가 누르는 압력($76\,cm \times 13.6\,g/cm^3$)과 거의 같다.

B-2 높이 올라갈수록 공기의 양, 기압, 수은 기둥의 높이가 감소한다. 따라서 높은 산 정상에 있는 A보다 지표에 있는 B가 있는 곳에서 공기의 양이 많고, 기압이 높으며, 수은 기둥의 높이가 높게 나타난다.

C-1 (2) 바람은 각 지점마다 기압 값이 다르기 때문에 기압 차이로 인하여 생기는 공기의 흐름이다. 따라서 두 지점 사이의 기압 차이가 클수록 공기의 흐름이 빨라져서 풍속이 빨라진다.
바로알기 》 (1) 바람은 항상 기압이 높은 곳에서 기압이 낮은 곳으로 분다.

C-2 **문제 분석하기 》**

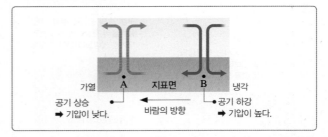

(1), (2) A는 가열되어 공기가 상승하므로 주변보다 기압이 낮아지고, B는 냉각되어 공기가 하강하므로 주변보다 기압이 높아진다.
(3) 바람은 기압이 높은 곳에서 낮은 곳으로 수평 방향으로 이동하는 공기의 흐름이므로 바람은 B → A로 분다.

D-1 (1), (2) 그림에서 바람이 바다에서 육지로 불고 있으므로 해풍이다.
(3), (4) 육지가 가열되어 공기가 상승하고 있으므로 낮에 부는 바람이며, 기온은 육지가 바다보다 높다.
(5) 기온은 육지가 바다보다 높으므로 기압은 바다가 육지보다 높다.
다른 풀이 바람은 기압이 높은 곳에서 낮은 곳으로 불므로 바다가 육지보다 기압이 높다.

D-2 여름철에는 대륙이 해양보다 빨리 가열되므로 기온이 더 높다. 이때 기압은 해양이 대륙보다 더 높으므로 바람은 해양에서 대륙으로 분다.

실력탄탄 **핵심 문제**   86~89쪽

> **01** ④   **02** ①   **03** ㄴ   **04** ④   **05** ③, ⑤
> **06** $h_1 = h_2 = h_3$ **07** ①   **08** ⑤   **09** ③   **10** ②
> **11** ③   **12** ①   **13** ②   **14** ③   **15** ①   **16** ⑤
> **17** ④, ⑤   **18** ㉠
> **서술형 문제** **19~23** 해설 참조

01 ① 공기의 무게 때문에 생기는 압력을 기압이라고 한다.
③ 높이 올라갈수록 공기의 양이 급격하게 감소하므로 공기가 누르는 힘, 즉 기압이 낮아진다.
⑤ 기압은 단위 넓이에 작용하는 공기의 무게에 의한 압력이다.
바로알기 》 ④ 공기는 계속 움직이므로 측정 장소나 시간에 따라 공기의 양이 달라져 기압도 계속 변한다.

02 (문제 분석하기 »)

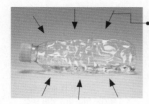

기압의 작용 방향 : 모든 방향으로 기압이 작용하므로 플라스틱 병이 사방으로 찌그러진다.

플라스틱 병의 내부는 따뜻한 물에서 증발한 수증기로 차 있다가 플라스틱 병을 찬물에 담그면 수증기가 응결하면서 기체의 양이 줄어들므로 플라스틱 병 내부의 압력이 낮아진다. 따라서 외부 압력보다 내부 압력이 낮아지므로 플라스틱 병이 모든 방향으로 압력을 받아 사방으로 찌그러진다.

03 ㄴ. (나)는 내부의 공기를 빼지 않았으므로 반구 내부의 압력과 외부의 압력이 같다.

(바로알기 ») ㄱ. (가)는 반구를 붙인 후 내부의 공기를 뺐으므로 내부의 압력이 외부의 압력보다 작다.

ㄷ. (가)는 반구 외부의 압력이 내부의 압력보다 크므로 잘 분리되지 않고, (나)는 반구 내부의 압력이 외부의 압력과 같아 쉽게 분리된다.

[04~05] (문제 분석하기 »)

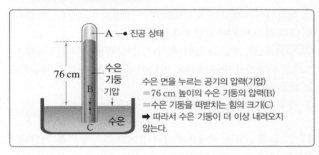

A → 진공 상태

76 cm

수은 기둥 기압

B

C → 수은

수은 면을 누르는 공기의 압력(기압)
=76 cm 높이의 수은 기둥의 압력(B)
=수은 기둥을 떠받치는 힘의 크기(C)
➡ 따라서 수은 기둥이 더 이상 내려오지 않는다.

04 수은 기둥이 더 이상 내려오지 않는 까닭은 기압과 수은 기둥의 압력이 같아졌기 때문이다.

05 ① A 부분은 공기가 없는 진공 상태이다.

② 수은 기둥의 높이가 76 cm이므로, 현재 이 지역에서의 기압은 1기압이다.

1기압=76 cmHg≒1013 hPa≒약 10 m 물기둥의 압력

④ 수은 기둥을 기울이더라도 기압이 일정하므로 수은 기둥의 높이는 변하지 않는다.

(바로알기 ») ③ 유리관의 굵기가 달라지더라도 기압이 일정하면 수은 기둥의 높이는 달라지지 않는다. 따라서 유리관의 굵기를 2배로 하면 수은 기둥의 높이는 그대로 76 cm이다.

⑤ 기압은 장소와 시간에 따라 달라지므로 수은 기둥의 높이도 장소와 시간에 따라 변한다.

06 (문제 분석하기 »)

| 토리첼리의 실험 | | 유리관을 기울였을 때 | | 굵은 유리관을 사용할 때 |

76 cm   76 cm   76 cm

한쪽 끝이 막힌 길이 1 m 정도의 유리관에 수은을 가득 채우고, 수은이 담긴 그릇에 거꾸로 세웠더니 유리관 속의 수은이 수은 면으로부터 76 cm 높이까지 내려오다가 멈추었다.

· 압력= 수직으로 작용하는 힘 / 힘을 받은 면의 넓이

➡ 유리관을 기울이거나 굵은 유리관을 사용하면 힘을 받는 면의 넓이가 넓어진다.

➡ 이에 비례하여 수은의 양이 많아지므로 작용하는 힘의 크기도 커진다.

➡ 따라서 유리관을 기울이거나 굵은 유리관을 사용하더라도 수은 기둥이 누르는 압력은 일정하므로 기압이 일정할 때 수은 기둥이 멈추는 높이는 변하지 않는다.

➡ $h_1=h_2=h_3$

07 높이 올라갈수록 기압이 낮아지므로 수은 기둥의 높이도 낮아진다.

08 (수은의 밀도×수은 기둥의 높이)=(물의 밀도×물기둥의 높이)이며, 관측된 수은 기둥의 높이가 77 cm이므로

$13.6 \text{ g/cm}^3 \times 77 \text{ cm} = 1 \text{ g/cm}^3 \times x$이다.

따라서 $x=1047.2$ cm이므로 소수점 이하는 반올림하면 물기둥의 높이는 1047 cm가 된다.

09 ①, ⑤ 수은 기둥 76 cm에 해당하는 공기의 압력을 1기압이라고 한다.

② 수은 기둥 76 cm의 압력은 76 cmHg로 나타낸다.

④ 수은 기둥 76 cm의 압력은 물기둥 약 10 m의 압력과 같다.

(바로알기 ») ③ 1기압은 약 1013 hPa과 같으므로 1000 hPa은 1기압보다 작은 값이다.

10 (문제 분석하기 »)

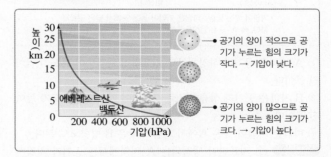

높이 (km) 30 25 20 15 10 5 0

에베레스트산 백두산

200 400 600 800 1000 기압(hPa)

공기의 양이 적으므로 공기가 누르는 힘의 크기가 작다. → 기압이 낮다.

공기의 양이 많으므로 공기가 누르는 힘의 크기가 크다. → 기압이 높다.

② 높이 올라갈수록 공기의 양이 적어지므로 단위 넓이당 공기가 누르는 힘이 줄어들어 기압이 낮아진다.

11 ① 높이 올라갈수록 기압이 낮아지므로 몸속에서 외부로 작용하는 압력이 기압과 차이가 생겨 귀가 먹먹해진다.
② 높이 올라갈수록 기압이 낮아지므로 풍선 내부의 압력이 기압보다 더 커서 풍선이 점점 커진다.
④ 높은 산에 올라가면 공기의 양이 점점 감소하므로 숨을 쉬기 힘들어진다. 따라서 매우 높은 산의 정상에서는 산소마스크가 필요해진다.
⑤ 비행기가 하늘을 날면서 고도가 높아지면 기압이 낮아지므로 과자 봉지 내부의 압력이 기압보다 더 커져서 과자 봉지가 부풀어 오른다.
바로알기 ≫ ③ 높이 올라갈수록 공기의 양이 감소하여 기압이 낮아지므로 수은 기둥이 낮아진다.

12 지표면의 가열과 냉각에 의해 기온 차이가 생겨 기압 차이가 발생하고, 이로 인해 바람이 불게 된다.

13 ①, ④ 지표면을 이루는 물질에 따라 가열되는 정도가 다르기 때문에 기온 차이가 발생하고, 이로 인한 기압의 차이로 공기가 수평 방향으로 이동하는 것을 바람이라고 한다.
③ 바람은 항상 기압이 높은 곳에서 기압이 낮은 곳으로 분다.
⑤ 바람은 두 지점의 기압이 다르기 때문에 발생하는 공기의 흐름이므로 두 지점 사이의 기압 차가 클수록 풍속이 빨라진다.
바로알기 ≫ ② 풍향은 바람이 불어오는 방향으로, 예를 들어 북쪽에서 불어오는 바람을 북풍이라고 한다.

14 [문제 분석하기 ≫]

지표면이 냉각되어 온도가 낮아지므로 공기가 무거워져 하강한다. ➡ 기압이 높아진다.
지표면이 가열되어 온도가 높아지므로 공기가 가벼워져 상승한다. ➡ 기압이 낮아진다.
• 바람이 부는 방향 : 바람은 기압이 높은 곳에서 낮은 곳으로 분다. ➡ A → B 방향으로 분다.

① A 지역은 공기가 하강하므로 지표면이 냉각되어 온도가 낮아진 곳이다.
② B 지역은 공기가 상승하므로 지표면이 가열되어 온도가 높아진 곳이다.
④ 바람은 기압이 높은 A에서 기압이 낮은 B 방향으로 분다.
바로알기 ≫ ③ 지표면이 냉각되는 A 지역에서는 공기가 하강하면서 기압이 높아지고, 지표면이 가열되는 B 지역에서는 공기가 상승하면서 기압이 낮아진다.

15 [문제 분석하기 ≫]

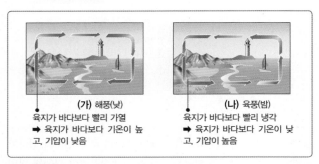

(가) 해풍(낮)
육지가 바다보다 빨리 가열
➡ 육지가 바다보다 기온이 높고, 기압이 낮음

(나) 육풍(밤)
육지가 바다보다 빨리 냉각
➡ 육지가 바다보다 기온이 낮고, 기압이 높음

바로알기 ≫ ① 낮에는 바다에서 육지로 해풍이 불고, 밤에는 육지에서 바다로 육풍이 분다.

16 [문제 분석하기 ≫]

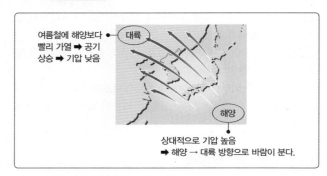

여름철에 해양보다 빨리 가열 ➡ 공기 상승 ➡ 기압 낮음
대륙
해양
상대적으로 기압 높음
➡ 해양 → 대륙 방향으로 바람이 분다.

⑤ 여름철에는 대륙이 해양보다 빨리 가열되기 때문에 상대적으로 대륙 쪽의 기온이 해양보다 높다.
바로알기 ≫ ①, ②, ④ 대륙 쪽의 기압이 해양 쪽의 기압보다 낮으므로 해양에서 대륙 쪽으로 바람이 불어 우리나라의 여름철에는 남동 계절풍이 분다.
③ 계절풍은 1년을 주기로 풍향이 바뀐다.

17 ④ 흡수하는 에너지의 양이 같아도 물질에 따라 가열되는 정도가 달라 기온 차이가 발생하고, 이로 인한 기압 차이로 바람이 분다.
⑤ 적외선등을 켜고 모래와 물을 가열시켰을 때 모래가 물보다 빨리 가열되므로 모래 쪽이 물 쪽보다 기압이 낮아져 바람이 물에서 모래 쪽으로 분다. 이와 같은 원리로 해안가에서 낮에 바다에서 육지로 해풍이 분다.
바로알기 ≫ ① 모래와 물이 흡수하는 에너지는 같다.
② 모래는 물보다 열용량이 작아 같은 열을 받더라도 빨리 가열되므로 적외선등을 켜고 시간이 지나면 모래 쪽의 온도가 더 높다.
③ 온도가 상대적으로 더 높은 모래 쪽의 공기는 상승하면서 기압이 낮아진다.

18 향 연기는 바람을 따라 이동한다. 바람은 기압이 높은 물 쪽에서 기압이 낮은 모래 쪽으로 불므로 향 연기도 ㉠ 방향으로 이동한다.

19 모범 답안 ▶ 사방으로 찌그러질 것이다. 기압은 모든 방향으로 작용하기 때문이다.

채점 기준	배점
플라스틱 병의 변화와 그 까닭을 옳게 서술한 경우	100 %
플라스틱 병의 변화만 옳게 서술한 경우	50 %

20 모범 답안 ▶ (1) 1기압
(2) 76 cm, 유리관의 굵기가 달라지더라도 기압이 일정하면 수은 기둥의 높이는 변하지 않기 때문이다.

	채점 기준	배점
(1)	1기압을 쓴 경우	40 %
(2)	수은 기둥의 높이를 쓰고, 그 까닭을 옳게 서술한 경우	60 %
	수은 기둥의 높이만 쓴 경우	30 %

21 모범 답안 ▶ 높이 올라갈수록 공기의 양이 감소하기 때문에 기압이 낮아진다.

채점 기준	배점
높이 올라갈수록 공기가 누르는 힘이 작아지기 때문이라고 쓴 경우에도 정답 인정	100 %
그 외의 경우	0 %

22 모범 답안 ▶ 향 연기는 얼음물 쪽에서 따뜻한 물 쪽으로 이동한다. 따뜻한 물은 공기가 가열되어 주변 공기보다 가벼워지므로 상승하면서 기압이 낮아지고, 얼음물은 공기가 냉각되어 주변 공기보다 무거워지므로 하강하면서 기압이 높아지기 때문이다.

| 해설 | 문제 분석하기 ≫

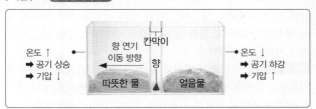

채점 기준	배점
향 연기의 이동 방향을 쓰고, 그 까닭을 옳게 서술한 경우	100 %
향 연기의 이동 방향만 쓴 경우	40 %

23 모범 답안 ▶ (1) 육풍, 밤
(2) 기압은 육지가 바다보다 높다.

| 해설 | 그림은 밤에 육지에서 바다로 부는 육풍이다. 밤에는 육지가 바다보다 빨리 냉각되므로 기압은 육지가 바다보다 높다.

	채점 기준	배점
(1)	육풍과 밤을 순서대로 쓴 경우	40 %
	육풍과 밤 중 한 가지만 옳게 쓴 경우	20 %
(2)	육지의 기압이 더 높다는 내용을 언급하여 옳게 서술한 경우	60 %

04 날씨의 변화

단원 미리보기

만화 완성하기 ≫ [모범 답안] 한랭 전선과 온난 전선이 겹쳐지면 폐색 전선이 생긴다고!

한눈에 보기 ≫ [B] 전선과 날씨, [C] 기압과 날씨

90~91쪽

91~95쪽

Ⓐ **1** (1) × (2) ○ (3) × **2** A : 시베리아 기단, B : 양쯔강 기단, C : 오호츠크해 기단, D : 북태평양 기단 **3** (1) – (나) – ㉢ (2) – (라) – ㉤ (3) – (가) – ㉠ (4) – (다) – ㉣

Ⓑ **1** ㉠ 전선면, ㉡ 전선 **2** (1) 정체 전선 (2) 폐색 전선 (3) 한랭 전선 (4) 온난 전선 **3** (1) 한 (2) 온 (3) 한 (4) 한 (5) 온 **4** (가) → (다) → (나)

Ⓒ **1** (1) 고 (2) 저 (3) 고 (4) 저 **2** (1) ㉠ 한랭 전선, ㉡ 온난 전선 (2) B (3) C (4) A

Ⓓ **1** (가) 겨울철, (나) 여름철

Ⓐ-1 공기가 한 장소에 오래 머물러 있으면 지표면으로부터 열과 수증기를 주고받아 기온, 습도 등이 비슷해지는데, 이와 같이 기온과 습도가 균일한 공기 덩어리를 기단이라고 한다.
(2) 기온이 낮은 고위도 지방에서 발생한 기단은 지표면의 영향을 받아 기온이 낮다.
바로알기 ≫ (1) 대륙에서 발생한 기단은 수증기를 거의 공급받지 못하기 때문에 건조하다. 해양에서 발생한 기단은 수증기를 많이 공급받으므로 습도가 높다.
(3) 기단은 지표면의 영향을 받으므로 기단이 발생지와 성질이 다른 곳으로 이동하면 성질이 변한다.

Ⓐ-2 문제 분석하기 ≫

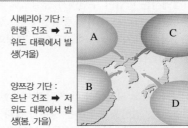

Ⓑ-2 (1) 두 기단의 세력이 비슷하여 한곳에 오랫동안 머물러 있는 전선을 정체 전선이라고 한다.
(2) 한랭 전선은 온난 전선보다 이동 속도가 빠르므로 온난 전선을 따라잡아 두 전선이 겹쳐지면 폐색 전선이 형성된다.
(3) 한랭 전선은 찬 공기가 따뜻한 공기를 파고들 때 형성된다.
(4) 온난 전선은 따뜻한 공기가 찬 공기를 타고 오를 때 형성된다.

B-3 (1), (3), (4) 한랭 전선은 찬 공기가 따뜻한 공기 아래로 파고들 때 만들어지는 전선으로, 전선면의 기울기가 급하고 이동 속도가 빠르다. 한랭 전선의 전선면을 따라 적운형 구름이 생성되어 좁은 지역에 소나기성 비가 내린다.
(2) 온난 전선은 따뜻한 공기가 찬 공기 위로 올라가면서 만들어지는 전선으로, 전선면의 기울기가 완만하고 이동 속도가 느리다. 온난 전선의 전선면을 따라 층운형 구름이 발달해 넓은 지역에 지속적인 비가 내린다.

B-4 (가) 한랭 전선이 온난 전선보다 빠르게 이동한다. → (다) 두 전선이 만나면 폐색 전선이 형성된다. → (나) 폐색 전선이 형성되면 찬 공기가 아래에 위치하여 공기의 상하 운동이 없어지면서 폐색 전선이 소멸된다.

C-1 〔문제 분석하기 ≫〕

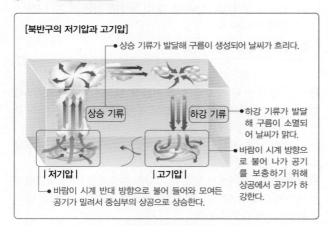

(1), (3) 북반구의 고기압에서는 바람이 중심에서 주변으로 시계 방향으로 불어 나간다. 공기를 보충하기 위해 상공에서 공기가 하강하면서 단열 압축되어 기온이 상승한다. 따라서 고기압 중심부에서는 구름이 소멸되고 날씨가 맑다.
(2), (4) 북반구의 저기압에서는 바람이 주변에서 중심으로 시계 반대 방향으로 불어 들어온다. 따라서 저기압 중심부에서는 상승 기류가 발달해 단열 팽창하여 기온이 낮아지고 구름이 생성되어 날씨가 흐리고 비나 눈이 내린다.

C-2 (1) 온대 저기압은 중위도 지방에서 찬 기단과 따뜻한 기단이 만나 발생한 저기압으로, 전선을 동반하는 경우가 많다. 온대 저기압의 중심에서 남서쪽으로는 한랭 전선(㉠)이, 남동쪽으로는 온난 전선(㉡)이 발달한다.
(2) A와 C 지점은 찬 공기의 영향으로 기온이 낮고, B 지점은 따뜻한 공기의 영향으로 기온이 높다.
(3) A 지점은 북서풍, B 지점은 남서풍, C 지점은 남동풍이 불고 있다.
(4) A 지점은 한랭 전선 뒤쪽으로, 적운형 구름이 발달하여 좁은 지역에 소나기성 비가 내린다.

D-1 〔문제 분석하기 ≫〕

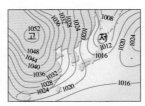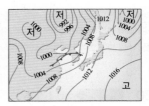

(가) 겨울철 일기도	(나) 여름철 일기도
서고동저형의 기압 배치	남고북저형의 기압 배치
➡ 북서 계절풍이 분다.	➡ 남동 계절풍이 분다.

실력탄탄 핵심 문제 　　　　　97~101쪽

01 ③　02 ③　03 C, D　04 ②　05 ④　06 ④　07 ⑤
08 ④　09 ④　10 ①　11 (가), 폐색 전선　12 ③　13 ④
14 ④　15 ⑤　16 ①　17 ②　18 ②　19 (가) - ㄴ,
(나) - ㄱ, (다) - ㄷ　20 한랭 전선　21 ⑤　22 ③　23 ①
24 ㄱ, ㄴ
〔서술형 문제〕 25~29 해설 참조

01 기단은 한 장소에 오랫동안 머물러 있어서 기온과 습도 등이 지표면과 거의 비슷해진 거대한 공기 덩어리이다. 기단은 머물러 있던 지표면의 성질에 영향을 받기 때문에 발생 장소에 따라 성질이 달라지며, 넓은 범위에 걸쳐 성질이 일정한 넓은 대륙이나 해양에서 발생한다.
〔바로알기 ≫〕 ③ 고위도 지역에서 발생한 기단은 고위도 지역의 찬 지표면의 영향을 받아서 한랭하며, 저위도 지역에서 발생한 기단은 저위도 지역의 따뜻한 지표면의 영향을 받아서 따뜻하다.

02 기단이 발생한 장소를 떠나 이동을 하면 통과하는 지역의 지표면이 갖는 성질의 영향을 받아 기단의 성질이 변한다. 차고 건조한 기단이 따뜻한 바다 위를 통과하면 따뜻하고 습해진다.

03 A는 시베리아 기단, B는 양쯔강 기단, C는 북태평양 기단, D는 오호츠크해 기단이다. 대륙에서 발생한 A, B 기단은 건조하고, 해양에서 발생한 C, D 기단은 습하다. 고위도에서 발생한 A, D 기단은 기온이 낮고, 저위도에서 발생한 B, C 기단은 기온이 높다.

04 우리나라의 봄과 가을철 날씨에 영향을 주는 기단은 온난 건조한 양쯔강 기단(B)이다.

05 ④ 우리나라의 여름철은 북태평양 기단(C)의 영향을 받아 무덥고 습한 날씨가 나타난다.

바로알기 >> ①, ②, ⑤ A는 시베리아 기단으로, 고위도 대륙에서 발생하여 한랭 건조한 성질을 띤다. 우리나라의 겨울철에는 A 기단의 영향을 받아 춥고 건조한 날씨가 나타난다.
③ 우리나라의 초여름에는 한랭 다습한 오호츠크해 기단(D)의 영향으로 동해안에 저온 현상이 나타난다.

06 **바로알기 >>** ④ 찬 기단과 따뜻한 기단이 만나면 상대적으로 가벼운 따뜻한 기단이 찬 기단 위로 올라간다.

[07~08] 이 실험에서 칸막이를 들어 올리면 찬물과 따뜻한 물이 바로 섞이지 않고 한동안 경계면을 형성하며 밀도가 큰 찬물이 밀도가 작은 따뜻한 물 아래로 파고든다. 이와 같은 원리로 대기에서 찬 공기와 따뜻한 공기가 만날 때 바로 섞이지 않고 경계면(전선면)을 만드는데, 이 경계면과 지표면이 만나 생기는 경계선이 전선이다.

09 **바로알기 >>** ④ 한랭 전선에서는 적운형 구름이 만들어져 좁은 지역에 소나기성 비가 내린다.

10 **바로알기 >>** ① (가)는 찬 공기가 따뜻한 공기 아래를 파고들 때 형성되는 한랭 전선이고, (나)는 따뜻한 공기가 찬 공기를 타고 올라가 형성되는 온난 전선이다.

11 한랭 전선은 온난 전선보다 이동 속도가 빠르다. 따라서 한랭 전선과 온난 전선이 함께 나타날 때 한랭 전선이 온난 전선을 따라잡아 겹쳐지면서 폐색 전선이 만들어진다.

12 ②, ④, ⑤ 정체 전선은 두 기단의 세력이 비슷해서 한곳에 오래 머무는 전선으로, 초여름 우리나라 주변에 형성되어 오랫동안 비를 뿌리는 장마 전선이 이에 해당한다.
바로알기 >> ③ 폐색 전선에 대한 설명이다.

13 **문제 분석하기 >>**

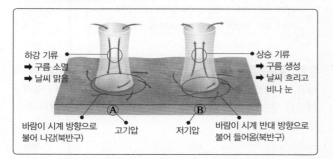

②, ⑤ 고기압 지역에서는 하강 기류가 발달해 구름이 소멸되어 날씨가 맑다. 저기압 지역에서는 상승 기류가 발달해 구름이 생성되어 날씨가 흐리고 비나 눈이 내린다.

바로알기 >> ④ 저기압 지역에서는 주변에서 공기가 불어 들어와 모여든 공기가 밀려 중심부의 상공으로 상승한다. 따라서 상승한 공기는 팽창하면서 기온이 하강한다. 고기압 지역에서는 주변으로 공기가 불어 나가므로 이를 보충하기 위해 상공에서 공기가 하강한다. 따라서 하강한 공기가 압축되면서 기온이 상승한다.

14 저기압 중심에서는 공기가 상승하면서 구름이 만들어지므로 일반적으로 날씨가 흐리다.

15 온대 저기압은 중위도 지방에서 북쪽의 찬 기단과 남쪽의 따뜻한 기단이 만나서 발생하며, 주로 온난 전선과 한랭 전선을 동반한다. 중위도 지방에서는 서쪽에서 동쪽으로 부는 편서풍의 영향을 받으므로 온대 저기압은 서쪽에서 동쪽으로 전선과 함께 이동한다.
바로알기 >> ⑤ 저기압을 중심으로 남서쪽에는 한랭 전선, 남동쪽에는 온난 전선이 발달한다.

[16~18] **문제 분석하기 >>**

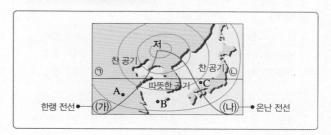

16 온대 저기압에서 저기압을 중심으로 남서쪽에는 한랭 전선이, 남동쪽에는 온난 전선이 분포한다.

17 전선을 ㉠ - ㉡ 방향으로 잘라 단면을 보면 한랭 전선과 온난 전선 사이의 구간에는 따뜻한 공기가 있고, 온난 전선 앞쪽과 한랭 전선 뒤쪽에는 찬 공기가 있다. 한랭 전선면의 기울기는 급하고, 온난 전선면의 기울기는 완만하다. 이때 공기는 편서풍에 의해 서쪽에서 동쪽으로 이동하며, 따뜻한 공기는 찬 공기 위로 상승한다.

18 ① A 지역은 한랭 전선의 뒤쪽으로, 현재 북서풍이 불고, 적운형 구름이 생성되어 소나기성 비가 내린다.
③ B 지역은 한랭 전선과 온난 전선 사이에 위치하며, 현재 남서풍이 불고 날씨가 맑다.
④ B 지역은 앞으로 한랭 전선이 통과하여 적운형 구름에 의해 날씨가 흐려지고 소나기성 비가 내릴 것이다.
⑤ C 지역은 온난 전선의 앞쪽으로, 현재 남동풍이 불고 지속적인 비가 내린다.
바로알기 >> ② 온대 저기압은 서쪽에서 동쪽으로 이동하므로 A 지역은 앞으로 온대 저기압의 영향권에서 벗어나 날씨가 점차 맑아지고 찬 공기의 영향으로 기온이 낮아질 것이다.

19 〔문제 분석하기 ≫〕

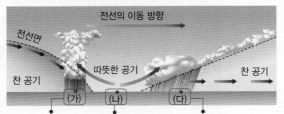

- 편서풍의 영향으로 전선 및 온대 저기압은 서쪽에서 동쪽으로 이동한다.
  ➡ 따라서 앞으로의 날씨는 서쪽 지방의 날씨의 영향을 받는다.

전선의 이동 방향

전선면

찬 공기   따뜻한 공기   찬 공기

(가)   (나)   (다)

(가)	(나)	(다)
좁은 구역에 소나기성 비가 내림 ➡ 시간이 지나면 비가 멈추고 찬 공기의 영향으로 기온이 낮아짐	기온이 높고 날씨가 맑음 ➡ 시간이 지나면 한랭 전선의 영향으로 기온이 낮아지고 소나기성 비가 내림	넓은 구역에 지속적인 비가 내림 ➡ 시간이 지나면 비가 멈추고 따뜻한 공기의 영향으로 기온이 높아짐

20 〔문제 분석하기 ≫〕

[온난 전선과 한랭 전선이 통과할 때의 일기 변화]
전선은 성질이 다른 두 공기가 만나는 것이므로 전선 부근에서는 날씨 변화가 심하다.

전선	풍향 변화	기온 변화
온난 전선이 통과한 후	남동풍 → 남서풍	기온 상승
한랭 전선이 통과한 후	남서풍 → 북서풍	기온 하강

시각(시)	06	09	12	15	18	21
풍향	남서풍	남서풍	남서풍	남서풍	북서풍	북서풍
기온(℃)	21	22	23	22	15	14
날씨	맑음	맑음	맑음	흐림	소나기	소나기

남서풍에서 북서풍으로 풍향이 바뀌었으며, 기온도 7 ℃ 낮아졌다. 이것으로 보아 한랭 전선이 통과하였음을 알 수 있다.

21 우리나라는 북반구의 중위도에 위치하므로 편서풍의 영향을 받아 고기압과 저기압, 전선 등이 서쪽에서 동쪽으로 이동한다.

22 〔문제 분석하기 ≫〕

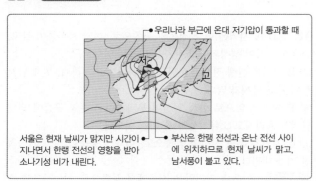

우리나라 부근에 온대 저기압이 통과할 때

저   고

서울은 현재 날씨가 맑지만 시간이 지나면서 한랭 전선의 영향을 받아 소나기성 비가 내린다.

부산은 한랭 전선과 온난 전선 사이에 위치하므로 현재 날씨가 맑고, 남서풍이 불고 있다.

① 부산은 현재 한랭 전선과 온난 전선의 사이에 분포하므로 남서풍이 불고 있다.

② 서울은 현재 한랭 전선의 앞쪽에 위치하며, 앞으로 한랭 전선이 통과함에 따라 소나기성 비가 내릴 것이다.
④ 일본의 동쪽 해상에 고기압의 중심이 위치하므로 일본은 고기압의 영향을 받아 현재 날씨가 맑다.
⑤ 북한 지역은 저기압의 중심이 위치하여 공기의 상승 기류에 의해 구름이 발생하므로 날씨가 흐리다.
〔바로알기 ≫〕 ③ 서울은 북쪽의 찬 공기가 다가오므로 앞으로 기온이 낮아질 것이다.

23 ① 우리나라를 기준으로 남쪽에는 고기압이, 북쪽에는 저기압이 나타나므로 여름철 일기도이다.
〔바로알기 ≫〕 ② 남동 계절풍이 분다.
③ 폭염, 열대야, 태풍이 나타난다.
④ 북태평양 기단의 영향을 받는다.
⑤ 남고북저형의 기압 배치가 나타난다.

24 ㄴ. B 지역은 저기압 중심부로, 상승 기류가 발달하고 구름이 생성된다.
〔바로알기 ≫〕 ㄷ. (나)에서 구름이 있는 부분이 하얗게 나타난다.

25 〔모범 답안 ▶〕 C, 고온 다습하다.
|해설| 우리나라는 여름철에 저위도의 해양에서 발생한 북태평양 기단(C)의 영향을 받아 무덥고 습한 날씨가 나타난다.

채점 기준	배점
기단의 기호를 옳게 쓰고, 성질을 옳게 서술한 경우	100 %
기단의 기호만 옳게 쓴 경우	50 %
기단의 성질만 옳게 서술한 경우	50 %

26 〔모범 답안 ▶〕 (1) 온난 전선
(2) 층운형 구름이 발달하고, 넓은 지역에 지속적인 비가 내린다.
|해설| 그림은 따뜻한 공기가 찬 공기를 타고 오를 때 생성되는 온난 전선의 단면이다.

	채점 기준	배점
(1)	전선의 이름을 옳게 쓴 경우	40 %
(2)	구름의 종류, 강수의 특징을 모두 옳게 서술한 경우	60 %
	구름의 종류, 강수의 특징 중 한 가지만 옳게 서술한 경우	30 %

27 〔모범 답안 ▶〕 북반구에서의 고기압 지역은 하강 기류가 나타나고, 시계 방향으로 바람이 불어 나간다. 북반구에서의 저기압 지역은 상승 기류가 나타나고, 시계 반대 방향으로 바람이 불어 들어온다.

채점 기준	배점
주어진 단어를 모두 이용하여 고기압 지역과 저기압 지역의 특징을 모두 옳게 서술한 경우	100 %
주어진 단어를 이용하여 고기압 지역과 저기압 지역 중 한 가지만 옳게 서술한 경우	50 %

28 모범 답안▶ A 지역은 현재 지속적인 비가 내리고 있다. 시간이 지날수록 온대 저기압이 이동하면서 날씨가 맑았다가 소나기성 비가 내릴 것이다.
|해설| 우리나라 주변에 발달하는 온대 저기압은 편서풍의 영향을 받아 서쪽에서 동쪽으로 이동한다.

채점 기준	배점
A 지역의 현재 날씨와 날씨 변화를 옳게 서술한 경우	100 %
A 지역의 현재 날씨만 옳게 서술한 경우	30 %

29 모범 답안▶ (1) 겨울철 일기도, 시베리아 기단
(2) 폭설, 한파, 북서 계절풍이 분다. 춥고 건조하다. 등

	채점 기준	배점
(1)	계절과 기단의 이름을 모두 옳게 쓴 경우	60 %
	계절과 기단 중 한 가지만 옳게 쓴 경우	30 %
(2)	날씨의 특징 두 가지를 모두 옳게 서술한 경우	40 %
	날씨의 특징 한 가지만 옳게 서술한 경우	20 %

핵심 자료로 최종 점검
104~105쪽

01 기권과 지구 기온

1 ❶ 기온 ❷ 대류권 ❸ 기상 현상 ❹ 성층권 ❺ 중간권
❻ 열권 ❼ 크다

2 ❶ 30 ❷ 70 ❸ 70

3 ❶ 증가 ❷ 상승 ❸ 상승

02 구름과 강수

1 ❶ A=C>B ❷ C>A=B ❸ B=C>A ❹ 7.1

2 ❶ 상대 습도 ❷ 기온 ❸ 이슬점

3 ❶ 병합 ❷ 빙정 ❸ 얼음 알갱이

03 기압과 바람

1 ❶ 1 ❷ 진공 ❸ 일정 ❹ 높아 ❺ 낮아

2 ❶ 낮아 ❷ 높아

3 ❶ 해풍 ❷ 육풍

4 ❶ 남동 계절풍 ❷ 북서 계절풍

04 날씨의 변화

1 ❶ 시베리아 기단 ❷ 오호츠크해 기단 ❸ 양쯔강 기단
❹ 북태평양 기단

2 ❶ 적운형 ❷ 소나기성 ❸ 층운형 ❹ 지속적인

3 ❶ 북서풍 ❷ 남동풍 ❸ 남서풍

시험적중 마무리 문제
106~109쪽

01 A : 질소, B : 산소   02 B, 성층권   03 ①   04 ③
05 ⑤   06 ㄱ, ㄷ   07 ③   08 ⑤   09 ②   10 ⑤
11 ㉠ 27.1, ㉡ 14.7   12 ①   13 ⑤   14 ㄱ, ㄹ   15 ④
16 ②   17 ⑤   18 ①   19 ④   20 ⑤   21 ①   22 ②
23 ⑤   24 ③

01 대기 중에서는 질소(A)가 가장 많고, 산소(B)는 두 번째로 많다.

02 A는 대류권, B는 성층권, C는 중간권, D는 열권이다. 성층권(B)에는 오존층이 존재하여 태양의 자외선을 흡수하므로 높이 올라갈수록 기온이 상승한다. 따라서 성층권의 위쪽에는 밀도가 작은 따뜻한 공기가 있고, 아래쪽에는 밀도가 큰 찬 공기가 있어 대류가 일어나지 않는 매우 안정한 층이다.

03 ① 대류권(A)과 중간권(C)은 높이 올라갈수록 기온이 낮아지므로 위에 있는 찬 공기는 무거워 아래로 내려오고, 아래에 있는 따뜻한 공기는 가벼워 위로 올라가므로 대류가 일어난다.
바로알기 ≫ ② 오로라가 나타나는 곳은 열권(D)이다.
③ 기상 현상이 나타나려면, 대류가 일어나야 하고 수증기가 있어야 한다. 대류권(A)에는 수증기가 존재하여 기상 현상이 나타나지만, 중간권(C)에는 수증기가 거의 없어 기상 현상이 나타나지 않는다.
④, ⑤ A층과 C층은 높이 올라갈수록 기온이 낮아져 대류가 일어나므로 공기의 층이 불안정하다.

04 만약 성층권에 높은 농도로 오존이 존재하지 않는다면, 오존층이 존재하지 않아 자외선을 흡수하지 않기 때문에 성층권의 기온은 대류권과 같이 높이 올라갈수록 기온이 계속 낮아질 것이다. 그러다가 어느 정도 높이에서부터는 높이 올라갈수록 기온이 높아져서 기권의 층상 구조는 두 개의 층으로 구분될 것이다.

05 ① 적외선등에서 방출한 에너지를 컵이 흡수하므로 적외선등은 태양, 컵은 지구로 생각할 수 있다.
② 적외선등의 빛이 컵을 수직으로 비추도록 적외선등의 높이를 조절해 준다.
③ 시간이 지나면 컵이 적외선등으로부터 흡수한 에너지만큼 에너지를 방출하므로 복사 평형 상태에 도달하여 컵 속의 온도는 일정하게 유지된다.
④ 컵과 적외선등 사이의 거리가 가까워지면 적외선등으로부터 받는 에너지가 많아지기 때문에 더 높은 온도에서 복사 평형에 도달한다.
바로알기 ≫ ⑤ 컵과 같이 온도가 낮은 물체를 포함하여 모든 물체는 온도에 따른 복사 에너지를 방출한다.

06 문제 분석하기 »

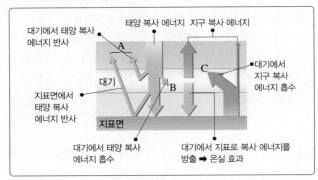

ㄱ. A는 지표와 대기에서 반사하는 태양 복사 에너지로, 30 % 이다.

ㄷ. 대기에서 지구 복사 에너지를 흡수하는 C 과정이 활발해지면 대기가 지표로 방출하는 작용도 활발해져서 지표의 기온은 상승한다.

바로알기 » ㄴ. B 과정은 지구 대기가 태양 복사 에너지의 일부를 흡수하는 것이다. 온실 효과는 지구 대기가 지표에서 방출하는 지구 복사 에너지를 흡수(C)하였다가 지표로 방출하여 지구의 기온을 높이는 현상이다.

07 ① 지구 온난화는 대기 중 온실 기체의 양이 증가하여 온실 효과가 증대되어 지구의 평균 기온이 높아지는 현상이다.
⑤ 지구 온난화를 방지하기 위해서는 온실 기체의 배출량을 줄이고, 삼림을 보존하며 확대해야 한다.
바로알기 » ③ 지구 온난화로 인해 해수의 부피가 팽창하고 빙하가 녹으면 해수면이 상승하므로 육지의 면적은 감소한다.

08 응결은 공기 중의 수증기가 열을 빼앗겨 액체인 물이 되는 현상이다.
⑤ 따뜻한 물로 샤워를 하면 목욕탕 안의 수증기량이 증가한다. 이때 목욕탕의 찬 거울에 수증기가 응결하여 물방울이 맺히므로 거울이 뿌옇게 흐려진다.(기체 → 액체)
바로알기 » ① 젖은 머리를 헤어드라이어로 말리는 것은 증발 현상의 예이다.(액체 → 기체)
② 얼음집 안에 물을 뿌리면 물이 얼면서 열을 방출하므로 따뜻해진다.(액체 → 고체)
③ 여름날 마당에 물을 뿌리면 물이 증발하면서 열을 흡수하므로 시원해진다.(액체 → 기체)
④ 아이스크림이 녹는 것은 고체가 액체로 변하는 현상이다.(고체 → 액체)

09 실제 수증기량은 11.6 g/kg$\left(=\dfrac{23.2\,\text{g}}{2\,\text{kg}}\right)$이고 15 °C에서의 포화 수증기량은 10.6 g/kg이므로 이 공기 1 kg에서 응결되는 수증기량＝11.6 g/kg－10.6 g/kg＝1.0 g/kg이다. 따라서 이 공기 2 kg에서 응결되는 수증기량은 2.0 g이다.

[10~11] 문제 분석하기 »

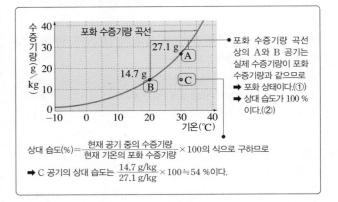

상대 습도(%)＝$\dfrac{\text{현재 공기 중의 수증기량}}{\text{현재 기온의 포화 수증기량}}×100$의 식으로 구하므로

➡ C 공기의 상대 습도는 $\dfrac{14.7\,\text{g/kg}}{27.1\,\text{g/kg}}×100≒54$ %이다.

10 ③ 이슬점은 공기의 온도를 낮출 때 응결이 시작되는 온도이므로 현재 공기 중의 수증기량으로 포화가 되는 온도이다. 공기가 포화 상태일 때는 현재 기온과 이슬점이 같다. 따라서 A 공기의 이슬점은 30 °C이고, B 공기의 이슬점은 20 °C이다.
바로알기 » ⑤ 상대 습도가 100 %로 포화 상태인 B 공기보다 상대 습도가 약 54 %로 불포화 상태인 C 공기에서 증발이 잘 일어난다.

11 상대 습도(%)＝$\dfrac{\text{현재 공기 중의 수증기량}}{\text{현재 기온의 포화 수증기량}}×100$

12 **바로알기 »** ② 이슬점은 실제 수증기량에 따라 달라진다. 실제 수증기량이 많을수록 이슬점이 높아진다.
③ 기온이 가장 높은 시간은 14~15시경이다.
④ 새벽에는 상대 습도가 높아 증발이 잘 일어나지 않는다.
⑤ 수증기량 변화가 거의 없는 상태에서 포화 수증기량이 증가하면 상대 습도는 낮아진다.

13 문제 분석하기 »

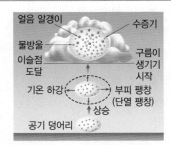

[구름의 생성 과정]
공기가 상승하면 주변의 기압이 낮아짐
→ 주변의 기압이 낮아지면 공기의 부피가 팽창하고 기압이 낮아짐(①, ②)
→ 부피가 팽창하면서 열을 소모하므로 기온이 낮아짐(③)
→ 기온이 낮아지면 포화 수증기량이 감소함(④)
→ 포화 수증기량이 감소하면 상대 습도는 높아짐(⑤)
→ 기온이 계속 낮아져 이슬점에 도달하면(＝포화 상태＝상대 습도 100 %) 수증기가 응결하여 생긴 물방울이나 얼음 알갱이가 모여 구름이 만들어짐

바로알기 ⑤ 실제 수증기량이 일정할 때 포화 수증기량이 감소하면 상대 습도는 높아진다.

14 문제 분석하기

[단열 압축과 팽창을 통해 구름이 발생하는 원리를 알아보는 실험]

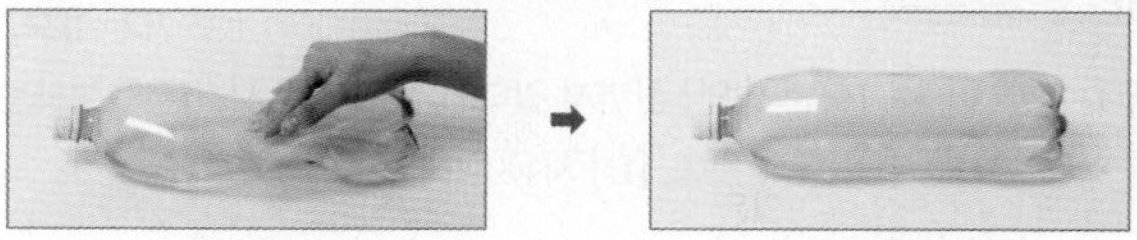

(가) 누를 때	(나) 놓을 때
➡ 단열 압축 → 부피 감소 → 기압 상승 → 온도 상승 → 상대 습도 감소	➡ 단열 팽창 → 부피 증가 → 기압 하강 → 온도 하강 → 상대 습도 증가 → 응결(구름 발생)

ㄱ. 눌렀던 플라스틱 병을 (나)와 같이 놓으면 공기의 부피가 팽창한다.
ㄹ. 실제 수증기량이 변하지 않는 상태에서 온도가 하강하면 포화 수증기량이 감소하므로 상대 습도가 증가한다.
바로알기 ㄴ. 공기의 부피가 팽창할 때 내부의 열에너지가 사용되므로 공기의 온도가 낮아진다.
ㄷ. 기체의 양은 일정한데 부피가 팽창하므로 기압은 낮아진다.

15 중위도나 고위도 지방에서 발달하는 구름 속의 얼음 알갱이에 수증기가 달라붙어 얼음 알갱이가 성장하여 눈이 되고, 이것이 내리다가 녹으면 비(차가운 비)가 된다. 이러한 강수 이론을 빙정설이라고 한다.

16 ② 수은 기둥의 높이가 76 cm일 때의 기압을 1기압이라고 한다. 따라서 수은 기둥의 높이가 76 cm보다 낮다면 이 지역의 기압은 1기압보다 낮다.
바로알기 ① 수은 기둥이 누르는 압력은 기압과 같다. 따라서 기압이 높아지면 수은 기둥이 누르는 압력도 커져 수은 기둥의 높이가 높아진다.
③ 높은 산에 올라가서 실험을 하면, 기압이 낮아지므로 수은 기둥의 높이가 지표면에서보다 낮아진다.
④ 기압이 일정하면 유리관을 기울여도 수은 기둥의 높이는 변하지 않는다.
⑤ 1기압 = 수은 기둥 76 cm가 누르는 압력 ≒ 물기둥 약 10 m(= 76 cm × 13.6)가 누르는 압력이다.

17 지구 표면에서 평균 기압은 1기압 정도이다. 이것은 수은 기둥 76 cm의 압력에 해당하며 약 10 m 높이의 물기둥 압력과 같다.

> 1기압(③) = 76 cmHg(②) ≒ 1013 hPa(①) ≒ 약 10 m의 물기둥 압력(④)

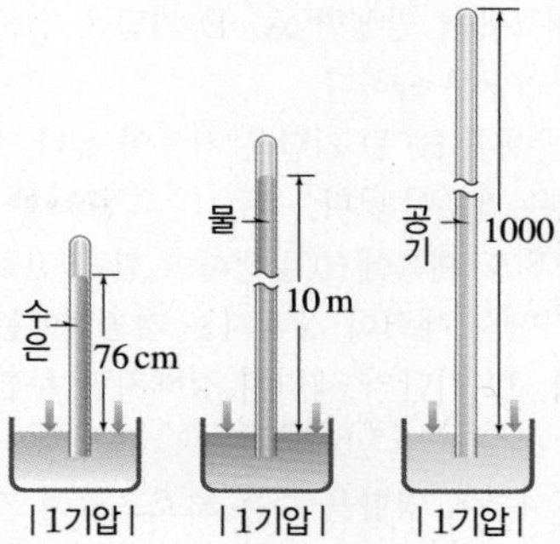

바로알기 ⑤ 수은 기둥 76 cm의 압력이 1기압이므로 수은 기둥 1 m의 압력은 1기압보다 크다.

18 ⑤ 모래와 물을 가열하면 모래가 물보다 빨리 가열되어 모래 쪽 공기의 온도가 높아져 공기가 상승하게 되고, 이 부분의 공기를 채워주기 위해 물 쪽에서 모래 쪽으로 공기가 이동한다. 따라서 물 쪽에서 모래 쪽으로 바람이 분다.
바로알기 ① 바람은 기압이 높은 곳에서 낮은 곳으로 분다.

19 문제 분석하기

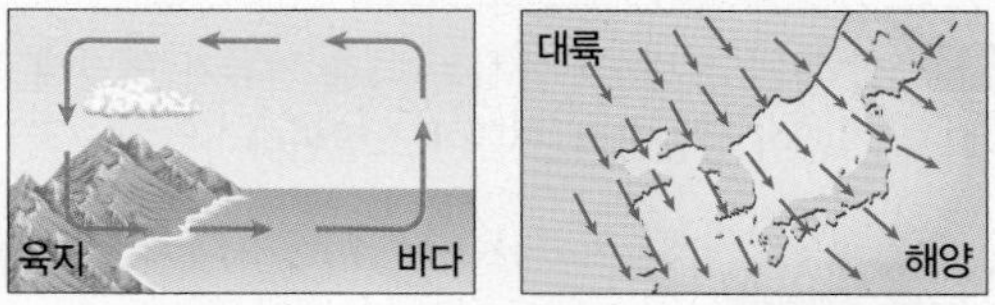

(가) (나)

구분	(가)	(나)
기압	육지 > 바다	대륙 > 해양
바람의 방향	육지 → 바다	대륙 → 해양
바람의 이름	육풍	북서 계절풍
부는 때	밤	겨울

④ 바람은 기압이 높은 곳에서 낮은 곳으로 분다. 따라서 (나)에서 대륙이 해양보다 기압이 높다.
바로알기 ① 바람의 이름은 바람이 불어오는 방향으로 붙이며, (가)는 육지에서 바람이 불어오므로 육풍이다.
② (가)는 육지가 바다보다 빨리 냉각되어 발생하므로 밤에 부는 바람이다.
③ (나)는 북서쪽에서 바람이 불어오므로 북서 계절풍이다.
⑤ 해륙풍과 계절풍은 바다와 육지가 가열되고 냉각되는 속도 차이로 인해 발생하며, 이것은 바다와 육지의 열용량이 다르기 때문에 나타나는 현상이다.

20 A는 시베리아 기단, B는 양쯔강 기단, C는 오호츠크해 기단, D는 북태평양 기단이다.
⑤ 북태평양 기단(D)이 발달하는 여름철에는 남동 계절풍이 분다.

바로알기 ≫ ① 대륙에서 발생한 A, B 기단은 건조하다. 해양에서 발생한 C, D 기단은 습하다.

② 저위도에서 발생한 B, D 기단은 기온이 높다. 고위도에서 발생한 A, C 기단은 기온이 낮다.

③ A 기단은 고위도 대륙에서 발생하여 한랭 건조한 성질을 띤다. 따라서 A 기단의 세력이 강해지는 겨울철에는 춥고 건조한 날씨가 나타난다. D 기단의 세력이 강해지면 무덥고 습한 날씨가 나타난다.

④ C 기단은 초여름에 영향을 주는 오호츠크해 기단이다. 겨울철에는 A 기단이 가장 큰 영향을 준다.

21 바로알기 ≫ ① 그림은 따뜻한 공기가 찬 공기를 타고 올라가는 온난 전선으로, 한랭 전선보다 이동 속도가 느리다.

22 북반구에서의 고기압과 저기압의 특징은 다음과 같다.

구분	바람	기류	구름	날씨
고기압	시계 방향으로 불어 나감	하강 기류	소멸	맑음
저기압	시계 반대 방향으로 불어 들어옴	상승 기류	생성	흐리고 비나 눈

바로알기 ≫ ② 고기압 중심부에서는 하강 기류가 발달해 공기가 압축되므로 기온이 상승하여 구름이 소멸된다.

23 문제 분석하기 ≫

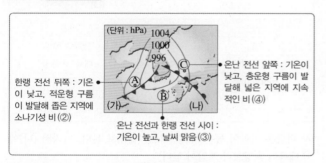

한랭 전선 뒤쪽 : 기온이 낮고, 적운형 구름이 발달해 좁은 지역에 소나기성 비(②)

온난 전선 앞쪽 : 기온이 낮고 층운형 구름이 발달해 넓은 지역에 지속적인 비(④)

온난 전선과 한랭 전선 사이 : 기온이 높고, 날씨 맑음(③)

⑤ 현재 A 지역은 북서풍, B 지역은 남서풍, C 지역은 남동풍이 불고 있다.

바로알기 ≫ ① 온대 저기압은 저기압을 중심으로 남서쪽인 (가)에는 한랭 전선, 남동쪽인 (나)에는 온난 전선이 발달한다.

24 ③ 겨울철인 (가) 시기일 때 북서 계절풍이 불고, 여름철인 (나) 시기일 때 남동 계절풍이 분다.

바로알기 ≫ ① (가)는 겨울철, (나)는 여름철 일기도이다.

② (가)는 서고동저형의 기압 배치가 나타나고, (나)는 남고북저형의 기압 배치가 나타난다.

④ 한파는 겨울에 나타난다.

⑤ 이동성 고기압과 저기압이 자주 지나가는 계절은 봄, 가을철이다.

Ⅲ. 운동과 에너지

01 운동

단원 미리보기

112~113쪽

만화 완성하기 ≫ [모범 답안] 산까지 갔다가 돌아오는 시간을 측정하는

한눈에 보기 ≫ [B] 등속 운동, [D] 자유 낙하 운동

113~117쪽

A **1** (1) ○ (2) × (3) × **2** B **3** (1) 8 m/s (2) 4 m/s (3) 10 m/s **4** 3 m/s

B **1** (1) × (2) ○ (3) ○ **2** 0.5 m/s **3** ㄱ, ㄷ

C **1** ㄴ, ㄷ **2** (1) 속력 (2) A, B, C (3) 4 m/s

D **1** ㉠ 없음, ㉡ 지구, ㉢ 9.8 m/s **2** 29.4 m/s

E **1** (1) A : 9.8 N, B : 29.4 N (2) 1 : 1 **2** (1) (나) (2) 쇠구슬 (3) 9.8 m/s

A-1 바로알기 ≫ (2) 다중 섬광 사진에서 사진이 찍히는 시간 간격은 일정하다. 물체 사이의 간격은 사진이 찍히는 시간 간격 동안 물체가 이동한 거리를 의미한다.

(3) $1 \text{ km/h} = \dfrac{1000 \text{ m}}{3600 \text{ s}} = 0.28 \text{ m/s}$이므로 1 km/h는 1 m/s보다 느린 속력이다.

A-2 다중 섬광 사진에서 물체 사이의 간격이 넓을수록 속력이 빠른 것이다. 문제에서 B의 간격이 A보다 넓으므로 B의 속력이 A보다 빠르다.

A-3 (1) 속력 $= \dfrac{\text{이동 거리}}{\text{걸린 시간}} = \dfrac{400 \text{ m}}{50 \text{ s}} = 8 \text{ m/s}$

(2) 1분 = 60초, 2분 = (60 × 2)초 = 120초

$\therefore$ 속력 $= \dfrac{480 \text{ m}}{120 \text{ s}} = 4 \text{ m/s}$

(3) 1시간 = (60 × 60)초 = 3600초, 36 km = 36000 m

$\therefore$ 속력 $= \dfrac{36000 \text{ m}}{3600 \text{ s}} = 10 \text{ m/s}$

A-4 평균 속력 $= \dfrac{\text{전체 이동 거리}}{\text{걸린 시간}}$인데, 이동 거리가 주어지지 않았으므로 문제에서 주어진 조건을 이용하여 먼저 구해야 한다.

• 처음 5초 동안 이동한 거리 = 2 m/s × 5 s = 10 m

• 나중 5초 동안 이동한 거리 = 4 m/s × 5 s = 20 m

• 10초 동안 이동한 거리 = 10 m + 20 m = 30 m

$\therefore$ 10초 동안 물체의 평균 속력 $= \dfrac{\text{전체 이동 거리}}{\text{걸린 시간}} = \dfrac{30 \text{ m}}{10 \text{ s}} = 3 \text{ m/s}$

B-1 (2) 등속 운동하는 물체는 단위 시간 동안 이동하는 거리가 일정하므로 시간에 따라 전체 이동 거리가 일정하게 증가한다.
(3) 등속 운동하는 물체의 이동 거리=속력×걸린 시간=2 m/s×10 s=20 m이다.
바로알기>> (1) 등속 운동은 물체의 속력이 시간에 따라 변하지 않고 일정한 운동이다.

B-2 장난감 자동차는 0.1초 동안 5 cm씩 이동한다. 그러므로 속력=$\frac{5 \text{ cm}}{0.1 \text{ s}}=\frac{0.05 \text{ m}}{0.1 \text{ s}}$=0.5 m/s이다.

B-3 ㄱ, ㄷ. 무빙워크와 에스컬레이터는 단위 시간 동안 이동하는 거리가 일정하므로 속력이 일정한 운동을 한다.
바로알기>> ㄴ. 롤러코스터는 속력이 변하는 운동을 한다.
ㄹ. 낙하하는 공은 속력이 빨라지는 운동을 한다.

C-1 등속 운동은 속력이 일정한 운동이다. 이때 이동 거리는 시간에 비례하여 일정하게 증가하므로 시간-이동 거리 그래프는 원점을 지나는 기울기가 일정한 직선 모양이다(ㄴ). 속력은 시간이 지나도 일정하므로 시간-속력 그래프는 시간축에 나란한 모양이다(ㄷ).

C-2 (1) 시간-이동 거리 그래프의 기울기는 $\frac{\text{이동 거리}}{\text{시간}}$이므로 속력을 의미한다.
(2) 시간-이동 거리 그래프의 기울기가 클수록 속력이 빠르므로 A-B-C 순으로 속력이 빠르다.
(3) 60초 동안 물체가 이동한 거리는 240 m이므로 물체의 평균 속력=$\frac{\text{전체 이동 거리}}{\text{걸린 시간}}=\frac{240 \text{ m}}{60 \text{ s}}$=4 m/s이다.

D-1 공기 저항이 없을 때 물체가 중력만 받아 아래로 떨어지는 운동을 자유 낙하 운동이라고 한다. 중력 가속도 상수는 천체의 중력의 크기에 따라 달라지는 값으로 지구의 중력 가속도 상수는 9.8이다. 따라서 지구 지표면 근처에서 자유 낙하 하는 물체의 속력은 1초에 9.8 m/s씩 증가한다.

D-2 자유 낙하 운동하는 물체의 속력은 1초에 9.8 m/s씩 증가하므로 정지 상태에서 낙하한 물체의 속력은 3초 후 9.8×3=29.4(m/s)가 된다.

E-1 (1) 중력의 크기는 물체의 무게와 같다. 따라서 물체의 질량에 9.8을 곱하여 구한다.
A에 작용하는 중력의 크기=9.8×1=9.8(N)
B에 작용하는 중력의 크기=9.8×3=29.4(N)
(2) 자유 낙하 하는 물체의 속력 변화는 물체의 질량에 관계없이 1초에 9.8 m/s씩으로 일정하므로 두 물체의 속력 변화는 같다. 따라서 속력 변화의 비는 1:1이다.

E-2 (1) 질량이 다른 두 물체의 속력 변화가 같은 (나)가 진공 중이고, 물체의 모양에 따라 공기 저항을 다르게 받아서 낙하하는 속력 변화가 다른 (가)가 공기 중이다.
(2) 중력의 크기는 물체의 질량에 비례하므로 쇠구슬이 깃털보다 중력을 크게 받는다.
(3) 공기 저항이 없는 진공 중에서 물체의 속력 변화는 물체의 질량에 관계없이 1초에 9.8 m/s씩으로 일정하다.

실력탄탄 핵심 문제 119~123쪽

01 ④ **02** ⑤ **03** ⑤ **04** 4.8 m/s **05** ② **06** ③
07 25 m/s **08** ② **09** ⑤ **10** ⑤ **11** ㄱ, ㅂ **12** ①, ④
13 ① **14** ① **15** ④ **16** ⑤ **17** ③ **18** ④ **19** ㄱ, ㄴ, ㄷ
20 ②, ③ **21** ④ **22** ① **23** (가) 2초, (나) 19.6 m/s
24 ④ **25** ②

서술형 문제 **26~30** 해설 참조

01 ④ 속력은 단위 시간 동안 이동한 거리이다. 따라서 같은 시간 동안 이동한 거리가 길수록 속력이 빠르다.
바로알기>> ① 속력은 물체가 이동한 거리를 걸린 시간으로 나누어 구한다. 속력=$\frac{\text{이동 거리}}{\text{걸린 시간}}$
② 속력의 단위는 분자에는 이동 거리의 단위, 분모에는 시간의 단위가 들어가야 한다. kg은 질량의 단위이므로 올바른 속력의 단위는 km/h이다.
③ 60 km/h는 1 h(1시간) 동안 60 km를 이동한다는 의미이다.
⑤ 같은 거리를 이동하는 데 걸린 시간이 짧을수록 속력이 빠르다.

02 ① 기차의 속력=18 km/h=$\frac{18000 \text{ m}}{3600 \text{ s}}$=5 m/s
② 1분=60초, 사자의 속력=$\frac{180 \text{ m}}{60 \text{ s}}$=3 m/s
③ 5분=(60×5)초=300초, 사람의 속력=$\frac{600 \text{ m}}{300 \text{ s}}$=2 m/s
④ 5시간=(3600×5)초=18000초, 72 km=72000 m, 자동차의 속력=$\frac{72000 \text{ m}}{18000 \text{ s}}$=4 m/s
⑤ 달리기 선수의 속력=$\frac{110 \text{ m}}{10 \text{ s}}$=11 m/s
따라서 속력은 ⑤>①>④>②>③ 순으로 빠르다.

03 [문제 분석하기 »]

기차의 앞부분을 기준으로 하여 기차의 뒷부분이 다리를 완전히 통과할 때까지 기차가 이동하는 거리는 다리 길이와 기차 길이를 합한 값이다.
∴ 기차의 이동 거리=다리 길이+기차 길이=400 m+50 m=450 m

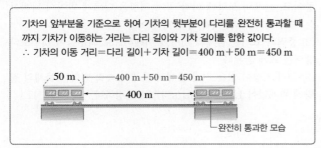

기차가 5 m/s의 속력으로 450 m를 이동하는 데 걸리는 시간은 $\frac{450\ m}{5\ m/s}$=90 s이다.

04 [문제 분석하기 »]

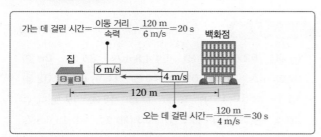

집에서 백화점까지 왕복하는 데 걸린 시간은 20초+30초=50초이고, 이때 이동한 전체 거리는 120 m+120 m=240 m이다. 따라서 집과 백화점을 왕복하는 평균 속력=$\frac{\text{전체 이동 거리}}{\text{걸린 시간}}$=$\frac{240\ m}{50\ s}$=4.8 m/s이다.

05 [문제 분석하기 »]

시간(h)	0	1	2	3	4	5
거리(km)	0	80	180	250	340	400
시간당 이동 거리(km)		80	100	70	90	60

↳ 1시간당 이동 거리가 가장 길다.

속력은 일정한 시간 동안 물체가 이동한 거리이다. 각 구간은 시간 간격이 1시간으로 일정하므로 같은 시간 동안 이동 거리가 길수록 속력이 빠르다.

06 5시간 동안 자동차는 400 km를 이동하였으므로 평균 속력=$\frac{400\ km}{5\ h}$=80 km/h이다.

07 18 km=18000 m를 이동하는 데 걸린 시간은 12분=(60×12)초=720초이므로 자동차의 평균 속력=$\frac{18000\ m}{720\ s}$=25 m/s이다.

08 다중 섬광 사진에 찍힌 공 사이의 간격이 20 cm이므로 공은 1초 동안 20 cm씩 이동한다. 따라서 공의 속력=$\frac{20\ cm}{1\ s}$=$\frac{0.2\ m}{1\ s}$=0.2 m/s이다.

09 다중 섬광 사진에서 (가)와 (나) 모두 물체 사이의 간격이 일정하므로 속력은 일정하다. 다중 섬광 사진은 같은 시간 간격으로 사진을 찍으므로 속력이 빠를수록 물체 사이의 간격이 넓게 찍힌다. 물체 사이의 간격이 (나)가 (가)보다 넓으므로 (나)의 속력이 (가)보다 빠르다.

10 ㄴ. 처음 위치에서 50 cm까지 이동하는 동안 총 5번 사진이 찍혔으므로 50 cm 이동하는 데 걸린 시간은 0.1초×5=0.5초이다.
ㄷ. 0.5초 동안 50 cm 이동하였으므로 장난감 자동차의 평균 속력=$\frac{50\ cm}{0.5\ s}$=$\frac{0.5\ m}{0.5\ s}$=1 m/s이다.

[바로알기 »] ㄱ. 장난감 자동차 사이의 간격이 점점 멀어지므로 속력은 점점 빨라진 것이다.

11 ㄴ, ㄷ, ㄹ, ㅁ. 컨베이어, 케이블카, 무빙워크, 에스컬레이터는 속력이 일정한 등속 운동을 한다.

[바로알기 »] ㄱ. 바이킹은 위로 올라갈 때 속력이 느려지고 아래로 내려올 때 속력이 빨라지는 운동을 한다.
ㅂ. 위로 던진 물체는 올라가는 동안 속력이 점점 느려지는 운동을 하고, 다시 떨어지면서 속력이 점점 빨라진다.

12 같은 시간 간격으로 찍은 다중 섬광 사진에서 드라이아이스 통 사이의 간격이 일정하므로 드라이아이스 통은 등속 운동했다. 등속 운동하는 물체의 이동 거리는 시간에 따라 일정하게 증가하므로 시간-이동 거리 그래프가 원점을 지나는 기울어진 직선 모양이다(④). 속력은 일정하므로 시간-속력 그래프가 시간축에 나란한 모양이다(①).

13 [문제 분석하기 »]

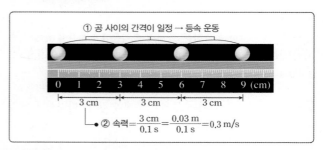

[바로알기 »] ③ 공의 속력은 0.3 m/s로 일정하다.
④ 공은 0.1초 동안 3 cm씩 일정하게 이동한다.
⑤ 등속 운동의 시간-이동 거리 그래프는 원점을 지나는 기울어진 직선 모양이다.

14 문제 분석하기 »

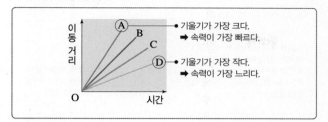

시간 – 이동 거리 그래프의 기울기는 속력을 나타낸다. 따라서 그래프의 기울기가 가장 큰 A의 속력이 가장 빠르다.

15 문제 분석하기 »

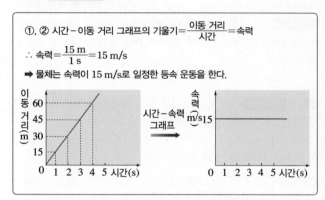

③ 등속 운동하는 물체의 걸린 시간=$\dfrac{\text{이동 거리}}{\text{속력}}$이므로 물체가 150 m를 이동하는 데 걸리는 시간은 $\dfrac{150\ \text{m}}{15\ \text{m/s}}$=10 s이다.

⑤ 물체의 속력이 일정하므로 시간 – 속력 그래프가 시간축에 나란하다.

바로알기 » ④ 물체의 속력은 15 m/s로 일정하다.

16 문제 분석하기 »

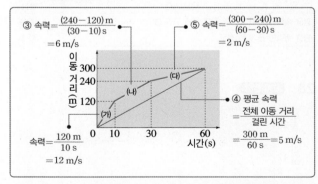

①, ② 시간 – 이동 거리 그래프의 기울기는 속력을 나타낸다. 구간 (가)~(다) 중 (가)의 기울기가 가장 크므로 (가)에서 속력이 가장 빠르다.

바로알기 » ⑤ 구간 (다)에서는 30초 동안 60 m를 이동한다. 그러므로 물체의 속력은 2 m/s이다.

17 문제 분석하기 »

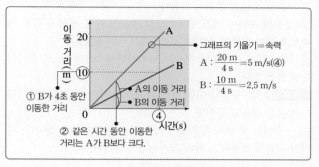

③ A의 속력은 5 m/s, B의 속력은 2.5 m/s이므로 A의 속력은 B의 2배이다.

바로알기 » ① B가 4초 동안 이동한 거리는 10 m이다.

② A의 속력이 B의 속력보다 빠르므로 같은 시간 동안 이동한 거리는 A가 B보다 크다.

⑤ 시간 – 이동 거리 그래프의 기울기는 속력을 나타낸다. A와 B의 기울기가 일정하므로 A와 B 모두 속력이 일정한 등속 운동을 한다.

18 문제 분석하기 »

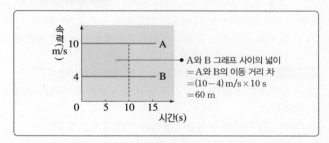

시간 – 속력 그래프의 아랫부분의 넓이가 이동 거리를 나타내므로 A와 B의 그래프 아랫부분의 넓이 차는 A와 B의 이동 거리 차를 나타낸다.

19 문제 분석하기 »

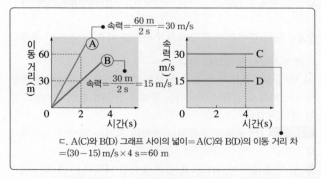

ㄷ. A(C)와 B(D) 그래프 사이의 넓이=A(C)와 B(D)의 이동 거리 차 =(30−15) m/s×4 s=60 m

ㄱ. A와 C, B와 D는 속력이 같으므로 각각 같은 물체의 운동을 나타낸다.

ㄴ. A의 속력은 30 m/s, B의 속력은 15 m/s이므로 A의 속력이 B의 2배이다.

20 ① 구슬이 낙하할수록 구슬 사이의 간격이 점점 넓어지므로 구슬의 속력은 점점 증가한다.
④ 구슬의 속력이 점점 증가하므로 구슬의 운동 방향과 같은 방향으로 힘이 작용한 것이다.
⑤ 자이로드롭, 다이빙 선수는 낙하하면서 속력이 점점 증가하는 운동을 한다.
바로알기 》 ② 구슬의 이동 거리가 시간에 따라 일정하게 증가하는 운동은 등속 운동이다.
③ 구슬에는 중력이 작용하여 속력이 점점 증가하는 것이다. 따라서 구슬에 작용하는 힘의 크기는 0이 아니다.

21 ④ (나)에서는 쇠구슬과 깃털이 동시에 떨어진다. 이는 두 물체에 중력만 작용하고 공기 저항은 없다는 것으로 진공 중임을 의미한다.
바로알기 》 ① 물체의 낙하 속력은 물체의 질량과 관계없다.
②, ③ (가)에서 쇠구슬에 작용하는 공기 저항이 깃털보다 작으므로 쇠구슬이 깃털보다 먼저 낙하한다.
⑤ 쇠구슬의 질량이 깃털보다 크므로 쇠구슬에 작용하는 중력의 크기가 깃털보다 크다.

22 다중 섬광 사진의 한 구간은 일정한 시간 동안 물체가 이동한 거리를 의미하므로 그래프의 세로축은 속력을 의미한다.
① 자유 낙하 운동하는 물체의 속력은 1초에 9.8 m/s씩 증가하므로 시간 – 속력 그래프의 기울기는 9.8이다.
바로알기 》 ② 그래프의 기울기는 속력 변화량을 의미한다.
③ 사진이 찍히는 같은 시간 간격 동안 물체의 이동 거리는 점점 증가한다.
④ 다중 섬광 사진에서 사진이 찍히는 시간 간격은 일정하다.
⑤ 물체에는 중력만 작용하므로 힘의 크기는 일정하다.

23 자유 낙하 하는 물체는 질량에 관계없이 속력이 1초에 9.8 m/s씩 증가한다. 따라서 10 kg인 공을 같은 높이에서 떨어뜨릴 때 낙하하는 데 걸린 시간은 5 kg의 낙하 시간과 같은 2초이다. 공이 지면에 도달하는 순간의 속력=9.8×2=19.6(m/s)이다.

24 달의 중력은 지구 중력의 $\frac{1}{6}$이므로 자유 낙하 하는 물체의 속력 변화량이 지구보다 작다.
④ 달에서도 자유 낙하 하는 물체의 속력 변화는 질량에 관계없이 일정하므로 실험에 사용하는 물체의 질량이 달라지더라도 실험 결과는 같다.
바로알기 》 ① 물체에 작용하는 중력의 크기는 달보다 지구에서 더 크다.
② 달의 중력이 더 작으므로 같은 높이를 낙하하는 데 지구에서보다 오래 걸린다.
③ 물체가 낙하하는 동안 속력 변화는 달보다 지구에서 크다.
⑤ 낙하하는 동안 물체의 운동 방향과 같은 방향으로 중력이 작용하므로 지구와 달에서 속력은 모두 점점 증가한다.

25 **문제 분석하기 》**

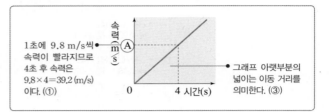

1초에 9.8 m/s씩 속력이 빨라지므로 4초 후 속력은 9.8×4=39.2 (m/s)이다. (①)
그래프 아랫부분의 넓이는 이동 거리를 의미한다. (③)

③, ④ 자유 낙하 운동하는 물체의 속력은 1초에 9.8 m/s씩 증가하므로 낙하하는 데 걸린 시간을 알면 바닥에 도달하는 순간의 속력과 낙하한 높이를 알 수 있다.
⑤ 달의 중력은 지구 중력보다 작으므로 속력 변화량도 지구에서보다 작다. 따라서 시간 – 속력 그래프의 기울기가 작아진다.
바로알기 》 ② 자유 낙하 하는 물체의 속력 변화는 질량에 관계없이 일정하므로 낙하하는 데 걸린 시간을 알아도 물체의 질량은 알 수 없다.

26 **모범 답안 》** (1) A의 속력은 점점 빨라진다. B의 속력은 일정하다. C의 속력은 점점 느려진다.
(2) A=B=C, A~C 모두 세 번 사진이 찍히는 동안 이동한 전체 거리가 같으므로 평균 속력이 같다.

	채점 기준	배점
(1)	A, B, C의 속력 변화를 모두 옳게 서술한 경우	60 %
	옳게 서술한 하나당	20 %
(2)	평균 속력을 비교하고 까닭을 옳게 서술한 경우	40 %
	평균 속력 비교만 옳게 한 경우	20 %

27 **모범 답안 》** 버스의 평균 속력= $\frac{전체\ 이동\ 거리}{걸린\ 시간}$ = $\frac{60\ km}{50분}$ = $\frac{60000\ m}{3000\ s}$ =20 m/s이다.

채점 기준	배점
평균 속력을 풀이 과정과 함께 옳게 구한 경우	100 %
평균 속력만 옳게 쓴 경우	50 %

28 **모범 답안 》**

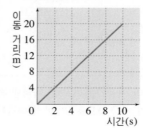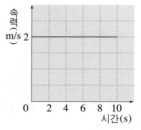

| **해설** | 에스컬레이터는 2초마다 4 m씩 이동 거리가 일정하게 증가하므로 속력이 2 m/s인 등속 운동을 한다.

채점 기준	배점
두 그래프를 모두 옳게 그린 경우	100 %
두 그래프 중 한 그래프만 옳게 그린 경우	50 %

29 모범 답안 ▶ (1) B, 속력 $=\dfrac{(40-20)\ m}{(6-2)\ s}=5\ m/s$이다.

(2) 평균 속력 $=\dfrac{전체\ 이동\ 거리}{걸린\ 시간}=\dfrac{100\ m}{10\ s}=10\ m/s$

|해설| 시간 – 이동 거리 그래프에서 기울기는 속력을 의미하므로 기울기가 가장 작은 B 구간의 속력이 가장 느리다.

	채점 기준	배점
(1)	풀이 과정과 함께 B 구간의 속력을 옳게 구한 경우	60 %
	풀이 과정 없이 B 구간의 속력만 옳게 쓴 경우	30 %
	B라고만 쓴 경우	20 %
(2)	평균 속력을 풀이 과정과 함께 옳게 구한 경우	40 %
	풀이 과정 없이 평균 속력만 옳게 쓴 경우	20 %

30 모범 답안 ▶ (1) 자유 낙하 하는 물체의 속력 변화는 물체의 질량에 관계없이 같다.

(2) 쇠구슬과 깃털이 동시에 떨어지는 것은 같지만 지구에서보다 빠르게 떨어지므로 물체 사이의 간격이 더 넓어진다.

	채점 기준	배점
(1)	자유 낙하 하는 물체의 속력 변화를 옳게 서술한 경우	50 %
	동시에 떨어진다고만 서술한 경우	20 %
(2)	다중 섬광 사진의 변화를 옳게 서술한 경우	50 %
	지구에서보다 더 빠르게 낙하한다고 서술한 경우도 정답으로 인정	

02 일과 에너지

단원 미리보기

124~125쪽

만화 완성하기 ≫ [모범 답안] 화분을 들고 수평 방향으로 이동
한눈에 보기 ≫ [B] 중력과 일의 양, [D] 운동 에너지, [E] 일로 전환되는 에너지

125~129쪽

Ⓐ 1 ㄴ, ㄷ 2 (1) 100 N (2) 500 J 3 ㉠ 0, ㉡ 수직

Ⓑ 1 (1) 98 (2) ㉠ 98, ㉡ 0.5, ㉢ 49 2 10 J 3 2 kg

Ⓒ 1 ㄱ, ㄴ, ㄹ 2 294 J 3 (1) 490 J (2) 490 J (3) 0

Ⓓ 1 ㄱ, ㄹ 2 (1) 2배 (2) 4배 3 16 J

Ⓔ 1 (1) ○ (2) ○ (3) ✕ 2 ③

A-1 물체에 힘을 작용하여 힘의 방향으로 물체가 이동한 경우 과학에서의 일을 한 것이다.

ㄴ. 수레를 밀어서 언덕을 올라갈 때 수레를 민 힘의 방향과 수레의 이동 방향이 같으므로 과학에서의 일을 한 경우이다.

ㄷ. 지우개를 들어 올린 힘의 방향과 지우개의 이동 방향이 같으므로 과학에서의 일을 한 경우이다.

바로알기 ≫ ㄱ, ㅁ. 물질의 상태가 변하거나 화학 반응이 일어나는 경우는 과학에서 일을 한 경우가 아니다.

ㄹ. 정신적인 일은 과학에서의 일에 해당하지 않는다.

A-2 (1) 물체를 일정한 속력으로 이동시킬 때 물체를 끌어당기는 힘의 크기는 용수철저울의 눈금이 가리키는 값과 같은 100 N이다. 물체의 무게를 힘의 크기로 계산하지 않도록 주의한다.

(2) 물체에 한 일=물체를 끄는 힘×이동 거리
$$=100\ N×5\ m=500\ J$$

A-3 일의 양은 힘과 이동 거리를 곱하여 구하므로 힘의 크기나 이동 거리가 0이면 일의 양이 0이다. 힘의 방향과 물체가 이동한 방향이 수직인 경우 힘의 방향으로 이동한 거리가 0이므로 일의 양이 0이다.

B-1 (1) 물체를 들어 올리려면 물체에 작용하는 중력의 크기, 즉 물체의 무게만큼의 힘을 작용해야 한다. 물체의 무게=9.8× 물체의 질량=9.8×10=98(N)이므로 들어 올리는 힘의 크기는 98 N이다.

(2) 일의 양=힘×이동 거리=물체의 무게×들어 올린 높이
$$=98\ N×0.5\ m=49\ J$$

B-2 물체가 떨어질 때에는 중력이 물체에 일을 한다. 이때 물체에 작용한 힘의 크기는 물체의 무게와 같고 이동한 거리는 떨어진 높이이다. 그러므로 일의 양=5 N×2 m=10 J이다.

B-3 '일의 양=힘×이동 거리'에서 이동 거리가 10 m이고 일의 양이 196 J이므로 힘의 크기는 19.6 N이다. 물체를 들어 올릴 때 작용하는 힘의 크기는 물체의 무게와 같다. 따라서 물체의 무게=9.8×물체의 질량=19.6 N이므로 물체의 질량은 2 kg이다.

C-1 중력에 의한 위치 에너지는 9.8mh로 구할 수 있다. 따라서 중력에 의한 위치 에너지는 물체의 질량과 높이에 각각 비례(ㄱ, ㄴ)하므로 높이와 질량의 곱에도 비례(ㄹ)한다.

C-2 중력에 의한 위치 에너지=9.8mh=(9.8×10) N×3 m
$$=294\ J$$

C-3 (1), (2) 사람이 상자에 해 준 일=지면을 기준으로 할 때 상자의 중력에 의한 위치 에너지=(9.8×10) N×5 m=490 J
(3) 물체가 기준면에 위치할 때는 물체의 중력에 의한 위치 에너지가 0이다.

D-1 운동 에너지는 $\frac{1}{2}mv^2$으로 물체의 질량에 비례(ㄱ)하고, 속력의 제곱에 비례(ㄹ)한다.

D-2 (1) 운동 에너지는 속력이 일정할 때 물체의 질량에 비례한다. 따라서 질량이 2배가 되면 운동 에너지도 2배가 된다.
(2) 운동 에너지는 질량이 일정할 때 물체의 속력의 제곱에 비례한다. 따라서 속력이 2배가 되면 운동 에너지는 2^2배=4배가 된다.

D-3 운동 에너지=$\frac{1}{2}mv^2$=$\frac{1}{2}\times2$ kg$\times(4$ m/s$)^2$=16 J

E-1 (1) 에너지는 일로, 일은 에너지로 전환될 수 있다.
(2) 추의 중력에 의한 위치 에너지가 말뚝을 박는 일로 전환되므로 추의 중력에 의한 위치 에너지가 클수록 말뚝이 깊이 박힌다. 추의 질량이 클수록 추의 중력에 의한 위치 에너지가 크다. 따라서 추의 질량이 클수록 말뚝이 깊이 박힌다.
바로알기 (3) 수레의 운동 에너지가 나무 도막을 미는 일로 전환된다. 운동 에너지는 속력의 제곱에 비례하므로 나무 도막이 밀려나는 거리는 수레의 속력의 제곱에 비례한다.

E-2 추의 중력에 의한 위치 에너지가 나무 도막을 미는 일로 전환된다. 추의 질량이 2배, 낙하하는 거리가 2배가 되었으므로 추의 중력에 의한 위치 에너지가 4배가 되어 나무 도막의 이동 거리는 4배가 된다.

실력탄탄 **핵심 문제** 131~135쪽

01 ③　02 ②　03 ④　04 ⑤　05 ③　06 100 J　07 ④
08 ③　09 ①　10 ①　11 ④　12 ①　13 ③　14 ④
15 ⑤　16 ④　17 60 cm　18 ①, ⑤　19 ③　20 ④
21 ③　22 ④　23 ③　24 ②　25 ④　26 ⑤

서술형 **문제** 27~31 해설 참조

---

01 과학에서는 물체에 힘을 작용하여 물체를 힘의 방향으로 이동시켰을 때 일을 했다고 한다.
③ 바닥에 놓인 가방에 위 방향으로 힘을 작용하여 위 방향으로 이동시켰으므로 과학에서의 일을 한 것이다.
바로알기 ① 역기의 이동 거리가 0이므로 한 일이 0이다.
② 공부를 열심히 하는 것은 정신적인 일로 힘과 이동 거리로 나타낼 수 없다. 따라서 과학에서 의미하는 일이 아니다.
④ 마찰이나 공기 저항이 없는 우주 공간에서 등속 운동할 때 작용한 힘은 0이므로 한 일이 0이다.
⑤ 마찰이 없는 얼음판 위에서 스케이트를 탄 사람이 일정한 속력으로 운동할 때 작용한 힘은 0이므로 한 일이 0이다.

02 물체에 작용한 힘은 5 N이고, 물체가 힘의 방향으로 이동한 거리는 4 m이므로 물체에 한 일=힘×이동 거리=5 N×4 m=20 J이다.

03 상자를 수평면에서 일정한 속력으로 끌어당길 때 상자에 한 일의 양=상자를 끌어당긴 힘×이동 거리=상자를 끌어당긴 힘×2 m=300 J이므로 힘의 크기는 150 N이다.

04 물체를 천천히 들어 올릴 때, 물체를 들어 올리는 데 필요한 힘의 크기는 물체의 무게와 같다.
물체를 들어 올리는 데 필요한 힘의 크기=물체의 무게=9.8×질량=9.8×10=98(N)
물체를 들어 올리는 데 한 일=물체의 무게×들어 올린 높이=98 N×2 m=196 J이다.

05 문제 분석하기 »

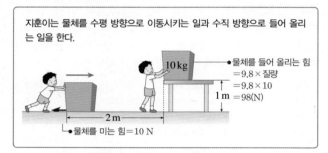

지훈이는 물체를 수평 방향으로 이동시키는 일과 수직 방향으로 들어 올리는 일을 한다.

10 kg
•물체를 들어 올리는 힘
=9.8×질량
=9.8×10
=98(N)
1 m
2 m
└물체를 미는 힘=10 N

물체를 수평 방향으로 이동시킬 때 한 일=10 N×2 m=20 J이고, 물체를 수직 방향으로 들어 올릴 때 한 일=98 N×1 m=98 J이다. 따라서 지훈이가 물체에 한 일=물체를 수평 방향으로 이동시킬 때 한 일+물체를 수직 방향으로 들어 올릴 때 한 일=20 J+98 J=118 J이다.

06 문제 분석하기 »

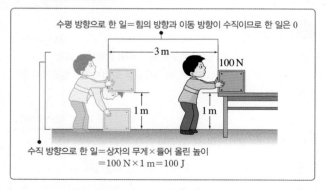

수평 방향으로 한 일=힘의 방향과 이동 방향이 수직이므로 한 일은 0
3 m
100 N
1 m
1 m
수직 방향으로 한 일=상자의 무게×들어 올린 높이
=100 N×1 m=100 J

상자를 드는 힘의 방향은 윗방향인데 들고 이동한 방향은 수평 방향이므로 힘의 방향으로 이동한 거리가 0이다.
준기가 상자에 한 일=수직 방향으로 한 일+수평 방향으로 한 일=100 J+0=100 J

07 〔문제 분석하기 》〕

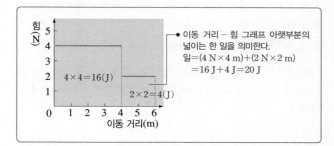

이동 거리 – 힘 그래프 아랫부분의 넓이는 한 일을 의미한다.
일=(4 N×4 m)+(2 N×2 m)
=16 J+4 J=20 J

08 〔문제 분석하기 》〕

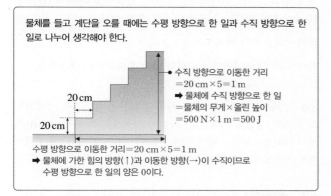

물체를 들고 계단을 오를 때에는 수평 방향으로 한 일과 수직 방향으로 한 일로 나누어 생각해야 한다.

수직 방향으로 이동한 거리
=20 cm×5=1 m
➡ 물체에 수직 방향으로 한 일
=물체의 무게×올린 높이
=500 N×1 m=500 J

수평 방향으로 이동한 거리=20 cm×5=1 m
➡ 물체에 가한 힘의 방향(↑)과 이동한 방향(→)이 수직이므로 수평 방향으로 한 일의 양은 0이다.

물체를 계단 위로 올리는 데 한 일=수평 방향으로 한 일+수직 방향으로 한 일=0+500 J=500 J이다.

09 민선이는 가방에 위 방향으로 힘을 주었고, 가방의 이동 방향은 수평 방향이므로 가방에 작용한 힘의 방향과 가방의 이동 방향은 수직이다. 힘의 방향으로 이동한 거리가 0이기 때문에 민선이가 한 일의 양은 0이다.

10 〔문제 분석하기 》〕

(가) 무게가 10 N인 물체를 일정한 속력으로 수평면을 따라 30 N의 힘을 가해 3 m 이동시켰다. ➡ 일=30 N×3 m=90 J
(나) 바닥에 놓여 있는 질량이 3 kg인 물체를 천천히 들어 2 m 높이의 책상 위에 올려놓았다. ➡ 일=(9.8×3) N×2 m=58.8 J
(다) 마찰이 없는 수평면에서 등속 운동하는 무게가 5 N인 물체를 2 m 이동시켰다. ➡ 일=0×2 m=0 ● 힘=0

따라서 한 일의 양을 비교하면 (가)>(나)>(다)이다.

11 ①, ② 에너지는 일을 할 수 있는 능력으로 일과 같은 단위인 J(줄)을 사용한다.
③, ⑤ 일과 에너지는 서로 전환되므로 외부에서 물체에 일을 해 주면 물체의 에너지는 증가하고, 물체가 외부에 일을 하면 물체의 에너지는 감소한다. 따라서 물체가 가진 에너지의 양은 그 에너지를 사용하여 한 일의 양으로 구할 수 있다.

〔바로알기 》〕 ④ 물체가 외부에 일을 하면 물체의 에너지가 일로 전환되어 물체의 에너지는 감소한다.

12 물체가 외부에 일을 하면 일을 한 만큼 물체의 에너지가 감소하고, 외부에서 물체에 일을 해 주면 일을 받은 만큼 물체의 에너지가 증가한다. 따라서 물체가 가지고 있는 에너지=100 J −50 J+100 J=150 J이다.

13 물체에 해 준 일만큼 물체의 중력에 의한 위치 에너지가 증가한다. 물체의 중력에 의한 위치 에너지는 빗면의 길이가 아닌 높이에 비례한다. 따라서 물체에 해 준 일=물체의 증가한 중력에 의한 위치 에너지=9.8mh=(9.8×3) N×1 m=29.4 J 이다.

14 〔문제 분석하기 》〕

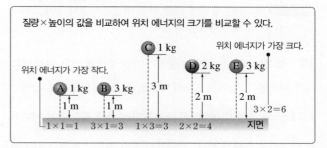

질량×높이의 값을 비교하여 위치 에너지의 크기를 비교할 수 있다.

따라서 물체의 중력에 의한 위치 에너지를 비교하면 E>D>B =C>A이다.

15 〔문제 분석하기 》〕

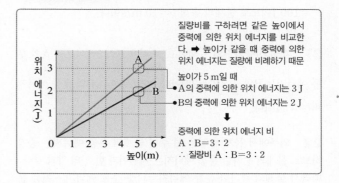

질량비를 구하려면 같은 높이에서 중력에 의한 위치 에너지를 비교한다. ➡ 높이가 같을 때 중력에 의한 위치 에너지는 질량에 비례하기 때문

높이가 5 m일 때
●A의 중력에 의한 위치 에너지는 3 J
●B의 중력에 의한 위치 에너지는 2 J

중력에 의한 위치 에너지 비
A : B=3 : 2
∴ 질량비 A : B=3 : 2

16 〔문제 분석하기 》〕

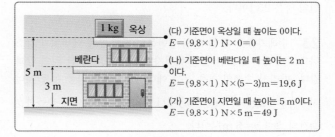

(다) 기준면이 옥상일 때 높이는 0이다.
E=(9.8×1) N×0=0
(나) 기준면이 베란다일 때 높이는 2 m 이다.
E=(9.8×1) N×(5−3)m=19.6 J
(가) 기준면이 지면일 때 높이는 5 m이다.
E=(9.8×1) N×5 m=49 J

17 비탈면 위에 있는 쇠구슬이 가진 중력에 의한 위치 에너지는 비탈면 위에서 쇠구슬이 내려오면서 수평면 위의 나무 도막을 미는 일로 전환된다. 쇠구슬의 중력에 의한 위치 에너지는 쇠구슬의 질량과 높이에 각각 비례하고, 나무 도막이 이동한 거리는 쇠구슬의 중력에 의한 위치 에너지에 비례한다. 따라서 쇠구슬의 무게가 2배가 되고, 높이가 3배가 되면 중력에 의한 위치 에너지는 6배가 되므로 나무 도막이 이동한 거리도 6배인 10 cm×6=60 cm가 된다.

18 추가 떨어지면서 나무 도막을 밀어낸다. 즉, 추의 중력에 의한 위치 에너지가 나무 도막을 밀어내는 일로 전환된다. 따라서 나무 도막을 미는 일의 양은 추의 중력에 의한 위치 에너지와 크기가 같다.
추의 중력에 의한 위치 에너지=나무 도막을 미는 일의 양=나무 도막을 미는 힘×나무 도막의 이동 거리
바로알기 ④ 추의 중력에 의한 위치 에너지=추의 무게×추의 높이=9.8×추의 질량×추의 높이

19 말뚝이 박히는 깊이는 물체가 가진 중력에 의한 위치 에너지에 비례한다. 높이는 3 m에서 2 m로 $\frac{2}{3}$배, 질량은 2 kg에서 1.5 kg으로 $\frac{3}{4}$배가 되었으므로 물체의 중력에 의한 위치 에너지는 $\frac{2}{3}×\frac{3}{4}=\frac{1}{2}$배가 된다. 따라서 말뚝이 박히는 깊이는 10 cm의 반인 5 cm가 된다.

20 물체가 가지고 있는 운동 에너지=$\frac{1}{2}mv^2=\frac{1}{2}×2$ kg×$v^2=100$ J이므로 물체의 속력 $v=10$ m/s이다.

21 A의 질량은 B의 $\frac{1}{2}$배이고, 속력은 B의 2배이므로 A의 운동 에너지는 B의 $\frac{1}{2}×2^2=2$배이다. 따라서 A와 B의 운동 에너지 비는 2 : 1이다.

22 외부에서 물체에 일을 해 주면 물체의 운동 에너지는 증가하므로 물체의 증가한 운동 에너지는 지원이가 한 일의 양과 같다. 따라서 물체의 증가한 운동 에너지=나중 운동 에너지−처음 운동 에너지=$\frac{1}{2}×2$ kg×$(5$ m/s$)^2-0=25$ J이므로 지원이가 한 일의 양은 25 J이다.

23 수레가 외부에 한 일의 양만큼 수레의 운동 에너지가 감소하므로 수레의 감소한 운동 에너지는 나무 도막에 한 일의 양과 같다. 따라서 수레의 처음 운동 에너지−수레의 나중 운동 에너지=$\frac{1}{2}×4$ kg×$v^2-0=50$ J에서 수레가 나무 도막에 충돌하는 순간의 속력 $v=5$ m/s이다.

24 운동하고 있는 장난감 자동차는 상자를 미는 일을 한다. 이때 장난감 자동차가 상자에 한 일은 장난감 자동차의 감소한 운동 에너지와 같다. 장난감 자동차의 감소한 운동 에너지=처음 운동 에너지−나중 운동 에너지=$\frac{1}{2}×2$ kg×$(4$ m/s$)^2-0$ =16 J이고, 상자에 한 일=상자를 미는 힘×이동 거리=4 N×s이다. 따라서 4 N×s=16 J이므로 상자의 이동 거리 s=4 m이다.

25 외부에서 수레에 일을 해 주면 해 준 일만큼 수레의 운동 에너지는 증가하므로 수레의 증가한 운동 에너지는 수레에 해 준 일의 양과 같다. 수레에 해 준 일=힘×이동 거리=10 N×10 m=100 J이고, 수레의 증가한 운동 에너지=나중 운동 에너지−처음 운동 에너지=$\frac{1}{2}×2$ kg×$v^2-0=v^2$이다.
따라서 v^2=100 J이므로 수레의 나중 속력 $v=10$ m/s이다.

26 자동차의 제동 거리는 자동차의 운동 에너지에 비례하므로 속력의 제곱에 비례한다. 따라서 자동차의 속력이 50 km/h에서 100 km/h로 2배가 되면 운동 에너지는 2^2배=4배가 되어 제동 거리도 4배인 20 m×4=80 m가 된다.

27 **모범 답안** 수평 방향으로 한 일의 양=100 N×2 m=200 J이고, 수직 방향으로 한 일의 양=10 N×1 m=10 J이므로 총 일의 양은 210 J이다.

채점 기준	배점
총 일의 양과 수평과 수직 방향의 일을 각각 옳게 구한 경우	100 %
수평과 수직 방향의 일 중 한 가지만 옳게 구한 경우	40 %

28 **모범 답안** (가)는 이동 거리가 0이기 때문에 한 일의 양이 0이고, (나)는 힘의 방향으로 이동한 거리가 0이기 때문에 한 일의 양이 0이다.

채점 기준	배점
(가)와 (나)의 일의 양을 모두 0으로 쓰고, (가)는 이동 거리, (나)는 힘의 방향으로 이동한 거리가 0이기 때문이라고 옳게 서술한 경우	100 %
(나)에서 힘과 이동 방향이 수직이기 때문이라고 서술한 경우도 정답으로 인정	

29 **모범 답안** (가) 기준면으로부터 물체의 높이는 3 m이므로 위치 에너지=$(9.8×1)$ N×3 m=29.4 J이다.
(나) 옥상으로 올려놓을 때 해 주어야 하는 일=$(9.8×1)$ N×$(6-3)$ m=29.4 J이다.

채점 기준	배점
위치 에너지와 일의 양을 모두 풀이 과정과 함께 옳게 서술한 경우	100 %
위치 에너지와 일의 양 중 옳게 서술한 하나당	50 %
풀이 과정 없이 값만 구한 경우 옳게 구한 값 하나당	25 %

30 모범 답안 ▶ 쇠구슬을 더 높은 위치에서 놓는다. 더 무거운 쇠구슬을 사용한다.

채점 기준	배점
방법 두 가지를 모두 옳게 서술한 경우	100 %
한 가지 방법만 옳게 서술한 경우	50 %

31 모범 답안 ▶ (1) 중력, 중력이 한 일이 쇠구슬의 운동 에너지로 전환된다.
(2) 중력이 쇠구슬에 한 일의 양=쇠구슬의 운동 에너지이므로 $(9.8 \times 0.2) \, \text{N} \times 0.4 \, \text{m} = \frac{1}{2} \times 0.2 \, \text{kg} \times v^2$에서 쇠구슬의 속력 $v = 2.8 \, \text{m/s}$이다.

	채점 기준	배점
(1)	힘의 종류와 일의 전환을 모두 옳게 서술한 경우	50 %
	일의 전환만 옳게 서술한 경우	30 %
	중력이라고만 옳게 쓴 경우	20 %
(2)	속력을 풀이 과정과 함께 옳게 구한 경우	50 %
	풀이 과정 없이 속력만 옳게 쓴 경우	30 %

핵심 자료로 최종 점검
138~139쪽

01 운동

1 ❶ 시간 ❷ 일정 ❸ 넓을 ❹ 빨라 ❺ 느려

2 ❶ 일정 ❷ 4 ❸ 이동 거리 ❹ 이동 거리 ❺ 시간 ❻ 속력
❼ 이동 거리 ❽ (가) ❾ 10 ❿ 6 ⓫ 60

3 ❶ 중력 ❷ 일정 ❸ 증가 ❹ 9.8 ❺ 9.8 ❻ 진공 ❼ 크다

02 일과 에너지

1 ❶ 일 ❷ 일의 양

2 ❶ 힘 ❷ 이동 거리 ❸ 수직

3 ❶ 중력 ❷ 무게 ❸ 중력 ❹ 무게

4 ❶ 0 ❷ 1 ❸ 25

5 ❶ 중력에 의한 위치 ❷ 일 ❸ 중력에 의한 위치 ❹ 운동 ❺ 일
❻ 운동

시험 적중 마무리 문제
140~143쪽

01 (가)−(나)−(다)	**02** ㄱ, ㅁ	**03** ①	**04** ④	**05** ②, ④
06 해설 참조	**07** ②	**08** ④	**09** ⑤	**10** ③	**11** ①
12 ⑤	**13** ④	**14** ②	**15** ⑤	**16** ④	**17** ③	**18** ①
19 8 cm	**20** ㄴ, ㄹ	**21** ③	**22** ②	**23** ②	**24** ①

01 속력의 단위를 m/s로 통일시켜 속력의 크기를 비교한다.
(가) 70 m/s   (나) 18 km/h=$\frac{18000 \, \text{m}}{3600 \, \text{s}}$=5 m/s
(다) 300 cm/s=3 m/s
따라서 (가)−(나)−(다) 순으로 속력이 빠르다.

02 사진에서 물체 사이의 간격이 일정하므로 물체는 등속 운동을 하였다. 등속 운동을 하는 물체의 속력은 일정하고(ㄱ), 이동 거리는 시간에 비례한다(ㅁ).

03 ② 속력은 단위 시간 동안 이동한 거리이다. 따라서 속력이 일정하면 매초마다 이동한 거리는 같다.
③ 6초 동안 이동한 거리=10 m/s×6 s=60 m
④ 속력이 10 m/s로 일정하므로 평균 속력도 10 m/s이다.
⑤ 속력이 일정한 운동이므로 이동 거리는 시간에 비례한다.
바로알기 ≫ ① 시간−속력 그래프가 시간축에 나란하므로 속력이 일정하다.

04 ①, ② 시간−이동 거리 그래프의 기울기는 속력을 나타내므로 A 구간에서 속력이 가장 빠르다.
③ A 구간에서 속력=$\frac{8 \, \text{m}}{2 \, \text{s}}$=4 m/s
⑤ 0~7초 동안 평균 속력=$\frac{14 \, \text{m}}{7 \, \text{s}}$=2 m/s
바로알기 ≫ ④ B 구간에서 이동거리는 (10−8) m=2 m이다.

05 ② (가) 시간−이동 거리 그래프에서 기울기는 속력을 나타내므로 기울기가 클수록 속력이 크다.
④ (나) 시간−속력 그래프에서 넓이는 이동 거리를 나타낸다.
바로알기 ≫ ① (가) 시간−이동 거리 그래프의 기울기가 일정하므로 속력은 일정하다.
③ (나)에서 물체의 속력은 0이 아니므로 정지 상태가 아니다.
⑤ (나) 시간−속력 그래프의 기울기는 속력 변화를 나타낸다.

06 문제 분석하기 ≫

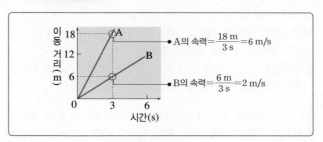

시간−이동 거리 그래프에서 두 물체 A와 B의 이동 거리가 시간에 따라 일정하게 증가하므로 두 물체는 모두 등속 운동하였다. 따라서 A는 6 m/s, B는 2 m/s의 일정한 속력으로 운동한다.

07 〔문제 분석하기 〉〉〕

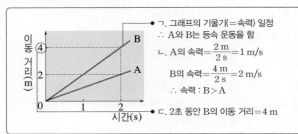

ㄱ. 그래프의 기울기(=속력) 일정
∴ A와 B는 등속 운동을 함
ㄴ. A의 속력=$\dfrac{2\,m}{2\,s}$=1 m/s
B의 속력=$\dfrac{4\,m}{2\,s}$=2 m/s
∴ 속력 : B>A
ㄷ. 2초 동안 B의 이동 거리=4 m

ㄹ. 4초 때 A의 이동 거리는 1 m/s×4 s=4 m이고, B의 이동 거리는 2 m/s×4 s=8 m이다. 따라서 4초 때 A와 B 사이의 거리는 8 m−4 m=4 m이다.

08 ①, ②, ③ 낙하 운동을 하는 공에는 공이 떨어지는 방향으로 일정한 크기의 중력이 작용한다. 이때 중력은 지구 중심 방향으로 작용하므로 공의 운동 방향도 지구 중심 방향이다.
〔바로알기 〉〉〕 ④ 공의 운동 방향으로 일정한 힘인 중력이 작용하므로 공의 속력은 일정하게 증가한다.

09 〔문제 분석하기 〉〉〕

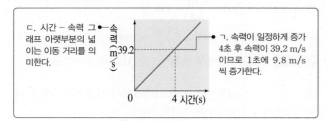

ㄷ. 시간 − 속력 그래프 아랫부분의 넓이는 이동 거리를 의미한다.

ㄱ. 속력이 일정하게 증가 4초 후 속력이 39.2 m/s 이므로 1초에 9.8 m/s씩 증가한다.

〔바로알기 〉〉〕 ㄴ. 물체가 자유 낙하 할 때는 물체의 질량에 관계없이 1초에 9.8 m/s씩 속력이 증가하는 운동을 하므로 그래프만으로는 물체의 질량과 중력의 크기를 알 수 없다.

10 ㄴ, ㄷ. 자유 낙하 하는 물체는 물체의 질량에 관계없이 속력이 1초에 9.8 m/s씩 증가한다. 그러므로 자유 낙하 운동하는 물체의 시간 − 속력 그래프는 기울기가 9.8인 기울어진 직선 모양이다. 이때 낙하하는 데 걸린 시간을 알면 시간 − 속력 그래프 아랫부분의 넓이를 구할 수 있다. 이 넓이가 물체가 이동한 거리이므로 떨어진 높이를 구할 수 있다.
〔바로알기 〉〉〕 ㄱ, ㄹ. 자유 낙하 하는 상자는 질량에 관계없이 속력 변화가 같으므로 동시에 떨어진다.

11 ① 가방을 메고 4층까지 올라가려면 중력의 반대 방향인 위쪽으로 힘을 주어야 하고, 힘의 방향인 위쪽으로 이동 거리가 있으므로 과학에서의 일을 하였다.
〔바로알기 〉〉〕 ② 책에 작용한 힘은 위 방향이고 책의 이동 방향은 수평 방향이므로 힘과 이동 방향이 수직이다. 따라서 한 일은 0이다.
③ 정신적인 활동은 과학에서의 일이 아니다.
④ 역기는 이동 거리가 0이므로 한 일은 0이다.
⑤ 물질의 온도나 상태 변화는 과학에서의 일이 아니다.

12 '일=힘×힘의 방향으로 이동한 거리'이므로 다음과 같이 구할 수 있다.
① 10 N×1 m=10 J
② 20 N×50 cm=20 N×0.5 m=10 J
③ 가방을 드는 힘의 방향과 가방을 들고 이동한 방향이 서로 수직이므로 가방에 한 일은 0이다.
④ 5 N×3 m=15 J
⑤ (9.8×10) N×0.5 m=49 J ➡ 일을 가장 많이 하였다.

13 〔문제 분석하기 〉〉〕

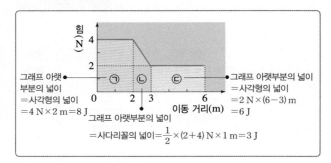

그래프 아랫부분의 넓이
=사각형의 넓이
=4 N×2 m=8 J

그래프 아랫부분의 넓이
=사다리꼴의 넓이=$\dfrac{1}{2}$×(2+4) N×1 m=3 J

그래프 아랫부분의 넓이
=사각형의 넓이
=2 N×(6−3) m
=6 J

6 m 이동하는 동안 물체에 한 일=㉠+㉡+㉢=8 J+3 J+6 J =17 J이다.

14 총 한 일=수평 방향으로 한 일+중력에 대해 한 일이므로 100 J=(미는 힘×5 m)+(9.8×5) N×2 m에서 미는 힘 =0.4 N이다.

15 〔문제 분석하기 〉〉〕

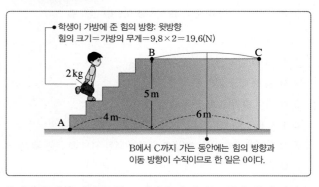

학생이 가방에 준 힘의 방향: 윗방향
힘의 크기=가방의 무게=9.8×2=19.6(N)

B에서 C까지 가는 동안에는 힘의 방향과 이동 방향이 수직이므로 한 일은 0이다.

A에서 B까지 가방을 들고 계단을 올라가는 동안 힘의 방향으로 이동한 거리가 5 m이므로 한 일의 양=19.6 N×5 m=98 J 이다.
따라서 A에서 C까지 가는 동안 가방에 한 일의 양은 98 J+0 =98 J이다.

16 '상자를 들어 올리는 일=상자의 무게×들어 올린 높이'이다. 따라서 한 일의 양의 비는 영수 : 철수=(5 N×1 m) : (10 N×2 m)=1 : 4이다. 따라서 철수가 한 일의 양은 영수의 4배이다.

17 문제 분석하기 »

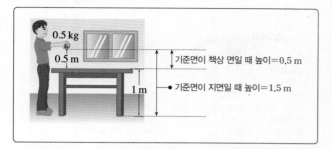

0.5 kg
0.5 m
기준면이 책상 면일 때 높이=0.5 m
기준면이 지면일 때 높이=1.5 m
1 m

물체의 위치 에너지는 기준면으로부터의 높이에 비례한다. 책상 면으로부터 쇠구슬의 높이는 0.5 m, 지면으로부터 쇠구슬의 높이는 1.5 m이므로 $E_1 : E_2 = 0.5$ m : 1.5 m $= 1 : 3$이다.

18 추의 감소한 중력에 의한 위치 에너지는 나무 도막에 한 일의 양과 같다. 추의 중력에 의한 위치 에너지는 추의 질량과 추의 낙하 높이에 각각 비례한다. 따라서 낙하하는 추의 질량이 일정할 때, 나무 도막의 이동 거리는 추의 낙하 높이에 비례한다.

19 나무 도막의 이동 거리는 추의 감소한 중력에 의한 위치 에너지에 비례하므로 추의 질량×추의 낙하 높이에 비례한다. 문제에서 추의 질량과 낙하 높이가 각각 2배가 되므로, 나무 도막의 이동 거리는 2×2=4(배)인 2 cm×4=8 cm가 된다.

20 쇠구슬의 중력에 의한 위치 에너지
=쇠구슬이 나무 도막을 밀어낼 때 한 일의 양(ㄴ)
=나무 도막을 미는 힘×나무 도막의 이동 거리(ㄹ)
바로알기 » ㄱ. 쇠구슬의 중력에 의한 위치 에너지=쇠구슬의 무게×쇠구슬의 낙하 높이=9.8×쇠구슬의 질량×쇠구슬의 낙하 높이이다.
ㄷ. 수평면에서 나무 도막을 밀 때 작용한 힘은 나무 도막의 무게가 아니라 나무 도막과 바닥 사이에 작용한 마찰력의 크기와 같다.

21 **바로알기 »** ③ 댐에 저장된 물은 중력에 의한 위치 에너지를 가진다.

22 총알의 운동 에너지는 질량×(속력)²에 비례하므로 운동 에너지의 비 A : B : C : D : E = $(100 \times 10^2) : (200 \times 20^2) : (300 \times 10^2) : (400 \times 20^2) : (500 \times 10^2) = 1 : 8 : 3 : 16 : 5$이다. 따라서 운동 에너지는 D−B−E−C−A 순으로 크다.

23 수레에 해 준 일의 양은 수레의 증가한 운동 에너지와 같으므로 $F \times 2$ m $= \frac{1}{2} \times 4$ kg $\times (4$ m/s$)^2$에서 수레에 작용한 힘 $F = 16$ N이다.

24 수레에 해 준 일의 양은 수레의 증가한 운동 에너지와 같다.
수레에 해 준 일=나중 운동 에너지 − 처음 운동 에너지
$$= \left(\frac{1}{2} \times 4 \times 4^2\right) - \left(\frac{1}{2} \times 4 \times 2^2\right) = 24(\text{J})$$

Ⅳ. 자극과 반응

01 감각 기관

단원 미리보기

146~147쪽

만화 완성하기 » [모범 답안] 음식 맛은 미각과 후각을 종합하여 느끼는 것이기 때문이지.
한눈에 보기 » [B] 눈의 조절 작용 [E] 피부(피부 감각)

147~151쪽

A **1** A : 홍채, B : 수정체, C : 섬모체, D : 맥락막, E : 망막, F : 맹점 **2** (1) C (2) E (3) D (4) B (5) A (6) F **3** ㉠ 수정체, ㉡ 시각 신경

B **1** ㉠ 확장, ㉡ 작아, ㉢ 수축, ㉣ 커 **2** (1) ㉠ 이완, ㉡ 얇아짐 (2) ㉠ 수축, ㉡ 두꺼워짐

C **1** A : 고막, B : 귓속뼈, C : 반고리관, D : 전정 기관, E : 달팽이관, F : 귀인두관 **2** (1) C (2) B (3) D (4) A (5) F (6) E **3** ㉠ 고막, ㉡ 청각 신경

D **1** A : 후각 세포, B : 후각 신경, C : 미각 신경, D : 맛세포 **2** (1) ○ (2) × (3) ○ (4) × (5) × **3** 단맛, 짠맛, 신맛, 쓴맛, 감칠맛

E **1** ㉠ 통점, ㉡ 압점, ㉢ 촉점, ㉣ 냉점, ㉤ 온점 **2** (1) × (2) ○ (3) × (4) ○

A-2 (6) 맹점(F)은 시각 신경이 모여 나가 시각 세포가 없는 부분으로, 맹점(F)에 상이 맺히면 물체가 보이지 않는다.

B-1 주변이 밝을 때는 동공이 작아져 눈으로 들어오는 빛의 양이 감소하고, 주변이 어두울 때는 동공이 커져 눈으로 들어오는 빛의 양이 증가한다.

C-3 소리가 귓바퀴에서 모여 외이도를 지나 고막에 도달하면 고막이 진동한다. 이 진동은 귓속뼈를 지나면서 증폭되어 달팽이관으로 전달된다. 그러면 달팽이관에 있는 청각 세포가 진동 자극을 받아들이고, 이 자극이 청각 신경을 통해 뇌로 전달되어 소리를 듣게 된다.

D-2 **바로알기 »** (2) 후각 세포(A)는 쉽게 피로해지기 때문에 같은 냄새를 계속 맡으면 나중에는 잘 느끼지 못한다.
(5) 후각 세포(A)는 기체 상태의 화학 물질을 자극으로 받아들이고, 맛세포(D)는 액체 상태의 화학 물질을 자극으로 받아들인다.

E-2 **바로알기 »** (1) 일반적으로 통점이 가장 많다.
(3) 감각점에서 자극을 받아들이면 이 자극이 감각 신경을 통해 뇌로 전달되어 피부 자극을 느끼게 된다.

유제1 (1) ○ (2) × (3) ×

유제1 바로알기 >> (2) 원시는 가까이 있는 물체가 잘 보이지 않는 눈의 이상이다. 그림은 멀리 있는 물체가 잘 보이지 않는 근시이다.

(3) 수정체와 망막 사이의 거리가 정상보다 멀기 때문에 먼 곳을 볼 때 상이 망막 앞에 맺힌다.

실력 탄탄 **핵심 문제**   153~157쪽

01 ③ **02** G : 맹점 **03** ① **04** ④ **05** ⑤ **06** ⑤ **07** ⑤
08 ② **09** C : 반고리관, D : 전정 기관 **10** ㉠ A, ㉡ B,
㉢ F **11** (가) D, (나) C, (다) G **12** 전정 기관 **13** ④
14 ③ **15** ② **16** ③ **17** ⑤ **18** ④ **19** ①, ② **20** ②
21 ④ **22** ②

서술형 문제 **23~27** 해설 참조

[01~02] 문제 분석하기 >>

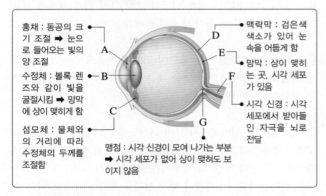

홍채 : 동공의 크기 조절 ➡ 눈으로 들어오는 빛의 양 조절

수정체 : 볼록 렌즈와 같이 빛을 굴절시킴 ➡ 망막에 상이 맺히게 함

섬모체 : 물체와의 거리에 따라 수정체의 두께를 조절함

맥락막 : 검은색 색소가 있어 눈 속을 어둡게 함

망막 : 상이 맺히는 곳, 시각 세포가 있음

시각 신경 : 시각 세포에서 받아들인 자극을 뇌로 전달

맹점 : 시각 신경이 모여 나가는 부분 ➡ 시각 세포가 없어 상이 맺혀도 보이지 않음

01 바로알기 >> ③ 섬모체(C)는 물체와의 거리에 따라 수정체(B)의 두께를 조절한다.

02 시각 신경이 모여 나가 시각 세포가 없는 부분인 맹점(G)에는 상이 맺혀도 물체가 보이지 않는다.

03 빛은 각막과 수정체를 통과하면서 굴절된 다음, 유리체를 지나 망막에 상을 맺는다. 그러면 망막의 시각 세포가 빛 자극을 받아들이고, 이 자극이 시각 신경을 통해 뇌로 전달되어 물체의 모습을 보게 된다.

[04~05] 문제 분석하기 >>

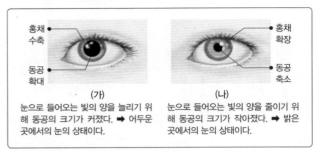

홍채 수축 / 동공 확대
(가)
눈으로 들어오는 빛의 양을 늘리기 위해 동공의 크기가 커졌다. ➡ 어두운 곳에서의 눈의 상태이다.

홍채 확장 / 동공 축소
(나)
눈으로 들어오는 빛의 양을 줄이기 위해 동공의 크기가 작아졌다. ➡ 밝은 곳에서의 눈의 상태이다.

04 ㄴ, ㄹ. (가)는 홍채가 수축되어 동공이 커진 상태이고, (나)는 홍채가 확장되어 동공이 작아진 상태이다. 어두운 곳에서 밝은 곳으로 이동하면 홍채가 확장되어 면적이 늘어난다.

바로알기 >> ㄱ, ㄷ. (나)와 같이 동공이 작아지면(축소) 눈으로 들어오는 빛의 양이 감소한다.

05 주변 밝기가 변할 때 홍채의 면적 변화에 따라 동공의 크기가 변한다.

⑤ 주변이 어두워지면 홍채가 수축되어 동공이 커지고, 이에 따라 눈으로 들어오는 빛의 양이 증가한다.

바로알기 >> ① 가까운 곳을 보다가 먼 곳을 보면 섬모체가 이완하여 수정체가 얇아진다.

② 주변이 밝아지면 홍채가 확장되어 동공이 작아지고, 이에 따라 눈으로 들어오는 빛의 양이 감소한다.

③ 작은 물체를 보다가 큰 물체를 보는 것은 동공의 크기 변화와 관계가 없다.

④ 먼 곳을 보다가 가까운 곳을 보면 섬모체가 수축하여 수정체가 두꺼워진다.

06 문제 분석하기 >>

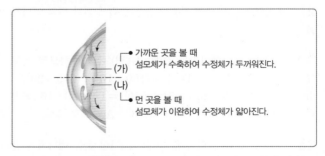

(가)
가까운 곳을 볼 때 섬모체가 수축하여 수정체가 두꺼워진다.

(나)
먼 곳을 볼 때 섬모체가 이완하여 수정체가 얇아진다.

⑤ 가까운 곳을 보다가 먼 곳을 보면 섬모체가 이완하여 수정체가 얇아진다.

바로알기 >> ①, ③ 주변 밝기가 변할 때 홍채의 면적 변화에 따라 동공의 크기가 변한다. 주변이 어두워지면 홍채가 수축되어 동공이 커지고, 주변이 밝아지면 홍채가 확장되어 동공이 작아진다.

②, ④ 먼 곳을 보다가 가까운 곳을 보면 섬모체가 수축하여 수정체가 두꺼워진다.

07 • 밝은 곳에서 어두운 곳으로 이동했다. ➡ 홍채가 수축되어 동공이 커진다.
• 가까운 곳을 보다가 먼 곳을 보았다. ➡ 섬모체가 이완하여 수정체가 얇아진다.

[08~11] 문제 분석하기 »

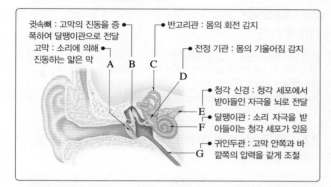

귓속뼈 : 고막의 진동을 증폭하여 달팽이관으로 전달
고막 : 소리에 의해 진동하는 얇은 막
반고리관 : 몸의 회전 감지
전정 기관 : 몸의 기울어짐 감지
청각 신경 : 청각 세포에서 받아들인 자극을 뇌로 전달
달팽이관 : 소리 자극을 받아들이는 청각 세포가 있음
귀인두관 : 고막 안쪽과 바깥쪽의 압력을 같게 조절

08 바로알기 » ② 귓속뼈(B)는 고막(A)의 진동을 증폭하여 달팽이관(F)으로 전달한다. 전정 기관(D)은 몸이 기울어지는 자극을 받아들인다.

09 반고리관(C)은 몸의 회전 감각, 전정 기관(D)은 몸의 기울어짐 감각을 담당한다.

10 소리가 귓바퀴에서 모여 외이도를 지나 고막(A)에 도달하면 고막(A)이 진동한다. 이 진동은 귓속뼈(B)를 지나면서 증폭되어 달팽이관(F)으로 전달된다. 그러면 달팽이관(F)에 있는 청각 세포가 진동 자극을 받아들이고, 이 자극이 청각 신경(E)을 통해 뇌로 전달되어 소리를 듣게 된다.

11 (가) 전정 기관(D)에서 몸의 움직임과 기울어짐을 감각한다.
(나) 반고리관(C)에서 몸의 회전을 감각한다.
(다) 귀가 먹먹해지는 것은 기압 차이 때문에 나타나는 현상이다. 귀인두관(G)에서 고막 안쪽과 바깥쪽의 압력을 같게 조절한다.

12 정상적인 개구리는 전정 기관에서 몸이 기울어지는 것을 느끼고 균형을 잡을 수 있다.

13 A는 반고리관, B는 전정 기관, C는 달팽이관이다.
④ 달팽이관(C)에 소리를 자극으로 받아들이는 청각 세포가 있다.
바로알기 » ① 전정 기관(B)에서 몸의 기울어짐을 감지한다.
②, ⑤ 반고리관(A)과 전정 기관(B)에서 받아들인 자극이 평형 감각 신경을 통해 뇌로 전달되면 몸의 회전과 기울기 등을 감지하여 몸의 균형을 유지할 수 있다. 달팽이관(C)에서 받아들인 자극이 청각 신경을 통해 뇌로 전달되면 소리를 듣게 된다.
③ 몸의 회전 감각은 반고리관(A)에서 담당한다.

14 ③ 후각은 매우 민감하지만 쉽게 피로해지는 감각이다. 후각 세포는 쉽게 피로해지기 때문에 같은 냄새를 계속 맡으면 나중에는 잘 느끼지 못한다.

15 ㄱ, ㄹ. 콧속 윗부분은 후각 세포가 있는 후각 상피로 덮여 있다. 콧속으로 들어온 기체 상태의 화학 물질이 후각 세포를 자극하면, 이 자극이 후각 신경을 통해 뇌로 전달되어 냄새를 맡게 된다.
바로알기 » ㄴ. 사람의 코는 수천 가지의 냄새를 맡을 수 있다.
ㄷ. 후각 세포에서는 기체 상태의 화학 물질을 자극으로 받아들인다.

16 ③ 코를 막지 않고 젤리를 먹으면 과일 냄새도 맡을 수 있어 과일 맛을 느낄 수 있다. 즉, 음식 맛은 미각과 후각을 종합하여 느끼는 것이다.

17 문제 분석하기 »

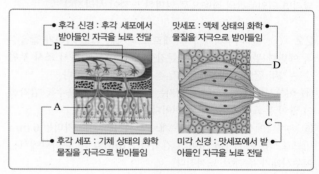

후각 신경 : 후각 세포에서 받아들인 자극을 뇌로 전달
후각 세포 : 기체 상태의 화학 물질을 자극으로 받아들임
맛세포 : 액체 상태의 화학 물질을 자극으로 받아들임
미각 신경 : 맛세포에서 받아들인 자극을 뇌로 전달

ㄷ, ㄹ. 맛봉오리에는 맛세포(D)가 모여 있다. 입속으로 들어온 액체 상태의 화학 물질이 맛세포(D)를 자극하면, 이 자극이 미각 신경(C)을 통해 뇌로 전달되어 맛을 느끼게 된다.
바로알기 » ㄴ. 후각 세포(A)는 기체 상태의 화학 물질을 자극으로 받아들이고, 맛세포(D)는 액체 상태의 화학 물질을 자극으로 받아들인다.

18 맛세포에서 감지할 수 있는 기본적인 맛은 단맛, 짠맛, 신맛, 쓴맛, 감칠맛이다.
바로알기 » ④ 떫은맛은 혀와 입속 피부의 압점에서 자극을 받아들여 느끼는 피부 감각으로, 미각이 아니다.

19 ③ 압점에서는 누르는 압력, 통점에서는 통증, 촉점에서는 접촉, 냉점에서는 차가움, 온점에서는 따뜻함을 자극으로 받아들인다.
④ 피부 감각의 성립 경로는 '자극 → 피부의 감각점 → 감각 신경 → 뇌'이다.
바로알기 » ① 감각점이 분포하는 정도는 몸의 부위에 따라 다르며, 같은 부위라도 감각점의 종류에 따라 분포하는 개수에 차이가 있다.

② 일반적으로 통점이 가장 많이 분포하여 통증에 가장 예민하게 반응한다.

20 ㄱ, ㄴ. 15 °C에서 25 °C로 옮긴 오른손은 따뜻함을 느끼고, 35 °C에서 25 °C로 옮긴 왼손은 차가움을 느낀다. 이를 통해 냉점과 온점에서는 절대적인 온도가 아니라 상대적인 온도 변화를 느끼는 것을 알 수 있다.

바로알기》 ㄷ. 처음보다 온도가 높아지면 온점이 자극을 받아들이고, 온도가 낮아지면 냉점이 자극을 받아들인다.

21 ④ 매운맛은 혀와 입속 피부의 통점에서 자극을 받아들여 느끼는 피부 감각이다.

바로알기》 ① 접촉은 촉점에서 느낀다.
② 따뜻함은 온점에서 느낀다.
③ 쓴맛은 맛세포에서 느끼는 기본적인 맛이다.
⑤ 고속 승강기를 타고 높이 올라갔을 때 귀가 먹먹해지는 것은 기압 차이 때문에 나타나는 현상으로, 침을 삼키거나 입을 크게 벌리면 귀인두관의 작용으로 먹먹한 느낌이 사라진다.

22 ①, ③ 이쑤시개가 두 개로 느껴지는 최소 거리가 짧을수록 예민한 부위이고, 길수록 둔감한 부위이다. 따라서 조사 부위 중 손가락 끝이 가장 예민하고, 손등이 가장 둔감하다.
④ 이쑤시개가 두 개로 느껴지는 최소 거리가 짧을수록 감각점이 많이 분포하여 예민한 부위이다.
⑤ 손바닥에서 이쑤시개가 두 개로 느껴지는 최소 거리는 6 mm 이므로, 두 이쑤시개 사이의 간격이 8 mm일 때 손바닥에서는 이쑤시개가 두 개로 느껴진다.

바로알기》 ② 조사 부위 중 손가락 끝에 감각점이 가장 많고, 손등에 감각점이 가장 적다.

23 **모범 답안》** (1) 홍채, 동공의 크기를 조절하여 눈으로 들어오는 빛의 양을 조절한다.
(2) A가 확장되어(면적 증가) B가 작아지고(축소), D가 이완하여 C가 얇아진다.

	채점 기준	배점
(1)	홍채라고 쓰고, 그 기능을 옳게 서술한 경우	40 %
	홍채라고만 쓴 경우	10 %
(2)	A, B의 변화와 C, D의 변화를 모두 옳게 서술한 경우	60 %
	두 가지 중 한 가지만 옳게 서술한 경우	30 %

24 **모범 답안》** (1) C, D, G
(2) 귀인두관, 고막 안쪽과 바깥쪽의 압력을 같게 조절한다.

	채점 기준	배점
(1)	C, D, G를 모두 옳게 쓴 경우	40 %
	세 가지 중 하나라도 틀리게 쓴 경우	0 %
(2)	귀인두관이라고 쓰고, 그 기능을 옳게 서술한 경우	60 %
	귀인두관이라고만 쓴 경우	20 %

25 **모범 답안》** 후각 세포가 쉽게 피로해지기 때문이다.

채점 기준	배점
후각 세포가 쉽게 피로해지기 때문이라는 내용을 포함하여 옳게 서술한 경우	100 %
피로라는 단어를 포함하지 않은 경우	0 %

26 **모범 답안》** 음식 맛은 미각과 후각을 종합하여 느끼는 것이기 때문이다.

채점 기준	배점
음식 맛은 미각과 후각을 종합하여 느끼는 것이기 때문이라는 내용을 포함하여 옳게 서술한 경우	100 %
미각과 후각 중 하나라도 포함하지 않은 경우	0 %

27 **모범 답안》** 몸의 부위에 따라 감각점이 분포하는 정도가 다르기 때문이다.

채점 기준	배점
몸의 부위에 따라 감각점이 분포하는 정도가 다르기 때문이라는 내용을 포함하여 옳게 서술한 경우	100 %
감각점의 분포를 언급하지 않은 경우	0 %

02 신경계

단원 미리보기

158~159쪽

만화 완성하기 》 [모범 답안] 몸의 자세와 균형 유지는 소뇌에서 담당하지!

한눈에 보기 》 [C] 말초 신경계 [D] 자극에 따른 반응의 경로

159~162쪽

Ⓐ **1** (1) A : 신경 세포체 (2) C : 축삭 돌기 (3) B : 가지 돌기 **2** (1) B : 연합 뉴런 (2) C : 운동 뉴런 (3) A : 감각 뉴런 **3** ㉠ A, ㉡ B, ㉢ C

Ⓑ **1** A : 대뇌, B : 간뇌, C : 중간뇌, D : 연수, E : 소뇌 **2** (1) E (2) C (3) B (4) D (5) A **3** (1) ○ (2) × (3) ○ (4) ○

Ⓒ **1** (1) × (2) ○ (3) × (4) ○ **2** ㉠ 촉진, ㉡ 억제, ㉢ 억제, ㉣ 촉진

Ⓓ **1** (1) ○ (2) × (3) ○ **2** (1) 대뇌 (2) 척수

A-2, 3 감각 뉴런(A)은 감각 기관에서 받아들인 자극을 연합 뉴런(B)으로 전달하고, 연합 뉴런(B)은 자극을 느끼고 판단하여 운동 뉴런(C)에 신호를 보낸다. 운동 뉴런(C)은 연합 뉴런(B)에서 보낸 신호를 반응 기관으로 전달한다.

B-3 (바로알기 »») (2) 더울 때 땀이 나는 것은 체온을 낮추는 작용이며, 체온 조절은 간뇌에서 담당한다. 중간뇌는 눈의 움직임과 동공 및 홍채의 변화를 조절한다.

C-1 (바로알기 »») (1) 연합 뉴런은 중추 신경계를 구성한다. 말초 신경계는 감각 신경과 운동 신경으로 이루어져 있다.
(3) 자율 신경은 대뇌의 직접적인 명령을 받지 않고 내장 기관의 운동을 조절한다.

D-1 (바로알기 »») (2) 재채기, 딸꾹질, 침 분비의 중추는 연수이다.

D-2 (1) 의식적 반응의 중추는 대뇌이다.
(2) 뜨겁거나 날카로운 물체가 몸에 닿았을 때 몸을 움츠리는 반응은 척수가 중추인 무조건 반사이다.

실력탄탄 **핵심 문제**   164~167쪽

01 ①   02 ⑤   03 ②   04 ①   05 (가) A, (나) B, (다) D
06 (가) 대뇌, (나) 소뇌, (다) 중간뇌   07 ③   08 ⑤   09 ⑤
10 ④   11 (가) 연수, (나) 연수, (다) 척수, (라) 중간뇌, (마) 대뇌   12 ④   13 ①   14 ②   15 (가) A → B → C → D → E,
(나) F → C → D → E   16 ④

(서술형 **문제**) 17~20 해설 참조

---

01 (문제 분석하기 »»)

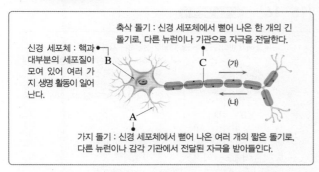

②, ④, ⑤ 가지 돌기(A)에서 받아들인 자극은 축삭 돌기(C)를 통해 다른 뉴런이나 기관으로 전달된다(가).

(바로알기 »») ① A는 가지 돌기, B는 신경 세포체, C는 축삭 돌기이다.

02 (문제 분석하기 »»)

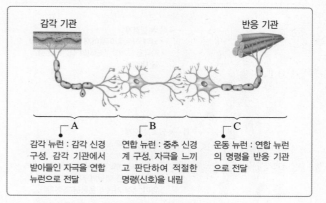

① 연합 뉴런(B)은 중추 신경계를 구성한다.
② 중추 신경계는 뇌와 척수로 이루어져 있다.
(바로알기 »») ⑤ 자극의 전달은 감각 뉴런(A) → 연합 뉴런(B) → 운동 뉴런(C)의 방향으로 일어난다.

[03~05] (문제 분석하기 »»)

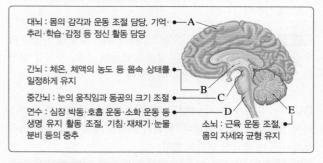

03 (바로알기 »») ① 심장 박동과 호흡 운동은 연수(D)에서 조절한다.
③ 몸의 자세와 균형 유지는 소뇌(E)에서 담당한다.
④ 눈의 움직임과 동공의 크기 조절은 중간뇌(C)에서 담당한다.
⑤ 기억, 추리, 판단 등의 정신 활동은 대뇌(A)에서 담당한다.

04 ① 몸의 감각과 운동 조절을 담당하는 부위는 대뇌(A)이다.

05 (가) 추리와 같은 정신 활동은 대뇌(A)에서 담당한다.
(나) 땀을 흘리면 땀이 기화하면서 피부의 열에너지를 흡수하여 체온이 낮아진다. 체온 조절은 간뇌(B)에서 담당한다.
(다) 심장 박동과 호흡 운동은 연수(D)에서 조절한다.

06 (가) 기억과 같은 정신 활동은 대뇌에서 담당한다.

(나) 몸의 균형 유지는 소뇌에서 담당한다.
(다) 동공의 크기 변화는 중간뇌에서 조절한다.

07 〔문제 분석하기 ≫〕

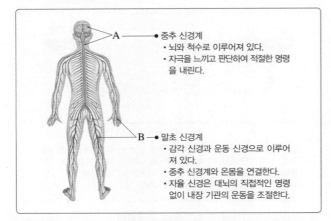

A ─ ● 중추 신경계
　 • 뇌와 척수로 이루어져 있다.
　 • 자극을 느끼고 판단하여 적절한 명령을 내린다.

B ─ ● 말초 신경계
　 • 감각 신경과 운동 신경으로 이루어져 있다.
　 • 중추 신경계와 온몸을 연결한다.
　 • 자율 신경은 대뇌의 직접적인 명령 없이 내장 기관의 운동을 조절한다.

〔바로알기 ≫〕③ 자율 신경은 대뇌의 직접적인 명령을 받지 않는다.

08 [교감 신경과 부교감 신경의 작용 비교]

구분	동공 크기	호흡 운동	심장 박동	소화 운동
교감 신경	확대	촉진	촉진	억제
부교감 신경	축소	억제	억제	촉진

〔바로알기 ≫〕⑤ 교감 신경은 긴장했을 때나 위기 상황에 처했을 때 우리 몸을 대처하기에 알맞은 상태로 만들어 주고, 부교감 신경은 이를 원래의 안정된 상태로 되돌린다.

09 ⑤ 무조건 반사는 의식적 반응보다 반응 경로가 짧고 단순하여 매우 빠르게 일어난다. 따라서 위험한 상황에서 우리 몸을 보호하는 데 중요한 역할을 한다.
〔바로알기 ≫〕① 무조건 반사는 의식적 반응에 비해 빠르게 일어난다.
② 동공 반사의 중추는 중간뇌이고, 무릎 반사의 중추는 척수이다.
③ 재채기와 기침의 중추는 연수이다.
④ 신호등을 보고 길을 건너는 것은 자신의 의지에 따라 일어나는 의식적 반응이다.

10 ① (가)는 대뇌의 판단 과정을 거쳐 자신의 의지에 따라 일어나는 의식적 반응이다.
② (나)는 대뇌의 판단 과정을 거치지 않아 자신의 의지와 관계없이 일어나는 무조건 반사이다.
③ 무조건 반사는 의식적 반응에 비해 빠르게 일어난다.
⑤ 의식적 반응의 중추는 대뇌이고, 뜨거운 물체에 몸이 닿았을 때 몸을 움츠리는 무조건 반사의 중추는 척수이다.
〔바로알기 ≫〕④ 무조건 반사는 자신의 의지와 관계없이 일어난다.

11 (가) 침 분비, (나) 재채기는 연수가 중추인 무조건 반사이다.
(다) 뜨겁거나 날카로운 물체에 몸이 닿았을 때 몸을 움츠리는 반응은 척수가 중추인 무조건 반사이다.
(라) 동공 반사의 중추는 중간뇌이다.
(마) 대뇌의 판단 과정을 거쳐 자신의 의지에 따라 일어나는 의식적 반응의 중추는 대뇌이다.

12 ④ (가) 눈으로 보고 자를 잡는 반응과 (나) 소리를 듣고 자를 잡는 반응은 모두 대뇌가 중추인 의식적 반응이다.
〔바로알기 ≫〕①, ② (가)와 (나)는 반응 경로가 달라 반응 시간이 다르다.
• (가)의 반응 경로 : 눈 → 시각 신경 → 대뇌 → 척수 → 운동 신경 → 손의 근육
• (나)의 반응 경로 : 귀 → 청각 신경 → 대뇌 → 척수 → 운동 신경 → 손의 근육
③ (가)와 (나)는 모두 의식적 반응이다.
⑤ (나)는 눈으로 보지 않고 소리에 대해 반응한 것이다.

13 ② 고무망치로 무릎뼈 아래를 치면 다리가 저절로 들린다. 이것은 자신의 의지와 관계없이 일어나는 무조건 반사로, 척수가 중추인 반응이다.
③, ④ 무조건 반사는 의식적 반응에 비해 반응 경로가 짧고 단순하기 때문에 의식적 반응보다 빠르게 일어난다.
⑤ 자극이 감각 신경을 통해 피부에서 척수를 거쳐 대뇌로 전달된 다음, 대뇌에서 자극을 느끼고 판단하여 척수를 거쳐 운동 신경을 통해 팔 근육으로 신호를 보내 의식적으로 팔을 든다.
〔바로알기 ≫〕① 고무망치가 닿는 자극이 대뇌로 전달되기 때문에 고무망치가 닿는 것을 느끼고 오른팔을 들 수 있다. 무조건 반사가 일어난다고 해서 자극이 대뇌로 전달되지 않는 것은 아니다.

14 ② 무릎 반사는 '감각 신경(D) → 척수(E) → 운동 신경(F)'의 경로를 거쳐 일어난다.

[15~16] 〔문제 분석하기 ≫〕

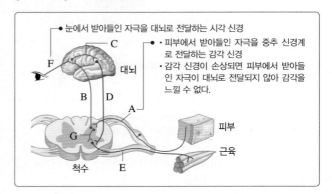

● 눈에서 받아들인 자극을 대뇌로 전달하는 시각 신경
C
F
대뇌
B　D
A
G
피부
근육
척수
E

• 피부에서 받아들인 자극을 중추 신경계로 전달하는 감각 신경
• 감각 신경이 손상되면 피부에서 받아들인 자극이 대뇌로 전달되지 않아 감각을 느낄 수 없다.

15 (가) 손의 피부에서 받아들인 자극은 척수를 거쳐 대뇌로 전달되고(A → B → C), (나) 눈에서 받아들인 자극은 척수를 거치지 않고 대뇌로 전달된다(F → C).

16 ④ 감각 신경(A)이 손상되면 감각 기관에서 받아들인 자극이 대뇌로 전달되지 않아 감각을 느낄 수 없다. 그러나 C, D, E에는 손상이 없어 대뇌의 명령이 반응 기관으로 전달될 수 있으므로, 움직일 수는 있다.
바로알기 >> ① 척수 반사의 경로는 A → G → E이므로, 감각 신경(A)이 손상되면 척수 반사가 정상적으로 일어나지 않는다.

17 모범 답안 > (1) (가) 감각 뉴런, (나) 연합 뉴런, (다) 운동 뉴런
(2) 연합 뉴런의 명령을 반응 기관으로 전달한다.
(3) 자극의 전달은 (가) → (나) → (다) 방향으로 일어난다.

	채점 기준	배점
(1)	(가)~(다)의 이름을 모두 옳게 쓴 경우	30 %
	세 가지 중 하나라도 틀리게 쓴 경우	0 %
(2)	연합 뉴런의 명령을 반응 기관으로 전달한다는 내용을 포함하여 옳게 서술한 경우	40 %
(3)	자극이 (가) → (나) → (다) 방향으로 전달된다는 내용을 포함하여 옳게 서술한 경우	30 %

18 모범 답안 > 중간뇌, 눈의 움직임과 동공 및 홍채의 변화를 조절한다.

채점 기준	배점
중간뇌라고 쓰고, 그 기능을 옳게 서술한 경우	100 %
중간뇌라고만 쓴 경우	30 %

19 모범 답안 > (1) 교감 신경
(2) 교감 신경이 작용하면 소화 운동이 억제되고, 호흡 운동과 심장 박동은 촉진된다.

	채점 기준	배점
(1)	교감 신경이라고 옳게 쓴 경우	30 %
(2)	소화 운동, 호흡 운동, 심장 박동의 변화를 모두 옳게 서술한 경우	70 %
	세 가지 중 두 가지만 옳게 서술한 경우	50 %
	세 가지 중 한 가지만 옳게 서술한 경우	30 %

20 모범 답안 > (1) 무조건 반사는 의식적 반응에 비해 빠르게 일어난다.
(2) 무조건 반사가 일어나는 경로가 의식적 반응이 일어나는 경로보다 짧고 단순하기 때문이다.

	채점 기준	배점
(1)	무조건 반사가 의식적 반응에 비해 빠르게 일어난다는 내용을 포함하여 옳게 서술한 경우	50 %
(2)	반응 경로를 근거로 들어 옳게 서술한 경우	50 %
	반응 경로를 언급하지 않은 경우	0 %

03 호르몬과 항상성

단원 미리보기 168~169쪽

만화 완성하기 >> [모범 답안] 땀이 나면 열 방출량이 증가해서 체온이 낮아지거든!
한눈에 보기 >> [B] 호르몬 관련 질병 [E] 혈당량 조절 과정

169~173쪽

Ⓐ 1 (1) ○ (2) × (3) × (4) ○ **2** A : 뇌하수체, B : 갑상샘, C : 부신, D : 이자, E : 난소, F : 정소 **3** (1)-ⓜ-② (2)-ⓛ-⑦-③ (3)-ⓔ-⑥ (4)-ⓛ-① (5)-ⓒ-⑤ (6)-ⓗ-④

Ⓑ 1 (1) 인슐린 (2) 생장 호르몬 (3) 티록신 (4) 생장 호르몬 **2** ㄱ, ㄷ

Ⓒ 1 항상성 **2** (1) ○ (2) × (3) ○ **3** ⑦ 느리다, ⓛ 빠르다, ⓒ 넓다, ⓔ 좁다

Ⓓ 1 (1) × (2) ○ (3) × (4) ○ (5) ○ **2** (가) 추울 때, (나) 더울 때

Ⓔ 1 A : 글루카곤, B : 인슐린 **2** B **3** A

A-1 바로알기 >> (2) 호르몬은 적은 양으로도 큰 효과를 나타낸다.
(3) 호르몬을 분비하는 내분비샘에는 분비관이 따로 없다. 호르몬은 내분비샘에서 혈액으로 분비된다.

B-2 갑상샘 기능 저하증은 티록신 분비가 부족할 때 나타나는 질병이다.
바로알기 >> ㄴ. 티록신이 과다 분비되어 갑상샘 기능 항진증에 걸렸을 때 맥박이 빨라지고, 눈이 돌출된다.

C-2 바로알기 >> (2) 체중이 증가하는 것은 항상성 유지 작용이 아니다.

C-3 호르몬은 신경에 비해 신호가 천천히 전달되고, 효과가 지속적으로 나타나며, 작용하는 범위가 넓다.

D-1 바로알기 >> (1), (3) 더울 때 땀 분비가 증가하고, 피부 근처 혈관이 확장되어 열 방출량이 증가한다.
(4) 추울 때는 열 발생량이 증가하고, 열 방출량은 감소한다.

E-2 식사를 하면 소장에서 포도당이 흡수되어 혈당량이 증가한다. 혈당량이 높아졌을 때는 혈당량을 낮추는 호르몬이 분비되어야 한다. 혈당량을 감소시키는 호르몬은 인슐린(B)이다.

E-3 간에서 글리코젠을 포도당으로 분해하여 혈액으로 내보내면 혈당량이 높아진다. 혈당량을 증가시키는 호르몬은 글루카곤(A)이다.

01 ④   02 ①   03 ④   04 ③   05 ③   06 ④   07 ③
08 ②   09 ②   10 ④   11 ②, ③   12 ④   13 ③   14 ㉠
인슐린, ㉡ 포도당, ㉢ 글리코젠   15 ⑤   16 ②   17 ④
서술형 문제 18~21 해설 참조

01 ① 호르몬과 신경의 작용에 의해 항상성이 유지된다.
②, ⑤ 호르몬은 혈관을 통해 온몸으로 이동하여 표적 세포나 표적 기관에 작용한다.
③ 내분비샘은 분비관이 따로 없고, 혈액으로 호르몬을 분비한다.
바로알기 ④ 호르몬은 적은 양으로 큰 효과를 내며, 분비량이 너무 많거나 적으면 몸에 이상 증상이 나타날 수 있다.

[02~03] 문제 분석하기 》

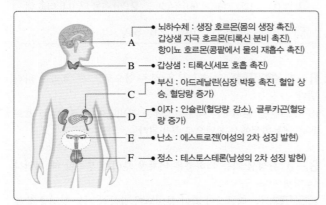

- A ─ 뇌하수체 : 생장 호르몬(몸의 생장 촉진), 갑상샘 자극 호르몬(티록신 분비 촉진), 항이뇨 호르몬(콩팥에서 물의 재흡수 촉진)
- B ─ 갑상샘 : 티록신(세포 호흡 촉진)
- C ─ 부신 : 아드레날린(심장 박동 촉진, 혈압 상승, 혈당량 증가)
- D ─ 이자 : 인슐린(혈당량 감소), 글루카곤(혈당량 증가)
- E ─ 난소 : 에스트로젠(여성의 2차 성징 발현)
- F ─ 정소 : 테스토스테론(남성의 2차 성징 발현)

02 ① 뇌하수체(A)에서 분비되는 갑상샘 자극 호르몬은 갑상샘(B)에서의 티록신 분비를 촉진한다.

03 ④ 이자(D)에서 분비되는 글루카곤은 혈당량을 증가시킨다.
바로알기 ① 뇌하수체(A)에서 분비되어 몸의 생장을 촉진하는 호르몬은 생장 호르몬이다. 여성의 2차 성징이 발현되게 하는 에스트로젠은 난소(E)에서 분비된다.
② 갑상샘(B)에서 분비되는 티록신은 세포 호흡을 촉진한다.
③ 부신(C)에서 분비되는 아드레날린(에피네프린)은 혈당량을 증가시킨다.
⑤ 항이뇨 호르몬은 뇌하수체(A)에서 분비되어 콩팥에서 물의 재흡수를 촉진한다.

04 ③ 부신에서 분비되는 아드레날린(에피네프린)은 심장 박동을 촉진하고, 혈압을 상승시키며, 혈당량을 증가시킨다.

05 바로알기 ② 난소에서 분비되는 에스트로젠은 여성의 2차 성징이 발현되게 한다.

06 ④ 말단 비대증은 성장기 이후에 생장 호르몬이 과다 분비되어 나타나는 질병이다.
바로알기 ① 당뇨병은 인슐린 분비가 부족할 때 나타나는 질병이다.
②, ③ 소인증은 생장 호르몬의 분비가 부족할 때, 거인증은 생장 호르몬이 과다 분비될 때 나타나는 질병이다.
⑤ 갑상샘 기능 저하증은 티록신 분비가 부족할 때 나타나는 질병이다. 티록신이 과다 분비되면 갑상샘 기능 항진증이 나타난다.

07 ① 인슐린 분비가 부족하여 당뇨병에 걸리면 혈당량이 높게 유지되어 콩팥에서 여과된 포도당이 전부 재흡수되지 못하고 일부가 오줌으로 빠져나온다.
② 티록신 분비가 부족하여 갑상샘 기능 저하증에 걸리면 추위를 잘 타고, 체중이 증가하며, 쉽게 피로해진다.
④ 생장 호르몬 분비가 부족하여 소인증에 걸리면 키가 정상인에 비해 매우 작아진다.
⑤ 성장기 이후에 생장 호르몬이 과다 분비되어 말단 비대증에 걸리면 입술과 코가 두꺼워져 얼굴 모습이 변하고, 손과 발이 커진다.
바로알기 ③ 티록신이 과다 분비되어 갑상샘 기능 항진증에 걸리면 체중이 감소하고, 맥박이 빨라지며, 눈이 돌출된다.

08 ①, ③ 체온을 일정하게 유지하는 작용이다.
④ 혈당량을 일정하게 유지하는 작용이다.
⑤ 몸속 수분량을 일정하게 유지하는 작용이다.
바로알기 ② 2차 성징은 항상성 유지와 관계가 멀다.

09 바로알기 ①, ③, ④ 혈관을 통해 온몸으로 이동하여 신호를 전달하는 호르몬은 신경에 비해 신호가 천천히 전달되고, 효과가 지속적으로 나타나며, 작용하는 범위가 넓다.
⑤ 신경과 호르몬의 작용에 의해 항상성이 유지된다. 즉, 신경도 항상성 유지에 관여한다.

10 ㄴ, ㄷ. 땀을 많이 흘리면 몸속 수분량이 감소한다. 몸속 수분량이 감소하면 뇌하수체에서 항이뇨 호르몬의 분비가 증가하여 콩팥에서 물의 재흡수가 촉진되고, 이에 따라 오줌의 양이 줄어든다.
바로알기 ㄱ. 콩팥에서 재흡수되는 물의 양이 증가하면 오줌의 양이 줄어든다.

11 ①, ④, ⑤ 추울 때는 신경의 작용으로 피부 근처 혈관이 수축되어 열 방출량이 감소하고, 근육이 떨려 열 발생량이 증가한다. 또 티록신 분비가 증가하여 세포 호흡이 촉진됨으로써 열 발생량이 증가한다.
바로알기 ②, ③ 더울 때 땀 분비가 증가하여 열 방출량이 증가한다.

12 (라) 간뇌에서 체온이 낮은 것을 감지하면 (마) 뇌하수체에서 갑상샘 자극 호르몬의 분비가 증가하고, 이에 따라 (다) 갑상샘에서 티록신 분비가 증가한다. 티록신 분비가 증가하면 (나) 세포 호흡이 촉진되어 열 발생량이 증가하므로 (가) 체온이 높아진다.

13 （문제 분석하기 》

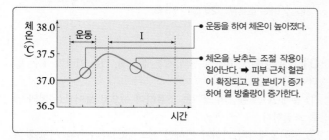

（바로알기 》 ③ 근육 떨림이 일어나면 열 발생량이 증가하여 체온이 높아진다.

14 혈당량이 높아지면 이자에서 인슐린(㉠)이 분비되어 간에서 포도당(㉡)을 글리코젠(㉢)으로 합성하여 저장하고, 세포에서 포도당 흡수가 촉진된다.

15 ⑤ 혈당량이 낮을 때 이자에서 글루카곤이 분비되면 간에서 글리코젠을 포도당으로 분해하여 혈액으로 내보냄으로써 혈당량이 높아진다.
（바로알기 》 ①, ② 건강한 사람은 식사 후 혈당량이 높아지면 혈당량을 낮추는 호르몬인 인슐린이 분비된다.
③ 인슐린이 분비되면 세포에서 포도당 흡수가 촉진된다.
④ 부신에서 분비되는 아드레날린은 혈당량을 증가시키는 호르몬이다.

16 （문제 분석하기 》

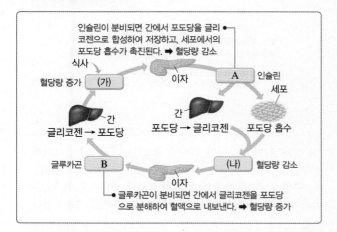

ㄱ. (가) 식사를 하면 소장에서 포도당이 흡수되어 혈당량이 증가한다. 간에서 글리코젠을 포도당으로 분해하여 혈액으로 내보내면 혈당량이 증가한다.

(나) 간에서 포도당을 글리코젠으로 합성하여 저장하고, 세포에서의 포도당 흡수가 촉진되면 혈당량이 감소한다.
ㄴ. 호르몬의 작용을 받는 특정 기관을 표적 기관이라고 한다.
（바로알기 》 ㄷ. 혈당량을 감소(나)시키는 호르몬인 A는 인슐린이고, 혈당량을 증가(가)시키는 호르몬인 B는 글루카곤이다.

17 （문제 분석하기 》

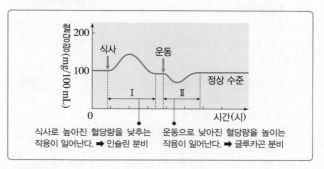

（바로알기 》 ㄷ. 혈당량을 낮추는 호르몬인 인슐린 분비가 부족할 때 당뇨병에 걸린다.

18 （모범 답안 》 (1) B, 갑상샘
(2) E, 난소
(3) • 생장 호르몬 : 몸(뼈와 근육)의 생장을 촉진한다.
• 갑상샘 자극 호르몬 : 티록신 분비를 촉진한다.
• 항이뇨 호르몬 : 콩팥에서 물의 재흡수를 촉진한다.

	채점 기준	배점
(1)	내분비샘의 기호와 이름을 모두 옳게 쓴 경우	20 %
	기호와 이름 중 하나라도 틀리게 쓴 경우	0 %
(2)	내분비샘의 기호와 이름을 모두 옳게 쓴 경우	20 %
	기호와 이름 중 하나라도 틀리게 쓴 경우	0 %
(3)	호르몬 세 가지의 이름과 그 기능을 모두 옳게 서술한 경우	60 %
	호르몬 두 가지의 이름과 그 기능을 옳게 서술한 경우	40 %
	호르몬 한 가지의 이름과 그 기능을 옳게 서술한 경우	20 %

19 （모범 답안 》 • 호르몬은 신호 전달 속도가 느리고, 신경은 신호 전달 속도가 빠르다.
• 호르몬은 효과가 지속적이고, 신경은 효과가 일시적이다.
• 호르몬은 작용 범위가 넓고, 신경은 작용 범위가 좁다.

채점 기준	배점
신호 전달 속도, 효과의 지속성, 작용 범위를 모두 옳게 비교하여 서술한 경우	100 %
세 가지 중 두 가지만 옳게 비교하여 서술한 경우	60 %
세 가지 중 한 가지만 옳게 비교하여 서술한 경우	30 %

20 （모범 답안 》 (1) 피부 근처 혈관이 수축하면 열 방출량이 감소하고, 피부 근처 혈관이 확장되면 열 방출량이 증가한다.
(2) 추울 때는 피부 근처 혈관이 수축하고, 더울 때는 피부 근처 혈관이 확장된다.

채점 기준	배점
(1) 피부 근처 혈관이 수축할 때와 확장될 때 열 방출량의 변화를 모두 옳게 서술한 경우	50 %
두 가지 중 하나라도 틀리게 서술한 경우	0 %
(2) 추울 때와 더울 때 피부 근처 혈관의 변화를 모두 옳게 서술한 경우	50 %
두 가지 중 하나라도 틀리게 서술한 경우	0 %

21 모범 답안 ▶ (1) 호르몬 X : 글루카곤, 호르몬 Y : 인슐린
(2) 인슐린(호르몬 Y)은 간에서 포도당을 글리코젠으로 합성하여 저장하게 하고, 세포에서의 포도당 흡수를 촉진하여 혈당량을 감소시킨다.

채점 기준	배점
(1) 호르몬 X와 Y의 이름을 모두 옳게 쓴 경우	30 %
둘 중 하나라도 틀리게 쓴 경우	0 %
(2) 간과 세포에서 일어나는 현상을 모두 포함하여 기능을 옳게 서술한 경우	70 %
간과 세포에서 일어나는 현상 중 하나만 포함하여 기능을 옳게 서술한 경우	50 %
혈당량을 감소시킨다고만 서술한 경우	30 %

핵심 자료로 최종 점검
180~181쪽

01 감각 기관

1 ❶ 홍채 ❷ 수정체 ❸ 섬모체 ❹ 수정체

2 ❶ 확장 ❷ 축소 ❸ 밝을 ❹ 확대 ❺ 수축 ❻ 어두울

3 ❶ 이완 ❷ 얇아짐 ❸ 두꺼워짐 ❹ 수축

4 ❶ 회전 ❷ 전정 기관 ❸ 달팽이관 ❹ 귀인두관

5 ❶ 후각 신경 ❷ 후각 세포 ❸ 기체 ❹ 액체 ❺ 맛세포 ❻ 미각 신경

02 신경계

1 ❶ 신경 세포체 ❷ 가지 돌기 ❸ 축삭 돌기

2 ❶ 감각 뉴런 ❷ 연합 뉴런 ❸ 운동 뉴런

3 ❶ 중추 신경계 ❷ 척수 ❸ 말초 신경계 ❹ 운동 신경 ❺ 자율 신경

4 ❶ 중간뇌 ❷ 연수 ❸ 간뇌 ❹ 소뇌

03 호르몬과 항상성

1 ❶ 뇌하수체 ❷ 갑상샘 ❸ 글루카곤 ❹ 테스토스테론

2 ❶ 수축 ❷ 감소 ❸ 확장 ❹ 증가

3 ❶ 증가 ❷ 인슐린 ❸ 감소 ❹ 글루카곤

시험적중 마무리 문제
182~185쪽

01 ⑤ **02** ㉠ B, ㉡ E **03** ③ **04** ③ **05** ② **06** G : 귀인두관 **07** ② **08** ③ **09** ⑤ **10** D : 연수 **11** ② **12** ④ **13** ② **14** ① **15** ① **16** ② **17** ② **18** ③ **19** ② **20** (가) 말단 비대증, (나) 당뇨병 **21** ㉠ 뇌하수체, ㉡ 항이뇨 호르몬 **22** ③ **23** ③

01 A는 홍채, B는 수정체, C는 섬모체, D는 맥락막, E는 망막이다.
① 홍채(A)는 동공의 크기를 조절하여 눈으로 들어오는 빛의 양을 조절한다.
②, ③ 물체와의 거리가 변하면 섬모체(C)의 수축과 이완에 의해 수정체(B)의 두께가 변한다.
④ 맥락막(D)은 검은색 색소가 있어 눈 속을 어둡게 한다.
바로알기 ≫ ⑤ 망막(E)에는 시각 세포가 많이 모여 있어 상이 맺히면 선명하게 보이는 황반과 시각 세포가 없어 상이 맺혀도 보이지 않는 맹점이 있다.

02 빛은 각막과 수정체(B)를 통과하면서 굴절된 다음, 유리체를 지나 망막(E)에 상을 맺는다. 그러면 망막(E)의 시각 세포가 빛 자극을 받아들이고, 이 자극이 시각 신경을 통해 뇌로 전달되어 물체의 모습을 보게 된다.

03 (가)는 가까운 곳을 볼 때 섬모체가 수축하여 수정체가 두꺼워진 상태이고, (나)는 먼 곳을 볼 때 섬모체가 이완하여 수정체가 얇아진 상태이다.

04 문제 분석하기 ≫

밝을 때는 확장되어 면적이 증가하고, 어두울 때는 수축되어 면적이 감소한다. ━ A 홍채

홍채가 확장되면 크기가 작아지고, ━ B 홍채가 수축되면 크기가 커진다. 동공

ㄱ. 홍채(A)가 수축하여 면적이 감소하면 동공(B)의 크기가 커진다.
ㄷ. 주변이 밝아지면 홍채(A)가 확장되어 면적이 증가한다. 이에 따라 동공(B)의 크기가 작아지고, 눈으로 들어오는 빛의 양이 감소한다.
바로알기 ≫ ㄴ. 주변이 어두워지면 홍채(A)가 수축되어 면적이 감소한다. 이에 따라 동공(B)의 크기가 커지고, 눈으로 들어오는 빛의 양이 증가한다.

05 A는 고막, B는 귓속뼈, C는 반고리관, D는 전정 기관, E는 청각 신경, F는 달팽이관, G는 귀인두관이다.
① 귓속뼈(B)는 고막(A)의 진동을 증폭하여 청각 세포가 있는 달팽이관(F)으로 전달한다.
③, ④ 반고리관(C)에서 몸의 회전을 감지하고, 전정 기관(D)에서 몸의 기울어짐을 감지한다.
⑤ 달팽이관(F)의 청각 세포에서 받아들인 자극이 청각 신경(E)을 통해 뇌로 전달되어 소리를 듣게 된다.
바로알기 » ② 청각 성립 경로는 '소리 → 귓바퀴 → 외이도 → 고막(A) → 귓속뼈(B) → 달팽이관(F)의 청각 세포 → 청각 신경(E) → 뇌'이다. 평형 감각을 담당하는 반고리관(C)과 전정 기관(D), 압력 조절을 담당하는 귀인두관(G)은 청각 성립 경로에 포함되지 않는다.

06 귀인두관(G)에서 고막 안쪽과 바깥쪽의 압력을 같게 조절한다.

07 바로알기 » ② 후각 세포는 기체 상태의 화학 물질을 자극으로 받아들인다. 액체 상태의 화학 물질을 자극으로 받아들이는 것은 맛세포이다.

08 ③ 몸의 부위에 따라 감각점의 분포 정도가 다르기 때문에 몸의 부위에 따라 감각을 느끼는 정도가 다르다.
바로알기 » ① 일반적으로 감각점 중 통점이 가장 많다. 따라서 우리 몸은 통증에 가장 예민하게 반응한다.
② 처음보다 온도가 높아지면 온점에서, 낮아지면 냉점에서 자극을 받아들인다. 즉, 온점과 냉점에서는 상대적인 온도 변화를 감각한다.
④ 매운맛은 통점, 떫은맛은 압점에서 자극을 받아들여 느끼는 피부 감각이다.
⑤ 감각점이 많이 분포한 곳일수록 감각이 예민하다.

09 A는 감각 뉴런, B는 연합 뉴런, C는 운동 뉴런, ㉠은 가지 돌기, ㉡은 축삭 돌기이다.
바로알기 » ⑤ 축삭 돌기(㉡)는 다른 뉴런이나 기관으로 자극을 전달하는 부분이다. 다른 뉴런이나 감각 기관에서 전달된 자극을 받아들이는 부분은 가지 돌기(㉠)이다.

10 A는 대뇌, B는 간뇌, C는 중간뇌, D는 연수, E는 소뇌이다.
연수(D)에서는 심장 박동, 호흡 운동, 소화 운동과 같은 생명 유지 활동을 조절한다. 또, 재채기, 기침, 눈물 분비, 딸꾹질, 침 분비와 같은 무조건 반사의 중추이다.

11 ② 소뇌(E)에서는 몸의 자세와 균형을 유지한다.
바로알기 » ① 체온 조절은 간뇌(B)에서 담당한다.

③, ④ 몸의 감각과 정신 활동은 대뇌(A)에서 담당한다.
⑤ 동공의 크기 조절은 중간뇌(C)에서 담당한다.

12 바로알기 » ④ 자율 신경은 대뇌의 직접적인 명령을 받지 않고 내장 기관의 운동을 조절한다.

13 위기 상황에 처했을 때는 교감 신경이 작용하여 우리 몸을 위기 상황에 대처하기에 알맞은 상태로 만들어 준다. 교감 신경은 동공을 확대시키고, 심장 박동과 호흡 운동을 촉진하며, 소화 운동을 억제한다.
바로알기 » ② 위기 상황에서 교감 신경이 작용하면 소화 운동이 억제된다.

[14~15] 문제 분석하기 »

(가) 음식을 입에 넣으니 침이 나왔다.
➡ 침 분비는 연수가 중추인 무조건 반사이다.
(나) 코에 먼지가 들어와 재채기가 났다.
➡ 재채기는 연수가 중추인 무조건 반사이다.
(다) 손이 시린 것을 느끼고 주머니에 손을 넣었다.
➡ 대뇌가 중추인 의식적 반응이다.
(라) 뜨거운 주전자에 손이 닿았을 때 나도 모르게 손을 움츠렸다.
➡ 뜨겁거나 날카로운 물체에 몸이 닿았을 때 몸을 움츠리는 반응은 척수가 중추인 무조건 반사이다.

14 (다)는 대뇌의 판단 과정을 거쳐 자신의 의지에 따라 일어나는 의식적 반응이고, (가), (나), (라)는 대뇌의 판단 과정을 거치지 않아 자신의 의지와 관계없이 일어나는 무조건 반사이다.

15 ① (가)와 (나)의 반응 중추는 연수이다.
바로알기 » ② (나)는 무조건 반사, (다)는 의식적 반응이다.
③ (다)의 반응 중추는 대뇌이고, (라)의 반응 중추는 척수이다.
④, ⑤ 무조건 반사는 반응 경로에 대뇌가 포함되지 않아 의식적 반응에 비해 반응 경로가 짧고 단순하다.

16 ㄱ. 무릎 반사는 척수가 중추인 무조건 반사이다.
ㄴ. 무조건 반사는 대뇌의 판단 과정을 거치지 않으므로 반응 경로가 의식적 반응에 비해 짧고 단순하다. 따라서 의식적 반응에 비해 빠르게 일어난다.
바로알기 » ㄷ. 고무망치로 친 자극이 대뇌로 전달되어 고무망치가 무릎을 친 것을 느낀다. 무조건 반사가 일어난다고 해서 자극이 대뇌로 전달되지 않는 것은 아니다.

17 ㄱ. 날카로운 물체에 몸이 닿았을 때 자신도 모르게 몸을 움츠리는 반응은 척수가 중추인 무조건 반사이다.
ㄴ. 손의 피부에서 받아들인 자극은 감각 신경과 척수를 거쳐 대뇌로 전달되고, 연필을 집으라는 대뇌의 명령은 척수와 운동 신경을 거쳐 손의 근육으로 전달된다.
바로알기 » ㄷ. 운동 신경(E)이 손상되면 감각은 느낄 수 있지만, 몸을 움직일 수 없다.

18 ① 인슐린, 티록신, 글루카곤은 모두 호르몬이다.
② 호르몬은 내분비샘에서 혈액으로 분비된다.
④ 호르몬은 적은 양으로 큰 효과를 나타낸다.
⑤ 호르몬과 신경의 작용으로 우리 몸의 항상성이 유지된다.
(바로알기 ≫) ③ 혈관을 통해 온몸으로 이동하는 호르몬은 신경보다 전달 속도가 느리다.

19 A는 뇌하수체, B는 갑상샘, C는 부신, D는 이자, E는 난소이다.
(바로알기 ≫) ① 인슐린은 이자(D)에서 분비된다.
③ 에스트로젠은 난소(E)에서 분비된다.
④ 생장 호르몬은 뇌하수체(A)에서 분비된다.
⑤ 항이뇨 호르몬은 뇌하수체(A)에서 분비된다.

20 (가) 성장기 이후 생장 호르몬이 과다 분비되어 나타나는 말단 비대증의 증상이다.
(나) 인슐린 분비가 부족하여 나타나는 당뇨병의 증상이다.

21 물을 많이 마셔 몸속 수분량이 증가하면 뇌하수체(㉠)에서 항이뇨 호르몬(㉡)의 분비가 억제되어 콩팥에서 재흡수되는 물의 양이 줄어들고, 오줌의 양이 늘어난다.

22 ㄷ, ㄹ. 주위 온도가 낮아져 체온이 낮아졌을 때는 열 발생량을 증가시키고 열 방출량을 감소시켜 체온을 높인다. 티록신 분비 증가에 따른 세포 호흡의 촉진은 열 발생량을 증가시키는 작용이다.
(바로알기 ≫) ㄱ. 땀 분비가 증가하면 열 방출량이 증가하여 체온이 낮아진다.
ㄴ. 근육이 떨리면 열 발생량이 증가하여 체온이 높아지지만, 피부 근처 혈관이 확장되면 열 방출량이 증가하여 체온이 낮아진다. 추울 때는 피부 근처 혈관이 수축되어 열 방출량이 감소한다.

23 (문제 분석하기 ≫)

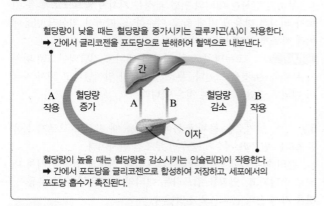

혈당량이 낮을 때는 혈당량을 증가시키는 글루카곤(A)이 작용한다.
➡ 간에서 글리코젠을 포도당으로 분해하여 혈액으로 내보낸다.

A 작용 | 혈당량 증가 | 간 | 혈당량 감소 | B 작용

이자

혈당량이 높을 때는 혈당량을 감소시키는 인슐린(B)이 작용한다.
➡ 간에서 포도당을 글리코젠으로 합성하여 저장하고, 세포에서의 포도당 흡수가 촉진된다.

(바로알기 ≫) ③ 식사 후 혈당량이 높아졌을 때는 이자에서 인슐린(B)이 분비된다.

Ⅴ. 생식과 유전

01 세포 분열

단원 미리보기

188~189쪽

만화 완성하기 ≫ [모범 답안] 감자 조각이 너무 크면 부피에 대한 표면적의 비가 작아서 중심까지 간이 배기가 힘들지.
한눈에 보기 ≫ [C] 사람의 염색체, [E] 감수 분열(생식세포 분열), [F] 체세포 분열과 감수 분열의 비교

189~195쪽

Ⓐ **1** 세포 분열 **2** 물질 교환 **3** (1) ○ (2) × (3) ○ (4) ×

Ⓑ **1** (1) – ㉡ (2) – ㉠ **2** (1) C : DNA (2) A : 염색 분체 (3) B : 유전자

Ⓒ **1** 상동 염색체 **2** (1) ○ (2) × (3) ○

Ⓓ **1** ㉠ (나) 간기, ㉡ (다) 전기, ㉢ (라) 말기, ㉣ (가) 중기, ㉤ (마) 후기 **2** (나) → (다) → (가) → (마) → (라) **3** ㉠ 안쪽, ㉡ 바깥쪽, ㉢ 세포판 **4** (1) ○ (2) × (3) × (4) ○

Ⓔ **1** 2가 염색체 **2** (라) → (다) → (나) → (가) → (마) **3** (1) ○ (2) × (3) × (4) ×

Ⓕ **1** (1) ㉠ 1, ㉡ 2 (2) ㉠ 2, ㉡ 4 **2** 감수 분열 **3** 6개

A-3 (바로알기 ≫) (2), (4) 세포가 커질 때 표면적이 커지는 비율이 부피가 커지는 비율보다 작기 때문에 세포가 커지면 물질 교환에 불리해진다. 즉, 세포가 클수록 필요한 물질이 세포의 중심까지 이동하기 어렵다.

B-1 염색체는 세포가 분열하지 않을 때는 핵 속에 가는 실처럼 풀어져 있다가 세포가 분열하기 시작하면 굵고 짧게 뭉쳐져 막대 모양으로 나타난다.

C-2 (바로알기 ≫) (2) 성염색체 구성이 XX인 (가)는 여자, 성염색체 구성이 XY인 (나)는 남자의 염색체 구성이다.

D-4 (바로알기 ≫) (2) 체세포 분열 과정에서는 상동 염색체가 분리되지 않는다. 체세포 분열 과정에서는 염색 분체가 분리되어 각각의 딸세포로 들어간다.
(3) 핵분열은 염색체의 모양과 행동에 따라 전기, 중기, 후기, 말기로 구분한다.

E-2 (가) 감수 2분열 중기, (나) 감수 2분열 전기, (다) 감수 1분열 후기, (라) 감수 1분열 전기, (마) 감수 2분열 후기

E-3 바로알기 » (2) 감수 1분열 후 유전 물질의 복제 없이 감수 2분열 전기가 시작된다.
(3) 감수 1분열 중기에 2가 염색체가 세포 중앙에 배열된다. 감수 1분열 결과 상동 염색체가 분리되므로 감수 2분열에서는 2가 염색체가 만들어지지 않는다.
(4) 감수 1분열 후기에 상동 염색체가 분리되고, 감수 2분열 후기에 염색 분체가 분리된다.

F-3 생식세포의 염색체 수는 체세포의 절반이다.

실력탄탄 **핵심 문제**　　　　　　　197~201쪽

01 ①　**02** ⑤　**03** ⑤　**04** ④　**05** ⑤　**06** ③　**07** ③
08 ④　**09** ④　**10** ④　**11** ②　**12** ②　**13** ⑤　**14** ④
15 ①　**16** (가) → (다) → (바) → (마) → (나) → (라)　**17** ③
18 ②　**19** ⑤　**20** ②　**21** ②　**22** ②, ④　**23** ④

서술형 문제 **24~29** 해설 참조

---

01 몸집이 큰 동물이든 작은 동물이든 세포의 크기는 거의 비슷하다. 다만 몸집이 큰 동물은 작은 동물에 비해 세포의 수가 많다.

02 ⑤ 세포가 커지면 세포의 부피에 대한 표면적의 비가 작아져 물질 교환에 불리하므로, 세포는 어느 정도 커지면 분열하여 그 수를 늘린다.

03 (가)~(다)에서 붉은색이 퍼지는 속도는 같지만, (가)만 중심까지 붉은색으로 변하고 (나)와 (다)는 중심까지 붉은색으로 변하지 않았다. 이를 통해 세포가 클수록 필요한 물질이 세포의 중심까지 이동하기 어려운 것을 알 수 있다.
바로알기 » ⑤ 물질 교환은 세포의 부피에 대한 표면적의 비가 클 때 원활하게 일어난다.

04 ①, ② 유전 정보를 담아 전달하는 역할을 하는 염색체는 DNA(유전 물질)와 단백질로 구성된다.
③ 남녀에게 공통적으로 들어 있는 염색체를 상염색체라 하고, 남녀의 성을 결정하는 염색체를 성염색체라고 한다.
⑤ 세포가 분열하기 전 DNA가 복제되므로 세포 분열이 시작될 때 염색체는 유전 정보가 서로 같은 두 가닥의 염색 분체로 이루어져 있다.
바로알기 » ④ 염색체는 세포가 분열하지 않을 때는 핵 속에 가는 실처럼 풀어져 있다가 세포가 분열하기 시작하면 굵고 짧게 뭉쳐져 막대 모양으로 나타난다.

05 문제 분석하기 »

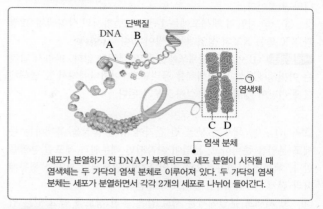

세포가 분열하기 전 DNA가 복제되므로 세포 분열이 시작될 때 염색체는 두 가닥의 염색 분체로 이루어져 있다. 두 가닥의 염색 분체는 세포가 분열하면서 각각 2개의 세포로 나뉘어 들어간다.

바로알기 » ⑤ 염색체(㉠)는 DNA(A)와 단백질(B)로 구성되며, 하나의 DNA(A)에는 많은 수의 유전자가 있다.

06 ③ 체세포에 들어 있는 염색체 수와 모양은 생물의 종을 판단할 수 있는 고유한 특징이다.
바로알기 » ① 체세포 분열이 일어나 생장할 때 염색체 수는 변하지 않는다.
② 초파리의 염색체 수가 소나무나 감자의 염색체 수보다 적다.
④ 침팬지와 감자는 염색체 수가 같지만 같은 종이 아니다. 종이 달라도 염색체 수가 같을 수 있는데, 종이 다르면 염색체의 크기나 모양, 유전자 등이 다르다.
⑤ 생식세포의 염색체 수는 체세포의 절반이다.

07 문제 분석하기 »

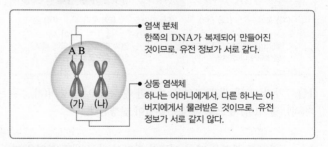

바로알기 » ㄴ. 상동 염색체는 유전 정보가 서로 같지 않다.

08 문제 분석하기 »

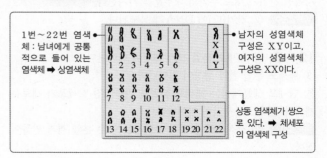

① 성염색체 구성이 XY인 것으로 보아 남자의 염색체 구성을 나타낸 것이다.

②, ③, ⑤ 사람의 체세포에는 1번~22번까지의 상염색체 22쌍과 XX 또는 XY의 성염색체 1쌍이 있다.

바로알기 》 ④ 여자의 체세포에는 Y 염색체가 없다. 따라서 남자는 아버지에게서 Y 염색체를 물려받고, 어머니에게서 X 염색체를 물려받아 성염색체 구성이 XY가 된다.

09 ①, ⑤ 세포는 분열 전 간기에 유전 물질을 복제하는 등 세포 분열을 준비하고, 분열이 시작되면 핵분열과 세포질 분열을 한다. 핵분열은 연속적으로 일어나지만 염색체의 모양과 행동에 따라 전기, 중기, 후기, 말기로 구분한다.

②, ③ 체세포 분열에서는 서로 같은 유전 정보를 담고 있는 염색 분체가 분리되어 각 딸세포에 들어간다. 따라서 체세포 분열로 만들어진 두 개의 딸세포는 각각 모세포와 유전 정보, 염색체의 수와 모양이 같다.

바로알기 》 ④ 동물은 몸 전체에서 체세포 분열이 일어나고, 식물은 생장점과 형성층 같은 특정 부위에서 체세포 분열이 활발하게 일어난다.

[10~11] 문제 분석하기 》

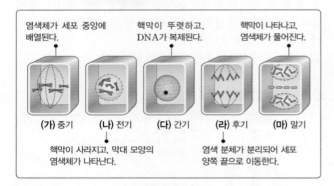

염색체가 세포 중앙에 배열된다. | 핵막이 뚜렷하고, DNA가 복제된다. | 핵막이 나타나고, 염색체가 풀어진다.

(가) 중기 (나) 전기 (다) 간기 (라) 후기 (마) 말기

핵막이 사라지고, 막대 모양의 염색체가 나타난다. | 염색 분체가 분리되어 세포 양쪽 끝으로 이동한다.

10 간기(다)에 세포 분열을 준비한 후 전기(나), 중기(가), 후기(라), 말기(마) 순으로 체세포 분열이 진행된다.

11 ③ 세포 분열을 마친 세포가 자라서 다시 세포 분열을 마치기까지의 과정을 세포 주기라고 하며, 세포 주기는 간기와 분열기로 구분된다. 세포가 생장하고 다음 세포 분열을 준비하는 시기인 간기가 세포 주기의 대부분을 차지한다.

바로알기 》 ② 간기(다)에 DNA가 복제된다.

12 ①, ④ 체세포 분열 결과 재생이 일어난다.

③ 체세포 분열 결과 생장이 일어난다.

⑤ 단세포 생물에서는 체세포 분열로 만들어진 딸세포가 새로운 개체가 된다. 즉, 생식이 일어난다.

바로알기 》 ② 생식세포인 정자와 난자는 감수 분열 결과 만들어진다.

13 ㄱ, ㄷ. (가)는 세포판(A)이 안쪽에서 바깥쪽으로 만들어지면서 세포질이 나누어지는 식물 세포이다.

ㄴ. (나)는 세포막이 바깥쪽에서 안쪽으로 잘록하게 들어가면서 세포질이 나누어지는 동물 세포이다.

[14~15] 문제 분석하기 》

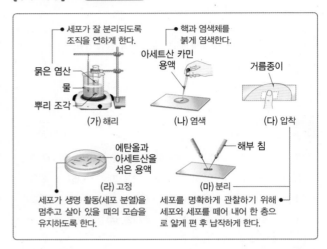

세포가 잘 분리되도록 조직을 연하게 한다. | 핵과 염색체를 붉게 염색한다.

묽은 염산 물 뿌리 조각 아세트산 카민 용액 거름종이

(가) 해리 (나) 염색 (다) 압착

에탄올과 아세트산을 섞은 용액 해부 침

(라) 고정 (마) 분리

세포가 생명 활동(세포 분열)을 멈추고 살아 있을 때의 모습을 유지하도록 한다. | 세포를 명확하게 관찰하기 위해 세포와 세포를 떼어 내어 한 층으로 얇게 편 후 납작하게 한다.

14 '고정(라) → 해리(가) → 염색(나) → 분리(마) → 압착(다)' 순으로 현미경 표본을 만든다.

15 바로알기 》 ②, ③ (나)는 염색, (라)는 고정 과정이다. (나) 과정을 거치지 않으면 핵이나 염색체가 붉게 염색되지 않는다.

④ (마)는 분리 과정이다. 세포가 잘 분리되도록 조직을 연하게 하는 해리 과정은 (가)이다.

⑤ 관찰 결과 세포 주기의 대부분을 차지하는 간기의 세포가 가장 많이 보인다.

[16~17] 문제 분석하기 》

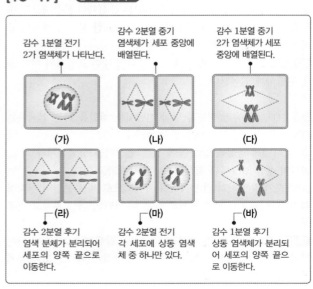

감수 1분열 전기 2가 염색체가 나타난다. | 감수 2분열 중기 염색체가 세포 중앙에 배열된다. | 감수 1분열 중기 2가 염색체가 세포 중앙에 배열된다.

(가) (나) (다)

(라) (마) (바)

감수 2분열 후기 염색 분체가 분리되어 세포의 양쪽 끝으로 이동한다. | 감수 2분열 전기 각 세포에 상동 염색체 중 하나만 있다. | 감수 1분열 후기 상동 염색체가 분리되어 세포의 양쪽 끝으로 이동한다.

16 감수 분열은 감수 1분열(전기 → 중기 → 후기 → 말기)과 감수 2분열(전기 → 중기 → 후기 → 말기)이 연속해서 일어난다.

17 ① 감수 분열은 생식 기관에서 생식세포를 만들 때 일어난다. 식물에서는 꽃밥에서 꽃가루를 만들 때, 밑씨에서 난세포를 만들 때 감수 분열이 일어난다.
② 감수 1분열 전 간기에 DNA가 복제되며, 감수 1분열과 감수 2분열 사이에는 DNA가 복제되지 않는다.
④ 2가 염색체가 세포 중앙에 배열된 (다)는 감수 1분열 중기의 세포이다.
⑤ 감수 1분열 후기(바)에 상동 염색체가 분리되어 세포 양쪽 끝으로 이동한다.
(바로알기) ③ 감수 1분열 결과 염색체 수가 절반으로 줄어든다. 따라서 감수 2분열 중기(나)에 세포 한 개의 염색체 수는 모세포의 절반이다.

18 (문제 분석하기 »)

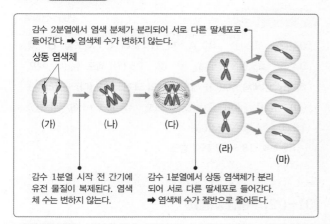

감수 2분열에서 염색 분체가 분리되어 서로 다른 딸세포로 들어간다. ➡ 염색체 수가 변하지 않는다.

상동 염색체

(가)   (나)   (다)   (라)   (마)

감수 1분열 시작 전 간기에 유전 물질이 복제된다. 염색체 수는 변하지 않는다.

감수 1분열에서 상동 염색체가 분리되어 서로 다른 딸세포로 들어간다. ➡ 염색체 수가 절반으로 줄어든다.

(바로알기 ») ② (가) → (나) 시기에 DNA양은 2배로 늘어나지만, 염색체 수는 변하지 않는다.

19 ⑤ 감수 분열로 만들어진 생식세포의 염색체 수가 체세포의 절반이기 때문에 암수 생식세포가 결합하여 만들어지는 자손의 염색체 수가 부모와 같게 유지된다.

20 ①, ③ 상동 염색체가 분리되어 세포 양쪽 끝으로 이동하고 있으므로 감수 1분열 후기의 세포이다.
④, ⑤ 염색체 수 절반으로 줄어들기 전인 감수 1분열 후기의 세포에 4개의 염색체가 있다. 따라서 이 생물의 체세포에는 4개의 염색체가 있고, 생식세포에는 체세포의 절반인 2개의 염색체가 있다.
(바로알기 ») ② 생장은 체세포 분열을 통해 일어난다. 감수 분열이 일어나면 염색체 수가 체세포의 절반인 생식세포가 만들어진다.

21 (문제 분석하기 »)

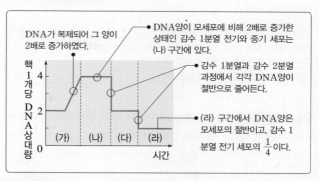

DNA가 복제되어 그 양이 2배로 증가하였다.

DNA양이 모세포에 비해 2배로 증가한 상태인 감수 1분열 전기와 중기 세포는 (나) 구간에 있다.

감수 1분열과 감수 2분열 과정에서 각각 DNA양이 절반으로 줄어든다.

(라) 구간에서 DNA양은 모세포의 절반이고, 감수 1분열 전기 세포의 $\frac{1}{4}$이다.

핵 1개당 DNA 상대량 / 시간

(가) (나) (다) (라)

(바로알기 ») ㄷ. (라) 구간의 DNA양(상대량 1)은 감수 1분열 전기 세포의 DNA양(상대량 4)의 $\frac{1}{4}$이다.

22 [체세포 분열과 감수 분열의 비교]

구분	체세포 분열	감수 분열
2가 염색체	형성되지 않음	형성됨
염색체 수 변화	변화 없음	절반으로 줄어듦
분열 횟수	1회	연속 2회
딸세포 수	2개	4개
분열 결과	생장, 재생	생식세포 형성

23 체세포에 8개의 염색체(4쌍의 상동 염색체)가 있으므로, 생식세포에는 4개의 염색체가 있다.

24 (모범 답안 ») 세포가 커지면 세포의 부피에 대한 표면적의 비가 작아져 물질 교환이 효율적으로 일어나지 못한다.

채점 기준	배점
세포의 부피에 대한 표면적의 비 및 물질 교환을 모두 포함하여 옳게 서술한 경우	100 %
물질 교환이 효율적으로 일어나지 못한다고만 서술한 경우	50 %

25 (모범 답안 ») (가)는 여자이고, (나)는 남자이다. (가)는 성염색체 구성이 XX이고, (나)는 성염색체 구성이 XY이기 때문이다.

채점 기준	배점
성별을 옳게 쓰고, 그 까닭을 옳게 서술한 경우	100 %
성별만 옳게 쓴 경우	40 %

26 (모범 답안 ») (가), 새로운 2개의 핵 사이에 안쪽에서 바깥쪽으로 세포판이 만들어지면서 세포질이 나누어진다.

채점 기준	배점
(가)라고 쓰고, 식물 세포의 세포질 분열 방식을 옳게 서술한 경우	100 %
(가)라고만 쓴 경우	30 %

27 모범 답안 양파의 뿌리 끝에는 체세포 분열이 활발하게 일어나는 생장점이 있기 때문이다.

채점 기준	배점
양파의 뿌리 끝에 체세포 분열이 활발하게 일어나는 생장점이 있기 때문이라는 내용을 포함하여 옳게 서술한 경우	100 %
생장점이라는 단어를 포함하지 않은 경우	0 %

28 모범 답안 **감수 1분열** 과정에서 **상동 염색체**가 **분리**되어 서로 다른 **딸세포**로 들어가기 때문이다.

채점 기준	배점
단어를 모두 포함하여 옳게 서술한 경우	100 %
감수 1분열 과정에서 상동 염색체가 분리되기 때문이라고만 서술한 경우	70 %

29 모범 답안 체세포 분열에서는 1회 분열하여 모세포와 염색체 수가 같은 2개의 딸세포가 만들어진다. 감수 분열에서는 연속 2회 분열하여 모세포에 비해 염색체 수가 절반으로 줄어든 4개의 딸세포가 만들어진다.

채점 기준	배점
분열 횟수, 딸세포 수, 모세포와의 염색체 수 비교를 모두 포함하여 차이점을 옳게 서술한 경우	100 %
두 가지 요소만 포함하여 차이점을 옳게 서술한 경우	70 %
한 가지 요소만 포함하여 차이점을 옳게 서술한 경우	30 %

02 사람의 발생

단원 미리보기

202~203쪽

만화 완성하기 ≫ [모범 답안] 수정된 지 약 266일 후에 엄마 몸 밖으로 나왔지!

한눈에 보기 ≫ [B] 수정과 발생

203~205쪽

Ⓐ **1** A : 수정관, B : 부정소, C : 정소, D : 난소, E : 수란관, F : 자궁, G : 질 **2** (1) C (2) D (3) F (4) B **3** ㉠ 작다, ㉡ 크다, ㉢ 23, ㉣ 23

Ⓑ **1** 수정 **2** 발생 **3** (1) ◯ (2) × (3) × (4) ◯ **4** A : 배란, B : 수정, C : 난할, D : 착상 **5** 포배 **6** ㄱ, ㄷ

A–3 난자는 세포질에 많은 양분을 저장하고 있어 정자에 비해 크기가 훨씬 크다. 생식세포인 정자와 난자의 염색체 수는 체세포의 절반인 23개이다.

B–3 바로알기 ≫ (2), (3) 난할이 진행될 때는 딸세포의 크기가 커지지 않으므로 세포 하나의 크기가 점점 작아지며, 배아 전체의 크기는 수정란과 비슷하다.

B–5 수정 후 약 일주일이 지나 수정란이 포배가 되어 자궁 안쪽 벽을 파고들어 가는 현상을 착상(D)이라고 한다.

B–6 태아는 필요한 산소와 영양소를 모체로부터 전달받고, 태아의 몸에서 생기는 이산화 탄소와 노폐물을 모체로 전달하여 내보낸다.

실력탄탄 핵심 문제

206~209쪽

01 ③ **02** ① **03** A : 핵, B : 꼬리, C : 세포질, D : 핵
04 ③ **05** ⑤ **06** ③ **07** ② **08** (가) 세포 수, (나) 세포 하나당 염색체 수, (다) 세포 하나의 크기 **09** (다) → (라) → (나) → (가) → (마) **10** ① **11** ⑤ **12** ④ **13** ⑤ **14** ①
15 ④ **16** ④ **17** 266
서술형 문제 **18~22** 해설 참조

[01~02] 문제 분석하기 ≫

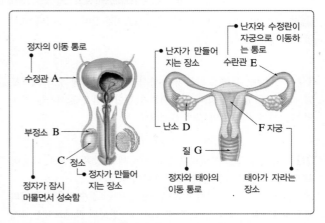

01 ③ 정소(C)와 난소(D)에서 감수 분열이 일어나 각각 정자와 난자가 만들어진다.

02 바로알기 ≫ ① A는 정자가 이동하는 통로인 수정관이다. 수란관(E)은 여자의 생식 기관에 있다.

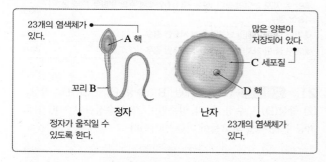

03 A와 D는 유전 물질이 들어 있는 핵이다. B는 꼬리, C는 세포질이다.

04 바로알기 » ③ 정자와 난자는 각각 염색체 수가 체세포의 절반인 23개이다.

05 정자와 난자가 수정하면 수정란이 된다. 정자와 난자는 각각 염색체 수가 체세포의 절반이므로, 수정란은 체세포와 염색체 수가 같다.

06 바로알기 » ① 배란은 난자가 난소에서 수란관으로 나오는 현상이다.
② 난할은 수정란의 초기 세포 분열이다.
④ 착상은 수정란이 포배가 되어 자궁 안쪽 벽을 파고들어 가는 현상이다.
⑤ 출산은 태아가 모체 밖으로 나오는 과정이다.

07 수정란의 초기 세포 분열인 난할은 체세포 분열이지만 딸세포의 크기가 커지지 않고, 세포 분열을 빠르게 반복한다. 따라서 난할이 진행되면 세포 수가 늘어나고, 세포 각각의 크기는 점점 작아지며, 세포 하나당 염색체 수는 변하지 않는다.
바로알기 » ② 난할은 딸세포의 크기가 커지지 않고, 세포 분열을 빠르게 반복한다.

08 문제 분석하기 »

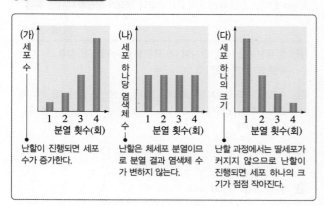

난할이 진행되면 세포 수가 증가한다.

난할은 체세포 분열이므로 분열 결과 염색체 수가 변하지 않는다.

난할 과정에서는 딸세포가 커지지 않으므로 난할이 진행되면 세포 하나의 크기가 점점 작아진다.

(가) 난할이 진행될수록 증가하므로 세포 수이다.
(나) 계속 일정하게 유지되므로 세포 하나당 염색체 수이다.
(다) 난할이 진행될수록 감소하므로 세포 하나의 크기이다.

09 (가) 8세포배, (나) 4세포배, (다) 수정란, (라) 2세포배, (마) 포배이다.
난할이 진행되면 세포 수가 늘어난다.

10 ㄱ. 난할이 일어날 때는 딸세포의 크기가 커지지 않으므로 세포 각각의 크기가 점점 작아지고, 배아 전체의 크기는 수정란과 비슷하다.
ㄴ. 난할은 체세포 분열이므로 분열 결과 염색체 수가 변하지 않는다.
바로알기 » ㄷ. 2회 분열한 상태인 (나)보다 1회 분열한 상태인 (라)에서 세포 하나의 크기가 더 크다.
ㄹ. 속이 빈 공 모양의 세포 덩어리인 포배(마) 상태에서 착상이 일어난다.

11 착상되었을 때부터 임신되었다고 한다. 배란에서 착상까지의 과정은 배란(다) → 수정(가) → 난할(라) → 착상(나) 순으로 일어난다.

12 바로알기 » ④ 착상이 일어난 후 자궁에서 배아는 체세포 분열을 계속하여 조직과 기관을 만들고 하나의 개체로 성장한다. 수정란이 난할을 거쳐 일정한 시기가 되면 세포 분열 속도가 느려지면서 일반적인 체세포 분열이 일어난다.

13 문제 분석하기 »

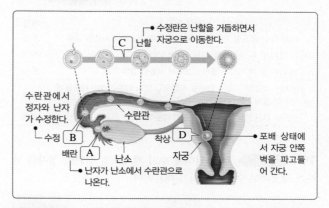

바로알기 » ㄴ. 수정(B) 후 약 일주일이 지나면 수정란이 포배가 되어 자궁 안쪽 벽을 파고들어 가는 착상(D)이 일어난다.

14 착상 이후 태아와 모체를 연결하는 태반이 만들어지며, 태반에서 태아와 모체 사이에 물질 교환이 일어난다. 태아는 필요한 산소와 영양소를 모체로부터 전달받고, 태아의 몸에서 생기는 이산화 탄소와 노폐물을 모체로 전달하여 내보낸다.

15 난소에서 수란관으로 나온 난자는(배란) 정자와 만나 수정하고, 난할을 거듭하면서 자궁으로 이동하여 착상한다. 착상 이후 태반이 형성되어 모체로부터 양분을 공급받고, 체세포 분열을 계속하여 조직과 기관을 만들고 하나의 개체로 성장한다.

16 〔문제 분석하기 〉〉〕

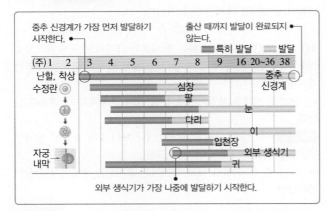

중추 신경계가 가장 먼저 발달하기 시작한다.

출산 때까지 발달이 완료되지 않는다.

외부 생식기가 가장 나중에 발달하기 시작한다.

〔바로알기 〉〉〕 ㄱ. 중추 신경계는 가장 먼저 발달하기 시작하지만 출산 때까지도 발달이 완성되지 않는다.

17 태아는 수정된 지 약 266일이 지나면 출산 과정을 거쳐 모체 밖으로 나온다.

18 〔모범 답안 〉〕 (1) 정자는 정소에서, 난자는 난소에서 만들어진다. 정자는 꼬리를 이용해 스스로 움직일 수 있지만(운동성 있음), 난자는 스스로 움직일 수 없다(운동성 없음). 정자와 난자의 염색체 수는 각각 23개이다.
(2) 난자는 세포질에 많은 양분을 저장하고 있기 때문이다.

채점 기준	배점
(1) 생성 장소, 운동성, 염색체 수를 모두 옳게 비교하여 서술한 경우	60 %
세 가지 중 두 가지만 옳게 비교하여 서술한 경우	40 %
세 가지 중 한 가지만 옳게 비교하여 서술한 경우	20 %
(2) 난자는 세포질에 많은 양분을 저장하고 있기 때문이라는 내용을 포함하여 옳게 서술한 경우	40 %
난자는 많은 양분을 저장하고 있기 때문이라고만 서술한 경우	20 %

19 〔모범 답안 〉〕 각각 **염색체 수**가 **체세포**의 절반인 **정자**와 **난자**가 **수정**하여 수정란이 되기 때문이다.

채점 기준	배점
단어를 모두 포함하여 옳게 서술한 경우	100 %
정자와 난자의 염색체 수가 각각 체세포의 절반이기 때문이라고만 서술한 경우	60 %

20 〔모범 답안 〉〕 난할이 진행되면 세포 수가 늘어나고, 세포 하나의 크기는 점점 작아지며, 세포 하나당 염색체 수는 변하지 않는다.

채점 기준	배점
세포 수, 세포 하나의 크기, 세포 하나당 염색체 수의 변화를 모두 옳게 서술한 경우	100 %
세 가지 중 두 가지의 변화만 옳게 서술한 경우	70 %
세 가지 중 한 가지의 변화만 옳게 서술한 경우	30 %

21 〔모범 답안 〉〕 (1) A : 배란, B : 수정, C : 난할, D : 착상
(2) 착상(D)은 수정 후 약 일주일이 지나 수정란이 포배가 되어 자궁 안쪽 벽을 파고들어 가는 현상이다.

	채점 기준	배점
(1)	A~D의 이름을 모두 옳게 쓴 경우	40 %
	A~D 중 하나라도 이름을 틀리게 쓴 경우	0 %
(2)	배의 상태, 일어나는 시기, 일어나는 장소를 모두 포함하여 옳게 서술한 경우	60 %
	포배 상태에서 자궁 안쪽 벽을 파고들어 가는 현상이라고만 서술한 경우	40 %

22 〔모범 답안 〉〕 이산화 탄소와 노폐물은 (가) 방향으로 이동하고, 산소와 영양소는 (나) 방향으로 이동한다.

채점 기준	배점
(가)와 (나) 방향으로 이동하는 물질을 두 가지씩 옳게 서술한 경우	100 %
(가)와 (나) 방향으로 이동하는 물질을 한 가지씩 옳게 서술한 경우	50 %

03 멘델의 유전 원리

〔단원 미리보기〕

210~211쪽

만화 완성하기 〉〉 [모범 답안] 노란색이 우성인데다가 내가 순종이기 때문인가 봐.

한눈에 보기 〉〉 [A] 유전 용어 [D] 우열의 원리가 성립하지 않는 유전

211~215쪽

Ⓐ **1** 유전 **2** (1) 유전자형 (2) 표현형 (3) 순종 (4) 잡종 (5) 자가 수분 (6) 타가 수분 **3** ㄱ, ㄴ, ㄹ

Ⓑ **1** (1) ○ (2) ○ (3) × (4) × **2** ㉠ 우성, ㉡ 열성 **3** 분리의 법칙 **4** (1) 노란색 (2) ㉠ Yy, ㉡ YY, ㉢ Yy, ㉣ yy (3) 3 : 1 (4) 100개

Ⓒ **1** 독립의 법칙 **2** (1) RrYy (2) RY, Ry, rY, ry (3) 9 : 3 : 3 : 1 (4) (가) 3 : 1, (나) 3 : 1 (5) 900개

Ⓓ **1** (1) ○ (2) × (3) ○ (4) × (5) ○

A-3 순종은 한 가지 형질을 나타내는 유전자의 구성이 같은 개체이다.

B-1 바로알기 >> (3) 완두는 자손의 수가 많아 통계적인 분석에 유리하다.
(4) 완두는 자가 수분과 타가 수분이 모두 가능하여 연구자가 의도한 대로 형질을 교배할 수 있다.

B-4 (1) 잡종 1대에서 나타나는 형질이 우성이다.
(3) 잡종 2대에서 우성인 노란색 완두(YY, Yy) : 열성인 초록색 완두(yy)=3 : 1로 나왔다.
(4) 초록색 완두는 전체의 $\frac{1}{4}$에 해당하므로 400개 × $\frac{1}{4}$=100개가 초록색 완두이다.

C-2 (1) 어버이의 생식세포는 각각 RY, ry이다.
(2) 유전자 R는 유전자 Y 또는 y와 같은 생식세포로 들어갈 수 있고, 유전자 r도 유전자 Y 또는 y와 같은 생식세포로 들어갈 수 있다.
(4) (가) 둥글고 노란색(9)+둥글고 초록색(3) : 주름지고 노란색(3)+주름지고 초록색(1)=12 : 4=3 : 1
(나) 둥글고 노란색(9)+주름지고 노란색(3) : 둥글고 초록색(3)+주름지고 초록색(1)=12 : 4=3 : 1
(5) 둥글고 노란색인 완두는 전체의 $\frac{9}{16}$에 해당하므로 1600개 × $\frac{9}{16}$=900개가 둥글고 노란색인 완두이다.

D-1 바로알기 >> (2) 잡종 1대의 빨간색 꽃잎 유전자(R)와 흰색 꽃잎 유전자(W)가 감수 분열 과정에서 분리되어 서로 다른 생식세포로 들어가고, 생식세포가 수정되어 잡종 2대가 만들어졌기 때문에 잡종 2대에서 빨간색 꽃잎(RR) : 분홍색 꽃잎(RW) : 흰색 꽃잎(WW)=1 : 2 : 1로 나타난다.
(4) 빨간색 꽃잎 유전자(R)와 흰색 꽃잎 유전자(W) 사이의 우열 관계가 뚜렷하지 않기 때문에 잡종 1대에서 중간 형질인 분홍색 꽃잎이 나타났다.

이해 쏙쏙 **집중 강의** 216쪽

유제 1 (1) 둥근 완두 : 주름진 완두=1 : 1 (2) 400개 (3) 400개 (4) 400개
유제 2 (1) 둥글고 노란색 : 둥글고 초록색 : 주름지고 노란색 : 주름지고 초록색=1 : 1 : 1 : 1 (2) 500개 (3) 1000개 (4) 500개

유제 1 (1) 유전자형이 Rr인 완두는 둥근 모양을 나타낸다.
(2) 800개 × $\frac{1(\text{둥근 완두})}{2(\text{전체})}$ = 400개
(3) 800개 × $\frac{1(\text{rr})}{2(\text{전체})}$ = 400개
(4) 800개 × $\frac{1(\text{rr})}{2(\text{전체})}$ = 400개

유제 2 (1) 유전자 R를 가지면 둥근 모양을 나타내고, 유전자 Y를 가지면 노란색을 나타낸다.
(2) 2000개 × $\frac{1(\text{둥글고 초록색})}{4(\text{전체})}$ = 500개
(3) 2000개 × $\frac{2(\text{주름지고 노란색+주름지고 초록색})}{4(\text{전체})}$ = 1000개
(4) 2000개 × $\frac{1(\text{RrYy})}{4(\text{전체})}$ = 500개

실력 탄탄 **핵심 문제** 217~221쪽

01 ⑤	02 ③	03 ④	04 ㄱ, ㄴ, ㄹ	05 ④	06 ③
07 ④	08 ①	09 ②	10 ③	11 ⑤	12 ③	13 ⑤
14 ②	15 ④	16 ②, ③	17 ④	18 ④	19 ⑤	20 ⑤
21 ⑤	22 ④				

서술형 문제 **23~27** 해설 참조

---

01 바로알기 >> ⑤ 대립 형질이 다른 두 순종 개체를 교배하여 얻은 잡종 1대에서 나타나는 형질이 우성, 나타나지 않는 형질이 열성이다.

02 순종은 한 가지 형질을 나타내는 유전자의 구성이 같은 개체이다.

03 대립 형질은 한 가지 형질에서 뚜렷하게 구분되는 변이이다.
바로알기 >> ① 씨 모양이 둥근 것 – 씨 모양이 주름진 것, 씨 색깔이 노란색인 것 – 씨 색깔이 초록색인 것이 대립 형질이다.
② 줄기의 키가 큰 것 – 줄기의 키가 작은 것, 잎겨드랑이에 꽃이 피는 것 – 줄기 끝에 꽃이 피는 것이 대립 형질이다.
③ 꼬투리 모양이 매끈한 것 – 꼬투리 모양이 잘록한 것이 대립 형질이다.
⑤ 꼬투리 색깔이 초록색인 것 – 꼬투리 색깔이 노란색인 것이 대립 형질이다.

04 바로알기 >> ㄷ. 완두는 대립 형질이 뚜렷하여 교배 결과를 명확하게 해석할 수 있다.

05 [문제 분석하기 »]

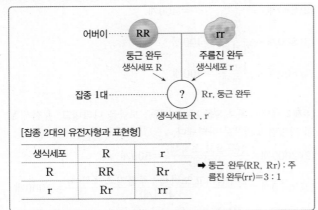

생식세포	R	r
R	RR	Rr
r	Rr	rr

➡ 둥근 완두(RR, Rr) : 주름진 완두(rr)=3 : 1

①, ③ 어버이의 유전자형은 RR, rr이고, 잡종 1대의 유전자형은 Rr이다.
② 둥근 유전자 R가 주름진 유전자 r에 대해 우성이라고 하였으므로, 유전자형이 Rr일 때 표현형은 둥근 모양으로 나타난다.
⑤ 잡종 2대에서 둥근 완두(RR, Rr) : 주름진 완두(rr)=3 : 1로 나온다.
[바로알기 »] ④ 유전자형이 Rr인 잡종 1대에서는 R를 가진 생식세포와 r를 가진 생식세포가 1 : 1의 비율로 만들어진다.

06 ③ 잡종 1대의 유전자형은 Rr이며, 대립유전자는 상동 염색체의 같은 위치에 있다.

07 [문제 분석하기 »]

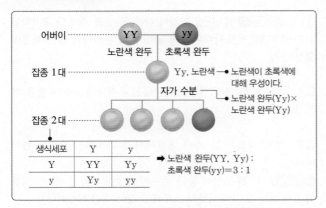

생식세포	Y	y
Y	YY	Yy
y	Yy	yy

➡ 노란색 완두(YY, Yy) : 초록색 완두(yy)=3 : 1

①, ② 잡종 1대에서 나타난 노란색이 초록색에 대해 우성이다. 열성인 초록색 완두는 모두 순종(yy)이다.
③ 잡종 1대에서 감수 분열이 일어날 때 대립유전자 Y와 y가 분리되어 서로 다른 생식세포로 들어가므로 Y를 가진 생식세포와 y를 가진 생식세포가 1 : 1의 비로 만들어진다.
⑤ 잡종 1대에서 우성 형질만 나타났고, 감수 분열 과정에서 대립유전자 쌍이 분리되어 서로 다른 생식세포로 들어갔다.
[바로알기 »] ④ 잡종 2대에서 노란색 완두의 유전자형은 YY인 것도 있고, Yy인 것도 있다.

08 잡종 2대에서 YY : Yy : yy=1 : 2 : 1이므로, 순종(YY, yy)과 잡종(Yy)의 비는 1 : 1이다.

09 잡종 2대에서 노란색 완두 : 초록색 완두=3 : 1이므로, 초록색 완두는 전체의 $\frac{1}{4}$이다. 800개$\times\frac{1}{4}$=200개

10 잡종 2대에서 YY : Yy : yy=1 : 2 : 1이므로, 잡종 1대와 유전자형이 같은 것(Yy)은 전체의 $\frac{2}{4}$이다.
600개$\times\frac{2}{4}$=300개

11 자손에서 열성 형질인 주름진 완두(rr)가 나오려면 어버이가 모두 열성 유전자 r를 가지고 있어야 한다.
⑤ Rr×rr → Rr, rr이므로, 우성 형질(Rr) : 열성 형질(rr)=1 : 1로 나타난다.
[바로알기 »] ① RR×RR → RR이므로, 우성 형질만 나타난다.
② RR×Rr → RR, Rr이므로, 우성 형질만 나타난다.
③ RR×rr → Rr이므로, 우성 형질만 나타난다.
④ Rr×Rr → RR, 2Rr, rr이므로, 우성 형질(RR, Rr) : 열성 형질(rr)=3 : 1로 나타난다.

12 [바로알기 »] ③ 멘델은 한 쌍을 이루는 유전 인자가 서로 다를 때 하나의 유전 인자만 형질로 표현되며, 나머지 인자는 표현되지 않는다고 하였다.

13 [문제 분석하기 »]

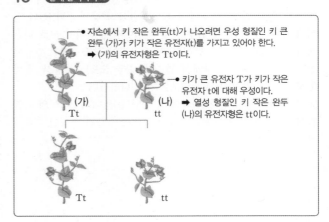

유전자형이 Tt인 키 큰 완두와 유전자형이 tt인 키 작은 완두를 교배한 결과는 다음과 같다.

생식세포	T	t
t	Tt	tt

➡ 키 큰 완두(Tt) : 키 작은 완두(tt)=1 : 1

[바로알기 »] ①, ②, ④ 열성인 (나)의 유전자형은 tt이다.
③ (가)가 키가 작은 유전자(t)를 가지고 있지 않으면 자손에서 키 작은 완두가 나오지 않는다. TT×tt → Tt

[14~17] 문제 분석하기 »

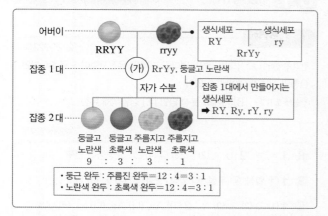

14 ② 잡종 1대의 유전자형은 RrYy이고, 표현형은 둥글고 노란색이다. 유전자 R를 가지면 둥근 모양을 나타내고, 유전자 Y를 가지면 노란색을 나타낸다.

15 ④ 잡종 1대에서 감수 분열이 일어날 때 대립유전자 R와 r, Y와 y가 각각 독립적으로 분리되어 서로 다른 생식세포로 들어간다. 이에 따라 4종류의 생식세포(RY, Ry, rY, ry)가 같은 비율로 만들어진다.

16 ④ 유전자형이 RRyy인 완두와 Rryy인 완두의 표현형은 모두 둥글고 초록색이다.
⑤ 잡종 2대에서 씨의 모양은 둥근 완두 : 주름진 완두=3 : 1, 씨의 색깔은 노란색 완두 : 초록색 완두=3 : 1로 나타났다. 따라서 완두 씨의 모양과 색깔에 대한 대립유전자 쌍이 서로 영향을 미치지 않았으며, 각각 분리되어 서로 다른 생식세포로 들어가는 것을 알 수 있다.
바로알기 » ② 잡종 2대에서 둥근 완두(둥·노+둥·초)와 주름진 완두(주·노+주·초)의 비는 3 : 1이다.
③ 잡종 2대에서 주름지고 노란색인 완두는 전체의 $\frac{3}{16}$이다.
$1600개 \times \frac{3}{16} = 300개$

17 (가)의 표현형은 둥글고 노란색이다. 잡종 2대에서 둥글고 노란색인 완두는 전체의 $\frac{9}{16}$이다. $800개 \times \frac{9}{16} = 450개$

[18~19] 문제 분석하기 »

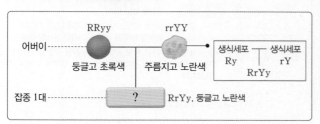

18 ④ 잡종 1대의 유전자형은 RrYy이고, 대립유전자는 상동 염색체의 같은 위치에 있다.

19 유전자형이 RrYy인 잡종 1대를 자가 수분하면 잡종 2대에서 둥글고 노란색 : 둥글고 초록색 : 주름지고 노란색 : 주름지고 초록색=9 : 3 : 3 : 1로 나타난다. 이때 완두 씨의 모양과 관계없이 색깔만 보면 노란색(둥·노+주·노) : 초록색(둥·초+주·초)=3 : 1이다. 따라서 잡종 2대에서 노란색 완두는 전체의 $\frac{3}{4}$이다. $1200개 \times \frac{3}{4} = 900개$

20 문제 분석하기 »

$\underset{\textbf{①}}{AA}\ \underset{\textbf{②}}{Bb}\ \underset{\textbf{③}}{Cc}$ ❶ A를 가진 생식세포만 만들어진다.
❷ B 또는 b를 가진 생식세포가 만들어진다.
❸ C 또는 c를 가진 생식세포가 만들어진다.
A / B, b / C, c ➡ ABC, ABc, AbC, Abc 4가지의 생식세포가 만들어진다.

바로알기 » ⑤ 이 개체는 유전자 a를 가지지 않으므로, 유전자형이 aBc인 생식세포는 만들 수 없다.

21 문제 분석하기 »

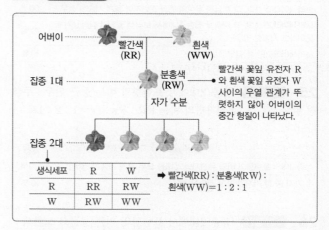

①, ② 잡종 2대에서 표현형의 비와 유전자형의 비는 빨간색(RR) : 분홍색(RW) : 흰색(WW)=1 : 2 : 1로 일치한다.
③ 분꽃의 꽃잎 색깔 유전에서 우열의 원리는 성립하지 않지만, 분리의 법칙은 성립한다.
④ 빨간색 꽃잎 유전자 R와 흰색 꽃잎 유전자 W 사이의 우열 관계가 뚜렷하지 않아 잡종 1대에서 어버이의 중간 형질인 분홍색 꽃잎이 나타났다.
바로알기 » ⑤ 분홍색 꽃잎 분꽃(RW)과 흰색 꽃잎 분꽃(WW)을 교배하면 분홍색(RW) : 흰색(WW)=1 : 1로 나온다.

22 키가 크고 분홍색 꽃잎을 가진 식물(TtRW)에서 만들어지는 생식세포는 TR, TW, tR, tW 4종류이고, 키가 크고 빨

간색 꽃잎을 가진 식물(TTRR)에서 만들어지는 생식세포는 TR 한 종류이다.

생식세포	TR	TW	tR	tW
TR	TTRR	TTRW	TtRR	TtRW

자손에서 표현형의 비는 키가 크고 빨간색 꽃잎을 가진 식물(TTRR, TtRR) : 키가 크고 분홍색 꽃잎을 가진 식물(TTRW, TtRW)=1 : 1이므로, 총 2000개의 자손 중 키가 크고 분홍색 꽃잎을 가진 식물은 1000개이다.

23 [모범 답안] 기르기 쉽다. 한 세대가 짧다. 자손의 수가 많다. 대립 형질이 뚜렷하다. 등

채점 기준	배점
완두가 유전 실험의 재료로 적합한 까닭을 세 가지 모두 옳게 서술한 경우	100 %
두 가지만 옳게 서술한 경우	60 %
한 가지만 옳게 서술한 경우	30 %

24 [모범 답안] 보라색, 대립 형질이 다른 두 순종 개체를 교배하여 얻은 잡종 1대에서 나타나는 형질이 우성인데, 잡종 1대에서 보라색 꽃잎만 나타났기 때문이다.

채점 기준	배점
보라색이라고 쓰고, 그 까닭을 우성의 뜻과 관련지어 옳게 서술한 경우	100 %
보라색이라고 쓰고, 그 까닭을 잡종 1대에서 보라색 꽃잎만 나타났기 때문이라고 서술한 경우	70 %
보라색이라고만 쓴 경우	30 %

25 [모범 답안] 잡종 2대에서 표현형의 비는 둥근 완두 : 주름진 완두=3 : 1, 유전자형의 비는 RR : Rr : rr=1 : 2 : 1로 나타난다.

채점 기준	배점
잡종 2대의 표현형의 비와 유전자형의 비를 모두 옳게 서술한 경우	100 %
두 가지 중 한 가지만 옳게 서술한 경우	50 %

26 [모범 답안] 잡종 2대에서 표현형의 비는 둥글고 노란색 : 둥글고 초록색 : 주름지고 노란색 : 주름지고 초록색=9 : 3 : 3 : 1로 나타난다.

채점 기준	배점
잡종 2대의 표현형의 비를 옳게 서술한 경우	100 %
9 : 3 : 3 : 1을 포함하지 않은 경우	0 %

27 [모범 답안] 빨간색 꽃잎 유전자(R)와 흰색 꽃잎 유전자(W) 사이의 우열 관계가 뚜렷하지 않기 때문이다.

채점 기준	배점
빨간색 꽃잎 유전자와 흰색 꽃잎 유전자 사이의 우열 관계가 뚜렷하지 않기 때문이라는 내용을 포함하여 옳게 서술한 경우	100 %
대립유전자 사이의 우열 관계를 언급하지 않은 경우	0 %

04 사람의 유전

단원 미리보기

223쪽

만화 완성하기 >> [모범 답안] 엄마랑 아빠의 유전자형이 모두 BO이면 O형인 자녀가 태어날 수 있어!

한눈에 보기 >> [B] 가계도 분석 방법 [E] 성염색체 유전

223~227쪽

> **A** 1 ㄴ, ㄹ 2 (1) ✕ (2) ○ (3) ○ (4) ○ 3 쌍둥이 연구
>
> **B** 1 ㉠ 열성, ㉡ 우성, ㉢ 열성 2 (1) ○ (2) ✕ (3) ○
>
> **C** 1 (1) ○ (2) ✕ (3) ✕ 2 (가) Aa, (나) Aa, (다) aa, (라) Aa
>
> **D** 1 (1) ✕ (2) ○ (3) ○ (4) ✕ 2 (가) AB, (나) AO
>
> **E** 1 (1) ○ (2) ○ (3) ✕ (4) ✕ 2 (1) 어머니 (2) XX′, X′X′

A-1 [바로알기] >> ㄱ, ㄷ. 사람은 대립 형질이 복잡하고, 교배 실험이 불가능하다.

A-2 [바로알기] >> (1) 각기 다른 두 개의 수정란이 동시에 발생한 2란성 쌍둥이는 유전자 구성이 다르며, 성별이 같을 수도 있고, 다를 수도 있다. 유전자 구성이 같고, 성별이 항상 같은 것은 하나의 수정란이 발생 초기에 둘로 나뉘어 각각 발생한 1란성 쌍둥이이다.

B-2 [바로알기] >> (2) (다)는 (가)와 (나)로부터 각각 마른 귀지 유전자를 하나씩 물려받아 마른 귀지를 갖게 되었다. 즉, (가)는 마른 귀지 유전자가 있다.

C-1 [바로알기] >> (2), (3) 상염색체에 있는 한 쌍의 대립유전자에 의해 결정되는 형질은 대립 형질이 비교적 명확하게 구분되며, 남녀에 따라 형질이 나타나는 빈도에 차이가 없다.

C-2 [문제 분석하기] >>

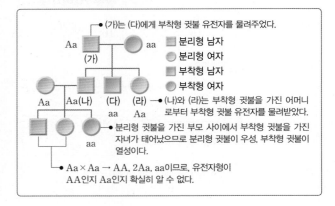

D-1 바로알기 ≫ (1) ABO식 혈액형의 표현형은 A형, B형, AB형, O형 4가지이고, 유전자형은 AA, AO, BB, BO, AB, OO 6가지이다.
(4) ABO식 혈액형에 관여하는 대립유전자의 종류는 A, B, O 세 가지이지만, 한 사람은 2개의 대립유전자를 가진다. 즉, 한 쌍의 대립유전자에 의해 형질이 결정된다.

D-2 (가)는 딸에게 유전자 A를, 아들에게 유전자 B를 물려주었으므로 유전자 A와 B를 모두 가지고 있다. (나)는 딸에게 유전자 O를, 아들에게 유전자 A를 물려주었으므로 유전자 A와 O를 가지고 있다.

E-1 바로알기 ≫ (3) 적록 색맹은 여자보다 남자에게 더 많이 나타난다. 성염색체 구성이 XY인 남자는 적록 색맹 유전자가 1개만 있어도 적록 색맹이 되지만, 성염색체 구성이 XX인 여자는 2개의 X 염색체에 모두 적록 색맹 유전자가 있어야 적록 색맹이 되기 때문이다.
(4) 하나의 X 염색체에만 적록 색맹 유전자가 있는 여자의 경우 정상인과 같이 색을 구별할 수 있어 보인자라고 한다. 여자는 보인자(XX′)가 있지만, 남자는 보인자가 없다.

E-2 문제 분석하기

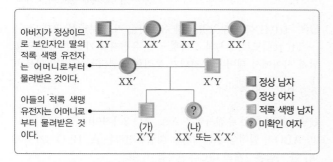

(2) XX′ × X′Y → XX′, X′X′, XY, X′Y이므로 미확인 여자인 (나)의 유전자형은 XX′ 또는 X′X′이다.

생식세포	X	X′
X′	XX′	X′X′
Y	XY	X′Y

228쪽

유제 1 75 %
유제 2 (1) 50 % (2) 25 % (3) 50 %

유제 1 문제 분석하기 ≫

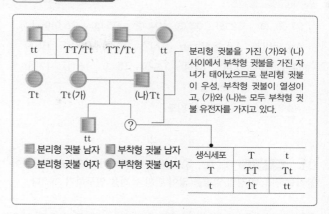

분리형 귓불 유전자를 T, 부착형 귓불 유전자를 t라고 하면, Tt × Tt → TT, 2Tt, tt이므로, (가)와 (나) 사이에서 태어나는 자녀가 분리형 귓불(TT, Tt)을 가질 확률은 $\frac{3}{4}$ × 100 = 75 %이다.

유제 2 문제 분석하기 ≫

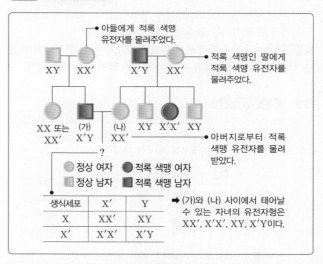

태어나는 자녀가 적록 색맹일 확률, 태어나는 자녀가 적록 색맹인 아들(딸)일 확률, 태어난 아들(딸)이 적록 색맹일 확률을 구하는 방법을 구분할 수 있어야 한다.
(1) (가)와 (나) 사이에서 태어나는 자녀(XX′, X′X′, XY, X′Y)가 적록 색맹(X′X′, X′Y)일 확률은 $\frac{2}{4}$ × 100 = 50 %이다.
(2) (가)와 (나) 사이에서 태어나는 자녀(XX′, X′X′, XY, X′Y)가 적록 색맹인 아들(X′Y)일 확률은 $\frac{1}{4}$ × 100 = 25 %이다.
(3) (가)와 (나) 사이에서 태어난 아들(XY, X′Y)이 적록 색맹(X′Y)일 확률은 $\frac{1}{2}$ × 100 = 50 %이다.

01 ②, ③ **02** ⑤ **03** ③ **04** ② **05** ③ **06** 어머니 :
Aa, 아버지 : Aa, 은희 : aa **07** ② **08** ③ **09** ① **10** ⑤
11 ②, ③ **12** ④ **13** ④ **14** ⑤ **15** ③ **16** ① **17** ⑤
18 ⑤ **19** ⑤ **20** ③

서술형 **문제** **21~25** 해설 참조

01 바로알기 ≫ ①, ④, ⑤ 사람은 한 세대가 길고, 교배 실험이
불가능하며, 환경의 영향을 많이 받아 유전을 연구하기 어렵다.

02 ㄴ. 가계도 조사, ㄷ. 쌍둥이 연구, ㄹ. 최근의 유전 연구
방법인 염색체 분석에 대한 설명이다.
바로알기 ≫ ㄱ. 사람은 교배 실험이 불가능하다.

03 ③ 쌍둥이의 성장 환경과 특정 형질의 발현이 어느 정도
일치하는지 조사하는 쌍둥이 연구를 통해 유전과 환경이 특정 형
질에 미치는 영향을 알아볼 수 있다.

04 ㄱ, ㄴ. 1란성 쌍둥이는 하나의 수정란이 발생 초기에 나
뉘어 각각 발생한 것으로, 유전자 구성이 같다. 따라서 1란성 쌍
둥이에서 형질 차이는 환경의 영향으로 나타난다.
바로알기 ≫ ㄷ. 같은 환경에서 자랐을 때보다 다른 환경에서 자랐
을 때 차이가 큰 몸무게가 환경의 영향을 많이 받는 형질이다.

05 문제 분석하기 ≫

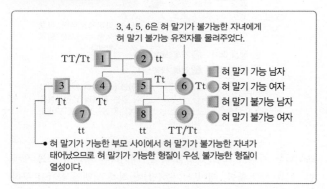

3, 4, 5, 6은 혀 말기가 불가능한 자녀에게
혀 말기 불가능 유전자를 물려주었다.

■ 혀 말기 가능 남자
● 혀 말기 가능 여자
■ 혀 말기 불가능 남자
● 혀 말기 불가능 여자

● 혀 말기가 가능한 부모 사이에서 혀 말기가 불가능한 자녀가
태어났으므로 혀 말기가 가능한 형질이 우성, 불가능한 형질이
열성이다.

① 부모와 다른 형질을 지닌 자녀가 태어나면 부모의 형질이 우
성, 자녀의 형질이 열성이다.
② 3과 4는 7에게 혀 말기 불가능 유전자를 물려주었다.
④ 혀 말기 가능 유전자를 T, 혀 말기 불가능 유전자를 t라고 하
면, Tt×Tt → TT, 2Tt, tt이므로, 3과 4 사이에서 태어나는
자녀가 혀 말기가 가능할(TT, Tt) 확률은 $\frac{3}{4}$×100=75 %이다.
⑤ 본인과 자녀, 부모와 본인이 모두 우성 형질을 나타내는 1과
9의 유전자형은 TT일 수도 있고, Tt일 수도 있다.

바로알기 ≫ ③ 혀 말기가 가능한 5는 1로부터 혀 말기 가능 유전
자를, 2로부터 혀 말기 불가능 유전자를 물려받았다.

06 미맹이 아닌 부모 사이에서 미맹인 자녀(은희)가 태어났으
므로 미맹이 아닌 형질이 우성이고, 미맹이 열성이다. 따라서 미
맹인 은희의 유전자형은 aa이다. 은희는 어머니와 아버지로부터
미맹 유전자를 하나씩 물려받았으므로, 어머니와 아버지는 모두
미맹 유전자를 가지고 있다.

[07~08] 문제 분석하기 ≫

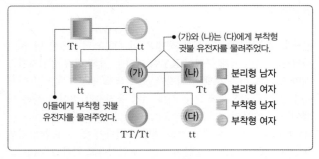

● (가)와 (나)는 (다)에게 부착형
귓불 유전자를 물려주었다.

■ 분리형 남자
● 분리형 여자
■ 부착형 남자
● 부착형 여자

● 아들에게 부착형 귓불
유전자를 물려주었다.

07 분리형 귓불 유전자를 T, 부착형 귓불 유전자를 t라고 하
면, Tt×Tt → TT, 2Tt, tt이므로, (가)와 (나) 사이에서 태어나
는 자녀가 부착형 귓불(tt)을 가질 확률은 $\frac{1}{4}$×100=25 %이다.

08 tt(다)×Tt(부착형 귓불 유전자를 가진 분리형 귓불 남자)
→ Tt, tt이므로, (다)와 부착형 귓불 유전자를 가진 분리형 귓불
남자 사이에서 태어나는 자녀가 분리형 귓불(Tt)을 가질 확률은
$\frac{1}{2}$×100=50 %이다.

09 ② A형의 유전자형은 AA, AO 2가지이다.
③ ABO식 혈액형에 관여하는 대립유전자는 A, B, O 3가지이
며, 한 사람은 2개의 대립유전자를 가진다.
④, ⑤ 유전자 A와 B는 유전자 O에 대해 우성이고, 유전자 A
와 B 사이에는 우열 관계가 없다.
바로알기 ≫ ① ABO식 혈액형의 표현형은 A형, B형, AB형,
O형 4가지이고, 유전자형은 AA, AO, BB, BO, AB, OO
6가지이다.

10 자녀에서 O형이 나오려면 부모가 모두 유전자 O를 가지
고 있어야 한다.
① AO×AO → AA, 2AO, OO
② AO×BO → AB, AO, BO, OO
③ BO×BO → BB, 2BO, OO
④ BO×OO → BO, OO
바로알기 ≫ ⑤ AB×OO → AO, BO

11 ②, ③ B형의 유전자형은 BB, BO 2가지이고, 대립유전
자는 상동 염색체의 같은 위치에 있다.

[12~13] 문제 분석하기 >>

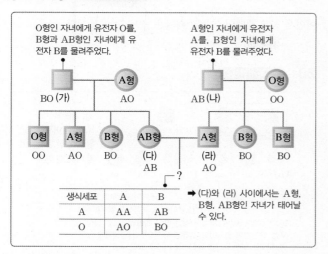

$X'Y \times XX' \to XX', X'X', XY, X'Y$이므로, (가)가 적록 색맹($X'X', X'Y$)일 확률은 $\dfrac{2}{4} \times 100 = 50\,\%$이다.

16 문제 분석하기 >>

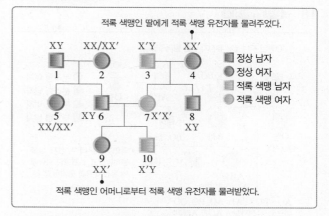

적록 색맹인 딸에게 적록 색맹 유전자를 물려주었다.

	정상 남자
	정상 여자
	적록 색맹 남자
	적록 색맹 여자

적록 색맹인 어머니로부터 적록 색맹 유전자를 물려받았다.

ㄱ. 9는 7로부터 적록 색맹 유전자를 물려받았다.

ㄴ. 6은 2로부터 정상 유전자를 물려받았기 때문에 정상 형질을 나타낸다.

바로알기 ㄷ. 유전자형을 확실히 알 수 없는 사람은 2와 5, 총 2명이다.

ㄹ. $XY \times X'X' \to XX', X'Y$이므로, 6과 7 사이에서 자녀가 한 명 더 태어날 때 적록 색맹($X'Y$)일 확률은 $\dfrac{1}{2} \times 100 = 50\,\%$이다.

12 (가)는 O형인 자녀에게 유전자 O를, B형과 AB형인 자녀에게 유전자 B를 물려주었으므로, 유전자형이 BO인 B형이다. (나)는 A형인 자녀에게 유전자 A를, B형인 자녀에게 유전자 B를 물려주었으므로, AB형이다.

13 (다)와 (라) 사이에서는 A형(AA, AO), B형(BO), AB형(AB)인 자녀가 태어날 수 있다.

14 ①, ②, ③ 형질을 결정하는 유전자가 성염색체인 X 염색체에 있고, 정상에 대해 열성으로 유전되는 적록 색맹은 여자보다 남자에게 더 많이 나타난다. 이와 같이 유전자가 성염색체에 있어 유전 형질이 나타나는 빈도가 남녀에 따라 차이가 나는 유전 현상을 반성유전이라고 한다.

④ 적록 색맹인 어머니로부터 적록 색맹 유전자가 있는 X 염색체(X')를 물려받는 아들은 적록 색맹이 된다.

바로알기 ⑤ 정상인 아버지로부터 정상 유전자가 있는 X 염색체(X)를 물려받는 딸은 적록 색맹이 되지 않는다.

15 문제 분석하기 >>

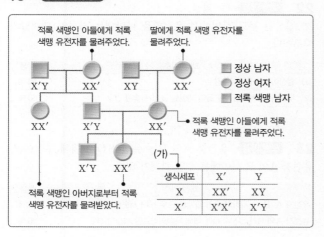

적록 색맹인 아들에게 적록 색맹 유전자를 물려주었다.

딸에게 적록 색맹 유전자를 물려주었다.

	정상 남자
	정상 여자
	적록 색맹 남자

적록 색맹인 아들에게 적록 색맹 유전자를 물려주었다.

적록 색맹인 아버지로부터 적록 색맹 유전자를 물려받았다.

생식세포	X'	Y
X	XX'	XY
X'	$X'X'$	$X'Y$

17 문제 분석하기 >>

- 외할아버지는 적록 색맹이고, 외할머니는 정상이다.
  ➡ 외할아버지의 유전자형은 $X'Y$이고, 외할머니의 유전자형은 XX인지, XX'인지 확실히 알 수 없다.
- 어머니와 아버지는 모두 정상이다.
  ➡ 외할아버지로부터 적록 색맹 유전자를 물려받은 어머니의 유전자형은 XX'이고, 아버지의 유전자형은 XY이다.
- 여자인 은하는 정상이고, 남동생은 적록 색맹이다.
  ➡ 은하의 유전자형은 XX인지, XX'인지 확실히 알 수 없고, 남동생의 유전자형은 $X'Y$이다.

① 외할머니의 유전자형은 XX인지 XX'인지 확실히 알 수 없다.

② 외할아버지가 적록 색맹이므로 어머니는 적록 색맹 유전자를 가지고 있다.

③ 아버지는 정상 유전자만 가지고 있으므로, 은하는 아버지로부터 정상 유전자를 물려받았다. 어머니로부터는 정상 유전자를 물려받았을 수도 있고, 적록 색맹 유전자를 물려받았을 수도 있다.

④ 남동생은 어머니로부터 적록 색맹 유전자를 물려받아 적록 색맹이 되었다.

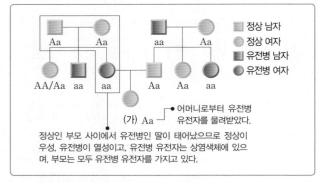

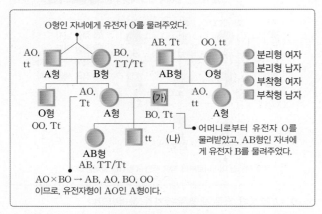

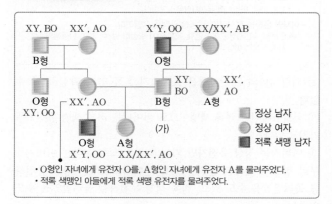

바로알기 ⑤ XX′(어머니)×XY(아버지) → XX, XX′, XY, X′Y이므로, 은하의 동생이 한 명 더 태어날 때 정상인 아들 (XY)일 확률은 $\frac{1}{4}$×100=25 %이다.

18 문제 분석하기 ≫

O형인 자녀에게 유전자 O를 물려주었다.

AO, tt A형
BO, TT/Tt B형
AB, Tt AB형
OO, tt O형

● 분리형 여자
■ 분리형 남자
● 부착형 여자
■ 부착형 남자

O형 OO, Tt
AO, Tt A형
(가)
AO, tt A형
BO, Tt
AB형 AB, TT/Tt
tt (나)

● 어머니로부터 유전자 O를 물려받았고, AB형인 자녀에게 유전자 B를 물려주었다.

AO×BO → AB, AO, BO, OO 이므로, 유전자형이 AO인 A형이다.

ㄱ. (가)는 어머니로부터 유전자 O를 물려받았고, AB형인 자녀에게 유전자 B를 물려주었으므로 유전자형이 BO이다.

ㄴ. 분리형 귓불을 가진 (나)의 어머니와 (가) 사이에서 부착형 귓불을 가진 자녀가 태어났으므로 분리형 귓불이 우성, 부착형 귓불이 열성이며, (나)의 어머니와 (가)는 모두 부착형 귓불 유전자를 가지고 있다.

ㄷ. AO×BO → AB, AO, BO, OO이므로 (나)가 A형(AO) 일 확률은 $\frac{1}{4}$이고, Tt×Tt → TT, 2Tt, tt이므로 (나)가 분리형 귓불(TT, Tt)을 가질 확률은 $\frac{3}{4}$이다. 따라서 (나)가 A형이면서 분리형 귓불을 가질 확률은 $\frac{1}{4}$×$\frac{3}{4}$=$\frac{3}{16}$이다.

19 문제 분석하기 ≫

XY, BO
XX′, AO
X′Y, OO
XX/XX′, AB

B형
O형

O형 XY, OO
XX′, AO
XY, BO B형
XX′, AO A형

● 정상 남자
● 정상 여자
■ 적록 색맹 남자

O형 X′Y, OO
A형 XX/XX′, AO
(가)

● O형인 자녀에게 유전자 O를, A형인 자녀에게 유전자 A를 물려주었다.
● 적록 색맹인 아들에게 적록 색맹 유전자를 물려주었다.

AO×BO → AB, AO, BO, OO이므로 (가)가 O형(OO)일 확률은 $\frac{1}{4}$이고, XX′×XY → XX, XX′, XY, X′Y이므로 (가)

가 적록 색맹인 아들(X′Y)일 확률은 $\frac{1}{4}$이다. 따라서 (가)가 O형이면서 적록 색맹인 아들일 확률은 $\frac{1}{4}$×$\frac{1}{4}$=$\frac{1}{16}$이다.

20 문제 분석하기 ≫

Aa Aa
aa Aa

■ 정상 남자
● 정상 여자
■ 유전병 남자
● 유전병 여자

AA/Aa aa aa Aa Aa aa

(가) Aa
● 어머니로부터 유전병 유전자를 물려받았다.

정상인 부모 사이에서 유전병인 딸이 태어났으므로 정상이 우성, 유전병이 열성이고, 유전병 유전자는 상염색체에 있으며, 부모는 모두 유전병 유전자를 가지고 있다.

ㄷ. (가)는 어머니로부터 유전병 유전자를 물려받았다.

ㄹ. aa×Aa → Aa, aa이므로, (가)의 동생이 태어날 때 유전병을 나타낼(aa) 확률은 $\frac{1}{2}$×100=50 %이다.

바로알기 ㄱ. 이 유전병은 열성으로 유전된다.

ㄴ. 유전병 유전자는 상염색체에 있다. 만약 유전병 유전자가 X 염색체에 있다면 정상인 아버지로부터 정상 유전자가 있는 X 염색체를 물려받는 딸은 유전병을 나타내지 않는다.

21 모범 답안 ▶ 한 세대가 길다. 자손의 수가 적다. 대립 형질이 복잡하다. 환경의 영향을 많이 받는다. 교배 실험이 불가능하다. 등

채점 기준	배점
사람의 유전 연구가 어려운 까닭을 세 가지 모두 옳게 서술한 경우	100 %
두 가지만 옳게 서술한 경우	60 %
한 가지만 옳게 서술한 경우	30 %

22 모범 답안 ▶ (1) 열성

(2) 정상인 부모 사이에서 유전병을 나타내는 자녀가 태어났기 때문이다.

	채점 기준	배점
(1)	열성이라고 옳게 쓴 경우	40 %
(2)	부모와 자녀의 형질을 들어 까닭을 옳게 서술한 경우	60 %

23 모범 답안 ▶ 유전자 A와 B는 유전자 O에 대해 우성이고, 유전자 A와 B 사이에는 우열 관계가 없다.

채점 기준	배점
유전자 A, B, O 사이의 우열 관계를 모두 옳게 서술한 경우	100 %
유전자 A와 B가 유전자 O에 대해 우성이라고만 서술한 경우	50 %

24 모범 답안 **성염색체** 구성이 **XY**인 남자는 적록 색맹 유전자가 1개만 있어도 적록 색맹이 되지만, **성염색체** 구성이 **XX**인 여자는 2개의 X 염색체에 모두 적록 색맹 유전자가 있어야 적록 색맹이 되기 때문이다.

채점 기준	배점
단어를 모두 포함하여 까닭을 옳게 서술한 경우	100 %
남녀의 성염색체 구성을 언급하지 않은 경우	0 %

25 모범 답안 (1) 4에서 7을 거쳐 철수에게 전달되었다.
(2) 25 %
|해설| (1) 아들은 어머니(7)로부터 X 염색체를 물려받는다. 3이 정상이므로 7은 4로부터 적록 색맹 유전자를 물려받았다.
(2) X′Y(6)×XX′(7) → XX′, X′X′, XY, X′Y이므로, 영희의 동생이 태어날 때 적록 색맹인 아들(X′Y)일 확률은 $\frac{1}{4} \times 100$ = 25 %이다.

	채점 기준	배점
(1)	4 → 7 → 철수의 경로를 옳게 서술한 경우	60 %
	4와 7 중 하나라도 빠진 경우	0 %
(2)	25 %라고 옳게 쓴 경우	40 %

핵심 자료로 최종 점검

236~237쪽

01 세포 분열

1 ❶ 핵 ❷ 염색 분체 ❸ DNA ❹ 유전 정보

2 ❶ 1 ❷ 성염색체 ❸ 상염색체 ❹ 22

3 ❶ 간기 ❷ 염색체 ❸ 염색 분체

4 ❶ 2가 염색체 ❷ 상동 염색체 ❸ 염색 분체

02 사람의 발생

1 ❶ 23 ❷ 양분 ❸ 23

2 ❶ 난할 ❷ 수정 ❸ 배란 ❹ 포배 ❺ 착상

03 멘델의 유전 원리

1 ❶ R ❷ r ❸ 1 : 2 : 1 ❹ 3 : 1

2 ❶ RY ❷ Ry ❸ rY ❹ ry ❺ 9 : 3 : 3 : 1 ❻ 3 : 1
 ❼ 3 : 1

04 사람의 유전

1 ❶ 우성 ❷ 열성 ❸ Aa

2 ❶ BO ❷ AO ❸ AO ❹ BO ❺ AO, OO

3 ❶ XX′ ❷ XX, XX′, XY, X′Y

01 ② 02 ③ 03 ② 04 ④ 05 ③ 06 ②, ④
07 ③, ⑤ 08 ① 09 ④ 10 ① 11 ④ 12 ⑤ 13 ⑤
14 ③ 15 ③ 16 ④ 17 ⑤

01 세포의 크기가 커지면 표면적과 부피가 모두 증가하지만, 부피가 커지는 비율이 표면적이 커지는 비율보다 크다. 따라서 세포의 크기가 커질수록 세포의 부피에 대한 표면적의 비가 작아져 물질 교환에 불리하다. 이 때문에 세포는 크기가 계속 커지지 않고 분열하여 수를 늘림으로써 물질 교환이 효율적으로 일어날 수 있게 한다.
바로알기 》 ② 세포의 크기가 커질 때 세포의 부피에 대한 표면적의 비가 작아져 물질 교환에 불리하다.

02 ① 염색 분체는 한쪽의 DNA가 복제되어 만들어진 것이므로, 서로 같은 유전 정보를 담고 있다.
바로알기 》 ③ 염색체는 세포가 분열하지 않을 때는 핵 속에 가는 실처럼 풀어져 있다가, 세포가 분열하기 시작하면 굵고 짧게 뭉쳐져 막대 모양으로 나타난다.

03 ㄱ. (가)는 성염색체 구성이 XX이므로 여자의 염색체 구성이고, (나)는 성염색체 구성이 XY이므로 남자의 염색체 구성이다.
ㄹ. 여자는 어머니와 아버지로부터 각각 22개의 상염색체와 X 염색체를 물려받았다.
바로알기 》 ㄴ. 사람의 체세포에는 46개(23쌍)의 염색체가 있다.
ㄷ. 남자는 어머니로부터 22개의 상염색체와 X 염색체를, 아버지로부터 22개의 상염색체와 Y 염색체를 물려받았다.

04 A는 중기, B는 전기, C는 후기, D는 말기의 세포이다.
바로알기 》 ④ D에서 세포판이 만들어지고 있으므로, 이 세포는 식물 세포임을 알 수 있다.

05 (가) 해리, (나) 염색, (다) 압착, (라) 고정, (마) 분리 과정이다.
바로알기 》 ㄱ, ㄷ. 세포 분열을 멈추고 살아 있을 때의 모습을 유지하도록 하는 과정은 고정(라)이고, 세포가 잘 분리되도록 조직을 연하게 만드는 과정은 해리(가)이다.

06 ② 이 세포 분열은 염색체 수가 절반으로 줄어드는 감수 분열이다. 감수 분열 결과 정자와 난자 같은 생식세포가 만들어진다.
④ (다) → (라) 과정에서 상동 염색체가 분리되어 서로 다른 딸세포로 들어감으로써 염색체 수가 절반으로 줄어든다.

바로알기 >> ① 식물에서 감수 분열은 꽃밥과 밑씨에서 일어난다. 생장점과 형성층에서는 체세포 분열이 일어난다.

③ (가) → (나) 과정에서는 DNA가 복제되어 그 양이 2배로 증가한다. 즉, (나)의 세포는 (가)의 세포보다 DNA양이 2배 많다.

⑤ (라) → (마) 과정에서 염색체가 분리되어 서로 다른 딸세포로 들어간다. 이때 염색체 수는 변하지 않지만, DNA양은 절반으로 줄어든다.

07 문제 분석하기 >>

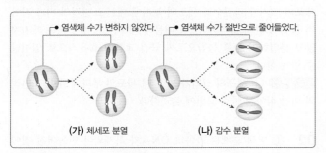

구분	체세포 분열	감수 분열
분열 횟수	1회	연속 2회
딸세포 수	2개	4개
2가 염색체	형성되지 않음	형성됨
염색체 수 변화	변화 없음	절반으로 줄어듦
분열 결과	생장, 재생	생식세포 형성

08 (가)는 정자, (나)는 난자, A와 D는 핵, B는 꼬리, C는 세포질이다.

②, ③ 정소와 난소에서 감수 분열이 일어나 염색체 수가 체세포의 절반인 생식세포, 즉 정자(가)와 난자(나)가 만들어진다.

④ 정자(가)는 꼬리(B)를 이용하여 스스로 움직일 수 있으며, 난자(나)는 스스로 움직이지 못한다.

⑤ 난자(나)는 세포질(C)에 많은 양분을 저장하고 있어 보통 세포보다 크기가 훨씬 크다.

바로알기 >> ① 난자(나)가 정자(가)보다 크기가 훨씬 크다.

09 난할은 체세포 분열이지만 분열 후 생긴 딸세포의 크기가 커지지 않고, 세포 분열을 빠르게 반복하는 특징이 있다. 따라서 난할이 진행될 때 염색체 수는 변하지 않고, 세포 수가 늘어나며, 세포 각각의 크기는 점점 작아진다.

10 ② 수정란은 난할을 거듭하여 세포 수를 늘리면서 자궁으로 이동한다.

③ 수정 후 약 일주일이 지나면 수정란은 속이 빈 공 모양의 세포 덩어리인 포배가 되어 자궁 안쪽 벽을 파고들어 가는데, 이러한 현상을 착상이라고 한다.

④ 태반에서 태아와 모체 사이에 물질 교환이 일어나 필요한 산소와 영양소를 모체로부터 전달받고, 태아의 몸에서 생기는 이산화 탄소와 노폐물을 모체로 전달하여 내보낸다.

바로알기 >> ① 착상되었을 때부터 임신되었다고 한다.

11 바로알기 >> ④ 수술의 꽃가루가 같은 그루의 꽃에 있는 암술에 붙는 현상을 자가 수분, 다른 그루의 꽃에 있는 암술에 붙는 현상을 타가 수분이라고 한다.

12 ① 잡종 1대에서 노란색 완두만 나타난 것으로 보아 노란색이 초록색에 대해 우성이다.

② 열성인 초록색 완두의 유전자형은 yy 한 종류이다.

③ 어버이의 노란색 완두는 유전자형이 YY이고, 잡종 1대의 노란색 완두는 유전자형이 Yy이다.

④ 잡종 1대를 자가 수분하면 Yy×Yy → YY, 2Yy, yy이므로, 잡종 2대에서 순종(YY, yy) : 잡종(Yy)=1 : 1의 비로 나타난다.

바로알기 >> ⑤ 잡종 2대에서 노란색 완두(YY, Yy) : 초록색 완두(yy)=3 : 1의 비로 나온다. 따라서 잡종 2대에서 총 900개의 완두를 얻었다면, 이 중 노란색 완두는 $900 \times \frac{3}{4} = 675$(개)이다.

13 ①, ② 유전자형이 RrYy인 잡종 1대에서는 유전자형이 RY, Ry, rY, ry인 4종류의 생식세포가 1 : 1 : 1 : 1의 비로 만들어진다.

③, ④ 잡종 2대에서 표현형의 비는 둥글고 노란색 : 둥글고 초록색 : 주름지고 노란색 : 주름지고 초록색=9 : 3 : 3 : 1이다. 따라서 잡종 2대에서 총 2400개의 완두를 얻었다면, 이 중 둥글고 초록색인 완두는 $2400 \times \frac{3}{16} = 450$(개)이다.

바로알기 >> ⑤ 잡종 1대에서 유전자형이 RY, Ry, rY, ry인 4종류의 생식세포가 만들어지므로, RY와 ry, Ry와 rY가 수정되면 유전자형이 RrYy인 완두가 만들어진다.

14 문제 분석하기 >>

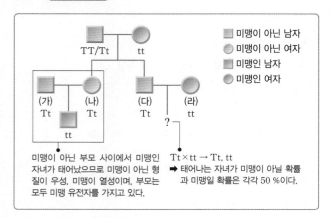

ㄷ. Tt(다)×tt(라) → Tt, tt이므로, 태어나는 자녀가 미맹이 아닐(Tt) 확률과 미맹(tt)일 확률은 각각 $\frac{1}{2} \times 100 = 50$ %로 같다.

바로알기 》 ㄱ. 미맹은 미맹이 아닌 형질에 대해 열성이다.

ㄴ. (가)와 (나)는 미맹인 자녀에게 미맹 유전자를 물려주었으므로, 미맹 유전자를 가지고 있다.

15 〖문제 분석하기 》〗

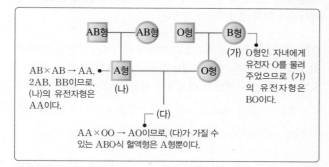

AB×AB → AA, 2AB, BB이므로, (나)의 유전자형은 AA이다.

(가) O형인 자녀에게 유전자 O를 물려주었으므로 (가)의 유전자형은 BO이다.

AA×OO → AO이므로, (다)가 가질 수 있는 ABO식 혈액형은 A형뿐이다.

바로알기 》 ①, ② 유전자 A와 B 사이에는 우열 관계가 없고, 유전자 A와 B는 유전자 O에 대해 우성이다.

④ (나)의 유전자형은 AA이다.

⑤ (다)가 가질 수 있는 ABO식 혈액형은 A형뿐이다.

16 AO×AB → AA, AB, AO, BO로, A형, B형, AB형인 자녀가 태어날 수 있다.

바로알기 》 ④ 유전자형이 BB인 자녀는 태어날 수 없다.

17 〖문제 분석하기 》〗

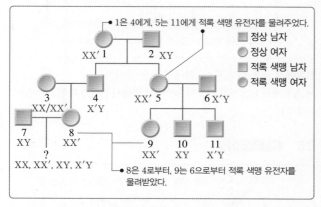

⑤ 11은 5로부터, 5는 1로부터 적록 색맹 유전자를 물려받았다.

바로알기 》 ① 3의 유전자형은 확실히 알 수 없지만, 11에게 적록 색맹 유전자를 물려준 5의 유전자형은 XX′이다.

② 아들은 어머니로부터 X 염색체를 물려받는다. 즉, 4는 1로부터 적록 색맹 유전자를 물려받았다. 2는 적록 색맹 유전자를 가지고 있지 않다.

③ 7과 8 사이에서는 유전자형이 XX, XX′, XY, X′Y인 자녀가 태어날 수 있으므로, 적록 색맹인 딸은 태어나지 않는다.

④ 9는 6으로부터 적록 색맹 유전자를 물려받았다.

Ⅵ. 에너지 전환과 보존

01 역학적 에너지 전환과 보존

단원 미리보기

244~245쪽

만화 완성하기 》 [모범 답안] 떨어질 때 위치 에너지가 운동 에너지로 전환돼서 빨리 달릴 수 있기 때문이야.

한눈에 보기 》 [A] 역학적 에너지 전환과 보존, [B] 여러 가지 운동의 역학적 에너지

245~247쪽

A 1 (1) ○ (2) ○ (3) × 2 (1) 98 J (2) 49 J (3) 98 J 3 ⑤
B 1 ⑤ 2 ㄱ, ㄴ 3 (1) × (2) ○ (3) ○ (4) ○

A-1 (1), (2) 물체가 올라가는 동안 높이가 높아지므로 위치 에너지가 증가하고, 속력은 감소한다.

바로알기 》 (3) 공기 저항이 없는 경우 물체가 올라가는 동안 역학적 에너지는 보존되므로 일정하다.

A-2 (1) 10 m 높이에서 가만히 떨어뜨렸으므로 물체의 역학적 에너지는 처음의 위치 에너지와 같다.

10 m 높이에서 역학적 에너지=(9.8×1) N×10 m=98 J

(2) 5 m 높이에 도달했을 때 물체의 운동 에너지는 5 m만큼 낙하하는 동안 감소한 위치 에너지와 같다.

5 m 높이에서 운동 에너지=감소한 위치 에너지
=(9.8×1) N×(10−5) m=49 J

(3) 지면에 도달하는 순간 위치 에너지는 0이므로 운동 에너지는 역학적 에너지와 같다. 역학적 에너지는 보존되므로 10 m 높이에서 역학적 에너지와 같은 98 J이다.

A-3 역학적 에너지는 보존되므로 5 m 높이와 20 m 높이에서 역학적 에너지는 같다. 20 m 높이에서는 속력이 0이므로 역학적 에너지는 위치 에너지와 같다. 따라서 5 m 높이에서 역학적 에너지=(9.8×2) N×20 m=392 J이 된다.

B-1 ㄱ. A점의 위치가 가장 높으므로 A점에서 위치 에너지가 최대이다.

ㄷ. A → B 구간에서 롤러코스터의 높이가 낮아지므로 위치 에너지가 운동 에너지로 전환되어 속력이 빨라진다.

ㄹ. C → D 구간에서 롤러코스터의 높이가 높아지므로 운동 에너지가 위치 에너지로 전환된다.

바로알기 》 ㄴ. 역학적 에너지는 보존되므로 모든 지점에서 같다.

B-2 ㄱ, ㄴ. 위치 에너지가 운동 에너지로 전환되는 구간은 높이가 낮아지는 구간이다. 따라서 A → O, B → O 구간이다.

바로알기 » ㄷ, ㄹ. O → A, O → B 구간은 운동 에너지가 위치 에너지로 전환되는 구간이다.

B-3 (2) 공기 저항을 무시하므로 모든 위치에서 역학적 에너지는 같다.
(3) '역학적 에너지＝위치 에너지＋운동 에너지＝일정'에서 B와 C는 높이가 같으므로 위치 에너지가 같다. 따라서 운동 에너지도 같다.
(4) A와 D의 높이가 같으므로 두 위치에서의 운동 에너지가 같다. 따라서 두 위치에서 속력이 같다.
바로알기 » (1) 비스듬히 던져 올린 물체의 운동에서는 최고점인 O에서 수평 방향의 속력이 있으므로 운동 에너지가 0이 아니다.

실력탄탄 핵심문제
248~251쪽

01 ⑤	02 ③	03 ②	04 ⑤	05 ③	06 ③	07 ④
08 ⑤	09 ⑤	10 ③	11 ⑤	12 ⑤	13 ②	14 ㄱ
15 ⑤	16 ②	17 54 J	18 ③			

서술형 문제 19~24 해설 참조

01 새의 위치 에너지＝(9.8×2) N×5 m＝98 J
새의 운동 에너지＝$\frac{1}{2}$×2 kg×(10 m/s)²＝100 J
새의 역학적 에너지＝98 J＋100 J＝198 J

02 ③ 장대높이뛰기를 하면 바닥에 있던 사람이 빨리 달리다가 장대를 짚고 높이 올라가므로 운동 에너지가 위치 에너지로 전환된다.
바로알기 » ①, ④ 위치 에너지가 운동 에너지로 전환된다.
② 높이 변화가 없으므로 위치 에너지와 운동 에너지 사이의 전환은 없다.
⑤ 역학적 에너지 전환은 없고 바람이 바람개비에게 일을 해 주어서 운동 에너지가 생긴 것이다.

03 **문제 분석하기 »**

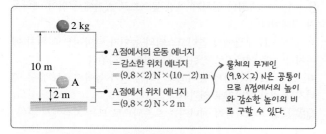

A점에서 위치 에너지 : A점에서 운동 에너지
＝(9.8×2) N×2 m : (9.8×2) N×(10-2) m＝2 : 8＝1 : 4

04 ① 공기 저항을 무시하므로 역학적 에너지는 보존된다.
② 높이가 높아지므로 위치 에너지는 점점 증가한다.
③ 공의 높이가 높아질수록 속력이 감소하므로 운동 에너지는 점점 감소한다.
④ 운동 에너지는 높이가 낮을수록 크므로 A점에서 가장 크다.
바로알기 » ⑤ 공의 높이가 높아지면서 속력이 느려지므로 운동 에너지가 위치 에너지로 전환된다.

05 공기 저항을 무시하므로 역학적 에너지는 보존된다. 따라서 10 m 높이에서 역학적 에너지는 위치 에너지와 같고, 지면에 도달하는 순간의 역학적 에너지는 운동 에너지와 같다. 지면에 도달하는 순간의 속력을 v라 하면, (9.8×4) N×10 m＝$\frac{1}{2}$×4 kg×v^2이므로 v＝14 m/s이다.

06 물체가 낙하하는 동안에는 위치 에너지가 운동 에너지로 전환되므로 2 m 높이에 있던 물체가 0.5 m 높이를 지날 때 운동 에너지는 감소한 위치 에너지와 같다.
0.5 m 높이에서 운동 에너지＝(9.8×2) N×(2-0.5) m＝29.4 J

07 **문제 분석하기 »**

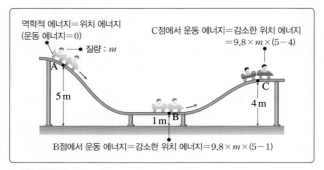

B점에서 운동 에너지 : C점에서 운동 에너지
＝A점에서 B점까지 감소한 높이 : A점에서 C점까지 감소한 높이
＝4 : 1

08 **문제 분석하기 »**

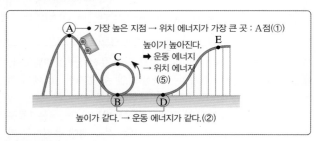

바로알기 » ③ 속력이 가장 빠른 곳은 가장 낮은 지점인 B, D점이다.
④ 마찰과 공기 저항을 무시하므로 전 구간에서 역학적 에너지는 보존된다.

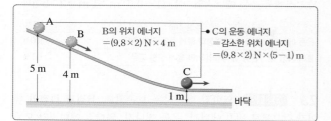

⑤ A점에서 공이 갖고 있는 위치 에너지는 레일을 따라 아래로 이동하면서 운동 에너지로 전환된다. 따라서 운동 에너지는 감소한 높이에 비례한다. B점에서의 높이와 C점에서 감소한 높이가 같으므로 B점에서의 위치 에너지와 C점에서 운동 에너지는 같다.

바로알기 » ① A점에서는 운동 에너지가 없으므로 역학적 에너지가 위치 에너지와 같다. 따라서 A점에서 위치 에너지 $=(9.8 \times 2)$ N $\times 5$ m $=98$ J이다.
② 공기 저항과 마찰을 무시하므로 공의 역학적 에너지는 보존된다. 따라서 공의 에너지는 위치 에너지에서 운동 에너지로 전환될 뿐 총량은 일정하게 유지된다.
③ C점에서 위치 에너지가 0이 아니므로 운동 에너지는 A점에서의 위치 에너지보다 작다.
④ C점과 B점에서의 운동 에너지의 차이는 감소한 위치 에너지의 차와 같다. 따라서 운동 에너지의 차는 (9.8×2) N $\times (4-1)$ m $=58.8$ J이다.

10 진자가 A점에서 O점으로 이동하는 동안 높이가 감소하므로 위치 에너지는 감소하고, 속력이 증가하므로 운동 에너지는 증가한다. 마찰이나 공기 저항을 무시할 때 역학적 에너지는 보존되므로 일정하다.

11 ⑤ B점에서 O점으로 운동할 때 높이가 낮아지면서 속력이 증가하므로 운동 에너지가 증가한다.
바로알기 » ①, ②, ③ A점과 B점에서는 높이가 최대이고, 속력은 0이다. 또한 O점에서는 높이가 가장 낮고, 속력이 가장 빠르다. 따라서 위치 에너지가 최대인 곳은 A점과 B점이고, 운동 에너지가 최대인 곳은 O점이다.
④ A점에서 O점으로 운동할 때 진자의 높이가 낮아지므로 위치 에너지가 감소한다. 이때 속력이 빨라지므로 운동 에너지가 증가한다.

12 O점의 높이가 10 m이므로 O점에서의 위치 에너지 $=(9.8 \times 2)$ N $\times 10$ m $=196$ J이다.
O점에서 역학적 에너지 $=$ 위치 에너지 $+$ 운동 에너지
$$=196 J+36 J=232 J$$
역학적 에너지는 보존되므로 B점에서 진자의 역학적 에너지는 O점에서와 같은 232 J이다.

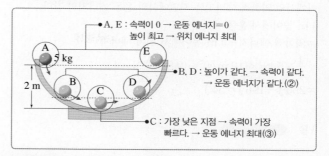

바로알기 » ① B점에서 쇠구슬은 아래로 내려가는 상태이므로 속력이 0이 아니다. 따라서 B점에서 운동 에너지는 0이 아니다.
④ 마찰과 공기 저항을 무시하므로 역학적 에너지가 보존된다.
⑤ C점에서 E점으로 갈 때 높이가 높아지므로 위치 에너지는 증가하고, 운동 에너지는 감소한다.

14 A와 B는 높이가 같으므로 위치 에너지가 같고, 같은 속력으로 던졌으므로 운동 에너지도 같아서 역학적 에너지가 같다.
ㄱ. A는 위로 올라갔다가 떨어지고 B는 바로 아래로 떨어지므로 지면에 B가 먼저 도착한다.
바로알기 » ㄴ. A와 B의 역학적 에너지가 같으므로 지면에 도달하는 순간 운동 에너지도 같다. 따라서 지면에 도달할 때 속력은 A와 B가 같다.
ㄷ. 역학적 에너지는 보존된다. A와 B의 처음 역학적 에너지가 같으므로 지면에 도달할 때의 역학적 에너지도 같다.

15 A~D 모두 공을 같은 높이에서 동일한 속력으로 던졌으므로 공을 던진 순간 A~D의 역학적 에너지는 모두 같다. 이때 공기 저항을 무시하므로 역학적 에너지는 보존되고 지면에 도달하는 순간의 운동 에너지는 역학적 에너지와 같으므로 A~D의 운동 에너지는 모두 같다. 따라서 지면에 도달하는 순간 A~D의 속력도 모두 같다.

16 ① A점에서 B점까지 가는 동안 공의 높이가 점점 높아지므로 공의 속력은 점점 느려진다.
③ A점에서는 공의 위치 에너지가 0이므로 역학적 에너지가 운동 에너지와 같다. 그리고 C점으로 이동하는 동안 공의 운동 에너지의 일부가 위치 에너지로 전환되므로 감소한 운동 에너지의 크기는 C점에서의 위치 에너지와 같다. 따라서 A점에서 C점까지 가는 동안 감소한 운동 에너지 $=(9.8 \times 0.5)$ N $\times 2$ m $=9.8$ J이다.
④ A점과 E점의 높이가 같으므로 위치 에너지가 같다. 역학적 에너지는 보존되므로 위치 에너지가 같으면 운동 에너지가 같다.
⑤ 공기 저항은 무시하므로 모든 점에서 역학적 에너지는 보존되어서 같다.
바로알기 » ② C점에서 공이 수평 방향으로 운동하고 있으므로 공의 속력은 0이 아니다.

17 물체의 역학적 에너지는 보존되므로 최고 높이인 4 m 높이에서의 역학적 에너지는 지면에서의 운동 에너지와 같다.
4 m 높이에서 운동 에너지
= 역학적 에너지 − 4 m 높이에서 위치 에너지
$= \dfrac{1}{2} \times 5 \text{ kg} \times (10 \text{ m/s})^2 - (9.8 \times 5) \text{ N} \times 4 \text{ m}$
$= 250 \text{ J} - 196 \text{ J} = 54 \text{ J}$

18 문제 분석하기 ≫

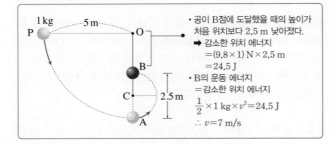

- 공이 B점에 도달했을 때의 높이가 처음 위치보다 2.5 m 낮아졌다.
  ➡ 감소한 위치 에너지
  = (9.8 × 1) N × 2.5 m
  = 24.5 J
- B의 운동 에너지
  = 감소한 위치 에너지
  $\dfrac{1}{2} \times 1 \text{ kg} \times v^2 = 24.5 \text{ J}$
  ∴ $v = 7 \text{ m/s}$

19 모범 답안 ▶ 지면에서 5 m 높이, 증가한 운동 에너지는 감소한 위치 에너지와 같으므로, 위치 에너지와 감소한 위치 에너지가 같은 지점은 지면에서의 높이와 낙하 거리가 각각 5 m로 같은 지점이다.

채점 기준	배점
5 m를 쓰고, 증가한 운동 에너지는 감소한 위치 에너지와 같기 때문이라고 옳게 서술한 경우	100 %
5 m만 쓴 경우	30 %

20 모범 답안 ▶ (1) 위치 에너지는 공의 높이에 비례하고, 운동 에너지는 감소한 높이에 비례한다. 따라서 위치 에너지 : 운동 에너지 = 5 m : (15−5) m = 1 : 2이다.
(2) 위치 에너지가 운동 에너지로 전환되므로 바닥에 도달하는 순간의 운동 에너지는 처음의 위치 에너지와 같다. 따라서 (9.8 × 1) N × 15 m = 147 J이다.

	채점 기준	배점
(1)	에너지 비를 풀이 과정과 함께 옳게 구한 경우	50 %
	풀이 과정 없이 에너지 비만 옳게 구한 경우	20 %
(2)	운동 에너지를 풀이 과정과 함께 옳게 구한 경우	50 %
	풀이 과정 없이 운동 에너지만 옳게 구한 경우	20 %

21 모범 답안 ▶ 처음 공의 역학적 에너지가 바닥에 도달할 때 모두 운동 에너지로 전환된다. (9.8 × 1) N × 5 m + $\dfrac{1}{2} \times 1 \text{ kg} \times v^2 = 81 \text{ J}$에서 속력 $v = 8 \text{ m/s}$이다.

채점 기준	배점
속력을 풀이 과정과 함께 옳게 구한 경우	100 %
풀이 과정 없이 속력만 옳게 구한 경우	50 %

22 모범 답안 ▶ 운동 에너지는 감소한 높이에 비례하므로 B점과 C점에서 운동 에너지의 비는 (1−0.6) m : 1 m = 2 : 5이다.

채점 기준	배점
운동 에너지의 비를 풀이 과정과 함께 옳게 구한 경우	100 %
풀이 과정 없이 운동 에너지의 비만 옳게 구한 경우	50 %

23 모범 답안 ▶ 역학적 에너지는 보존되고, B점과 D점의 높이가 같으므로 위치 에너지, 운동 에너지, 역학적 에너지가 모두 같다.

채점 기준	배점
세 가지를 모두 옳게 서술한 경우	100 %
옳게 서술한 에너지 하나당	30 %

24 모범 답안 ▶ 처음 운동 에너지가 최고점에서 위치 에너지와 운동 에너지로 전환된다. 따라서 최고점에서 운동 에너지 = $\dfrac{1}{2}$ × 4 kg × (10 m/s)² − (9.8 × 4) N × 5 m = 200 J − 196 J = 4 J이다.

채점 기준	배점
운동 에너지를 풀이 과정과 함께 옳게 구한 경우	100 %
풀이 과정 없이 운동 에너지만 옳게 구한 경우	50 %

02 전기 에너지의 발생과 전환

단원 미리보기

252~253쪽

만화 완성하기 ≫ [모범 답안] 바퀴 안에 자석과 코일이 들어 있어서 바퀴가 돌아가면 전자기 유도 현상이 일어나.
한눈에 보기 ≫ [A] 전기 에너지의 발생, [D] 소비 전력과 전력량, [E] 에너지 전환과 보존

253~257쪽

A **1** (1) ○ (2) ○ (3) × (4) ○ **2** (1) ○ (2) ○ (3) × **3** ㄱ, ㄷ, ㅂ, ㅅ

B **1** (1) × (2) ○ (3) × (4) × **2** 수력 발전소 **3** ㉠ 역학적, ㉡ 전기

C **1** (1) ○ (2) ○ (3) ○ (4) ○ **2** (1) 빛 (2) 전기 (3) 운동 (4) 소리

D **1** (1) ○ (2) ○ (3) ○ (4) × **2** (1) 110 V (2) 44 J (3) 44 Wh **3** 600 Wh

E **1** (1) 소리 (2) 운동 (3) 빛 **2** 20 J

A-1 전자기 유도는 코일 주위에서 자석을 움직일 때 코일을 통과하는 자기장이 변하여 코일에 전류가 흐르는 현상으로, 자석이나 코일 중 하나만 움직여도 전류가 흐른다.

바로알기 » (3) 코일 속에 자석을 넣고 가만히 있으면 자기장이 변하지 않으므로 전자기 유도 현상이 일어나지 않는다.

A-2 코일의 감은 수가 많을수록, 자석을 빠르게 움직일수록 코일에 흐르는 유도 전류의 세기는 세진다.

바로알기 » (3) 자석을 코일 속에 넣을 때와 뺄 때 코일에 흐르는 유도 전류의 방향은 서로 반대이다.

A-3 ㄱ, ㄷ, ㅂ, ㅅ. 자석이나 코일이 움직여서 코일 내부의 자기장이 변하면 전류가 흐르는 성질을 이용하는 예이다.

바로알기 » ㄴ, ㅁ, ㅈ. 선풍기, 스피커, 세탁기는 자기장 사이에서 전류가 받는 힘을 이용한다.
ㄹ. 전자석은 전류가 흐를 때 자기장이 만들어지는 성질을 이용한다.
ㅇ. 나침반은 자기장을 이용한 도구이다.

B-1 (2) 화력 발전소에서는 화석 연료를 태워 화학 에너지를 열에너지로 전환한 후 물을 끓여 만든 수증기의 역학적 에너지를 이용하여 발전기를 돌려서 전기 에너지를 생산한다.

바로알기 » (1) 발전기는 전자기 유도를 이용하여 전기 에너지를 생산한다.
(3) 풍력 발전소에서는 바람의 역학적 에너지를 이용하여 전기 에너지를 생산한다.
(4) 발전소마다 어떤 에너지를 이용하여 발전기의 터빈을 돌리느냐에 따라 에너지 전환 과정에 차이가 있다.

B-2 수력 발전소에서는 위치 에너지를 가진 물이 떨어지면서 운동 에너지로 전환되고 물의 운동 에너지로 터빈을 돌려 발전기에서 전기 에너지를 생산한다.

B-3 발전기는 코일을 회전시켜 전기를 만들어내므로 역학적 에너지를 전기 에너지로 전환시킨다.
전동기는 코일에 전류가 흘러서 코일이 회전하므로 전기 에너지를 역학적 에너지로 전환시킨다.

C-1 (1) 전기 에너지와 일의 단위는 모두 J을 사용한다.
(2), (4) 전기 에너지는 다른 형태의 에너지로 쉽게 전환할 수 있고, 동시에 여러 형태의 에너지로도 전환이 가능하기 때문에 일상생활에서 많이 이용한다.
(3) 선풍기의 모터에서는 전기 에너지가 운동 에너지로 전환된다.

C-2 (1) LED 전구는 전기 에너지를 빛에너지로 전환한다.
(2) 헤어드라이어는 전기 에너지를 열에너지로 전환한다.
(3) 세탁기는 전기 에너지를 운동(역학적) 에너지로 전환한다.
(4) 오디오는 전기 에너지를 소리 에너지로 전환한다.

D-1 (1) 소비 전력은 단위 시간(1초) 동안 전기 기구가 소모하는 전기 에너지이다.
(2) 같은 시간 동안 전기 기구를 사용한다면 소비 전력이 큰 전기 기구일수록 소모하는 전기 에너지의 양이 많다.
(3) 전력량은 일정한 시간 동안 사용한 전기 에너지의 양으로, 전력량을 구할 때 시간의 단위는 '시(h)'를 사용한다.

바로알기 » (4) 1 Wh는 1 W인 전기 기구를 1시간(=3600초) 동안 사용한 것이므로 1 Wh=1 W×3600 s=3600 J이다.

D-2 (1) 110 V−44 W이므로 선풍기의 정격 전압은 110 V이다.
(2) 소비 전력이 44 W이므로 선풍기는 1초 동안 44 J의 전기 에너지를 사용한다.
(3) 전력량=소비 전력×시간=44 W×1 h=44 Wh

D-3 전력량=소비 전력×시간=60 W×10 h=600 Wh

E-1 (1) 텔레비전을 볼 때 전기 에너지는 스피커에서 소리 에너지로, 화면에서 빛에너지로, 발열에 의해 열에너지 등으로 전환된다.
(2) 자동차를 탈 때 화학 에너지는 바퀴의 운동 에너지로, 엔진의 소리와 열에너지로, 브레이크나 전조등의 빛에너지 등으로 전환된다.
(3) 불꽃놀이를 할 때 화약의 화학 에너지는 불빛의 빛에너지, 터지는 소리 에너지, 위로 올라가는 위치 에너지 등으로 전환된다.

E-2 A점에서 B점으로 운동하는 동안 감소한 운동 에너지는 100 J−80 J=20 J이다. 이때 에너지의 총량은 항상 일정하게 보존되므로, 열에너지 등으로 전환된 역학적 에너지는 20 J이다.

실력탄탄 핵심 문제
259~263쪽

01 ⑤ 02 ②, ③, ④ 03 ① 04 ② 05 ㄱ, ㄴ 06 ③
07 ② 08 ⑤ 09 ① 10 ⑤ 11 ④ 12 ② 13 ②
14 ④ 15 ③ 16 ④ 17 ⑤ 18 ⑤ 19 ④ 20 ③
21 ③ 22 ③ 23 ④ 24 ④

서술형 문제 25~30 해설 참조

01 ⑤ 자석 주위에서 코일을 움직이면 코일 내부의 자기장이 변하므로 유도 전류가 흐른다. 이러한 현상을 전자기 유도라고 한다.

바로알기 ① 코일 내부의 자기장이 변해야 전류가 흐른다.
② 자석이 코일을 통과할 때 자석이 아니라 코일에 전류가 흐른다.
③ 자석이나 코일을 움직이면 전류가 흐르므로 역학적 에너지가 전기 에너지로 전환된다.
④ 자석이 코일 내부에서 움직이지 않으면 자기장에 변화가 없으므로 전류가 흐르지 않는다.

02 ②, ③, ④ 자석을 빠르게 움직이거나 코일의 감은 수를 늘리거나, 더 센 자석을 코일에 가까이 하면, 코일을 통과하는 자기장의 변화가 커져서 유도 전류의 세기가 세진다.
바로알기 ① 자석을 천천히 움직이면 코일을 통과하는 자기장의 변화가 작아져서 유도 전류의 세기가 약해진다.
⑤ 자석의 극이 바뀌는 것은 유도 전류의 세기와 관계가 없다.

03 ㄱ. 자석의 운동 방향이 바뀌면 전류의 방향이 바뀌므로 자석의 S극을 코일에서 멀리 하면 검류계의 바늘이 반대쪽인 왼쪽으로 회전한다.
바로알기 ㄴ, ㄷ. 자석을 움직이지 않고 코일 안쪽에 넣어 두기만 하면 코일 내부의 자기장이 변하지 않으므로 유도 전류가 흐르지 않는다. 따라서 검류계 바늘이 회전하지 않는다.
ㄹ. 더 강한 자석의 S극을 코일 속에 넣으면 전류의 세기가 세지지만 전류의 방향은 변하지 않는다. 따라서 검류계의 바늘은 오른쪽으로 더 크게 회전한다.

04 ② 코일의 감은 수가 많아지면 더 센 전류가 유도되므로 발광 다이오드의 불빛이 더 밝아진다.
바로알기 ① 자석이 움직이는 방향이 바뀌면 전류의 방향도 바뀌므로 발광 다이오드의 불은 꺼졌다 켜졌다를 반복한다.
③ 더 센 자석을 쓰거나 더 빠르게 흔들면 더 센 전류가 유도되므로 불빛이 더 밝아진다.
④ 흔드는 것을 멈추면 코일 내부의 자기장이 변하지 않으므로 유도 전류가 흐르지 않아 발광 다이오드의 불이 꺼진다.
⑤ 흔드는 동안 코일에는 계속 전류가 흐르지만 자석의 운동 방향에 따라 전류의 방향이 계속 바뀐다. 따라서 발광 다이오드의 불이 깜박인다.

05 문제 분석하기 ≫

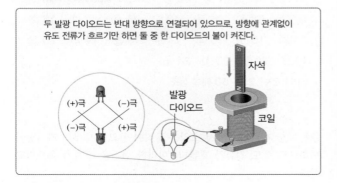

두 발광 다이오드는 반대 방향으로 연결되어 있으므로, 방향에 관계없이 유도 전류가 흐르기만 하면 둘 중 한 다이오드의 불이 켜진다.

ㄱ. 자석을 코일에 가까이 하면 코일을 통과하는 자기장의 변화에 의해 유도 전류가 흐르는 전자기 유도 현상이 나타난다.
ㄴ. 자석의 운동 방향이 반대가 되면 전류의 방향도 바뀌므로 불이 들어오는 발광 다이오드가 달라진다.
바로알기 ㄷ. 전동기는 자기장 속에서 전류가 흐르는 도선이 받는 힘을 이용한 전기 기구이다. 발전기, 도난 방지 장치 등이 전자기 유도 현상을 이용한다.

06 ①, ②, ④, ⑤ 자석이나 코일 중 하나라도 움직이면 코일을 통과하는 자기장이 변하여 유도 전류가 흐른다.
바로알기 ③ 자석을 코일 속에 넣고 가만히 있으면 자기장의 변화가 없으므로 유도 전류가 흐르지 않는다.

07 ① 마이크는 소리 에너지에 의해 움직이는 진동판에 연결된 코일이 자석 위에서 움직일 때 코일에 전류가 흘러서 소리 신호가 전기 신호로 바뀐다.
③ 도서관에 있는 책에는 작고 얇은 자기 테이프가 붙어 있다. 대출 허락을 받지 않은 책이 도난 방지 장치를 통과하면 도난 방지 장치 사이의 자기장이 변하여 유도 전류가 흘러 경고음이 울리게 되어 있다.
④, ⑤ 코일이 들어 있는 카드를 교통 카드 판독기나 통행료 지불 단말기에 가까이 하면 카드의 코일 내부를 지나는 자기장이 변하여 유도 전류가 흐른다. 이때 흐르는 유도 전류는 카드 속에 들어 있는 메모리 칩을 작동시켜 요금 등의 정보를 기록한다.
바로알기 ② 전자석 기중기는 전류가 흐를 때만 자석이 되는 전자석으로 무거운 물체를 자기력을 이용해 들어 올리는 기구이다.

08 날개를 돌려 코일을 회전시키면(역학적 에너지) 코일을 통과하는 자기장이 변하여 코일에 유도 전류가 흐르게 되므로(전기 에너지) 전구에 불이 켜진다(빛에너지).

09 ②, ③ 전동기는 자기장 속에서 전류가 흐르는 도선이 받는 힘을 이용하고, 발전기는 전자기 유도를 이용한다.
④ 발전기에서는 역학적 에너지가 전기 에너지로 전환된다.
⑤ 전동기와 발전기의 구조는 비슷하다. 그러나 전동기에서는 전기 에너지가 역학적 에너지로 전환되므로 전동기와 발전기에서 에너지 전환 과정은 서로 반대이다.
바로알기 ① (가)는 전동기, (나)는 발전기이다.

10 화력 발전소에서는 석탄을 태워 열에너지를 얻고(①), 그 열로 물을 끓여 수증기를 만든다. 이때 열에너지는 수증기의 역학적 에너지로 전환된다(④). 수증기의 역학적 에너지로 터빈을 돌리면(③) 발전기가 돌아간다. 발전기 안에는 자석과 코일이 있으므로(②) 발전기가 돌아가면 역학적 에너지가 전기 에너지로 전환되는 전자기 유도 현상이 나타난다.
바로알기 ⑤ 화력 발전소에서는 석탄의 화학 에너지를 이용하며, 수증기가 가진 에너지는 역학적 에너지이다.

11 〔바로알기〉〉〕 ④ 배터리를 충전할 때 전기 에너지가 화학 에너지로 전환된다.

12 ② '전력량=소비 전력×시간'이므로 전기 기구를 사용한 시간이 길수록 전력량이 증가한다.
〔바로알기〉〉〕 ① 소비 전력의 단위는 W, kW 등을 사용한다.
③, ④ 소비 전력은 1초 동안 전기 기구가 소모하는 전기 에너지의 양이므로 전기 기구를 사용한 시간과는 관계없다.
⑤ 1초 동안 사용한 전기 에너지가 1 J인 전기 기구의 소비 전력은 1 W이다. 그러므로 이 전기 기구를 1시간 동안 사용하면 전력량은 1 Wh이다.

13 ① 정격 전압 200 V 전원에 연결하였으므로 다리미의 소비 전력은 정격 소비 전력인 100 W이다.
③, ④ 다리미는 1초에 100 J의 전기 에너지를 소비하므로 30초 동안에는 3000 J=3 kJ의 전기 에너지를 소비하고, 1시간 (=3600초) 동안에는 360000 J의 전기 에너지를 소비한다.
⑤ 전력량=소비 전력×시간=100 W×1 h=100 Wh
〔바로알기〉〉〕 ② 정격 전압인 200 V를 연결했을 때 소비 전력이 100 W이므로 100 V에 연결하면 소비 전력이 달라진다.

14 '전력량=소비 전력×시간'이므로 3 kWh=3000 Wh=소비 전력×3 h에서 소비 전력은 1000 W이다.

15 〔문제 분석하기 〉〉〕

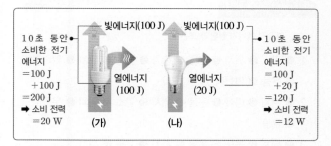

ㄷ. 전구의 사용 목적은 빛을 내는 것이므로 같은 밝기의 빛을 내는 데 사용한 에너지가 더 적은 (나)의 효율이 (가)보다 좋다.

16 '전력량=소비 전력×시간'으로 구한다.

전기 기구	소비 전력	사용 시간	전력량
텔레비전	100 W	2시간	100 W×2 h=200 Wh
형광등	20 W	5시간	20 W×5 h=100 Wh
세탁기	200 W	1시간	200 W×1 h=200 Wh
컴퓨터	500 W	2시간	500 W×2 h=1000 Wh

하루 동안 사용한 전력량의 크기는 컴퓨터 > 텔레비전=세탁기 > 형광등 순이다.

17 하루 동안 사용한 전력량=[(50×2) W×5 h]+[(100×1) W×24 h]+[(250×1) W×2 h]=500 Wh+2400 Wh+500 Wh=3400 Wh=3.4 kWh

18 30일 동안 사용한 전력량=3.4 kWh×30=102 kWh이므로, 전기 요금=102 kWh×100원/kWh=10200원이다.

19 ④ 텔레비전이 소비하는 전기 에너지는 빛에너지, 소리 에너지, 열에너지 등으로 전환되며 이때 에너지는 보존되므로 전환된 에너지를 모두 합하면 텔레비전이 소비한 전기 에너지의 양과 같다.
〔바로알기〉〉〕 ① 텔레비전은 전기 에너지를 소비한다.
② 전기 에너지가 소리 에너지, 빛에너지 등으로 전환된다.
③ 텔레비전의 위치나 움직임이 변하지 않으므로 역학적 에너지로는 전환되지 않는다.
⑤ 발전기에서는 역학적 에너지가 전기 에너지로 전환되므로 텔레비전에서 일어나는 에너지 전환과 다르다.

20 ①, ②, ④ 에너지는 새로 생기거나 없어지지 않고 에너지의 총량은 항상 보존된다. → 에너지 보존 법칙
〔바로알기〉〉〕 ③ 마찰이 있는 경우 역학적 에너지는 일부가 열에너지 등으로 전환되어서 보존되지 않는다.

21 ① 공이 바닥에 부딪친 후 튀어 오르는 최고점의 높이가 점점 낮아졌으므로 역학적 에너지는 점점 감소하였다.
② 마찰이 있어도 에너지의 총량은 보존된다.
④, ⑤ 감소한 역학적 에너지는 열에너지, 소리 에너지 등으로 전환되며, 감소한 에너지만큼 다른 에너지로 전환된다.
〔바로알기〉〉〕 ③ 역학적 에너지가 보존되지 않으므로 마찰이나 공기 저항이 작용하였다.

22 처음 5 m 높이와 나중 4 m 높이에서 속력이 0이므로 운동 에너지가 0이다. 따라서 처음 5 m 높이에서의 역학적 에너지는 그 지점에서의 위치 에너지와 같고, 나중 4 m 높이에서의 역학적 에너지는 그 지점에서의 위치 에너지와 같다. 따라서 손실된 역학적 에너지는 감소한 위치 에너지와 같다.
➡ 손실된 역학적 에너지=(9.8×2) N×(5−4) m=19.6 J

23 〔문제 분석하기 〉〉〕

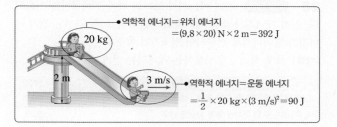

열에너지, 소리 에너지 등으로 전환된 역학적 에너지는 감소한 역학적 에너지와 같다.

감소한 역학적 에너지=처음 위치에서의 역학적 에너지−나중 위치에서의 역학적 에너지=392 J−90 J=302 J

24 문제 분석하기 »

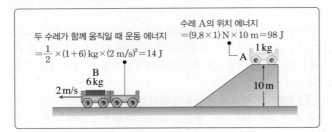

두 수레가 함께 움직일 때 운동 에너지
$=\frac{1}{2}\times(1+6) \text{ kg}\times(2 \text{ m/s})^2=14 \text{ J}$

수레 A의 위치 에너지
$=(9.8\times1) \text{ N}\times10 \text{ m}=98 \text{ J}$

A 1 kg

B 6 kg

2 m/s

10 m

다른 형태로 전환된 에너지=감소한 역학적 에너지
$$=98 \text{ J}−14 \text{ J}=84 \text{ J}$$

25 모범 답안 ▶ 발전기의 손잡이를 돌릴 때 코일을 통과하는 자기장의 변화에 의해 코일에 유도 전류가 흐르게 되기 때문이다.

채점 기준	배점
자기장의 변화, 유도 전류의 발생을 모두 포함하여 옳게 서술한 경우	100 %
자기장의 변화, 유도 전류의 발생 중 한 가지만을 포함하여 서술한 경우	50 %

26 모범 답안 ▶ 바람의 역학적 에너지를 전기 에너지로 전환한다.

채점 기준	배점
에너지 전환을 옳게 서술한 경우	100 %
역학적 에너지를 전기 에너지로 전환한다고만 서술한 경우	80 %

27 모범 답안 ▶ (1) 220 V를 연결했을 때 1초에 56 J의 전기 에너지를 사용한다는 의미이다.
(2) '전력량=소비 전력×시간'이므로 $(56\times2) \text{ W}\times5 \text{ h}=560 \text{ Wh}$ 이다.

	채점 기준	배점
(1)	소비 전력의 의미를 옳게 서술한 경우	50 %
	정격 전압을 연결했을 때를 제외하고 서술한 경우	30 %
(2)	전력량을 풀이 과정과 함께 옳게 구한 경우	50 %
	풀이 과정 없이 전력량만 옳게 구한 경우	20 %

28 모범 답안 ▶ 전기 에너지가 모터의 역학적 에너지로 전환된다. 전기 에너지가 소리 에너지로 전환되어 소리가 난다. 전기 에너지가 열에너지로 전환되어 청소기가 따뜻해진다. 등
| 해설 | 로봇 청소기가 사용하는 에너지는 전기 에너지이다.

채점 기준	배점
에너지 전환 두 가지를 모두 옳게 서술한 경우	100 %
에너지 전환을 한 가지만 옳게 서술한 경우	50 %

29 모범 답안 ▶ 손실된 역학적 에너지는 감소한 운동 에너지와 같다. 그러므로 $\frac{1}{2}\times1 \text{ kg}\times(4 \text{ m/s})^2-\frac{1}{2}\times1 \text{ kg}\times(2 \text{ m/s})^2=8 \text{ J}-2 \text{ J}=6 \text{ J}$이다.

채점 기준	배점
손실된 역학적 에너지를 풀이 과정과 함께 옳게 구한 경우	100 %
풀이 과정 없이 손실된 역학적 에너지만 옳게 구한 경우	50 %

30 모범 답안 ▶ 공기 저항 및 바닥과의 마찰로 인해 역학적 에너지의 일부가 열에너지, 소리 에너지 등으로 전환되기 때문이다.

채점 기준	배점
공기 저항 및 바닥과의 마찰을 언급하고 역학적 에너지의 일부가 열에너지, 소리 에너지 등으로 전환되기 때문이라고 옳게 서술한 경우	100 %
공기 저항이나 바닥과의 마찰은 언급하지 않고 역학적 에너지의 일부가 열에너지, 소리 에너지 등으로 전환되기 때문이라고만 서술한 경우	70 %
역학적 에너지가 감소하기 때문이라고만 서술한 경우	50 %

핵심 자료로 최종 점검

266~267쪽

01 역학적 에너지 전환과 보존

1 ❶ 감소 ❷ 위치 ❸ 운동 ❹ 증가 ❺ 운동 ❻ 위치 ❼ 역학적 ❽ 운동 ❾ 역학적

2 ❶ 위치 ❷ 증가 ❸ 운동 ❹ 위치 ❺ 감소 ❻ 위치 ❼ 운동 ❽ 운동

3 ❶ 위치 ❷ 운동 ❸ 운동 ❹ 증가 ❺ 운동 ❻ 위치

4 ❶ 같다 ❷ 0 ❸ 낮다 ❹ 운동

5 ❶ 위치 ❷ 운동 ❸ 위치 ❹ 크다

02 전기 에너지의 발생과 전환

1 ❶ 전자기 유도 ❷ 전류 ❸ 유도 전류

2 ❶ 유도 전류 ❷ 셀 ❸ 많을 ❹ 빠르게

3 ❶ 코일 ❷ 역학적 ❸ 전기

4 ❶ 역학적 ❷ 전기

5 ❶ 열 ❷ 운동 ❸ 화학

6 ❶ 220 ❷ 50 ❸ 50 ❹ 150 ❺ (나) ❻ (가)

7 ❶ 전환 ❷ 일정 ❸ 보존 ❹ 운동 ❺ 낮아 ❻ 역학적

01 ⑤   02 ④   03 ④   04 ③   05 ⑤   06 ②   07 ④
08 ⑤   09 ⑤   10 ⑤   11 ②   12 ⑤   13 ㄱ, ㄴ, ㄹ
14 ④   15 ③   16 ㄱ, ㄴ, ㄷ   17 ②   18 ③   19 ③
20 ③   21 ⑤   22 ①   23 ④   24 ③   25 ④

01 문제 분석하기 >>

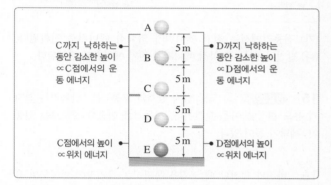

① A점에서는 속력이 0이므로 운동 에너지는 0이다. 따라서 A점에서 위치 에너지는 역학적 에너지와 같다.
② B점의 높이는 15 m이고 감소한 높이는 5 m이므로 위치 에너지가 운동 에너지보다 크다.
③ C점에서의 높이와 감소한 높이는 10 m로 같다. 따라서 위치 에너지와 운동 에너지는 같다.
④ 역학적 에너지는 보존되므로 D점에서의 역학적 에너지와 E점에서의 역학적 에너지(=운동 에너지)는 같다.
바로알기 >> ⑤ D점에서 감소한 높이는 15 m이고, C점에서 높이는 10 m이므로 D점에서의 운동 에너지가 C점에서의 위치 에너지보다 크다.

02 증가한 운동 에너지는 감소한 위치 에너지와 같으므로 운동 에너지는 감소한 높이에 비례한다.
운동 에너지 : 위치 에너지=감소한 위치 에너지 : 위치 에너지
=낙하 거리 : 현재 높이=3 : 1이므로 현재 높이를 h라 하면, $(20 m-h) : h=3 : 1$에서 $h=5$ m이다. 그러므로 D 지점에서 운동 에너지와 위치 에너지의 비가 3 : 1이다.

03 문제 분석하기 >>

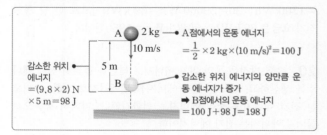

04 문제 분석하기 >>

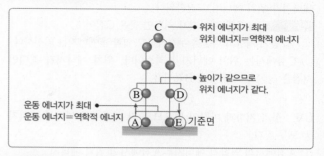

바로알기 >> ③ B점과 D점의 높이가 같으므로 위치 에너지의 크기가 서로 같고, 역학적 에너지는 보존되므로 운동 에너지도 서로 같다. B점과 D점의 높이는 최고점의 높이의 $\frac{1}{2}$보다 낮으므로 위치 에너지보다 운동 에너지가 더 크다.

05 문제 분석하기 >>

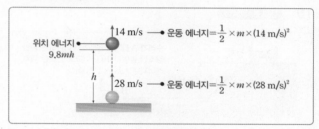

증가한 위치 에너지=감소한 운동 에너지이므로
$$9.8mh=\frac{1}{2}\times m\times 28^2-\frac{1}{2}\times m\times 14^2$$에서 물체의 높이 $h=30$(m)이다.

06 문제 분석하기 >>

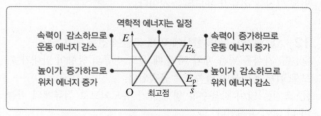

물체를 위로 던져 올렸을 때 최고점까지 올라가는 동안 높이는 증가하고, 속력은 감소한다. 최고점에 도달한 이후 낙하하면서 높이는 감소하고 속력은 증가한다.

07 운동 에너지는 감소한 높이에 비례한다. 따라서 C점에서의 운동 에너지 : D점에서의 운동 에너지=(5-1) m : (5-4) m=4 : 1이다.
이때 운동 에너지는 속력의 제곱에 비례하므로 C점에서의 속력 : D점에서의 속력=2 : 1이다.

08 ⑤ CD 구간에서는 롤러코스터의 높이가 증가하므로 운동 에너지가 위치 에너지로 전환된다.
바로알기 》 ① 운동 에너지가 최대인 곳은 C점이다.
②, ④ 공기 저항과 마찰을 무시하므로 역학적 에너지는 일정하다.
③ C점에서는 위치 에너지가 최소이다. 위치 에너지가 최대인 지점은 높이가 가장 높은 B점이다.

09 공기 저항과 마찰이 없으므로 각 지점에서 역학적 에너지는 모두 같다.
① A점에서의 역학적 에너지=A점에서의 위치 에너지
➡ A점에서의 운동 에너지=0
②, ③ O점에서의 역학적 에너지=O점에서의 운동 에너지
➡ O점에서의 위치 에너지=0
④ B점에서의 역학적 에너지=B점에서의 위치 에너지
➡ B점에서의 운동 에너지=0
바로알기 》 ⑤ B점에서의 운동 에너지는 0이다.

10 문제 분석하기 》

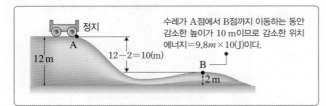

정지
A
12 m   12−2=10(m)
B
2 m
수레가 A점에서 B점까지 이동하는 동안 감소한 높이가 10 m이므로 감소한 위치 에너지는 9.8 m×10(J)이다.

B점에서 수레의 운동 에너지는 감소한 위치 에너지와 같으므로 $9.8m×10$(J)이다. 따라서 $9.8m×10=\frac{1}{2}mv^2$에서 $v^2=196$ 이므로 B점에서의 속력 $v=14$(m/s)이다.

11 전자기 유도 현상은 코일 속을 통과하는 자기장의 변화로 인해 코일에 전류가 유도되는 것이다.

12 ① 전자기 유도 현상에 의해 코일에 전류가 흐른다.
②, ③ 자석을 넣을 때와 뺄 때 유도 전류의 방향이 반대가 되므로 검류계 바늘이 양쪽으로 움직인다.
④ 코일을 많이 감을수록 센 전류가 유도되므로 검류계의 바늘이 더 많이 움직인다.
바로알기 》 ⑤ 자석을 코일 안에 넣고 움직이지 않으면 코일을 통과하는 자기장의 변화가 없으므로 코일에는 전류가 흐르지 않는다.

13 ㄱ, ㄴ, ㄹ. 전자기 유도 현상에서 유도 전류의 세기를 증가시키기 위해서는 자기장의 변화가 커야 한다. 따라서 코일을 더 많이 감거나, 더 센 자석을 사용하거나, 자석을 더 빠르게 움직여야 한다.
바로알기 》 ㄷ. 자석의 극과 유도 전류의 세기는 관계가 없다.

14 문제 분석하기 》

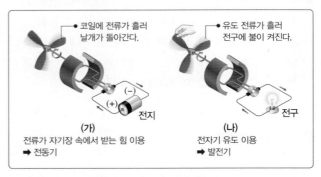

• 코일에 전류가 흘러 날개가 돌아간다.
• 유도 전류가 흘러 전구에 불이 켜진다.
(−) (+) 전지
전구
(가)   (나)
전류가 자기장 속에서 받는 힘 이용   전자기 유도 이용
➡ 전동기   ➡ 발전기

(가) 전동기에서는 전기 에너지가 역학적 에너지로 전환된다.
(나) 발전기에서는 역학적 에너지가 전기 에너지로 전환된다.

15 바로알기 》 ③ 도난 방지 장치와 교통 카드 판독기는 전자기 유도 현상을 이용한 것이다. 전동기를 이용한 것으로는 선풍기, 세탁기 등이 있다.

16 바퀴가 회전할 때 코일을 통과하는 자기장이 변화하여 유도 전류가 흘러 발광 다이오드에 불이 켜진다. 이는 전자기 유도 현상을 이용한 것이다. 바퀴의 회전이 빠를수록 자기장의 변화가 크므로 유도 전류가 세진다.

17 ② 전동기, 선풍기 : 전기 에너지 → 역학적(운동) 에너지
바로알기 》 ① 형광등 : 전기 에너지 → 빛에너지, 전동기 : 전기 에너지 → 역학적(운동) 에너지
③ 에어컨 : 전기 에너지 → 역학적(운동) 에너지, 전기난로 : 전기 에너지 → 열에너지
④ 헤어드라이어 : 전기 에너지 → 열에너지, 스피커 : 전기 에너지 → 소리 에너지
⑤ 전기다리미 : 전기 에너지 → 열에너지, LED 전등 : 전기 에너지 → 빛에너지

18 전력량=소비 전력×시간=880 W×0.5 h=440 Wh

19 '전력량=소비 전력×시간'이므로 하루 동안의 전력량 =(40 W×5개×4 h)+(250 W×1대×2 h)=1300 Wh이다. 한 달 동안 사용한 총 전력량 =1300 Wh×30=39000 Wh=39 kWh이므로 한 달 동안 전기 요금은 39 kWh×50원/kWh=1950원이다.

20 수력 발전은 물의 위치 에너지로 터빈을 돌려서 전기 에너지를 생산하고, 전구는 전기 에너지를 빛에너지로 전환, 오디오는 전기 에너지를 소리 에너지로 전환시킨다. 따라서 공통으로 들어갈 에너지는 전기 에너지이다.

21 ① 물체의 높이가 변하면 위치 에너지와 운동 에너지는 서로 전환된다. AO 구간에서는 위치 에너지가 운동 에너지로, OB 구간에서는 운동 에너지가 위치 에너지로 전환된다.

②, ③ O점은 높이가 가장 낮은 지점이므로 속력이 최대이다. 따라서 운동 에너지도 최대이다.

④ O점은 진자의 높이가 최소인 지점이므로 위치 에너지도 최소이다.

(바로알기)》 ⑤ 공기 중에서는 마찰이나 공기 저항이 작용하므로 역학적 에너지의 일부가 열에너지, 소리 에너지 등으로 전환된다. 즉, 역학적 에너지가 보존되지 않는다.

22 (문제 분석하기 》)

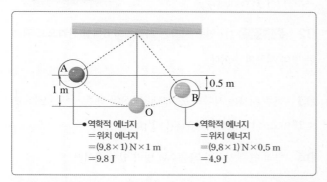

손실된 역학적 에너지는 A점에서 B점으로 가는 동안 감소한 역학적 에너지이다. A점과 B점에서 진자의 속력은 모두 0이므로 역학적 에너지는 위치 에너지와 같다. 따라서 감소한 위치 에너지 =9.8 J－4.9 J＝4.9 J이다.

23 10 m/s의 속력으로 달릴 때 자동차의 운동 에너지 $=\frac{1}{2} \times 100$ kg $\times (10$ m/s$)^2=5000$ J이다.

따라서 발생한 열에너지＝자동차가 얻은 에너지－자동차의 운동 에너지＝10000 J－5000 J＝5000 J이다.

24 손실된 역학적 에너지
＝처음 위치 에너지－나중 운동 에너지
$=(9.8 \times 2)$ N $\times 5$ m $- \frac{1}{2} \times 2$ kg $\times (8$ m/s$)^2=34$ J

25 ④ 에너지가 전환되는 과정에서 열에너지, 소리 에너지 등 다시 사용할 수 없는 형태의 에너지로도 전환되기 때문에 우리가 사용할 수 있는 에너지의 양이 점점 감소한다. 그러므로 에너지를 절약해야 한다.

(바로알기)》 ①, ⑤ 에너지는 소멸하거나 새로 생성되지 않는다.
② 에너지 전환에 횟수 제한은 없다.
③ 에너지는 다양한 형태로 존재하므로 화석 연료의 화학 에너지 뿐만 아니라 태양의 열에너지, 빛에너지, 물의 위치 에너지 등 다양한 에너지를 사용한다.

Ⅶ. 별과 우주

01 별

단원 미리보기
274~275쪽

만화 완성하기 》 [모범 답안] 같은 거리에서 보면 내가 훨씬 더 밝아.

한눈에 보기 》 [B] 별의 밝기와 등급, [D] 별의 색깔과 표면 온도

275~279쪽

A 1 ⊙ 6, ⓒ 공전, ⓒ 크 **2** (1) 2″ (2) 1″ (3) 0.5″

B 1 (1) 거리 (2) $\frac{1}{4}$ (3) 가까운 (4) 많은 **2** (1) ○ (2) × (3) × (4) ○ **3** (1) 겉 (2) 절 (3) 겉 (4) 절

C 1 (1) C (2) A (3) B (4) C, A

D 1 (1) ○ (2) × **2** (가)

A-1 연주 시차는 별까지의 거리와 반비례 관계가 있다.

A-2 (문제 분석하기 》)

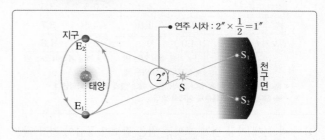

(1) 시차는 지구가 E_1과 E_2에 위치하여 별 S를 관측할 때 두 관측 지점과 별 S가 이루는 각도($\angle E_1SE_2$)이다.

(2) 연주 시차는 지구에서 6개월 간격으로 별을 관측하여 측정한 시차($\angle E_1SE_2=2″$)의 $\frac{1}{2}$인 1″이다.

(3) 연주 시차는 별까지의 거리에 반비례하므로 별까지의 거리가 2배 멀어지면 연주 시차는 $\frac{1}{2}$배로 줄어든다.

B-1 (2) 별까지의 거리가 2배로 멀어지면 별빛을 받는 면적은 4($=2^2$)배로 늘어나므로 단위 면적당 도달하는 별빛의 양은 원래의 $\frac{1}{2^2}=\frac{1}{4}$배로 줄어든다. 따라서 별의 밝기는 원래의 $\frac{1}{4}$배로 어두워진다.

(3) 두 별이 방출하는 빛의 양이 같다면, 더 밝게 보이는 별은 가까이 있는 별이다.

(4) 두 별이 같은 거리에 있다면, 더 밝게 보이는 별은 방출하는 빛의 양이 많은 별이다.

B-2 (1) 히파르코스는 맨눈으로 볼 수 있는 별들 중 가장 밝은 별을 1등급, 가장 어두운 별을 6등급으로 정하였다.
(4) 예를 들어, 별의 밝기가 2등급과 3등급 사이일 때는 2.1등급, 2.5등급 등과 같이 소수점을 이용하여 나타낸다.
(바로알기 ≫) (2) 등급이 작은 별일수록 밝은 별이고, 등급이 큰 별일수록 어두운 별이다.
(3) 3등급인 별과 4등급인 별은 1등급 차이가 나므로 밝기 차이는 약 2.5배이다. 등급이 작을수록 밝은 별이므로 3등급인 별은 4등급인 별보다 약 2.5배 밝다.

B-3 (1), (3) 겉보기 등급은 맨눈에 보이는 별의 밝기를 나타낸 등급으로, 별까지의 거리를 고려하지 않고 나타낸다. 따라서 별까지의 거리가 달라지면 겉보기 등급이 변한다.
(2), (4) 절대 등급은 별이 10 pc의 거리에 있다고 가정하여 별의 밝기를 나타낸 등급이다. 따라서 별의 실제 밝기를 비교할 수 있다.

C-1 (문제 분석하기 ≫)

- 우리 눈에 보이는 별의 밝기를 나타낸다.
  ➡ 겉보기 등급이 작을수록 우리 눈에 밝게 보인다.
- 가장 밝게 보이는 별

별	A	B	C	D
겉보기 등급	2.5	1.0	(−0.5)	5.5
절대 등급	(−1.5)	1.0	4.5	3.7
겉보기−절대	(4.0)	0	(−5.0)	1.8

- 가장 멀리 있는 별 / 가장 가까이 있는 별
- 실제로 가장 밝은 별
- 별이 10 pc의 거리에 있다고 가정했을 때의 별의 밝기를 나타낸다.
  ➡ 절대 등급이 작을수록 실제로 밝다.

(1) 우리 눈에 가장 밝게 보이는 별은 겉보기 등급이 가장 작은 별인 C이다.
(2) 실제로 가장 밝은 별은 절대 등급이 가장 작은 별인 A이다.
(3) • 겉보기 등급<절대 등급인 별 : 10 pc보다 가까이 있는 별
➡ C
• 겉보기 등급=절대 등급인 별 : 10 pc의 거리에 있는 별 ➡ B
• 겉보기 등급>절대 등급인 별 : 10 pc보다 멀리 있는 별 ➡ A, D
(4) • 지구로부터 가장 가까이 있는 별 : (겉보기 등급−절대 등급) 값이 가장 작은 별 ➡ C
• 지구로부터 가장 멀리 있는 별 : (겉보기 등급−절대 등급) 값이 가장 큰 별 ➡ A

D-1 (바로알기 ≫) (2) 별은 표면 온도가 높을수록 파란색을 띠고, 표면 온도가 낮을수록 붉은색을 띤다.

D-2 별은 표면 온도가 낮아짐에 따라 청색 − 청백색 − 백색 − 황백색 − 황색 − 주황색 − 적색을 띤다. (가)는 백색, (나)는 주황색을 띠므로 (나)보다 (가)의 표면 온도가 더 높다.

---

01 ⑤ **02** ① **03** ① **04** 프록시마 센타우리−시리우스−
견우성−직녀성−스피카 **05** ②, ⑤ **06** $S_1 : S_2 = 1 : 2$
07 ③ **08** ③, ⑤ **09** ① **10** ② **11** ② **12** ④ **13** ③
14 ④ **15** ⑤ **16** ② **17** ④ **18** ③ **19** C, B **20** ②

(서술형 문제) **21~25** 해설 참조

01 ㄱ. 관측자의 양쪽 눈은 지구에, 연필은 별에 비유할 수 있다.
ㄷ. 관측자와 연필 사이의 거리가 가까우면 시차는 크게 측정되고, 거리가 멀면 시차는 작게 측정된다.

02 (바로알기 ≫) ① 연주 시차는 지구에서 6개월 간격으로 관측한 별의 시차의 $\frac{1}{2}$이다.

03 연주 시차는 시차의 $\frac{1}{2}$이므로 별 S의 연주 시차는 $2'' \times \frac{1}{2}$ $=1''$이고, 이때 별까지의 거리는 1 pc이다.

04 별의 연주 시차가 작을수록 멀리 있는 것이다.

별	견우성	직녀성	프록시마 센타우리	시리우스	스피카
연주 시차	$0.19''$	$0.13''$	$0.77''$	$0.38''$	$0.013''$
	③	④	① 가장 가깝다.	②	⑤ 가장 멀다.

05 (문제 분석하기 ≫)

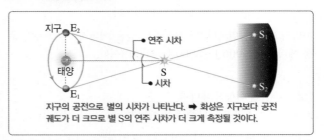

지구의 공전으로 별의 시차가 나타난다. ➡ 화성은 지구보다 공전 궤도가 더 크므로 별 S의 연주 시차가 더 크게 측정될 것이다.

(바로알기 ≫) ① 연주 시차는 지구가 공전한다는 증거이다.
③, ④ 연주 시차는 별까지의 거리에 반비례하고, 연주 시차로 거리를 구할 수 있는 별은 비교적 가까운 거리에 있는 별이다.

06 연주 시차는 별까지의 거리에 반비례한다. 별 S_1과 S_2의 연주 시차의 비=2 : 1이므로 거리의 비 $S_1 : S_2 = 1 : 2$이다.

07 지구로부터 별까지의 거리 비교 : ② 32.6광년에 있는 별 (약 10 pc에 있는 별)>① 1 pc에 있는 별=④ 연주 시차가 1″ 인 별늑⑤ 거리가 3×10^{13} km에 있는 별>③ 연주 시차가 5″ 인 별

08 〔문제 분석하기 ≫〕

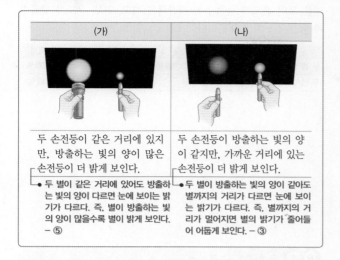

(가)	(나)
두 손전등이 같은 거리에 있지만, 방출하는 빛의 양이 많은 손전등이 더 밝게 보인다.	두 손전등이 방출하는 빛의 양이 같지만, 가까운 거리에 있는 손전등이 더 밝게 보인다.
• 두 별이 같은 거리에 있어도 방출하는 빛의 양이 다르면 눈에 보이는 밝기가 다르다. 즉, 별이 방출하는 빛의 양이 많을수록 별이 밝게 보인다. — ⑤	• 두 별이 방출하는 빛의 양이 같아도 별까지의 거리가 다르면 눈에 보이는 밝기가 다르다. 즉, 별까지의 거리가 멀어지면 별의 밝기가 줄어들어 어둡게 보인다. — ③

09 별의 밝기는 (별까지의 거리)²에 반비례한다. 따라서 별까지의 거리가 4배 멀어지면 우리 눈에 보이는 별의 밝기는 원래의 $\dfrac{1}{4^2}=\dfrac{1}{16}$배로 어두워진다.

10 ① 별의 밝기는 숫자를 이용하여 등급으로 표시한다. 등급이 작을수록 밝은 별이다.
③ 1등급은 6등급보다 5등급 작으므로 밝기는 약 100배 밝다.
④, ⑤ 별의 밝기를 최초로 구분한 학자인 히파르코스는 맨눈으로 보았을 때 가장 밝은 별을 1등급, 가장 어두운 별을 6등급이라고 정하였다.
〔바로알기 ≫〕 ② 1등급 차이는 약 2.5배의 밝기 차이를 나타내고, 등급이 작을수록 밝은 별이므로 2등급은 1등급보다 약 2.5배 어둡다.

11 5등급인 별 100개가 모이면 전체 밝기가 100배 밝아진다. 밝기 차가 100배이면 등급은 5등급 차이이고, 밝을수록 등급이 작아지므로 0등급인 별 1개의 밝기와 같다.

12 별까지의 거리가 10배 멀어지면 별의 밝기는 원래의 $\dfrac{1}{10^2}=\dfrac{1}{100}$배로 어두워진다. 밝기 차가 100배이면 등급은 5등급 차이고, 밝기가 어두워지므로 등급 차를 더한다($-2+5=3$등급). 따라서 현재 -2등급인 별은 3등급으로 보일 것이다.

13 ①, ④ 겉보기 등급은 맨눈으로 본 별의 밝기를 등급으로 나타낸 것이고, 등급이 작을수록 우리 눈에 밝게 보인다. 따라서 0등급인 별은 1등급인 별보다 약 2.5배 밝게 보인다.
⑤ 별의 절대 등급이 같다면 별의 밝기는 별까지의 거리에 따라 달라진다. 따라서 거리가 먼 별일수록 겉보기 등급은 커진다.
〔바로알기 ≫〕 ③ 별의 실제 밝기를 비교하려면 별이 같은 거리에 있다고 가정하여 나타낸 절대 등급을 이용해야 한다.

14 절대 등급은 별이 10 pc의 거리에 있다고 가정했을 때의 밝기를 나타낸 것이다. 따라서 지구로부터 10 pc의 거리에 있는 별의 절대 등급은 겉보기 등급과 같다.

[15~17] 〔문제 분석하기 ≫〕

우리 눈에 보이는 밝기 ●
절대 등급으로 실제 밝기를 비교할 수 있다. ●

별	겉보기 등급	절대 등급	겉보기-절대
북극성	2.1	-3.7	5.8
직녀성	0.0	0.5	-0.5
데네브	1.3	-8.7	10.0
견우성	0.8	2.2	-1.4
시리우스	-1.5	1.4	-2.9

가장 밝게 보인다. ● 실제로 가장 밝다. ●
겉보기 등급-절대 등급>0이므로 10 pc보다 멀리 있다.

15 (가) 우리 눈에 가장 밝게 보이는 별은 겉보기 등급이 가장 작은 시리우스이다.
(나) 실제로 가장 밝은 별은 절대 등급이 가장 작은 데네브이다.

16 10 pc보다 멀리 있는 별은 (겉보기 등급-절대 등급) 값이 0보다 큰 북극성, 데네브이다.

17 시리우스까지의 거리가 현재보다 10배 멀어지면 단위 면적당 도달하는 별빛의 양은 원래의 $\dfrac{1}{10^2}=\dfrac{1}{100}$배로 줄어든다. 즉, 눈에 보이는 밝기가 원래의 $\dfrac{1}{100}$배로 어두워지므로 겉보기 등급은 5등급이 커져 3.5등급($=-1.5$등급$+5$등급)이 된다. 한편, 별까지의 거리가 변하더라도 절대 등급은 그대로 1.4등급이다.

19 별의 색깔이 청색 → 청백색 → 백색 → 황백색 → 황색 → 주황색 → 적색으로 갈수록 별의 표면 온도가 낮아진다.

20 〔문제 분석하기 ≫〕

가장 어둡게 보인다. ● 실제로 가장 밝다. ● 표면 온도가 가장 낮다. ●

별	겉보기 등급	절대 등급	색깔	겉보기-절대
(가)	0.0	-2.0	적색	2.0
(나)	2.0	3.5	청색	-1.5
(다)	-2.0	1.8	황색	-3.8
(라)	-1.5	1.4	황백색	-2.9
(마)	-0.1	-0.3	주황색	0.2

가장 밝게 보인다. ● 실제로 가장 어둡다. ● 표면 온도가 가장 높다. ● 겉보기 등급-절대 등급<0이므로 10 pc보다 가까이 있다.

④ 연주 시차가 가장 큰 별은 지구로부터 가장 가까운 별이다. (겉보기 등급−절대 등급) 값이 작을수록 가까이 있는 별이다.

바로알기 >> ② 지구에서 10 pc보다 가까이 있는 별은 (겉보기 등급−절대 등급) 값이 0보다 작은 (나), (다), (라)이다.

21 **모범 답안 >** (1) 연주 시차

(2) 1 pc

(3) $\frac{\theta}{2}$가 된다. 연주 시차와 거리는 반비례하기 때문이다.

채점 기준	배점
(1)	연주 시차라고 쓴 경우	20 %
(2)	별 S까지의 거리를 pc 단위로 옳게 쓴 경우	20 %
(3)	θ 값의 변화를 옳게 쓰고, 그 까닭을 옳게 서술한 경우	60 %
	θ 값의 변화만 옳게 쓴 경우	30 %

22 **모범 답안 >** 별의 밝기가 원래의 $\frac{1}{16}$배로 어두워진다.

|해설| 별의 밝기는 (별까지의 거리)²에 반비례한다. 별까지의 거리가 현재보다 4배 멀어지면 별빛을 받는 면적은 4^2배 늘어나므로 단위 면적당 도달하는 별빛의 양은 $\frac{1}{4^2} = \frac{1}{16}$배로 줄어든다.

채점 기준	배점
밝기가 원래의 $\frac{1}{16}$ 배로 어두워진다 또는 줄어든다라고 서술한 경우	100 %
어두워진다 또는 줄어든다고만 서술한 경우	30 %

23 **모범 답안 >** 이 별의 겉보기 등급은 −1등급이다.

|해설| 1 pc은 절대 등급의 기준 거리인 10 pc보다 $\frac{1}{10}$배 가깝다. 따라서 겉보기 등급의 밝기는 절대 등급의 밝기보다 100배 밝다. 밝기 차가 100배이면 등급 차는 5등급이고, 밝기가 밝아지므로 4등급−5등급=−1등급이 된다.

채점 기준	배점
−1등급이라고 옳게 구한 경우	100 %
그 외의 경우	0 %

24 **모범 답안 >** (1) (가) 겉보기 등급이 가장 큰 별 E가 우리 눈에 가장 어둡게 보인다.

(나) 적색을 띠는 별 C의 표면 온도가 가장 낮다.

(2) A−D−C−B−E

|해설| (1) 가장 어둡게 보이는 별은 겉보기 등급으로 판단하고, 별의 표면 온도는 색깔로 판단한다.

(2) (겉보기 등급−절대 등급) 값이 클수록 멀리 있는 별이다.

채점 기준	배점
(1)	(가)와 (나)를 모두 옳게 서술한 경우	50 %
	(가)와 (나) 중 한 가지만 옳게 서술한 경우	25 %
(2)	가까운 별부터 순서대로 옳게 나열한 경우	50 %

25 **모범 답안 >** 베텔게우스보다 리겔의 표면 온도가 더 높다. 별은 표면 온도가 높을수록 파란색을 띠고, 표면 온도가 낮을수록 붉은색을 띠기 때문이다.

채점 기준	배점
두 별의 표면 온도를 옳게 비교하고, 그 까닭을 옳게 서술한 경우	100 %
두 별의 표면 온도만 옳게 비교한 경우	40 %

02 은하와 우주

단원 미리보기

286~287쪽

만화 완성하기 >> [모범 답안] 저것은 안드로메다은하라는 외부 은하야.

한눈에 보기 >> [A] 우리은하, [D] 우주의 팽창, [E] 우주 탐사

287~293쪽

A **1** (1) B (2) 30 kpc **2** ㉠ 막대, ㉡ 나선팔 **3** (1) × (2) ○ (3) ○

B **1** (1) (가) 구상 성단, (나) 산개 성단 (2) 낮다 (3) (가) **2** ㉠ 성간 물질, ㉡ 성운 **3** (1) 반사 성운 (2) 방출 성운 (3) 암흑 성운

C **1** (1) − ㉡ (2) − ㉠ (3) − ㉢ (4) − ㉣

D **1** 우주 **2** (1) ○ (2) × (3) × **3** 풍선 표면 : 우주, 스티커 : 은하 **4** 대폭발 우주론(빅뱅 우주론)

E **1** 인공위성 **2** (1) 허블 우주 망원경 (2) 큐리오시티 (3) 아폴로 11호 (4) 스푸트니크 1호 **3** (1) ㄷ (2) ㄱ **4** (1) × (2) ○

A−1 **문제 분석하기 >>**

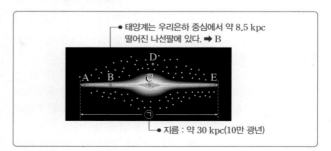

(1) 우리은하를 옆에서 보면 중심부가 부풀어 있는 납작한 원반 모양이다. 태양계는 은하 중심에서 약 8.5 kpc(3만 광년) 떨어진 나선팔(B)에 위치해 있다.

A-3 (2) 우리은하의 중심 방향인 궁수자리 방향 부근의 은하수는 다른 방향보다 폭이 넓고 뚜렷하게 보인다.

바로알기 (1) 우리나라에서는 여름철에 우리은하의 중심 방향을 바라보므로 겨울철보다 은하수가 두껍고 밝게 보인다.

B-1 (2) (가) 구상 성단을 이루는 별들의 온도는 낮고, (나) 산개 성단을 이루는 별들의 온도는 높다.

B-2 성운은 별과 별 사이의 성간 물질이 많이 모여 구름처럼 보이는 천체이다.

C-1 문제 분석하기 >>

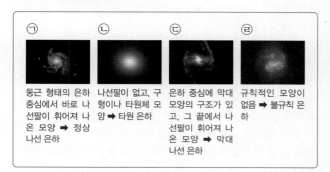

㉠	㉡	㉢	㉣
둥근 형태의 은하 중심에서 바로 나선팔이 휘어져 나온 모양 ➡ 정상 나선 은하	나선팔이 없고, 구형이나 타원체 모양 ➡ 타원 은하	은하 중심에 막대 모양의 구조가 있고, 그 끝에서 나선팔이 휘어져 나온 모양 ➡ 막대 나선 은하	규칙적인 모양이 없음 ➡ 불규칙 은하

D-2 바로알기 >> (2) 멀리 있는 은하일수록 더 빨리 멀어진다.
(3) 모든 은하는 서로 다른 은하로부터 멀어지고 있으며, 우주의 팽창에는 특별한 중심이 없다.

D-3 풍선이 부풀어 오르면서 스티커들 사이의 거리가 멀어지는 것과 같이 우주가 팽창하면서 은하들 사이의 거리가 멀어진다.

E-1 지구 주위를 일정한 궤도를 따라 도는 인공적인 장치는 인공위성이다. 우주 망원경도 인공위성에 속한다.

E-2 (3) 1969년에 달에 착륙한 최초의 유인 탐사선은 아폴로 11호이다.
(4) 1957년에 인류 최초의 인공위성인 스푸트니크 1호가 발사되어 본격적인 우주 탐사가 시작되었다.

E-3 (1) 다른 나라에 사는 친척과 휴대 전화로 통화할 수 있다. ➡ 방송 통신 위성 이용
(2) 태풍의 경로를 예측하여 피해를 줄일 수 있다. ➡ 기상 위성 이용

E-4 바로알기 >> (1) 우주 쓰레기는 인공위성의 발사나 폐기 과정 등에서 나온 파편 등이다. 우주 쓰레기는 지구 주위를 매우 빠르게 돌면서 궤도가 일정하지 않고 지상의 통제에서 벗어나 있어서 다른 인공위성이나 우주 탐사선 등과 충돌할 수 있다.

실력 탄탄 핵심 문제　　　294~299쪽

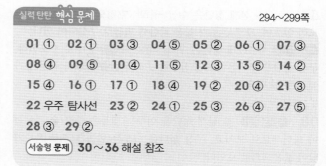

01 ①	02 ①	03 ③	04 ⑤	05 ②	06 ①	07 ③
08 ④	09 ⑤	10 ④	11 ⑤	12 ③	13 ⑤	14 ②
15 ④	16 ①	17 ①	18 ④	19 ②	20 ④	21 ③
22 우주 탐사선	23 ②	24 ①	25 ③	26 ④	27 ⑤	
28 ③	29 ②					

서술형 문제 30~36 해설 참조

01 ②, ④ 우리은하는 태양계를 포함하여 성운, 성단, 성간 물질을 포함하는 거대한 천체 집단으로, 태양과 같은 별이 약 2000억 개 포함되어 있다.
⑤ 우리은하를 위에서 보면 은하 중심부에 막대 모양의 구조가 있고, 막대 끝에서 뻗어 나온 나선팔이 휘감고 있다.
바로알기 >> ① 우리은하는 막대 나선 은하에 속한다.

02 문제 분석하기 >>

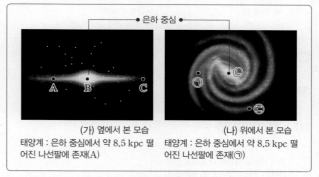

(가) 옆에서 본 모습
태양계 : 은하 중심에서 약 8.5 kpc 떨어진 나선팔에 존재(A)

(나) 위에서 본 모습
태양계 : 은하 중심에서 약 8.5 kpc 떨어진 나선팔에 존재(㉠)

우리은하에서 태양계의 위치는 우리은하 중심부에서 약 8.5 kpc 떨어진 나선팔에 존재한다.

03 ②, ④ 은하수는 우리은하의 일부가 보이는 것으로, 우리은하의 중심 방향인 궁수자리 방향을 보았을 때 폭이 가장 넓고 뚜렷하게 보인다.
⑤ 우리나라(북반구)에서는 여름철에 우리은하의 중심 방향을 향하므로 은하수가 가장 넓고 밝게 보인다.
바로알기 >> ③ 은하수는 북반구와 남반구에서 모두 관측할 수 있다.

04 우리은하의 중심에는 별들이 많이 모여 있으므로 태양계가 우리은하의 중심부에 있다면 계절에 관계없이 밤하늘의 모든 방향에서 별들이 고르고 밝게 보일 것이다. 즉, 밤하늘 전체가 무수히 많은 별들로 덮여 보일 것이다.

05 성단을 이루는 별들은 거의 같은 시기에 한 공간에서 생성되었다. 따라서 성단을 이루는 별들은 구성 성분과 나이가 거의 비슷하다.

07 ㄱ, ㄴ. 산개 성단은 수십~수만 개 정도의 별이 엉성하게 모여 있으며, 주로 온도가 높은 파란색 별들로 구성되어 있다.

(바로알기 >>) ㄷ. 산개 성단은 우리은하의 나선팔에 주로 분포한다. 구상 성단은 우리은하의 중심부와 은하 원반을 둘러싼 구형 공간에 주로 분포한다.

08 (바로알기 >>) ④ 산개 성단을 이루는 별들은 주로 온도가 높아 파란색으로 보이고, 구상 성단을 이루는 별들은 주로 온도가 낮아 붉은색으로 보인다.

09 (문제 분석하기 >>)

(가)
• 파란색으로 보인다.
• 별들이 엉성하게 모여 있다.
• 온도가 높다.
➡ 산개 성단

(나)
• 붉은색으로 보인다.
• 별들이 공 모양으로 빽빽하게 모여 있다.
• 온도가 낮다.
➡ 구상 성단

(바로알기 >>) ⑤ (나) 구상 성단은 우리은하의 중심부나 은하 원반을 둘러싼 구형의 공간에 주로 분포한다. (가) 산개 성단은 우리은하의 나선팔에 주로 분포한다.

10 (문제 분석하기 >>)

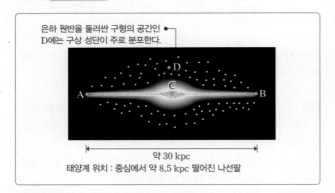

은하 원반을 둘러싼 구형의 공간인 D에는 구상 성단이 주로 분포한다.

약 30 kpc
태양계 위치 : 중심에서 약 8.5 kpc 떨어진 나선팔

(바로알기 >>) ① 우리은하를 옆에서 본 모습이다.

11 (문제 분석하기 >>)

• 성운에 대한 설명이다.
• 성간 물질이 구름처럼 모여 있다.
• 성간 물질이 뒤쪽에서 오는 별빛을 가로막아 어둡게 보인다.
└ 성운의 종류 중 암흑 성운에 대한 설명이다.

말머리성운(암흑 성운)

12 (문제 분석하기 >>)

주로 파란색을 띤다.
(가) 성간 물질이 주변의 밝은 별빛을 반사하여 밝게 보이는 성운으로, 메로페성운이나 마귀할멈 성운이 이에 속한다. ➡ 반사 성운

주로 붉은색을 띤다.
(나) 성간 물질이 주변의 별빛을 흡수하여 가열되면서 스스로 빛을 내는 성운으로, 오리온 대성운이나 장미성운이 이에 속한다. ➡ 방출 성운

13 (바로알기 >>) ① 가스나 작은 티끌이 구름처럼 모여 있는 천체를 성운이라고 한다. 성간 물질은 별과 별 사이의 공간에 분포하는 가스나 티끌이다.
② 수많은 별들이 모여 집단을 이루는 천체를 성단이라고 한다. 성단은 모양에 따라 산개 성단과 구상 성단으로 구분한다.
③ 구상 성단은 수만~수십만 개의 별들이 공 모양으로 빽빽하게 모여 있는 천체이고, 산개 성단은 수십~수만 개의 별들이 비교적 엉성하게 모여 있는 천체이다.
④ 산개 성단은 주로 표면 온도가 높은 파란색 별들로 이루어져 있다. 구상 성단은 주로 표면 온도가 낮은 붉은색 별들로 이루어져 있다.

14 외부 은하는 모양을 기준으로 크게 타원 은하, 나선 은하, 불규칙 은하로 분류할 수 있다.

[15~16] (문제 분석하기 >>)

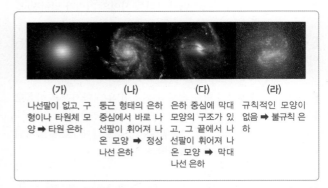

(가)
나선팔이 없고, 구형이나 타원체 모양 ➡ 타원 은하

(나)
둥근 형태의 은하 중심에서 바로 나선팔이 휘어져 나온 모양 ➡ 정상 나선 은하

(다)
은하 중심에 막대 모양의 구조가 있고, 그 끝에서 나선팔이 휘어져 나온 모양 ➡ 막대 나선 은하

(라)
규칙적인 모양이 없음 ➡ 불규칙 은하

15 우리은하는 은하 중심에 막대 모양이 있고, 막대 모양 끝에서 나선팔이 휘어져 나온 (다) 막대 나선 은하에 속한다.

16 ㄱ. (가)는 나선팔이 없고 공 모양인 타원 은하이다.
(바로알기 >>) ㄴ. (나)는 정상 나선 은하이고, (다)는 막대 나선 은하이다. 나선팔은 (나)와 (다) 모두 있으며, (나)와 (다)의 차이점은 은하 중심부에 막대 구조의 존재 유무이다.
ㄷ. 우리은하는 막대 나선 은하인 (다)와 모양이 가장 비슷하다.

17 〔문제 분석하기 ≫〕

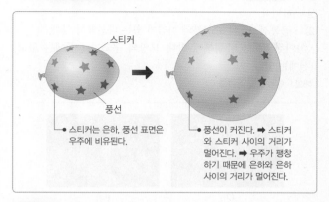

스티커

풍선

스티커는 은하, 풍선 표면은 우주에 비유된다.

풍선이 커진다. ➡ 스티커와 스티커 사이의 거리가 멀어진다. ➡ 우주가 팽창하기 때문에 은하와 은하 사이의 거리가 멀어진다.

〔바로알기 ≫〕 ① 풍선이 커지면 스티커와 스티커 사이의 거리가 멀어진다. 이와 마찬가지로 우주가 팽창하면 은하와 은하 사이의 거리가 멀어진다.

18 〔문제 분석하기 ≫〕

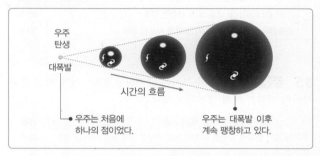

우주 탄생

대폭발

시간의 흐름

우주는 처음에 하나의 점이었다.

우주는 대폭발 이후 계속 팽창하고 있다.

ㄱ. 그림은 대폭발 우주론(빅뱅 우주론)을 나타낸 것으로, 우주가 대폭발한 후 점점 커지고 있는 모습을 나타낸다.
ㄹ. 대폭발 우주론에 따라 현재의 우주가 되기까지 걸린 시간은 약 138억 년이고, 이를 거리인 광년 단위로 바꾸면 우주의 크기는 약 138억 광년이 된다.
〔바로알기 ≫〕 ㄷ. 우주는 대폭발 이후 계속 팽창하고 있다.

19 〔바로알기 ≫〕 ㄱ. 우주는 특별한 중심 없이 모든 방향으로 팽창하고 있다.
ㄷ. 우주는 대폭발 이후 계속 팽창하고 있다.

20 천체의 규모가 가장 작은 것은 행성인 지구이고, 그 다음은 지구가 속하는 태양계이다. 성단은 수많은 별이 모인 것이므로 별이 하나인 태양계보다 규모가 크다. 성단, 성운 등이 모인 은하가 그 다음으로 크고, 은하들이 모인 우주가 가장 큰 규모이다.

21 우주를 탐사하는 근본적인 목적은 태양계와 우주를 과학적으로 탐사하고, 잘 이해하기 위해서이다. 이를 통해 첨단 과학 기술이 개발되어 우리 생활에 이용되고, 우주 산업으로 확장될 수 있으며, 지구에서 고갈된 자원을 얻을 수도 있다.

22 지구 이외의 다른 천체를 탐사하기 위해 쏘아 올린 물체로, 직접 천체의 주위를 돌거나 천체 표면에 착륙하여 탐사하는 우주 탐사 장비는 우주 탐사선이다.

23 우주 탐사의 역사
• 1950년대 : 인공위성 발사로 우주 탐사가 시작되었다.
• 1960년대 : 주로 달 탐사가 진행되었다.
• 1970년대 : 주로 행성 탐사가 진행되었다.
• 1990년대 이후 : 다양한 장비로 우주 탐사가 진행되었고, 우주 탐사를 위한 국가 간 협력이 늘어났다.

24 〔문제 분석하기 ≫〕

• 오른쪽에 제시된 행성을 탐사하기 위해 2011년에 발사된 우주 탐사선이다.
• 2016년에 이 행성에 도착한 후 궤도를 돌며 탐사하고 있다.

목성

25 (가) 아폴로 11호는 1969년에 최초로 달 착륙에 성공한 유인 탐사선이다. (나) 큐리오시티는 2011년에 발사된 화성 탐사 로봇으로, 2012년에 화성 표면에 착륙하였다. (다) 보이저 2호는 목성형 행성을 탐사하기 위해 1977년 발사되었다. (라) 허블 우주 망원경은 1990년에 발사되어 현재까지 이용하고 있다. 따라서 우주 탐사의 역사 순으로 나열하면 (가) → (다) → (라) → (나)이다.

26 ① 골프채, ② 안경테, ③ 정수기, ⑤ 자기 공명 영상(MRI)은 우주 탐사 과정에서 얻어진 첨단 기술을 응용하여 생활에 유용한 제품으로 만든 것이다.
〔바로알기 ≫〕 ④ 도자기 컵은 우주 탐사 과정에서 얻어진 첨단 기술을 응용하여 이용하는 제품이 아니다.

27 지구 반대편에서 열리는 올림픽 경기를 실시간 방송으로 볼 수 있는 것은 방송 통신 위성을 이용하기 때문이다.

28 ① 매일의 기상 관측 자료를 받는다. ➡ 기상 위성 이용
② 외국에 사는 친구와 전화 통화를 한다. ➡ 방송 통신 위성 이용
④ 내비게이션을 이용해 모르는 곳을 찾아간다. ➡ 방송 통신 위성, 항법 위성 이용
⑤ 지구 반대편에서 열리는 운동 경기를 실시간 방송으로 볼 수 있다. ➡ 방송 통신 위성 이용
〔바로알기 ≫〕 ③ 태양계 행성의 표면에 착륙하여 탐사하는 것은 인공위성이 아니라 우주 탐사선이다.

29 바로알기 ① 우주 쓰레기란 인공위성의 발사나 폐기 과정 등에서 나온 파편 등을 말한다.
③ 우주 쓰레기 때문에 인공위성이 고장 나거나 허블 우주 망원경이 손상되기도 하였다.
④ 우주에서 저절로 타서 없어지기도 하지만 최근에는 그 수가 너무 많아져 큰 위험이 되고 있다.
⑤ 우주 쓰레기는 약 7~8 km/s의 빠른 속도로 지구 주위를 떠돌기 때문에 크기가 작더라도 매우 위험하다.

30 모범 답안 태양계는 우리은하의 중심에서 약 8.5 kpc 떨어진 나선팔에 위치한다.

채점 기준	배점
태양계의 위치를 거리와 나선팔을 언급하여 옳게 서술한 경우	100 %
그 외의 경우	0 %

31 모범 답안 여름, 여름철에 지구가 우리은하의 중심 방향을 바라보기 때문이다.

채점 기준	배점
은하수가 잘 보이는 계절을 쓰고, 그 까닭을 옳게 서술한 경우	100 %
계절만 옳게 쓴 경우	30 %

32 모범 답안 (1) (가)는 구상 성단이고, (나)는 산개 성단이다.
(2) (가)와 같은 성단은 수만~수십만 개의 별로 이루어져 있으며, 우리은하의 중심부나 은하 원반을 둘러싼 구형의 공간에 주로 분포한다. (나)와 같은 성단은 수십~수만 개의 별로 이루어져 있으며, 우리은하의 나선팔에 주로 분포한다.

	채점 기준	배점
(1)	(가)와 (나)의 종류를 옳게 쓴 경우	40 %
(2)	(가)와 (나)의 별의 수, 우리은하에서의 위치를 모두 옳게 비교한 경우	60 %
	(가)와 (나)의 별의 수와 우리은하에서의 위치 중 한 가지만 옳게 비교한 경우	30 %

33 모범 답안 반사 성운, 성간 물질이 주변의 별빛을 반사하기 때문에 밝게 보인다.

| 해설 | 문제 분석하기 ≫

● 파란색을 띤다. ➡ 성간 물질이 주변의 별빛을 반사하여 밝게 보인다. ➡ 반사 성운

채점 기준	배점
성운의 종류를 쓰고, 성운이 밝게 보이는 까닭을 옳게 서술한 경우	100 %
성운의 종류만 쓴 경우	30 %

34 모범 답안 (1) (가)는 정상 나선 은하이고, (나)는 막대 나선 은하이다.
(2) • 공통점 : 은하 중심부와 휘감겨 있는 나선팔이 있다.
• 차이점 : 은하 중심부에 막대 모양의 구조가 (가)에는 없고, (나)에는 있다.

| 해설 | 문제 분석하기 ≫

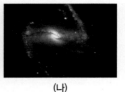

(가)	(나)
둥근 형태의 중심부에서 나선팔이 나와 휘감긴 모습이다. ➡ 정상 나선 은하	막대 구조의 끝에서 나선팔이 휘어져 나온 모습이다. ➡ 막대 나선 은하

	채점 기준	배점
(1)	(가)와 (나)의 종류를 옳게 쓴 경우	40 %
(2)	공통점과 차이점을 모두 옳게 서술한 경우	60 %
	공통점과 차이점 중 한 가지만 옳게 서술한 경우	30 %

35 모범 답안 우주의 크기는 증가하고 있다. 이에 따라 은하 사이의 거리가 점점 멀어지고 있다.

채점 기준	배점
우주의 크기 변화와 은하들 사이의 거리 변화를 모두 옳게 서술한 경우	100 %
두 가지 중 한 가지만 옳게 서술한 경우	50 %

36 모범 답안 (가)는 방송 통신 위성이고, (나)는 기상 위성이다.

| 해설 | 문제 분석하기 ≫

(가)	(나)
휴대 전화로 통화하는 모습 ➡ 방송 통신 위성 이용	일기 예보 모습 ➡ 기상 위성 이용

(나)는 앞으로의 날씨를 알려 주는 일기 예보 모습이고, 이에 이용되는 인공위성은 기상 위성이다.

채점 기준	배점
(가)와 (나)에 이용되는 인공위성의 종류를 모두 옳게 서술한 경우	100 %
두 가지 중 한 가지만 옳게 서술한 경우	50 %

01 별

1 ❶ E_1YE_2 ❷ E_1XE_2 ❸ > ❹ < ❺ 작다

2 ❶ 많은 ❷ 가까울

3 ❶ 반비례 ❷ $\frac{1}{4}$ ❸ $\frac{1}{9}$

4 ❶ 약 100배 ❷ 작다 ❸ 2.5

5 ❶ < ❷ = ❸ > ❹ 가까이

6 ❶ 높다 ❷ 낮다 ❸ 파란 ❹ 붉은 ❺ 표면 온도

02 은하와 우주

1 ❶ 막대 ❷ 나선팔 ❸ 원반 ❹ 30 ❺ 8.5

2 ❶ 중심 ❷ 중심 반대

3 ❶ 높다 ❷ 나선팔 ❸ 낮다 ❹ 중심부

4 ❶ 방출 성운 ❷ 흡수 ❸ 반사 성운 ❹ 반사 ❺ 암흑 성운

5 ❶ 타원 은하 ❷ 정상 나선 은하 ❸ 막대 나선 은하 ❹ 불규칙 은하

6 ❶ 은하 ❷ 우주

01 ④　　02 ④　　03 별 S　　04 ②　　05 ③　　06 ①, ⑤

07 ⑤　08 ③, ④　09 ③　10 ⑤　11 ①　12 B−A−D−C　13 ③　　14 ⑤　　15 ①, ④　　16 ②　　17 ⑤

18 ④　19 ①, ④　20 암흑 성운　21 ②　22 ③　23 ⑤

24 우주 정거장　25 ④

01 ② 연필은 별에, 양쪽 눈은 지구에 비유할 수 있다.

⑤ 별을 6개월 간격으로 관측한 시차의 $\frac{1}{2}$인 연주 시차를 이용하면 별까지의 거리를 알 수 있다.

바로알기 ④ (나)와 같이 팔을 펴고 실험을 하면 눈과 연필 사이의 거리가 멀어지므로 시차는 작아진다.

02 (가) 지구가 태양을 중심으로 1년에 한 바퀴씩 공전하기 때문에 별의 연주 시차가 나타난다.

(나) 연주 시차로 별까지의 거리를 구할 수 있다.

03 문제 분석하기 ≫

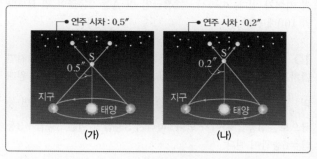

별까지의 거리는 연주 시차와 반비례 관계이다. 따라서 연주 시차가 더 큰 별 S가 별 S′보다 지구에서 더 가까운 거리에 있다.

[04~05] 문제 분석하기 ≫

별	리겔	견우성	직녀성	시리우스	베텔게우스
시차	0.008″	0.38″	0.26″	0.76″	0.016″

- 연주 시차가 가장 작다. ➡ 가장 멀리 있다.
- 연주 시차가 가장 크다. ➡ 가장 가까이 있다.
- 시차의 $\frac{1}{2}$이 연주 시차이다.

04 시차의 $\frac{1}{2}$이 연주 시차이고, 별까지의 거리와 연주 시차는 반비례 관계이다. 따라서 연주 시차가 가장 큰 시리우스가 지구에서 가장 가까운 별이고, 연주 시차가 가장 작은 리겔이 지구에서 가장 먼 별이다.

05 ㄱ. 시차가 가장 큰 시리우스가 연주 시차도 가장 크다.
ㄷ. 별까지의 거리와 연주 시차는 반비례 관계이다. 베텔게우스의 연주 시차는 리겔보다 2배 더 크므로 리겔은 베텔게우스보다 약 2배 멀리 떨어져 있다.

바로알기 ≫ ㄴ. 견우성은 직녀성보다 연주 시차가 더 크다. 가까이 있는 별일수록 연주 시차가 크므로 직녀성은 견우성보다 지구에서 멀리 떨어져 있다.

06 (가)는 별이 실제로 방출하는 빛의 양에 따른 별의 밝기를 비교한 실험이다.
(나)는 지구에서 별까지의 거리에 따른 별의 밝기를 비교한 실험이다.

07 별의 밝기는 별까지의 거리의 제곱에 반비례한다. 따라서 별의 밝기 비(A : B : C)는 $1 : \frac{1}{4} : \frac{1}{9}$이다.

08 바로알기 ≫ ① 등급의 숫자가 클수록 어두운 별이다.
② 1등급보다 밝은 별은 0등급, −1등급, −2등급, …으로 나타낼 수 있다.
⑤ 히파르코스는 눈에 보이는 별 중에서 가장 밝게 보이는 별을 1등급, 가장 어둡게 보이는 별을 6등급으로 정하였다.

09 등급이 작을수록 밝은 별이고, 5등급 차는 약 100배의 밝기 차이가 있다. 따라서 −3등급인 별 A는 2등급인 별 B보다 약 100배 밝다.

10 겉보기 등급은 눈에 보이는 밝기이므로 거리가 멀어지면 밝기는 어두워진다. 별까지의 거리가 4배 멀어지면, 밝기는 원래의 $\dfrac{1}{4^2}=\dfrac{1}{16}$배로 어두워지고, 별의 밝기가 16배 차이가 나면 등급으로는 3등급 차이가 난다. 따라서 3등급인 별은 3등급+3등급=6등급이 된다.

11 (문제 분석하기 >>)

우리 눈에 보이는 별의 밝기를 비교할 수 있다. ➡ 시리우스가 가장 밝게 보이고, 북극성이 가장 어둡게 보인다.

별	북극성	직녀성	시리우스
겉보기 등급	2.1	0.0	−1.5
절대 등급	−3.7	0.6	1.4

별의 실제 밝기를 비교할 수 있다. ➡ 실제로 가장 밝은 별은 북극성이고, 실제로 가장 어두운 별은 시리우스이다.

(바로알기 >>) ㄴ. 같은 거리에 두었을 때 가장 밝게 보이는 별은 절대 등급이 가장 작은 북극성이다.
ㄷ. 실제로 가장 어두운 별은 절대 등급이 가장 큰 시리우스이다.

12 (문제 분석하기 >>)

별	A	B	C	D
겉보기 등급	0.8	−2.5	0.1	−0.3
절대 등급	2.2	1.6	−6.8	−0.3
겉보기−절대	−1.4	−4.1	6.9	0.0

가장 가까운 곳에 있는 별 / 가장 먼 곳에 있는 별 / 10 pc의 거리에 있는 별

(겉보기 등급−절대 등급) 값이 클수록 지구에서 먼 곳에 있는 별이고, 작을수록 지구에서 가까운 곳에 있는 별이다. 따라서 지구에서 가까운 별부터 순서대로 나열하면 B−A−D−C이다.

13 (문제 분석하기 >>)

별	C	D	A	B
색깔	청백색	백색	황색	적색
표면 온도	높다. ←			→ 낮다.

파란색을 띠는 별의 표면 온도가 가장 높고, 청백색 → 백색 → 황백색 → 황색 → 주황색 → 적색일수록 표면 온도가 낮다. 따라서 별의 표면 온도가 높은 별부터 나열하면 C−D−A−B이다.

14 (문제 분석하기 >>)

별	A	B	C
겉보기 등급	−1.0	−4.0	3.0
절대 등급	−1.0	1.2	2.5
겉보기 등급 −절대 등급	0.0	−5.2	0.5
색깔	황색	청색	적색

10 pc의 거리에 있다. / 10 pc보다 가까이 있다. / 10 pc보다 멀리 있다.

① 실제 별의 밝기는 절대 등급으로 비교할 수 있으며, 절대 등급이 작은 별일수록 실제로 밝다. 따라서 실제로 가장 밝은 별은 A이다.
② 우리 눈에 보이는 별의 밝기는 겉보기 등급으로 비교할 수 있으며, 겉보기 등급이 작은 별일수록 우리 눈에 밝게 보인다. 따라서 우리 눈에 가장 밝게 보이는 별은 B이다.
③ 10 pc보다 멀리 있는 별은 겉보기 등급의 밝기가 절대 등급의 밝기보다 어두우므로 겉보기 등급이 절대 등급보다 크다. 따라서 10 pc보다 멀리 있는 별은 C이다.
④ 별의 색깔은 별의 표면 온도에 따라 달라지며, 표면 온도가 높은 별일수록 파란색을 띤다. 따라서 표면 온도가 가장 높은 별은 청색을 띠는 B이다.
(바로알기 >>) ⑤ 별 A가 지금 위치에서 10배 멀어지면 별 A의 밝기는 원래의 $\dfrac{1}{10^2}=\dfrac{1}{100}$배로 어두워진다. 밝기 차가 100배이면 등급은 5등급 차이이다. 따라서 현재 겉보기 등급이 −1등급인 별 A의 겉보기 등급은 −1+5=4등급이 된다.

15 별까지의 거리가 멀어질수록 연주 시차가 작아지고 겉보기 등급이 커진다.

16 (문제 분석하기 >>)

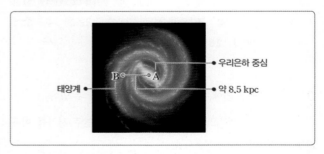

② 태양계는 우리은하 중심으로부터 약 8.5 kpc 떨어진 나선팔(B)에 위치하고 있다.
(바로알기 >>) ① 우리은하를 위에서 본 모습이다.
③ 우리은하는 막대 나선 은하에 속한다.
④ 태양과 같은 별이 약 2000억 개 있다.
⑤ A(은하 중심)에서 B(태양계)까지의 거리는 약 8.5 kpc이다.

17 우리은하는 옆에서 보았을 때 납작한 원반형으로 은하 중심에 많은 별이 모여 있다. 따라서 우리은하의 중심 방향을 바라보았을 때 은하수의 폭이 가장 넓고 뚜렷하게 보이는데, 이 방향에 있는 별자리가 궁수자리이다.

18 (바로알기)》 ① 산개 성단은 수십~수만 개의 별들이 엉성하게 모인 것으로, 우리은하의 나선팔에 주로 분포한다.
② 구상 성단은 수만~수십만 개의 별들이 공 모양으로 빽빽하게 모여 있는 것이다.
③ 방출 성운은 성간 물질이 주변의 별빛을 흡수하여 스스로 빛을 내는 성운으로, 오리온 대성운, 장미성운이 이에 속한다.
⑤ 암흑 성운은 성간 물질이 뒤쪽의 별빛을 가려서 어둡게 보이는 성운으로, 말머리성운이 이에 속한다.

19 (바로알기)》 ② (가) 구상 성단은 우리은하 중심부와 은하 원반을 둘러싼 구형의 공간에 주로 분포한다. (나) 산개 성단은 우리은하의 나선팔에 주로 분포한다.
③ (가) 구상 성단을 이루는 별들은 공 모양으로 빽빽하게 모여 있고, (나) 산개 성단을 이루는 별들은 비교적 엉성하게 모여 있다.
⑤ (나) 산개 성단은 (가) 구상 성단보다 온도가 높다.

21 은하 중심에 막대 모양의 구조가 있고, 그 끝에서 나선팔이 나와 휘감고 있는 것은 막대 나선 은하이다. ①은 불규칙 은하, ②는 막대 나선 은하, ③은 정상 나선 은하, ④는 타원 은하, ⑤는 반사 성운이다.

22 풍선이 부풀어 오르면서 스티커들 사이의 거리가 멀어지는 것과 같이 우주가 팽창하면서 은하들 사이의 거리가 멀어진다. 따라서 풍선 표면은 우주에 비유할 수 있고, 스티커는 은하에 비유할 수 있다.

23 ⑤ 모든 물질과 에너지가 모인 한 점에서 대폭발이 일어나 우주가 만들어졌고, 점점 팽창하여 현재와 같은 모습으로 되었다는 이론을 대폭발 우주론(빅뱅 우주론)이라고 한다.
(바로알기)》 ① 우주는 점점 팽창하고 있다.
② 우주가 팽창하는 데 특별한 중심은 없다.
③ 우주의 크기는 약 138억 광년이다.
④ 멀리 있는 은하일수록 멀어지는 속도가 빠르다.

24 우주 정거장은 무중력 상태이며, 과학자들이 머무르면서 지상에서 하기 어려운 과학 실험이나 신약 개발, 우주 환경 등을 연구한다.

25 먼 곳에서 일어나는 일을 실시간 방송으로 보거나 멀리 있는 친구와 휴대 전화로 통화할 수 있는 것은 방송 통신 위성을 이용하기 때문이다.

Ⅷ. 과학기술과 인류 문명

01 과학기술과 인류 문명

단원 미리보기

310~311쪽

만화 완성하기 》 [모범 답안] 정보 통신 기술을 활용한 예이군.
한눈에 보기 》 [B] 과학기술이 인류 문명의 발달에 미친 영향. [D] 공학적 설계

311~315쪽

Ⓐ **1** (1) × (2) ○ (3) ○ **2** 태양 중심설 **3** (1) × (2) ○ (3) × (4) ○

Ⓑ **1** 인쇄 **2** 증기 기관 **3** (1) × (2) ○ (3) ○ **4** (1) × (2) × (3) ○ **5** 정보 통신

Ⓒ **1** (1) (가), (나) (2) (다), (라) **2** (1) 사물 인터넷 (2) 증강 현실 (3) 인공 지능 (4) 가상 현실

Ⓓ **1** 공학적 설계 **2** (1) – ㉢ (2) – ㉠ (3) – ㉡

A-1 (바로알기)》 (1) 생활에 필요한 도구를 제작하면서 시작된 과학기술의 발달은 인류의 생활을 편리하게 변화시켰다.

A-3 (바로알기)》 (1) 전자기 유도 법칙의 발견으로 전기를 생산하고 활용할 수 있는 방법이 열렸다.
(3) 백신의 개발은 질병을 예방하여 인류의 평균 수명을 증가시키는 데 큰 영향을 미쳤다.

B-1 인쇄술의 발달은 책의 대량 생산과 보급을 가능하게 하여 지식과 정보가 빠르게 확산되었다.

B-2 증기 기관은 외부에서 연료를 연소시켜 얻은 증기의 압력을 이용하여 기계를 움직이는 장치로, 수공업 중심의 사회를 산업 사회로 변화시키는 산업 혁명의 원동력이 되었다.

B-3 (바로알기)》 (1) 암모니아 합성 기술을 이용하여 개발된 질소 비료는 식량 증대에 큰 역할을 하였다.

B-4 (바로알기)》 (1) 백신의 개발로 소아마비와 같은 질병을 예방할 수 있게 되었다.
(2) 페니실린의 발견으로 시작된 항생제의 개발로 결핵과 같은 질병을 치료할 수 있게 되었다.

B-5 정보 통신 분야와 관련한 과학기술의 발달은 인류의 문명과 생활을 크게 변화시켰다.

C-1 (가) 나노 표면 소재, (나) 휘어지는 디스플레이는 나노 기술의 예이고, (다) 유전자 재조합 기술, (라) 바이오칩은 생명 공학 기술의 예이다.

C-2 정보 통신 기술은 정보 기기의 하드웨어와 소프트웨어 기술, 이 기술을 이용한 정보 수집, 생산, 가공, 보존, 전달, 활용하는 모든 방법이다. 정보 통신 기술에는 인공 지능, 가상 현실, 증강 현실, 사물 인터넷 등이 있다.

D-2 (1) 주요 소비자층의 취향을 고려하여 디자인과 색상을 다양하게 하여 외형적 요인을 고려한다.
(2) 대량 생산이 가능하게 하여 가격을 낮춤으로써 경제성을 높인다.
(3) 노트북 컴퓨터의 크기를 줄이고 휴대가 가능하게 하여 편리성을 높인다.

실력 탄탄 핵심 문제   316~319쪽

01 ④ 02 ⑤ 03 ② 04 ㄱ, ㄷ 05 ① 06 ② 07 ④
08 ㄱ, ㄴ, ㄷ 09 ④ 10 ③, ⑤ 11 ④ 12 ① 13 ②
14 ②, ⑤ 15 ④ 16 공학적 설계 17 ①, ②
서술형 문제 18~24 해설 참조

01 〔바로알기〕 ① 뉴턴 – 만유인력 법칙 발견
② 훅 – 세포의 발견
③ 하버 – 암모니아 합성법 개발
⑤ 코페르니쿠스 – 태양 중심설 주장

02 〔바로알기〕 ⑤ 천체 관측으로 태양 중심설의 증거가 발견되어 우주에 관한 사람들의 생각이 달라지기 시작했다.

03 ① 농업 분야, ③ 정보 통신 분야, ④ 의료 분야의 과학기술이 인류 문명의 발달에 미친 영향이다.
⑤ 망원경의 발달은 천문학, 우주 항공 기술을 발전시켰다.
〔바로알기〕 ② 화학 비료의 개발은 인류의 식량 부족 문제를 해결하는 데 기여하였다.

04 ㄱ. 활판 인쇄술이 발달하면서 책을 대량으로 만들 수 있게 되었고, 종교 개혁, 과학 혁명 등에 영향을 주었다.
ㄷ. 전자책의 출판으로 많은 양의 책을 저장하고 검색하기 쉬워졌다.
〔바로알기〕 ㄴ. 인쇄 기술의 발달은 책의 대량 생산과 보급을 가능하게 하여 지식과 정보가 빠르게 확산되었다.

05 ②, ③, ④, ⑤ 증기 기관은 수공업 중심의 사회를 산업 사회로 변화시키는 산업 혁명의 원동력이 되었다.
〔바로알기〕 ① 증기 기관은 외부에서 연료를 연소시켜 얻은 증기의 압력을 이용하여 기계를 움직이는 장치이고, 연료를 기관 내부에서 연소시켜 이를 동력원으로 이용하는 것은 내연 기관이다.

06 〔바로알기〕 ② 암모니아 합성 기술을 이용하여 개발된 질소 비료는 농산물의 생산량을 증가시켜 식량 부족 문제 해결에 기여하였다.

07 ① 종두법은 천연두 예방을 위해 백신을 인체의 피부에 접종하는 방법이다.
②, ③ 백신의 개발로 여러 가지 질병을 예방할 수 있게 되었고, 항생제의 개발로 여러 가지 질병을 치료할 수 있게 되었다.
⑤ 현재는 원격 의료 기술의 발달로 시간과 장소에 관계없이 의료 지원을 받을 수도 있다.
〔바로알기〕 ④ 현재는 자기 공명 영상 장치(MRI)와 같은 첨단 의료 기기가 개발되어 정밀한 진단이나 치료가 가능하다.

08 ㄱ. 전화기의 발명으로 멀리 떨어진 사람과 통화할 수 있게 되었고, 소통 방법이 달라졌다.
ㄴ, ㄷ. 인터넷과 스마트 기기의 개발로 세계 곳곳의 정보를 쉽게 찾을 수 있게 되었고, 어디서든 영상을 보는 것이 가능해졌다.

09 ④ 스마트 기기를 통해 문화적 경험과 의견을 빠르게 주고받을 수 있게 된 것은 과학기술의 발달이 우리 생활에 미치는 긍정적인 영향이다.
〔바로알기〕 ① 교통수단의 발달로 교통사고가 증가하는 것, ② 생명 공학 기술의 발달로 생명 경시 현상이 나타나는 것, ③ 의학의 발달로 인구 고령화가 사회적 문제로 부각되고 있는 것, ⑤ 과학기술의 발달로 개인 정보 유출에 따른 사생활 침해 현상이 늘어나고 있는 것은 과학기술의 발달이 우리 생활에 미치는 부정적인 영향이다.

10 ③ 정보 통신 기술을 활용하여 증강 현실, 가상 현실 외에도 인공 지능, 빅데이터 기술 등 다양한 기술이 개발되고 있다.
⑤ 통신망으로 연결된 사물이 주변 상황에 맞추어 스스로 일을 하는 기술을 사물 인터넷이라고 한다.
〔바로알기〕 ① 생명 공학 기술의 발달로 식량 문제를 해결하고, 유용한 의약품을 만들고 있다.
② 나노 기술의 발달로 제품의 소형화, 경량화가 가능해져 다양한 제품이 개발되고 있다.
④ 나노 기술, 정보 통신 기술의 발달은 자율 주행 자동차와 드론의 개발로 이어지고 있다.

11 ㄱ. 연잎 표면의 원리를 모방하여 물에 젖지 않는 섬유, 건물이나 자동차의 코팅제 등을 개발할 수 있다.

ㄷ. 나노 기술을 이용하면 자연 현상을 모방한 물질을 개발하여 우리 생활을 편리하게 만들 수 있다.

바로알기 » ㄴ. 홍합은 단백질을 분비하여 파도가 치는 바닷물 속에서도 바위에 달라붙을 수 있다. 이 단백질은 유리, 금속, 플라스틱 등 여러 물질에 강하게 접착할 수 있으므로, 이 원리를 모방하여 인체에 해가 없는 의료용 접착제를 만들 수 있다.

12 ① 나노 기술에 대한 설명이다.

13 ①, ③, ④, ⑤ 생명 공학 기술에 대한 설명으로, 이 기술을 활용한 예에는 바이오칩, 세포 융합, 바이오 의약품, 유전자 재조합 기술 등이 있다.

바로알기 » ② 가상 현실은 정보 통신 기술을 활용한 예이다.

14 ②, ⑤ 유전자 재조합 기술은 특정 생물의 유용한 유전자를 다른 생물의 DNA에 끼워 넣어 재조합 DNA를 만드는 기술이며, 이 기술로 만들어진 유전자 변형 생물(LMO)에는 잘 무르지 않는 토마토, 제초제에 내성을 가진 콩 등이 있다.

바로알기 » ①, ③ 세포 융합은 서로 다른 특징을 가진 두 종류의 세포를 융합하여 하나의 세포로 만드는 기술이다. 이 기술로 만들어진 생물에는 감귤이 있는데, 감귤은 오렌지와 귤의 세포를 융합하여 당도를 높인 것이다.
④ 지문, 홍채, 정맥, 얼굴 등 개인의 고유한 신체적 특성으로 사용자를 인증하는 방법은 정보 통신 기술을 활용한 생체 인식이다.

15 ①, ②, ③, ⑤ 정보 통신 기술을 활용한 예에 대한 설명이다.

바로알기 » ④ 생물체에서 유래한 단백질이나 호르몬, 유전자 등을 사용하여 만든 의약품은 바이오 의약품으로, 이는 생명 공학 기술을 활용한 예이다.

17 **바로알기 »** ③ 소비자의 취향을 고려하여 자동차의 외형을 디자인한다.
④ 배기가스가 발생하지 않는 전동기를 사용하여 환경적 요인을 고려한다.
⑤ 소음이 거의 없는 전기 자동차의 접근을 보행자가 알 수 있도록 경보음 장치를 설치한다.

18 **모범 답안 ▶** (가) 경험 중심의 과학적 사고를 중요시하게 되었다.
(나) 생물체를 작은 세포들이 모여서 이루어진 존재로 인식하게 되었다.
(다) 자연 현상을 이해하고 그 변화를 예측할 수 있게 하였다.

채점 기준	배점
(가)~(다)의 발견이 인류 문명에 미친 영향을 모두 옳게 서술한 경우	100 %
(가)~(다)의 발견이 인류 문명에 미친 영향 중 두 가지만 옳게 서술한 경우	70 %
(가)~(다)의 발견이 인류 문명에 미친 영향 중 한 가지만 옳게 서술한 경우	40 %

19 **모범 답안 ▶** 책의 대량 생산과 보급을 가능하게 하여 지식과 정보가 빠르게 확산되었다.

채점 기준	배점
인쇄술의 개발이 인류 문명에 미친 영향을 옳게 서술한 경우	100 %
그 외의 경우	0 %

20 **모범 답안 ▶** 농산물이 성장하기에 좋은 환경을 자동으로 유지하여 농산물의 생산량을 늘리고 품질을 높이고 있다.

채점 기준	배점
지능형 농장에서 하는 일을 옳게 서술한 경우	100 %
그 외의 경우	0 %

21 **모범 답안 ▶** 결핵과 같은 질병을 치료할 수 있게 되었다. 인류의 평균 수명을 늘리는 데 영향을 미쳤다. 등

채점 기준	배점
항생제의 개발이 인류 문명에 미친 영향을 옳게 서술한 경우	100 %
그 외의 경우	0 %

22 **모범 답안 ▶** 과학기술의 발달을 환경보다 우선시하여 환경 오염 문제가 발생하였다. 개인 정보 유출에 따른 사생활 침해 현상이 발생하고 있다. 등

채점 기준	배점
과학기술 발달의 부정적인 영향을 옳게 서술한 경우	100 %
그 외의 경우	0 %

23 **모범 답안 ▶** 어디서든 정보를 검색할 수 있다. 어디서든 영상을 볼 수 있다. 홈 네트워크를 이용하여 원격으로 집 안 시설을 관리할 수 있다. 등

채점 기준	배점
스마트 기기가 우리 생활을 편리하게 하는 점 두 가지를 옳게 서술한 경우	100 %
스마트 기기가 우리 생활을 편리하게 하는 점을 한 가지만 옳게 서술한 경우	50 %

24 **모범 답안 ▶** (가) 나노 기술이며, 이 기술이 활용되는 예에는 나노 반도체가 있다.
(나) 생명 공학 기술이며, 이 기술이 활용되는 예에는 유전자 재조합 기술이 있다.
(다) 정보 통신 기술이며, 이 기술이 활용되는 예에는 인공 지능이 있다.

|해설| 나노 기술, 생명 공학 기술, 정보 통신 기술이 활용되는 예는 다양하다.

채점 기준	배점
(가)~(다) 기술의 종류와 예를 모두 옳게 서술한 경우	100 %
(가)~(다) 기술의 종류와 예 중 두 가지만 옳게 서술한 경우	70 %
(가)~(다) 기술의 종류와 예 중 한 가지만 옳게 서술한 경우	40 %

Memo

다른 곳엔 없는

메타인지 학습 과

성취 기반 AI메타보드·AI채움퀘스트

교재 강의 로

업계 유일한 비상교재, 쎈 강좌 보유

시험이 쉬워지는

비상교육 온리원 중등

완자 시·리·즈 　친절한 개념설명으로 완벽한 자율학습이 가능하여 공부의 자신감을 갖게 합니다.

대표전화 1544-0554

주소 경기도 과천시 과천대로2길 54(갈현동, 그라운드브이)

협의 없는 무단 복제는 법으로 금지되어 있습니다.

자율학습시 비상구 미니완자로 53

중등 과학 3

01 물질 변화와 화학 반응식

족보 1 물리 변화와 화학 변화의 예

(❶) 변화의 예	(❷) 변화의 예
• 컵이 깨진다. • 물에 잉크가 퍼진다. • 향수 냄새가 퍼진다. • 설탕이 물에 녹는다. • 아이스크림이 녹는다. • 종이를 접거나 자른다. • 유리창에 김이 서린다. • 물을 끓이면 수증기가 된다. • 빈 음료수 캔을 찌그러뜨린다.	• 메테인이 연소한다. • 철로 만든 못이 녹슨다. • 나무가 타서 재가 된다. • 김치가 익어 맛이 시어진다. • 단풍잎의 색깔이 붉게 변한다. • 달걀 껍데기와 묽은 염산이 반응하면 이산화 탄소 기체가 발생한다. • 아이오딘화 칼륨 수용액과 질산 납 수용액이 반응하면 노란색 앙금이 생성된다.

족보 2 물리 변화와 화학 변화에서 변하는 것과 변하지 않는 것

구분	물리 변화	화학 변화
변하는 것	• 분자의 (❸)	• 원자의 배열 • 분자의 종류 • 물질의 (❹)
변하지 않는 것	• 원자의 배열, 원자의 종류와 개수 • 분자의 종류와 개수 • 물질의 성질과 총질량	• 원자의 종류와 개수 • 물질의 총질량

족보 3 마그네슘의 물리 변화와 화학 변화 관찰

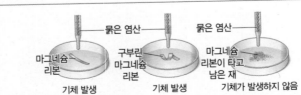

- 마그네슘 리본의 모양이 변해도 마그네슘의 성질은 변하지 않는다. ➡ 마그네슘 리본을 구부리는 것은 (❺   ) 변화이다.
- 마그네슘 리본을 태우면 마그네슘의 성질이 달라진다. ➡ 마그네슘 리본이 타는 것은 (❻   ) 변화이다.

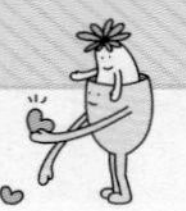

족보 4 화학 반응식 나타내기

1단계	• 반응물은 화살표(→)의 왼쪽에, 생성물은 화살표의 오른쪽에 쓴다. • 반응물이나 생성물이 두 가지 이상이면 각 물질을 '+'로 연결한다.
↓	
2단계	• 반응물과 생성물을 화학식으로 나타낸다.
↓	
3단계	• 반응물과 생성물을 구성하는 원자의 종류와 개수가 같도록 화학식 앞의 (❼) 를 맞춘다.(단, 1은 생략)

족보 5 여러 가지 반응의 화학 반응식

- 물의 생성 반응 : $2H_2+O_2 \longrightarrow 2H_2O$
- 암모니아 생성 반응 : $N_2+3H_2 \longrightarrow$ (❽)NH_3
- 과산화 수소 분해 반응 : $2H_2O_2 \longrightarrow 2H_2O+O_2$
- 메테인 연소 반응 : $CH_4+ 2O_2 \longrightarrow CO_2+2H_2O$
- 마그네슘 연소 반응 : $2Mg+O_2 \longrightarrow 2MgO$
- 탄산수소 나트륨 분해 반응 : $2NaHCO_3 \longrightarrow Na_2CO_3+CO_2+$(❾)

족보 6 화학 반응식으로 알 수 있는 것

화학 반응식	$2H_2$ +	O_2 ⟶	$2H_2O$	N_2 +	$3H_2$ ⟶	$2NH_3$
물질의 종류	반응물		생성물	반응물		생성물
	수소	산소	물	질소	수소	암모니아
(❿)의 종류와 개수	H_2 2개	O_2 1개	H_2O 2개	N_2 1개	H_2 3개	NH_3 2개
(⓫)의 종류와 개수	H 4개	O 2개	H 4개 O 2개	N 2개	H 6개	N 2개 H 6개
분자 수의 비	2 :	1 :	2	1 :	3 :	2

➡ 화학 반응식으로 알 수 있는 것 : 반응물과 생성물의 종류, 반응물과 생성물을 이루는 원자의 종류와 개수, 입자 수의 비 등

답 ❼ 계수 ❽ 2 ❾ H_2O ❿ 분자 ⓫ 원자

2 화학 반응의 규칙

족보 1 앙금 생성 반응에서 질량 변화

염화
나트륨
수용액

질산 은
수용액

(가)   (나)

- 질량 비교 : (가)=(나)
- 질량 비교로 알 수 있는 사실 : 앙금 생성 반응에서 반응 전후에 물질의 총질량은 같다.
  ➡ (❶   ) 법칙 성립

족보 2 기체 발생 반응에서 질량 변화

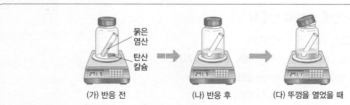

묽은
염산

탄산
칼슘

(가) 반응 전   (나) 반응 후   (다) 뚜껑을 열었을 때

- 질량 비교 : (가)(❷   )(나)(❸   )(다)
- (가)와 (나)의 질량 비교로 알 수 있는 사실 : 기체 발생 반응에서 반응 전후에 물질의 총질량은 같다. ➡ 질량 보존 법칙 성립
- (다)에서 질량이 감소하는 까닭 : 발생한 기체(이산화 탄소)가 공기 중으로 빠져나가기 때문

족보 3 강철솜의 연소 반응에서 질량 변화

강철솜

(가)   (나)

- 질량 비교 : (가)(❹   )(나)
- (나)에서 질량이 증가하는 까닭 : 강철솜을 가열하면 공기 중의 산소와 결합하기 때문
- 결합한 산소의 질량을 합하면 반응 전후에 물질의 총질량은 같다. ➡ 질량 보존 법칙 성립

> ❹ < ❸ = ❷ 질량 보존 ❶ 답

족보 4 여러 가지 화합물의 질량비

(※ 원자 1개의 상대적 질량 : 수소=1, 탄소=12, 질소=14, 산소=16)

구분	물	과산화 수소	암모니아	이산화 탄소
모형	H O H	H O O H	H N H H	O C O
원자의 개수비	수소 : 산소 =2 : 1	수소 : 산소 =1 : 1	질소 : 수소 =1 : 3	탄소 : 산소 =1 : 2
화합물을 이루는 원소의 질량비	$(2 \times 1) : 16$ =1 : 8	$(2 \times 1) : (2 \times 16)$ =1 : 16	$14 : (3 \times 1)$ =14 : 3	$12 : (2 \times 16)$ =(❺)

족보 5 모형을 이용한 일정 성분비 법칙의 이해

모형	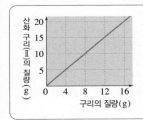
	B 2N BN₂

모형의 개수 구하기	이용한 모형(개)		만들 수 있는 BN_2(개)	남은 모형(개)
	B	N		
	10	10	최대 5	B, 5
	10	20	최대 (❻)	없음

질량비 구하기	B 1개(g)	N 1개(g)	BN_2에서 질량비(B : N)
	5	2	B : N=1×5 g : 2×2 g =5 : 4

족보 6 산화 구리(Ⅱ) 생성 반응에서 질량비

- 질량비(구리 : 산소 : 산화 구리(Ⅱ))=4 : 1 : 5
- 산화 구리(Ⅱ) 30 g을 생성하기 위해 필요한 구리의 질량
  =구리 : 산화 구리(Ⅱ)=4 : 5=x : 30 g, x=(❼   ) g
- 구리 20 g을 가열할 때 반응하는 산소의 질량
  =구리 : 산소=4 : 1=20 g : y, y=(❽   ) g

02. 화학 반응의 규칙

족보 7 화학 반응식과 기체의 부피 관계

반응물과 생성물이 기체인 반응에서 기체의 부피비는 분자 수의 비와 같고, 화학 반응식의 계수비와도 같다.

> 화학 반응식의 계수비＝부피비＝분자 수의 비

족보 8 수증기 생성 반응 모형 해석 (단, 온도와 압력은 반응 전후 같다.)

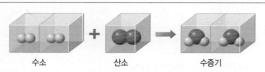

수소   산소   수증기

- 반응 전후에 (❾   )의 종류와 개수가 같다.
- 1부피 속에 들어 있는 (❿   )의 개수가 같다.
- 화학 반응식의 계수비＝부피비＝분자 수의 비(수소 : 산소 : 수증기)＝2 : 1 : 2
- 기체 반응 법칙, 질량 보존 법칙, 일정 성분비 법칙이 성립한다.
- 수소 분자 30개가 모두 반응하기 위해 필요한 산소 분자의 개수
  ＝분자 수의 비는 수소 : 산소＝2 : 1＝30개 : x, x＝(⓫   )개

족보 9 수증기 생성 반응에서 기체의 부피 구하기 (단, 온도와 압력은 반응 전후 같다.)

실험	반응 전 기체의 부피(mL)		반응 후 남은 기체의 종류와 부피(mL)	생성된 수증기의 부피 (mL)
	수소	산소		
I	10	5	0	10
II	10	10	산소, 5	(가)
III	20	5	(나)	10
해석	<p>• 부피비(수소 : 산소 : 수증기)＝2 : 1 : 2</p><p>• (가)의 부피 : (⓬) mL</p><p>➡ 수소 기체 10 mL와 산소 기체 5 mL(＝10 mL－5 mL)가 반응하면 수증기 10 mL가 생성되기 때문</p><p>• (나)의 종류와 부피 : (⓭), 10 mL</p><p>➡ 수소 기체 10 mL(＝20 mL－10 mL)와 산소 기체 5 mL가 반응하면 수증기 10 mL가 생성되기 때문</p>			

3 화학 반응에서의 에너지 출입

족보 1 발열 반응과 흡열 반응

구분	발열 반응	흡열 반응
정의	화학 반응이 일어날 때 에너지를 (❶) 하는 반응	화학 반응이 일어날 때 에너지를 (❷) 하는 반응
특징	• 주변으로 에너지를 방출하므로 주변의 온도 가 (❸)아진다. • 반응물의 에너지 합이 생성물의 에너지 합보 다 크다.	• 주변에서 에너지를 흡수하므로 주변의 온도 가 (❹)아진다. • 반응물의 에너지 합이 생성물의 에너지 합보 다 작다.

족보 2 발열 반응과 흡열 반응의 예

발열 반응의 예	흡열 반응의 예
• 나무, 메테인 등의 연소 반응 • 산과 염기의 반응 • 산화 칼슘과 물의 반응 • 사람의 호흡 • 금속이 녹스는 반응 • 금속과 산의 반응	• 소금과 물의 반응 • 수산화 바륨과 염화 암모늄의 반응 • 식물의 광합성 • 탄산수소 나트륨의 열분해 • 물의 전기 분해 • 질산 암모늄과 물의 반응

족보 3 화학 반응에서 출입하는 에너지의 활용

• 난방 및 음식 조리 : 연료가 연소할 때 방출하는 열에너지를 이용하여 난방을 하거나 음식을 조리
한다.
• 손난로 : 철 가루와 산소가 반응할 때 방출하는 에너지로 손을 따뜻하게 한다.
• 발열 컵 : 산화 칼슘과 물이 반응할 때 방출하는 에너지로 용기 안의 음료를 데운다.
• 염화 칼슘 제설제 : 염화 칼슘과 물이 반응할 때 방출하는 에너지로 눈을 녹인다.
• 냉찜질 팩 : 질산 암모늄과 물이 반응할 때 에너지를 흡수하여 주변의 온도가 낮아지므로 통증을
완화시킨다.

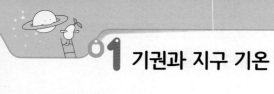

01 기권과 지구 기온

족보 1 대기의 조성

대기는 여러 기체들로 이루어져 있다. ➡ 수증기를 제외한 공기에서 (❶)가 78 %,
(❷)가 21 %를 차지한다.

족보 2 기권의 층상 구조

높이에 따른 (❸) 변화를 기준으로 4개의 층으로 구분한다.

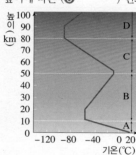

- A : 대류권
- B : 성층권
- C : 중간권
- D : 열권

족보 3 기권 각 층의 특징

구분	기온 변화	대류	기상 현상	특징
열권	높이 올라갈수록 높아짐	×	×	오로라, 낮과 밤의 기온 차 큼
중간권 계면 : 높이 약 80 km ➡ 최저 기온이 나타남				
중간권	높이 올라갈수록 낮아짐	○	×	유성
성층권 계면 : 높이 약 50 km				
성층권	높이 올라갈수록 높아짐	×	×	오존층 존재, 장거리 비행기 항로
대류권 계면 : 높이 약 10 km				
대류권	높이 올라갈수록 낮아짐	○	○	공기의 대부분이 분포

정답 ❶ 질소 ❷ 산소 ❸ 기온

족보 4 지구의 복사 평형

• 복사 평형 : 어떤 물체가 흡수하는 복사 에너지양과 방출하는 복사 에너지양이 같아서 온도가 일정하게 유지되는 상태

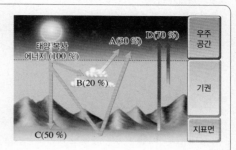

• 우주 공간으로 반사되는 태양 복사 에너지양
  : A=30 %
• 지구가 흡수하는 태양 복사 에너지양 :
  B+C=70 %
┌ 대기에서 흡수 : B=20 %
└ 지표면에서 흡수 : C=50 %
• 지구가 우주 공간으로 방출하는 지구 복사 에너지양 : D=70 %
• 흡수하는 태양 복사 에너지양(70 %)=방출하는 지구 복사 에너지양(70 %) ➡ (❹   )

족보 5 지구 온난화

• (❺   ) : 대기 중 온실 기체의 양이 증가하면서 온실 효과가 강화되어 지구의 평균 기온이 높아지는 현상

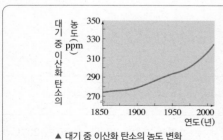

▲ 대기 중 이산화 탄소의 농도 변화

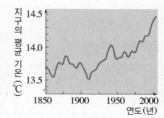

▲ 지구의 평균 기온 변화

• 지구 온난화의 주요 원인 : 대기 중 (❻   )의 농도 증가
• 영향 : 해수면 상승, 육지 면적 감소, 기상 이변 증가, 생태계 변화 등
• 대책 : 화석 연료 사용 억제, 삼림의 보존과 확대 등

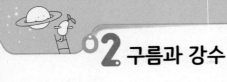

02 구름과 강수

족보 1 증발과 응결의 예

증발	응결
• 젖은 빨래가 마른다. • 물걸레로 청소한 바닥이 마른다. • 컵에 담아 둔 물이 줄어든다.	• 차가운 음료수 병에 물방울이 맺힌다. • 맑은 날 새벽 풀잎에 이슬이 맺힌다. • 겨울철 창문에 김이 서린다.

족보 2 이슬점

- 이슬점=응결이 시작되는 온도=수증기가 물방울로 되기 시작할 때의 온도
  =상대 습도가 (❶   ) %일 때의 온도=공기가 포화 상태에 도달할 때의 온도
- 이슬점은 실제 수증기량에 의해 결정된다. ➡ 실제 수증기량이 (❷   )수록 이슬점이 높다.
- 이슬점에서의 포화 수증기량은 실제 수증기량과 같다.

족보 3 상대 습도

$$상대 습도(\%)=\frac{현재 공기 중의 실제 수증기량(g/kg)}{현재 기온의 포화 수증기량(g/kg)}\times100$$
$$=\frac{이슬점에서의 포화 수증기량(g/kg)}{현재 기온의 포화 수증기량(g/kg)}\times100$$

족보 4 상대 습도 구하기

기온(℃)	10	15	20	25	30
포화 수증기량(g/kg)	7.6	10.6	14.7	20.0	27.1

예제1 현재 기온이 25 ℃인 공기 1 kg 속에 포함되어 있는 수증기량이 17.0 g일 때 상대 습도는 얼마인지 구하시오.

➡ $\dfrac{17.0 \text{ g/kg}}{20.0 \text{ g/kg}}\times100=85 \%$

예제2 현재 기온이 30 ℃, 이슬점이 20 ℃인 공기의 상대 습도는 얼마인지 구하시오.

➡ $\dfrac{14.7 \text{ g/kg}}{27.1 \text{ g/kg}}\times100≒$(❸   ) %

족보 5 **상대 습도의 변화**

• 기온이 일정할 때 : 실제 수증기량이 많을수록 상대 습도가 높다.
• 수증기량이 일정할 때 : 기온이 낮을수록 상대 습도가 높다.

족보 6 **포화 수증기량 곡선 해석**

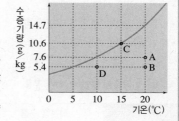

• A~D 중 포화 상태의 공기 : C
• A 공기의 실제 수증기량 : 7.6 g/kg
• A 공기의 포화 수증기량 : 14.7 g/kg
• A 공기를 포화 상태로 만드는 두 가지 방법 ➡ 온도를
(❹   ) ℃로 낮추거나, 수증기 (❺   )g/kg
을 공급한다.
• A 공기의 이슬점 : A 공기의 온도를 낮춰 포화 수증기량
곡선과 만나는 곳의 기온 ➡ 10 ℃
• A~D 공기의 이슬점 비교 : 실제 수증기량이 많을수록 이슬점이 높다. ➡ (❻   )
• A 공기를 5 ℃로 냉각시켰을 때 응결량 : A 공기의 실제 수증기량−5 ℃일 때의 포화 수증기량
＝7.6 g/kg−5.4 g/kg＝2.2 g/kg
• A 공기의 상대 습도 구하는 식 : $\dfrac{7.6 \text{ g/kg}}{14.7 \text{ g/kg}} \times 100 ≒ 51.7$ %
• 상대 습도가 가장 높은 공기 : C(100 %)

족보 7 **맑은 날 하루 동안 기온, 상대 습도, 이슬점 변화**

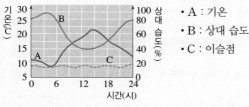

• A : 기온
• B : 상대 습도
• C : 이슬점

• 이슬점은 거의 일정하다. ➡ 하루 동안 공기 중에 포함된 수증기량이 거의 일정하기 때문
• 기온과 상대 습도 변화는 대체로 (❼   ) 나타난다.

족보 8 구름의 생성 순서

| 공기의 상승 | → | 부피 팽창 (단열 팽창) | → | 기온 하강 | → | 이슬점 도달 | → | 수증기 응결 | → | 구름 생성 |

족보 9 구름이 만들어지는 경우 (=공기가 상승하는 경우)

- 지표의 일부분이 강하게 (❽)될 때
- 공기가 산을 타고 올라갈 때
- 따뜻한 공기와 찬 공기가 만날 때
- 주변보다 기압이 낮아 공기가 모여들 때

족보 10 구름의 모양에 따른 분류

	적운형 구름	종류	층운형 구름	
	위로 솟는 모양	모양	옆으로 퍼지는 모양	
	강할 때 형성	상승 운동	약할 때 형성	

족보 11 저위도 지방(열대 지방)의 비(따뜻한 비)

- 강수 이론 : (❾)
- 구름 속 입자 : 물방울만 존재
- 강수 원리 : 큰 물방울과 작은 물방울이 충돌하여 합쳐져 무거워진 물방울이 떨어진다.

족보 12 중위도나 고위도 지방의 비(차가운 비)

- 강수 이론 : (❿)
- 구름 속 입자 : A층은 주로 얼음 알갱이, B층은 얼음 알갱이＋ 물방울, C층은 주로 물방울
- 강수 원리 : 얼음 알갱이에 수증기가 달라붙어 커져서 무거워짐
  ➡ 그대로 떨어지면 눈, 떨어지다가 녹으면 비
- 얼음 알갱이에 수증기가 달라붙어 커지는 층 : B

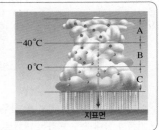

정답 ❽ 가열 ❾ 병합설 ❿ 빙정설

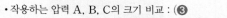

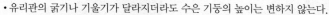

03 기압과 바람

족보 1 기압에 대한 설명

- 기압(대기압) : 공기가 단위 넓이에 작용하는 힘
- 기압의 작용 방향 : 모든 방향
- 기압의 단위 : hPa, 기압, cmHg
- 1기압=(❶   ) cmHg≒(❷   ) hPa≒약 10 m 물기둥의 압력

족보 2 토리첼리의 실험

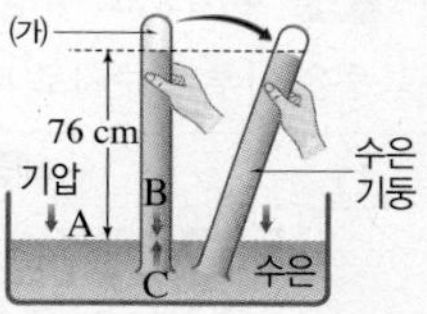

- 1기압 : 높이 76 cm의 수은 기둥의 압력
- (가) 부분 : 진공 상태
- 수은 기둥이 멈춘 까닭 : 수은 면에 작용하는 기압과 수은 기둥의 압력이 같기 때문
- 작용하는 압력 A, B, C의 크기 비교 : (❸   )
- 유리관의 굵기나 기울기가 달라지더라도 수은 기둥의 높이는 변하지 않는다.
- 높은 산에 올라가서 이 실험을 한다면, 수은 기둥의 높이는 낮아진다.

족보 3 기압의 변화

- 측정 장소와 시간에 따라 기압은 달라진다. ➡ 공기는 계속 움직이기 때문
- 높이 올라갈수록 기압이 (❹   )진다. ➡ 높이 올라갈수록 공기의 양이 적어지기 때문

족보 4 바람

- 바람 : 기압이 (❺   )은 곳에서 (❻   )은 곳으로 이동하는 공기의 흐름
- 발생 원인 : 두 지점의 기압 차
- 풍속(바람의 세기) : 두 지점의 기압 차이가 클수록 풍속이 빨라진다.

답 ❶ 76 ❷ 1013 ❸ A=B=C ❹ 낮아 ❺ 높 ❻ 낮

족보 5 공기의 흐름을 보고 지표면의 가열과 냉각, 기압, 바람의 방향 알기

• A : 지표면이 냉각 ➡ 공기 하강
• B : 지표면이 가열 ➡ 공기 상승
• A와 B의 기압 비교 : (❼　　　)
• 바람이 부는 방향 : A(기압이 높은 곳) → B(기압이 낮은 곳)

족보 6 해륙풍과 계절풍

해륙풍은 하루를 주기로 바람의 방향이 바뀌고, 계절풍은 1년을 주기로 바람의 방향이 바뀐다.

해풍	육풍

• 부는 때 : (❽　　　) • 기온 : 육지＞바다 • 기압 : 육지＜바다 • 부는 방향 : 육지 ← 바다	• 부는 때 : (❾　　　) • 기온 : 육지＜바다 • 기압 : 육지＞바다 • 부는 방향 : 육지 → 바다
남동 계절풍(우리나라)	**북서 계절풍(우리나라)**
	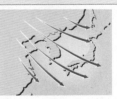
• 부는 때 : (❿　　　) • 기온 : 대륙＞해양 • 기압 : 대륙＜해양 • 부는 방향 : 대륙 ← 해양	• 부는 때 : (⓫　　　) • 기온 : 대륙＜해양 • 기압 : 대륙＞해양 • 부는 방향 : 대륙 → 해양

Ⅱ. 기권과 날씨

4 날씨의 변화

족보 **1** 우리나라 주변의 기단과 영향을 주는 계절

기단	이름	성질	계절
A	시베리아 기단	(**❶**)	겨울
B	양쯔강 기단	온난 건조	봄, 가을
C	북태평양 기단	고온 다습	(**❷**)
D	오호츠크해 기단	한랭 다습	초여름

족보 **2** 전선의 종류

종류	기호	정의
한랭 전선	▲▲▲▲	찬 공기가 따뜻한 공기 아래로 파고들면서 생긴 전선
온난 전선	⌒⌒⌒	따뜻한 공기가 찬 공기 위를 타고 올라가면서 생긴 전선
(**❸**)	⌒▲⌒▲	한랭 전선이 온난 전선보다 이동 속도가 빨라 겹쳐지면서 생긴 전선
(**❹**)	▼⌒▼⌒	두 기단의 세력이 비슷해서 한곳에 오래 머무는 전선

족보 **3** 한랭 전선과 온난 전선의 특징

▲ 한랭 전선

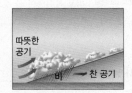

▲ 온난 전선

전선 이름	전선면 기울기	구름	비	이동 속도
한랭 전선	급하다.	(**❺**)	좁은 지역에 소나기성 비	빠르다.
온난 전선	완만하다.	(**❻**)	넓은 지역에 지속적인 비	느리다.

족보 4 북반구 고기압과 저기압 주변의 바람과 날씨

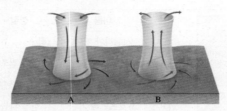

구분	기압	바람	기류	날씨
A	고기압	시계 방향으로 불어 나감	(❼)	맑음
B	저기압	시계 반대 방향으로 불어 들어옴	(❽)	흐리고 비나 눈

족보 5 온대 저기압 주변의 날씨

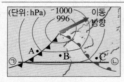

▲ 온대 저기압의 모습

▲ ㉠ – ㉡ 단면

A 지역의 날씨	기온 낮음, 적운형 구름, 소나기성 비, 북서풍
B 지역의 날씨	기온 높음, 맑은 날씨, 남서풍
C 지역의 날씨	기온 낮음, 층운형 구름, 지속적인 비, 남동풍

• C 지역의 풍향 변화 : 남동풍(현재) → 남서풍 → 북서풍
• C 지역의 기온 변화 : 낮음(현재) → 기온 상승 → 기온 하강

예제 1 현재 지속적인 비가 내리고 남동풍이 불고 있지만, 앞으로 날씨가 맑아지고, 남서풍이 불 것으로 예상되는 지역은? C 지역

예제 2 현재 날씨가 맑고 남서풍이 불고 있지만, 앞으로 소나기성 비가 내리고 북서풍이 불 것으로 예상되는 지역은? B 지역

족보 6 우리나라의 계절별 특징

봄철	여름철	가을철	겨울철
• 이동성 고기압과 온대 저기압의 영향 ➡ 날씨 변화가 심함	• 북태평양 기단의 영향 • (❾)형의 기압 배치 • 남동 계절풍	• 이동성 고기압과 저기압의 영향 • 맑은 하늘이 자주 나타남	• 시베리아 기단의 영향 • (❿)형의 기압 배치 • 북서 계절풍

01 운동

족보 1 물체의 빠르기 비교

• 같은 거리를 이동할 때 : 걸린 시간이 (❶)수록 더 빠르다.
• 같은 시간 동안 이동할 때 : 이동한 거리가 (❷)수록 더 빠르다.
• 다중 섬광 사진으로 비교

| (가) | (나) |

• 물체 사이의 간격이 넓을수록 빠르다.
➡ (나)가 (가)보다 물체 사이의 간격이 넓다.
➡ (나)가 (가)보다 빠르다.

족보 2 속력과 평균 속력

구분	속력	평균 속력
정의	일정한 시간(1초, 1분, 1시간 등) 동안 물체가 이동한 거리	물체가 이동한 전체 거리를 걸린 시간으로 나누어 구한 속력
계산	$속력 = \dfrac{이동\ 거리}{(❸\qquad)}$	$평균\ 속력 = \dfrac{전체\ 이동\ 거리}{걸린\ 시간}$
단위	m/s(미터 매 초), km/h(킬로미터 매 시) 등	

족보 3 단위가 다른 속력 비교 : 단위를 m/s로 통일

• A : 25 m/s　　　　　• B : 600 m/min　　　　　• C : 72 km/h

➡ $B : 600\ m/min = \dfrac{600\ m}{60\ s} = 10\ m/s$, $C : 72\ km/h = \dfrac{72000\ m}{3600\ s} = 20\ m/s$

∴ 속력의 크기 : A > C > B

족보 4 등속 운동의 그래프

시간 – 이동 거리 그래프		시간 – 속력 그래프	
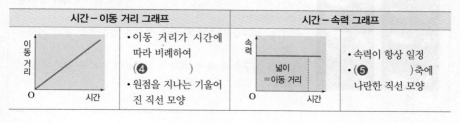	• 이동 거리가 시간에 따라 비례하여 (❹) • 원점을 지나는 기울어진 직선 모양	(속력 그래프) 넓이 =이동 거리	• 속력이 항상 일정 • (❺)축에 나란한 직선 모양

정답 ❶ 짧을 ❷ 길 ❸ 걸린 시간 ❹ 증가 ❺ 시간

족보 5 시간 – 이동 거리 그래프에서 속력 구하기 : 그래프의 기울기=속력

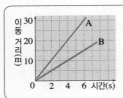

- A의 속력=$\dfrac{30\ m}{6\ s}$=5 m/s
- B의 속력=$\dfrac{15\ m}{6\ s}$=2.5 m/s

⎱ A의 속력이 B의 2배

족보 6 자유 낙하 운동

- 공기 저항이 없을 때 정지해 있던 물체가 (❻   )만 받으면서 아래로 떨어지는 운동
- 속력 변화 : 지구의 지표면 근처에서 낙하하면 속력이 1초에 (❼   ) m/s씩 증가한다.
- 이동 거리 : 같은 시간 동안 물체가 이동하는 거리는 점점 증가한다.

족보 7 자유 낙하 운동 그래프

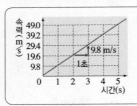

- 원점을 지나는 기울어진 직선 모양이다.
- 속력이 1초에 9.8 m/s씩 증가하므로 기울기는 9.8이다.
  ➡ 9.8을 (❽   )라고 한다.

족보 8 질량이 다른 물체의 자유 낙하 운동

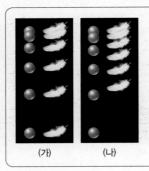

(가)   (나)

- 공기 저항이 없으면 물체의 속력 변화는 물체의 질량에 관계없이 1초에 9.8 m/s씩으로 일정하다.
- 공기 저항이 있으면 물체가 받는 공기 저항의 크기에 따라 속력 변화가 달라진다.
- (가)는 쇠구슬과 깃털의 속력 변화가 같으므로 공기 저항이 (❾   ).
- (나)는 쇠구슬의 속력 변화가 깃털보다 크므로 공기 저항이 (❿   ).

⑫ 일과 에너지

족보 1 **과학에서의 일**

• 물체에 힘이 작용하여 물체가 (❶　　　　　)의 방향으로 이동하는 경우

• 일의 단위 : J(줄)
• 일의 양 = 힘의 크기 × (❷　　　　)

족보 2 **일의 양이 0일 때** : 과학에서 의미하는 일을 하지 않은 경우

• 힘 = 0 : 마찰이 없는 얼음판 위에서 물체를 일정한 속력으로 이동시킬 때
• 이동 거리 = 0 : 무거운 책을 들고 서 있을 때, 벽을 밀었으나 움직이지 않을 때
• 힘의 방향과 이동한 방향이 (❸　　　　) : 물체를 들고 수평 방향으로 걸어갈 때
　➡ 힘의 방향으로 이동한 거리가 0이기 때문

족보 3 **중력과 일의 양**

중력에 대해 한 일	중력이 한 일
물체를 들어 올릴 때에는 중력에 대해 일을 한다.	물체가 떨어질 때에는 중력이 물체에 일을 한다.
일의 양 = 물체의 (❹　　　　) × 들어 올린 높이	일의 양 = 물체의 무게 × 떨어진 높이

족보 4 **에너지**

• 일을 할 수 있는 능력
• 에너지의 단위 : J(줄)
• 물체에 일을 하면 물체의 에너지가 (❺　　　　)하고, 물체가 외부에 일을 하면 물체의 에너지가 (❻　　　　)한다.

정답 ❶ 힘 ❷ 이동 거리 ❸ 수직 ❹ 무게 ❺ 증가 ❻ 감소

02. 일과 에너지

족보 5 중력에 의한 위치 에너지 구하기

예제 질량이 5 kg이고, 지면으로부터 2 m 높이에 있는 공이 가지는 중력에 의한 위치 에너지는?

➡ 공이 가지고 있는 중력에 의한 위치 에너지 $=9.8mh=(9.8\times5)\,\text{N}\times2\,\text{m}=98\,\text{J}$

족보 6 기준면에 따른 중력에 의한 위치 에너지와 일

- 지면이 기준면 : $(9.8\times2)\,\text{N}\times(3+2)\,\text{m}=98\,\text{J}$
- 베란다가 기준면 : $(9.8\times2)\,\text{N}\times2\,\text{m}=39.2\,\text{J}$
- 옥상이 기준면 : $(9.8\times2)\,\text{N}\times($ ❼ $)=0$
- 베란다에서 옥상으로 물체를 들어 올릴 때 한 일
  =물체의 중력에 의한 위치 에너지 변화량
  $=(9.8\times2)\,\text{N}\times(5-2)\,\text{m}=39.2\,\text{J}$

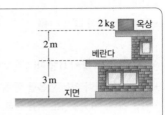

족보 7 운동 에너지 구하기

예제 질량이 5 kg인 공이 4 m/s의 속력으로 운동할 때 공이 가지고 있는 운동 에너지는?

➡ 공이 가지고 있는 운동 에너지 $=\dfrac{1}{2}mv^2=\dfrac{1}{2}\times5\,\text{kg}\times(4\,\text{m/s})^2=40\,\text{J}$

족보 8 일과 에너지의 전환

위치 에너지 ➡ 일로 전환	운동 에너지 ➡ 일로 전환
추는 낙하하면서 감소한 중력에 의한 위치 에너지만큼 나무 도막을 미는 일을 할 수 있다. ➡ 나무 도막의 이동 거리 ∝추의 (❽)×추의 낙하 높이	운동하는 수레는 감소한 운동 에너지만큼 나무 도막을 밀고 가는 일을 할 수 있다. ➡ 나무 도막의 이동 거리 ∝수레의 질량×수레의 (❾)

추
나무 도막

$\xrightarrow{\ v\ }$ m F s 정지
마찰이 있는 바닥

01 감각 기관

족보 1 눈의 구조와 기능

(❶)	동공의 크기를 조절하여 눈으로 들어오는 빛의 양 조절
수정체	볼록 렌즈와 같이 빛을 굴절시켜 망막에 상이 맺히게 함
(❷)	수정체의 두께 조절
맥락막	검은색 색소가 있어 눈 속을 어둡게 함
망막	상이 맺히는 곳, 시각 세포가 있음

홍채, 맥락막, 망막, 동공, 유리체, 시각 신경, 수정체, 섬모체

족보 2 시각 성립 경로

빛 → 각막 → (❸   ) → 유리체 → 망막의 시각 세포 → 시각 신경 → 뇌

족보 3 눈의 조절 작용

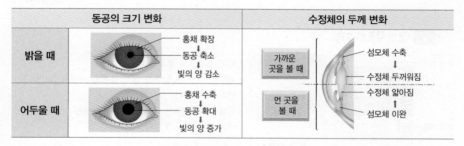

동공의 크기 변화		수정체의 두께 변화	
밝을 때	홍채 확장 ↓ 동공 축소 ↓ 빛의 양 감소	가까운 곳을 볼 때	섬모체 수축 ↓ 수정체 두꺼워짐
어두울 때	홍채 수축 ↓ 동공 확대 ↓ 빛의 양 증가	먼 곳을 볼 때	수정체 얇아짐 ↓ 섬모체 이완

족보 4 귀의 구조와 기능

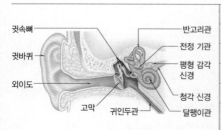

귓속뼈, 귓바퀴, 외이도, 고막, 귀인두관, 반고리관, 전정 기관, 평형 감각 신경, 청각 신경, 달팽이관

고막	소리에 의해 진동하는 얇은 막
귓속뼈	고막의 진동을 증폭함
(❹)	몸의 회전 감지
전정 기관	몸의 기울어짐 감지
달팽이관	청각 세포가 있음
(❺)	고막 안쪽과 바깥쪽의 압력을 같게 조절

족보 5 청각 성립 경로

소리 → 귓바퀴 → 외이도 → (**⑥**   ) → (**⑦**   ) → 달팽이관의 청각 세포 → 청각 신경 → 뇌

족보 6 평형 감각과 압력 조절

- 평형 감각을 담당하는 반고리관과 전정 기관, 압력 조절을 담당하는 귀인두관은 청각 성립 경로에 포함되지 않는다.
- 반고리관의 작용 : 회전하는 놀이 기구를 탔을 때 몸이 회전하는 것을 느낀다. 눈을 감고 있어도 몸이 회전하는 방향을 느낄 수 있다.
- 전정 기관의 작용 : 돌부리에 걸려 넘어질 때 몸이 기울어지는 것을 느낀다. 승강기를 탔을 때 몸이 움직이는 것을 느낀다.
- 귀인두관의 작용 : 고속 승강기를 타고 높이 올라가면 귀가 먹먹해지는데, 침을 삼키거나 입을 크게 벌리면 먹먹한 느낌이 사라진다.

족보 7 코의 구조와 기능

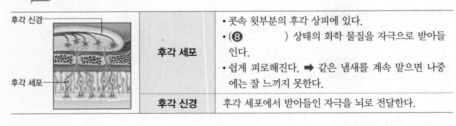

후각 신경	후각 세포	• 콧속 윗부분의 후각 상피에 있다. • (**⑧**) 상태의 화학 물질을 자극으로 받아들인다. • 쉽게 피로해진다. ➡ 같은 냄새를 계속 맡으면 나중에는 잘 느끼지 못한다.
후각 세포	후각 신경	후각 세포에서 받아들인 자극을 뇌로 전달한다.

족보 8 혀의 구조와 기능

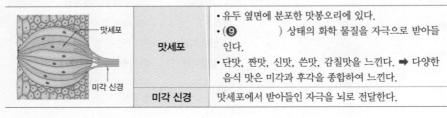

맛세포	맛세포	• 유두 옆면에 분포한 맛봉오리에 있다. • (**⑨**) 상태의 화학 물질을 자극으로 받아들인다. • 단맛, 짠맛, 신맛, 쓴맛, 감칠맛을 느낀다. ➡ 다양한 음식 맛은 미각과 후각을 종합하여 느낀다.
미각 신경	미각 신경	맛세포에서 받아들인 자극을 뇌로 전달한다.

2 신경계

족보 1 뉴런의 구조와 기능

신경 세포체		핵과 세포질이 있어 여러 가지 생명 활동이 일어남
(❶　　　)		다른 뉴런이나 감각 기관에서 전달된 자극을 받아들임
(❷　　　)		다른 뉴런이나 기관으로 자극을 전달함

신경 세포체
축삭 돌기
가지 돌기

족보 2 뉴런의 종류와 자극의 전달

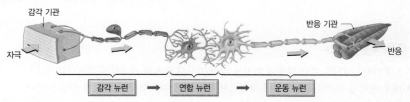

감각 기관
반응 기관
자극
반응
감각 뉴런 → 연합 뉴런 → 운동 뉴런

감각 뉴런	• 감각 신경을 이룸 • 감각 기관에서 받아들인 자극을 연합 뉴런으로 전달
연합 뉴런	• 중추 신경계를 이룸 • 자극을 느끼고 판단하여 적절한 명령(신호)을 내림
운동 뉴런	• 운동 신경을 이룸 • 연합 뉴런의 명령을 반응 기관으로 전달

[자극 전달 경로] 자극 → 감각 기관 → 감각 뉴런 → 연합 뉴런 → 운동 뉴런 → 반응 기관 → 반응

족보 3 중추 신경계의 구조와 기능

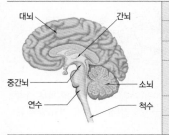

대뇌
간뇌
중간뇌
소뇌
연수
척수

대뇌		기억, 추리, 학습, 감정 등 정신 활동 담당
(❸　　　)		체온, 체액의 농도 등 몸속 상태를 일정하게 유지
중간뇌		눈의 움직임, 동공과 홍채의 변화 조절
(❹　　　)		심장 박동, 호흡 운동, 소화 운동 등 생명 유지 활동 조절
소뇌		근육 운동 조절, 몸의 자세와 균형 유지
척수		뇌와 말초 신경 사이의 신호 전달 통로

정답 ❶ 가지 돌기 ❷ 축삭 돌기 ❸ 간뇌 ❹ 연수

족보 4 자율 신경의 작용

- 교감 신경과 부교감 신경으로 구분되며, 내장 기관에 연결되어 대뇌의 직접적인 명령 없이 내장 기관의 운동을 조절한다.
- 교감 신경은 긴장하거나 위기 상황에 처했을 때 우리 몸을 대처하기에 알맞은 상태로 만들고, 부교감 신경은 이를 원래의 안정된 상태로 되돌린다.

구분	동공 크기	심장 박동	호흡 운동	소화 운동
교감 신경	확대	(❺)	촉진	억제
부교감 신경	축소	(❻)	억제	촉진

족보 5 무조건 반사

- 무조건 반사 : 대뇌의 판단 과정을 거치지 않아 자신의 의지와 관계없이 일어나는 반응
  ➡ 매우 빠르게 일어나므로 위험한 상황에서 우리 몸을 보호하는 데 중요한 역할을 한다.
- 무조건 반사의 종류

(❼) 반사	뜨겁거나 날카로운 물체가 몸에 닿았을 때 몸을 움츠림, 무릎 반사
(❽) 반사	재채기, 기침, 딸꾹질, 침 분비, 눈물 분비
중간뇌 반사	동공 반사(빛의 밝기에 따른 동공의 크기 변화)

족보 6 반응 경로 비교

주전자를 들고 컵에 원하는 만큼 물을 따르는 반응의 경로(의식적 반응)	뜨거운 주전자에 손이 닿았을 때 급히 손을 떼는 반응의 경로(무조건 반사)
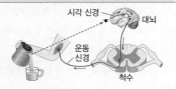	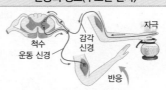
자극 → 감각 기관(눈) → 감각 신경(시각 신경) → 대뇌 → 척수 → 운동 신경 → 반응 기관(팔의 근육) → 반응	자극 → 감각 기관(피부) → 감각 신경(피부 감각 신경) → 척수 → 운동 신경 → 반응 기관(팔의 근육) → 반응

Ⅳ. 자극과 반응

3 호르몬과 항상성

족보 1 호르몬의 특징

- 내분비샘에서 혈액으로 분비된다. ➡ 내분비샘에는 분비관이 따로 없다.
- 혈관을 통해 온몸으로 이동하여 특정 세포나 기관에 작용한다. ➡ 호르몬의 작용을 받는 세포나 기관을 표적 세포 또는 표적 기관이라고 한다.
- 적은 양으로 큰 효과를 나타낸다. ➡ 호르몬의 분비량이 너무 많거나 적으면 몸에 이상 증상이 나타날 수 있다.

족보 2 내분비샘과 호르몬

뇌하수체	뇌하수체	• 생장 호르몬 : 몸의 생장 촉진 • 갑상샘 자극 호르몬 : 티록신 분비 촉진 • 항이뇨 호르몬 : 콩팥에서 물의 재흡수 촉진
갑상샘	(❶　　　)	티록신 : 세포 호흡 촉진
부신	(❷　　　)	아드레날린(에피네프린) : 심장 박동 촉진, 혈압 상승, 혈당량 증가
이자	이자	• (❸　　　) : 혈당량 감소 • (❹　　　) : 혈당량 증가
난소	난소	에스트로젠 : 여자의 2차 성징 발현
정소	정소	테스토스테론 : 남자의 2차 성징 발현

족보 3 호르몬 관련 질병

질병	호르몬 분비 이상		증상
거인증	생장 호르몬	과다 분비(성장기)	키가 정상인에 비해 매우 크다.
(❺　　　)		과다 분비 (성장기 이후)	입술과 코가 두꺼워져 얼굴 모습이 변하고, 손과 발이 커진다.
소인증		결핍	키가 정상인에 비해 매우 작다.
갑상샘 기능 항진증	티록신	과다 분비	맥박이 빨라지고, 눈이 돌출되며, 체중이 감소한다.
갑상샘 기능 저하증		결핍	쉽게 피로해지고, 추위를 잘 타며, 체중이 증가한다.
(❻　　　)	인슐린	결핍	심한 갈증을 느끼고, 체중이 감소한다. 오줌에 당이 섞여 나온다.

족보 4 호르몬과 신경의 작용 비교

구분	전달 매체	신호 전달 속도	효과의 지속성	작용 범위
호르몬	혈액	(❼)	지속적	넓음
신경	뉴런	(❽)	일시적	좁음

족보 5 체온 조절 과정

추울 때 (체온이 낮을 때)	• 피부 근처 혈관 (❾) ➡ 열 방출량 감소 • 근육을 떨리게 함 ➡ 열 발생량 증가 • 티록신 분비 증가에 따른 세포 호흡 촉진 ➡ 열 발생량 증가
더울 때 (체온이 높을 때)	• 피부 근처 혈관 (❿) ➡ 열 방출량 증가 • 땀 분비 증가 ➡ 열 방출량 증가

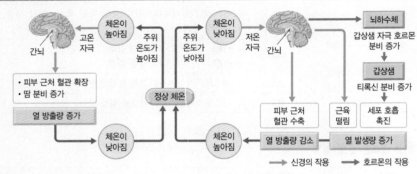

족보 6 혈당량 조절 과정

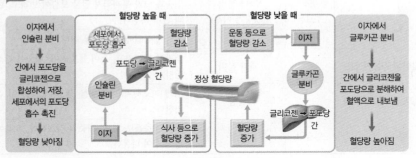

01 세포 분열

족보 1 세포 분열이 필요한 까닭

세포에서 (❶   )이 효율적으로 일어나려면 세포의 크기가 계속 커지는 것보다 세포가 분열하여 세포의 수가 늘어나는 것이 더 유리하기 때문이다.

족보 2 염색체

유전 정보를 담아 전달하는 역할을 하는 것으로, 세포가 분열하지 않을 때는 핵 속에 가는 실처럼 풀어져 있다가 세포가 분열하기 시작하면 굵고 짧게 뭉쳐져 막대 모양으로 나타난다.

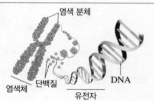

DNA	생물의 특징에 대한 여러 유전 정보가 담겨 있는 유전 물질
(❷)	DNA에 담겨 있는 각각의 유전 정보
염색 분체	하나의 염색체를 이루는 각각의 가닥 ➡ 유전 정보가 서로 같다.

족보 3 사람의 염색체

• 사람의 염색체 : 사람의 체세포에는 46개(23쌍)의 염색체가 있다.
• (❸   ) : 체세포에서 쌍을 이루고 있는 크기와 모양이 같은 2개의 염색체
  ➡ 하나는 어머니에게서, 다른 하나는 아버지에게서 물려받은 것이다.
• (❹   ) : 남녀에게 공통적으로 들어 있는 염색체 ➡ 1번~22번 염색체
• (❺   ) : 성을 결정하는 염색체 ➡ 여자 XX, 남자 XY

여자의 염색체 구성	남자의 염색체 구성
44(상염색체 22쌍)+XX(성염색체 1쌍) ➡ 어머니에게서 22+X, 아버지에게서 22+X를 물려받았다.	44(상염색체 22쌍)+XY(성염색체 1쌍) ➡ 어머니에게서 22+X, 아버지에게서 22+Y를 물려받았다.

족보 **4** **체세포 분열 과정**

• 체세포 분열 과정 : 세포는 분열 전 간기에 유전 물질을 복제하는 등 세포 분열을 준비하고, 분열이 시작되면 핵분열과 세포질 분열을 한다.
• 핵분열 : 연속적으로 일어나지만 염색체의 모양과 행동에 따라 전기, 중기, 후기, 말기로 구분한다.

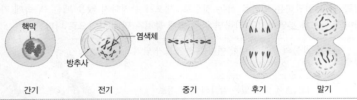

| 간기 | 전기 | 중기 | 후기 | 말기 |

간기(분열 전)		• 세포의 크기가 커지고, DNA(유전 물질)가 복제됨 • 핵막이 뚜렷하며, 염색체가 핵 속에 실처럼 풀어져 있음
핵 분 열	전기	• 핵막이 사라지고, 두 가닥의 염색 분체로 이루어진 막대 모양의 염색체가 나타남
	중기	• 염색체가 세포 중앙에 배열됨 • 염색체의 수와 모양을 가장 잘 관찰할 수 있는 시기
	후기	• (**⑥**)가 분리되어 세포의 양쪽 끝으로 이동함
	말기	• 핵막이 나타나면서 2개의 핵이 만들어지고, 염색체가 풀어짐 • 세포질 분열이 시작됨

• 세포질 분열

동물 세포		식물 세포	
	세포막이 바깥쪽에서 안쪽으로 잘록하게 들어가면서 세포질이 나누어짐	세포판	새로운 두 개의 핵 사이에 안쪽에서 바깥쪽으로 (**❼**)이 만들어지면서 세포질이 나누어짐

• 딸세포 형성 : 모세포와 유전 정보, 염색체의 수와 모양이 같은 2개의 딸세포가 만들어진다.

족보 **5** **체세포 분열 결과**

• 생장 : 세포 수가 늘어나 몸집이 커진다. 예 성장기에 키가 자란다.
• 재생 : 상처를 아물게 하고, 수명이 다하여 죽은 세포를 보충한다.
  예 꼬리가 잘린 도마뱀에서 꼬리가 새로 자란다.

감수 분열(생식세포 분열) 과정

- 감수 분열(생식세포 분열) : 생식 기관에서 생식세포를 만들 때 일어나는 세포 분열
- 감수 분열 과정 : 감수 1분열 전 간기에 DNA가 복제된 후 감수 1분열과 감수 2분열이 연속해서 일어난다.

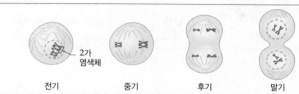

전기	중기	후기	말기

감수 1 분열	전기	핵막이 사라짐, 2가 염색체가 나타남	염색체 수가 절반으로 줄어듦
	중기	2가 염색체가 세포 중앙에 배열됨	
	후기	(❽)가 분리되어 세포의 양쪽 끝으로 이동함	
	말기와 세포질 분열	핵막이 나타남, 세포질이 나누어짐	

전기	중기	후기	말기

감수 2 분열	전기	유전 물질의 복제 없이 시작됨, 핵막이 사라짐	염색체 수가 변하지 않음
	중기	염색체가 세포 중앙에 배열됨	
	후기	(❾)가 분리되어 세포의 양쪽 끝으로 이동함	
	말기와 세포질 분열	핵막이 나타나고 염색체가 풀어짐, 세포질이 나누어짐	

- 딸세포 형성 : 염색체 수가 모세포에 비해 절반으로 줄어든 4개의 딸세포가 만들어진다.

족보 7 체세포 분열과 감수 분열 비교

구분	분열 횟수	딸세포 수	2가 염색체	염색체 수 변화	분열 결과
체세포 분열	1회	(❿)개	형성되지 않음	변화 없음	생장, 재생
감수 분열	연속 2회	(⓫)개	형성됨	절반으로 줄어듦	생식세포 형성

02 사람의 발생

족보 1 사람의 생식세포

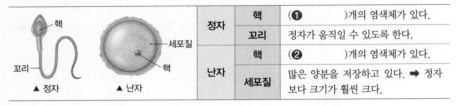

정자	핵	(❶　　　　)개의 염색체가 있다.	
	꼬리	정자가 움직일 수 있도록 한다.	
난자	핵	(❷　　　　)개의 염색체가 있다.	
	세포질	많은 양분을 저장하고 있다. ➡ 정자보다 크기가 훨씬 크다.	

족보 2 난할의 특징

• 난할 : 수정란의 초기 세포 분열 ➡ 체세포 분열이지만 딸세포의 크기가 커지지 않고, 세포 분열을 빠르게 반복하는 특징이 있다.

• 난할이 진행될 때의 변화

세포 수	세포 하나의 크기	배아 전체의 크기	세포 하나의 염색체 수
늘어남	(❸　　　)	수정란과 비슷함	변화 없음

족보 3 배란에서 착상까지의 과정

(❹　　　)	난자가 난소에서 수란관으로 나온다.
수정	수란관에서 정자와 난자가 수정한다.
난할	수정란이 난할을 거듭하여 세포 수를 늘리면서 자궁으로 이동한다.
(❺　　　)	수정 후 약 일주일이 지나면 수정란이 포배가 되어 자궁 안쪽 벽을 파고들어 간다. ➡ 이때부터 임신되었다고 한다.

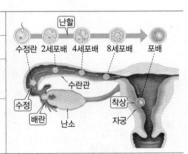

족보 4 태반에서의 물질 교환

$$모체 \underset{\text{이산화 탄소, 노폐물}}{\overset{\text{산소, 영양소}}{\rightleftarrows}} 태아$$

족보 5 출산

태아는 수정된 지 약 (❻　　　　)일이 지나면 출산 과정을 거쳐 모체 밖으로 나온다.

3 멘델의 유전 원리

족보 1 유전 용어

대립 형질	한 가지 형질에서 뚜렷하게 구분되는 변이 예 완두 씨의 색깔이 노란색인 것 ←→ 초록색인 것
유전자형	유전자 구성을 알파벳 기호로 나타낸 것
표현형	유전자 구성에 따라 겉으로 드러나는 형질
(❶　　　)	• 한 가지 형질을 나타내는 유전자의 구성이 같은 개체 예 RR, RRyy • 여러 세대를 자가 수분하여도 계속 같은 형질의 자손만 나오는 개체
(❷　　　)	• 한 가지 형질을 나타내는 유전자의 구성이 다른 개체 예 Rr, RrYy • 대립 형질이 다른 두 순종 개체를 타가 수분하여 얻은 자손

족보 2 완두가 유전 실험의 재료로 적합한 까닭

• 기르기 쉽고, 한 세대가 짧으며, 자손의 수가 많다.
• 대립 형질이 뚜렷하다.
• 자가 수분과 타가 수분이 모두 가능하여 의도한 대로 형질을 교배할 수 있다.

족보 3 한 쌍의 대립 형질의 유전

• 우열의 원리 : 대립 형질이 다른 두 순종 개체를 교배하여 얻은 잡종 1대에는 대립 형질 중 한 가지만 나타나는데, 잡종 1대에서 나타나는 형질을 (❸　　　), 나타나지 않는 형질을 (❹　　　)이라고 한다.
• 분리의 법칙 : 쌍을 이루고 있던 대립유전자가 감수 분열이 일어날 때 분리되어 서로 다른 생식세포로 들어가는 유전 원리

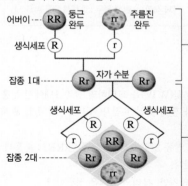

잡종 1대의 유전자형은 모두 Rr이고, 표현형은 둥근 모양이다. ➡ 둥근 모양이 우성, 주름진 모양이 열성이다.

• 잡종 1대의 생식세포 형성
➡ R : r = 1 : 1
• 잡종 2대의 유전자형 비와 표현형 비
[유전자형] RR : Rr : rr = 1 : 2 : 1
[표현형] 둥근 완두(RR, Rr) : 주름진 완두(rr) = 3 : 1

족보 4 멘델의 가설

- 생물에는 한 가지 형질을 결정하는 한 쌍의 유전 인자가 있으며, 유전 인자는 부모에서 자손으로 전달된다. ➡ 유전 인자는 오늘날의 유전자이다.
- 한 쌍을 이루는 유전 인자가 서로 다를 때 하나의 유전 인자만 형질로 표현되며, 나머지 인자는 표현되지 않는다. ➡ 우열의 원리
- 한 쌍을 이루는 유전 인자는 생식세포가 만들어질 때 각 생식세포로 나뉘어 들어가고, 생식세포 가 수정될 때 다시 쌍을 이룬다. ➡ 분리의 법칙

족보 5 두 쌍의 대립 형질의 유전

- (❺   ) : 두 쌍 이상의 대립유전자가 서로 영향을 미치지 않고 각각 분리의 법칙에 따라 유 전되는 원리

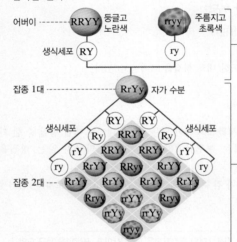

잡종 1대의 유전자형은 모두 RrYy이고, 표현형 은 둥글고 노란색이다. ➡ 둥근 모양이 주름진 모양에 대해, 노란색이 초록색에 대해 우성이다.

- 잡종 1대의 생식세포 형성
  ➡ RY : Ry : rY : ry = 1 : 1 : 1 : 1
- 잡종 2대의 표현형 비
  둥글고 노란색(R_Y_) : 둥글고 초록색 (R_yy) : 주름지고 노란색(rrY_) : 주름지고 초록색(rryy)
  = 9 : 3 : 3 : 1

[씨 모양] 둥근 완두 : 주름진 완두 = 3 : 1
[씨 색깔] 노란색 완두 : 초록색 완두 = 3 : 1

족보 6 분꽃의 꽃잎 색깔 유전

- 순종의 빨간색 꽃잎 분꽃(RR)과 순종의 흰색 꽃잎 분꽃(WW)을 교배하면 잡종 1대에서 분홍색 꽃잎(RW)만 나타난다. ➡ 빨간색 꽃잎 유전자(R)와 흰색 꽃잎 유전자(W) 사이의 우열 관계가 뚜렷하지 않기 때문
- 잡종 1대의 분홍색 꽃잎 분꽃(RW)을 자가 수분하면 잡종 2대에서 빨간색 꽃잎(RR) : 분홍색 꽃 잎(RW) : 흰색 꽃잎(WW) = (❻   )로 나타난다.
- 분꽃의 꽃잎 색깔 유전에서 우열의 원리는 성립하지 않지만, 분리의 법칙은 성립한다.

V. 생식과 유전

04 사람의 유전

족보 1 사람의 유전 연구가 어려운 까닭

• 한 세대가 길고, 자손의 수가 (❶   ).
• 교배 실험이 불가능하다.
• 대립 형질이 복잡하고, 환경의 영향을 많이 받는다.

족보 2 사람의 유전 연구 방법

가계도 조사	특정 형질을 가진 집안에서 여러 세대에 걸쳐 이 형질이 어떻게 유전되는지 알아본다. ➡ 형질의 우열 관계, 유전자의 전달 경로, 가족 구성원의 유전자형 등을 알 수 있고, 앞으로 태어날 자손의 형질을 예측할 수 있다.
쌍둥이 연구	유전과 (❷)이 특정 형질에 미치는 영향을 알아볼 수 있다 • 1란성 쌍둥이 : 하나의 수정란이 발생 초기에 둘로 나뉘어 각각 발생한 것 ➡ 유전자 구성이 서로 같다. • 2란성 쌍둥이 : 각기 다른 두 개의 수정란이 동시에 발생한 것 ➡ 유전자 구성이 서로 다르다.
통계 조사	특정 형질이 사람에게 나타난 사례를 가능한 많이 수집하고, 자료를 통계적으로 분석한다. ➡ 형질이 유전되는 특징, 유전자의 분포 등을 밝힌다.
최근의 유전 연구 방법	• 염색체의 수와 모양 분석 ➡ 염색체 이상에 의한 유전병 진단 • DNA 분석 ➡ 특정 형질이 나타나는 것과 관련된 유전자의 정보를 얻음 • 부모의 DNA와 자녀의 DNA 비교 ➡ 특정 형질의 유전 여부 확인

족보 3 혀 말기 유전

• 상염색체에 있는 한 쌍의 대립유전자에 의해 결정되는 형질의 특징 : 멘델의 분리의 법칙에 따라 유전되며, 대립 형질이 비교적 명확하게 구분되고, 남녀에 따라 형질이 나타나는 빈도에 차이가 (❸   ).
• 혀 말기 유전 가계도 분석

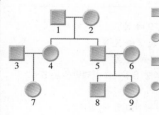

■ 혀 말기 가능 남자
● 혀 말기 가능 여자
■ 혀 말기 불가능 남자
● 혀 말기 불가능 여자

• 혀 말기가 가능한 부모 사이에서 혀 말기가 불가능한 자녀가 태어났다. ➡ 혀 말기가 가능한 것이 우성, 불가능한 것이 열성이다.
• 열성인 4, 6, 8 ➡ aa
• 열성인 자녀가 있는 1, 2, 5 ➡ Aa
• 부모 중 한 명이 열성인 7, 9 ➡ (❹   )
• 3의 유전자형은 확실히 알 수 없다.

♡ ♡ ♡ ♡ ♡ ♡ ♡ ♡

족보 **4** ABO식 혈액형 유전

• 한 쌍의 대립유전자에 의해 결정되는데, A, B, O 세 가지 대립유전자가 관여한다.
• 유전자 A와 B 사이에는 우열 관계가 없고, 유전자 A와 B는 유전자 O에 대해 우성이다.

표현형	A형	B형	AB형	O형
유전자형	AA, AO	BB, BO	AB	OO

• ABO식 혈액형 유전 가계도 분석

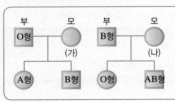

• (가)는 딸에게 유전자 A를, 아들에게 유전자 B를 물려주었다. ➡ (가)의 유전자형 (**5**   )
• (나)는 딸에게 유전자 O를, 아들에게 유전자 A를 물려주었다. ➡ (나)의 유전자형 (**6**   )

족보 **5** 적록 색맹 유전

• (**7**   ) : 유전자가 성염색체에 있어 유전 형질이 나타나는 빈도가 남녀에 따라 차이가 나는 유전 현상 예 적록 색맹, 혈우병
• 적록 색맹 : 붉은색과 초록색을 잘 구별하지 못하는 유전 형질

우열 관계	적록 색맹 대립유전자(X')는 정상 대립유전자(X)에 대해 열성이다.		
	표현형	정상	적록 색맹
유전자형	남자	XY	$X'Y$
	여자	XX, XX'(보인자)	$X'X'$
특징	여자보다 남자에게 더 많이 나타난다. ➡ 성염색체 구성이 XY인 남자는 적록 색맹 유전자가 한 개만 있어도 적록 색맹이 되지만, 성염색체 구성이 XX인 여자는 두 개의 X 염색체에 모두 적록 색맹 유전자가 있어야 적록 색맹이 되기 때문		

• 적록 색맹 유전 가계도 분석

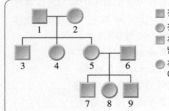

■ 정상 남자
● 정상 여자
■ 적록 색맹 남자
● 적록 색맹 여자

• 정상 남자 1, 6, 9 ➡ XY
• 적록 색맹 남자 3, 7 ➡ $X'Y$
• 적록 색맹 여자 2 ➡ $X'X'$
• 2로부터 적록 색맹 유전자를 물려받은 4, 5 ➡ (**8**   )
• 8의 유전자형은 확실히 알 수 없다.

정답 **5** AB **6** AO **7** 반성유전 **8** XX'

역학적 에너지 전환과 보존

족보 1 역학적 에너지 보존 법칙을 이용하여 운동 에너지 구하기(공기 저항 무시)

> 예제 질량 2 kg인 공을 5 m 높이에서 낙하시켰을 때 지면에 닿기 직전 공의 운동 에너지는?
> ➡ 지면에 닿기 직전의 운동 에너지＝처음의 (❶　　　　) 에너지＝(9.8×2) N×5 m＝98 J

족보 2 낙하하는 물체의 위치 에너지와 운동 에너지의 비 구하기(공기 저항 무시)

> 예제 10 m 높이에서 가만히 놓은 물체가 2 m 높이에 도달했을 때의 위치 에너지와 운동 에너지의
> 비는?
> ➡ 위치 에너지 : 운동 에너지＝물체의 (❷　　　　) : 물체의 낙하 거리
> 　　　　　　　　　　＝2 m : (10−2) m＝2 : 8＝1 : 4

족보 3 롤러코스터의 운동에서 역학적 에너지(마찰 및 공기 저항 무시)

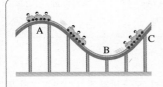

① 위치 에너지가 가장 큰 곳(＝가장 높은 곳) : A
② 운동 에너지가 가장 큰 곳(＝속력이 가장 빠른 곳＝가장 낮은 곳) : B
③ A → B 구간 : 위치 에너지 감소, 운동 에너지 증가
④ B → C 구간 : 위치 에너지 증가, 운동 에너지 감소
⑤ 역학적 에너지 : 항상 (❸　　　　)

족보 4 진자의 운동에서 역학적 에너지(마찰 및 공기 저항 무시)

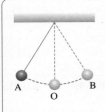

① 운동 에너지가 가장 큰 곳(＝속력이 가장 빠른 곳) : O
② 위치 에너지가 가장 큰 곳(＝가장 높은 곳) : A, B
③ A → O, B → O 구간 : 위치 에너지 감소, 운동 에너지 증가
④ O → A, O → B 구간 : 위치 에너지 증가, 운동 에너지 감소
⑤ 역학적 에너지 : 항상 일정

A, B점에서의 위치 에너지＝(❹　　　　)점에서의 운동 에너지

정답 ❶ 위치 ❷ 낙하 ❸ 일정 ❹ O

02 전기 에너지의 발생과 전환

족보 1 **유도 전류가 흐르는 경우와 흐르지 않는 경우** : (❶   )이나 코일 중 하나만 움직여도
유도 전류가 흐른다.

유도 전류가 흐르는 경우	• 자석이 코일 가까이로 움직일 때 • 자석이 코일에서 멀어질 때 • 코일이 자석 주변에서 움직일 때
유도 전류가 흐르지 않는 경우	• 자석과 코일이 모두 정지해 있을 때

족보 2 **전자기 유도 실험**

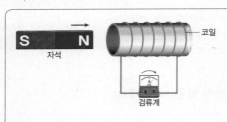

- • 자석의 N극을 코일에 가까이 한다.
- ➡ 유도 전류가 흐른다.
- ➡ 검류계의 바늘이 움직인다.
- • 검류계의 바늘이 반대로 움직일 때 : 자석의
  N극을 코일에서 (❷   ) 할 때
- • 바늘이 더 많이 회전할 때 : 더 센 자석을 사용할
  때, 자석을 더 (❸   ) 움직일 때, 코일을
  더 많이 감을 때

족보 3 **전자기 유도를 이용하는 기구** : 발전기, 교통 카드 판독기, 도난 방지 장치, 고속도로의 통
행료 지불 단말기, 인덕션 레인지, 마이크 등

족보 4 **전기 에너지가 발생할 때의 에너지 전환**
- • 발전기에서는 (❹   ) 에너지를 (❺   ) 에너지로 전환한다.
- • 발전소에서의 에너지 전환

구분	에너지 전환
수력 발전소	물의 위치 에너지 → 물의 운동 에너지 → 발전기의 역학적 에너지 → 전기 에너지
화력 발전소	연료의 화학 에너지 → 수증기의 역학적 에너지 → 발전기의 역학적 에너지 → 전기 에너지
풍력 발전소	바람의 역학적 에너지 → 발전기의 역학적 에너지 → 전기 에너지

족보 5 **전기 에너지의 전환** : 다른 형태의 에너지로 쉽게 전환

전기 기구	전기밥솥, 전기난로	전등, 스탠드	세탁기, 전동기	오디오, 스피커
에너지 전환	전기 에너지 ➡ (**⑥**) 에너지	전기 에너지 ➡ 빛에너지	전기 에너지 ➡ 역학적(운동) 에너지	전기 에너지 ➡ (**⑦**) 에너지

족보 6 200 V − 30 W인 LED 전구에서 알 수 있는 사실

- 200 V 전원에 연결할 때 30 W의 전력을 소비한다.
- 200 V 전원에서 1초 동안 30 J의 (**⑧**)를 사용한다.
- 200 V 전원에 연결하고 1시간 동안 사용할 때 소비한 전력량
  ➡ 30 W × 1 h = 30 Wh
- 200 V 전원에 연결하고 30초 동안 사용할 때 사용한 전기 에너지
  ➡ 30 W × 30 s = 900 J

족보 7 마찰이나 공기의 저항이 있을 때 손실된 역학적 에너지

- 에너지 보존 법칙 : 에너지가 전환될 때 에너지의 총량은 (**⑨**)하게 보존된다.
- 마찰이나 공기의 저항이 있을 때 역학적 에너지는 보존되지 않는다. 이때 감소한 역학적 에너지는 열에너지, 소리 에너지, … 등으로 전환된다.

> 역학적 에너지 + 열에너지 + … = 일정 ➡ 손실된 역학적 에너지 = 감소한 역학적 에너지

[예제] 바닥에 떨어뜨린 질량이 1 kg인 공이 튀어 오르는 높이가 점점 낮아지는 경우 A에서 B까지 이동하는 동안 손실된 역학적 에너지는?

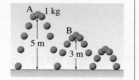

➡ 손실된 역학적 에너지
= 감소한 역학적 에너지
= A점에서의 위치 에너지 − B점에서의 위치 에너지
= (9.8 × 1) N × 5 m − (9.8 × 1) N × 3 m
= 19.6 J

02. 전기 에너지의 발생과 전환

1 별

족보 1 ## 연주 시차와 별까지의 거리

- 연주 시차 : 지구에서 6개월 간격으로 별을 관측하여 측정한 시차의 $\frac{1}{2}$ ➡ 지구 공전의 증거
- 연주 시차가 1″인 별까지의 거리=(❶　　　　　) pc ➡ 별까지의 거리는 연주 시차에 반비례한다.

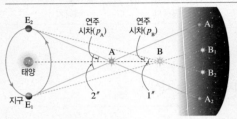

별	A	B
시차	2″	1″
연주 시차	1″	0.5″
별까지의 거리	A<B ➡ 연주 시차 : A>B이므로	

족보 2 ## 별까지의 거리의 변화에 따른 밝기와 등급 변화

- 별까지의 거리가 멀어지면 별의 밝기가 어두워지고 등급은 (❷　　　　)진다.
- 별까지의 거리가 가까워지면 별의 밝기가 밝아지고 등급은 (❸　　　　)진다.

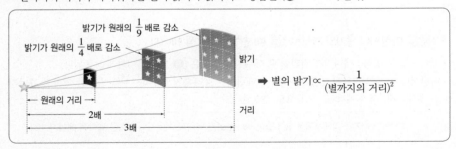

밝기가 원래의 $\frac{1}{9}$ 배로 감소

밝기가 원래의 $\frac{1}{4}$ 배로 감소

원래의 거리

2배

3배

밝기

거리

➡ 별의 밝기 $\propto \dfrac{1}{(별까지의 거리)^2}$

족보 3 ## 별의 밝기와 등급

- 등급이 작을수록 밝은 별이고, 등급이 클수록 어두운 별이다.
- 히파르코스가 처음으로 별의 밝기를 나타내었다. ➡ 가장 밝게 보이는 별을 (❹　　　　)등급, 가장 어둡게 보이는 별을 (❺　　　　)등급으로 정하였다.

VII. 별과 우주

족보 4 별의 등급 차와 밝기 차의 관계

• 1등급인 별은 6등급인 별보다 약 (❻   )배 밝다.
• 1등급 차이마다 약 2.5배의 밝기 차이가 있다.

등급 차	1	2	3	4	5
밝기 차	약 2.5배	약 6.3배	약 16배	약 40배	약 100배

예제1 −2등급인 별은 3등급인 별보다 몇 배 더 밝은가?

➡ 5등급이 작으므로 약 100배 더 밝다.

예제2 1등급인 별보다 약 100배 밝은 별은 몇 등급인가?

➡ 약 100배 밝으므로 5등급 빼기 : 1등급−5등급＝−4등급

족보 5 겉보기 등급과 절대 등급의 구분과 별까지의 거리 판단

구분	겉보기 등급	절대 등급
정의	우리 눈에 보이는 별의 밝기를 나타낸 등급	별이 (❼) pc의 거리에 있다고 가정했을 때 별의 밝기를 나타낸 등급
특징	• 별까지의 거리를 고려하지 않음 • 겉보기 등급이 작을수록 우리 눈에 밝게 보임	• 별의 실제 밝기를 비교할 수 있음 • 절대 등급이 작을수록 실제로 밝은 별임
별까지의 거리 판단	• (겉보기 등급−절대 등급)<0 ➡ 10 pc보다 가까이 있는 별 • (겉보기 등급−절대 등급)=0 ➡ 10 pc의 거리에 있는 별 • (겉보기 등급−절대 등급)>0 ➡ 10 pc보다 멀리 있는 별	

족보 6 별의 표면 온도와 색깔의 관계

별은 표면 온도에 따라 별의 색깔이 달라진다.

	청색	청백색	백색	황백색	황색	주황색	적색
별의 색깔							
표면 온도	(❽). ⟵					⟶ (❾).	

2 은하와 우주

족보 1 우리은하

- 구성원 : 태양계, 약 2000억 개의 별, 성단, 성운, 성간 물질 등
- 모양 ┌ 위에서 볼 때 : 중심에 막대 구조가 있고, 그 끝에서 뻗어 나온 나선팔이 휘감은 모습
       └ 옆에서 볼 때 : 중심부가 약간 볼록한 납작한 원반형
- 크기 : 지름 약 (❶　　　) kpc
- 태양계의 위치 : 우리은하 중심에서 약 (❷　　　) kpc 떨어진 나선팔
- 은하수 : 밤하늘을 가로지르는 희미한 띠로, 무수한 별들의 집단, 우리은하의 일부가 관측된 모습
  ➡ 우리은하 중심 방향, 궁수자리 방향, 여름철에 폭이 넓고 선명하게 보인다.

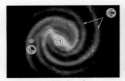
▲ 위에서 본 모습

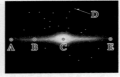
▲ 옆에서 본 모습

- 태양계의 위치 : ㉡, B
- A에서 E까지의 거리 : 약 30 kpc
- B에서 C까지의 거리 : 약 8.5 kpc
- B 위치의 지구에서 은하수가 잘 보이는 방향 : C(은하 중심) 방향
- 산개 성단이 주로 분포하는 곳 : ㉡, ㉢, A, B, E
- 구상 성단이 주로 분포하는 곳 : ㉠, C, D

족보 2 산개 성단과 구상 성단 비교

구분	산개 성단	구상 성단
별의 수	수십~수만 개	수만~수십만 개
모양	별이 엉성하게 모여 있음	별이 공 모양으로 빽빽하게 모여 있음
색깔	(❸　　　)색	(❹　　　)색
온도	높다.	낮다.
우리은하에서 분포 위치	나선팔	은하 중심부, 은하 주변의 구형 공간

족보 **3** 성운의 종류

방출 성운	반사 성운	암흑 성운

성간 물질이 주변의 별빛을 흡수하여 가열되면서 스스로 빛을 내는 성운으로, 주로 붉은색을 띤다.	성간 물질이 주변의 별빛을 반사하여 밝게 보이는 성운으로, 주로 파란색을 띤다.	성간 물질이 뒤쪽에서 오는 별빛을 가로막아 어둡게 보이는 성운으로, 검은색을 띤다.

족보 **4** 외부 은하 분류하기

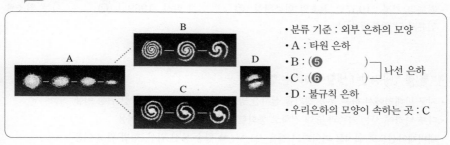

- 분류 기준 : 외부 은하의 모양
- A : 타원 은하
- B : (**5**   )
- C : (**6**   ) ⎤ 나선 은하
- D : 불규칙 은하
- 우리은하의 모양이 속하는 곳 : C

족보 **5** 우주의 팽창 알아보기

- 모든 은하는 서로 멀어지고 있다.
- 멀리 있는 은하일수록 멀어지는 속도가 (**7**   ) 진다.
- 팽창하고 있는 우주의 중심은 없다.
- (**8**   ) : 하나의 점이었던 우주가 약 138억 년 전 폭발한 후 계속 팽창하여 오늘날의 우주가 되었다는 이론

답 | ❺ 정상 나선 은하 ❻ 막대 나선 은하 ❼ 빨라 ❽ 대폭발설(빅뱅 우주론)

족보 6 우주 탐사 장비

인공위성	지구 주위를 일정한 궤도를 따라 공전하도록 만든 인공적인 장치로, 우주 망원경도 포함된다. 예 스푸트니크 1호, 허블 우주 망원경 등
우주 탐사선	지구 이외의 다른 천체를 탐사하기 위해 쏘아 올린 비행 물체 예 보이저호, 아폴로호 등
우주 정거장	과학자들이 우주에 머무르면서 지상에서 하기 어려운 과학 실험이나 우주 환경 등을 연구한다.

족보 7 우주 탐사의 역사

• 시대별 특징

1950년대	→	1960년대	→	1970년대	→	1990년대 이후
우주 탐사 시작		달 탐사		행성 탐사		다양한 장비로 우주 탐사 진행

• 최초의 기록 : 1957년 최초의 인공위성 (❾   ) 발사, 1969년 (❿   )는 최초로 인류가 달 착륙에 성공

족보 8 인공위성이 생활에 미치는 영향

• 지구 반대편에서 하는 운동 경기를 실시간 방송으로 본다. ➡ 방송 통신 위성 이용
• 다른 나라에 사는 가족과 휴대 전화로 통화한다. ➡ 방송 통신 위성 이용
• 내비게이션으로 위치를 파악하고 길을 찾는다. ➡ 방송 통신 위성, 항법 위성 이용
• 일기 예보에 필요한 기상 관측 자료를 얻는다. ➡ (⓫   ) 이용
• 태풍의 경로를 예측하여 피해를 줄인다. ➡ 기상 위성 이용

족보 9 우주 쓰레기

정의	인공위성의 발사나 폐기 과정 등에서 나온 파편 등
특징	속도가 매우 빠르고, 궤도가 일정하지 않다.
피해	인공위성, 우주 탐사선 등과 충돌할 수 있다.

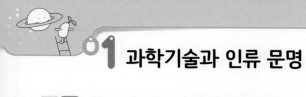

과학기술과 인류 문명

족보 1 **과학 원리의 발견이 인류 문명에 미친 영향**

태양 중심설(코페르니쿠스)	세포의 발견(훅)
망원경으로 천체를 관측하여 (❶) 중심설의 증거를 발견하면서 경험 중심의 과학적 사고를 중요시하게 되었다.	현미경으로 (❷)를 발견하면서 생물체를 작은 세포들이 모여서 이루어진 존재로 인식하게 되었다.
만유인력 법칙(뉴턴)	**전자기 유도 법칙(패러데이)**
만유인력 법칙을 발견하여 자연 현상을 이해하고 그 변화를 예측할 수 있게 하였다.	전자기 유도 법칙을 발견하여 전기를 생산하고 활용할 수 있는 방법을 열었다.
암모니아 합성(하버)	**백신 개발(파스퇴르)**
암모니아 합성법을 개발한 후 (❸) 비료를 대량 생산할 수 있게 되면서 식량 문제 해결에 기여하였다.	백신 접종을 통해 질병을 (❹)할 수 있음을 증명하였고, 이후 다양한 백신이 개발되어 인류의 평균 수명이 증가하였다.

족보 2 **과학기술이 인류 문명의 발달에 미친 영향**

(❺)	• 활판 인쇄술이 발달하면서 책의 대량 생산과 보급이 가능해져 지식과 정보의 전달이 활발해졌다. • 현재는 전자책이 출판되어 많은 양의 책을 저장하고 검색하기 쉬워졌다.
(❻)	• 증기 기관을 이용한 기차나 배로 대량의 물건을 먼 곳까지 운반할 수 있게 되었고, 내연 기관의 등장으로 자동차가 발달하였다. • 현재는 고속 열차 등이 개발되어 사람과 물자의 이동이 더욱 활발해졌다.
농업	• 암모니아 합성 기술을 이용하여 개발된 질소 비료는 농산물의 생산량을 늘려 식량 증대에 큰 역할을 하였다. • 현재는 특정한 목적에 맞게 품종을 개량하고, 지능형 농장을 이용해 농산물의 생산성과 품질을 높이고 있다.
의료	• (❼)의 개발은 소아마비와 같은 질병을 예방할 수 있게 하였다. • (❽)의 개발은 결핵과 같은 질병을 치료할 수 있게 하였다. • 현재는 자기 공명 영상 장치(MRI) 등 첨단 의료 기기로 정밀한 진단이 가능하며, 원격 의료 기술이 발달하고 있다.
정보 통신	• 전화기가 발명되어 멀리 떨어진 사람과 통화할 수 있게 되었다. • 세계를 연결하는 통신망이 구축되고, 스마트 기기를 이용하여 어디서든 정보를 검색하는 것이 가능해졌다. • 현재는 인공 지능을 이용한 기기의 활용 등으로 생활이 더욱 편리해지고 있다.

족보 3 생활을 편리하게 하는 과학기술

(⑨) 기술	나노 물질의 독특한 특성을 이용하여 다양한 소재나 제품을 만드는 기술 예 나노 반도체, 나노 로봇, 나노 표면 소재, 휘어지는 디스플레이 등
(⑩) 기술	생물의 특성과 생명 현상을 이해하고, 이를 인간에게 유용하게 이용하거나 인위적으로 조작하는 기술 예 유전자 재조합 기술, 세포 융합, 바이오 의약품, 바이오칩 등
(⑪) 기술	정보 기기의 하드웨어나 소프트웨어 기술, 이 기술을 이용한 정보 수집, 생산, 가공, 보존, 전달, 활용하는 모든 방법 예 • 사물 인터넷 (IoT) : 모든 사물을 인터넷으로 연결하는 기술 • 빅데이터 기술 : 방대한 정보를 분석하여 활용하는 기술 • 인공 지능(AI) : 컴퓨터로 인간의 기억, 지각, 학습 이해 등 인간이 하는 지적 행위를 실현하고자 하는 기술 • 그 외 : 증강 현실(AR), 가상 현실(VR), 전자 결제, 언어 번역 등

족보 4 공학적 설계

과학 원리나 기술을 활용하여 기존의 제품을 개선하거나 새로운 제품 또는 시스템을 개발하는 창의적인 과정

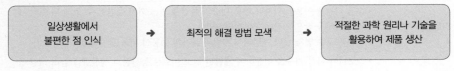

족보 5 제품 생산 시 고려해야 하는 점

예 전기 자동차 생산 시 고려해야 하는 점
• 경제성 : 축전지(배터리) 교체 비용을 줄이기 위해 수명이 긴 축전지 사용
• (⑫) : 소음이 거의 없는 전기 자동차의 접근을 보행자가 알 수 있도록 경보음 장치 설치
• 편리성 : 한 번 충전하면 먼 거리를 주행할 수 있도록 용량이 큰 축전지 사용
• 환경적 요인 : 배기가스를 배출하지 않도록 전기 에너지를 이용하는 전동기 사용
• 외형적 요인 : 주요 소비자층의 취향을 분석하여 설계

Ⅷ. 과학기술과 인류 문명

Memo

Memo

Memo